LES GRANDS LIVRES
DU ZODIAQUE

Collection dirigée par Joanne Esner

LE GRAND LIVRE DE LA BALANCE

HENRI LATOU

né sous le signe de la Balance

Le Grand Livre de la Balance

avec la participation technique de

ROBERT MALZAC

TCHOU

6, rue du Mail, 75002 - PARIS

Cet ouvrage comporte des tableaux vous permettant de saisir immédiatement :

N.B. Les parties respectivement intitulées « Comment interpréter les Planètes dans les Signes » et « Comment interpréter les Signes dans les Maisons » sont extraites des onze autres Grands Livres du Zodiaque, *sauf les passages concernant la Balance, rédigés par Henri Latou.*

SOMMAIRE

Comment passer de votre heure solaire de naissance
à l'heure universelle de Greenwich

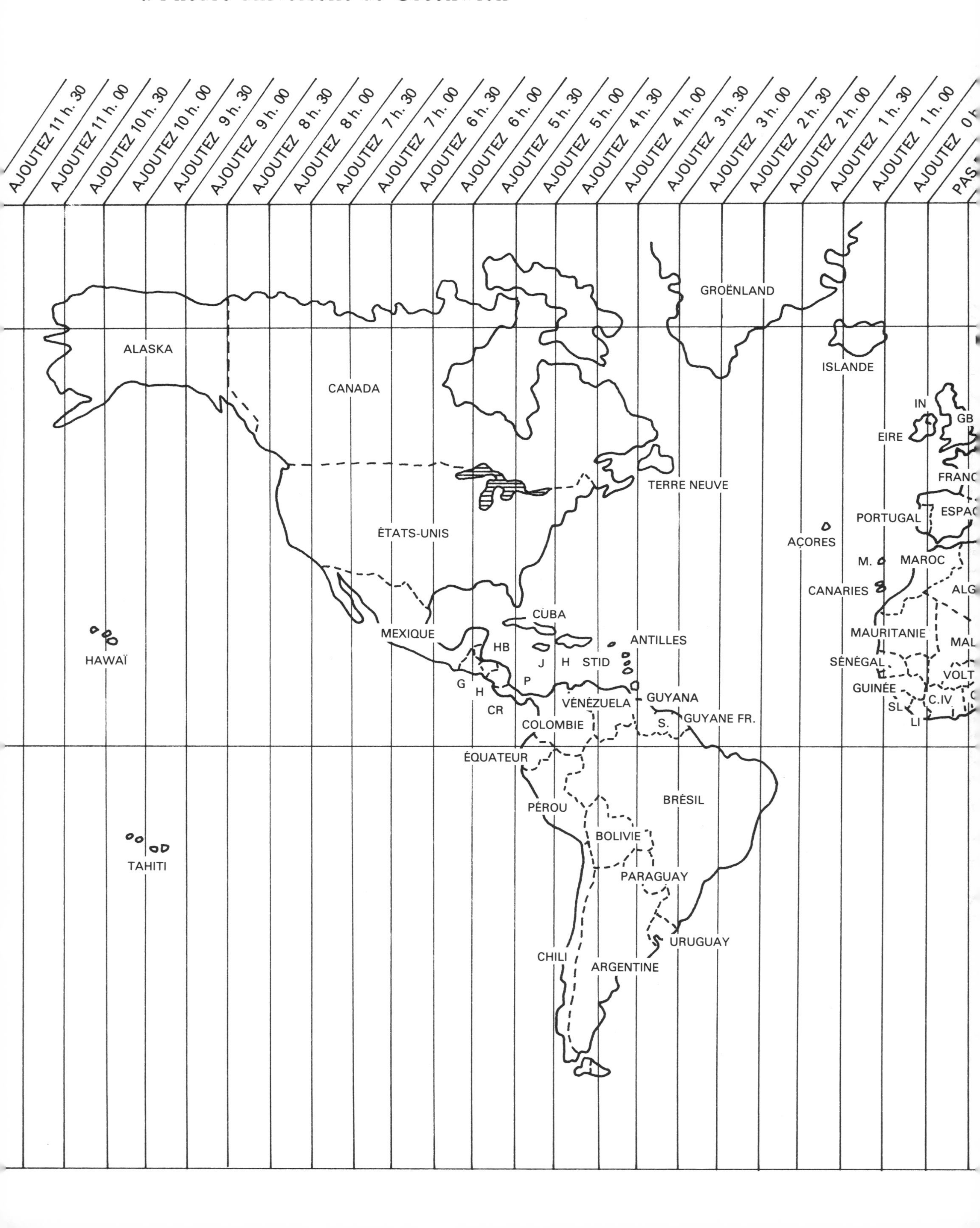

Comment passer de votre heure solaire de naissance
à l'heure universelle de Greenwich

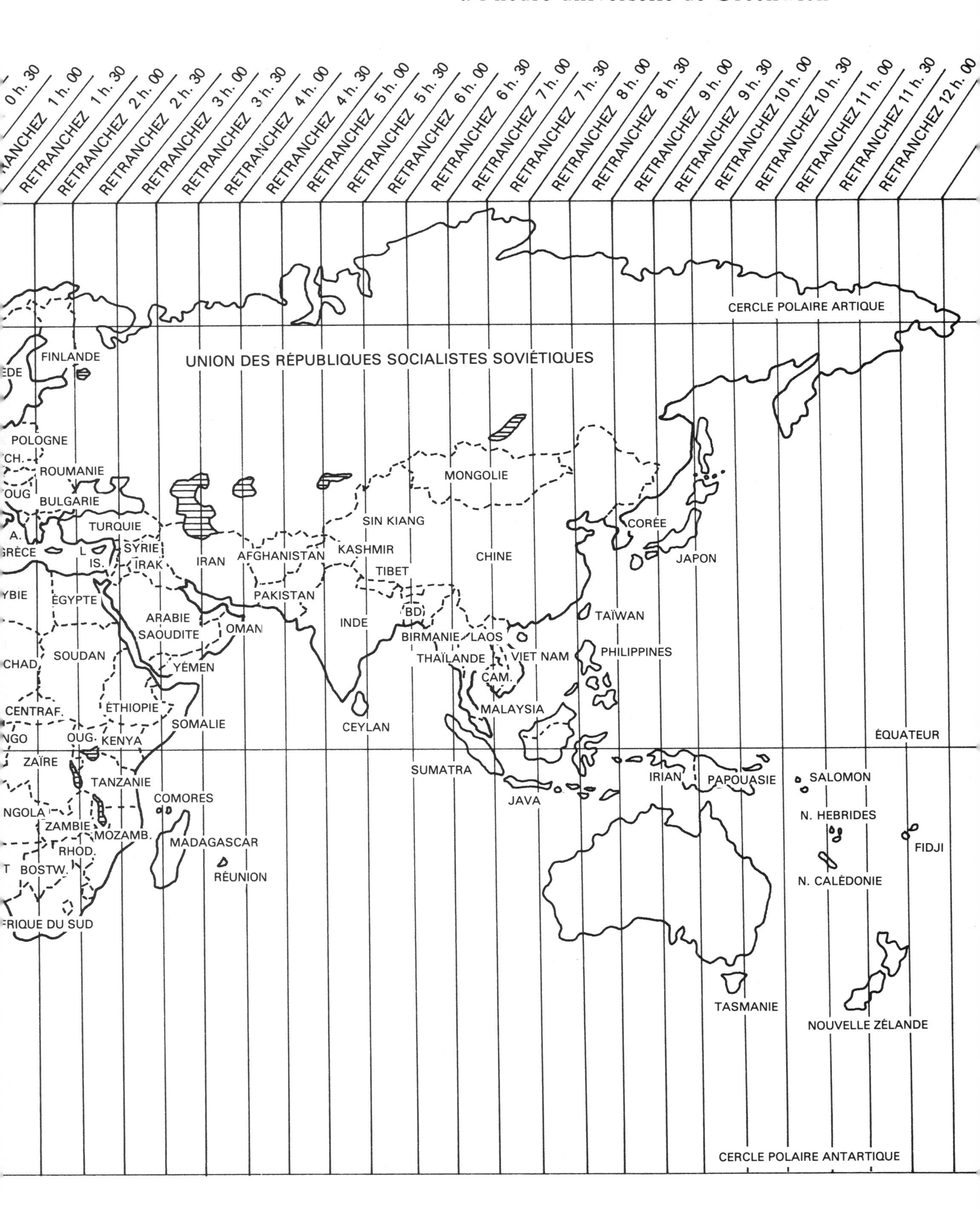

Justice et équité : voilà les mots clés de la Balance, représentés ici avec la grâce et la distinction du signe.

Introduction

Puisque cette collection traite essentiellement des signes, peut-être n'est-il pas inutile d'essayer de définir la place et l'importance des signes en astrologie, car ce qui sévit sous le nom d'astrologie dans les journaux et revues non spécialisés a fortement contribué à fausser les choses dans l'esprit d'un grand nombre de lecteurs.

Des plus jeunes aux plus âgés, tous ou presque connaissent aujourd'hui leur signe et parfois même leur décan. Hélas, ce que chacun peut lire chaque jour dans le journal à propos de son signe ne lui sera pas d'une grande utilité.

Cela peut avoir un sens quand le Soleil occupe une position dominante dans l'horoscope du sujet. Mais c'est loin d'être la règle, contrairement à ce que pourraient penser les profanes qui savent évidemment que le Soleil, centre de notre système, écrase de sa masse démesurée tous ses satellites, autrement dit les autres planètes.

L'astrologue est obligé de voir les choses différemment car il n'est pas rare que, dans un thème, le Soleil s'efface derrière Vénus ou Saturne ou n'importe quelle autre planète. Par contre, lorsque la naissance a eu lieu au moment où le Soleil se levait ou bien quand il culminait, alors sa position devient dominante dans l'horoscope.

En effet, dans le premier cas, il est en conjonction avec l'Ascendant et, dans le second, avec le Milieu-du-Ciel qui sont les deux axes fondamentaux structurant une figure horoscopique. Ils dessinent dans l'espace la croix personnelle du natif qui devient le symbole de son incarnation sur cette Terre. Alors, dans ce cas, les horoscopes (mais ce ne sont pas à proprement parler des horoscopes) publiés par la presse ont quelque chance de « coller » à la réalité. A la condition évidemment que l'astrologue qui les a établis ait honnêtement fait son travail.

Outre que ce genre d'horoscopes dessert l'astrologie plus qu'il ne la sert en donnant d'elle une image caricaturale, il entretient dans le public l'idée que les signes constituent l'essentiel de l'astrologie. Or, cela n'est pas exact, et il faut le dire, même dans une collection consacrée aux signes du Zodiaque : c'est une question d'honnêteté intellectuelle.

Dans un thème, l'astrologue se trouve en présence de trois éléments fondamentaux : les planètes, les signes et les Maisons. Quant aux aspects, à qui certains voudraient attribuer une importance souvent excessive, ils nous renseignent sur les relations qu'entretiennent entre eux les trois facteurs de base.

Les planètes représentent les forces en mouvement dans l'univers; les signes, intermédiaires entre le ciel et la terre, représentent la toile de fond devant laquelle évoluent les planètes, décor qui leur confère une couleur particulière ou leur fait subir certaines transformations; enfin, les Maisons localisent sur le plan terrestre le champ d'action des planètes : le domaine de la vie, la partie du corps, le groupe social, le secteur d'activité, etc. Pour mieux faire comprendre le jeu complexe de ces trois facteurs de base, nous allons emprunter à la grammaire une image qui parlera à l'imagination.

Dans une phrase simple à trois termes, le sujet correspond à la planète, le verbe au signe et le complément à la Maison. Si donc nous écrivons : « La jeune fille serre son amoureux dans ses bras », la « jeune fille » sera la planète, « serre dans ses bras » le signe, et « son amoureux », la Maison. Si maintenant nous voulons traduire astrologiquement cette phrase, nous dirons que Vénus se trouve dans le Cancer en Maison V.

En effet, de même que Mercure peut correspondre à un enfant ou Saturne à un savant plein d'expérience, la jeune fille appartient à la symbolique planétaire de Vénus. « Tirer à soi » est une des expressions clés que l'on peut appliquer au Cancer : c'est ce que fait ici la jeune fille quand elle serre son bien-aimé dans ses bras. L'hiéroglyphe du signe ♋ qui évoque, entre autres, les pinces de l'écrevisse ramenant à elle ce qu'elles appréhendent, s'accorde fort bien avec le geste de notre amoureuse. Quant à la Maison V, elle est liée aux jeux de l'amour, et l'amoureux y trouve naturellement sa place.

La phrase pourrait être enrichie de compléments circonstanciels de manière, de temps, etc., qui feraient intervenir les aspects reçus ici par Vénus. Ils n'ajouteraient cependant rien d'essentiel à cette illustration grammaticale du rôle respectif des trois facteurs fondamentaux de l'horoscope.

Pour prévenir certaines objections, il faut souligner que c'est là une des interprétations possibles de cette configuration. Ainsi, la Maison V se rapporte également aux enfants, et la jeune fille dont nous parlions plus haut pourrait, par exemple, être une puéricultrice jouant avec les enfants d'une école maternelle. Ces différentes possibilités d'interprétation nous rappellent qu'une configuration ne doit jamais être étudiée en dehors de son contexte.

Enfin, il peut y avoir interversion de signification entre signes et Maisons en raison du principe de correspondance entre les deux; les Gémeaux (troisième signe) et la Maison III, par exemple, peuvent correspondre à la rédaction d'un écrit, ou à cet écrit lui-même. C'est un problème qui se résoud par analyse et synthèse.

Nous notions plus haut que la presse a largement contribué à populariser les signes zodiacaux. C'est ce que confirmait voici une quinzaine d'années un sondage de l'IFOP selon lequel près de 60 % des Français connaissent leur signe de naissance. Il est permis de penser qu'ils sont aujourd'hui encore plus nombreux. Mais combien d'entre eux connaissent les planètes et les Maisons?

Face à cette place démesurée prise dans l'esprit du public par les signes, il semble que certains cercles astrologiques aient aujourd'hui tendance à mettre davantage l'accent sur les planètes, dont les travaux du statisticien Michel Gauquelin ont souligné l'importance [1].

Il ressort de ces statistiques que, par exemple, les futurs grands médecins, ceux qui, plus tard, entreront à l'Académie de médecine, ont une tendance marquée à naître quand les planètes Mars et Saturne viennent de se lever ou de culminer dans le ciel. Pour les sportifs ou les militaires, c'est Mars qui brille à proximité de l'Ascendant ou du Milieu-du-Ciel; et pour les députés ou les ministres, ce rôle revient à la Lune.

Ces résultats ont surpris Gauquelin lui-même, mais comme ils ont été contrôlés par certains de ses confrères qui auraient bien aimé le prendre en défaut, leur exactitude ne saurait être mise en doute. Ils appellent cependant quelques remarques qui permettront au lecteur de mieux saisir certains aspects du travail de l'astrologue.

Tout d'abord, ces résultats confirment certaines des propositions soutenues par les astrologues depuis des siècles. Car ils ont toujours su et dit, pour rester dans les généralités, que Mars représentait l'énergie et Saturne la réflexion. Ils savaient également qu'une planète est fortement valorisée par sa conjonction avec l'Ascendant ou le Milieu-du-Ciel. Mais les statistiques de Gauquelin et de quelques-uns de ses devanciers ou continuateurs ne portent que sur l'*aspect quantitatif* des facteurs astrologiques. Quand Mars se lève ou culmine, il ne gagne rien en qualité, seulement en *quantité.*

Or, l'astrologie traditionnelle, celle dont nous nous réclamons ici, est à la fois quantitative et qualitative. Un Mars valorisé quantitativement dans les conditions définies par Gauquelin est également assorti d'un certain nombre de qualités que la méthode statistique n'appréhende pas.

Voilà pourquoi les essais de Gauquelin et de ses confrères étaient voués à l'échec quand ils ont voulu appliquer leurs statistiques à des milliers de dates de naissance d'artistes pour voir si, comme l'affirme la Tradition astrologique, le signe de la Balance confère des qualités artis-

1. *L'Influence des astres, étude critique et expérimentale*, Éd. du Dauphin, 1955. *Les Hommes et les Astres*, Denoël, 1960.

tiques aux enfants nés sous son influence, ce signe étant gouverné par Vénus, planète des arts et de la beauté.

Ils déduisaient a priori de cette affirmation de la Tradition que, si l'astrologie avait raison, « les enfants nés quand le Soleil traverse le signe de la Balance devraient devenir plus souvent peintres ou musiciens que les enfants nés sous les autres signes du Zodiaque ».

Comment croire d'un astrologue digne de ce nom que le seul fait de naître au moment où le Soleil traverse la Balance serait une condition suffisante pour faire un musicien ? Tout au plus dira-t-il qu'un musicien né au moment où le Soleil traversait la Balance composera une musique qui sera marquée de l'empreinte de ce signe, sous réserve évidemment que la Balance ait une influence dominante dans l'horoscope, ce que seule une étude globale du thème peut révéler. Alors se vérifiera ce que nous disions plus haut des signes qui donnent une coloration, créent un style, marquent une ambiance, en un mot dressent le décor dans lequel va se jouer la pièce de la vie. Et si nous ouvrons le *Dictionnaire astrologique* de H. Gouchon au mot *Musique*, que lisons-nous ? : « *Musique* — Dominante : Vénus-Lune; Vénus-Saturne; Vénus-Soleil; Vénus-Mercure; AS signes d'Air ou décan de Vénus; bons aspects entre les planètes précitées; surtout conj. ou sextile Vénus-Mercure, trigone Saturne-Vénus; aspects Uranus-Vénus, Uranus-Mercure, quadrature Neptune-Soleil; Vénus en I; Mercure en III en signe de Vénus. »

Autrement dit, ce n'est que lorsque l'astrologue aura réuni plusieurs de ces indices qu'il commencera à dégager le profil d'un musicien dans la mesure où ces indices s'accorderont avec l'ensemble du thème. Tout cela montre que le problème se pose en termes autrement plus complexes que ceux dans lesquels voudraient le poser les statisticiens.

Si nous reprenons en la généralisant l'image que nous avons empruntée au théâtre pour essayer de faire saisir au lecteur l'interaction des trois facteurs fondamentaux d'un horoscope — planètes, signes et Maisons —, nous dirons que l'acteur (planète) joue dans un lieu déterminé (Maison) dont le décor, le style ou l'ambiance (signe) influent sur le caractère de l'acteur comme sur le déroulement de l'action. Car il n'est pas indifférent que l'action se déroule dans une salle de ferme ou dans le salon d'un palais. Mais qu'il s'agisse d'une tragédie ou d'une comédie, l'acteur reste l'élément essentiel.

Cela est tellement vrai que certains metteurs en scène modernes n'hésitent pas à faire jouer leurs acteurs dans un décor tellement anonyme qu'il devient impossible de situer l'action dans le temps ou l'espace. Dès lors, tout l'intérêt du spectateur se concentre sur la psychologie des personnages.

Il en va de même en astrologie. Les systèmes qui rejettent les signes et les Maisons débouchent sur une astrologie essentiellement psychologique. Ils se privent ainsi de deux éléments importants dont le maniement n'est certes pas aisé, mais qui permettent d'habiller de chair et de faire vivre dans la vie quotidienne des êtres qui sans cela ne sont plus que des réseaux de complexes psychologiques. L'astrologie, c'est la vie, et nous devons l'accepter dans sa totalité.

Nous espérons que ces quelques remarques auront permis au lecteur de prendre conscience de la complexité des problèmes que cherche à résoudre l'astrologue et de mieux apprécier le rôle respectif des éléments fondamentaux d'un horoscope.

De quel côté penche votre personnalité Balance ?

Les deux listes d'adjectifs ci-dessous décrivent les aspects positifs et négatifs de la personnalité Balance.

Vous lisez chaque mot et, le plus honnêtement possible, vous évaluez si ce mot vous concerne ou non.

Chaque fois que votre réponse est « Oui, ce mot me concerne », vous cochez la case correspondante dans la colonne 1 (maintenant).

Totalisez ensuite le nombre de croix de la colonne de gauche et inscrivez ce nombre dans la case Total; faites de même pour la colonne de droite.

Si votre total de gauche est supérieur de 8 points ou plus à votre total de droite, vous êtes actuellement dominé(e) par les excès et les contradictions de votre signe.

Si votre total de droite est supérieur de 8 points ou plus à votre total de gauche, vous réalisez pleinement le potentiel de la Balance.

Refaites cette exploration dans un an puis dans deux ans; chaque fois que vous pourrez honnêtement supprimer une croix dans la colonne de gauche ou ajouter une croix dans la colonne de droite, vous avancerez sur la voie de votre heureux accomplissement personnel.

	maintenant	dans 1 an	dans 2 ans		maintenant	dans 1 an	dans 2 ans
LÉGER				HARMONIEUX			
FACILE				ÉQUILIBRÉ	✓		
INDÉCIS				APAISANT			
INDOLENT				SENSIBLE	✓		
VANITEUX				ASSOCIATIF			
COQUET				ÉLÉGANT	✓		
DILETTANTE				ESTHÈTE	✓		
CHANGEANT				SOIGNÉ	✓		
RANCUNIER				GAI	✓		
FRIVOLE				RAFFINÉ			
INFLUENCABLE				AFFABLE	✓		
OSCILLANT				ÉQUITABLE	✓		
CRÉDULE				POLI	✓		
CAMÉLÉON				ARTISTE			
PARESSEUX				SOCIABLE			
NONCHALANT				AFFECTUEUX	✓		
CONFUS				CHARMEUR	✓		
JOUISSEUR				DIPLOMATE	✓		
PASSIF				CONCILIANT	✓		
ÉGOISTE				IDÉALISTE			
SNOB				ENJOUÉ			
INSTABLE				OPTIMISTE			
PEU PERSÉVÉRANT				COOPÉRATIF	✓		
OISIF				DOUÉ D'UN BON JUGEMENT	✓		
TENTÉ par L'ILLÉGALITÉ				LÉGALISTE	✓		
Total				**Total**	16		

Chapitre Premier

Symbolique et Mythologie du Signe

Le signe de la Balance correspond à l'automne, saison où la nature s'appauvrit pour se préparer à l'hiver. D'où une certaine gravité dans le caractère de ce signe.

La Symbolique du Signe

Quand nous entrons dans l'été, vers la fin du mois de juin, ce changement de saison ne se remarque presque pas; les manifestations de l'été naissant s'accordent parfaitement avec celles du printemps qui s'achève. Si le calendrier et les mass média ne nous en informaient, nous ne remarquerions même pas ce passage d'une saison à l'autre.

Quel contraste avec ce que l'on ressent vers la fin du mois de septembre! Il semble alors que le travail incessant de la nature soit mystérieusement suspendu. Or, chacun a eu l'occasion d'observer que, lorsqu'un corps en mouvement subit un arrêt, les forces d'inertie qui l'habitent lui impriment un mouvement de va-et-vient plus ou moins prononcé, un mouvement de *balance*.

C'est un phénomène analogue que l'on peut observer chaque année autour du 23 septembre, au moment où le Soleil entre dans le signe de la Balance, dont le nom rappelle précisément ce balancement qui accompagne l'arrêt apparent des forces de la nature.

Astronomiquement, le 23 septembre marque une étape importante dans la course apparente du Soleil autour de la Terre. Ce jour-là, il a parcouru la moitié de son périple annuel le long de l'écliptique. Ce périple avait commencé au point vernal (ou 0 degré du Bélier) que les astronomes désignent par la lettre grecque *gamma*, et qui est pris pour origine du Zodiaque solaire auquel se réfèrent la plupart des astrologues [1].

Quand le Soleil est au point vernal où se rencontrent l'écliptique et l'équateur céleste, les jours et les nuits sont d'égale longueur : c'est l'équinoxe de printemps. Après avoir décrit pendant les mois de grande lumière sa trajectoire à travers l'hémisphère Nord, le Soleil se retrouve le 23 septembre à 180 degrés du point vernal où l'écliptique coupe une nouvelle fois l'équateur céleste : on arrive alors à l'équinoxe d'automne, marqué, comme au premier jour du printemps, par l'équilibre des jours et des nuits. C'est cet équilibre qu'exprime le nom donné au signe qui accueille à ce moment, le Soleil : la Balance.

Une objection vient tout de suite à l'esprit : comment se fait-il que l'idée d'équilibre n'ait été retenue que pour l'équinoxe d'automne et pas pour l'équinoxe de printemps? A cela, on peut opposer que, s'il est exact que les deux points équinoxiaux marquent un temps d'équilibre, l' « équilibre » du Bélier est à l'évidence très différent de celui de la Balance. Car, s'il est un symbole qui s'oppose à l'idée d'équilibre, de mesure, de moyenne, c'est bien le Bélier dont la fougue juvénile ne s'embarrasse guère de nuances.

En effet, quand le Soleil commence à s'élever dans l'hémisphère Nord, l'activité extérieure liée à l'accroissement de la lumière se développe avec une telle rapidité que le fragile équilibre

1. Le *Zodiaque solaire* ne doit pas être confondu avec le *Zodiaque stellaire* formé par les constellations qui ont donné leur nom aux signes du Zodiaque solaire. Depuis une vingtaine de siècles, les deux Zodiaques ne coïncident plus. En effet, à l'époque d'Hipparque, le grand astronome grec du IIe siècle avant Jésus-Christ, la constellation du Bélier correspondait encore au premier signe du Zodiaque solaire. Depuis, du fait de la précession des équinoxes, le point vernal a rétrogradé à travers les constellations et se trouve actuellement au seuil de la constellation du Verseau. Voilà pourquoi il est dit aujourd'hui que l'Humanité va entrer dans l'*ère du Verseau*. Donner une date précise de cette entrée serait bien hasardeux, certains astrologues cependant s'y risquent. Ce n'est que dans vingt-quatre mille ans environ que les deux Zodiaques coïncideront de nouveau.

Ce superbe paysage isolé, calme, aux demi-teintes automnales, convient aux Balance.

de l'équinoxe de printemps se trouve rapidement rompu. Pris dans le tourbillon des forces ascendantes, l'homme a vite fait d'oublier le royaume de la nuit où l'ont retenu prisonnier les longs mois d'hiver. Tout entier tourné vers l'action, il n'a ni le loisir ni le goût de regarder en arrière pour s'abandonner au regret.

Le véritable équilibre, celui que la Tradition a fixé dans un symbole, se situe à l'équinoxe d'automne. Ici, la balance est tenue égale entre les jours et les nuits, entre la lumière et l'obscurité, entre la vie et la mort. On dirait que la nature va sombrer dans les ténèbres, comme l'expriment si bien ces deux vers de Baudelaire :

« Bientôt nous plongerons dans les froides ténèbres,
Adieu vive clarté de nos étés trop courts. »

Celui qui a la chance de vivre à l'écart des villes, au contact direct de la nature, ressent profondément cette hésitation qui s'accompagne d'un changement. La chaleur a sensiblement diminué, l'été ayant jeté tous ses feux, mais ce n'est pas cela qui frappe le plus l'observateur attentif de la vie de la nature. Ce qui retient son attention, c'est une différence de qualité dans l'atmosphère. L'air a soudain une douceur et une subtilité qui correspondent à l'esprit de la Balance : les valeurs matérielles vont s'effacer devant les valeurs spirituelles.

Tel un immense vaisseau cosmique, le Soleil semble s'engager sur une nouvelle route. Évidemment il n'en est rien, tout cela n'est qu'apparence puisque c'est la Terre qui, dans sa translation autour du Soleil, pénètre dans de nouvelles régions de l'espace. Mais il y a des apparences plus fortes que toutes les réalités astronomiques parce que, depuis des temps immémoriaux, elles ont créé dans le psychisme de l'homme une autre réalité contre laquelle la science des astronomes ne peut rien. Pour l'homme soumis au rythme du jour et de la nuit et au rythme des saisons, la réalité reste géocentrique. Même si dans les villes le jour est prolongé artificiel-

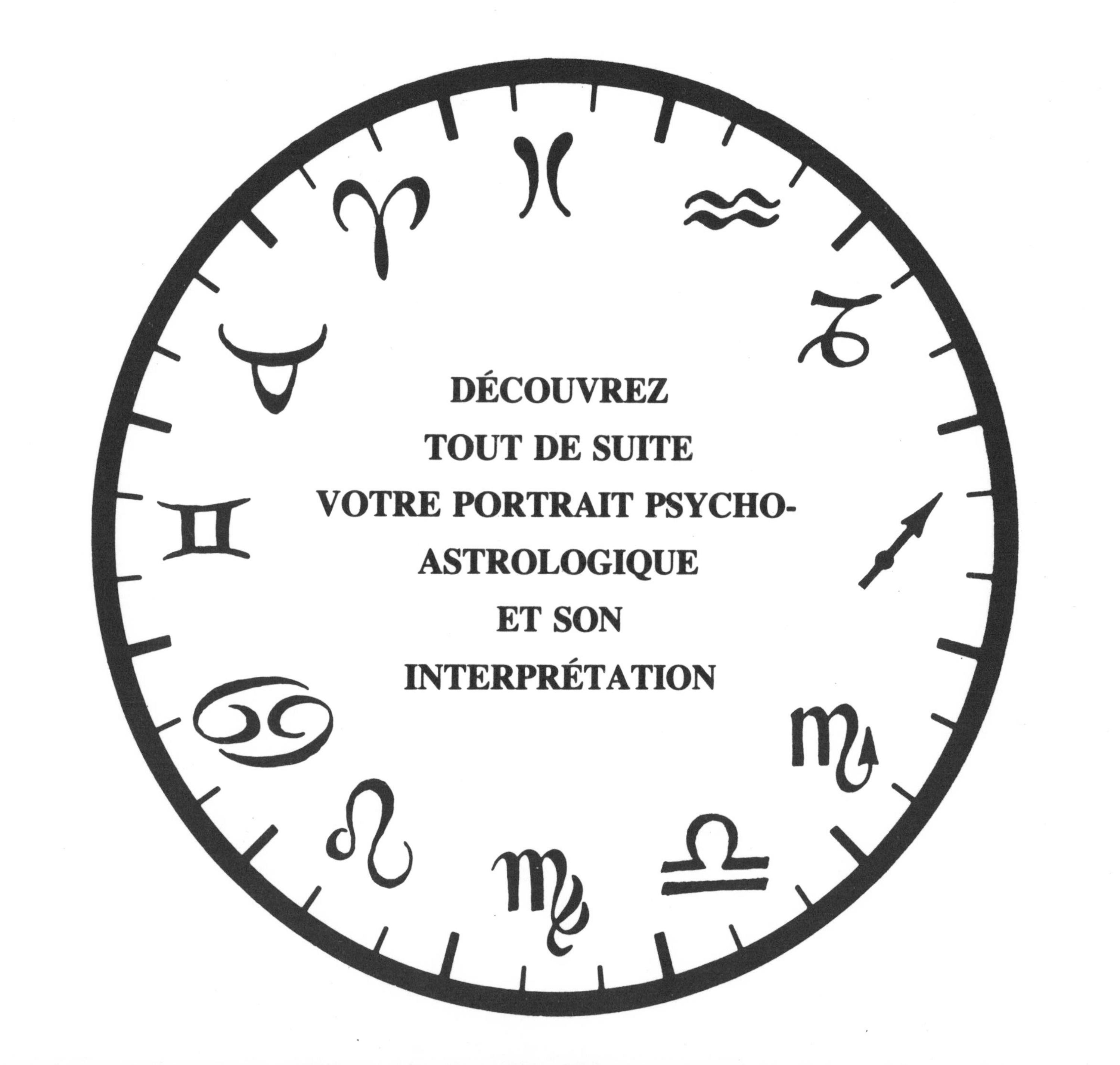
DÉCOUVREZ
TOUT DE SUITE
VOTRE PORTRAIT PSYCHO-
ASTROLOGIQUE
ET SON
INTERPRÉTATION

EXEMPLE

POSITION DES PLANETES A VOTRE NAISSANCE

SIGNE ZODIACAL	SOLEIL	LUNE	MERCURE	VENUS	MARS	JUPITER	SATURNE	URANUS	NEPTUNE	PLUTON	ASCEND	NOMBRE DE PLANÈTES DANS CHAQUE SIGNE (Comptez aussi l'Ascendant)
BELIER												
TAUREAU			X								X	2
GEMEAUX	X			X			X	X				4
CANCER												
LION					X	X				X		3
VIERGE												
BALANCE									X			1
SCORPION		X										1
SAGITTAIRE												
CAPRICORNE												
VERSEAU												
POISSONS												

REPARTITION PSYCHO-ASTROLOGIQUE DE VOS PLANETES

	PRINTEMPS ETE	AUTOMNE HIVER	ACTIF	RECEPTIF	CARDINAL	FIXE	MUTABLE	FEU	TERRE	AIR	EAU
BELIER											
TAUREAU	2			2		2			2		
GEMEAUX	4		4				4			4	
CANCER											
LION	3		3			3		3			
VIERGE											
BALANCE		1	1		1					1	
SCORPION		1		1		1					1
SAGITTAIRE											
CAPRICORNE											
VERSEAU											
POISSONS											
TOTAL (4) A	9	2	8	3	1	6	4	3	2	5	1
DOMINANTE (5) B	X		X			X		X		X	
	A	B	A	B	A	B	C	A	B	C	D
	R1		R2		R3			R4			

Pour dresser ce portrait psycho-astrologique, il faut :

1.- Connaître la position des planètes à votre naissance : vous la trouverez au Chapitre V, intitulé " A la recherche de votre Moi profond ", à la page des positions planétaires qui correspond à votre année et à votre jour de naissance.

2.- Connaître la position de votre ascendant. Pour ce faire, reportez-vous au Chapitre III de l'ouvrage, intitulé " Comment trouver votre ascendant sans aucun calcul ".

1944	MERCURE	VENUS	MARS	JUPITER	SATURNE	URANUS	NEPTUNE	PLUTON	LUNE
4 Juin :	Taureau	Gémeaux	Lion	Lion	Gémeaux	Gémeaux	Balance	Lion	Scorpion

Dans l'exemple qui est donné, le sujet est né le 4 Juin 1944 à Fontainebleau, à 5h10. Nous avons recherché la position de ses planètes dans les signes, puis son ascendant. Dans le tableau intitulé " Position des planètes à votre naissance ", nous avons coché d'une croix la case correspondant au Soleil en Gémeaux, à Mercure en Taureau et ainsi de suite pour les autres planètes aussi bien que pour l'ascendant qui est en Taureau.

Découvrez rapidement

VOS POINTS FORTS
VOS POINTS FAIBLES

Elément	SIGNE ZODIACAL	SOLEIL	LUNE	ASCENDANT	TENDANCES PSYCHOLOGIQUES CORRESPONDANTES
FEU	**BÉLIER**				**POINTS FORTS : ÉNERGIE, COURAGE, ESPRIT D'ENTREPRISE ET D'INNOVATION.** POINTS FAIBLES : VIOLENCE, TÉMÉRITÉ, COUPS DE TÊTE, ESPRIT QUERELLEUR.
TERRE	TAUREAU				**POINTS FORTS : PATIENCE, SOLIDITE, AFFECTION, SENS DES AFFAIRES, FIDELITE** POINTS FAIBLES : LENTEUR, OBSTINATION, JALOUSIE, AVIDITÉ, NAÏVETÉ.
AIR	**GÉMEAUX**				**POINTS FORTS : INTELLIGENCE, INGÉNIOSITÉ, SOUPLESSE, TALENT D'ÉCRIVAIN** POINTS FAIBLES : DISPERSION, NERVOSITÉ, INCONSTANCE, ESPRIT SUPERFICIEL.
EAU	CANCER				**POINTS FORTS : SENSIBILITE, MEMOIRE, IMAGINATION, TENACITÉ.** POINTS FAIBLES : HYPERÉMOTIVETÉ, TIMIDITÉ, CAPRICE, SUSCEPTIBILITÉ.
FEU	**LION**				**POINTS FORTS : VITALITÉ, AUTORITÉ, ORGANISATION, SINCÉRITÉ, CRÉATIVITÉ.** POINTS FAIBLES : ORGUEIL, TYRANNIE, DOGMATISME, SNOBISME.
TERRE	VIERGE				**POINTS FORTS : PERSPICACITÉ, MÉTHODE, PRÉCISION, SERVIABILITÉ.** POINTS FAIBLES : ESPRIT CRITIQUE, TATILLON, ANXIÉTÉ, MESQUINERIE.
AIR	**BALANCE**				**POINTS FORTS : CHARME, SOCIABILITE, DIPLOMATIE, BON JUGEMENT, ART.** POINTS FAIBLES : LÉGÈRETÉ, INDÉCISION, VANITÉ, INDOLENCE.
EAU	SCORPION				**POINTS FORTS : FORTE VOLONTÉ, IMAGINATION, INTUITION, SECRET.** POINTS FAIBLES : DURETÉ, JALOUSIE DESTRUCTRICE, MÉFIANCE, EXTRÉMISME.
FEU	**SAGITTAIRE**				**POINTS FORTS : OPTIMISME, SAGESSE, INDÉPENDANCE, EXPLORATION, SPORT.** POINTS FAIBLES : EXAGÉRATION, AVENTURISME, BOUGEOTTE, RÉBELLION.
TERRE	CAPRICORNE				**POINTS FORTS : SENS DES RESPONSABILITÉS, SANG-FROID, AMBITION, PATIENCE** POINTS FAIBLES : PESSIMISME, FROIDEUR, AVARICE, RIGORISME, ISOLEMENT.
AIR	**VERSEAU**				**POINTS FORTS : ALTRUISME, ESPRIT INVENTIF, PROGRES, COOPÉRATION.** POINTS FAIBLES : EXCENTRICITÉ, BRUSQUERIE, ENTÊTEMENT, RÉVOLTE.
EAU	POISSONS				**POINTS FORTS : COMPRÉHENSION, INSPIRATION, BONTE, ADAPTATION, ACCUEIL.** POINTS FAIBLES : CONFUSION, INDÉCISION, IMPRESSIONNABILITÉ, MORBIDITÉ.

* **Dans chaque colonne, vous cochez le signe zodiacal (Soleil, Lune ou Ascendant) où se trouvait à votre naissance l'élément correspondant.**

Le soleil représente vos buts conscients, votre ambition, l'énergie volontaire sur laquelle vous pouvez compter pour réussir dans la vie.

La lune représente vos désirs profonds, cachés, insconscients, vos nostalgies. Ce qui peut faciliter* ou perturber** la réalisation de vos décisions conscientes.

* si Lune et Soleil se trouvent dans des signes zodiacaux de même caractère (gras ou maigre) cela signifie que vos désirs profonds sont en harmonie naturelle et constructive avec vos buts conscients, ce qui ne manque pas de faciliter leur réalisation.

** si Lune et Soleil se trouvent dans des signes de caractère différent, cela veut dire que vos désirs profonds vont vers une autre direction que vos buts conscients et que cette contradiction plus ou moins forte crée en vous une tension, créatrice ou agressive selon les moments.

Voici les planètes qui vous influencent le plus

SIGNE ZODIACAL	SOLEIL	LUNE	ASCEND	VOTRE PLANÈTE DOMINANTE EST	ELLE S'EXPRIME DANS VOTRE PERSONNALITÉ PAR
BÉLIER				**MARS**	L'INITIATIVE POUR ÊTRE LE PREMIER.
TAUREAU				**VÉNUS**	L'AMABILITÉ POUR HARMONISER.
GÉMEAUX				**MERCURE**	L'INTELLIGENCE POUR COMMUNIQUER
CANCER				**LUNE**	LA SENSIBILITÉ POUR ÊTRE AVEC LES AUTRES
LION				**SOLEIL**	LA PUISSANCE POUR RAYONNER SUR LES AUTRES
VIERGE				**MERCURE**	L'ANALYSE POUR MAÎTRISER.
BALANCE				**VÉNUS**	LA SÉDUCTION POUR ASSOCIER
SCORPION				**PLUTON**	LA PASSION POUR TRANSFORMER
SAGITTAIRE				**JUPITER**	L'OPTIMISME POUR DÉVELOPPER
CAPRICORNE				**SATURNE**	LA PROFONDEUR POUR AFFERMIR
VERSEAU				**URANUS**	LA SPONTANÉITÉ POUR ÉCHANGER ET CHANGER
POISSONS				**NEPTUNE**	L'INSPIRATION POUR COMMUNIER AVEC LES AUTRES

* **Vous cochez dans la colonne «Soleil» le signe zodiacal où se trouvait le Soleil à votre naissance. Vous faites de même pour la Lune puis pour l'Ascendant. Sur la ligne correspondant à chaque case cochée, vous découvrez la planète qui influence cet aspect de votre personnalité puis la manière dont elle s'exprime habituellement.**

L'Ascendant représente votre comportement spontané dans les diverses situations sociales qui vous concernent chaque jour.
Il constitue une réponse commode aux adaptations incessantes que le monde extérieur et les autres exigent de vous. Il masque et protège les domaines plus intérieurs de votre personnalité que représentent le Soleil et la Lune.

		VOTRE DOMINANTE (cochez ci-dessous les mêmes cases qu'à la ligne « B »)		MOT-CLÉ	CONTENU PSYCHOLOGIQUE DE CHAQUE MOT-CLÉ	inscrivez ici VOS MOTS-CLÉ (correspondants à chaque case cochée) (6)
R1	A	PRINTEMPS ÉTÉ	☐	**EXTRAVERTI**	Votre psychisme est orienté vers l'extérieur, vous avez besoin de contacts avec le monde et les autres, vous aimez extérioriser vos sentiments et vos idées.	
	B	AUTOMNE HIVER	☐	**INTROVERTI**	Votre psychisme est orienté vers l'intérieur, vous avez besoin de solitude et de réflexion, votre vie intérieure est intense mais vous n'aimez pas étaler vos sentiments ni vos idées, vous préférez garder une certaine distance vis-à-vis du monde.	
R2	A	MASCULIN	☐	**ACTIF**	Dynamisme, extériorisation des sentiments, des désirs et des idées dans l'action, initiative, courage physique. En excès (9 et plus) impulsivité, violence, témérité, orgueil, surestimation de soi.	
	B	FÉMININ	☐	**RÉCEPTIF**	Retenue, discrétion, intériorisation, forte sensibilité aux ambiances, diplomatie, ténacité, sens du secret. En excès (9 et plus) passivité, inquiétude, insatisfaction de son sort.	
R3	A	CARDINAL	☐	**ENTREPRENANT**	Aptitudes de chef, sens du but, capacité d'animation, esprit d'entreprise, ambition, efficacité. En excès (7 et plus) autoritarisme, activisme.	
	B	FIXE	☐	**PERSÉVÉRANT**	Puissance des émotions et des désirs, patience, calme, conservatisme, fidélité, changements rares mais durables. En excès (7 et plus) égocentrisme, routine, entêtement, rigidité.	
	C	MUTABLE	☐	**ADAPTABLE**	Importance de la vie intellectuelle, bon jugement objectivité, souplesse, débrouillardise, art de la parole et de l'écrit, goût des déplacements, hospitalité, accueil. En excès (7 et plus) indécision, attitudes contradictoires, manque d'ambition.	
R4	A	FEU	☐	**ENTHOUSIASTE**	Tempérament bilieux prédisposé à l'action, foi en un sens supérieur de la vie, autorité, commandement, générosité, raisonnement. En excès (5 et plus) irascibilité, précipitation, orgueil.	
	B	TERRE	☐	**PRATIQUE**	Tempérament mélancolique nerveux à réactions lentes mais durables, goût du concret, méthode, ordre, économe, persévérant, précis, prévoyance, sens du service aux autres, sens partique élevé. En excès (5 et plus) anxiété, dogmatisme, matérialisme, calcul.	
	C	AIR	☐	**CÉRÉBRAL**	Tempérament sanguin à réactions vives mais peu durables, richesse intellectuelle, sensibilité, ingéniosité, curiosité scientifique, inventif, créatif, communicatif, talent pédagogique, aisance. En excès (5 et plus) instabilité, distraction, impressionnabilité.	
	D	EAU	☐	**ÉMOTIF**	Tempérament lymphatique à vive sentimentalité, imagination forte, émotions intenses, romantisme, goût du mystère, occultisme, goût de la vie sociale, capacité exceptionnelle de régénération et de réalisations animées par l'inspiration. En excès (5 et plus) caprice, superstition, apathie.	

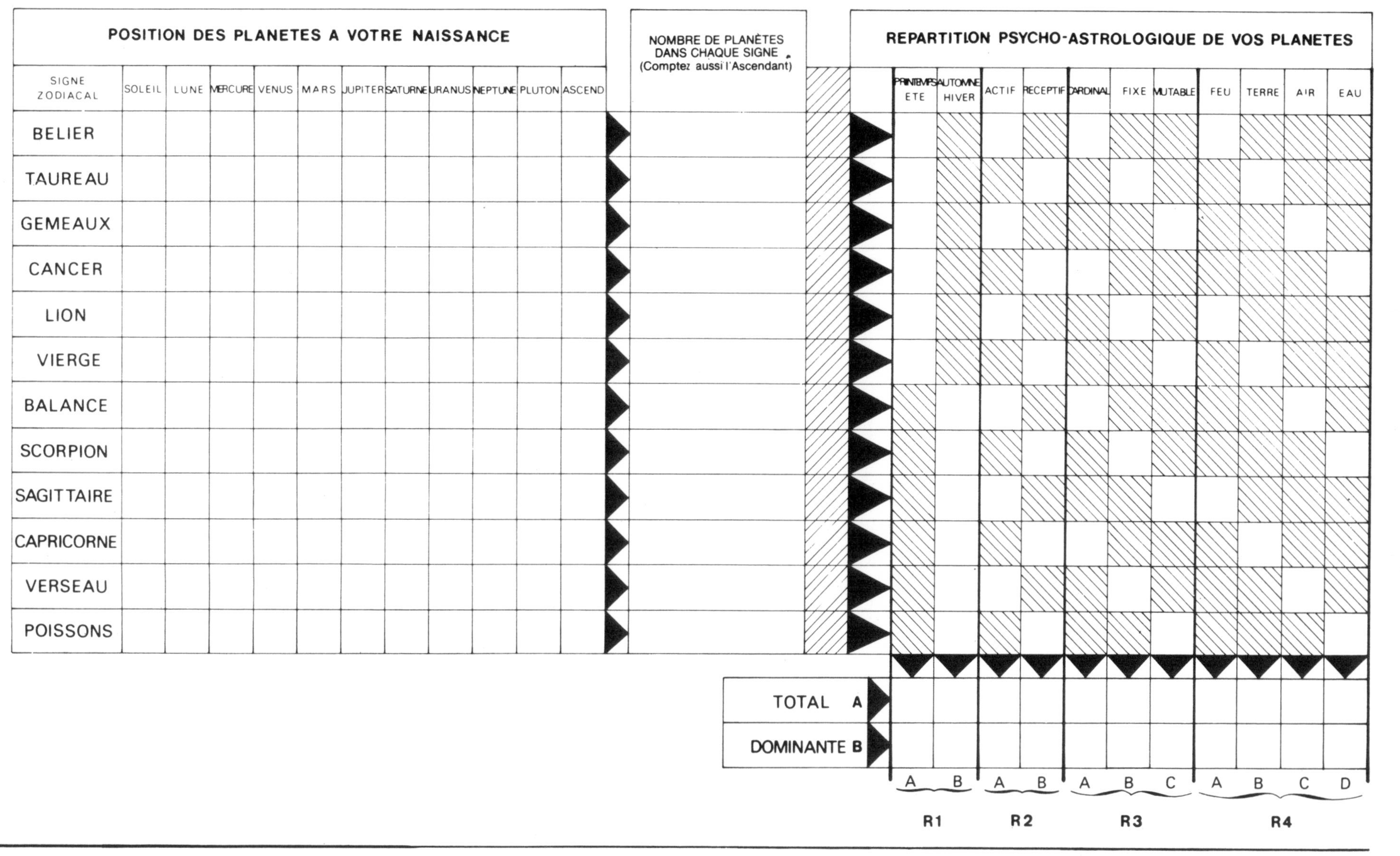

POSITION DES PLANETES A VOTRE NAISSANCE											
SIGNE ZODIACAL	SOLEIL	LUNE	MERCURE	VENUS	MARS	JUPITER	SATURNE	URANUS	NEPTUNE	PLUTON	ASCEND
BELIER											
TAUREAU											
GEMEAUX											
CANCER											
LION											
VIERGE											
BALANCE											
SCORPION											
SAGITTAIRE											
CAPRICORNE											
VERSEAU											
POISSONS											

NOMBRE DE PLANÈTES DANS CHAQUE SIGNE (Comptez aussi l'Ascendant)

REPARTITION PSYCHO-ASTROLOGIQUE DE VOS PLANETES											
	PRINTEMPS ETE	AUTOMNE HIVER	ACTIF	RECEPTIF	CARDINAL	FIXE	MUTABLE	FEU	TERRE	AIR	EAU
TOTAL A											
DOMINANTE B											
	A	B	A	B	A	B	C	A	B	C	D
	R1		R2		R3			R4			

Ensuite, dans le tableau du milieu ("Nombre de planètes dans chaque signe") nous avons totalisé les croix pour chaque signe : 2 en Taureau, 4 en Gémeaux, 3 en Lion, 1 en Balance, 1 en Scorpion. Enfin, dans le tableau de droite ("Répartition psycho-astrologique de vos planètes"), nous avons reporté les chiffres inscrits au tableau du milieu, dans les cases blanches, uniquement.

Il ne nous restait plus qu'à additionner les chiffres par colonne pour trouver la dominante. Dans ce cas, le total était de 9.2, 8.3, 1.6.4., 3.2.5.1. et les dominantes : pour R1 : la colonne A (9) - pour R2 : la colonne A (8) - pour R3 : les colonnes B (6) et C (4) - pour R4 : les colonnes A (3) et C (5).

Nous reportons alors ces résultats à la page 5 du tiré à part, soit :
R1 Case A - R2 Case A - R3 Cases B et C - R4 Cases A et C -.

A droite des cases ainsi cochées, il vous suffit de lire les textes correspondants pour trouver les caractéristiques fondamentales de votre personnalité.

Pour notre exemple, il s'agit d'une personnalité *extravertie, active, persévérante, adaptable, enthousiaste et cérébrale.*

L'automne est la saison des vendanges. Le Vénusien de la Balance est imprégné de la douceur des fruits gorgés de soleil.

lement et si les saisons voient leurs différences effacées par le confort, l'homme ne peut échapper complètement à ces rythmes naturels qui sont inscrits dans son corps.

Au-delà d'une nouvelle qualité de l'atmosphère, au propre comme au figuré, il y a le spectacle offert par la nature et par la vie en ces premiers jours d'automne. Nous allons retirer de son observation un certain nombre d'indications sur la mentalité et le comportement des natifs de la Balance.

Fin septembre, la sève commence à se retirer peu à peu des hautes branches des arbres et les premières feuilles mortes jonchent le sol. Au cours du mois astrologique précédent [1], alors que le Soleil traversait le signe de la Vierge, les blés ont été coupés, battus, engrangés et comptabilisés. A présent, les vendanges et la cueillette des fruits touchent à leur fin : greniers et celliers sont pleins.

Arrêtons-nous un instant sur ces fruits qui semblent être l'aboutissement de tout le travail de la nature. En réalité, ils n'ont été qu'un prétexte, car cet immense effort de la nature tendait à fabriquer une nouvelle graine pour remplacer celle qui avait été le point de départ du cycle. Un cycle est bouclé, un nouveau cycle peut commencer. Mais il ne va pas commencer tout de suite.

Ainsi que le rapporte la Genèse (2,2), « Dieu termina le sixième jour l'œuvre qu'il avait faite et il se reposa le *septième* jour de toute l'œuvre qu'il avait faite ». La Balance étant le *septième* signe du Zodiaque, comment ne pas établir un rapprochement entre ce texte et les cycles zodiacaux ? Ainsi avec l'entrée du Soleil dans la Balance, la nature — et avec elle l'homme — marque

1. Le mois astrologique ne coïncide pas avec le mois légal. Cependant les Français ont connu sous la Révolution un calendrier, dit républicain, dont les douze mois de trente jours et trois décades analogues aux mois du calendrier égyptien correspondaient aux mois astrologiques. En effet, l'année débutait le 22 septembre qui est marqué par l'entrée du Soleil dans la Balance. Ce calendrier éphémère, pour lequel Fabre d'Églantine inventa des noms de mois poétiques (messidor, floréal, vendémiaire), fut aboli en 1806 après douze années d'existence.

Le septième jour de la création, jour de repos, est le moment privilégié de la Balance : en effet, c'est un signe de loisirs et de distractions.

une pause. Car cette graine dont la réalisation a nécessité les efforts conjugués du ciel et de la terre, cette graine est entourée d'une pulpe délicieuse. Alors l'homme va se reposer pour goûter le fruit de son travail. La Balance, c'est pour ainsi dire le dimanche du Zodiaque.

On réunit les amis et on organise une fête. Tandis que le vin dilate les cœurs et fait fuser les rires et les chants, les danseurs tournent au son des violons. Tous ces divertissements se déroulent au sein d'une nature féerique qui a mis ses plus beaux atours pour prendre congé d'un été éclaboussé de soleil. Les couleurs de l'automne semblent plus belles que jamais, plus éclatantes et plus variées. Partout dans les bois et dans les vignes, dans les bosquets et dans les haies, c'est le triomphe des tons chauds du rouge le plus vif au marron le plus doux en passant par toutes les variations de jaune. Ce jaillissement de couleurs s'accompagne hélas d'une note mélancolique car il ne va durer que le temps d'une lune.

Le repos, la détente, la fête, la danse, la musique, la beauté, la sociabilité d'une part, la tristesse, la mélancolie, le chagrin, d'autre part, sont des idées clés que la Tradition attribue au signe de la Balance. On reconnaît là l'influence de Vénus et de Saturne, les deux planètes dignifiées [1], justement, dans la Balance.

La mélancolie saturnienne va croître à mesure que passent les jours. Quand retentissent les derniers accords de l'orchestre et que s'éteignent les derniers lampions de la fête, les invités

1. On dit d'une planète qu'elle est « dignifiée » dans un signe quand elle y a son *Domicile* ou son *Exaltation*. Que signifient ces termes ?

Chaque planète (Soleil et Lune compris) a son domicile dans un ou deux signes, par exemple, le Soleil dans le Lion, Vénus dans le Taureau et la Balance. Cela veut dire que dans le signe de son domicile, la planète se sent comme chez elle, parce que sa nature se combine harmonieusement avec celle du signe. Dans le signe de son exaltation, la planète est reçue comme un hôte de marque dont les qualités sont exaltées.

L'*exil* s'oppose au domicile, la *chute* à l'exaltation.

prennent congé : l'euphorie fait place à la nostalgie. C'est un état d'âme propice au recueillement et à la méditation qui vont préparer les activités du signe suivant.

Sentant monter les forces des ténèbres en même temps que diminuent les activités extérieures, l'homme va rentrer en lui-même pour faire le bilan de son action. Il va peser les fruits de son travail et rejeter tout ce qui ne fait pas le poids. Quant aux « bons » fruits, ils nourriront l'homme intérieur au cours de sa quête des valeurs spirituelles.

Quand le Soleil traversera le signe du Scorpion, le temps sera venu de mettre en terre le grain qui est la promesse des futures moissons. Si le grain ne meurt... nous rappelle l'Écriture. L'idée de la mort va peu à peu faire son chemin dans le cœur de l'homme avant de dominer le mois du Scorpion avec ses fêtes du souvenir. Laissons chanter à notre mémoire les vers célèbres de Verlaine :

« Les sanglots longs des violons de l'automne
Blessent mon cœur d'une langueur monotone. »

Le mois de la Balance apparaît malgré tout comme un période privilégiée qui prend sa place entre le moment où l'homme recueille le grain et celui où il le confie de nouveau à la terre, entre la Vierge et le Scorpion.

Si nous avons essayé de déchiffrer le langage des saisons pour y découvrir certaines caractéristiques de la Balance, c'est parce que les astrologues ont depuis toujours été frappés par l'étroite correspondance qui existe entre le passage du Soleil à travers le Zodiaque et le déroulement des saisons. En voici un exemple que chacun peut vérifier : il y a une correspondance évidente entre la fougue du Bélier et le jaillissement des forces de la nature au début du printemps.

Cependant, pour prévenir une objection qui ne peut manquer de venir à l'esprit du lecteur, précisons que cette relation entre les formes saisonnières de la nature et les signes du Zodiaque n'a qu'une valeur relative car elle n'est vraie que pour les régions de la zone tempérée de l'hémisphère Nord. Cette zone se situe approximativement, et avec de nombreuses corrections locales, entre le 35e et le 60e degré de latitude Nord et plus particulièrement dans les régions voisines et riveraines de la Méditerranée, là où se place le berceau de la civilisation occidentale. On dirait que les lignes de fracture de l'écorce terrestre qui sillonnent ces régions y ont dessiné une des matrices de la Terre.

Les découvertes des archéologues sembleraient prouver que notre Zodiaque est un produit de la civilisation chaldéenne qui s'est épanouie dans un pays recouvrant à peu près le territoire de l'Irak d'aujourd'hui. Mais les archéologues ne sont pas au bout de leurs découvertes; si, dans l'état actuel des recherches, le Zodiaque semble être d'origine babylonienne, nous ignorons tout de sa véritable origine qui doit remonter jusque dans la nuit des temps et se situer peut-être sur un continent perdu.

Il nous faut nous intéresser, à présent, à un autre phénomène naturel qui s'inscrit également dans le cycle annuel et se produit au moment où le Soleil entre dans le signe de la Balance.

Ce sont les marées d'équinoxe, les plus puissantes de l'année. Elles sont dues au fait que le Soleil se trouve, à ce moment-là, le plus près de la Terre. Ce phénomène peut d'ailleurs s'amplifier si, au moment de l'équinoxe, le Soleil et la Lune sont en syzygie, c'est-à-dire sensiblement sur un axe passant par la Terre.

Ces marées ne sont heureusement pas toujours accompagnées de violentes tempêtes, mais l'amplitude des eaux est toujours considérable, particulièrement sur certaines côtes de l'Atlantique où les différences de niveau dépassent largement les dix mètres.

Or, la Tradition nous enseigne que l'eau est en relation avec la vie affective, donc avec le cœur et les sentiments. Il ne faudrait donc pas se laisser abuser par le masque d'aimable sérénité derrière lequel se cachent de nombreux natifs de la Balance car ils dissimulent ainsi la violence des sentiments qui parfois les agitent. Cela ne va pas d'ailleurs sans quelques tempêtes intérieures. Mais des tempêtes contenues, car les natifs de la Balance ne peuvent résister au besoin d'équilibre qui les habite. Tous leurs efforts tendent à contenir ces poussées affectives et à arbitrer les conflits qu'elles provoquent. Ce n'est pas pour rien que Saturne, planète de la restriction, est exaltée dans la Balance.

A cela, on pourrait opposer que les grandes marées d'équinoxe se produisent également au début du printemps, quand le Soleil entre dans le Bélier; que, par conséquent, les natifs de ce

Belle image de reflux : la Balance saturnienne pourrait être représentée par l'austérité à la fois solitaire et paisible de cette plage en automne.

signe devraient connaître les mêmes problèmes que ceux de la Balance. C'est vrai, mais comme ils ne sont pas soumis aux mêmes exigences intérieures — c'est le Soleil et non pas Saturne qui est exalté dans le Bélier —, leurs passions s'expriment avec toute la fougue et la liberté qui caractérisent leur signe. Leurs emballements, ils les vivent sans complexe, même si cela doit provoquer des drames. L'idée de garder la mesure ne leur vient pas à l'esprit puisqu'ils sont démesurés par nature.

Placés devant des situations semblables, les natifs des deux signes réagissent donc de façon diamétralement opposée, ainsi que le leur suggère leur tempérament contraire. Toutefois, cette opposition des signes qui se font face dans le Zodiaque n'est pas absolue; dans certains cas, elle peut même se changer en complémentarité.

Les forces saturniennes que le type Balance mobilise pour maintenir son équilibre intérieur font parfois naître en lui une angoisse que sa courtoisie souriante et ses manières délicates n'arrivent pas toujours à faire oublier. Après tout, il est normal que les efforts déployés pour apaiser l'effervescence intérieure se traduisent par une nervosité qui perce quelquefois sous le masque de l'homme serein.

Si la correspondance entre le mouvement annuel du Soleil à travers le Zodiaque et le cycle des saisons n'est justifiée que dans les régions de la zone tempérée de l'hémisphère Nord, il en va autrement du mouvement diurne.

C'est ainsi qu'on désigne le cycle journalier qui résulte du mouvement apparent du Soleil autour de la Terre en vingt-quatre heures. On peut représenter cette révolution par un cercle analogue au cercle zodiacal dont les quatre points cardinaux, pour un observateur placé face au Soleil, sont disposés de la façon suivante : l'Est à gauche, l'Ouest à droite, le Sud en haut et le Nord en bas. Cette orientation, calquée sur la réalité, est exactement l'inverse de celle adoptée par les cartographes pour la représentation d'un pays.

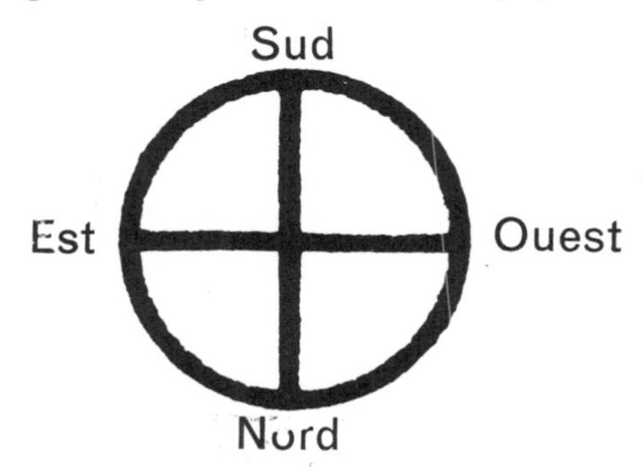

Le symbolisme du mouvement diurne a une valeur universelle car il peut s'appliquer à n'importe quel lieu habité du globe, à l'exception, évidemment, des régions situées au-delà du cercle polaire où le Soleil ne se couche pas durant six mois de l'année et ne se lève pas pendant les six autres mois.

Pour mieux comprendre les indications que le mouvement diurne peut nous apporter sur la Balance, plaquons le schéma traditionnel du Zodiaque sur le cercle du mouvement diurne. Le Bélier vient se placer au levant et la Balance au couchant, le Capricorne au midi et le Cancer à minuit.

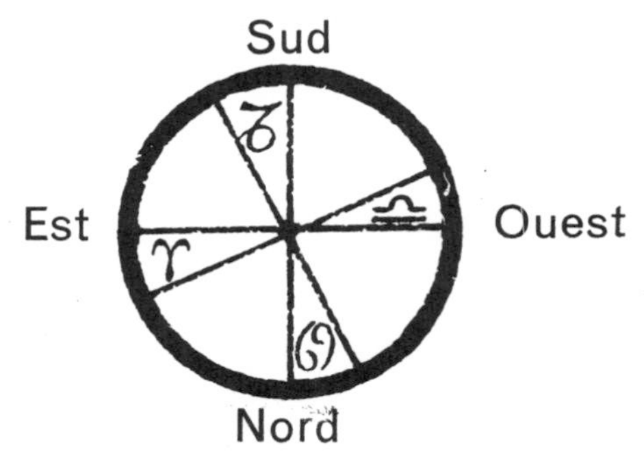

On peut s'étonner que le Capricorne soit au zénith, alors que nous savons par ailleurs qu'il inaugure la saison hivernale. Cela s'explique par le fait qu'au cours de son mouvement annuel le Soleil progresse dans le sens des signes, alors que le mouvement diurne semble le faire avancer dans le sens contraire aux signes.

Sur notre schéma, le signe de la Balance se trouve donc à l'horizon Ouest. Or, curieusement, l'hiéroglyphe du signe rend compte de cette position. Cela doit avoir une signification pour que les anciens sages à qui nous devons ces hiéroglyphes l'aient ainsi soulignée.

En effet, s'il est indiscutable que le signe utilisé habituellement pour représenter la Balance rappelle d'abord l'instrument de pesée du même nom, que nous étudierons plus loin, on peut voir également dans ce signe un *soleil couchant* quelques instants avant qu'il ne disparaisse à l'horizon. Seule la moitié supérieure du disque est encore visible. Il suffit d'ailleurs d'ajouter quelques rayons à ce disque pour que le symbole devienne évident.

Le soleil couchant, avec ses rayons doux et ses couleurs tamisées, correspond au signe de la Balance.

Cette image évoque naturellement la fin de la journée et, avec elle, la fin du travail. C'est d'autant plus logique que, dans la succession des signes, la Vierge précède la Balance. Or la Vierge, sixième signe, correspond à la Maison VI, celle du travail qui nous est imposé par la nécessité de gagner notre vie. Il est donc normal de penser que la Balance, qui suit la Vierge, marque la fin de l'activité quotidienne.

Voici donc venu le temps du repos, de la détente et des plaisirs qui les accompagnent. Quand se vident les usines et les bureaux, on voit dans les cafés des camarades de travail qui se réunissent autour d'un verre pour « arroser ça » avant de rentrer chez eux. « Ça », c'est évidement la fin du travail de chaque jour.

L'idée de réunion et de fête, déjà rencontrée à propos du cycle annuel, est donc bien liée au signe de la Balance.

Une autre confirmation indirecte nous en est donnée par le fait que la Balance, septième signe, correspond à la Maison VII, celle des associations, donc du mariage; dans l'existence d'un individu, c'est à l'occasion de son mariage qu'ont lieu les festivités les plus importantes.

Quant à l'idée de beauté incarnée par Vénus, maîtresse du signe, dont nous avons déjà noté les manifestations automnales en étudiant le cycle annuel, elle s'exprime de façon éclatante dans les mille feux dont le Soleil couchant embrase le ciel avant de disparaître à l'horizon.

Après avoir recueilli les renseignements contenus dans les cyles naturels, nous allons examiner la balance, instrument de pesée, qui a été choisie par les Anciens comme symbole du septième signe du Zodiaque. Celles qui illustrent les documents anciens font penser à ces magnifiques balances que l'on trouve encore aujourd'hui dans les boulangeries de quelques villages de l'Italie du Nord. Elles sont constituées d'une barre transversale, le fléau, qui est mobile autour d'un axe horizontal, dont la fixation varie selon les modèles. Aux deux extrémités du fléau sont suspendus des plateaux qui reçoivent, l'un les marchandises, l'autre leur contrepartie en poids. Observons ce qui se passe quand un commerçant veut peser une marchandise. Il dépose sur l'un des plateaux la marchandise à peser et il s'efforce de l'équilibrer en disposant des poids sur l'autre plateau. Naturellement, il réussit rarement du premier coup à établir l'équilibre. Avant que les deux plateaux ne s'immobilisent dans une parfaite horizontalité, il lui faudra tâtonner, ajouter ou enlever des poids. Il en résultera, pour la balance, une série d'oscillations plus ou moins amples, plus ou moins prolongées.

Il pourra même arriver que, pour créer l'équilibre, le commerçant donne un léger coup de pouce au plateau qui reçoit les poids. Ce faisant, il favorise naturellement son client qui ne peut qu'être sensible au geste. C'est là une petite manifestation de générosité vénusienne. A la limite, le geste pourrait ne pas être totalement désintéressé : en acceptant de perdre quelques centimes, le commerçant sait bien qu'il ne s'en attachera que mieux un client ravi d'avoir bénéficié d'un cadeau, si petit soit-il. Mais, calculé ou non, le geste a le mérite d'exister et il demeure une manifestation vénusienne.

Il y a d'autres commerçants dont la manière de peser obéit à une justice implacable, celle de Saturne, qui ne lèse pas le client, mais qui ne lui fait pas non plus de cadeau.

Nous sommes là en présence de deux attitudes fort révélatrices de la façon dont le natif de la Balance peut manifester son sens de la justice selon qu'il est une Balance vénusienne ou une Balance saturnienne. Vénus et Saturne étant dignifiées dans la Balance, comme nous le savons, il est normal qu'elles marquent le signe de leur empreinte. L'occasion nous sera donnée de revenir, dans un prochain chapitre, sur ces deux aspects fondamentaux du signe.

Quelle que soit la philosophie du commerçant, la pesée avec une balance traditionnelle est aussi un instrument de communication puisqu'elle facilite les rapports entre commerçants et clients. On en conclura que le natif de la Balance est un être sociable, ce que l'expérience confirme puisqu'il cherche à nouer spontanément des relations avec son entourage et que la solitude lui est insupportable.

Il est à noter que les balances ultra-modernes déshumanisent les rapports entre clients et commerçants en réduisant leurs échanges au strict minimum : elles robotisent la pesée. Entre ces balances et les natifs de la Balance, il n'y a, hélas, plus rien de commun.

Du point de vue psychologique, la balance correspond, chez l'individu, à une recherche d'équilibre entre deux forces, deux intérêts, deux désirs, deux points de vue opposés. Le natif de la Balance s'efforcera donc de réaliser d'abord en lui-même cet équilibre entre deux éléments contraires. Cependant, une situation d'équilibre n'est pas souhaitable dans tous les cas car elle peut aboutir à l'immobilité, les forces antagonistes se neutralisant. Le natif de la Balance devra donc chercher le moyen de les atteler à une tâche commune tout en respectant leur identité, comme peut l'illustrer le schéma suivant.

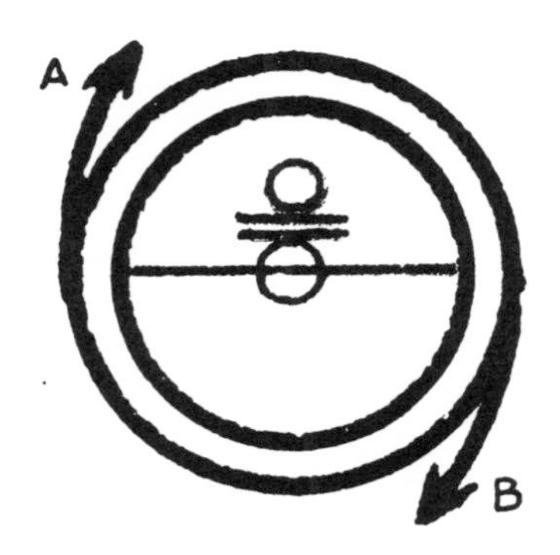

Les forces A et B, de sens contraires, deviennent complémentaires grâce à l'intervention de la Balance qui leur sert de trait d'union. Résultat : la roue tourne!

La réalisation de cet équilibre n'est pas chose facile et il arrive que la balance s'affole. Cela donne un tempérament cyclothymique qui, d'une heure à l'autre, passe de la joie délirante à la plus profonde tristesse. Un plateau ne peut s'abaisser sans que l'autre s'élève.

Auprès des autres, le natif de la Balance jouera plus facilement un rôle de conciliateur qui lui donnera l'occasion de mettre en œuvre des dons innés de diplomatie.

Ouvrons au chapitre consacré à la balance un manuel de sciences physiques à l'usage des élèves des lycées et collèges. Nous y lisons que les trois qualités que la science exige d'une bonne balance sont la sensibilité, la précision et la fidélité. Allons-nous retrouver ces qualités également chez le natif de la Balance?

Aussi étrange que puisse paraître ce parallèle entre un objet et un être vivant, il est, en ce cas, justifié. Mais est-ce vraiment si surprenant? Ne se trouve-t-on pas là confronté aux effets du principe selon lequel tout ce qui existe et se crée sur la Terre ne peut échapper aux influences astrales? Quand l'homme imagina la balance pour faciliter ses échanges, son invention ne pouvait que répondre aux exigences du signe qui régit l'équité. Celui que l'expérience a conduit à rejeter les fantaisies du hasard pour n'accepter que la nécessité d'un ordre cosmique trouvera cela tout à fait logique.

Examinons, maintenant, les qualités d'une bonne balance qui se retrouvent chez les natifs de la Balance.

La *sensibilité* de ces natifs se manifeste dans différents domaines. Ils sont sensibles aux sentiments qu'on leur porte au point de pouvoir souffrir profondément de ce qu'ils croient être un refroidissement chez l'être aimé (même s'il ne s'agit que d'une saute d'humeur passagère); mais ils sont également sensibles au décor dans lequel ils vivent ou travaillent. Ils sont encore sensibles aux arguments qui s'affrontent dans toutes les situations de la vie. Dans un souci d'objectivité, ils n'en finissent pas de peser le pour et le contre et de se rendre successivement aux raisons des uns et des autres. Aussi n'est-il pas rare qu'ils soient victimes de leur indécision et finalement de leur sensibilité qui se traduit, ici, par une disponibilité aux autres.

Quand on parle de la *précision* de la Balance, il ne faut pas la confondre avec le soin minutieux que le natif de la Vierge apporte à tout ce qu'il fait — qui peut tourner à la manie si des éléments pondérateurs n'interviennent pas dans son horoscope. Selon le principe que les signes qui se suivent ne se ressemblent pas, le natif de la Balance n'est pas particulièrement soigneux, si ce n'est de sa personne, surtout quand il est une Balance vénusienne.

Sa précision est d'une autre nature. Elle est un don pour ainsi dire physique qui lui permet, par exemple, de déterminer sans instrument de mesure le centre d'un cercle ou bien de partager une longueur en deux parties égales. C'est une faculté dont nous faisons nous-même souvent l'expérience. On pourrait donc dire que la précision des natifs de la Balance se traduit par un sens inné des proportions qui, sur le plan moral, les préserve de tout excès et leur permet de porter sur les choses et sur les êtres des jugements nuancés et équitables.

Quant à la *fidélité*, elle paraît moins évidente à qui s'est un peu frotté aux Balance. On connaît bien le goût de plaire commun à ces natifs et les difficultés qu'ils éprouvent à faire un choix dans leur cœur. Plein d'indulgence, l'homme Balance n'a que trop tendance à trouver charmantes toutes les femmes, ou presque. On en conclut fatalement qu'il est facilement enclin à « papillonner ». C'est peut-être le juger un peu vite.

Il ne faut pas oublier qu'abandonné à lui-même, le type Balance est vite malheureux; il ne s'épanouit que lorsqu'il trouve celui ou celle qui le complète, une sorte d'âme-sœur. Son désir d'union est tellement fort que, sous son masque d'aimable frivolité, il saura rester foncièrement fidèle au partenaire qui aura su lui procurer ce sentiment d'équilibre; lequel est un des principaux éléments de sa joie de vivre. Il est vrai aussi que la fidélité sera plus facile pour une Balance saturnienne qui, mieux que la Balance vénusienne, saura mettre de l'ordre dans ses sentiments.

Dans l'idéogramme du signe, la balance, instrument de pesée, est essentiellement symbolisée par le trait supérieur dont la partie centrale s'arrondit en forme de demi-cercle. La ligne horizontale, d'égale longueur, qui se place sous le trait supérieur, représente la ligne d'équilibre servant de référence au moment de la pesée. Cette référence, c'est évidemment la justice idéale dont ce trait est l'expression graphique.

Il est également intéressant de noter que, de tous les signes du Zodiaque, seule la Balance comporte dans son idéogramme ce long trait horizontal dont les graphologues disent qu'il est un indice de ténacité. Cela n'est pas pour nous surprendre puisque nous savons que Saturne est exalté dans la Balance. La démarche dansante, la douceur, le charme que l'on s'accorde à reconnaître aux natifs de la Balance, cachent souvent une remarquable constance qui soustend leur action. Mais cette constance est plus statique que dynamique; c'est un besoin d'harmonie, de justice et de beauté, profondément enraciné dans leur être et auquel ils restent toujours fidèles.

La Balance est un signe d'Air, comme les Gémeaux et le Verseau

La Balance est un des trois signes d'Air du Zodiaque, les deux autres étant les Gémeaux et le Verseau. En effet, chaque signe appartient à un des quatre éléments : le Feu, l'Air, l'Eau et la Terre.

Qu'est-ce donc que l'Air en tant qu'élément astrologique?

L'air que nous respirons a été pris comme symbole de la mobilité intellectuelle et affective, de la souplesse d'esprit et de caractère, de l'impressionnabilité, de la sensibilité, de l'excitabilité, de l'ingéniosité, de l'adresse, de la sociabilité, de la liberté d'esprit.

Ce sont là quelques-unes des caractéristiques des trois signes d'Air; avec, naturellement, cette réserve : telle qualité peut être plus ou moins accentuée suivant le signe d'Air que l'on aborde. Cela dépend d'autres facteurs propres à chacun des signes. C'est ainsi, par exemple, que selon le caractère de sa dynamique, un signe d'Air peut être actif, stable ou instable.

Mais revenons à l'élément Air. Nous pouvons prendre le mot dans son sens littéral, c'est-à-dire comme le fluide gazeux qui nous apporte les éléments nécessaires à la respiration et aux combustions qui entretiennent la vie en nous. Considérés de ce point de vue, les idéogrammes des trois signes d'Air sont intéressants car ils illustrent graphiquement le processus de la respiration.

C'est ainsi que les Gémeaux correspondent au premier temps de la respiration. Les deux barres verticales de son idéogramme représentent l'air qui, à partir de la bouche, descend et se répand dans les poumons. Symboliquement, c'est la soif de savoir des Gémeaux, toujours à l'affût des nouvelles connaissances qu'ils pourraient glaner ici et là.

La Balance correspond au deuxième temps de la respiration : la rétention de l'air. Nous analyserons plus loin le contenu symbolique de cette phase qui nous intéresse plus particulièrement.

Le Verseau correspond au troisième temps de la respiration : l'expiration. L'air sort de la bouche sous forme d'ondes. Dans le cycle du développement humain, le Verseau représente l'homme qui est parvenu au plus haut degré de son développement et qui maîtrise la matière. Semblable aux dieux, il répand autour de lui le souffle créateur. C'est là, évidemment, une vision idéale du signe que seuls quelques individus exceptionnels peuvent faire passer dans la réalité des faits; mais telle en est la signification profonde. Le symbole du signe représente Ganymède, l'échanson des dieux. L'eau qui coule de son vase est une eau de vie semblable au souffle qui crée.

Revenons un instant sur la Balance. Comme nous l'avons noté plusieurs fois déjà, ce signe indique une position d'équilibre qui se manifeste ici par la retenue du souffle. Ce deuxième temps de l'acte respiratoire est pratiquement escamoté dans la respiration dite involontaire, déclenchée automatiquement et à notre insu par le centre respiratoire qui se trouve dans le bulbe rachidien.

La rétention de l'air inspiré n'apparaît que dans la respiration profonde pratiquée de façon consciente, celle qui est enseignée par exemple dans les cours de yoga. La rétention est destinée à augmenter la diffusion de l'air alvéolique pour faciliter et améliorer les échanges gazeux.

Le fait que cette deuxième phase de l'acte respiratoire soit pour ainsi dire inscrite dans le Zodiaque en son point charnière, la Balance, montre qu'elle a été prévue par la nature. Si l'homme la néglige, c'est en raison de sa relative dégénérescence ou de son manque de développement.

Sur le plan du symbolisme, la retenue du souffle va confirmer les constatations déjà faites à propos de la Balance. Quand une personne retient sa respiration, c'est qu'elle marque un temps d'hésitation; elle cherche à aiguiser ses perceptions et à concentrer son attention pour parvenir à bien apprécier les éléments d'un problème. Ce sera le cas quand elle devra prendre une décision importante ou s'engager dans une nouvelle direction. Retenir sa respiration, c'est préparer son équilibre.

Cette démarche de la Balance est à l'opposé du comportement du Bélier, le signe qui lui fait face dans le Zodiaque. Le Bélier est en position de déséquilibre permanent; il se jette dans l'action avec impétuosité et, loin de mesurer son souffle ou de le retenir, il accélère sa respiration qui, dans le feu de l'action, devient haletante. Il est vrai que le Bélier est un signe de Feu actif, le plus actif même de tout le Zodiaque.

En fait, le contraste qui naît d'une comparaison fondée sur une opposition totale en dit souvent beaucoup plus qu'un long discours. C'est un procédé pédagogique qui a fait ses preuves.

Chacun de nous l'utilise plus ou moins consciemment car il nous est parfois plus facile de dire ce que quelqu'un *n'est pas* que ce qu'il est.

Le Bélier fonce : il est audacieux.	*La Balance hésite : elle est prudente.*
Le Bélier tend vers l'action.	*La Balance tend vers le repos.*
Le Bélier a confiance en soi.	*La Balance est inquiète et angoissée.*
Le Bélier est agité intérieurement et explose.	*La Balance est agitée intérieurement et se contient.*
Le Bélier est excessif et agit avec précipitation.	*La Balance est mesurée et agit après mûre réflexion.*
Le Bélier est brusque et brutal.	*La Balance fait preuve de tact et de délicatesse.*
Le Bélier est optimiste et enthousiaste.	*La Balance est pessimiste et réservée.*
Pour le Bélier, tout semble nouveau.	*La Balance a déjà fait le tour d'elle-même.*

On le voit, les oppositions sont aussi nombreuses que marquées et la liste pourrait en être allongée.

Cela dit, tout ce qui a été rapporté à propos des natifs de la Balance doit être pris « sous bénéfice d'inventaire », pour ainsi dire. En d'autres termes, les descriptions qui ont été données ne peuvent s'appliquer dans leur totalité qu'à un type Balance pur. Or un tel type n'existe pas. Cela tient au fait qu'un individu ne peut pas être soumis à une seule influence et, ici, nous n'en étudions qu'une.

Que le lecteur Balance ne soit donc pas surpris de ne pas se reconnaître dans telle ou telle description. C'est là chose normale. Seule une étude globale de son horoscope permettrait de savoir dans quelle mesure il est soumis à l'influence de la Balance, et dans quels domaines. Toutefois, pour ceux qui voudraient s'essayer à déchiffrer leur thème afin de déterminer la part de cette influence, nous allons donner quelques indications d'ordre général qui leur faciliteront la tâche.

Quand on est né entre le 23 septembre et le 23 octobre, le Soleil, nous le savons, se trouve dans la Balance. Mais s'il est seul à y être sans aspect majeur avec les autres planètes ou avec les axes de l'horoscope (Ascendant et Milieu-du-Ciel), et que le signe de la Balance n'est ni sur l'Ascendant ni sur le Milieu-du-Ciel, la Balance n'exercera qu'une influence très modérée sur le natif. Elle risque même de ne venir qu'en deuxième ou troisième position.

Toujours dans l'hypothèse d'une naissance avec le Soleil en Balance, il arrive assez souvent que Mercure et Vénus se trouvent également dans ce signe. En effet, pour des raisons purement astronomiques, ces deux planètes, qui sont les plus proches du Soleil, ne peuvent jamais s'en éloigner beaucoup. Distance maximale : 28 degrés pour Mercure et 48 degrés pour Vénus.

Or, trois planètes dans un signe sont l'amorce d'une dominante zodiacale. Si, de plus, ces trois planètes se trouvent à proximité de l'Ascendant ou du Milieu-du-Ciel, ou encore au début de la Maison VII ou de la Maison IV, ou alors si elles sont reliées à ces axes par de forts aspects, leur influence s'en trouvera nettement accrue.

Envisageons maintenant le cas où le Soleil n'est pas en Balance mais où l'Ascendant est sur ce signe. Imaginons, par exemple, que le Soleil est en Vierge tandis que l'Ascendant sur la Balance est en conjonction avec Vénus (donc en Domicile) puissamment soutenue par de bons aspects que lui envoient des planètes amies. Dans ce cas, la Vierge, qui reçoit le Soleil, verrait son influence éclipsée par celle de la Balance, surtout si Mercure, planète maîtresse de la Vierge, était également en Balance.

Ce ne sont là évidemment que quelques-uns des cas où un horoscope sera marqué par une dominante Balance. On peut en imaginer quelques autres, mais leur nombre est quand même limité. Quel que soit le cas qui se présente, ne jamais oublier qu'une influence, même dominante, s'exerce rarement seule. Plusieurs influences apparemment contradictoires peuvent cohabiter dans un horoscope sans que pour cela elles se neutralisent. C'est même ce qui fait souvent la richesse de la pâte humaine.

La Balance est aussi gouvernée par Saturne, significateur du temps qui passe.

La Mythologie du Signe

Qui connaît aujourd'hui le nom des neuf Muses? Les expressions telles que « il se croit sorti de la cuisse de Jupiter », ou « il a reçu un coup de pied de Vénus », ou encore « elle ne respecte pas les arrêts de Thémis » qui, il y a un demi-siècle encore, étaient d'un usage courant, n'apparaissent que rarement dans le discours écrit et elles ont pratiquement disparu de la langue parlée. Leur compréhension suppose une formation classique qui tend à disparaître.

Les nouvelles générations qui fréquentent nos écoles secondaires délaissent de plus en plus l'étude du latin. Quant au grec, mieux vaut ne pas en parler. Et pourtant notre littérature classique est pleine d'allusions à la mythologie gréco-romaine et, jusqu'à une époque relativement récente, nos plus grands peintres et sculpteurs se plaisaient à représenter les dieux et les déesses de l'Olympe qui ornent encore les frontons de quelques-uns de nos bâtiments publics. Les planètes de notre système solaire n'ont-elles pas reçu des noms de divinités? C'est justement cette dernière constatation qui nous amène à penser qu'il pourrait y avoir une relation entre l'astrologie et les mythes qui nous content les aventures, et parfois les mésaventures, des habitants de l'Olympe. Pour le savoir, interrogeons la mythologie.

Les dictionnaires définissent la mythologie comme l'histoire fabuleuse des dieux et des héros propres à un peuple ou à une famille de peuples. On peut se demander si, comme l'ont soutenu de nombreux mythologues partisans d'une interprétation naturaliste, les fables de la mythologie étaient seulement destinées à suppléer les insuffisances de la science, incapable d'expliquer les grands phénomènes naturels. Selon eux, les forces de la nature, qui inspiraient aux hommes effroi et admiration, auraient été divinisées. Le récit des aventures de ces dieux et déesses aurait rassuré l'homme primitif car on craint moins ce que l'on croit connaître.

Grâce aux travaux des mythologues modernes qui travaillent en collaboration avec des ethnologues, des linguistes, des historiens et surtout des psychanalystes, nous savons maintenant que les mythologies avaient un sens profond : si la fable amusait les ignorants, elle instruisait les sages.

Les paroles de Jésus que rapporte l'évangéliste Marc éclairent singulièrement notre propos : « Mais à tous ceux du dehors, tout leur est présenté sous forme de paraboles, afin que regardant, ils ne voient point, écoutant de toutes leurs oreilles ils ne comprennent pas » (Marc, IV, 11-12). On ne peut pas dire les choses plus clairement.

Les ésotéristes vont plus loin en voyant sous l'allégorie de la fable un langage initiatique qui serait le véhicule d'un enseignement traditionnel.

D'autres enfin, et ceci nous intéresse directement, veulent découvrir, sous le voile du symbole, les lois de l'astrologie. Ainsi, par exemple, les rapports amicaux ou inamicaux entre dieux et déesses nous éclaireraient sur la nature des relations entre les planètes qui portent leur nom. Nous sommes tenté de leur donner raison pour en avoir fait personnellement l'expérience avec quelques personnages de la comédie mythologique.

Dans notre recherche des éléments que contiennent les récits mythologiques et qui peuvent nous aider à retrouver et à approfondir les significations du signe de la Balance, nous laisserons de côté les légendes des civilisations fort éloignées de la nôtre dans le temps et dans l'espace.

Nous pensons en particulier à celles de l'Inde et de la Perse. Les termes sanscrits ou arabes qui les accompagnent nécessairement sont trop étrangers à notre culture pour éveiller dans nos esprits latins des images familières. Nous prendrons notre bien dans l'héritage culturel de la civilisation occidentale qui est bien assez riche pour nous dispenser d'interroger l'Orient ou même l'Extrême-Orient. Notre quête se bornera à la mythologie gréco-romaine, au Tarot et à l'ésotérisme chrétien.

Thémis, la déesse aux belles joues

Comparé aux autres signes du Zodiaque auxquels il est possible de rattacher de nombreux mythes très connus qui ont été largement repris par les auteurs classiques, le signe de la Balance est relativement pauvre, et les fables et légendes qui peuvent lui être rapportées nous sont beaucoup moins familières.

Thémis, la déesse aux belles joues, est la seule divinité qui soit en relation directe avec la Balance. Elle régnait sur la Justice. Dans la galerie des dieux et déesses, elle tenait un rang particulièrement important. Fille d'Ouranos et de Gaïa, autrement dit du *Ciel* et de la *Terre*, elle était, de ce fait, sœur de Saturne et tante de Jupiter. Sa double origine souligne de façon très nette cette dualité que nous avons déjà relevée à propos du signe de la Balance. Sa situation à l'équinoxe d'automne le place au point de rencontre des valeurs matérielles et des valeurs spirituelles, des forces de jour et des forces de nuit, de la Terre et du Ciel. La mythologie confirme ainsi notre analyse de la nature du signe.

Assise au pied du trône de Zeus, elle aidait, de ses conseils avisés, le roi des dieux à gouverner l'univers. Elle-même veillait à ce que règne partout, dans le ciel comme sur terre, entre les dieux comme entre les hommes, l'ordre et la paix. Quand il y avait une mission délicate à remplir, c'est à elle que le maître de l'Olympe la confiait.

De nouveau apparaissent ici des traits caractéristiques du natif de la Balance : le goût de la paix, la sûreté du jugement, les qualités de diplomatie, l'esprit de conciliation.

Les attributs que le mythe confère à Thémis, et avec lesquels les artistes la représentent généralement, sont la balance et le glaive; parfois, elle porte également un bandeau sur les yeux. Quelle signification peut-on attacher à ces attributs?

La balance, c'est évidemment le symbole universel de la justice dont l'impartialité est garantie par le bandeau sur les yeux. Quant au glaive, il peut surprendre lorsqu'on connaît le dégoût que la violence inspire aux natifs de la Balance. Mais ce qu'on oublie, c'est que l'injustice leur est proprement insupportable et qu'ils sont capables de devenir violents lorsqu'il s'agit de rétablir la justice ou de se révolter contre l'injustice. Ils sont eux-mêmes surpris de la détermination qui les anime en de telles occasions parce qu'elle n'est pas précisément dans la ligne de leur caractère.

De son neveu Jupiter qui, dit-on, la força à l'épouser alors qu'elle désirait garder sa virginité, Thémis eut trois filles : l'Équité, la Loi et la Paix. Il y a d'étroites relations entre ces trois sœurs qui sont inséparables car, lorsque l'équité est garantie par la loi, la paix règne entre les hommes.

Bien que la Balance ne soit ni son domicile ni le lieu de son exaltation, la planète Jupiter se sent à l'aise dans ce signe, sans doute en raison des bons rapports que le roi des dieux entretenait avec Thémis. De plus, sa présence dans la Balance peut avoir d'heureux effets si l'on en juge par ces trois filles qui naquirent de leur union. Cet exemple montre comment on peut appliquer la mythologie à l'astrologie. Dans cette perspective, dieux et planètes se confondent.

Thémis, mère incestueuse malgré elle, eut encore d'autres enfants de son royal époux et neveu. Il est vrai que l'inceste n'était pas mal vu dans l'Olympe. Thémis mit donc au monde les Heures, également au nombre de trois, qui avaient pour noms : Thallo, Carpo et Auxo. Ces divinités qui se présentent à nous comme des vierges charmantes, parées de fleurs et de fruits, étaient chargées d'ouvrir au soleil et de fermer à la nuit les portes d'or de l'Olympe. En outre, elles présidaient à l'ordre de la nature et à la succession des saisons. Quand elles n'étaient pas retenues par leurs charges, elles dansaient et chantaient en compagnie des Muses et des Grâces.

Avec les Heures, nous retrouvons les concepts d'équilibre (l'ordre du monde) et de proportion (temps divisé en saisons et en heures) propres à la Balance. D'autre part, l'influence de Vénus, maîtresse du signe, se manifeste dans la grâce, les chants, les fleurs et les fruits.

Vénus-Uranie, attribuée à la Balance, est considérée comme plus éthérée, plus idéaliste que la Vénus du Taureau.

Très différentes des Heures étaient les trois dernières filles que Thémis donna à Jupiter-Zeus, les redoutables Parques, qui fixaient le destin des hommes. Un regard sur le tableau de Michel-Ange qui les représente dans l'exercice de leurs fonctions n'est pas pour nous rassurer. Ce ne sont pas des jouvencelles, mais des femmes d'âge mûr dont la vue inspire la crainte. Ces trois sœurs se nomment Clotho, Lachésis et Atropos. Chacune avait une tâche bien déterminée : Clotho tenait la quenouille qui filait le fil de la vie dont Lachésis mesurait la longueur et que les ciseaux d'Atropos tranchaient inexorablement quand sonnait l'heure du destin.

Si les Heures rappellent la douce et belle Vénus, les Parques font immédiatement penser à Saturne, planète exaltée dans la Balance. Or, il se trouve que sur les anciennes gravures Saturne est représenté avec deux attributs, la faux et le sablier, qui confirment ce rapprochement avec les Parques. Il y a une analogie évidente entre la faux et les ciseaux d'une part, et entre le sablier et le fil de la vie qui se déroule, d'autre part. Il faudrait être vraiment de mauvaise foi pour ne voir que des coïncidences dans toutes ces analogies que nous devons à la divine Thémis dont les belles joues sont encore un trait vénusien.

Les mythes vénusiens

Vénus-Uranie, née du ciel et de l'onde, la plus belle des déesses, a son domicile dans la Balance. Le Taureau, autre signe vénusien, revient plutôt à Vénus-Astarté. L'occasion nous sera donnée plus tard de revenir sur les différences qui séparent ces deux Vénus.

Adonis

La Mythologie rapporte un certain nombre de fables auxquelles Vénus est mêlée et qui jettent une nouvelle lumière sur la Balance et sa planète maîtresse. Tel est, par exemple, le mythe d'Adonis qui symbolise le passage d'une période de six mois au cours de laquelle le jour l'emporte sur la nuit, à une période d'égale durée consacrant le triomphe des ténèbres sur la lumière. Voici cette fable.

Un jour, le roi de Chypre, Cynire, s'attira le courroux de Vénus en soutenant que la beauté de sa fille Myrrha éclipsait celle de la déesse, que ses rivales elles-mêmes, les déesses Héra et Athéna, avaient reconnue comme la plus belle.

La vengeance de Vénus fut cruelle. Elle inspira à Myrrha un amour incestueux pour son père. Une nuit, Myrrha réussit à s'unir à son père en surprenant sa bonne foi. Ainsi fut conçu le futur Adonis. Quand le roi Cynire découvrit son crime, il entra dans une violente colère et bannit sa fille.

Myrrha s'enfuit en Arabie où, pour la protéger, les dieux la changèrent en arbre à myrrhe. Quand la grossesse fut venue à son terme, l'arbre s'ouvrit pour permettre à l'enfant de venir au monde.

Dès sa naissance, les nymphes qui habitaient le bois prirent Adonis sous leur protection et le cachérent dans une grotte. Sa croissance fut rapide et les nymphes l'élevèrent jusqu'au moment où, devenu un bel adolescent, il passa en Phénicie.

C'est là que le vit Vénus. Le cœur de la déesse s'enflamma aussitôt pour le jeune homme, et elle en devint tellement éprise qu'elle délaissa la compagnie des dieux pour suivre son bel amour qui chassait dans les montagnes du Liban.

Mars, l'amant de Vénus, en conçut une profonde jalousie. Il ne pouvait accepter que Vénus lui préférât un simple mortel. Il se changea en sanglier et, un jour de la fin de l'été qu'Adonis chassait dans les bois, il se jeta si furieusement sur lui qu'il le blessa mortellement d'un coup de boutoir. Prévenue trop tard, Vénus ne put soustraire son amant à la mort.

Adonis dut descendre aux Enfers où il fut aimé de Perséphone, la reine des Ombres. Alors ce fut au tour de Vénus de connaître la jalousie. Elle alla confier son chagrin à Jupiter qui rendit un jugement de Balance, ménageant l'amour-propre des parties en présence : Adonis passerait quatre mois avec Vénus, quatre autres mois avec Perséphone et il serait libre pendant les quatre derniers mois.

Ce mythe est riche de symboles qui recoupent ceux déjà rencontrés. Adonis, image de la végétation éphémère, est, en fait, un fils de Vénus qui, à travers Myrrha, a provoqué sa naissance. Une filiation spirituelle en quelque sorte. Mais, comme il était aussi le fruit d'amours incestueuses, sa disparition à la fleur de l'âge peut avoir été le prix payé pour cette union hors-la-loi.

Quand l'automne ramenait le Soleil dans le signe de la Balance, les Grecs célébraient la mort d'Adonis. Au cours des fêtes données en son honneur, son image était déposée sur un lit au milieu des fleurs, des parfums et des fruits. Le lendemain, escortée par des pleureuses, l'image d'Adonis était confiée à la mer. Mais dès qu'elle avait disparu dans les flots, les cris d'allégresse, saluant son prochain retour, succédaient aussitôt aux cris de douleur.

Une fois encore revient avec la Balance la notion d'équilibre entre la joie et la douleur, les regrets du bel été disparu et l'espérance du renouveau printanier. Car lorsque le Soleil franchissait les portes du Taureau, l'autre domicile de Vénus, les Grecs fêtaient le retour d'Adonis. (Dans les pays catholiques, le mois de mai, mois du Taureau, est consacré à Marie, vierge-mère; le rapprochement entre Vénus et Marie, toutes deux l'objet d'un culte très populaire, ouvre des perspectives qu'il serait intéressant d'explorer.)

Dans le culte rendu à Adonis se mêlaient les influences des deux Vénus, celle du Taureau et celle de la Balance. L'amour-passion de la première, Vénus-Astarté, se termine tragiquement, comme c'est aussi parfois le cas dans la vie; l'amour de la seconde, Vénus-Uranie, est beaucoup plus impersonnel puisqu'il accepte le partage avec Perséphone. Cet amour dégagé des entraves de la passion rétablit la paix et la joie dans les cœurs.

Éros et Antéros

Les problèmes soulevés par l'amour trouvent justement un écho dans la légende d'Éros et d'Antéros. Éros était le fils de Vénus; il personnifie la force d'attraction qui est le fondement de toute création et le garant de sa cohésion. Les poètes décrivent Éros comme un garçon de sept ou huit ans aux ailes d'ange. Armé d'un arc, il faisait naître l'amour dans les cœurs qu'il blessait de ses flèches.

Mais Éros restait un éternel enfant, et Vénus s'en désolait. Un jour, elle alla demander à Thémis ce qu'elle devait faire pour que son fils grandît. La déesse de bon conseil lui assura qu'Éros grandirait dès qu'elle lui donnerait un frère. C'est ainsi que naquit Antéros.

Cette légende a une double signification car il y a dans Antéros deux personnages.

Les Anciens y ont d'abord vu celui qui s'opposait à son frère. Dans le cœur de ceux qui avaient succombé aux flèches d'Éros et auraient pu être tentés de s'abandonner aux désordres de la passion, il suscitait la froideur et l'antipathie. Il empêchait ainsi que fussent contractées des unions monstrueuses qui, si elles s'étaient multipliées, auraient fait retourner l'Humanité au chaos primordial. Par son intervention, Antéros contribuait donc à maintenir l'*équilibre* du monde. On ne peut souhaiter rapport plus direct avec la Balance qui, dans le domaine de l'amour, sait se garder des excès de la passion.

Antéros était ensuite celui qui permettait à l'amour de grandir en lui faisant écho. Car un amour non payé de retour est un amour qui se meurt. Cette nécessité d'amour pour amour est profondément ressentie par le natif de la Balance; il ne peut vraiment s'épanouir que s'il rencontre un partenaire qui lui rend tout l'amour donné. C'est encore une forme d'équilibre répondant aux exigences du signe.

Éros et Psyché

Éros a été mêlé à une autre aventure qui donna l'occasion à Vénus d'intervenir avec toute son autorité de déesse de l'amour.

Vénus conçut un jour une vive jalousie à l'égard de Psyché : la jalousie d'une femme ne supportant pas d'être moins adulée que sa rivale. Cette remarque peut s'appliquer à la femme Balance qui est belle et le sait. Mais ce n'est pas une femme sûre d'elle, et ses rivales arrivent à la faire douter de la réalité de ses charmes. Et puis, elle accepte mal l'idée d'être éclipsée par plus belle qu'elle.

Mais revenons à Psyché dont Apulée, l'auteur des *Métamorphoses*, nous dit qu'elle était la plus belle des trois filles d'un roi. Tous les habitants du royaume n'avaient d'yeux que pour elle. Négligeant les devoirs qu'ils avaient envers Vénus, ils rendaient à Psyché le culte qui revenait de droit à la déesse de l'amour. Alors Vénus décida de punir l'impudente. Elle imagina une vengeance qu'elle voulait cruelle pour l'amour-propre d'une femme.

Elle fit venir son fils Éros et lui demanda son aide pour réaliser son dessein. Il devait décocher à la belle Psyché une flèche qui la rendrait follement amoureuse de l'homme le plus vil et le plus disgracié de la Terre.

Prenant son arc, Éros descendit au milieu des mortels; mais, dès qu'il vit Psyché, il fut tellement ébloui par sa grâce et sa beauté qu'il en tomba éperdument amoureux. Dès lors, il n'était plus question pour lui de remplir la mission que lui avait confiée sa mère.

Comme, de son côté, Psyché refusait tous les prétendants que son père lui présentait, celui-ci, obéissant à un oracle d'Apollon, abandonna sa fille sur un rocher où un monstre devait venir la dévorer. Mais Éros transporta la jeune fille dans un palais merveilleux au cœur d'une forêt magique où tout semblait préparé pour combler les vœux de Psyché.

La nuit venue, Éros la rejoignit et les deux amants s'unirent dans l'obscurité. Il lui demanda de ne pas essayer de le voir, lui assurant qu'elle serait heureuse tant qu'elle ne chercherait pas à savoir qui il était. Dans ce palais d'or et d'argent où tous ses désirs étaient exaucés, Psyché ne vit jamais en pleine lumière le visage de son époux.

Alors que Psyché passait quelques jours chez ses parents, ses deux sœurs, qui enviaient son bonheur, semèrent le doute dans son esprit en essayant de la convaincre que son époux se cachait d'elle parce qu'il était un monstre hideux.

Troublée par les insinuations de ses sœurs, Psyché à son retour au palais voulut en avoir le cœur net. Lorsque son époux fut endormi, elle approcha une lampe de son visage. Ce qu'elle vit ne put qu'exalter son amour car Éros était le plus charmant des dieux. Mais lorsqu'elle se pencha pour embrasser son front, une goutte d'huile brûlante tomba sur l'épaule d'Éros. Le jeune dieu, réveillé par la douleur, reprocha à Psyché son manque de confiance et disparut à ses yeux.

Éros et Psyché, le couple idéal. Le natif de la Balance ne s'épanouit vraiment que lorsqu'il a trouvé en son partenaire l'amour profond et partagé qu'il recherche.

Désespérée, Psyché commença une longue quête à travers le monde pour retrouver son divin époux. Après une longue mais vaine errance, elle se résigna à venir demander l'aide de Vénus. La déesse la prit à son service et lui imposa les tâches les plus pénibles et les plus rebutantes. Fidèle à son amour, Psyché supporta toutes ces humiliations sans se plaindre.

Alors, Vénus la soumit à une série d'épreuves. Elle dut, entre autres, escalader la Tour de la Connaissance; quand, après bien des efforts, elle parvint au sommet, sa déception de n'y point trouver Éros fut telle qu'elle voulut se précipiter dans le vide. Mais une voix inconnue lui conseilla de descendre aux Enfers pour aller y chercher le coffret aux parfums de Perséphone. Ce qu'elle fit; mais, poussée par la curiosité, elle ne put s'empêcher d'ouvrir le coffret, bien qu'on le lui ait interdit. Les parfums qui s'en échappèrent aussitôt la plongèrent dans un sommeil léthargique.

Ému par un amour aussi constant, Éros obtint de Jupiter que Psyché fût admise dans l'Olympe. Ainsi fut scellée pour l'éternité leur union dans le ciel.

Le mythe illustre la quête de l'âme (Psyché) à la recherche du bonheur parfait. C'est aussi le rêve que poursuit le type supérieur de la Balance. Mais sur la route qui mène à l'amour idéal, les tentations et les chutes sont nombreuses. Celle, par exemple, de la connaissance logique (la Tour de la Connaissance) qui ne peut assurer la fusion avec l'Autre. Les natifs de la Balance doivent apprendre à faire une confiance totale à l'amour, au lieu de toujours chercher à connaître les éléments du problème pour peser le pour et le contre et se faire une opinion.

Ils connaissent aussi la tentation du désespoir parce qu'ils ne peuvent pas saisir ce qui échappe à leur jugement. Parfois, ils sont également tentés de s'endormir, c'est-à-dire d'abandonner la lutte (les parfums de Perséphone) car la purification de l'âme passe par des épreuves redoutables. Cela correspond à un certain manque de combativité des natifs de la Balance, qu'une tâche trop pénible risque de rebuter et de décourager.

La fin du mythe montre clairement que l'idéal d'équilibre parfait que ces natifs portent en eux, et que seul un amour pleinement et totalement partagé pourrait leur permettre de réaliser, n'est pas possible sur cette terre. C'est le rêve d'un autre monde.

Héraclès

Après les dieux de la mythologie, le plus célèbre des héros de l'Antiquité va nous aider à parfaire notre information sur le signe de la Balance.

Selon Homère, les héros sont des hommes qui se distinguent de la foule par leurs exploits. Tous leurs efforts tendent à obtenir l'immortalité qui les rendra presque semblables à des dieux. En réalité, chaque exploit correspondait symboliquement à une épreuve imposée au mystique sur la voie de l'initiation.

Héraclès, ou Hercule pour les Romains, fut sans conteste le héros le plus célèbre de la mythologie grecque. Les douze travaux qui lui furent imposés par le roi Eurysthée sont des modèles du genre. Comme leur nombre est égal à celui des signes du Zodiaque, on est naturellement tenté de penser qu'il y a une relation entre les deux. Mais comme l'ordre des douze travaux n'est manifestement pas celui des signes du Zodiaque, il faut se livrer à un travail de recherche, parfois difficile, pour essayer de retrouver les correspondances entre signes et travaux.

Les animaux qui apparaissent dans certains travaux rendent leur attribution presque évidente à tel ou tel signe (le lion de Némée : Lion; le taureau de l'île de Crète : Taureau; le sanglier d'Erymanthe : Bélier; la biche de Cérynie : Capricorne). Il n'en est malheureusement pas ainsi pour tous les travaux, tant s'en faut. Pour la Balance, nous choisirons les pommes d'or que le héros devait dérober dans le jardin des Hespérides [1].

Ce travail comporte des éléments que la Tradition astrologique rattache à la Balance : le jardin, les pommes, les trois Hespérides qui sont de belles jeunes filles insouciantes. Tout cela fait penser à Vénus. De plus, la pomme joue un rôle dans deux *jugements* célèbres : c'est une pomme d'or que le berger Pâris offrit à Vénus qu'il trouvait la plus belle des trois déesses soumises à son jugement; quant à la pomme du jardin d'Eden, elle fut l'occasion d'un autre jugement qui sanctionna la chute de l'Humanité.

Quant au dragon Ladon qui veillait sur ce jardin enchanté, ce pourrait être Saturne, le gardien du Seuil, c'est-à-dire celui qui vous laisse ou non pénétrer dans un monde supérieur, ce monde étant, en réalité, un certain niveau de conscience.

Chaque épreuve était liée à des vertus que le héros devait acquérir. Le candidat capable de dérober les fameuses pommes que Gaïa avait offertes à Héra, le jour de son mariage avec Zeus-Jupiter, avait réussi à s'élever jusqu'à cet idéal d'amour et de beauté qui est, justement, celui de la Balance. Et pour vaincre le dragon Ladon, ce même dragon de nombreux contes et légendes, il faut faire preuve d'une grande intelligence et d'une grande sagesse — les qualités de Saturne.

On le voit, ce sont toujours et partout les mêmes valeurs spirituelles et morales que la fable antique nous présente sous des masques divers. Avec Héraclès, nous évoluons sur les sommets du développement spirituel de l'homme; mais transposer ces valeurs sur le plan de la vie quotidienne n'est, après tout, qu'une question de degré.

Le Tarot

Si l'on en croit Papus, un des grands vulgarisateurs de l'occultisme, le Tarot serait le livre de la Révélation primitive des anciennes civilisations que les Bohémiens se seraient transmis, sous forme d'un jeu de cartes, de génération en génération. Le Tarot, livre de Sagesse, fait donc partie de notre patrimoine culturel, et c'est à ce titre que nous nous intéressons à lui pour

1. Les auteurs qui ont traité de ce problème ne sont pas d'accord sur toutes les correspondances. Nous suivons ici celles données par Omraam Mikhaël Aïvanhov, tome VIII des *Œuvres complètes : le Langage symbolique*, Éditions Prosveta, Fréjus.

savoir s'il contient quelques-uns de ces grands symboles archétypes applicables à la Balance.

Composé de soixante-dix-huit arcanes, le Tarot se divise en vingt-deux arcanes majeurs réservés au plan des idées, celui qui nous intéresse, et cinquante-six arcanes mineurs dévolus au plan terrestre. Les arcanes sont des cartes, ou lames, chargées d'une signification occulte (*arcanum :* secret).

Parmi les lames majeures qui constituent le véritable livre initiatique, la huitième représente une femme, le front ceint d'une couronne de fer et assise sur un trône placé entre les deux colonnes du Temple. Dans la main droite, elle tient un glaive et, dans la main gauche, une balance dont les plateaux sont en équilibre. Celle lame, dont la figure ressemble presque trait pour trait à celle de la déesse Thémis, a naturellement des liens très étroits avec le signe de la Balance.

Il est superflu de revenir sur les deux attributs de la Justice, la balance et le glaive, déjà analysés à propos de Thémis. Mais les deux colonnes du Temple qui symbolisent, entre autres, le Bien et le Mal, ou encore les forces de construction et de destruction, sont en rapport avec Vénus et Saturne, les deux planètes dignifiées dans la Balance.

Quand on connaît la nature traditionnellement attribuée à ces deux planètes qu'apparemment tout sépare, on peut se demander pourquoi elles sont réunies dans ce signe. Saturne est froid et sec, tandis que Vénus est chaude et humide, de sorte qu'elles s'opposent complètement par leurs qualités élémentaires.

Ce couple étrange trouve son explication dans le fait que nous sommes ici en présence de Vénus et de Saturne *supérieurs.* Vénus-Uranie, dont l'amour diffuse chaleur et lumière, s'unit dans la Balance à l'aspect supérieur de Saturne, c'est-à-dire à la sagesse, libre de la haine et de la jalousie qui signent Saturne dans son aspect inférieur. Ce n'est pas en vain que Saturne est *exalté* dans la Balance.

Pour la réalisation de cet équilibre qui est l'idéal du signe, les deux planètes doivent apprendre l'une de l'autre : Saturne s'adoucit au contact de Vénus tandis que celle-ci acquiert de Saturne la rigueur qu'ignore sa générosité. Son amour s'assagit. L'équilibre qui s'établit ainsi par osmose entre les deux planètes est un reflet de la position d'équilibre que le signe de la Balance occupe entre la Vierge et le Scorpion.

Ce n'est qu'à une date relativement récente que la Balance aurait été insérée entre ces deux signes. Les historiens de l'astrologie n'ont pas réussi à se mettre d'accord sur cette date : elle se situerait, pour certains, dans le premier millénaire avant Jésus-Christ. Quoi qu'il en soit, cette introduction tardive de la Balance dans le Zodiaque a pu correspondre à une nouvelle étape dans l'évolution de l'Humanité.

Pour essayer de comprendre la signification de cette position intermédiaire de la Balance, considérons les symboles de la Vierge ♍ et du Scorpion ♏ : ils se ressemblent et s'opposent tout à la fois. Dans le premier, le « dard » est rentré alors qu'il se déploie dans le second.

A les considérer de plus près, ces deux symboles font penser aux doigts d'une main repliés sur la paume, le pouce étant caché sous les autres doigts : ♍ , ou complètement écarté : ♏ . Or, le pouce est le prolongement de ce que les chirologues nomment l'éminence thénar — sorte de réservoir de la force vitale, inséparable de la force sexuelle.

La Balance se trouve donc placée entre la Vierge, signe de chasteté liée au nom même du signe, et le Scorpion, signe de l'énergie sexuelle extériorisée (dans le cas où elle n'a pas subi de sublimation, mais alors le signe du Scorpion se transforme en signe de l'Aigle).

Le natif de la Balance se trouve ainsi tiraillé entre les plaisirs du sexe et un idéal de pureté. Peut-être penchera-t-il complètement d'un côté ou de l'autre, ou bien alternativement des deux côtés. A moins qu'il ne choisisse une troisième voie, la plus difficile parce que la plus périlleuse, qui conduit à la synthèse des deux tendances. C'est la voie du juste milieu, la voie profonde de la Balance.

Cette situation du natif de la Balance placé au point de rencontre de deux courants contraires peut être illustrée par une autre lame du Tarot, la sixième, appelée « l'Amoureux ». Que représente-t-elle? Un jeune homme se tient immobile à un croisement de deux routes (hésitation de la Balance). Deux femmes, l'une à sa droite, l'autre à sa gauche, lui posent une main sur l'épaule, et lui montrent une des deux routes. La femme de droite (la Vierge) porte une couronne d'or, celle de gauche (le Scorpion) est échevelée et couronnée de pampres. La clarté du symbole rend tout commentaire superflu.

Guariento, Ange pesant une âme : *le premier mouvement que l'on attribue à la Balance est un mouvement de justice.*

L'archange saint Michel

Nous allons évoquer la figure de l'archange saint Michel qui décore les tympans et les vitraux de nos églises, car, lui aussi tient dans ses mains la balance ou le glaive, et parfois les deux. Or, la liturgie catholique célèbre la fête de saint Michel le 29 septembre, c'est-à-dire dans les premiers jours de la Balance, au point de passage du monde physique au monde spirituel, marqué par le déclin du Soleil extérieur et l'aurore du Soleil intérieur. La vie de l'esprit va connaître un renouveau tandis que la nature se prépare à entrer dans son sommeil hivernal. Le saint Michel de nos églises a pris la relève des anciennes divinités Toth-Hermès des Égyptiens et des Grecs, et du Mercure des Romains. Loin de rejeter les dieux « païens », les chrétiens leur ont ajusté de nouveaux vêtements pour que se perpétue la Tradition qui ne pourra s'éteindre tant que l'âme voudra se nourrir de Vérité.

Saint Michel a remplacé Hermès-Psychopompe; il est le peseur d'âmes, placé au carrefour de la vie et de la mort. Entrer dans l'automne, c'est aussi entrer symboliquement dans une sorte de mort qui préfigure la vraie mort. Saint Michel nous invite à faire, à cette occasion, un bilan — une répétition du jugement qui suit la mort. Sur les plateaux de la balance, il faut mettre les fruits de notre travail, rejeter tout ce qui n'est pas sain pour ne garder que ce qui peut résister à l'épreuve du temps. C'est l'exaltation des valeurs de dépouillement, symbolisées par Saturne, nous invitant à élaguer de nos pensées et de nos sentiments toutes les branches mortes ou inutiles.

L'Homme-Zodiaque

Pour terminer, évoquons une dernière figure mythique popularisée par les gravures anciennes : celle de l'Homme-Zodiaque. Elles représentent un homme dont chaque partie du corps est reliée à un signe du Zodiaque. Cela va de la tête, rattachée au signe du Bélier, pour se terminer avec les pieds, auxquels correspondent les Poissons, dernier signe. Les autres signes se répartissent régulièrement sur le corps, entre la tête et les pieds. La Balance, qui tient le milieu du Zodiaque, se situe naturellement au milieu du corps, englobant les reins et la région lombaire.

La Tradition astrologique enseigne, à ce propos, que l'organe correspondant au signe qui reçoit le Soleil — accompagné parfois de ses satellites les plus proches, Mercure et Vénus —, ou bien encore l'organe correspondant au signe se levant au moment de la naissance, cet organe, donc, sera particulièrement sensible aux attaques de la maladie pendant toute l'existence du natif. Il exigera une surveillance et des soins particuliers, surtout si le signe en question est lui-même exposé à la malveillance de certaines planètes. Cet enseignement de la Tradition est confirmé par l'expérience. Ainsi le mythe devient réalité. Du point de vue qui est ici le nôtre, le fait que les reins et les lombes soient rattachés à la Balance présente un intérêt certain. Les reins sont des filtres chargés d'épurer le sang; dès que leur fonctionnement est entravé, le déséquilibre s'installe dans l'organisme, entraînant la mort par empoisonnement à plus ou moins longue échéance. Tels les deux plateaux d'une balance, les reins sont responsables de l'*équilibre* interne du corps. Comme saint Michel, ils font un tri et rejettent tout ce qui est nocif.

Quant aux lombes, elles constituent elles aussi une balance dont le bas de la colonne vertébrale est le fléau. De même que le signe de la Balance est la charnière du Zodiaque, de même les lombes sont la charnière autour de laquelle s'articule tout le corps. En outre, elles forment un couple, et le corps ne peut conserver ou rétablir son équilibre que parce qu'elles sont deux, l'une faisant contrepoids à l'autre. En extrapolant cette fonction sur un autre plan, on pourrait en conclure que l'équilibre de l'individu passe par le couple. La Balance, septième signe, et la Maison VII, celle des associations, donc du mariage, ne nous disent pas autre chose.

Pour retrouver les significations les plus élevées comme les plus terre à terre du signe de la Balance, nous avons interrogé les mythes et les symboles appartenant au patrimoine culturel de la civilisation occidentale qui nous semblaient pouvoir éclairer notre recherche. Or, il nous faut constater que tous ces mythes se confirment les uns les autres; cette remarquable convergence a quelque chose de rassurant, car elle justifie notre démarche, tout en enrichissant nos connaissances.

Chapitre II

Caractérologie générale du Signe

Cette somptueuse et célèbre Vénus de Botticelli dit tout sur la grâce, le charme, l'extrême séduction du signe de la Balance.

La Balance dans la Vie

Les six premiers signes du Zodiaque marquent symboliquement les étapes de la construction du « Moi », qui trouve son accomplissement dans le signe de la Vierge. C'est le cycle de l'*involution*, au cours duquel se réalise la vie personnelle.

Avec la Balance débute un nouveau cycle, celui de l'*évolution*, qui va mettre l'accent sur la vie collective. La Balance, *libra* en latin, était le signe du dieu Liber [1]. Suivant une filière étymologique plus intuitive que scientifique, mais qu'il faut se garder de rejeter a priori, car ces rapprochements ne sont pas tous fortuits, on aboutit au verbe « libérer » : la Balance est un signe de libération, elle libère l'homme des forces égocentriques qui le limitaient. Alors qu'au cours du cycle précédent, les forces de vie travaillaient à la formation de la *personnalité*, elles vont maintenant ouvrir les voies à l'*individualité* [2] pour lui permettre de se manifester car, préexistant à la personnalité, l'individualité n'a pas besoin d'être construite.

C'est au contact des autres, donc au sein du groupe, que l'homme va commencer à prendre conscience de son individualité. Pendant la traversée des six premiers signes, il était tellement occupé à construire sa personnalité qu'il ignorait tout ce qui n'était pas lui. Avec la Balance, il apprend à se situer par rapport aux autres et, progressivement, son champ de conscience va s'élargir de la communauté élémentaire, représentée par le couple (Balance), à la fusion dans le grand Tout (Poissons), en passant par les groupes sociaux organisés (Capricorne) et la fraternité humaine (Verseau).

La Balance fait ses premiers pas sur le chemin de l'altruisme. A partir de ce signe, commence à se manifester un amour qui n'est pas uniquement tourné vers la satisfaction des désirs personnels. Pour la première fois, au cours de son développement, l'homme, cessant de se prendre pour le centre de son univers, se conçoit en fonction de l'« autre », vers lequel il se sent irrésistiblement attiré.

On peut comparer les deux demi-cercles du Zodiaque, qui se déploient d'un point équinoxial à l'autre, aux deux branches d'un aimant qui sont de polarité contraire. Le premier demi-cercle, qui s'étend du Bélier à la Vierge, englobe les signes de printemps et d'été : il est positif; le second regroupe, de la Balance aux Poissons, les signes d'automne et d'hiver : il est négatif. En leur point de rencontre, à 0 degré Balance, les deux demi-cercles se soudent étroitement, puisque

1. Le dieu Liber a été assimilé à Dionysos ou Bacchus, dieu du vin, en l'honneur duquel on célébrait les *liberalia* dans les vignobles, au moment où le Soleil entrait dans la Balance.

2. *Personnalité* et *individualité* sont très souvent confondues, sans doute parce que ces mots recouvrent des concepts trop vagues. Il est vrai que les dictionnaires contribuent à entretenir cette confusion en faisant de ces deux mots des synonymes.

L'idée de personnalité est étroitement liée à celle du masque *(persona)* que portaient les acteurs de l'Antiquité. La personnalité représente donc le masque que portent les hommes pour jouer leur rôle sur la scène de la vie, autrement dit le corps avec ses désirs tyranniques et ses moyens limités. C'est notre nature inférieure ou animale.

L'individualité est cette autre partie de nous-même qui est la « maison bâtie sur le roc » dont parlait Jésus dans l'une de ses paraboles. Stable et immuable, c'est notre nature supérieure ou divine. C'est encore l'étincelle divine que tout homme porte en lui et qui doit un jour illuminer et embraser tout son être.

On peut lire à ce sujet *la Clé essentielle*, tome XI des *Œuvres complètes* de Omraam Mikhaël Aïvanhov, Éd. Prosveta, Fréjus.

les pôles opposés ont la propriété de s'attirer. Ainsi se trouve une nouvelle fois soulignée la vocation d'union de la Balance.

En outre, l'oscillation continuelle des deux plateaux de la balance sous l'action des forces de la vie fait naître chez le natif de la Balance un sentiment d'*insécurité* qui le pousse à rechercher l'être complémentaire qui pourra l'aider à rétablir l'équilibre.

Enfin, nous avons déjà noté que la Maison VII, qui est l'analogue du septième signe, celui de la Balance, est traditionnellement le secteur des associations, dont le mariage est la forme la plus simple et la plus répandue.

Pour toutes ces raisons, le natif de la Balance éprouve avec plus de force que les natifs des autres signes le besoin de se lier à un partenaire. Si sa destinée ne lui permet pas de réaliser cette union de façon durable, il ressentira douloureusement cet échec. Dans les cas extrêmes, cela peut le plonger dans l'angoisse. Mais ces cas extrêmes restent heureusement l'exception, car on sait combien la Balance les fuit.

Naturellement, les signes qui appartiennent au premier hémicycle du Zodiaque, comme, par exemple, le Bélier ou les Gémeaux, ne sont pas, pour autant, incapables d'exprimer des sentiments altruistes sous prétexte que, selon le système zodiacal symbolique que nous venons d'exposer, de tels sentiments ne se manifestent que dans la deuxième partie du Zodiaque — plus précisément à partir de la Balance.

Tous les signes peuvent donner des mystiques qui aspirent à se fondre en Dieu, fusion qui passe d'abord par l'homme. Nous n'en voulons pour preuve éclatante que le thème de sainte Thérèse d'Avila (28 mars 1515), avec le Soleil, Mercure, Vénus et l'Ascendant dans le Bélier, un signe réputé peu doué pour la philosophie et l'abstraction. Cela n'a pas empêché cette grande mystique d'exposer, dans *le Château intérieur*, une doctrine que Bossuet qualifiait de « céleste ».

Nous avions envisagé le Zodiaque d'un point de vue symbolique, comme le reflet de l'évolution de l'homme. Mais selon le principe hermétique qui veut que tout soit dans tout, chaque signe contient tous les autres, c'est-à-dire que le natif de n'importe quel signe pourra manifester, à des degrés divers, toutes les qualités dont chacun des signes est l'illustration particulière. Simplement, les qualités plus spécifiquement propres à un signe laisseront une empreinte plus profonde sur les natifs de ce signe. C'est ce que nous avons voulu dire pour la Balance.

S'il est vrai, en effet, que la plupart des êtres recherchent dans la vie un partenaire et que beaucoup se marient, il n'en reste pas moins que ce besoin de l'« autre » sera plus intensément et plus intimement ressenti par les natifs de la Balance que par ceux des autres signes, au point de devenir une sorte de leitmotiv qui va marquer leur vie dans tous les domaines.

Dans cette quête d'un partenaire *équilibrant*, le natif de la Balance est aidé par une disposition particulière de sa nature : c'est un être de *sentiment* [1]. Nous éviterons d'utiliser le mot « sentimental » à son endroit : il a pris, dans le langage courant, un sens quelque peu péjoratif.

Le sentiment est une notion complexe. C'est d'abord cette faculté que nous avons de recevoir les impressions par la voie des sens; ce sentiment-là est étroitement lié à la sensation. C'est également, dans le langage des psychologues, un état affectif dont les causes sont d'ordre moral : un sentiment d'amour, de générosité ou de honte. Ce peut être, enfin, un mode de connaissance intuitif ou instinctif qui s'oppose à l'intelligence, comme le cœur s'oppose à la raison.

Ces différentes significations recouvertes par le mot « sentiment » sont inséparables les unes des autres et s'appliquent avec des nuances ou des restrictions au natif de la Balance, puisque sa vie est dominée par le sentiment. Il le doit assurément à la planète Vénus qui, du fait de son domicile dans la Balance, exerce une sorte de patronage sur le signe. C'est une Vénus libérée de la lourdeur terrienne dont elle s'était chargée en Taureau. Dans le signe d'Air de la Balance, elle est devenue légère, aérienne, elle s'est spiritualisée.

L'influence de l'élément Air ne doit pas être négligée comme ont tendance à le faire ceux qui font de ce natif un être vivant presque uniquement par les sens. Il est vrai que ses rapports avec les êtres comme avec les choses, avec les idées comme avec les situations, sont conditionnés par la façon dont il les ressent : il aime parce qu'il en éprouve du plaisir, et il n'aime pas parce

1. Ceux qui voudraient approfondir cette question peuvent se référer à la classification de C.G. Jung, qui distingue quatre types fonctionnels principaux : le type pensée, le *type sentiment*, le type action et le type intuition. Les types absolument purs n'existent évidemment pas, puisque chacun de nous pense, sent, agit ou a des intuitions, mais on peut imaginer une variété infinie de types mixtes, depuis le type presque pur jusqu'au type composite presque équilibré, en passant par le type dominé par une fonction comme le natif (idéal) de la Balance.

que cela lui est désagréable. C'est un être essentiellement subjectif. Nous voulons dire par là que les valeurs qu'il reconnaît, et qui déterminent sa conduite, sont appréciées en fonction de ses états affectifs auxquels viennent s'ajouter les souvenirs et les images que chacun de nous porte dans son subconscient.

On peut en conclure que le natif de la Balance cédera facilement à la tentation de classer tout ce qui l'environne en deux groupes : ce qui lui est sympathique et ce qui lui est antipathique. C'est là sa pente naturelle.

Cependant, son sens de la mesure et de l'équité, son intelligence aussi, le garderont des jugements trop subjectifs ou trop tranchés. C'est ici également qu'interviendra l'influence de l'élément Air qui, en le dotant d'une intelligence souple et subtile, lui fait prendre conscience de la relativité des êtres et des choses. Il évite ainsi de se laisser aller trop souvent à des appréciations faussées par le sentiment.

Premier objectif : l'harmonie

Au-delà des impressions que lui procurent ses sensations, nous avons vu que le natif de la Balance trouve également dans le sentiment un mode de connaissance intuitif. Cette précieuse faculté va le guider dans le choix de ses relations. Pour que celles-ci lui apportent la stabilisation dont il a besoin pour être « bien dans sa peau », il faut qu'il se sente en affinité avec ses interlocuteurs ou ses partenaires. Le plaisir qu'il retire de ces échanges pourra être le point de départ d'une amitié ou d'un amour car il conjugue volontiers le verbe « aimer » à toutes les personnes.

Le sentiment de bien-être éprouvé sera fonction de la paix et de l'harmonie que ces relations feront régner en lui et autour de lui. L'harmonie est son principal objectif et elle règle son comportement dans la vie en général et dans ses rapports avec autrui en particulier. Au nom de l'harmonie, il est capable de sacrifier une partie de ses intérêts personnels. Il met tout en œuvre pour que ses relations avec son entourage immédiat, avec ses collègues de travail ou avec les gens rencontrés dans la vie quotidienne soient harmonieuses, comme doit l'être son cadre de vie. La beauté n'est, finalement, que le résultat d'une certaine harmonie.

Échanges, *équilibre*, *paix*, *harmonie* sont les mots clés qui, sur un fond de sentiment, dominent la vie du natif de la Balance parce qu'ils correspondent aux aspirations de sa nature profonde. Mais face aux problèmes de la vie, il peut adopter deux attitudes très différentes qui modulent sensiblement sa structure fondamentale.

Ces deux attitudes sont liées aux deux planètes que nous connaissons bien maintenant, puisqu'elles nous accompagnent depuis le début : Vénus et Saturne. Ce sont les deux faces d'un même personnage; si certains natifs de la Balance sont plus vénusiens que saturniens, ou inversement, sans qu'une influence soit totalement éliminée au profit de l'autre, il est un troisième groupe qui voit la « balance » pencher alternativement du côté de Vénus et du côté de Saturne. Ils appartiennent au tempérament cyclothymique : ceux-là oscillent entre l'exubérance et la mélancolie, avec une amplitude qui varie d'un individu à l'autre.

Si c'est Vénus qui l'emporte, nous sommes en présence d'un être largement ouvert au monde environnant. Cette attitude est celle de l'*extraverti* dont nous devons la définition à C.G. Jung : c'est un être ouvert, prévenant et de commerce agréable, qui s'adapte facilement à toutes les situations et se lance dans l'inconnu sans trop se poser de questions [1]. Le deuxième trait fondamental de ce caractère sera la sympathie, celle qu'il prodigue en espérant provoquer celle des autres.

A partir de ces deux traits fondamentaux, il est facile de déduire les manifestations secondaires qui en découlent naturellement. L'extraverti de la Balance va chercher à nouer de nombreuses relations avec son entourage naturel : les membres de sa famille, au sens large du mot; dans les petites villes, les gens de son quartier et, dans les grandes villes, les gens de son immeuble; ses collègues de travail et les gens avec qui, dans un club ou une association, il partage des distractions communes. Il a le contact facile, car il est affable et enjoué. Il sait trouver le mot qui fait plaisir ou qui touche, et bien peu résistent à son sourire engageant. Sa sympathie n'est pas affectée, elle vient du cœur, et les gens y sont particulièrement sensibles dans un monde qui tend à se déshumaniser. Ces échanges chaleureux sont pour lui une nécessité. Ils sont son oxygène.

1. C.G. Jung, *Psychologische Typen*, Zurich, 1925.

Il donne beaucoup de lui-même et le fait volontiers, mais il attend au moins autant des autres. Il n'est jamais aussi malheureux que lorsqu'il ne se sent pas apprécié. L'opinion des autres compte beaucoup pour lui et, si leurs compliments lui vont droit au cœur, leurs critiques peuvent le rendre très malheureux. Il a besoin de sentir passer entre lui et les autres un courant de sympathie. Il veut être aimé.

Une telle attitude n'est pas sans danger, car, chez certains natifs de la Balance, ces qualités peuvent se changer en défauts. Devenus trop dépendants de l'opinion des autres, ils sont tentés de rechercher leurs flatteries et ils courent le risque d'être influencés par ceux dont la sympathie est devenue pour eux comme une drogue. Enfin, ces êtres sont mal préparés à supporter une solitude à laquelle pourrait les condamner un destin difficile ou cruel. Destin qui se présente rarement dans un thème dominé par Vénus : les Anciens appelaient cette planète la « petite Fortune ».

Si Saturne l'emporte sur Vénus, nous passons de l'extraversion à l'*introversion*. Jung définit l'introverti comme un être réservé, réfléchi, hésitant, qui se livre difficilement, vit toujours un peu en retrait, prend ses distances par rapport à l'objet, et observe choses et gens avec une certaine méfiance.

C'est assurément là une description qui présente des traits trop accusés pour être totalement compatible avec ce que nous savons de la Balance. Comme l'introversion ne peut pas changer la nature profonde du natif de la Balance, elle va gommer quelque peu les traits qui sont plus particuliers au vénusien de la Balance, et appuyer ceux qui s'accordent avec la typologie saturnienne.

Sans rien perdre de la force de ses sentiments ni de sa courtoisie souriante, l'introverti de la Balance sera plus difficile dans le choix de ses relations. Il ne veut pas se gaspiller sentimentalement. Il n'aime pas la dispersion et encore moins les débordements affectifs, ni chez lui ni chez les autres. Sa réserve pourra d'ailleurs lui gagner la sympathie de ceux qui se lassent vite d'une trop grande familiarité et qui voient dans la réserve une marque d'élégance morale.

Il ne faut pas se fier ici aux apparences : l'introverti de la Balance ressent aussi fortement que l'extraverti cette force qui le porte vers les autres. Lui aussi aimerait bien se mêler aux gens, participer à leurs fêtes, partager leurs distractions, prendre part à leurs sorties. Mais il se sent constamment retenu par une autre force, presque égale à la première, qui le contraint à réfréner ses élans, à tempérer ses enthousiasmes et à limiter ses envies.

Il pratique un certain élitisme affectif, ses sentiments gagnent en profondeur ce qu'ils perdent en « largeur ». Son clavier sentimental, pour être moins étendu, n'en est que plus nuancé. Mais il est suffisamment lucide pour percevoir le conflit intérieur dont il est le théâtre. Conflit qui renforce sa tendance à tergiverser, et lui laisse un sentiment de frustration.

Enfin, une vie intérieure plus intense l'amenant à vivre un peu en retrait du monde, il attache moins d'importance que l'extraverti à son apparence extérieure, il est moins soucieux que lui de son élégance vestimentaire.

Pratiquement, comment déterminer le genre de Balance auquel on a affaire? Vénusien ou saturnien? Extraverti ou introverti? Cela dépend de la qualité et de la force de chacune de ces deux planètes dans l'horoscope.

La *qualité* d'une planète dépend de sa position dans tel ou tel signe du Zodiaque. C'est ce que les Anciens appelaient son *état céleste*. Si la nature du signe qui reçoit la planète est en harmonie avec sa propre nature, elle pourra donner le meilleur d'elle-même. Les signes qui conviennent à Vénus sont le Taureau et la Balance (domiciles), les Poissons (exaltation) et, à un degré bien moindre, les Gémeaux, le Verseau et le Capricorne (trigonocratie [1]).

Les signes en résonance avec Saturne sont le Capricorne et le Verseau (domiciles), la Balance (exaltation) et, en dernier lieu, les Gémeaux, le Taureau et la Vierge (trigonocratie).

La *force* d'une planète s'apprécie selon sa position en Maisons. En abordant ce problème dans l'introduction, nous avons vu qu'une planète située à proximité de son lever (Ascendant) ou de sa culmination supérieure (Milieu-du-Ciel) était particulièrement puissante. Sa position dans les parages de son coucher (Descendant) ou de sa culmination inférieure (Fond-du-Ciel, lui confère également une certaine force, surtout si les deux premiers lieux ne sont pas occupés.

1. Une planète est dite en dignité de *trigonocratie* quand elle se trouve dans les signes qui appartiennent à la même triplicité élémentaire que le signe de son ou de ses domiciles, à condition qu'elle n'ait dans ces signes ni dignité, ni débilité.

A cela viennent s'ajouter les aspects que Vénus et Saturne reçoivent éventuellement des autres planètes. Ils peuvent les soutenir, les modifier ou les inhiber. Toutefois, il vaut encore mieux, pour une planète, recevoir de « mauvais » aspects que de n'en point recevoir du tout, d'autant plus que les aspects dits mauvais n'ont de mauvais que le nom.

En effet, les astrologues modernes abandonnent de plus en plus cette classification en aspects « bénéfiques » et « maléfiques ». Ils pensent que la signification d'un aspect dissonant dépend, d'une part, des planètes qui le forment et, d'autre part, de l'ensemble du thème. Et encore n'est-ce là qu'une approche très sommaire d'un problème fort complexe.

Morin de Villefranche, médecin, mathématicien et grand astrologue, qui fut au XVIIe siècle le rénovateur de l'Astrologie, a donné des règles précises qui permettent de cerner de plus près cette question. Selon Morin, la nature intrinsèque de l'aspect (bénéfique ou maléfique) n'est absolument pas déterminante. Trop d'astrologues ne s'embarrassent guère aujourd'hui de telles subtilités car ils ne tiennent pas à se compliquer la tâche. Et puis, il est difficile de leur faire admettre qu'un trigone (distance de 120 degrés entre deux planètes), réputé pour être un très « bon » aspect, puisse dans certains cas avoir des effets désagréables, sinon désastreux.

Quoi qu'il en soit, il arrivera assez souvent qu'un aspect dissonant (quelle que soit d'ailleurs sa nature intrinsèque) corresponde à un conflit résultant d'une opposition ou d'une tension entre les forces signifiées par les planètes en aspect. Même ce conflit tournera à l'avantage de celui qui saura l'utiliser pour travailler à la construction de son être.

Quand Vénus et Saturne auront été examinés de ces différents points de vue, il sera possible, dans la plupart des cas, de juger de leur importance relative dans le thème. Il arrivera cependant que cet examen se révèle délicat. Le mieux sera alors d'avoir recours à un système de cotation des planètes mis au point par certaines praticiens. Il n'y a pas de système parfait, pas plus ici qu'ailleurs, mais on peut avoir recours à la méthode mise au point par A. Volguine [1]. Elle n'échappe pas à la critique, mais elle permet de débrouiller certains cas difficiles.

1. *Le Maître de Nativité*, Éditions Traditionnelles, Paris, 1970.

Ce tableau de Marie Laurencin montre un couple élégant et vénusien, comme celui que la Balance aspire à former avec l'être aimé.

La Balance et l'Amour

Pour toutes les raisons que nous venons d'évoquer et dont nous rappelons les deux principales :
• la Balance est un signe d'union,
• la Balance, septième signe, correspond à la Maison VII qui est le secteur des contrats et des associations, il est normal que le natif de ce signe soit naturellement porté vers le mariage. Non pour fonder une famille, comme le Cancer, ni pour vivre sa sexualité, comme le Taureau ou le Scorpion, mais pour créer une *communauté à deux* dans laquelle les enfants s'effaceront derrière le partenaire.

Ses qualités de cœur le prédisposent à faire un mariage d'amour.

Charmant, affable, affectueux, gai, optimiste, délicat, raffiné, comment ne trouverait-il pas le partenaire qui « fera le poids » sur l'autre plateau de la balance? Si l'on ajoute qu'il sécrète un charme discret assez indéfinissable, propre à capter l'intérêt des autres, on aura presque le portrait du séducteur. Mais presque, seulement, car il n'a pas tous les atouts en main, comme nous allons le voir, dans la façon dont il fait sa cour.

Pour mieux saisir sa manière, utilisons la méthode des « contraires ». Le point de départ nous sera fourni par le récit que l'abbé Prévost met dans la bouche du jeune chevalier Des Grieux (il n'avait que 17 ans) pour nous conter sa rencontre avec Manon Lescaut :

« Il en sortit [du coche d'Arras] quelques femmes qui se retirèrent aussitôt. Mais il en resta une, fort jeune, qui s'arrêta seule dans la cour pendant qu'un homme d'âge avancé, qui paraissait lui servir de conducteur, s'empressait pour faire tirer son équipage des paniers. Elle me parut si charmante que moi, qui n'avais jamais pensé à la différence des sexes ni regardé une fille avec un peu d'attention, moi, dis-je, dont tout le monde admirait la sagesse et la retenue, *je me trouvai enflammé tout d'un coup jusqu'au transport*. J'avais le défaut d'être excessivement timide et facile à déconcerter; mais loin d'être arrêté alors par cette faiblesse, je m'avançais vers la maîtresse de mon cœur. Quoiqu'elle fût encore moins âgée que moi, elle reçut mes politesses sans paraître embarrassée. Je lui demandais ce qui l'amenait à Amiens et si elle y avait quelques personnes de connaissance. Elle me répondit ingénument qu'elle y était envoyée par ses parents pour être religieuse. [...] Elle me dit, après un moment de silence, qu'elle ne prévoyait que trop qu'elle allait être malheureuse, mais que c'était apparemment la volonté du ciel puisqu'il ne lui laissait nul moyen d'y échapper.

La douceur de ses regards, un air charmant de tristesse en prononçant ces paroles, ou plutôt *l'ascendant de ma destinée* qui m'entraînait à ma perte, ne me permirent pas de *balancer* un moment sur ma réponse. Je lui assurai que [...] j'emploierais ma vie pour la délivrer de la tyrannie de ses parents et pour la rendre heureuse. Je me suis étonné mille fois, en y réfléchissant, d'où me venait alors tant de hardiesse et de facilité à m'exprimer; mais on ne ferait pas une divinité de l'amour, s'il n'opérait souvent des prodiges. [1] »

Ce récit fameux n'est rien d'autre que la description du « coup de foudre ». Se trouver brusquement « enflammé jusqu'au transport » ne saurait mieux définir cet état que le natif de la Balance ne connaît généralement pas. Ce serait plutôt l'apanage des natifs du signe qui s'oppose à la Balance dans le Zodiaque : le Bélier.

1. Abbé Prévost, *Manon Lescaut*. Les mots en italiques sont soulignés par nous.

Ce genre d'emportement affectif qui, comme le déferlement d'un raz de marée, balaie tout sur son passage et change une situation en un instant, ce genre d'emportement s'accorde mal avec le caractère hésitant et prudent de la Balance.

Non que la Balance soit incapable de s'enflammer; il serait bien surprenant qu'un enfant de Vénus reste sourd aux appels de l'amour; mais ces appels sont aussitôt contrebalancés par des forces antagonistes.

Il y a d'ailleurs, dans ce passage de *Manon Lescaut*, quelques lignes avant la fin, une remarque qui emprunte son expression à la langue astrologique. Des Grieux reconnaît qu'il ne lui fut pas possible de *balancer* un moment sur sa réponse. C'est une façon de reconnaître qu'il n'était pas soumis à l'influence de la Balance qui, au contraire, lui aurait donné tout loisir de « balancer » pour échapper à l'emprise d'une passion foudroyante [1].

Dès qu'il est saisi par l'amour, le natif de la Balance en ressent une grande satisfaction parce qu'il y voit l'occasion de réaliser une aspiration essentielle de son âme : il va pouvoir fusionner avec l'autre. Mais tout aussitôt, en juge équitable de sa propre situation, il analyse son amour, et rien, dans cette appréciation, ne pourrait le détourner d'une objectivité qui s'impose à lui. Il aimerait bien quelquefois être moins lucide, mais il ne le peut pas. C'est plus fort que lui. Dans cet aveu, on reconnaît les impératifs de l'inconscient qui forment la trame du tissu profond de la Balance.

Sur l'un des plateaux de la balance, il met les avantages de son amour : sur l'autre les inconvénients qu'il n'a pas de peine à trouver, rien n'étant parfait sur Terre. Dès lors, il va balancer, passant alternativement de l'optimisme au pessimisme, de l'enthousiasme au découragement, de l'audace à la crainte.

Il n'est pas difficile d'imaginer les résultats d'une telle attitude. Si les attraits de l'amour ne l'emportent pas finalement sur les inconvénients, cette valse hésitation pourra longtemps encore faire tourner en rond notre Balance.

Voilà pourquoi nous disons que, malgré tant de qualités propres à lui gagner bien des cœurs, ce type zodiacal ne dispose pas de tous les atouts d'un vrai séducteur. Il lui manque la conviction qui emporte la décision dans l'élan d'un mouvement irrésistible.

Dans un tel domaine, ce défaut est bien plus préjudiciable à l'homme qu'à la femme, et c'est pourquoi il nous faut envisager les choses du point de vue de chacun des sexes.

L'Amour Balance conjugué au masculin

Disons-le d'emblée : le natif de la Balance n'est pas homme à se battre avec le rival qui cherche à le supplanter dans le cœur de celle qu'il aime. Il y est d'autant moins disposé qu'*il n'est pas très courageux physiquement*. En poussant les choses à l'extrême, on pourrait même soutenir qu'il est capable de donner raison sur certains points à son rival! Il n'est pas non plus homme à « corriger » sa femme pour la ramener à des conceptions plus saines de la fidélité conjugale. C'est sûrement un défaut, sinon une faiblesse, aux yeux de beaucoup. Faut-il y voir un manque de cette virilité chère aux phallocrates, et aussi à certaines femmes, ou simplement la volonté de respecter la liberté de sa partenaire? L'un et l'autre, sans doute.

Cet *affaiblissement de la virilité* peut trouver sa justification astrologique dans le fait que le Soleil est en « chute » dans la Balance. La chute, rappelons-le, est une des deux débilités planétaires, l'autre étant l'exil. Or, la débilité est, selon le dictionnaire, un « état de grande faiblesse ». Il ne faut donc pas attendre de l'homme de la Balance qu'il manifeste avec éclat des qualités solaires telles que force de caractère, volonté, constance, détermination, confiance en soi, force créatrice, pour ne citer que les principales.

Cela ne signifie pas qu'il n'a aucune de ces qualités. Mais celles qu'il pourra posséder pécheront par faiblesse; surtout, il aura beaucoup de mal à les extérioriser parce que, dans une certaine mesure, elles sont en désaccord avec la nature profonde de la Balance, telle que nous la connaissons déjà.

L'exil de Mars dans la Balance peut également « expliquer » astrologiquement cette dévirilisation. Si la chute affaiblit la planète, l'exil aurait plutôt tendance à pervertir son influence.

1. Notons également, une ligne plus haut, l'expression : *l'ascendant de ma destinée*. Cela aussi, c'est une forme d'astrologie. En lisant cela, on a l'impression de voir l'Ascendant progressé du jeune Des Grieux arriver sur un point névralgique de son thème, progression qui va correspondre au déclenchement d'une série d'événements qui vont être fatals au héros.

Dans la pratique, Mars exilé produira deux sortes d'effets, apparemment contraires : le sujet pourra être instable, inconstant, velléitaire, lâche — en un mot, peu viril; mais il arrive aussi que le sujet, cherchant inconsciemment à compenser cet état d'infériorité dont il souffre, dépasse son but (surcompensation) : il devient alors impatient, despotique, querelleur, cassant, brutal, téméraire. Ce sont ces derniers effets que l'on constate le plus souvent.

On pourrait objecter que ce manque d'affirmation de soi devrait être corrigé par le fait que la Balance est un signe cardinal [1]. En effet, la plupart des auteurs de manuels d'astrologie affirment que les signes cardinaux confèrent l'esprit d'entreprise, le goût de l'action, le sens de l'initiative, l'aptitude au commandement, qualités qu'ils assimilent sur le plan psychologique à la volonté. Alors, on comprend mal que l'homme de la Balance ne joue pas les mâles conquérants. Car c'est ainsi que devraient se passer les choses, si les auteurs de manuels ne faisaient pas fausse route, ce qu'ils doivent apparemment faire puisque l'expérience semble leur donner tort.

En réalité, l'énergie dont sont animés les quatre signes cardinaux s'applique chaque fois à un plan différent, selon la qualité élémentaire du signe. La Balance étant un signe d'Air, l'énergie « cardinale » est au service de l'intellect, et non pas de la volonté, comme ce serait le cas, par exemple, avec le Bélier, signe de Feu. Voilà pourquoi l'objection que nous avons nous-même soulevée est finalement sans objet.

Donc, quand il fait sa cour, l'homme de la Balance n'essaie pas de s'imposer à tout prix. Et si d'aventure il lui arrive de faire des tentatives dans ce sens, il n'aboutit le plus souvent qu'à des échecs qui lui sont d'autant plus pénibles qu'il déteste s'exposer à un refus. *Il est très soucieux de son image de marque.*

Peu doué pour les conquêtes à la hussarde, il va s'efforcer d'émouvoir. C'est tout à fait dans ses cordes puisqu'il dispose d'un registre étendu de qualités auxquelles le cœur d'une femme ne peut rester insensible. Il compte plus sur son charme que sur son audace. N'ayant pas le goût d'imposer sa personne, il va tenter de se faire désirer. Et là, ses chances ne sont pas négligeables, car, en plus de ses qualités de cœur, il possède des qualités intellectuelles et une *intuition* qui lui donnent le sens de la stratégie psychologique.

Lorsqu'il se sent près d'arriver à ses fins, il est repris par ses hésitations. Il craint qu'on ne lui demande de s'engager. Car avec lui, les rôles sont souvent inversés : *il est plus souvent choisi qu'il ne choisit lui-même*, bien que les apparences puissent être trompeuses, dans la mesure où il peut avoir lui-même provoqué ce choix. Quoi qu'il en soit, il hésite. Il se rend soudain compte que dire oui c'est renoncer du même coup aux autres occasions présentes et futures : le voilà envahi par un sentiment de frustration.

Pour en finir avec ces tergiversations dont il est le premier à souffrir, il va se mettre plus ou moins consciemment dans une situation telle qu'il ne pourra plus reculer. Il compte sur une intervention extérieure ou sur les circonstances de la vie pour lui forcer la main. Comme il ne sait pas vraiment refuser, il se résigne à une solution qui, de toute façon, lui laissera des regrets. Rien n'est jamais parfait, surtout pour la Balance.

C'est ainsi qu'il finira par convoler en justes noces, le cadre de la légalité étant celui qui convient le mieux à sa nature. (Nous avons vu que Jupiter-la-Loi entretenait de bons rapports avec Thémis-la-Balance.) Il unira généralement sa vie à une femme qui partage ses vues sur les grands problèmes de l'existence parce que ses exigences morales et esthétiques sont assez fortes pour lui permettre de déjouer les manœuvres d'une intrigante. Il n'empêche qu'il peut lui arriver de se retrouver marié à une femme qui ne répond pas à son idéal féminin, parce qu'elle aura su lui imposer sa volonté. Mais la prudence innée de la Balance veille heureusement à ce que ces cas restent l'exception.

Il conçoit le mariage comme un dialogue. Or, un dialogue véritable ne peut s'instaurer qu'entre deux interlocuteurs qui se respectent mutuellement. C'est ainsi qu'il l'entend; il va tout faire pour que sa femme devienne réellement cette autre partie de lui-même qui le fait courir dans la vie.

1. Le classement en signes *cardinaux*, *fixes* et *mutables* (ou doubles) est le résultat de la division ternaire du Zodiaque. Cette division est fondée sur le mode de manifestation des signes.

Une image aidera peut-être à mieux saisir ce que recouvrent ces dénominations. Imaginons un projectile lancé par une arme. D'abord, il s'élève rapidement dans l'air : c'est le signe cardinal; il se stabilise, tout en poursuivant sa trajectoire : c'est le signe fixe; sa vitesse diminue, il amorce sa descente qui va se terminer par une explosion ou toute autre transformation : c'est le signe mutable. Malgré l'imperfection de l'image, on comprend que cette division est liée à la *dynamique* des signes.

Comme l'eau épouse les formes du récipient qui la reçoit, l'homme de la Balance s'adapte à sa partenaire, au point de vouloir fusionner avec elle. Ce besoin, il l'exprime dans ses rencontres physiques avec elle quand il lui dit : je voudrais me fondre en toi. Et il s'irrite de l'obstacle que les corps eux-mêmes opposent à cette fusion qui est, à ses yeux, plus importante que *les prouesses sexuelles pour lesquelles la nature ne l'a que moyennement doué*. Dans sa vie intime, il recherche la communion des corps et des âmes. Quand il y parvient, il en ressent une profonde satisfaction intérieure qui fait partie de ses joies de vivre. C'est la volupté même.

Les qualités de cœur qui séduisaient ses amies avant le mariage ne peuvent que favoriser ses relations conjugales. Sa gentillesse, sa douceur, son tact, son enjouement créent un climat dans lequel l'amour s'épanouit comme une plante dans la chaleur humide d'une serre. D'un autre côté, son *indulgence* et sa *tolérance* le conduisent à faire des concessions qui évitent bien des heurts. Elles peuvent contribuer à la consolidation du foyer, si elles restent dans les limites du raisonnable.

Son but premier, c'est la création d'une communauté à deux. Qui dit communauté, dit mise en commun. Alors, il s'efforce de tout partager avec sa femme : les joies et les peines, les espoirs et les déceptions, les travaux et les distractions, les succès et les échecs, les gains et les pertes, les enthousiasmes et les découragements dont sont faites toutes les vies. Il ne peut être question pour lui de faire une différence entre le tien et le mien.

Qu'attend-il de sa femme, en retour, puisque les natifs de la Balance pensent leurs relations en termes d'échanges?

Avant tout, le même esprit de partage; ensuite, qu'elle évite toute attitude qui rendrait inévitable *une de ces scènes dont il a horreur*. Elle doit l'aider à surmonter certaines faiblesses de son caractère. Il a des difficultés à s'affirmer dans la vie, à prendre des décisions importantes, à soutenir longtemps un même effort, à se soumettre aux contraintes inévitables de l'existence. S'il se sent soutenu, encouragé, conseillé par une compagne aimante, dévouée et intelligente, alors il est capable de venir à bout de ces difficultés et de réussir sa vie professionnelle.

Elle devra aussi créer un cadre harmonieux dans lequel il pourra se « retrouver » en oubliant les fatigues et les soucis d'une journée de travail, un intérieur élégant et confortable qui réponde à ses goûts raffinés. Elle-même devra être soignée et un brin de coquetterie ne sera pas pour lui déplaire.

L'homme de la Balance n'est évidemment pas sans défauts, encore que ce ne soient pas des défauts majeurs : dans ce signe, tout est mesuré. Sa femme devra accepter son besoin de plaire, de faire « le joli cœur » auprès de ses amies à elle, ou d'avoir des attentions galantes pour de jolies femmes.

Si elle est avisée, elle fermera les yeux sur l'argent dépensé un peu légèrement pour des vêtements élégants. Mais surtout, elle évitera de lui reprocher son manque de virilité et elle n'en profitera pas pour essayer de le dominer car, paradoxalement, il tient à préserver son indépendance dans sa dépendance affective.

La femme d'un Balance de type vénusien devra faire preuve d'indulgence pour les écarts auxquels son mari pourrait se laisser aller, mais qui le plus souvent ne tireront pas à conséquence.

Quant à la femme d'un Balance de type saturnien, elle devra faire preuve de compréhension pour un mari qui a autant de difficultés à exprimer ses sentiments qu'à prendre une décision. A elle de l'aider avec tact.

L'Amour Balance conjugué au féminin

C'est un fait d'expérience et de bon sens : le signe de la Balance convient mieux à la nature et à la condition de la femme dans notre société qu'à l'homme. Deux exemples portant sur des traits marquants du caractère Balance nous en convaincront immédiatement.

La « dévirilisation », qui est un défaut pour lui, se change en qualité pour elle.

Les hésitations propres au signe qui, dans les rencontres amoureuses, la font avancer et reculer tour à tour, deviennent aux yeux des autres le jeu délibéré d'une coquette, et ce qui dessert l'homme sert sa réputation de femme habile et désirable.

Toutes les qualités énumérées dans l'étude générale du caractère de la Balance sont, pour la plupart, des qualités féminines. Non seulement elles s'appliquent pleinement à la femme, mais elles lui siéent comme un vêtement taillé sur mesure. Certains traits de caractère, qui causent parfois des désagréments à l'homme, mettent en valeur sa féminité. Il n'est donc pas nécessaire de répéter ici en détail ce qui a été largement développé plus haut.

Les échanges lui étant aussi nécessaires que l'air qu'elle respire, elle appréhende de rester seule. Et comme elle est *peu sûre d'elle*, il lui arrive parfois de jouer la comédie dans l'espoir d'attirer des hommes qui s'offriront à la protéger ou à la consoler. Mais ce sont là des artifices bien superflus, car son charme lui attire sans effort des admirateurs dont les compliments la rassurent, tout en flattant sa vanité. Elle est tellement *amoureuse de l'amour* qu'il ne lui déplaît pas de mettre en compétition deux admirateurs dont les hommages la ravissent.

Elle ne refuse pas les aventures qui peuvent satisfaire une sorte de *sensualité diffuse* qui la fait aimer autant avec son corps qu'avec son cœur, mais elle veut être sûre que ce ne seront que des aventures sans lendemain. Car lorsque la Balance s'est engagée, *elle est généralement fidèle.*

Très réceptive à la beauté physique et morale, elle sera naturellement sensible à celle des hommes qui lui feront la cour. Cet élément influera sur son choix, et si celui qu'elle aura ainsi distingué a, en outre, le bon goût d'être intelligent, il y a fort à parier qu'elle souhaitera se lier à lui pour longtemps, sinon pour la vie.

Plus qu'une autre, la femme Balance est faite pour le mariage. Son rêve, c'est de traverser l'existence la main dans la main avec l'homme de son cœur, dont elle serait à la fois l'amante, la compagne et l'inspiratrice.

Sensible, affectueuse, délicate, gaie, dévouée, élégante, elle a vraiment beaucoup de qualités de cœur qui suffiraient à faire d'elle une femme que l'on voudrait épouser. Or, à ces qualités, elle ajoute l'art de donner une âme à un intérieur qu'elle décore avec un goût très sûr, même quand elle ne dispose que de moyens limités. Son foyer devient un havre de paix que son mari retrouve avec plaisir.

Qu'elle dresse une table, dispose des fleurs dans un vase ou tricote un pull-over, elle ajoute une touche de beauté à tout ce qui passe par ses mains. Elle bannit la laideur de son univers de maîtresse de maison.

Elle a grand plaisir à recevoir ses amis et s'occupe avec beaucoup de gentillesse de ses invités auxquels elle s'ingénie à faire plaisir. Elle accepte leurs compliments avec reconnaissance; ils sont pour elle un encouragement et la source d'une inspiration nouvelle. En revanche, d'éventuelles critiques, ou même simplement l'indifférence, peuvent la déprimer à un point que ne soupçonnent pas ceux qui ne la connaissent que superficiellement.

Vis-à-vis de son mari, elle se comporte comme une femme qui « épouse » littéralement ses idées et ses idéaux, ses goûts et ses engouements, ses occupations et ses préoccupations, ses succès et ses insuccès. Elle accepte de vivre plus pour lui que pour elle-même. Sa vie est organisée en fonction de ses besoins à lui. Cette abdication de sa personnalité lui semble naturelle parce qu'elle n'a pas l'impression de se perdre en lui, mais au contraire de s'y retrouver, comme une femme se retrouve dans son miroir. Il n'y a pas un autre signe du Zodiaque dont les natifs aient la faculté de fusionner ainsi avec leurs partenaires.

Elle met cependant une condition à cette consécration totale à son mari : il doit lui témoigner un amour sans faille. C'est cet amour qui équilibre tout ce qu'elle a mis sur l'un des plateaux de la balance. Si ce contrepoids disparaît, le déséquilibre s'installe et le contrat est rompu. Elle ira chercher autre part cette relation équilibrée qui donne un sens à sa vie. Il serait bien étonnant, d'ailleurs, qu'elle reste longtemps sans trouver un nouveau compagnon.

En général, ce n'est pas elle qui rompt la première l'équilibre, car, une fois qu'elle s'est engagée, la fidélité lui semble une chose naturelle. La rupture n'en sera que plus douloureuse et la laissera désemparée. Elle le serait beaucoup moins si son don était désintéressé, comme celui de la native des Poissons, par exemple. Ce n'est malheureusement pas le cas. Elle donne beaucoup, c'est vrai, mais *elle attend en retour au moins autant que ce qu'elle donne.* C'est une de ses faiblesses.

Tout en restant profondément attachée à son mari et à condition qu'elle ne lui soit pas totalement aliénée, ce qui ne va pas sans risque, son besoin d'échanges lui donnera envie de temps à autre de sortir des limites étroites de son foyer pour participer à la vie de société. Selon le milieu social auquel elle appartient, elle fréquentera les réceptions, ira au théâtre, visitera des expositions, ou bien elle se joindra à une bande de copains. Elle se sent à l'aise en société car elle peut y jouer de son charme. Il lui est difficile de ne pas essayer de plaire. Et savoir qu'elle y réussit est rassurant pour elle.

Ses opinions seront fortement influencées par les gens qu'elle fréquente. Par crainte de « détonner » et surtout pour ne pas se voir mise à l'écart, ce qui lui serait très cruel, elle adopte les critères du groupe, même si intérieurement elle n'est pas d'accord. Malgré son intelligence, *elle est influençable parce qu'elle n'ose pas affirmer son originalité.*

La femme de la Balance qui s'est entièrement et volontairement soumise à son mari peut connaître un jour des problèmes dans la mesure où sa personnalité n'est pas complètement annihilée. Tôt ou tard, elle risque d'entrer en conflit avec elle-même. Vivre constamment dans l'ombre de son mari, penser, sentir et agir à travers lui, aboutit à une « dépersonnalisation » qu'une partie de son Moi peut finir par refuser, après des années de refoulement. Il lui faut alors trouver absolument un compromis pour rétablir l'équilibre.

Quant à celle qui trouve son bonheur dans une assimilation totale à son mari, il arrive qu'elle offre à la longue le spectacle, pénible pour les autres, d'une femme qui a perdu son identité. Elle, cependant, n'en souffre pas.

Nous nous sommes particulièrement étendu sur les problèmes que posent aux natifs de la Balance les questions de l'amour et du mariage. Cela étonnera moins maintenant que l'on sait la place que ces problèmes tiennent dans leur vie. Ce sont des êtres de sentiment, et la première activité du sentiment c'est l'amour.

Une fois encore, nous voudrions souligner que toutes ces descriptions concernent des types Balance purs qui n'existent pas dans la réalité, que tous les natifs de ce signe ne peuvent pas être aussi sympathiques que ceux que nous avons peints et qu'il y a également des criminels et des révolutionnaires parmi eux. A chacun de prendre ce qui lui convient.

Un goût raffiné pour les jolis objets, des gestes infiniment gracieux, un regard doux et parfois caressant : voilà qui aide à reconnaître une Vénusienne de la Balance.

La Balance, extrêmement esthète, choisit souvent ses amis en fonction de leur beauté.

La Balance et l'Amitié

Avant d'étudier les rapports du natif de la Balance avec l'amitié, il faut commencer par se demander s'il apporte avec lui les conditions nécessaires pour se faire des amis.

Dans ses *Essais*, Montaigne, qui était orfèvre en la matière, nous dit que l' « amitié se nourrit de communication », et saint François de Sales, qui était un analyste subtil du cœur humain, affirme que l' « amitié requiert une grande communication, sinon elle ne peut naître ni subsister ».

En vérité, tous les auteurs s'accordent pour reconnaître que la *communication* est la condition nécessaire à l'amitié. Or, de tous les signes du Zodiaque, la Balance est certainement celui qui manifeste la plus grande sociabilité. Nous avons vu le plaisir que le natif de ce signe éprouvait à communiquer avec autrui. C'est même chez lui plus qu'un plaisir, c'est un besoin. Dans toutes les situations de la vie, il recherche l'Autre dont la force équilibrante lui est nécessaire.

On dirait qu'il a conservé dans la mémoire de ses cellules le souvenir de cette époque fabuleuse où l'humanité était androgyne, comme semble l'indiquer un passage assez énigmatique de la Genèse [1] (I, 27).

Il y a des êtres qui traversent la vie sans jamais se lier à quiconque. Ils vivent seuls, perdus au milieu de la foule anonyme des grandes villes, et se désolent de « ne connaître personne ». Les raisons de cette solitude sont multiples, mais la principale est sans doute leur impossibilité à donner aux autres un peu d'eux-mêmes.

Tout différent est le natif de la Balance. Naturellement doué pour la communication, il noue des contacts avec les gens qu'il rencontre partout où le place son destin. C'est lui, généralement, qui va vers les autres pour leur donner de lui-même. Certes, nous savons que ce don n'est pas complètement désintéressé, mais on peut dire à sa décharge qu'il n'en a pas vraiment conscience. Il connaît des tas de gens : les camarades de travail, les collègues de bureau, les confrères, les clients, les voisins, ceux qui pratiquent le même sport que lui ou fréquentent les mêmes réunions. Ils constituent une sorte de « réserve » dans laquelle il lui sera loisible de choisir ceux qui deviendront ses amis : l'amitié est un sentiment électif.

Il faut faire une distinction entre les amis ordinaires que la plupart d'entre nous réunissent autour d'eux, et l'ami unique, celui qu'on ne rencontre qu'une fois dans sa vie. Encore qu'il faille avoir la chance de le rencontrer. Les sentiments que l'on nourrit pour cet ami exceptionnel semblent ressortir davantage à l'amour qu'à l'amitié.

Le type même de cette amitié exclusive est celle que Montaigne éprouva pour Étienne de La Boétie, à propos duquel il écrivait : « Aucune de ses actions ne saurait m'être présentée, quelque visage qu'elle eût, que je n'en trouve aussitôt le ressort. » Il y avait entre eux une telle communion d'âme que rien de ce que ressentait l'un n'était étranger à l'autre.

1. Dans *le Banquet*, Platon décrit les êtres androgynes imaginés par la mythologie grecque. Ayant voulu escalader l'Olympe pour en chasser les dieux, ils furent punis par Zeus qui les sépara en hommes et femmes. Depuis cette époque, ils porteraient en eux la nostalgie de leur état premier qui les pousse à toujours se réunir.

Ce récit de la fable grecque fait également partie du patrimoine mythologique de la Balance. Il aurait sa place dans la partie consacrée à la « Mythologie du Signe » car il illustre la tendance profonde de la Balance à l'union avec l'Autre.

Ce sont là, bien sûr, des relations d'une qualité exceptionnelle, qui ressemblent fort à l'amour. Mais selon Montaigne, amour et amitié ne sauraient malgré tout être confondus. Dans sa langue savoureuse, il écrit du premier : « Son feu, je le confesse est plus actif, plus cuisant et plus aspre. Mais c'est un feu aveugle et volage, ondoyant et divers, feu de fièvre sujet à accès et remises et qui ne nous tient qu'à un coing », tandis que l'amitié « c'est une chaleur générale et universelle, tempérée au demeurant et égale, une chaleur constante et rassize, toute douceur et polissure qui n'a rien d'aspre et poignant ».

Notre propos est moins de parler de cette amitié qui, malgré ce qu'en dit Montaigne, a presque toutes les apparences de l'amour, que des amitiés ordinaires qui sont le lot de la plupart des humains. Nous verrons cependant que, dans le cas particulier de la Balance, il faut aussi aborder ce problème de l'amitié passion, même s'il demeure quelque chose d'exceptionnel.

Comment le natif se fait-il des amis ?

Le natif de la Balance réunissant les conditions nécessaires pour avoir des amis, examinons à présent la façon dont il se fait des amis.

A vrai dire, il a pour cela tous les atouts dans son jeu. Il suffit de relire ce qui a été dit sur son caractère pour comprendre qu'il attire à lui les gens par un ensemble de qualités que ceux-ci n'analysent pas, mais qu'ils ressentent globalement comme de la gentillesse. Dans un monde où les gens ont de moins en moins le temps et l'envie de sourire la gentillesse les surprend et les ravit tout à la fois. Le mot de gentillesse n'est d'ailleurs qu'un terme général qui recouvre des qualités telles que la gaieté, la grâce, l'enjouement, la serviabilité, le tact, la discrétion, la délicatesse, qui sont l'apanage du type pur de la Balance vénusienne.

Mais tous ceux qu'il attire à lui ne peuvent pas devenir ses vrais amis. Délicat envers les autres, il est également délicat dans ses choix. Il n'est pas si facile de pénétrer dans le cercle étroit de ses amitiés. Il a horreur de la vulgarité et il supporte mal les fautes de goût, qu'elles touchent à l'art ou à la morale. Il ne peut donner son amitié qu'à des êtres qui ont su gagner son estime et avec lesquels il se sent en complète affinité : ils doivent lui faire équilibre sur l'autre plateau de la balance.

Le thème général des natifs de la Balance que nous allons consulter à propos des questions d'argent peut également nous fournir des indications intéressantes dans le domaine des amitiés.

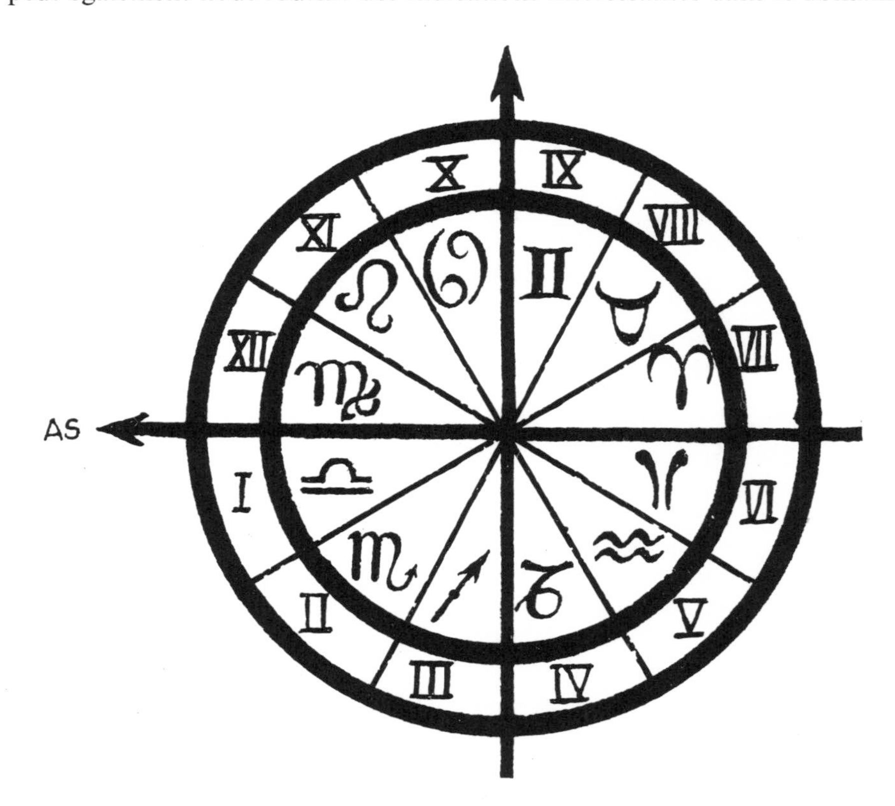

Le secteur des amis, c'est la Maison XI. Comme le montre la figure précédente, cette Maison est occupée par le signe du Lion, l'animal royal que l'on dit « superbe et généreux ». Il est vrai que, d'après certains, sa réputation serait largement surfaite; mais ce qui compte pour nous, c'est le contenu du mythe.

C'est donc ce signe qui va donner le ton des relations que le natif de la Balance entretient avec ses amis.

Les principales qualités que la Tradition astrologique reconnaît au Lion, du moins celles qui peuvent s'appliquer au domaine des amitiés, s'accordent fort bien avec l'« élitisme » que pratiquent les Balance quand il s'agit de choisir leurs vrais amis (alors que dans leurs relations ordinaires, ils font preuve d'une très grande tolérance). Grand seigneur, le Lion est idéaliste et noble, fier et distingué, franc et généreux.

Toutes ces qualités, qui peuvent se changer en autant d'exigences morales et spirituelles, vont s'imposer avec plus ou moins de force au natif de la Balance, d'abord dans la sélection de ses amis, ensuite dans sa propre conduite à leur égard. Il est vrai qu'en retour il attend d'eux un comportement qui se règle sur ces mêmes principes.

Étant donné le caractère « royal » du signe du Lion — c'est le domicile du Soleil —, il ne faut pas s'étonner de le voir rechercher certains de ses amis dans les classes sociales qui disposent de revenus confortables et qui fournissent traditionnellement à la société un bon contingent de hauts fonctionnaires, d'industriels et d'artistes. Tous ces gens occupent des postes importants auxquels s'attache une certaine influence, de sorte qu'ils peuvent à l'occasion infléchir le cours des événements. Ils sont la nouvelle aristocratie.

Or, la Maison XI est non seulement celle des amitiés, mais aussi celle des protections. On est enclin à penser que, dans le cas de la Balance, les deux sont étroitement liées, et peut-être est-ce une faiblesse du natif de ce signe de rechercher des amis influents auxquels il pourrait éventuellement faire appel. Cependant, cette attitude est plus inconsciente que délibérée, et il serait injuste de l'accuser de choisir ses amis par intérêt.

Car son choix est avant tout déterminé par le courant de sympathie qu'il sent circuler entre lui et certains êtres, créant entre eux cette harmonie qu'il apprécie tant. Peut-être est-il après tout innocent du fait que beaucoup de ses amis appartiennent à ces milieux favorisés par la vie.

Quelle est la nature de ses relations avec ses amis?

Le thème général des natifs de la Balance (figure précédente) nous livre encore une indication précieuse. Nous avons vu que le signe du Lion occupait dans ce thème la Maison XI. Mais en tant que cinquième signe du Zodiaque, il est, selon un principe qui nous est à présent familier, analogue à la Maison V qui est, entre autres, le secteur des amours. Nous pouvons donc poser en principe que, dans ce thème, la Maison V se superpose à la Maison XI. (L'inverse est également vrai, puisqu'à 180 degrés de là la Maison XI se superpose à la Maison V par l'intermédiaire du Verseau.) Le résultat de cette superposition pour le natif de la Balance est évident : *ses amitiés sont vraiment des affaires de cœur.*

Ce chassé-croisé entre signes et Maisons incite à penser qu'il ne faudrait pas grand-chose pour que certaines de ses amitiés deviennent des amitiés amoureuses, c'est-à-dire qu'il ait pour certaines de ses amies, ou peut-être aussi pour certains de ses amis, ces attentions qu'inspire habituellement l'amour. (Inversement, les amours peuvent se changer en amitiés, et il est fréquent, en effet, que les Balance conservent des liens amicaux avec les êtres qu'ils ont aimés.)

Toutes les qualités, qui valent au natif de la Balance la sympathie générale, rendent particulièrement agréables les rapports qu'il peut avoir avec ses amis. Il n'est sans doute pas nécessaire d'énumérer une nouvelle fois ces qualités, elles devraient être bien connues maintenant. Mais on peut compléter le tableau par quelques touches nouvelles.

Grâce à son intelligence pénétrante et à sa faculté d'identification, il se met facilement à la place des autres, ce qui l'aide singulièrement à comprendre ses amis, à prévenir leurs désirs et à savoir ce qui peut leur être agréable. Aussi essaie-t-il de concilier son goût et le leur, lorsqu'il veut leur faire un cadeau. Il lui est, en effet, difficile de faire complètement abstraction de son goût. Mais le choix ne devrait pas poser de grands problèmes car il y a fort à parier que ses amis aussi ont bon goût.

Il aime rendre service aux gens en général, alors d'autant plus à ses amis. Mais son désir d'être utile peut l'entraîner parfois à promettre plus qu'il ne peut raisonnablement tenir. Il en est d'ailleurs le premier navré. Ou bien alors il agit de façon trop désordonnée pour que son aide soit vraiment efficace. A moins que Saturne ne vienne mettre un peu d'ordre dans tout cela.

Son besoin d'être agréable aux autres n'est pas exempt d'une certaine vanité. Sentir que les autres ont besoin de lui est une sensation valorisante dont il n'aimerait pas se priver. Paradoxalement, c'est à ceux qui n'attendent de lui que le rayonnement de sa nature chaleureuse qu'il donne le plus.

Son esprit de tolérance lui fait passer sur certains défauts et excuser bien des erreurs chez ses amis. Mais si l'on veut garder son amitié, il faut faire preuve de tact et de discrétion car il aime retrouver chez les autres ces qualités qui lui sont naturelles.

Ceux qui transgresseraient ces règles tacites d'une bonne amitié, encourraient sa réprobation. Toutefois, il ne manifesterait pas tout de suite son désaccord, ne serait-ce que parce qu'il est enclin à pardonner. Ce n'est que s'ils récidivaient qu'il se retirerait sur la pointe des pieds, sans faire d'éclat — il n'aime pas faire de la peine —, comme ces fleurs qui s'ouvrent amoureusement au soleil, mais se referment à mesure que descend la nuit.

De son côté, il n'est pas exempt de défauts. La fidélité dans ses amours comme dans ses amitiés n'est pas toujours son point fort. D'autre part, son besoin d'être rassuré par la compréhension qu'il éveille chez les autres l'empêche parfois de discerner la flatterie sous le compliment. Lui qui aime tant séduire peut être séduit à son tour et se montrer inconstant à l'égard d'autres amis. Il se laisse aller à donner son amitié à des gens qui n'en sont pas dignes, mais qui ont réussi à tromper sa vigilance. La déception qui ne peut manquer de suivre cet engouement l'oblige à rompre quand, enfin, il constate que ces « amis » ne font pas le poids. Il revient alors vers de vrais amis qu'il avait un peu négligés.

Les ruptures restent exceptionnelles. Même si, du fait de circonstances dont la vie actuelle est prodigue, il est séparé pour un temps plus ou moins longs de ses amis, il pourra renouer facilement avec eux car, malgré l'éloignement et les années, il leur reste profondément attaché.

Nous n'avons pas fait de distinction entre les deux principaux types de la Balance; le vénusien extraverti et le saturnien introverti, comme nous l'avions fait en d'autres occasions. Mais le lecteur aura sûrement compris que tout ce que nous avons dit ici se rapportait surtout au vénusien extraverti. Qu'en est-il alors de l'autre type?

Il est facile de transposer sur le plan de l'amitié les effets de l'introversion et des inhibitions saturniennes.

D'un abord moins affable, le saturnien attire moins de gens à lui, ce qui ne l'empêche pas d'être encore plus sélectif dans le choix de ses amis. Moins accueillant, il sera aussi plus sévère à leur endroit. Il s'entretiendra plus volontiers avec eux de philosophie que d'art. Mais il y a des compensations. Moins dispersé et plus retenu dans ses sentiments, il est tout aussi sensible que son frère vénusien, et si son amitié est plus rare, elle est plus profonde et plus sûre.

Nous terminerons sur une remarque d'ordre général qui vaut pour tout ce qui peut être dit dans ce livre : il ne faut jamais oublier qu'il en est des natifs de la Balance comme des balances elles-mêmes, ces instruments de pesée qui servent de symbole au signe, et dont il existe de très nombreux modèles.

Les unes sont très grossières, les autres très fines. Pourquoi n'en serait-il pas de même des humains? C'est l'évidence même. Si toutes les balances pèsent — c'est leur fonction —, elles ne réagissent pas toutes de la même façon et, surtout, elles n'ont pas toutes les mêmes capacités.

Il ne faut jamais perdre de vue cette notion de relativité quand on se trouve en présence d'un natif ou d'une native de la Balance.

Le beau visage passionné de Danièle Delorme, native de la Balance, dans le rôle de Jeanne d'Arc (rôle dont le courage et la féminité correspondent étonnamment au signe).

Marie Laforêt, native de la Balance, avec ses deux enfants. L'enfant de ce signe s'épanouit plus sûrement avec un frère ou une sœur.

La Balance et son Éducation

Aussi loin qu'on remonte dans l'histoire de l'Humanité, l'éducation a donné lieu à des conceptions très diverses, sinon opposées. Pensons, par exemple, à l'éducation donnée aux enfants de Sparte (très sévère) et à celle préconisée par Montaigne (plus tolérante). Cependant, les esprits sont plus divisés sur les méthodes que sur la finalité de l'éducation, qui est double : d'une part, transmettre un patrimoine culturel provenant des acquisitions de l'Humanité en général; d'autre part, aider la nature dans le développement des facultés physiques, intellectuelles et morales de l'homme, en vue de son perfectionnement. Ce perfectionnement devrait assurer son bonheur, théoriquement du moins, en lui permettant de s'insérer sans trop de difficultés dans la société pour y jouer son rôle.

C'est ce second aspect de l'éducation que nous retiendrons ici. En déchiffrant les pages écrites par les planètes dans le livre de la Nature, nous avons progressivement découvert ce que le destin « remettait » aux Balance à leur naissance. C'est avec cet ensemble de qualités et de défauts, sorte de bagage astral, qu'il leur faut se débrouiller dans l'existence. Comme disent les bonnes gens : il faut faire avec ce qu'on a!

C'est précisément sur ces données brutes que va s'exercer l'éducation pour ajuster, développer ou raboter. Mais s'il est naturel que l'action éducative porte avant tout sur les enfants Balance, ils ne sont pas les seuls concernés. L'éducation ne doit pas s'arrêter à la sortie de l'école ou de l'université, elle ne devrait même jamais s'arrêter puisque l'homme ne cesse pas d'être perfectible. D'une remise en question permanente d'eux-mêmes, les adultes ne peuvent que tirer le plus grand profit. Il n'est pas de travail auto-éducatif sérieux sans une bonne connaissance de soi. C'est un des sens de la devise inscrite au fronton du temple de Delphes, devise dont Socrate fit la base de sa doctrine : « Connais-toi toi-même. » C'est donc aussi pour aider ceux qui acceptent de se remettre en question que nous allons évoquer quelques-uns des problèmes que posent certains traits de caractère des Balance.

Apprendre à s'affirmer

Le plus grave de ces défauts — si tant est qu'on puisse parler ici de gravité —, c'est son manque de combativité.

Non seulement il refuse le combat avec les autres, mais il n'aime pas non plus se colleter avec les difficultés de l'existence.

Il rêve sans doute d'une vie tout unie dans un jardin enchanté qu'un éternel été remplirait de fleurs et de fruits. Dans le secret de son âme, il garde sûrement la nostalgie du paradis perdu.

Son instinct d'agression semble « sous-développé ». En tout cas, il ne le manifeste presque jamais à l'égard de ses semblables. Rien d'étonnant, dès lors, à ce qu'il défende si mal ses propres intérêts contre les autres. Cela ne serait grave qu'à moitié s'il était seul dans la vie. Mais nous savons combien il recherche le mariage; il risque donc par sa faiblesse de mettre également les siens en difficulté.

L'agressivité a longtemps été tenue par les psychanalystes freudiens comme l'expression d'une hostilité destructrice, même quand elle se manifeste dans le rêve ou le jeu sous une forme inoffensive. Les psychologues américains ont pour ainsi dire désamorcé l'instinct d'agressivité en y voyant d'abord toute activité du sujet tournée vers l'extérieur, définition qui s'applique parfaitement aux forces agissantes symbolisées par Mars dans un horoscope.

L'éthologue autrichien Konrad Lorenz a consacré de patientes recherches à ce problème. Il a consigné ses observations dans un livre, *l'Agression* [1], qui est à la fois une réhabilitation de l'agressivité et une mise en garde contre les catastrophes auxquelles elle pourrait conduire une humanité qui n'aurait pas su mettre en place les dispositifs de sécurité indispensables.

Pour illustrer notre propos, nous emprunterons à Konrad Lorenz les lignes suivantes :

« Avec l'élimination de l'agression, de l'aggredi au sens originel et le plus large du mot, se perdrait beaucoup de l'élan avec lequel on s'attaque à une tâche ou à un problème, et du respect de soi-même sans lequel il ne resterait plus rien de tout ce qu'un homme fait du matin au soir, du rasage matinal jusqu'à la création artistique ou scientifique. Tout ce qui a un rapport avec l'ambition, l'ordre hiérarchique et de nombreux autres types de comportement indispensables disparaîtrait aussi de la vie de l'homme. De même disparaîtrait très probablement avec l'agression une faculté très importante et typiquement humaine : le rire. »

L'agression comprise de cette façon devient une nécessité pour l'homme. En poussant le raisonnement à l'extrême, on peut même dire qu'elle est une des conditions nécessaires à sa survie dans un milieu hostile. Et nos sociétés prétendues policées exigent de plus en plus de nous que nous ayons des griffes et des dents. Voilà pourquoi les éducateurs, que ce soient les parents ou d'autres personnes habilitées à cette tâche, doivent s'efforcer de susciter chez l'enfant Balance l'*esprit de compétition* pour l'aider à développer une « saine » agressivité. Dans la mesure où elle contribue au maintien de sa bonne santé physique et morale, elle lui permettra d'accéder à cet équilibre que recherchent tous les Balance.

Dans la vie d'un enfant, les occasions de développer cet esprit de compétition ne manquent pas, que ce soit la vie de famille au milieu des frères et sœurs, le travail scolaire, les jeux ou le sport. Très tôt, l'enfant doit comprendre qu'il lui faut plus attendre de lui-même que de la société, s'il ne veut pas développer une mentalité d'assisté (certains Balance accepteraient facilement de se faire entretenir). En tout cas, s'il n'est pas préparé à affronter les dures réalités de la vie, il risque de faire de cruelles expériences. Il ne faut pas non plus lui rendre les choses trop faciles en aplanissant son chemin. Un enfant rencontre inévitablement des difficultés qu'il doit apprendre à vaincre par ses propres forces.

Des problèmes d'équilibre

Nous savons que les natifs de ce signe sont souvent à la recherche d'un équilibre qui leur permette de se sentir bien dans leur peau. Si certains y parviennent assez facilement, d'autres éprouvent d'énormes difficultés à réaliser cet équilibre. Pour ceux-là, il serait bon qu'ils comprennent très tôt que l'équilibre auquel ils aspirent est le résultat d'efforts répétés qui sont parfois très coûteux. C'est donc un service à rendre à l'enfant Balance que de le persuader qu'il ne lui faudra compter que sur ses propres forces pour parvenir à cet état vers lequel tend tout son être et qui est la condition de son bonheur.

Du fait de sa grande sensibilité, dans certains cas, même, de son hypersensibilité, le natif de la Balance est facilement sujet au découragement et à la dépression. C'est le type du cyclothymique qui oscille entre l'exaltation et l'abattement. Il lui est extrêmement pénible de se sentir en butte à l'hostilité de son entourage : une parole désobligeante, un regard indifférent suffisent à le tourmenter. En revanche, une parole aimable peut lui redonner le goût de vivre. Il a donc constamment besoin de se sentir compris et encouragé pour garder son équilibre et sa bonne humeur.

D'une part, sa fragilité affective l'expose à des chocs émotifs. D'autre part, elle le rend malheureux car il se trouvera nécessairement placé, un jour ou l'autre, dans des situations où ses interlocuteurs n'auront aucune raison particulière de lui être agréable. Au contraire, peut-être.

1. *L'Agression, une histoire naturelle du mal*, Flammarion, 1969. Dans cet ouvrage dont la portée dépasse largement le seul problème de l'agression, l'auteur, s'appuyant sur ses nombreuses expériences avec les animaux, tente d'apporter des réponses nouvelles à un certain nombre de questions existentielles.

Cela créera chez lui un désarroi qui le privera de ses moyens s'il n'a pas été préparé à affronter ce genre de situation. C'est là que doit intervenir l'éducation en lui proposant d'abord une échelle des valeurs différente de celle qu'adoptent la plupart des gens.

Puisque la nature l'a doté d'un jugement assez sûr, qu'il apprenne ensuite à se former une opinion personnelle et surtout à s'y tenir. Pour cela, il faut qu'il développe la confiance en lui-même et accorde moins de crédit à l'opinion des autres. Le doute est son ennemi. Il s'insinue en lui et ronge ses certitudes comme le ferait un acide.

La tâche de ses éducateurs est claire. Ils doivent lui enseigner à se cuirasser contre les agressions extérieures, surtout celles qui prennent un visage aimable, et à s'affirmer face aux autres.

Apprendre à choisir

Nous savons la difficulté qu'ont les natifs de ce signe à prendre une décision. Toujours prêts à peser le pour et le contre, ils examinent tour à tour les avantages et les inconvénients d'une proposition, d'un contrat, d'un changement ou d'un simple achat. Ils n'en finissent pas de choisir et sont très surpris de se retrouver un jour assis entre deux chaises. Sans le vouloir, ils pratiquent un immobilisme qui les rend incapables de s'adapter au courant de la vie qui jamais ne s'arrête. Les conséquences de leur indécision sont parfois désastreuses tant pour eux-mêmes que pour ceux dont ils ont la charge matérielle et morale.

Et, même lorsqu'ils ont péniblement réussi à prendre une décision, il n'est pas rare qu'ils soient tellement peu sûrs d'avoir fait le bon choix qu'ils sont prêts à changer d'avis à la première occasion. C'est pourquoi il leur est si difficile de s'en tenir à quelque chose de définitif et de s'atteler à une tâche avec patience et persévérance.

Prenons un exemple simple. Quand ils veulent acheter un appareil de télévision ou de photo, l'idée que, s'ils attendent un peu, ces appareils vont bénéficier des derniers progrès de la technique, les retient au point qu'ils sont capables de renoncer à leur achat. Ils ne se rendent pas compte que dans six mois ou un an le problème se reposera à eux dans les mêmes termes. En réalité, les données du problème ne changeront jamais. C'est là-dessus qu'il faut leur ouvrir les yeux et leur faire admettre qu'il vaut mieux courir le risque de commettre une erreur en allant de l'avant que de persister dans un immobilisme stérile.

Désir de plaire ou crainte de déplaire?

Le désir de plaire leur crée un autre problème. Ils ont tellement besoin de l'approbation et du soutien de leur entourage qu'ils en arrivent à penser inconsciemment qu'en se rendant sympathiques aux autres, ils gagneront leur accord et leurs encouragements. Malheureusement, ce désir de plaire peut se changer en *crainte de déplaire*. Ils entrent alors dans la voie des concessions et des compromis qui aboutissent inévitablement à des déceptions. Car sous prétexte de faire preuve de tolérance, ils finissent par tolérer des situations proprement intolérables que leur délicatesse naturelle ne tarde pas à rejeter.

C'est en l'habituant progressivement à s'affirmer que l'enfant Balance sera moins enclin à céder à tout et à tous par désir de paix.

Le don gratuit

Etre d'équilibre, le natif de la Balance aime bien que ce qu'il donne aux autres, ou fait pour eux, soit équilibré par une contrepartie en retour. Quand il aime, il veut aussi être aimé car son amour se nourrit de l'amour que lui rend l'être aimé. Il n'est pas désintéressé comme peuvent l'être certains Poissons dont la générosité peut aller jusqu'à l'abnégation.

Il faut enseigner à l'enfant Balance le don gratuit, le « service inutile » pour reprendre le titre d'un livre de Henri de Montherlant. Comme il a le sens du beau, il ne devrait pas rester insensible aux arguments qui exaltent ces actes faits uniquement pour la beauté du geste. Donner sans attendre d'être payé en retour, voilà ce qu'il doit apprendre.

En raison de la loi d'équilibre qui régit l'univers, toute action appelle une réaction, et il n'est pas d'acte qui n'ait immanquablement des conséquences. C'est ce que certains appellent la justice immanente, justice que d'autres mettent en doute car ils voient rarement les conséquences suivre certains actes.

Cette loi de justice a été formulée de façon très claire par Jésus lorsque, reprenant Simon-Pierre qui avait tranché l'oreille de Malchus, le chef des gardes qui venaient arrêter son Maître, il lui dit : « Tous ceux qui prennent le glaive périront par le glaive. »

C'est la loi d'équilibre qui, dans un autre domaine, a également été formulée par le grand chimiste Lavoisier[1] : « Rien ne se perd, rien ne se crée, tout se transforme », selon la formule bien connue des potaches. Plus scientifiquement, il s'agit de la loi de conservation de la masse.

Mais même celui qui connaît cette loi d'équilibre ou de justice peut agir gratuitement, il faut pour cela qu'il fasse abstraction de cette loi en son for intérieur.

Tant qu'il ne s'est pas fixé, les sentiments du natif de la Balance restent superficiels. Mais leur manque de profondeur n'enlève rien à leur sincérité. C'est avec la même fougue que notre Balance déclare sa flamme à ses partenaires successifs. Comme il est doué d'un grand pouvoir d'adaptation, la chose lui paraît naturelle. Mais ceux de ses partenaires qui ont la révélation de ces vérités successives ont évidemment plus de difficultés à s'en accommoder.

Et pourtant il ne joue pas la comédie car il est chaque fois parfaitement sincère. Heureusement pour lui, il est charmant et de commerce agréable. C'est pour cela qu'il lui est beaucoup pardonné. Comment en vouloir à un être d'aussi aimable compagnie?

Poussé par un besoin irrésistible de se lier à l'Autre, notre Balance préfère se jeter dans une liaison qui ne lui convient qu'à demi plutôt que de se morfondre dans sa solitude. Ce choix douteux ne peut aboutir qu'à une déception, elle-même suivie de nombreuses autres déceptions. Les ruptures qui les accompagnent sont autant de chocs affectifs dont il se passerait volontiers car leur répétition finit par affecter sa santé pour les raisons que nous exposerons plus loin.

L'importance des choix

Alors, que doit apprendre le jeune Balance dans ce domaine? A choisir avec plus de discernement, à faire un tri rigoureux. C'est d'ailleurs la fonction essentielle de « son » organe, le rein, qui filtre le sang pour séparer les déchets des éléments utiles à l'organisme.

Le jeune Balance doit comprendre que ces problèmes de choix sont primordiaux pour lui car, sans que cela apparaisse de façon évidente — et c'est pourquoi si peu de gens y prêtent attention —, il y a un lien étroit entre le choix que les reins font pour lui tout au long d'une vie, et les choix que lui-même doit faire sur tous les plans, depuis le choix d'un livre ou d'une paire de chaussures jusqu'au choix d'une voie spirituelle, en passant par les innombrables choix devant lesquels nous place continuellement la vie.

Vivre, c'est choisir. Mais ce processus est devenu tellement banal que nous n'y attachons plus guère d'importance. Dans ce domaine aussi, nous sommes devenus, peu à peu, les victimes d'habitudes qui nous semblent tellement « normales » que nous ne pensons plus à les remettre en question.

Presque à chaque instant de notre vie, nous devons choisir entre faire et ne pas faire, faire ceci ou cela. Le plus souvent, ces choix, qui portent sur les petites choses de la vie, nous échappent en ce sens qu'ils nous sont dictés par notre éducation, les règles de notre milieu, nos ambitions, nos préférences, en un mot par toutes sortes de raisons qui ne sont pas la raison.

Or, plus que les natifs des autres signes, celui de la Balance doit s'appliquer à faire ces choix consciemment. Choisir un amour ou choisir un livre, choisir un ami ou choisir une robe, la vie est faite de quantité de ces choix qui, mis bout à bout, constituent la trame d'une existence et révèlent parfois la ligne de conduite d'une vie. Mais combien de personnes « conduisent » leur vie?

Discrétion ou dissimulation ?

On a remarqué que les Balance avaient tendance à cacher leurs intentions pour atteindre plus sûrement le but qu'ils s'étaient fixé. Certains ont voulu y voir de la dissimulation. Nous ne partageons pas ce point de vue car nous pensons que ce comportement obéit à des motivations très différentes.

1. On peut se demander si Lavoisier n'était pas profondément marqué par le signe de la Balance. Non seulement il a découvert cette *loi d'équilibre*, mais il a également doté la chimie d'une méthode précise en introduisant l'*emploi de la balance* dans les expériences de laboratoire. Les chimistes ont pu ainsi découvrir progressivement les lois des combinaisons qui ont permis d'établir les bases de la chimie générale. Il naquit à Paris le 26 août 1743 (Soleil en Vierge), mais on ignore son heure de naissance.

D'abord, il semble se calquer sur le modèle que lui offre la nature. Celle-ci entoure de secret les préparatifs de ses entreprises. La germination d'une graine dans la terre ou le développement d'un enfant dans le sein de sa mère se font dans l'obscurité, loin des regards indiscrets. S'il en était autrement, la réussite de l'entreprise serait sans doute compromise. Or, il semble que cette loi du secret, ou tout au moins de la discrétion, soit particulièrement justifiée pour les Balance.

Il y a une autre raison à cette attitude. En se taisant, les Balance évitent de se heurter aux oppositions que tout projet ne manque pas de susciter ici et là. Ils ont remarqué, en effet, qu'une trop grande franchise ne leur valait que des ennuis, et, comme ils n'aiment pas les difficultés, ils préfèrent faire preuve de discrétion.

Mais si la discrétion peut se justifier pour des projets importants, elle risque de dégénérer en dissimulation si elle devient systématique. C'est, comme en médecine, une question de dose : une quantité déterminée d'une substance a les meilleurs effets sur l'organisme; cette quantité dépassée, les résultats peuvent être catastrophiques.

L'enfant Balance doit être éclairé sur ce qui peut et, éventuellement, doit faire l'objet du secret, et sur ce qui ne peut être caché sans rendre difficile la vie en société. Il faut également veiller à ce qu'il ne se laisse pas glisser sur sa pente naturelle et succomber aux maléfices du mensonge.

Avoir le courage de ses opinions

Que ce soit en politique ou en tout autre domaine, le natif de la Balance hésite à prendre parti pour un camp ou pour l'autre parce qu'il voit bien que la vérité ne se trouve pas d'un seul côté. Son sens aigu de la justice l'oblige à reconnaître qu'aucun des partis en présence n'a ni totalement raison ni totalement tort. Ses jugements tiennent compte de toutes les nuances. Cela n'est pas du goût de tout le monde, on s'en doute, et les gens au caractère tout d'une pièce, qui ne s'embarrassent pas de subtilités, sont prompts à lui reprocher sa neutralité quand ils ne l'accusent pas de lâcheté. De toute façon, il passe pour quelqu'un qui ne se « mouille » pas, ce qui n'est jamais très agréable à entendre.

Or, ce serait une trahison vis-à-vis de lui-même que de se laisser émouvoir par ces reproches et de renoncer à voir les erreurs commises des deux côtés. Il doit oser prendre ses responsabilités et accepter la situation avec ce qu'elle a d'inconfortable. Tout cela réclame un courage moral que ce natif n'a pas l'habitude de manifester.

Aussi les éducateurs doivent-ils l'encourager à ne pas renier ses opinions, même si elles gênent certains, parce qu'elles sont le résultat d'un jugement impartial d'une situation donnée.

Un travail programmé

Les Balance n'aiment pas travailler dans la précipitation ni sous la pression des circonstances. Soucieux de leur confort, ils aiment bien prendre leur temps. Malheureusement, ils semblent tout faire pour qu'il n'en soit pas ainsi. En effet, ils sont volontiers flâneurs et attendent le dernier moment pour se mettre au travail. Le résultat est qu'ils le font sous la contrainte des circonstances, alors que, précisément, ils détestent cela.

Pour que, plus tard, il évite de se mettre dans cette situation paradoxale, le jeune Balance doit apprendre à travailler avec méthode, c'est-à-dire à planifier son travail et à respecter les échéances de son programme. Il créera ainsi les conditions qui lui permettront de travailler à son rythme, tout en respectant ses engagements.

Ce n'est pas une tâche facile que d'éduquer un enfant Balance parce qu'il est assez insouciant par nature et travaille volontiers en dilettante. L'habituer peu à peu à se soumettre à un plan, c'est le faire renoncer à une partie de sa liberté à laquelle il est très attaché. Mais comme il est juste, il reconnaîtra plus tard que cette éducation l'a aidé à mieux vivre.

Des modèles à imiter

L'exemple que lui donnent ses parents est un facteur essentiel pour son développement car il est un enfant influençable, donc prompt à imiter les modèles qui lui sont proposés. Il appartient aux parents de ne lui offrir que de bons exemples et surtout l'image d'une vie conjugale harmonieuse. Du fait de l'analogie de la Balance, septième signe, avec la Maison VII (secteur du mariage), il est plus particulièrement sensibilisé à ce problème. Il enregistre dans son subconscient d'enfant les situations observées autour de lui. Devenu adulte, il recréera inconsciemment avec ses partenaires ces situations qui restent gravées en lui, alors même qu'il en avait perdu le souvenir.

Justice et tyrannie

Il arrive que son sens de la justice qui, nous le savons, est très développé, prenne des formes paranoïaques. Il veut alors avoir toujours raison et s'accroche à ses jugements avec opiniâtreté, alors même que le droit n'est manifestement pas de son côté.

Comment prévenir un tel travers? Sans doute en montrant à l'enfant Balance qu'étant donné la relativité et la fragilité des jugements humains, il est toujours malhonnête de vouloir les imposer aux autres. Et comme les occasions ne manquent pas de lui prouver qu'il n'est pas plus infaillible que les autres, la tâche devrait être assez facile.

Filles de Vénus

Tout ce qui vient d'être dit vaut naturellement aussi bien pour les hommes que pour les femmes. Cependant, quand on connaît le goût extrême des femmes Balance pour la parure, que d'ailleurs elles excellent à porter pour souligner leur charme, on est du même coup persuadé de la nécessité de contenir ce goût chez les filles Balance dans des limites raisonnables.

Digne fille de Vénus qui personnifie le principe d'attraction, la femme Balance est séduite par tout ce qui peut séduire.

Si l'on veut éviter qu'elle ne tombe dans ce travers, il faut intervenir dès que se manifestent chez la petite fille les premiers signes de coquetterie, réfréner sa vanité et résister à ses tentatives de séduction qui sont parfois très précoces.

Il faut laisser s'exprimer chez l'enfant de la Balance son extrême sensualité. Chez cette petite fille, elle se manifeste à la fois de façon gustative et tactile.

Gene Kelly, natif de la Balance. Ce grand danseur a suivi les penchants auxquels son signe l'inclinait : la danse, le chant, la musique.

La Balance et son Travail

La Tradition astrologique fait une sage distinction entre la vocation, c'est-à-dire l'activité vers laquelle nous portent nos penchants, et le travail que, faute de mieux, nous sommes souvent obligés d'accepter pour assurer notre existence matérielle.

La *vocation*, c'est la Maison X, qui est également le secteur de la réussite sociale. Autrement dit, quand nous avons la chance d'exercer l'activité qui correspond à notre vocation, nous augmentons sensiblement nos chances de succès.

Le *travail* « alimentaire », c'est la Maison VI qui, curieusement, est également le secteur des maladies. C'est peut-être une façon de signifier qu'un travail imposé par des contraintes économiques ou sociales ne contribue pas à l'amélioration de la santé, bien au contraire. Car s'il est exact, comme l'affirme la sagesse populaire, que « le travail, c'est la santé », il faut ajouter qu'il s'agit du travail fait dans la joie, celui qui correspond à nos goûts. Cela est particulièrement vrai pour les natifs de la Balance dont la santé physique dépend en grande partie de la santé morale.

Rebutés par les difficultés qu'ils rencontrent à réaliser leurs aspirations ou leurs rêves, les jeunes sont malheureusement de plus en plus nombreux à se contenter d'un travail qui les fait vivre sans leur apporter les satisfactions intérieures qui seraient nécessaires à leur épanouissement. Les places dans notre société « avancée » sont de plus en plus disputées, et comme, par nature, les natifs de la Balance ne sont pas préparés à se battre pour obtenir ce qui leur plairait, beaucoup sont tentés de déclarer forfait dans la course à l'emploi.

Heureusement que Vénus, planète tutélaire de la Balance, veille sur ses protégés et que, de temps en temps, elle donne le coup de pouce qui fait basculer les choses en leur faveur. C'est ainsi qu'un beau jour certains reçoivent des propositions inattendues qui comblent leurs vœux.

Ceux dont le thème est relevé par une touche d'agressivité qu'ils doivent à un Mars de bon aloi sont mieux armés pour réaliser leurs ambitions professionnelles.

Quant à Saturne, dont nous connaissons les affinités avec le signe de la Balance, s'il est en bon état céleste et fort dans l'horoscope, il peut les empêcher de se résigner trop vite. La résignation est, en effet, une tentation à laquelle les natifs de la Balance ont du mal à résister.

Quand un jeune hésite sur la voie dans laquelle il doit s'engager, ce qui est le cas de beaucoup de jeunes Balance, il va chercher conseil auprès d'un orienteur. Celui-ci, grâce à un questionnaire de personnalité et à différents tests, dresse un portrait du sujet. Même si, pour ménager l'amour-propre de ce dernier, les choses sont présentées de façon plus nuancée, ce portrait peut pratiquement se résumer en un tableau à deux colonnes : à gauche, les « défauts », à droite, les qualités. C'est finalement ce qui intéresse le consultant et c'est aussi sur la base de ce tableau que l'orienteur pourra le conseiller utilement sur le choix d'une profession.

Nous ne procéderons pas autrement, à cette différence près que les tests seront remplacés par l'horoscope. Mais, auparavant, essayons de nous faire une idée du climat général dans lequel le natif de la Balance pourra être amené à exercer son activité, particulièrement celle qu'il aura dû accepter. Pour cela, l'astrologue dispose d'une méthode simple.

Le secteur du travail correspondant à la Maison VI, on compte six signes à partir de la Balance prise comme première Maison. On arrive ainsi au signe des Poissons qui va nous fournir les renseignements désirés.

Les Poissons sont des êtres lymphatiques, très émotifs et peu actifs, dont la personnalité assez floue n'est pas facile à cerner. Comme il ne peut être question d'énumérer ici toutes les caractéristiques du signe, nous ne retiendrons que les plus importantes. Or, il se trouve qu'elles confirment justement certains traits de caractère du natif de la Balance qui vont, par conséquent, jouer à plein dans le cadre de ses activités.

Ce sont l'indécision (il a des difficultés à choisir ou à commencer un travail), l'indolence et l'insouciance (ce n'est pas un « bourreau de travail » et il a tendance à se comporter en dilettante), la sensibilité et la sympathie (il a besoin de se sentir à l'aise dans son travail et aimé de ses collègues), l'imagination et l'intuition (il est apprécié pour son sens de la psychologie, ses idées originales).

Le signe des Poissons est également le douzième signe du Zodiaque, il est donc analogue à la Maison XII qui est, entre autres, celle des lieux clos. Il se peut alors que le natif de la Balance soit obligé de travailler dans un local fermé (bureau, école, magasin, clinique, etc.). Il n'en sera pas très heureux car il a besoin de s'aérer.

Maintenant que le décor est dressé, étudions dans le détail les composantes du caractère de la Balance vu sous l'angle particulier de ses aptitudes au travail et commençons par les défauts. Connaître ses principaux défauts, c'est pouvoir du même coup écarter un certain nombre de métiers dont l'exercice est, justement, incompatible avec ces défauts.

Les défauts

Le natif de la Balance n'est pas un acharné du travail, mais il est assez subtil pour se rendre compte de ce qu'il doit ou devrait faire : simplement, le passage à l'acte lui est difficile. A cet égard, la position de la Balance entre la Vierge et le Scorpion, donc entre un signe de Mercure et un signe de Mars, est fort significative. Il est à mi-chemin entre la décision prise par l'intellect (Mercure) et la réalisation (Mars). Il s'agit de jeter un pont entre les deux, et c'est justement ce qui pose des problèmes au natif de la Balance.

Il se donne mille et une raisons pour se persuader qu'il n'est pas indispensable de faire aujourd'hui ce qui peut se remettre au lendemain. Sa conviction est vite emportée car, de toute façon, il pense que le travail est fait pour l'homme, et non l'homme pour le travail.

Les travaux pénibles lui sont déconseillés à cause de la fragilité de ses reins. C'est le principal organe régi par la Balance, donc celui sur lequel risque de se porter la maladie dans le cas d'un état de moindre résistance de l'organisme. Ses muscles de la région lombaire réagiraient mal à la suite d'efforts violents répétés. Quant aux travaux salissants, ils créent en lui un malaise.

Il aspire à la paix et cherche à préserver sa tranquillité. C'est ce qui l'incite à repousser le plus loin possible les échéances désagréables. Comme le travail en comporte toujours un certain nombre, c'est souvent à la dernière minute qu'il exécute les travaux qu'il a constamment remis à plus tard. Mais si l'idée de travailler ne l'enthousiasme pas, il a malgré tout conscience de ses obligations. Il en résulte un conflit permanent entre son sentiment du devoir et son désir de tranquillité.

Au fond, son rêve serait de traverser la vie en flânant, mais les rêves de ce genre deviennent, aujourd'hui, de plus en plus utopiques. Du moins quand on est décidé à s'intégrer à la société comme le souhaite ce type zodiacal qui a un côté assez conformiste. Son esprit de conciliation s'accorderait mal à une attitude contestataire.

Donc, sa mise en train est plutôt laborieuse. Quand il a épuisé tous les prétextes vis-à-vis des autres comme vis-à-vis de lui-même pour lanterner, il finit par se mettre au travail. Une fois lancé, il exécute sa tâche avec conscience, mais autant que possible selon son rythme propre.

Il lui est difficile de se tenir à un plan de travail. Celui qu'il a dans la tête reste un peu vague. Il préfère que ce genre de contrainte lui vienne de l'extérieur pour éviter la dispersion de ses efforts et stimuler son énergie.

Il travaille mieux et avec plus de régularité quand il est lié par un contrat (Maison VII : contrats) ou une promesse. Foncièrement honnête, il se fait un devoir de respecter ses engagements. D'ailleurs, il n'est pas mécontent que d'autres, ou bien les circonstances, lui dictent sa tâche. Il en éprouve même une sorte de soulagement. Cela lui permet d'échapper à ce qu'il considère comme une corvée : prendre des décisions.

Parmi les organes qui sont sous la dépendance de la Balance selon le schéma de l'Homme-Zodiaque, il ne faut pas oublier les capsules surrénales, ces glandes endocrines qui coiffent les reins. Une de ces glandes, la médullo-surrénale, sécrète la noradrénaline et surtout l'adrénaline, qui fournissent à l'organisme les éléments nécessaires pour lutter contre les stress, c'est-à-dire les agressions extérieures auxquelles il est de plus en plus fréquemment soumis, dans la vie moderne. Une hypofonction de ces glandes peut expliquer l'indolence que montrent certains natifs de la Balance. Dans un monde dominé par la lutte pour la vie, l'indolence risque d'avoir des conséquences désastreuses : les faibles sont impitoyablement piétinés.

Nous avons souvent remarqué le besoin qu'éprouvent les natifs de la Balance de se laver souvent les mains. On peut rapprocher cette habitude du geste de Ponce Pilate qui se lava les mains en présence de la foule pour bien montrer qu'il ne voulait pas être mêlé au procès que le Sanhédrin faisait à Jésus. C'est là une attitude typiquement Balance.

Ponce Pilate, convaincu de l'innocence de Jésus, n'avait pas le caractère suffisamment trempé pour s'opposer à un crime légal qu'il réprouvait, alors qu'il disposait des moyens pour imposer sa volonté. Mais, pris entre son devoir moral et la crainte de déplaire à Rome, il a préféré ne pas prendre de risques.

C'est un trait caractéristique du natif de la Balance. Il ne brille pas par le courage physique, et encore moins par le courage moral qui exige plus de force de caractère que le courage physique. Il n'y a qu'un cas où il peut se montrer courageux : lorsqu'il est confronté à une injustice criante. Cela le met tellement hors de lui qu'il en oublie toute prudence. Sinon, il préfère éviter les « histoires ». Les débilités dans la Balance des deux planètes les plus masculines du système solaire, le Soleil et Mars, peuvent expliquer ce manque d'agressivité. Il arrive même que, malgré sa galanterie naturelle, il hésite à prendre le parti de sa femme quand elle se fait rabrouer publiquement devant lui, s'il estime qu'elle s'est mise dans son tort. Son sens de l'équité, son horreur des « histoires » et sa pusillanimité se liguent pour le réduire au silence.

Il n'est pas fait pour décrocher de haute lutte des contrats avantageux pour lui-même ou pour son entreprise. Ce n'est pas un « gagneur », diraient les sportifs. Il n'est pas de taille à discuter pied à pied avec des interlocuteurs décidés et coriaces. Il est vrai qu'il ne se sent pas concerné par ce genre de discussions qui l'ennuient. Il préfère cent fois mieux négocier pour réconcilier les gens que pour arracher un accord qui pourrait léser la partie adverse.

Il y a pourtant dans la vie des situations qui exigent que l'on prenne des risques, que l'on joue le tout pour le tout en espérant que la fortune sera favorable puisqu'elle a, dit-on, un faible pour les audacieux. Ce genre de risques ne tente guère le natif de la Balance, pas plus d'ailleurs que les autres risques. Il met ses œufs dans deux paniers qui sont comme les deux plateaux de sa balance. C'est la recette du bon équilibre qui est à l'opposé de l'engagement total et quelque peu irréfléchi du Bélier, qui fonce dans le brouillard.

Le seul risque qu'il court, malgré lui, c'est de laisser passer les bonnes occasions à force de tergiverser, tellement sa démarche est prudente et hésitante, quand il s'agit de s'engager. Ce qui ne l'empêche pas, paradoxalement, de se fourvoyer de temps à autre.

Il devient clair maintenant qu'il n'a ni le profil ni l'étoffe d'un chef. Il n'a pas l'autorité naturelle qui signe les natifs du Lion, par exemple, et il n'a pas non plus le goût du commandement ni des responsabilités.

Il faut d'abord qu'il se sente bien au sein du groupe, c'est-à-dire qu'il soit entouré de la sympathie et de la considération de ceux qui travaillent avec lui. Pour un être de sentiment comme lui, c'est indispensable. D'autre part, il lui est souvent pénible de se soumettre à une cadence collective : il aime bien travailler à son rythme. Et il n'est pas un modèle d'exactitude. Enfin, il n'est pas fait pour brasser de l'argent ou pour spéculer. Ce genre d'opérations demande un esprit mercantile qui lui est étranger. Les professions commerciales, en général, dont toute l'activité tourne autour du gain, ne sont pas faites pour le combler.

Les qualités

Après les défauts, voici les qualités qui peuvent être portées au crédit du natif de la Balance. S'il n'est pas fait pour occuper des postes de direction, la souplesse de son intelligence et la justesse de son jugement peuvent faire de lui un collaborateur apprécié, un adjoint de qualité capable de rendre de précieux services dans le cadre de ses compétences. Mais pour qu'il donne le meilleur de lui-même dans un tel poste, il faut qu'il ait l'impression qu'on le traite en égal.

Ses manières empreintes de courtoisie, sa présentation élégante et son charme discret sont des atouts qui rachètent certaines de ses faiblesses et favorisent indiscutablement sa carrière. Il fait bonne impression, et c'est important dans la vie car, malgré des expériences décevantes, les gens restent très sensibles à l'apparence. Son élégance n'a rien de guindé, comme la netteté un peu trop stricte de la Vierge. Plus décontractée, elle se permet quelques fantaisies, mais sans jamais tomber dans le mauvais goût ni l'excentrique.

D'un naturel affable, ouvert à toutes les suggestions, attentif aux arguments des adversaires en présence, il a toutes les qualités pour mener à bien des missions de conciliation. Il sait trouver le terrain d'entente sur lequel des adversaires apparemment irréductibles, mais sensibles à son charme et à sa douceur, accepteront de se rencontrer. L'accord qu'ils finiront par conclure ne leur laissera pas de goût amer car les concessions qu'il aura su obtenir des deux parties ne remettent pas en cause leurs droits essentiels ni leur dignité.

Ce rôle de conciliateur, le natif de la Balance peut le jouer partout où naissent des conflits, aussi bien au sein du groupe familial qu'au niveau international.

Tandis que la Vierge dissèque et analyse, la Balance s'efforce de rassembler les éléments du puzzle pour en faire la synthèse. Quand on confie à un natif de la Balance la responsabilité d'une association qui est en train de se désagréger, quelles que soient par ailleurs la nature et l'importance de cette association, on peut compter sur son sens de la cohésion pour recoller les morceaux. Mais il ne faut pas trop lui demander de s'intéresser aux détails. Son attention se porte avant tout sur les grandes lignes d'un projet ou d'une entreprise.

Autant la Vierge est modeste, effacée et discrète, autant la Balance aime paraître. Mais ne nous y méprenons pas, ce n'est pas le besoin de se pousser en avant en piétinant plus ou moins les autres, mais simplement le besoin de se montrer. Quand des natifs de la Balance acceptent des postes officiels ou bien la présidence d'une société, c'est parce que, dans cette fonction, la *représentation* est plus importante que le travail de gestion dont ils essaient de se décharger le plus possible sur des collaborateurs.

Il est, dans toute grande entreprise, un poste dont il faut dire quelques mots parce qu'il illustre parfaitement le type d'activité qui permet au natif de la Balance de déployer l'éventail de ses qualités. C'est celui de chef du personnel. Dans ce poste qui lui convient à merveille, il est amené à établir de très nombreux contacts et à s'intéresser aux problèmes humains des uns et des autres. Il doit faire jouer sa faculté d'adaptation pour se mettre au niveau de ses interlocuteurs qui appartiennent à des groupes sociaux très divers, depuis le jeune apprenti jusqu'au chef de fabrication en passant par la dactylo et l'ouvrier professionnel. Son sens de la psychologie et son intuition lui sont d'un grand secours dans cette tâche.

D'autre part, il n'est pas d'entreprise où n'éclatent quotidiennement des conflits de personnes. On attendra de lui qu'il joue le rôle d'arbitre entre le personnel et les cadres. Son sens de l'équité et sa parfaite loyauté l'aideront à trouver des solutions satisfaisantes, ou tout au moins acceptables pour les deux parties.

Parmi les dispositions naturelles du natif de la Balance, une des plus importantes est peut-être sa faculté de sentir et d'exprimer la beauté. Il est incontestablement doué pour l'expression artistique de ses sensations.

Quelle que soit la profession qu'il exerce, même celle qui peut paraître la plus éloignée de l'art, il a besoin de visualiser les choses avant de les réaliser dans la matière. Il fait un croquis, ébauche une esquisse, dessine un plan, construit une maquette en utilisant si possible la couleur. Se fiant à son sens des proportions, de la forme et des couleurs, il veut juger de l'œuvre avant sa réalisation et, si besoin est, la corriger.

Son sens artistique lui ouvre de nombreuses professions qui, de près ou de loin, sont liées à l'art. Cependant, ce n'est généralement pas un créateur. Son habileté consiste à reproduire avec beaucoup de goût ce que d'autres ont créé. Il excelle dans la décoration et l'ornementation, il est capable d'ajouter à un objet ce « quelque chose » qui en fait un objet d'art.

Généralement, il bénéficie davantage de l'autorité qui s'attache à sa fonction que de celle qui émane de sa personne. Pour conserver cette autorité, il faut lui conseiller de garder ses distances vis-à-vis de ses subordonnés — ce qui ne lui est pas facile du tout —, pour ne pas ruiner le peu de prestige que lui concède la Balance.

Quand Saturne, qui est exalté dans le signe de la Balance, marque fortement son horoscope, il peut apporter dans son travail une régularité et une persévérance que n'a pas le vénusien de la Balance.

Une fois choisie la profession qui semble le mieux convenir à son tempérament, et à condition qu'il trouve un environnement dans lequel il se sent bien, il « épouse » son travail, c'est-à-dire qu'il s'adapte à sa nouvelle situation et se fait adopter par ses camarades de travail ou ses collègues. Sa sociabilité naturelle, alliée à sa gentillesse et à son charme vénusiens, l'y aide beaucoup. On passera plus facilement sur ses fantaisies et son dilettantisme grâce aux côtés agréables de sa personnalité.

Les résultats de son travail dépendent beaucoup de son moral. S'il travaille dans une ambiance sympathique, s'il se sent « bien dans sa peau », si, surtout, il n'est pas affecté par des déboires sentimentaux ou conjugaux, il a de bonnes chances de réussite. Une réussite qui n'aura rien de fulgurant car la Balance est un signe de mesure.

A propos de sa réussite sociale qui, nous l'avons vu, est étroitement liée à sa vocation, nous pouvons interroger la Maison X, comme nous avons interrogé la Maison VI pour connaître le climat dans lequel il travaille.

Le dixième signe à partir de la Balance prise comme Maison I, est celui du Cancer. Comme le signe des Poissons, le Cancer est un signe réceptif de la triplicité d'Eau. Il y a donc accord fondamental entre le secteur du travail et celui de la réussite sociale. Le Cancérien est un émotif non actif qui subit les événements plus qu'il ne les provoque, et sa réussite est souvent tributaire des circonstances. Il compte sur une chance qui lui est assez favorable (Jupiter exalté dans le Cancer). Des changements d'orientation ne sont pas à exclure (domination de la Lune).

Quelle profession ?

Pour le jeune Balance, le choix est difficile. N'ayant pas de vocation bien définie, il est souvent attiré en même temps par plusieurs métiers pour lesquels il se sent des dispositions. Ses hésitations n'en sont que plus grandes et elles peuvent lui faire repousser sa décision jusqu'à un âge où les autres sont déjà bien engagés dans la vie professionnelle.

Son goût personnel le porterait vers une situation qui n'exigerait pas trop d'efforts de sa part, tout en lui procurant des avantages. Cet état d'esprit n'est pas fait pour débloquer la situation, surtout en période de crise économique.

Voici un tableau des principales professions susceptibles de convenir aux natifs de la Balance, hommes et femmes naturellement. Elles sont rangées sous trois rubriques : l'art, la communication et la justice.

L'art

Peintre, dessinateur, architecte, musicien, danseur, décorateur, styliste, artisan d'art (joaillier, orfèvre, graveur sur cuivre, tapissier, etc.), coiffeur, mannequin, esthéticienne, parfumeur, paysagiste, horticulteur, fleuriste, restaurateur, cuisinier, pâtissier, antiquaire, étalagiste, directeur de galerie d'art, éditeur d'art, écrivain, critique d'art, archéologue.

La communication

Chef du personnel, conseiller en relations publiques, attaché de presse, imprésario, hôtesse d'accueil, enquêteur, représentant ou vendeur d'objets d'art, diplomate, ethnologue, assistante sociale, conseiller conjugal, traducteur, journaliste, assureur, directrice d'agence matrimoniale.

La justice

Juge, expert auprès des tribunaux, avocat, conseiller juridique, peseur-juré, arbitre.

Une dernière remarque. Des deux types principaux rencontrés parmi les natifs de la Balance, le type vénusien extraverti et le type saturnien introverti, le second sera bien inspiré en évitant autant que possible les professions qui le mettraient constamment en contact avec le public. En revanche, il pourrait se tourner avec succès vers la politique, mais celle qui se fait plutôt dans les chancelleries que sur la place publique.

Francine Gomez, native de la Balance, qui gère avec discernement, intelligence et mesure l'entreprise familiale.

La Balance et l'Argent

Le type Balance est un être raffiné à la sensibilité aiguë et au goût délicat. Il a le sens du beau et se nourrit de beauté. Mais qu'est-ce que la beauté? Trop souvent confondue avec le luxe, la beauté est le résultat de l'harmonie qui règne entre les différents éléments d'un tout : harmonie des formes et des couleurs, harmonie des proportions et du mouvement. Cette définition est valable pour les êtres comme pour les choses. Mais rien ne s'oppose, bien au contraire, à ce que les éléments soient eux-mêmes de grande qualité. L'ensemble n'en aura que plus de prix.

C'est d'abord cette harmonie que le natif de la Balance recherche dans tous les domaines. Elle préside aux rapports qu'il entretient avec son entourage, comme elle signe son cadre de vie. Il aime créer dans sa maison ou son appartement un intérieur d'une aimable élégance : des volumes judicieusement utilisés, des matériaux nobles, quelques meubles de qualité, des tons pastels heureusement assortis.

Il apporte le même soin dans le choix de ses vêtements : de beaux tissus, des coloris discrets, une coupe de bon faiseur lui donnent une élégance qui se voit sans se faire remarquer.

Les plaisirs de la table ne lui sont pas indifférents, mais à un de ces « bons » repas où la chère est souvent trop abondante, il préfère quelques plats délicats. Il est plus gourmet que gourmand. Chez lui, il veille à ce que la cuisine, même la plus simple, soit préparée avec soin et amour afin que ce qui réjouit le corps réjouisse aussi le cœur.

Il connaît mieux que personne les vertus de la chaleur communicative des repas pour nouer des liens entre les êtres. Aussi sa table est-elle largement ouverte aux amis dont il aime s'entourer. Foncièrement sociable, il reçoit volontiers pour partager avec les autres la beauté qu'il a su faire naître autour de lui.

Il aime les beaux livres, et s'il n'a pas lu tous ceux qui garnissent les rayons de sa bibliothèque, c'est parce qu'il n'en a pas eu le temps. Il lui est, en effet, difficile de se fixer longtemps sur un même objet car son esprit, largement ouvert sur le monde qui l'entoure, réagit aux moindres sollicitations extérieures. Mais il se propose de lire un jour tous ces livres qui ont su le séduire. Et on peut penser qu'il le fera.

Il est très intéressé par les éditions d'art dont la typographie, les illustrations et même le papier réjouissent ses sens toujours en éveil. Ce sont des ouvrages que l'on feuillette pour le plaisir, un plaisir que la Balance sait savourer.

Sans dédaigner les bonnes chansons d'hier et d'aujourd'hui, il est un fervent auditeur des grandes œuvres musicales. Les techniques de l'audiovisuel ont fait de tels progrès qu'elles peuvent offrir aux amateurs de musique une restitution presque parfaite des chefs-d'œuvre qui ne manquent pas dans ce domaine.

La vie culturelle est inséparable de l'art. Et qu'est-ce que l'art, sinon l'expression de la beauté, domaine privilégié de la Balance? Le natif de ce signe prend naturellement part à la vie culturelle partout où cela lui est possible, c'est-à-dires urtout dans les grandes villes où celle-ci est incomparablement plus active que dans les petites villes.

Le type vénusien de la Balance fréquente les théâtres et les salles de concert, va voir avec des amis le dernier film dont tout le monde parle, assiste au vernissage du peintre qui fait un peu scandale tout en veillant à ne pas dépasser les bornes d'une certaine bienséance.

Il serait insensé de croire, ou de vouloir faire croire, que les natifs de la Balance disséminés à travers le monde mènent ce genre de vie! Les mœurs et les conditions d'existence sont tellement différentes d'un continent à l'autre, et même d'un pays à l'autre, qu'une telle idée n'est même pas envisageable. En revanche, dans les pays industrialisés de l'Occident, ce mode de vie peut très bien correspondre aux aspirations du type Balance, avec naturellement les adaptations que rendent nécessaires les différences de milieu et d'éducation. Seulement, pour pouvoir vivre selon ses goûts, il lui faut de l'argent, et s'il veut aller jusqu'au bout de ses rêves, il lui en faut même pas mal. Nous voici donc arrivés au cœur du problème.

Comment va-t-il acquérir cet argent, c'est la première question à laquelle il faut essayer de répondre.

S'il avait l'esprit d'entreprise, il pourrait créer sa propre affaire, après avoir travaillé chez les autres pour acquérir l'expérience indispensable à une telle initiative et pour réunir les premiers fonds nécessaires au démarrage. Avec un peu de chance et beaucoup de travail, il arriverait peut-être, au bout de dix ou vingt ans, à se faire une situation enviable. Malheureusement, nous l'avons vu, notre Balance n'a ni l'esprit d'entreprise ni l'étoffe d'un patron. De plus, il ne faut pas attendre de lui un travail acharné.

S'il ne crée pas son affaire, va-t-il se lancer dans les affaires, prendre un fonds de commerce ou devenir représentant? Rien de tout cela. Ce sont des professions qu'il abandonne volontiers aux natifs du Taureau (finances), des Gémeaux (représentation) ou de la Vierge (commerce).

C'est un fait que s'il a le goût des contacts, ce n'est pas pour en tirer un profit matériel, comme il est normal que le fasse un représentant de commerce. Il donne de lui-même, mais ce qu'il attend des autres — car son don, placé sous le signe de la balance, n'est pas désintéressé —, c'est leur sympathie. Il aime que circule entre les êtres un courant de chaleur humaine. Tout cela est très éloigné de l'esprit mercantile qui lui reste profondément étranger. Il n'a pas le sens des affaires, même pas de celles qui sont parfaitement honnêtes et dont le profit n'est que la juste rétribution d'un travail.

Alors, comment gagnera-t-il l'argent qui lui est indispensable pour assurer son existence matérielle et créer les conditions d'une vie raffinée conforme à ses goûts?

L'éventail des professions qui lui sont ouvertes est assez large pour qu'il finisse par trouver celle qui lui procurera les moyens nécessaires à ses besoins.

Il est d'ailleurs possible que sa famille lui mette le pied à l'étrier, facilitant ainsi son insertion dans la société. D'autre part, les métiers qui touchent à l'art peuvent lui offrir une vie très confortable dans la mesure où il a du talent et où ce talent est reconnu.

Mais quelle que soit la voie dans laquelle il s'engage — de préférence une profession indépendante, surtout s'il a l'ascendant sur la Balance —, il ne doit pas s'attendre à amasser une fortune. Né sous le signe de l'équilibre, il saura équilibrer tant bien que mal ses rentrées et ses dépenses. Même si certains de ses goûts ont un caractère dispendieux, il réussira, grâce à son sens inné de la mesure, à adapter ses besoins à ses possibilités. S'il le faut, il sacrifiera la quantité à la qualité. On sait que, chez lui, les valeurs spirituelles l'emportent sur les valeurs matérielles.

Quel va être son comportement envers l'argent, telle est la deuxième question qui se pose à nous. Pour y répondre, interrogeons le Zodiaque, comme nous l'avons déjà fait à propos du travail. Le Zodiaque, tel qu'il est représenté ici, est constitué de deux cadrans : à l'extérieur, le cadran *fixe* des Maisons; à l'intérieur, le cadran *mobile* des signes. Le signe du Zodiaque que l'on veut étudier est amené à coïncidence avec la Maison I. Il vient donc se placer à gauche, juste sous la ligne d'horizon (AS), là où se trouve le Bélier dans la représentation habituelle du Zodiaque.

Puisque nous voulons examiner les problèmes de la Balance, plaçons ce signe en face de la Maison I. Nous obtenons le schéma ci-contre. Il va nous fournir des indications générales valables pour tous les natifs de la Balance. C'est une toile de fond sur laquelle viennent se plaquer les thèmes individuels qui modifieront plus ou moins profondément le thème général. Il n'en est pas moins vrai que les natifs d'un même signe reçoivent du thème général une empreinte type qui, même atténuée, donne à tous les natifs d'un signe des traits communs qui marquent leur appartenance à une même famille astrologique.

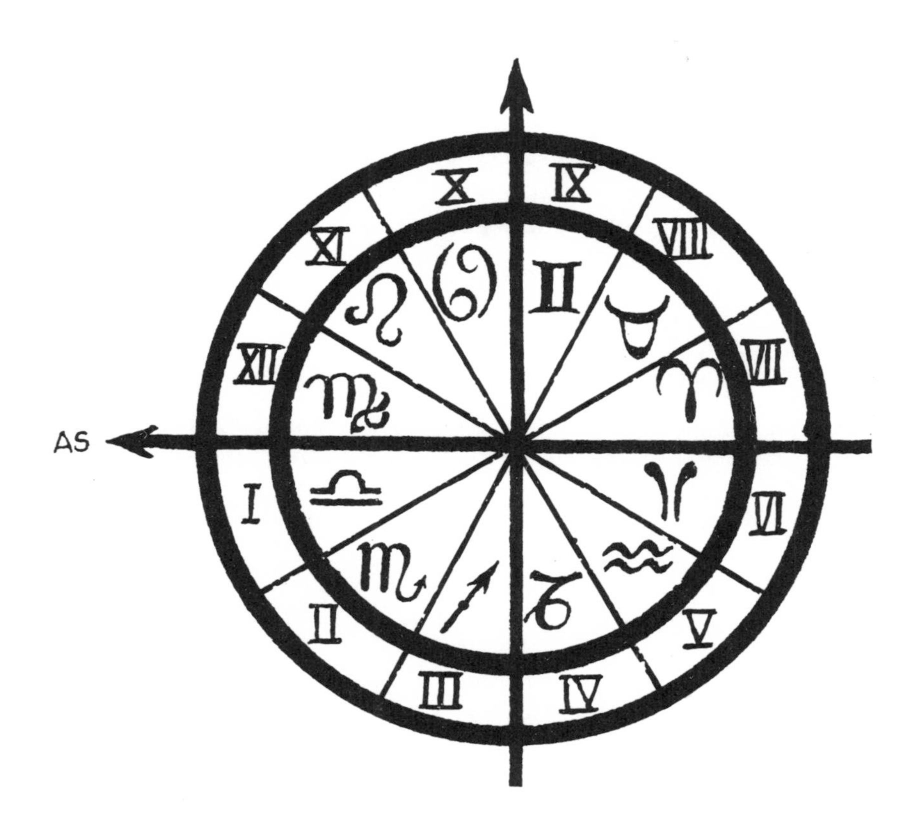

Puisque nous étudions les problèmes relatifs à l'argent, consultons la Maison II qui est le secteur de l'argent, particulièrement de celui qui est acquis par le travail. Ici, il coïncide avec le Scorpion. Bien que signe d'Eau, le Scorpion est loin d'être aussi passif que les deux autres signes de la triplicité d'Eau, le Cancer et les Poissons. C'est l'eau des marécages, paisible en surface, mais agitée de bouillonnements intérieurs dus à la fermentation. Domicile de Mars, le Scorpion est animé d'une énergie tenace. Cependant, il n'est pas rare que son action aboutisse à une destruction. Comme il ne s'avoue jamais vaincu, cette destruction peut devenir le point de départ d'une reconstruction.

Mais notre propos n'est pas d'étudier en détail le caractère du Scorpion puisqu'il s'agit simplement de définir les rapports que le natif de la Balance entretient avec l'argent. Il est vraisemblable que, du fait de cette interférence du Scorpion, ces rapports connaîtront des hauts et des bas qui contraindront notre Balance à quelques adaptations douloureuses. Il sera peut-être même tenté de prendre ses distances avec les valeurs matérielles ou d'aller jusqu'à y renoncer pour des valeurs plus élevées.

Ces indications qui, encore une fois, n'ont qu'une valeur générale, recoupent une constatation faite par tous les observateurs : le sujet de la Balance fait preuve à l'égard de l'argent d'un détachement que l'empreinte saturnienne, lorsqu'elle est dominante dans le thème, ne fait qu'accentuer. On a remarqué qu'il semble éprouver une sorte de gêne quand il lui faut demander le prix de ses services, ou bien qu'il hésite à protester quand une facture dépasse manifestement le montant d'une juste rémunération.

Comme il partage volontiers avec les autres, la chance lui rend de temps en temps la monnaie de sa pièce. Cela contribue à équilibrer sa vie matérielle, sans toutefois le mettre complètement à l'abri de fluctuations plus ou moins heureuses. Parmi les plus heureuses, il faut compter les dons et les héritages qui sont également une des significations de la Maison VIII.

Blondeur, douceur et pureté : telles sont souvent les caractéristiques de la femme Balance, qu'illustre bien Catherine Deneuve, personnalité du signe.

La Balance et son Apparence

L'apparence physique est un livre d'une lecture difficile, mais passionnante, qui révèle à qui sait le déchiffrer ce qui se passe à l'intérieur des êtres sur le plan physiologique comme sur le plan psychologique. C'est pourquoi, avant d'aborder les problèmes de santé des natifs de la Balance, nous allons interroger leur apparence physique.

Paradoxalement, on pourrait soutenir que le type pur de la Balance se reconnaît à ce qu'il ne présente rien de particulier. Il est fait d'équilibre, comme le suggère l'instrument de précision qui sert de symbole à son signe. Si ce n'était le charme qui émane de la beauté régulière de ses traits, chez la femme comme chez l'homme, ce type passerait inaperçu car rien en lui n'accroche le regard. Il est vrai que la véritable élégance sait rester discrète.

Les deux influences qui s'équilibrent dans la Balance sont celles de Vénus et de Saturne. Ces deux planètes ont déjà longuement retenu notre attention, mais il est un aspect de leur influence qui n'a pas encore été évoqué, celui de l'apparence physique. Alors que tout semble les opposer, Vénus et Saturne, pour des raisons qui ont été précédemment exposées, concluent dans le signe de la Balance un compromis dont les termes méritent d'être examinés.

Mais d'abord, qu'apportent les deux planètes en partage? Un tableau comparatif permettra de mieux apprécier leur influence sur le physique de ceux qu'elles dominent lorsqu'ils ont atteint l'âge de la maturité.

	Vénus	**Saturne**
Taille	plutôt petite	grande
Corpulence	bien en chair	mince
Ossature	petite et fragile	forte et saillante
Démarche	vive et dansante	lente et lasse
Visage	rond (dilaté latéral)	long et étroit (rétracté latéral)
Teint	clair	terreux
Peau	colorée	pâle
Cheveux	blonds ou châtains-ondulés	bruns, plats et épais
Front	moyen et bombé-lisse	haut et droit-ridé
Yeux	rieurs et brillants	enfoncés et scrutateurs
Oreilles	petites et bien dessinées	grandes et longues
Nez	petit aux ailes frémissantes	mince et fort-un peu busqué
Bouche	sensuelle aux lèvres charnues	mince aux lèvres pincées
Menton	rond à fossettes	fort et saillant
Mains	courtes-doigts potelés	moyennes-doigts longs et noueux

L'opposition est assez remarquable, et cependant, le mélange de ces deux influences donne un heureux résultat. Saturne gomme ce que les rondeurs vénusiennes pourraient avoir d'excessif; il affine et allonge. Vénus arrondit les angles et comble les creux saturniens; elle anime et éclaire.

Dans ce couple insolite, le premier rôle revient à Vénus dont la dignité par maîtrise l'emporte sur la dignité par exaltation de Saturne. Du moins dans le cas normal. Mais y a-t-il des cas « normaux »? Les rôles peuvent être inversés, et les variations sur ce thème à deux notes sont, non pas infinies, mais nombreuses. Cependant, si la domination de Vénus est admise, elle peut expliquer la beauté des natifs de ce signe dont voici une description idéale, puisque les types purs restent pratiquement l'exception.

La taille est moyenne. Le corps, mince dans la jeunesse, tend à s'empâter avec l'âge si rien n'est entrepris pour empêcher la venue de cet embonpoint. Soucieuse de sa beauté, la femme Balance est mieux armée pour entreprendre cette lutte. Le teint clair tend à se colorer. Le visage, ovale, présente des traits harmonieusement équilibrés : un front dégagé, un nez droit et pas trop long, une bouche bien dessinée. Les yeux, plutôt clairs, sont vifs et brillants. Les cheveux, châtain clair, sont fins et doux au toucher. La denture est saine.

L'ensemble s'articule avec souplesse et grâce autour de la région lombaire qui est le pivot de ce corps. Quand elle marche, la femme Balance donne l'impression de vouloir s'exprimer avec tout son corps dans une sorte de danse dont la grâce et l'élégance ne sont jamais affectées.

La silhouette, la démarche et les traits de la Balance conviennent mieux, c'est évident, à la femme qu'à l'homme. La beauté, le charme, la grâce, l'élégance sont des attributs plus féminins que masculins. Rien d'étonnant alors à ce que l'homme de la Balance apparaisse parfois comme un être efféminé, ce qu'il n'apprécie généralement pas. Mais il arrive pourtant que certains hommes Balance, en accord avec leur signe qui réunit en lui les deux pôles, ne se sentent pas une appartenance bien définie à leur sexe, ce qui peut extraîner des conséquences « particulières ».

Selon que Vénus l'emporte sur Saturne, ou inversement, l'apparence physique tendra vers l'un ou l'autre type décrit plus haut. Naturellement, le schéma peut être encore modifié par la présence d'une planète à proximité de l'Ascendant ou du Milieu-du-Ciel, ou encore par un puissant aspect à l'un de ces deux axes.

Sami Frey, né sous le signe de la Balance. La séduction et la gravité du signe apparaissent tout à fait dans son visage.

La Balance a besoin, pour son équilibre, de s'exprimer, d'une manière ou d'une autre, par le corps.

La Balance et sa Santé

Le tempérament sanguin de Vénus et le tempérament nerveux de Saturne, qui se rencontrent dans la Balance, prédisposent, chacun de leur côté, à des maladies ou à de simples troubles physiologiques dont voici un court aperçu donné à titre indicatif.

Tempérament sanguin (Vénus) : maux de tête, insomnies, saignements de nez, palpitations, congestion sanguine, inflammation des vaisseaux sanguins, hémorragies, pneumonie.

Tempérament nerveux (Saturne) : maux de tête, insomnies, anémie, névralgie, névrose, constipation, diarrhée, hémorroïdes.

Les maladies propres à un tempérament, mais qui sont en contradiction flagrante avec le tempérament opposé, sont assez peu susceptibles de se déclarer. C'est ainsi que les risques de voir s'installer une anémie (manque de globules rouges) sont minimes dans le cas normal, en raison de la légère domination du tempérament sanguin. En revanche, celles qui sont communes aux deux tempéraments, sans être bien graves, peuvent apparaître plus fréquemment.

Ces maladies propres aux constitutions planétaires vénusienne et saturnienne sont le résultat de dispositions secondaires qui s'effacent derrière la constitution générale de la Balance à qui revient tout naturellement la première place.

Parties du corps et organes gouvernés par la Balance

Essentiellement, les reins et la région lombaire; puis les surrénales, les vertèbres et les muscles lombaires, les artères et les veines rénales, surrénales et lombaires, l'uretère, le système vasomoteur, le plexus rénal, la peau.

Le signe de la Balance exerce également une influence secondaire sur la partie du corps gouvernée par le signe qui lui fait face dans le Zodiaque, le Bélier. Comme ce signe est lié à la tête, il faut également surveiller les maladies qui pourraient concerner cette partie du corps (par exemple : maladies des yeux, maux de dents, sinusites, etc.).

Les reins ont une fonction essentielle dans l'économie de l'organisme. Le risque de voir cette fonction perturbée est relativement plus grand parmi les natifs de la Balance que parmi ceux des autres signes (Bélier excepté). Cette perturbation peut entraîner toutes sortes de maladies dont voici les principales : urémie, diabète, calculs rénaux, néphrite, cystite, maladies de Bright et d'Addison, maux de reins (lumbago, rhumatisme des muscles lombaires, déplacement de vertèbres lombaires), maladies de la peau (eczéma). Secondairement : amaigrissement, maux de tête, rages de dents.

Toutes ces indications n'ont qu'un but : aider le natif de la Balance, ou ceux qui l'ont en charge, à prévenir les maladies auxquelles il est plus particulièrement exposé. L'observation de quelques règles de vie simples peut écarter bien des menaces. Une prévention adaptée à chaque cas sur la base de l'horoscope devrait commencer dès le plus jeune âge et être inscrite au programme d'une éducation bien comprise. Comme ce n'est pas une vérité près d'être admise par les responsables de l'éducation, souhaitons que les conseils qui vont suivre profitent au plus grand nombre.

Comment prévenir les maladies

Les reins ont une double fonction physico-chimique fort complexe. D'une part, ils extraient du sang les déchets qui proviennent de la combustion dans les cellules, d'autre part, ils retiennent les substances utiles à l'organisme et les remettent dans le circuit sanguin. Autrement dit, les reins sont un filtre sélectif qui opère un tri pour maintenir constante la composition du sang et des milieux intérieurs. Ils sont un facteur d'équilibre de l'organisme et, en cette qualité, il est normal qu'ils relèvent de la Balance.

Le natif de ce signe doit donc tout mettre en œuvre pour que cet équilibre ne soit pas rompu. Les reins sont chez lui un organe particulièrement fragile qui, en cas de maladie, joue le rôle de « bouc émissaire ». Il doit essayer de les décharger d'une partie de leur travail et s'efforcer de ne rien faire qui pourrait les surcharger inutilement.

Des choses à faire

Pour soulager les reins, le natif peut rechercher, ou même provoquer, les occasions de transpirer en exécutant des travaux de plein air (jardiner, scier du bois, aider aux travaux des champs) ou en pratiquant des sports non violents (tennis, ping-pong, volley-ball, cyclotourisme, randonnées pédestres, gymnastique rythmique, danse folklorique, etc.). Ces exercices corporels fortifieront d'abord sa musculature qui n'a rien d'impressionnant, puis ils donneront à la peau l'occasion de faire avec ses millions de pores une partie de l'énorme travail dont sont trop souvent accablés les reins (un rein reçoit plus d'un litre de sang *par minute*!).

Dans la mesure où ils sont bien tolérés par son cœur, les bains de vapeur seront également une aide précieuse pour les reins. Ils provoquent une importante sudation qui se traduit par une diminution des réserves d'eau de l'organisme. Pour les reconstituer, il faut boire jusqu'à un litre et demi de liquide dont l'absorption a l'avantage de laver en même temps les reins. A condition évidemment que le liquide absorbé soit bien supporté par eux.

Pratiquer des exercices de respiration est également excellent pour soulager les reins. Il ne s'agit pas pour notre Balance de se livrer aux exercices respiratoires intensifs pratiqués dans certaines écoles de yoga, car tout ce qui est excessif ne convient pas à sa nature qui ne se complaît que dans la mesure. En revanche, des exercices modérés, pratiqués de façon régulière, peuvent lui être très profitables.

Une très bonne habitude, ne demandant pas de grands efforts, consiste à vider de temps à autre dans la journée les poumons de l'air résiduel accumulé du fait d'une respiration incomplète, qui est celle de la plupart des gens. Quelques expirations profondes permettent de renouveler cet air vicié qui stagne dans la partie basse des poumons.

Les enfants qui courent très souvent, les jeunes gens qui s'adonnent à un sport, respirent profondément au cours de leurs ébats sans même en avoir conscience. De sorte qu'ils ne souffrent pas d'un manque d'oxygénation. Tout différent est le cas de la grande majorité de la population; passé la trentaine, on s'installe dans une vie confortable qui ignore les efforts violents. La marche elle-même est remplacée par la moto ou la voiture.

Non seulement la quantité d'air respiré doit être augmentée de temps en temps, mais sa qualité doit être également améliorée. Comme l'air des villes est de plus en plus pollué, le citadin de la Balance se trouvera bien des promenades faites pendant les week-ends à la campagne, et encore mieux à la montagne ou au bord de la mer. D'autant plus que le sédentarisme ne lui vaut rien.

Les femmes, mais aussi les hommes qui ont la fâcheuse habitude de porter ceintures et ceinturons sur des jeans étroits, doivent veiller à ce que l'irrigation de la région lombaire se fasse normalement.

Une cure d'épuration du sang sera la bienvenue au moment des grands changements de saison, c'est-à-dire aux équinoxes de printemps et d'automne. En accélérant l'irrigation des reins, les dépuratifs augmentent leur débit et intensifient le décrassage de l'organisme. Mais pourquoi justement à ces époques de l'année? Parce que l'organisme doit se préparer par cette désintoxication à recevoir les nouveaux courants qui se déversent sur la Terre lorsque le Soleil franchit l'équateur céleste. C'est un peu l'histoire du vin nouveau dans les vieilles outres. On peut également faire un rapprochement avec une ancienne coutume qui se pratique encore dans quelques pays européens; elle consiste à procéder dans les maisons au « grand nettoyage de Pâques ».

Le corps est aussi une demeure et devrait participer à ce nettoyage. Autrefois, l'Église avait institué les Quatre-Temps qui prévoyaient un jeûne de trois jours, les mercredi, vendredi et samedi de la première semaine de chaque saison...

Mais comme, aujourd'hui, la plupart des gens ne se préparent d'aucune façon à ces changements, beaucoup les supportent mal et s'étonnent de tomber malades ou d'être indisposés quand « changent les saisons ».

Comme il arrive que l'hypertension soit provoquée par un mauvais fonctionnement des reins, un contrôle régulier de la tension permettra de dépister à temps les troubles de l'appareil rénal avant qu'ils ne se manifestent de façon plus désagréable.

Au-delà de l'hygiène physique, il y a l'*hygiène mentale*, trop souvent ignorée, mais dont les effets peuvent également être très salutaires pour l'organisme. Nous sous-estimons généralement l'importance de la pensée dans notre vie parce que nous n'établissons pas de rapport direct entre ce que nous pensons et ce que nous vivons. Il est vrai que nous utilisons rarement notre pensée de façon consciente pour agir sur le déroulement de l'existence. Son action, souvent désordonnée, échappe à notre vigilance. L'utilisation consciente de la pensée pour l'amélioration de la santé est précisément un des objectifs de l'hygiène mentale. Nous allons envisager brièvement deux façons de l'utiliser dans la perspective particulière des Balance.

Quand le natif de la Balance est doué pour l'expression artistique, ce qui est souvent le cas, que ce soit pour le dessin, la peinture ou la musique, il ne devrait pas négliger ce don car, en cas de crise, l'exercice de son talent peut, en lui apportant paix et détente, l'aider à retrouver son équilibre physique et moral. Comme les soucis générateurs d'angoisse peuvent avoir sur ce type zodiacal une action destructrice, c'est lui rendre service que de l'encourager à persévérer dans la voie artistique pour concentrer sa pensée sur la réalisation d'une œuvre qui l'aidera à surmonter son anxiété.

La reconnaissance est également un des éléments de l'hygiène mentale. Dire merci ne doit pas être seulement une réaction banale et presque automatique, une démarche sans grande importance qui est le résultat d'une bonne éducation. Remercier doit devenir un acte conscient.

Beaucoup seront surpris et se demanderont quelle relation il peut bien y avoir entre la santé des natifs de la Balance et le fait de dire merci.

Remercier est un acte qui rétablit un certain équilibre. Vue sous cet angle, l'expression de la reconnaissance prend une valeur particulière pour ces natifs parce qu'ils sont directement concernés par tous les problèmes d'équilibre, quel que soit le domaine de la vie dans lequel ils se posent, physique ou moral.

Quand quelqu'un reçoit un bienfait, c'est comme si on le déposait sur l'un des plateaux de sa balance; c'est à lui ensuite de déposer sur l'autre plateau un contrepoids pour rétablir l'équilibre. A défaut d'un contrepoids équivalent, il doit au moins mettre sa reconnaissance en balance.

Cette reconnaissance peut s'exprimer non seulement vis-à-vis d'une personne déterminée, mais encore à l'égard de la vie en général, ne serait-ce que pour la lumière dans laquelle nous baignons, pour l'air que nous respirons, pour les beautés naturelles qui réjouissent nos yeux.

Aussi surprenant que cela puisse paraître, cette attitude que nous devrions avoir envers la Création est un facteur oublié de notre santé. Les efforts ainsi déployés pour créer un état d'équilibre sur tous les plans se reflètent dans le corps. Ils favorisent le bon fonctionnement des reins et contribuent à rétablir l'équilibre dans l'organisme tout entier.

Des choses à éviter

Le natif de la Balance est généralement doué d'un bon discernement, cette faculté qui permet de distinguer le « bon » du « mauvais ». Ce discernement, il doit le faire jouer aussi sur le plan de la nourriture et de la boisson.

Connaissant les risques auxquels sont exposés ses reins, il devra écarter de sa table tout ce qui pourrait les surcharger. D'une façon générale, il a intérêt à alléger sa ration alimentaire, et sa ration carnée en particulier, car la viande est riche en toxines. De même, il doit faire un usage modéré des graisses cuites et de la charcuterie.

Parmi les légumes, l'oseille, la rhubarbe et les asperges sont à proscrire dans la mesure du possible.

Les épices forts (vinaigre, poivre, moutarde, piments, mayonnaise, condiments épicés) seront avantageusement remplacés par des aromates (ail, persil, cerfeuil, estragon, romarin, thym, laurier, sauge).

Quant aux boissons, il faudra éviter celles qui sont acidulées (sodas, eaux gazeuses aromatisées), les eaux minérales trop riches en sodium ou en bicarbonate et les vins acides.

L'eau de source légère reste encore la meilleure boisson pour la bonne santé de ses reins.

Il est facile de déséquilibrer une balance : une simple chiquenaude suffit. Il en est de même pour les natifs de ce signe, très faciles à émouvoir. Une contrariété, une parole blessante, un échec mineur qui dérangent leur quiétude les perturbent complètement. Leur sensibilité à fleur de peau leur fait grossir exagérément les incidents de la vie quotidienne.

Quand la maladie est là

Le natif de la Balance qui tombe malade a besoin d'être rassuré. Il lui faudrait du calme, mais tout le monde n'a pas la chance d'habiter un endroit retiré, au milieu d'un parc, loin des bruits de la ville. Il lui faudrait de la beauté autour de lui, mais ce n'est pas toujours possible : combien de millions de gens vivent dans un cadre qui ne doit rien à un décorateur! Quant au spectacle offert par certaines salles communes des hôpitaux avec leurs misères et leurs laideurs, il n'est pas non plus de nature à aider à leur rétablissement. Heureusement que le régime commun tend à disparaître, et que les hôpitaux offrent de plus en plus aux malades des chambres claires et un décor sobre, mais agréable.

Le natif de la Balance doit savoir que son organisme réagit vivement aux trop fortes médications. C'est pourquoi il devrait demander à son médecin de doser prudemment ses remèdes au début du traitement. Il sera toujours temps d'augmenter les doses si cela devient nécessaire.

La meilleure solution serait de préférer l'homéopathie à l'allopathie, car les remèdes homéopathiques ont l'avantage de ne pas provoquer d'intoxications médicamenteuses auxquelles les natifs de la Balance réagissent assez mal.

Les remèdes ne sont pas toujours agréables à avaler, et le malade Balance — il n'a que trop tendance dans la vie à rechercher les choses agréables qui flattent ses sens —, ne montre guère d'enthousiasme pour prendre ces remèdes lui inspirant du dégoût. Il lui faudra donc se méfier de lui-même et au besoin demander à un de ses proches de l'aider à surmonter ce handicap.

Les enfants Balance méritent une mention particulière, car ils n'échappent pas plus que les autres aux maladies infantiles et, un jour, ils auront la varicelle ou la rougeole. Les parents devront alors veiller à ce que le médecin s'assure que la maladie n'a pas entraîné de complications rénales.

Dans le cas de la scarlatine, même traitée énergiquement grâce aux antibiotiques, ce risque est particulièrement élevé, et les troubles peuvent aller de la simple albuminurie à la néphrite. Il faudra donc, au cours de la maladie, procéder systématiquement à des analyses d'urine pour déceler les complications rénales qui peuvent survenir à n'importe quel moment. Cette précaution est absolument indispensable dans le cas d'un enfant Balance, et il sera bon de signaler au médecin la fragilité de ses reins. Un traitement appliqué à temps évitera de graves ennuis ultérieurs.

Pour terminer, nous évoquerons une période de crise que traverse un jour tout être humain à qui la vie n'a pas été chichement mesurée. Située habituellement entre la cinquantaine et la soixantaine, elle mérite bien son nom d'*âge critique*. Chez la femme, elle est marquée par la ménopause, entre 45 et 55 ans en moyenne, et chez l'homme par l'andropause qui peut s'étendre sur un plus grand nombre d'années, entre 50 et 70 ans.

Il est beaucoup plus souvent question de ménopause que d'andropause, peut-être parce que les effets de cette dernière sont moins spectaculaires et moins brutaux. Il n'en reste pas moins qu'andropause et ménopause sont accompagnées de modifications physiologiques et psychiques qui ont un retentissement profond sur le moral de l'homme et de la femme.

Comment les natifs de la Balance se comportent-ils pendant cette période de crise?

L'homme est sensible aux sollicitations du « démon de midi ». Il donne l'impression de vouloir rattraper le temps qu'il croit avoir perdu. Il se jette dans des aventures sentimentales ou professionnelles qui laissent son entourage pantois ou provoquent sa fureur. L'homme dont tous se plaisaient à vanter la gentillesse, la délicatesse et la mesure, a perdu son équilibre. Il n'est plus lui-même.

Il y a plus grave encore. Oubliant qu'il n'est plus un jeune homme, il s'impose des efforts et un rythme qui ne sont plus de son âge et que son organisme ne peut plus soutenir. Ce comportement irréfléchi, né de la peur de vieillir, fait peser une grave menace sur le système cardio-vasculaire et l'appareil urinaire.

La femme Balance est naturellement soumise aux mêmes tentations que l'homme, mais elle réagit avec sa sensibilité de femme à qui la société impose une condition plus limitée que celle de l'homme.

Parvenue à cet âge critique, elle est souvent prise d'une sorte de panique. Elle retrouve sa coquetterie de jeune fille et s'intéresse à des hommes plus jeunes qu'elle qui pourraient parfois être ses grands fils. Ou bien elle cherche dans la gourmandise une compensation.

Quand les premiers troubles de l'âge critique apparaissent le médecin comme l'entourage doivent faire preuve de beaucoup de patience, de compréhension et de tact pour remettre l'homme et la femme Balance dans la bonne voie et faire appel à leur objectivité, argument auquel les natifs du signe restent rarement insensibles.

Chapitre III

L'entente de la Balance avec les autres Signes

Watteau a donné à sa peinture des tonalités diffuses qu'en vrai natif de la Balance il devait aimer tout particulièrement.

Comment vous accordez-vous avec les autres Signes

Il est possible d'explorer vos affinités et vos incompatibilités d'humeur avec les autres en partant des caractéristiques de votre signe solaire.

Ce signe exerce en effet une action particulièrement puissante sur vos goûts et sur vos buts dans la vie.

Dans le tableau qui suit, vous découvrirez sous la forme de plusieurs mots clés la manière dont chaque signe zodiacal perçoit les onze autres signes, en termes d'accord, de conflit ou d'indifférence.

Votre personnalité est certes plus vaste que votre seul signe solaire, c'est pourquoi, pour en explorer un autre aspect, vous pouvez utiliser le même tableau mais en partant cette fois de votre signe Ascendant.

Votre Ascendant influence en effet directement votre comportement social spontané.

Si cette deuxième exploration recoupe la première, vous possédez une personnalité dont les affinités et les antipathies sont nettement tranchées; si, en revanche, les deux résultats sont différents, votre capacité de contacts constructifs est très large.

Votre signe solaire	Perçoit les autres signes comme ci-dessous BÉLIER	TAUREAU	GÉMEAUX	CANCER	LION	VIERGE
BELIER		Routinier Possessif Lent	Vif, rapide Intelligent Stimulant	Trop sensible Susceptible Nostalgique Rêveur	Organisateur Puissant Juste Créatif	Critique Pointilleus Timorée Inquiète
TAUREAU	Impulsif Brusque Égoïste Imprudent		Inconstant Dilettante Bavard Trompeur	Maternel Économe Aimant le foyer	Autoritaire Théâtral Dépensier Dogmatique	Pratique Méthodiq Serviable Perspicac
GÉMEAUX	Audacieux Entraînant Libre Décidé	Lourd Entêté Avide Rigide		Craintif Paresseux Peu ambitieux Désordonné	Chaleureux Large d'esprit Solide Plein d'autorité	Anxieuse Maniaqu Trop atta aux détai
CANCER	Agressif Indiscret Précipité Avide de nouveau	Fidèle Aimant Patient Solide	Nerveux Trop cérébral Insouciant Sceptique		Tumultueux Arriviste Snob Écrasant	Efficiente Réservée Concrète Honnête
LION	Enthousiaste Entreprenant Efficace Rapide	Fruste Obstiné Matérialiste Jaloux	Adaptable Talentueux Charmeur Habile	Capricieux Rancunier Faible Plaintif		Petite Étroite Craintive Critique
VIERGE	Aventureux Imprévoyant Irréfléchi	Doué pour gagner de l'argent Concret Travailleur	Joueur Insouciant Comédien Théoricien	Aimant l'intimité Délicat Prudent	Mégalomane Surmené Prétentieux Dépensier	
BALANCE	Ardent Actif Novateur Remuant	Grossier Instinctif Utilitaire Exclusif	Cultivé Brillant Diplomate Sociable	Replié sur soi Casanier Timide Paresseux	Rayonnant Esthète Courtois Loyal	Trop rése Critique Timide Égoïste
SCORPION	Imprudent Versatile Précipité Hâbleur	Pratique Stable Affectueux Digne de confiance	Superficiel Dispersé Bavard Comédien	Fécond Compréhensif Tenace Profond	Despotique Orgueilleux Théâtral Conformiste	Précise Perspicace Ponctuelle Pratique
SAGITTAIRE	Énergique Disponible Dynamique Animateur	Limité Terre à terre Enraciné Intéressé	Juvénile Curieux Communicatif Mobile	Fantasque Casanier Désordonné Morose	Optimiste Organisateur Ambitieux Loyal	Manquant d'envergu Anxieuse Refroidiss
CAPRICORNE	Impulsif Fiévreux Révolutionnaire Changeant	Réalisateur Persévérant Gai, fidèle Sincère	Léger Distrait Bavard Superficiel	Pratique Aisé dans ses contacts Maternel Prudent	Théâtral Dépensier Fixé dans ses idées Autoritaire	Disciplinée Méthodiq Rationnelle Pratique
VERSEAU	Inventif Progressiste Persuasif Militant	Matérialiste Rétrograde Épais Fatigant	Tolérant Intelligent Curieux de nouveauté Sociable	Passéiste Vulnérable Replié sur soi Infantile	Rayonnant Large d'esprit Maître de soi Efficace	Restrictive Froide Matérialiste Limitée
POISSONS	Agressif Violent Précipité Égoïste	Sécurisant Sensuel Calme Affectueux	Agité Verbeux Trompeur	Compréhensif Profond Idéaliste Maternel	Hautain Agressif Tumultueux Égoïste	Précise Serviable Pratique Conscienci

CE	Perçoit les autres signes comme ci-dessous SCORPION	SAGITTAIRE	CAPRICORNE	VERSEAU	POISSONS	Votre signe Ascendant
e te te	Secret Vindicatif Obstiné Destructeur	Jovial, sincère Large d'esprit Philosophe Sportif	Décourageant Froid Mesquin Rigide	Indécis Ouvert, amical Progressive Sincère	Impressionnable Fuyant Sentimental	**BÉLIER**
e e	Fascinant Fécond Instinctif Persévérant	Trop optimiste Risque-tout Joueur Tendu	Solide Ambitieux Patient Doué d'humour	Utopiste Excentrique Révolté Brusque	Hospitalier Généreux Compatissant Intuitif	**TAUREAU**
charme e ne use	Critique Tortueux Jaloux Brutal	Optimiste Large d'esprit Sportif Explorateur	Pessimiste Mesquin Rigoriste Rancunier	Fraternel Libre Intensif Humain	Romanesque Vague, secret Indécis Abandonné	**GÉMEAUX**
nte ielle verte	Profond Mystique Perspicace Tenace	Aventureux Exagéré Imprudent Peu délicat	Intériorisé Responsable Maître de soi Intègre	Imprévisible Inconstant Intellectuel Trop vaste	Bon, sensible Détaché Mystique Inspiré	**CANCER**
e	Envieux Arrogant Extrêmiste Violent	Large, vital Entreprenant Compétent Clairvoyant	Isolé, froid Trop ambitieux Rigide Concentré	Humanitaire Complaisant Loyal Idéaliste Inventif	Impressionnable Dissimulé Morbide Faible	**LION**
e	Énergique Bénéfique Scrupuleux Passionné	Trop extériorisé Aventureux Joueur Trop habile	Économe Persévérant Voyant loin	Idéaliste Révolté Tendu	Ayant le sens du sacrifice Intuitif Bénéfique	**VIERGE**
	Tyrannique Brutal Instinctif Entier	Riche Talentueux Organisé Large d'esprit Enthousiaste	Décourageant Solitaire Calculateur Froid	Altruiste Fidèle Amical Intelligent	Replié sur soi Timide Secret, mou Négligent	**BALANCE**
icate sée		Extériorisé Changeant Trop optimiste Diffus	Ambitieux Résolu Solide Perspicace	Excentrique Irréaliste Théorique Trop confiant	Mystique Inspiré Compréhensif Persuasif	**SCORPION**
ntative u t	Destructeur Révolté Secret Dangereux		Casanier Routinier Pessimiste Rancunier	Humain Libre, inventif Disponible Sincère	Empétré dans son émotivité Confus, passif Fuyant	**SAGITTAIRE**
sévérance se ntale ielle	Tenace Volontaire Fidèle Perspicace	Superficiel Aventureux Joueur Peu rigoureux		Rebelle Trop tendu Utopiste Imprévisible	Compatissant Hospitalier Intuitif Bon	**CAPRICORNE**
e vante te	Caustique Antisocial Jaloux Méfiant	Ouvert, sincère Mondialiste Explorateur Indépendant	Trop centré sur soi, froid Calculateur Pessimiste		Trop émotif Désordonné Fluctuant Flou	**VERSEAU**
isée ne ne	Mystique Passionné Profond Énergique	Trop extériorisé Excessif Turbulent	Solide, calme Prévoyant Concret Supérieur	Excentrique Brusque Révolté Prométhéen		**POISSONS**

La ravissante France Gall avec son mari, Michel Berger, Sagittaire : un excellent couple astrologique et une émouvante réussite.

Les Astromariages de la Femme Balance

Femme Balance et homme Bélier

Deux opposés qui s'attirent irrésistiblement. Elle attise le feu du Bélier et le Bélier lui fait un peu brûler son indécision.

L'alliage de la douceur extrême avec la violence, de l'hésitation avec l'extrémisme, de la tolérance avec l'exclusivité absolue, cet alliage-là, disais-je, donne des couples heureux.

Femme Balance et homme Taureau

Vénus avec Vénus. Le charme, la séduction, la bonté, la grâce s'unissent.

La Femme Balance est plus esthète et artiste, plus aérienne et raffinée que l'Homme Taureau qui, lui, cherche la jouissance matérielle : c'est un propriétaire exclusif et jaloux, terrien solide, hédoniste amoureux des choses bonnes et volupteuses. Beaucoup d'harmonie et de confort entre ces deux vénusiens.

Femme Balance et homme Gémeaux

Ce sont plus de grands amis que de grands amoureux. Bien sûr, ils peuvent avoir une inclination amoureuse l'un pour l'autre, mais c'est léger, printanier, délivré de la passion. Ils cohabitent avec la plus grande aisance et font un couple uni par la complicité intellectuelle, les relations communes et la vie sociale.

Femme Balance et homme Cancer

C'est une combinaison difficile : l'une est tournée vers l'extérieur, avide d'échanges et de contacts; l'autre est encerclé par lui-même, recherche la solitude à deux, l'intimité du foyer, l'exclusivité des sentiments. De plus, l'air fait bouger la surface de l'eau, mais pas ses grands fonds, et l'on sait les secrets des ténèbres cancériennes. Comment parler le même langage?

Femme Balance et homme Lion

Combinaison harmonieuse que l'on trouve souvent. Ils se fascinent par leurs relations mutuelles, leur aisance en société, leur bagout réciproque et leur sens inné de la communication. Ils aiment tous deux le Beau, le Faste, le Noble, ils ont des projets généreux et un besoin de divertissements, de loisirs important. Naturellement, le Lion bat sa Balance par l'indomptable énergie qu'on lui connaît, mais elle le subjugue par sa grâce...

Femme Balance et homme Vierge

Elle est insaisissable et inspirée, il est grave et inquiet. Elle est désinvolte et dansante, il est laborieux et maladroit. Comment faire pour qu'ils s'entendent? Si lui est un Vierge doux et elle une Balance sage, ils se retrouvent dans une conception sereine de la vie à deux, mais ils n'ont pas vraiment les mêmes options professionnelles, ni les mêmes goûts, ni les mêmes objectifs.

Femme Balance et homme Balance

Mariage de pure affinité élective et sélective. Ils se ressemblent, se découvrent dans le miroir l'un de l'autre, s'aiment à travers les mêmes qualités et s'agacent pour les mêmes défauts. Harmonie paisible mais qui exclut, peut-être, les grandes surprises.

Femme Balance et homme Scorpion

Ils s'attirent beaucoup, mais voilà : le Scorpion inquiète et déroute la Balance parce qu'il casse les codes, démasque les visages, déchire les faux-semblants : tout ce dont elle joue si bien. Mise à nu par le jugement redoutable du Scorpion, la Balance adopte alors deux attitudes: soit elle biaise avec l'adversaire, soit elle s'en détourne. Mais il lui est difficile de trouver un terrain d'entente authentique avec lui.

Femme Balance et homme Sagittaire

Couple heureux comme Balance et Lion : cet air et ce feu s'accordent, modulent leurs flammes et leurs brises, dansent et diffusent leur chaleur. La vie sociale, légale, la réussite professionnelle, la carrière jouent un rôle de premier plan dans leur existence. Leur entente est cimentée par de nombreux intérêts communs ainsi que par des activités et une vie amicale très riches.

Femme Balance et homme Capricorne

Vénus et Saturne, l'air et la terre. Il peut y avoir une certaine attirance de cette gracieuse vénusienne pour un grave saturnien qui la rassure, la stabilise, la sécurise. Mais qu'elle sache qu'il est sans fantaisie, qu'il recherche la vérité en toutes choses et que les apparences lui importent peu : la vie peut être dure avec lui pour une Balance souple et légère.

Femme Balance et homme Verseau

Ces deux signes d'air s'entendent et se comprennent au quart de tour; ils vivent les mêmes émotions, construisent les mêmes châteaux en Espagne et s'occupent beaucoup des autres. Il peut y avoir des tiraillements si lui est un vrai Verseau, appartenant au monde entier et à la voie lactée, parce qu'elle a besoin de retrouver de temps à autre l'intimité du foyer. Mais, autrement, ils s'aiment et sont heureux.

Femme Balance et homme Poissons

Apparemment, il n'y a pas beaucoup de points communs entre ces deux êtres. L'une est hésitante, fragile, l'autre se fond dans l'océan de ses sensations, de ses fantasmes. Ils n'ont pas la même mesure du temps, ni les mêmes valeurs. A moins d'ascendants en harmonie, c'est un couple auquel il est difficile de trouver des complémentarités.

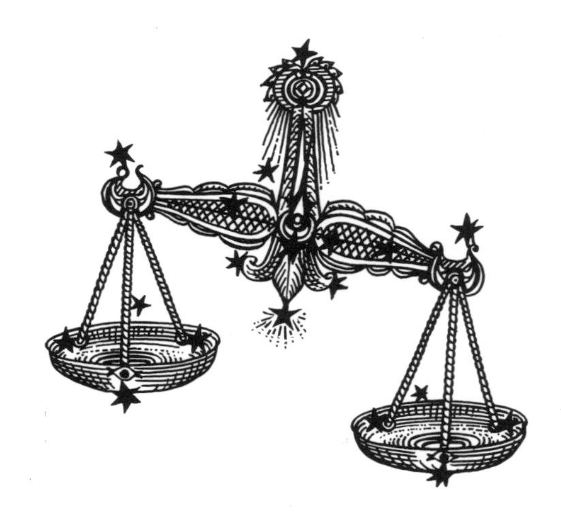

Joan Fontaine, au pur et serein visage de Balance, a bouleversé par son talent de comédienne et par son hyper-féminité tous les hommes de sa génération.

Yves Montand, natif de la Balance, forme avec Simone Signoret le couple le plus uni et le plus durable du cinéma français.

Les Astromariages de l'Homme Balance

Homme Balance et femme Bélier

C'est elle, tout d'abord, qui recherche sa compagnie. Lui, il hésite toujours un peu à choisir parmi les femmes celle qui doit devenir son épouse. Il les trouve toutes séduisantes, gracieuses, intelligentes ou il leur trouve de beaux yeux, un sourire fondant, des gestes doux. Difficile de décider un Homme Balance à choisir, mais la Dame Bélier est décidée pour deux. Et leur couple est fort sympathique.

Homme Balance et femme Taureau

L'alliance de Vénus avec Vénus est toujours agréable. Lui, très raffiné, papillon aux couleurs chamarrées, séduisant tout le monde, rendra jalouse la Dame Taureau, si possessive, entière et... fidèle, pour le fond. Il inquiète un peu son désir de stabilité et elle lui crée un environnement dont il a besoin, rempli de belles choses aux couleurs douces.

Homme Balance et femme Gémeaux

L'air devrait s'entendre avec l'air. C'est à qui échappera le mieux à l'autre, à qui jouera le plus au chat et à la souris. Merveilleux couple intellectuel et affectif, sans base solide et terrienne : pour l'un comme pour l'autre, le principe de réalité existe à peine. Ils peuvent rire la vie ensemble, sans devenir adultes.

Homme Balance et femme Cancer

Il y a une très grande sensibilité commune et un certain goût des belles choses. Mais lui ne vit que pour l'extérieur, les amitiés, les relations, la vie sociale, et elle ne vit que pour son foyer, l'intimité de ses rapports affectifs avec quelque chose même d'un peu farouche à l'égard des intrusions du « dehors ».

Comment vont-ils accorder ces deux directions contradictoires ? Par un lien affectif très puissant et beaucoup de tolérance de la part de notre Femme Cancer, sans doute.

Homme Balance et femme Lion

Couple que l'on rencontre fréquemment. L'homme Balance, par sa grâce, son élégance, son savoir-vivre, son raffinement, attire irrésistiblement une Lionne. Il a besoin, lui-même, de sa stabilité affective, de sa sûreté profonde (signe fixe), de son esprit de décision et de sa facilité à trancher, choisir, opter à sa place. C'est un bon couple durable.

Homme Balance et femme Vierge

Les deux tiennent à l'idée du couple complice, mais pour des raisons différentes. Lui, parce qu'il ne conçoit pas la vie sans rapports harmonieux, profondément stables avec sa femme. Elle, parce qu'elle a besoin de sécurité affective et que, son amour donné, elle ne le reprend plus. Elle s'adaptera à la virtuosité charmeuse de son mari, malgré sa possessivité secrète, et lui sera heureux de la savoir toujours là.

Homme Balance et femme Balance

C'est à qui fera l'entreprise de séduction la plus inoubliable, l'un envers l'autre. Ensuite, ils joueront le même jeu avec leurs amis, leurs relations, leur entourage. Comme ils sont tous deux plus attirés par le besoin de séduire que par celui de conquérir, ils sont toujours heureux de se retrouver.

Homme Balance et femme Scorpion

Elle l'attire et l'effraie en même temps par sa forte sensualité, son goût du secret, son refus profond des concessions. Lui qui est tellement prêt à tous les aménagements par besoin d'harmonie, il est fasciné par sa faculté de tout remettre en cause en une soirée. Dans cette combinaison, c'est elle qui tient les ficelles et qui manie à sa guise son Homme Balance. Mais elle est très fortement dominée par sa sensualité, alors que lui préfère le flirt, l'amour léger, sans trop de passion.

Homme Balance et femme Sagittaire

Très bon couple. Comme pour la Femme Balance et l'Homme Sagittaire, il y a énormément de points communs et de complicité entre ces deux êtres. L'air et le feu s'accordent admirablement, à la fois sur les plans affectif, social et intellectuel.

Homme Balance et femme Capricorne

Il y a recherche mutuelle, tentative de rapprochement. Elle, c'est la terre, la stabilité immuable et tranquille. Lui, c'est l'air, l'instabilité, l'hésitation : ils ont besoin l'un de l'autre parce qu'ils se complètent. Cela vaut d'autant plus s'il est une Balance saturnisée : ils rassemblent, à eux deux, beaucoup de qualités pour former un couple équilibré, stable, heureux.

Homme Balance et femme Verseau

C'est une condition très favorable aussi, mais tous les aspects de la personnalité ne sont pas engagés dans ce couple, comme c'est le cas, par exemple, pour la Balance et le Lion ou le Sagittaire. Ici, il s'agit d'une entente intellectuelle et sociale qui ne touche pas très profondément l'affectivité, ni la sensualité. Mais ces deux signes d'air privilégient les valeurs cérébrales et cherchent à dominer les « instincts », considérés comme un peu primaires. Alors...

Homme Balance et femme Poissons

Comme avec tous les signes d'eau, il y a un problème : c'est que les Poissons (ainsi que le Cancer et le Scorpion) ont une vie intérieure extrêmement intense et une sensibilité profonde qui leur donnent un sens aigu de la relativité des apparences. Or, la Balance ne vit que pour ces apparences, pour l'extérieur, le divertissement en société, les relations harmonieuses avec les autres.

Voilà qui, d'entrée de jeu, fausse un peu les dés. Cela dit, il y a toujours un terrain d'entente possible en fonction des ascendants.

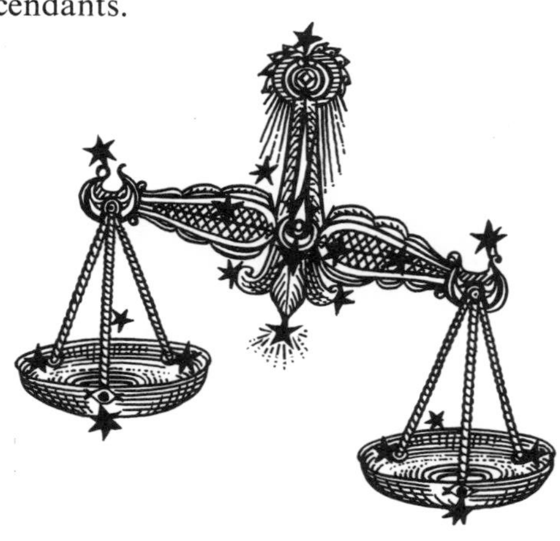

Charlton Heston, dans le rôle de Moïse, porte les Tables de la Loi dans l'un et l'autre bras : geste symbolique qui a dû satisfaire le goût inné de l'équilibre propre au signe de la Balance dont l'acteur est natif.

Ptolémée, l'un des plus célèbres « découvreurs » de l'astrologie.

Comment trouver votre Ascendant

Je vous suppose assez averti des notions de base de l'Astrologie pour ne pas confondre votre Ascendant horoscopique avec vos ascendants juridiques : l'Ascendant qui nous intéresse, vous le savez, n'a rien à voir avec vos chers parents, grands-parents et arrière-grands-parents. Il n'est cependant pas mauvais de rappeler brièvement quelques définitions avant d'entrer dans le vif du sujet.

Vous qui avez acheté ce livre parce qu'il vous concernait, votre anniversaire se situe forcément entre le 23 septembre et le 24 octobre, période annuelle durant laquelle le Soleil occupe le secteur zodiacal appelé Balance. Vous savez donc que vous êtes natif de la Balance, ou encore que la Balance est votre signe solaire. Le jour où vous êtes né, quand le Soleil s'est levé, le signe de la Balance qu'il occupait se levait donc en même temps. Puis, ce Soleil en Balance est monté dans le ciel automnal, et un peu plus tard dans la matinée, le signe du Scorpion s'est levé à son tour. Ce furent ensuite, au cours de la journée, les levers successifs du Sagittaire, du Capricorne, du Verseau, et tutti quanti. C'est ainsi qu'en une période de vingt-quatre heures, du fait de la rotation de la Terre, les douze signes du Zodiaque se lèvent tour à tour. Moyennant la connaissance de votre heure et de votre lieu de naissance, il est possible de déterminer lequel des douze se levait à l'instant précis de votre venue au monde : vous connaîtrez alors votre signe Ascendant. Les pages techniques de ce livre vous fourniront tous les moyens de trouver vous-même si vous êtes Balance Ascendant Bélier, Balance Ascendant Verseau ou Balance — autre chose encore.

Pour trouver tout de suite votre Ascendant vous avez besoin de connaître votre heure de naissance

Pour connaître votre heure de naissance, vous interrogez vos parents, ou bien, dans de nombreux pays, vous pouvez également l'obtenir auprès de votre mairie, en demandant un extrait d'acte de naissance.

Toutefois, l'heure que vos parents ou la mairie vous indiquent est une heure officielle qui ne coïncide pas forcément avec l'heure solaire.

Souvenez-vous qu'à la campagne, certaines personnes ne désirent pas vivre à l'heure officielle et préfèrent suivre l'heure du Soleil.

De même, un enfant né à 14 heures officiellement serait, en fait, né à midi solaire.

Pour que vous puissiez facilement transformer votre heure officielle de naissance en heure solaire, nous avons établi un tableau par pays.

Vous recherchez, dans les pages suivantes, le tableau concernant votre pays de naissance et vous lisez ce que vous avez à faire.

Si le tableau vous demande « Retranchez 1 heure », cela veut dire que vous devez retrancher une heure de votre heure de naissance officielle pour trouver l'heure solaire.

Si le tableau vous demande « ajoutez 0 h 30 », c'est l'inverse.

Si, enfin, le tableau indique « Aucun changement », c'est que l'heure officielle est la même que l'heure solaire.

Pourquoi est-il nécessaire que vous retrouviez l'heure solaire de votre naissance?

Tout simplement parce que, si vous utilisez directement votre heure officielle de naissance, vous trouverez un Ascendant inexact chaque fois que cette heure aurait une avance ou un retard notable sur l'heure du Soleil.

Si vous avez bien noté votre heure de naissance, vous pouvez passer maintenant à la page 110 où vous lirez comment trouver votre Ascendant sans aucun calcul.

AFRIQUE
Affars et Issas (Djibouti)
- depuis 1900 aucun changement
AFRIQUE DU SUD (Ouest)
Province du Cap occidentale et Sud-Ouest Africain
- de 1900 à 1902 retranchez 0 h 15
- de 1903 à 1941 retranchez 0 h 45
- en 1942 retranchez 1 h 45
- en 1943 retranchez 1 h 45
- depuis 1944 retranchez 0 h 45
AFRIQUE DU SUD (Est)
Orange, Transvaal, Natal, Province du Cap orientale
- de 1900 à 1902 ajoutez 0 h 25 *
- de 1903 à 1941 aucun changement
- en 1942 retranchez 1 h
- en 1943 retranchez 1 h
- depuis 1944 aucun changement
* Sauf Natal aucun changement
ALGÉRIE
- de 1900 à 1910 aucun changement
- de 1911 à 1915 ajoutez 0 h 10
- du 23 sept. au 1er oct. 1916 retranchez 0 h 50
- du 2 au 23 oct. 1916 ajoutez 0 h 10
- du 23 sept. au 7 oct. 1917 retranchez 0 h 50
- du 8 au 23 oct. 1917 ajoutez 0 h 10
- du 23 sept. au 6 oct. 1918 retranchez 0 h 50
- du 7 au 24 oct. 1918 ajoutez 0 h 10
- du 24 sept. au 5 oct. 1919 retranchez 0 h 50
- du 6 au 24 oct. 1919 ajoutez 0 h 10
- en 1920 retranchez 0 h 50
- de 1921 à 1939 ajoutez 0 h 10
- de 1940 à 1943 retranchez 0 h 50
- du 23 sept. au 7 oct. 1944 retranchez 1 h 50
- du 8 au 23 oct. 1944 retranchez 0 h 50
- en 1945 retranchez 0 h 50
- du 23 sept. au 7 oct. 1946 retranchez 0 h 50
- du 8 au 24 oct. 1946 ajoutez 0 h 10
- de 1947 à 1955 ajoutez 0 h 10
- de 1956 à 1962 retranchez 0 h 50
- de 1963 à 1970 ajoutez 0 h 10
- du 23 au 26 sept. 1971 retranchez 0 h 50
- du 27 sept. au 24 oct. 1971 ajoutez 0 h 10
- de 1972 à 1976 ajoutez 0 h 10
- du 23 sept. au 20 oct. 1977 retranchez 0 h 50
- du 21 au 23 oct. 1977 ajoutez 0 h 10
ANGOLA occidental
- depuis 1900 aucun changement
ANGOLA oriental
- depuis 1900 ajoutez 0 h 20
BÉNIN (Dahomey)
- de 1900 à 1933 aucun changement
- depuis 1934 retranchez 0 h 50
BOTSWANA
- de 1900 à 1942 retranchez 0 h 20
- en 1943 retranchez 1 h 20
- depuis 1944 retranchez 0 h 20
BURUNDI
- depuis 1900 aucun changement
CAMEROUN
- de 1900 à 1911 aucun changement
- depuis 1912 retranchez 0 h 10
CENTRAFRICAINE (Rép.)
- de 1900 à 1911 aucun changement
- depuis 1912 ajoutez 0 h 20
COMORES (Iles)
- depuis 1900 aucun changement
CONGO
- depuis 1900 aucun changement
COTE-D'IVOIRE
- de 1900 à 1911 aucun changement
- depuis 1912 retranchez 0 h 20
ÉGYPTE
- de 1900 à 1959 aucun changement
- de 1960 à 1970
du 22 au 30 sept. retranchez 1 h
du 1er au 24 oct. aucun changement
- depuis 1971 aucun changement
ÉTHIOPIE (sauf Érythrée)
- de 1900 à 1935 aucun changement
- depuis 1936 retranchez 0 h 25
ÉRYTHRÉE
- de 1900 à 1930 aucun changement
- depuis 1931 retranchez 0 h 20
GABON
- de 1900 à 1911 aucun changement
- depuis 1912 retranchez 0 h 15
GAMBIE
- de 1900 à 1963 aucun changement
- depuis 1964 retranchez 1 h
GHANA
- depuis 1900 aucun changement
GUINÉE
- de 1900 à 1911 aucun changement
- de 1912 à 1933 retranchez 0 h 45
- de 1934 à 1959 ajoutez 0 h 15
- depuis 1960 retranchez 0 h 45
GUINÉE BISSAU
- depuis 1900 aucun changement
GUINÉE ÉQUATORIALE
- de 1900 à 1911 aucun changement
- de 1912 à 1963 ajoutez 0 h 40
- depuis 1964 retranchez 0 h 20
HAUTE-VOLTA
- depuis 1900 aucun changement
KENYA
- de 1900 à 1927 aucun changement
- en 1928 et 1929 retranchez 0 h 30
- de 1930 à 1939 aucun changement
- de 1940 à 1959 retranchez 0 h 15
- depuis 1960 retranchez 0 h 30
LESOTHO
- depuis 1900 aucun changement
- en 1943 retranchez 1 h
- depuis 1944 aucun changement
LIBÉRIA
- depuis 1900 aucun changement
LIBYE (Tripolitaine, Syrie)
- de 1900 à 1963 aucun changement
- depuis 1964 retranchez 1 h
LIBYE (Cyrénaïque)
- de 1900 à 1919 aucun changement
- de 1920 à 1963 ajoutez 0 h 30
- depuis 1964 retranchez 0 h 30
MADAGASCAR
- depuis 1900 aucun changement
MALAWI
- depuis 1900 ajoutez 0 h 15
MALI occidental (Bamako)
- de 1900 à 1911 aucun changement
- de 1912 à 1933 retranchez 0 h 30
- de 1934 à 1939 ajoutez 0 h 30
- depuis 1960 retranchez 0 h 30
MALI oriental (Tombouctou, Gao)
- de 1900 à 1911 aucun changement
- de 1912 à 1933 retranchez 0 h 10
- de 1934 à 1959 ajoutez 0 h 50
- depuis 1960 retranchez 0 h 10
MAROC
- de 1900 à 1912 aucun changement
- de 1912 à 1938 retranchez 0 h 30
- de 1939 à 1945 retranchez 1 h 30
- de 1946 à 1949 retranchez 0 h 30
- en 1950 retranchez 1 h 30
- de 1951 à 1966 retranchez 0 h 30
- du 23 au 30 sept. 1967 retranchez 1 h 30
- du 1er au 24 oct. 1967 retranchez 0 h 30
- de 1968 à 1975 retranchez 0 h 30
- du 23 au 26 sept. 1976 retranchez 1 h 30
- du 27 sept. au 23 oct. 1976 retranchez 0 h 30
- du 23 au 28 sept. 1977 retranchez 1 h 30
- du 29 sept. au 23 oct. 1977 retranchez 0 h 30
MAURICE (Ile)
- depuis 1900 aucun changement
MAURITANIE
- de 1900 à 1911 aucun changement
- de 1912 à 1933 retranchez 0 h 55
- de 1934 à 1959 aucun changement
- depuis 1960 retranchez 0 h 55
MOZAMBIQUE
- de 1900 à 1902 retranchez 0 h 15
- depuis 1903 ajoutez 0 h 25
NIGER occidental (Niamey)
- de 1900 à 1911 aucun changement
- de 1912 à 1933 ajoutez 1 h 10
- de 1934 à 1959 ajoutez 0 h 10
- depuis 1960 retranchez 0 h 50
NIGER central (Tahoua, Nkoni, Ingall, Maradi)
- de 1900 à 1911 aucun changement
- de 1912 à 1959 ajoutez 0 h 25
- depuis 1960 retranchez 0 h 35
NIGER oriental (Agadez, Bilma, Zinder, Nguigmi)
- de 1900 à 1911 aucun changement
- depuis 1912 retranchez 0 h 20
NIGÉRIA
- de 1900 à 1918 aucun changement
- depuis 1919 retranchez 0 h 30
OUGANDA
- de 1900 à 1918 aucun changement
- de 1919 à 1927 retranchez 0 h 20
- en 1928 et 1929 retranchez 0 h 50
- de 1930 à 1947 retranchez 0 h 20
- de 1948 à 1963 retranchez 0 h 35
- depuis 1964 retranchez 0 h 50
RÉUNION (Ile)
- de 1900 à 1910 aucun changement
- depuis 1911 retranchez 0 h 20
RHODÉSIE
- depuis 1900 aucun changement
RWANDA
- depuis 1900 aucun changement
SÉNÉGAL
- de 1900 à 1940 aucun changement
- depuis 1941 retranchez 1 h
SIERRA LEONE
- de 1900 à 1912 aucun changement
- de 1913 à 1963 ajoutez 0 h 15
- depuis 1964 retranchez 0 h 45
SOMALIE (ex-française et italienne)
- depuis 1900 aucun changement
SOMALIE (ex-anglaise)
- de 1900 à 1965 ajoutez 0 h 30
- depuis 1966 aucun changement
SOUDAN
- depuis 1900 aucun changement
SWAZILAND
- depuis 1900 aucun changement
TANZANIE (Tanganyika)
- de 1900 à 1930 aucun changement
- de 1931 à 1947 retranchez 0 h 30
- de 1948 à 1960 retranchez 0 h 15
- depuis 1961 retranchez 0 h 30
TANZANIE (Zanzibar)
- de 1900 à 1930 aucun changement
- de 1931 à 1939 ajoutez 0 h 10
- depuis 1940 retranchez 0 h 20
TCHAD
- de 1900 à 1911 aucun changement
- depuis 1912 ajoutez 0 h 10
TOGO
- depuis 1900 aucun changement
TUNISIE
- de 1900 à 1910 ajoutez 0 h 30
- de 1911 à 1938 retranchez 0 h 20
- en 1939 et 1940 retranchez 1 h 20
- du 23 sept. au 5 oct. 1941 retranchez 1 h 20
- du 6 au 23 oct. 1941 retranchez 0 h 20
- en 1942 retranchez 1 h 20
- du 23 sept. au 3 oct. 1943 retranchez 1 h 20
- du 4 au 24 oct. 1943 retranchez 0 h 20
- du 23 sept. au 7 oct. 1944 retranchez 1h 20
- du 8 au 23 oct. 1944 retranchez 0 h 20
- de 1945 à 1976 retranchez 0 h 20
- du 23 au 25 sept. 1977 retranchez 1 h 20
- du 26 sept. au 23 oct. 1977 retranchez 0 h 20
ZAIRE province de Kinshasa (Léopoldville), Mbandaka (Coquillatville)
- de 1900 à 1919 aucun changement
- de 1920 à 1934 retranchez 1 h
- depuis 1935 aucun changement
ZAIRE (provinces orientales Kasaï et Katanga)
- de 1900 à 1919 ajoutez 0 h 45 *
- depuis 1920 retranchez 0 h 15
* Ainsi que de 1920 à 1935 pour le Kasaï
ZAMBIE
- depuis 1900 aucun changement

AMÉRIQUE DU NORD
ALASKA * (région de Wrangel)
- depuis 1900 retranchez 1 h
ALASKA * (région de Juneau)
- depuis 1900 retranchez 0 h 15
ALASKA * (central et occidental)
- depuis 1900 aucun changement
CANADA *
Alberta retranchez 0 h 40
Colombie aucun changement
Manitoba retranchez 0 h 30
N. Brunswick retranchez 0 h 30
N.F. Labrador retranchez 0 h 40
N. Écosse aucun changement
Ontario Est retranchez 0 h 20
Ontario Ouest retranchez 1 h
Québec Ouest de Port-Cartier ajoutez 0 h 15
Québec Port-Cartier et Est retranchez 0 h 20
Saskatchewan aucun changement
ÉTATS-UNIS *
Alabama ajoutez 0 h 15
Arizona retranchez 0 h 25
Arkansas retranchez 0 h 10
Californie aucun changement
Caroline du Nord retranchez 0 h 20
Caroline du Sud retranchez 0 h 25
Colorado aucun changement
Connecticut ajoutez 0 h 10
Dakota Nord (Est) retranchez 0 h 40
Dakota Nord (Ouest) aucun changement
Dakota Sud (Est) retranchez 0 h 35
Dakota Sud (Ouest) ajoutez 0 h 10
Delaware aucun changement
District Féd. aucun changement
Floride retranchez 0 h 30
Sauf Panama, Pensacola ajoutez 0 h 20
Géorgie retranchez 0 h 35
Idaho (Est) retranchez 0 h 30
Idaho (Ouest) ajoutez 0 h 15
Illinois aucun changement
Indiana ajoutez 0 h 15
Iowa retranchez 0 h 15
Kansas retranchez 0 h 30
Sauf Dodge city et Ouest ajoutez 0 h 20
Kentucky Centre et Est retranchez 0 h 40
Kentucky Ouest ajoutez 0 h 10
Louisiane aucun changement
Maine ajoutez 0 h 20

Maryland retranchez 0 h 10
Massachusetts ajoutez 0 h 15
Michigan retranchez 0 h 45
Minnesota retranchez 0 h 15
Mississipi aucun changement
Missouri retranchez 0 h 10
Montana retranchez 0 h 20
Nebraska Est retranchez 0 h 30
Nebraska Ouest ajoutez 0 h 10
Nevada ajoutez 0 h 15
N. Hampshire ajoutez 0 h 15
N. Jersey aucun changement
N. York aucun changement
N. Mexique aucun changement
Ohio retranchez 0 h 30
Oklahoma retranchez 0 h 30
Oregon aucun changement
Pennsylvanie retranchez 0 h 15
Rhode Island aucun changement
Tennessee Est retranchez 0 h 35
Tennessee Ouest et Centre ajoutez 0 h 10
Texas Est retranchez 0 h 25
Texas Ouest retranchez 0 h 45
Utah Est retranchez 0 h 20
Utah Ouest ajoutez 0 h 30
Vermont aucun changement
Virginie retranchez 0 h 15
Virginie Occid. retranchez 0 h 25
Washington (D.C.) aucun changement
Washington (État) aucun changement
Wisconsin aucun changement
Wyoming retranchez 0 h 10
Hawaï retranchez 0 h 20
TERRE-NEUVE (Ile) retranchez 0 h 15

AMÉRIQUE CENTRALE

BAHAMAS (Iles) *
- depuis 1900 aucun changement

COSTA RICA
- de 1900 à 1920 aucun changement
- depuis 1921 ajoutez 0 h 25

CUBA
- de 1900 à 1924 ajoutez 0 h 15
- depuis 1925 retranchez 0 h 15

RÉP. DOMINICAINE *
- de 1900 à 1932 aucun changement
- depuis 1933 ajoutez 0 h 20

GUADELOUPE
- depuis 1900 aucun changemen

GUATEMALA
- depuis 1900 aucun changement

HAITI
- depuis 1900 aucun changement

HONDURAS
- depuis 1900 aucun changement

HONDURAS BRITANNIQUE *
- depuis 1900 aucun changement

JAMAIQUE
- depuis 1900 aucun changement

MARTINIQUE
- depuis 1900 aucun changement

MEXIQUE ORIENTAL (provinces de Yucatan, Campeche, Chiapas, Oaxaca, Tabasco, Tamaulipas, Vera-Cruz)
- de 1900 à 1911 aucun changement
- de 1912 à 1921 ajoutez 0 h 15
- de 1922 à 1931 ajoutez 0 h 50
- depuis 1932 retranchez 0 h 10

MEXIQUE OCCIDENTAL (provinces de Californie Nord et Sud)
- de 1900 à 1911 aucun changement
- de 1912 à 1921 retranchez 1 h 05
- de 1922 à 1931 retranchez 0 h 30
- depuis 1932

California Nord ajoutez 0 h 20
Californie Sud retranchez 0 h 30

MEXIQUE CENTRAL (toutes les autres provinces)
- de 1900 à 1911 aucun changement
- de 1912 à 1921 retranchez 0 h 25
- de 1922 à 1931 ajoutez 0 h 10
- depuis 1932 retranchez 0 h 50

NICARAGUA
- de 1900 à 1933 aucun changement
- depuis 1934 ajoutez 0 h 20

PANAMA
- de 1900 à 1907 aucun changement
- depuis 1908 retranchez 0 h 20

PETITES ANTILLES (Iles)
- depuis 1900 aucun changement

PORTO RICO
- depuis 1900 retranchez 0 h 25

SAN SALVADOR
- depuis 1900 aucun changement

AMÉRIQUE DU SUD

ARGENTINE * (Est) (régions de Santa Fe, Cordoba, Buenos Aires, Bahia Blanca)
- de 1900 à 1919 ajoutez 0 h 10
- depuis 1920 aucun changement

ARGENTINE * (Ouest) (régions de Tucuman, Mendoza et Patagonie)
- de 1900 à 1919 retranchez 0 h 20
- depuis 1920 retranchez 0 h 40

BOLIVIE
- de 1900 à 1931 ajoutez 0 h 10
- depuis 1932 retranchez 0 h 25

BRÉSIL * (sauf Accre)
- depuis 1900 aucun changement

BRÉSIL * (Accre)
- de 1900 à 1913 aucun changement
- depuis 1914 ajoutez 0 h 20

CHILI *
- de 1900 à 1909 aucun changement
- de 1910 à 1931 ajoutez 0 h 15
- depuis 1932 retranchez 0 h 45

COLOMBIE
- depuis 1900 aucun changement

ÉQUATEUR
- depuis 1900 aucun changement

GUYANA
- depuis 1900 aucun changement

GUYANE FRANÇAISE
- de 1900 à 1910 aucun changement
- depuis 1911 ajoutez 0 h 30

PARAGUAY
- de 1900 à 1930 retranchez 0 h 15
- du 23 sept. au 9 oct. 1931 retranchez 0 h 15
- du 10 au 23 oct. 1931 ajoutez 0 h 10
- depuis 1932 ajoutez 0 h 10

PÉROU
- depuis 1900 aucun changement

SURINAM
- depuis 1900 aucun changement

URUGUAY *
- de 1900 à 1919 ajoutez 0 h 15
- depuis 1920 retranchez 0 h 15

VÉNÉZUÉLA
- de 1900 à 1911 ajoutez 0 h 20
- de 1912 à 1970 retranchez 0 h 15
- depuis 1971 retranchez 0 h 30

ASIE

AFGHANISTAN aucun changement
BIRMANIE aucun changement
CEYLAN aucun changement

CHINE
Pour Pékin et toute la côte Est aucun changement
Pour le reste de la Chine se reporter à l'heure locale sans aucun changement

CORÉE * retranchez 0 h 30
CAMBODGE aucun changement

INDE
Assam ajoutez 0 h 40
Côte et partie orientales aucun changement
Côte et partie occidentales retranchez 0 h 30

INDONÉSIE
Sumatra retranchez 0 h 15
Java, Bali, Sumatra ajoutez 0 h 20
Bornéo retranchez 0 h 25
Célèbes, Timor, Flores aucun changement
Irian (N. Guinée) aucun changement
Moluques retranchez 0 h 25

JAPON
Kiousiou retranchez 0 h 10
Sikok, Hondo Ouest de Tokyo aucun changement
Hondo Nord de Tokyo et Yeso ajoutez 0 h 30

LAOS aucun changement

MALAYSIA (Féd.) (péninsule malaise)
- depuis 1900 retranchez 0 h 15
Sabam, Sarawak ** aucun changement

MANDCHOURIE
- de 1900 à 1904 aucun changement
- de 1905 à 1927 retranchez 0 h 30
- de 1928 à 1931 aucun changement
- après 1931 se renseigner

PAKISTAN ORIENTAL aucun changement
PAKISTAN OCCIDENTAL * retranchez 0 h 30
PHILIPPINES (Iles) aucun changement

THAILANDE
- de 1900 à 1919 aucun changement
- depuis 1920 retranchez 0 h 15

VIETNAM aucun changement
Sauf Vietnam du Sud de 1966 à 1975 retranchez 0 h 50

TAIWAN (Formose) aucun changement

U.R.S.S. (Sibérie)
Kazakhstan oriental, Kirghizistan, Tajdikistan, région de Omsk
- de 1900 à 1930 retranchez 2 h
- de 1931 à 1963 aucun changement
- depuis 1964 retranchez 1 h

U.R.S.S. (Sibérie)
Altaï, régions de Tomsk, Novosibirsk, Krasnoïarsk
- de 1900 à 1930 retranchez 1 h
- de 1931 à 1963 aucun changement
- depuis 1964 retranchez 1 h

U.R.S.S. (Sibérie)
Régions lac Baïkal, Irkoutsk
- de 1900 à 1963 aucun changement
- depuis 1964 retranchez 1 h

U.R.S.S. (Sibérie)
Région de Tchita-Mogotcha
- de 1900 à 1930 ajoutez 1 h
- de 1931 à 1963 aucun changement
- depuis 1964 retranchez 1 h

U.R.S.S. (Sibérie)
Régions de Vladivostok, Komsomolsk, Okhotsk
- de 1900 à 1963 aucun changement
- depuis 1964 retranchez 1 h

U.R.S.S. (Sibérie)
Régions de Magadan, Kamtchatka
- de 1900 à 1930 ajoutez 1 h
- de 1931 à 1963 aucun changement
- depuis 1964 retranchez 1 h

MOYEN-ORIENT

ARABIE SAOUDITE **
Ouest retranchez 0 h 20
Est (Dont Er Riad) retranchez 0 h 50

ÉMIRATS ARABES * retranchez 0 h 20
IRAK aucun changement
ISRAEL ajoutez 0 h 20
JORDANIE ajoutez 0 h 25
KOWEIT aucun changement
LIBAN * ajoutez 0 h 20
SYRIE * ajoutez 0 h 30
YEMEN NORD et SUD aucun changement

OCÉANIE

AUSTRALIE
Provinces de Canberra, Victoria, N. Galles du Sud, Papouasie (N. Guinée), Queensland, Tasmanie aucun changement
Territoires du Nord et Australie méridionale retranchez 0 h 30
Australie occidentale aucun changement

NOUVELLE-ZÉLANDE aucun changement
TOUTES ILES DE L'OCÉANIE pratiquement aucun changement

EUROPE

ALBANIE
- de 1900 à 1914 aucun changement
- de 1915 à 1939 ajoutez 0 h 20
- de 1940 à 1942 retranchez 0 h 40
- du 23 sept. au 3 oct. 1943 retranchez 0 h 40
- du 4 au 24 oct. 1943 ajoutez 0 h 20
- de 1944 à 1971 ajoutez 0 h 20
- de 1972 à 1978
- du 22 au 30 sept. retranchez 0 h 40
- du 1er au 24 oct. ajoutez 0 h 20

ALLEMAGNE DE L'EST (R.D.A.)
- de 1900 à 1915 retranchez 0 h 10
- du 23 au 30 sept. 1916 retranchez 1 h 10
- du 1er au 23 oct. 1916 retranchez 0 h 10
- de 1917 à 1939 retranchez 0 h 10
- de 1940 à 1942 retranchez 1 h 10
- du 23 sept. au 3 oct. 1943 retranchez 1 h 10
- du 4 au 24 oct. 1943 retranchez 0 h 10
- du 23 sept. au 2 oct. 1944 retranchez 1 h 10
- du 3 au 23 oct. 1944 retranchez 0 h 10
- en 1945 retranchez 1 h 10
- du 23 sept. au 6 oct. 1946 retranchez 1 h 10
- du 7 au 24 oct. 1946 retranchez 0 h 10
- du 23 sept. au 4 oct. 1947 retranchez 1 h 10
- du 5 au 24 oct. 1947 retranchez 0 h 10
- du 23 sept. au 2 oct. 1948 retranchez 1 h 10
- du 3 au 23 oct. 1948 retranchez 0 h 10
- du 23 sept. au 1er oct. 1949 retranchez 1 h 10
- du 2 au 23 oct. 1949 retranchez 0 h 10
- depuis 1950 retranchez 0 h 10

ALLEMAGNE DE L'OUEST (R.F.A.)
- de 1900 à 1915 retranchez 0 h 20
- du 23 au 30 sept. 1916 retranchez 1 h 20
- du 1er au 23 oct. 1916 retranchez 0 h 20
- de 1917 à 1939 retranchez 0 h 20
- de 1940 à 1942 retranchez 1 h 20
- du 23 sept. au 3 oct. 1943 retranchez 1 h 20
- du 4 au 24 oct. 1943 retranchez 0 h 20
- du 23 sept. au 2 oct. 1944 retranchez 1 h 20
- du 3 au 23 oct. 1944 retranchez 0 h 20
- en 1945 retranchez 1 h 20
- du 23 sept. au 6 oct. 1946 retranchez 1 h 20
- du 7 au 24 oct. 1946 retranchez 0 h 20
- du 23 au 4 oct. 1947 retranchez 1 h 20
- du 5 au 24 oct. 1947 retranchez 0 h 20

* Pour les pays suivis du * voir le tableau spécial de l'heure d'été page 109 et l'appliquer en fonction de vos informations personnelles

** Ces informations concernent la période récente. Se renseigner pour l'heure officielle avant 1960

- du 23 sept. au 2 oct. 1948 retranchez 1 h 20
- du 3 au 23 oct. 1948 retranchez 0 h 20
- du 23 sept. au 1er oct. 1949 retranchez 1 h 20
- du 2 au 23 oct. 1949 retranchez 0 h 20
- depuis 1950 retranchez 0 h 20

ANGLETERRE (sauf Cornouailles)
- de 1900 à 1915 aucun changement
- du 23 au 30 sept. 1916 retranchez 1 h
- du 1er au 23 oct. 1916 aucun changement
- en 1917 aucun changement
- du 23 au 29 sept. 1918 retranchez 1 h
- du 30 sept. au 24 oct. 1918 aucun changement
- du 23 au 28 sept. retranchez 1 h
- du 29 sept. au 24 oct. 1919 aucun changement
- en 1920 retranchez 1 h
- du 23 sept. au 2 oct. 1921 retranchez 1 h
- du 3 au 23 oct. 1921 aucun changement
- du 23 sept. au 7 oct. 1922 retranchez 1 h
- du 8 au 24 oct. 1922 aucun changement
- en 1923 et 1924 aucun changement
- du 23 sept. au 3 oct. 1925 retranchez 1 h
- du 4 au 23 oct. 1925 aucun changement
- du 23 sept. au 2 oct. 1926 retranchez 1 h
- du 3 au 24 oct. 1926 aucun changement
- du 24 sept. au 1er oct. 1927 retranchez 1 h
- du 2 au 24 oct. 1927 aucun changement
- du 23 sept. au 6 oct. 1928 retranchez 1 h
- du 7 au 23 oct. 1928 aucun changement
- du 23 sept. au 5 oct. 1929 retranchez 1 h
- du 6 au 23 oct. 1929 aucun changement
- du 23 sept. au 4 oct. 1930 retranchez 1 h
- du 5 au 24 oct. 1930 aucun changement
- du 24 sept. au 3 oct. 1931 retranchez 1 h
- du 4 au 24 oct. 1931 aucun changement
- du 23 sept. au 1er oct. 1932 retranchez 1 h
- du 2 au 23 oct. 1932 aucun changement
- du 23 sept. au 7 oct. 1933 retranchez 1 h
- du 8 au 23 oct. 1933 aucun changement
- du 23 sept. au 6 oct. 1934 retranchez 1 h
- du 7 au 24 oct. 1934 aucun changement
- du 23 sept. au 5 oct. 1935 retranchez 1 h
- du 6 au 24 oct. 1935 aucun changement
- du 23 sept. au 3 oct. 1936 retranchez 1 h
- du 4 au 23 oct. 1936 aucun changement
- du 23 sept. au 2 oct. 1937 retranchez 1 h
- du 3 au 23 oct. 1937 aucun changement
- du 23 sept. au 1er oct. 1938 retranchez 1 h
- du 2 au 24 oct. 1938 aucun changement
- du 23 sept. au 18 oct. 1939 retranchez 1 h
- du 19 au 24 oct. 1939 aucun changement
- de 1940 à 1944 retranchez 1 h
- du 23 sept. au 6 oct. 1945 retranchez 1 h
- du 7 au 23 oct. 1945 aucun changement
- du 23 sept. au 5 oct. 1946 retranchez 1 h
- du 6 au 24 oct. 1946 aucun changement
- de 1947 à 1949 retranchez 1 h
- du 23 sept. au 21 oct. 1950 retranchez 1 h
- les 22 et 23 oct. 1950 aucun changement
- du 23 sept. au 20 oct. 1951 retranchez 1 h
- du 21 au 23 oct. 1951 aucun changement
- en 1952 retranchez 1 h
- du 23 sept. au 3 oct. 1953 retranchez 1 h
- du 4 au 23 oct. 1953 aucun changement
- du 23 sept. au 2 oct. 1954 retranchez 1 h
- du 3 au 23 oct. 1954 aucun changement
- du 23 sept. au 1er oct. 1955 retranchez 1 h
- du 2 au 23 oct. 1955 aucun changement
- du 23 sept. au 6 oct. 1956 retranchez 1 h
- du 7 au 23 oct. 1956 aucun changement
- du 23 sept. au 5 oct. 1957 retranchez 1 h
- du 6 au 23 oct. 1957 aucun changement
- du 23 sept. au 4 oct. 1958 retranchez 1 h
- du 5 au 22 oct. 1958 aucun changement
- du 23 sept. au 3 oct. 1959 retranchez 1 h
- du 5 au 24 oct. 1959 aucun changement
- du 23 sept. au 1er oct. 1960 retranchez 1 h
- du 2 au 23 oct. 1960 aucun changement
- de 1961 à 1967 retranchez 1 h
- en 1968 retranchez 2 h
- de 1969 à 1976 retranchez 1 h
- du 23 sept. au 22 oct. 1977 retranchez 1 h
- le 23 sept. 1977 aucun changement
- du 23 sept. au 21 oct. 1978 retranchez 1 h
- les 22 et 23 oct. 1978 aucun changement

CORNOUAILLES - ÉCOSSE - GALLES
- de 1900 à 1915 retranchez 0 h 15
- du 23 au 30 sept. 1916 retranchez 1 h 15
- du 1er au 23 oct. 1916 retranchez 0 h 15
- en 1917 retranchez 0 h 15

Pour les autres années de 1918 à 1978 voir Angleterre

Si le tableau indique « aucun changement » vous retranchez 0 h 15

Si le tableau indique « retranchez 1 h » vous retranchez 1 h 15

« 2 h » vous retranchez 2 h 15

AUTRICHE
- de 1900 à 1939 aucun changement
- de 1940 à 1942 retranchez 1 h
- du 23 sept. au 3 oct. 1943 retranchez 1 h
- du 4 au 24 oct. 1943 aucun changement
- du 23 sept. au 1er oct. 1944 retranchez 1 h
- du 2 au 23 oct. 1944 aucun changement
- en 1945 aucun changement
- du 23 sept. au 6 oct. 1946 retranchez 1 h
- du 7 au 24 oct. 1946 aucun changement
- du 23 sept. au 4 oct. 1947 retranchez 1 h
- du 5 au 24 oct. 1947 aucun changement
- du 23 sept. au 2 oct. 1948 retranchez 1 h
- du 3 au 23 oct. 1948 aucun changement
- depuis 1949 aucun changement

BELGIQUE
- de 1900 à 1913 ajoutez 0 h 20
- en 1914 et 1915 retranchez 0 h 40
- du 23 au 30 sept. 1916 retranchez 1 h 40
- du 1er au 23 oct. 1916 retranchez 0 h 40
- en 1917 et 1918 retranchez 0 h 40
- du 24 sept. au 4 oct. 1919 retranchez 1 h 40
- du 5 au 24 oct. 1919 ajoutez 0 h 20
- en 1920 et 1921 retranchez 0 h 40
- du 23 sept. au 7 oct. 1922 retranchez 0 h 40
- du 8 au 24 oct. 1922 ajoutez 0 h 20
- du 24 sept. au 6 oct. 1923 retranchez 0 h 40
- du 7 au 24 oct. 1923 ajoutez 0 h 20
- du 23 sept. au 4 oct. 1924 retranchez 0 h 40
- du 5 au 23 oct. 1924 ajoutez 0 h 20
- du 23 sept. au 3 oct. 1925 retranchez 0 h 40
- du 4 au 23 oct. 1925 ajoutez 0 h 20
- du 23 sept. au 2 oct. 1926 retranchez 0 h 40
- du 3 au 24 oct. 1926 ajoutez 0 h 20
- du 24 sept. au 1er oct. 1927 retranchez 0 h 40
- du 2 au 24 oct. 1927 ajoutez 0 h 20
- du 23 sept. au 7 oct. 1928 retranchez 0 h 40
- du 8 au 23 oct. 1928 ajoutez 0 h 20
- du 23 sept. au 6 oct. 1929 retranchez 0 h 40
- du 7 au 23 oct. 1929 ajoutez 0 h 20
- du 23 sept. au 5 oct. 1930 retranchez 0 h 40
- du 6 au 23 sept. 1930 ajoutez 0 h 20
- du 24 sept. au 3 oct. 1931 retranchez 0 h 40
- du 4 au 24 oct. 1931 ajoutez 0 h 20
- du 23 sept. au 1er oct. 1932 retranchez 0 h 40
- du 2 au 23 oct. 1932 ajoutez 0 h 20
- du 23 sept. au 7 oct. 1933 retranchez 0 h 40
- du 8 au 23 oct. 1933 ajoutez 0 h 20
- du 23 sept. au 6 oct. 1934 retranchez 0 h 40
- du 7 au 24 oct. 1934 ajoutez 0 h 20
- du 23 sept. au 5 oct. 1935 retranchez 0 h 40
- du 5 au 24 oct. 1935 ajoutez 0 h 20
- du 23 sept. au 3 oct. 1936 retranchez 0 h 40
- du 4 au 23 oct. 1936 ajoutez 0 h 20
- du 23 sept. au 2 oct. 1937 retranchez 0 h 40
- du 3 au 23 oct. 1937 ajoutez 0 h 20
- du 23 sept. au 1er oct. 1938 retranchez 0 h 40
- du 2 au 24 oct. 1938 ajoutez 0 h 20
- en 1939 retranchez 0 h 40
- de 1940 à 1942 retranchez 1 h 40
- du 23 sept. au 3 oct. 1943 retranchez 1 h 40
- du 4 au 24 oct. 1943 retranchez 0 h 40
- en 1944 et 1945 retranchez 0 h 40
- du 23 sept. au 6 oct. 1946 retranchez 1 h 40
- du 7 au 24 oct. 1946 retranchez 0 h 40
- de 1947 à 1976 retranchez 0 h 40
- les 23 et 24 sept. 1977 retranchez 1 h 40
- du 25 sept. au 23 oct. 1977 retranchez 0 h 40
- du 23 au 30 sept. 1978 retranchez 1 h 40
- du 1er au 23 oct. 1978 retranchez 0 h 40

BULGARIE
- de 1900 à 1944 retranchez 0 h 20
- en 1945 retranchez 1 h 20
- depuis 1946 retranchez 0 h 20

CHYPRE
- de 1900 à 1921 aucun changement
- de 1922 à 1974 ajoutez 0 h 15
- du 23 sept. au 11 oct. 1975 retranchez 0 h 45
- du 12 au 24 oct. 1975 ajoutez 0 h 15
- du 22 sept. au 9 oct. 1976 retranchez 0 h 45
- du 10 au 23 oct. 1976 ajoutez 0 h 15
- du 23 au 24 sept. 1977 retranchez 0 h 45
- du 25 sept. au 23 oct. 1977 ajoutez 0 h 15
- du 23 sept. au 1er oct. 1978 retranchez 0 h 45
- du 2 au 23 oct. 1978 ajoutez 0 h 15

DANEMARK
- de 1900 à 1915 retranchez 0 h 15
- du 23 au 30 sept. 1916 retranchez 1 h 15
- de 1917 à 1939 retranchez 0 h 15
- de 1940 à 1942 retranchez 1 h 15
- du 23 sept. au 3 oct. 1943 retranchez 1 h 15
- du 4 au 24 oct. 1943 retranchez 0 h 15
- du 23 sept. au 1er oct. 1944 retranchez 1 h 15
- du 2 au 23 oct. 1944 retranchez 0 h 15
- de 1945 à 1948 retranchez 0 h 15
- du 23 sept. au 1er oct. 1949 retranchez 1 h 15
- du 2 au 23 oct. 1949 retranchez 0 h 15
- du 23 au 30 sept. 1950 retranchez 1 h 15
- du 1er au 23 oct. 1950 retranchez 0 h 15
- du 23 sept. au 6 oct. 1951 retranchez 1 h 15
- du 7 au 23 oct. 1951 retranchez 0 h 15
- depuis 1952 retranchez 0 h 15

ESPAGNE

Aragon, Baléares, Catalogne, Murcie, Navarre, Valence
- de 1900 à 1916 aucun changement
- du 23 sept. au 6 oct. 1917 retranchez 1 h
- du 7 au 23 oct. 1917 aucun changement
- du 23 sept. au 5 oct. 1918 retranchez 1 h
- du 6 au 24 oct. 1918 aucun changement
- du 24 sept. au 4 oct. 1919 retranchez 1 h
- du 5 au 24 oct. 1919 aucun changement
- de 1920 à 1923 aucun changement
- du 23 sept. au 4 oct. 1924 retranchez 1 h
- du 5 au 23 oct. 1924 aucun changement
- en 1925 aucun changement
- du 23 sept. au 2 oct. 1926 retranchez 1 h
- du 3 au 24 oct. 1926 aucun changement
- du 24 sept. au 1er oct. 1927 retranchez 1 h
- du 2 au 24 oct. 1927 aucun changement
- du 23 sept. au 6 oct. 1928 retranchez 1 h
- du 7 au 23 oct. 1928 aucun changement
- du 23 sept. au 6 oct. 1929 retranchez 1 h
- du 7 au 23 oct. 1929 aucun changement
- de 1930 à 1936 aucun changement
- du 23 sept. au 2 oct. 1937 (F) retranchez 1h
- du 3 au 23 oct. 1937 (F) aucun changement
- du 23 sept. au 6 oct. 1937 (R) retranchez 1 h
- du 7 au 23 oct. 1937 (R) aucun changement
- du 23 sept. au 1er oct. 1938 (F) retranchez 1 h
- du 2 au 24 oct. 1938 (F) aucun changement
- du 23 sept. au 2 oct. 1938 (R) retranchez 2 h
- du 3 au 24 oct. 1938 (R) retranchez 1 h
- du 23 sept. au 7 oct. 1939 retranchez 1 h
- du 8 au 23 oct. 1939 aucun changement
- de 1940 à 1942 retranchez 1 h
- du 23 sept. au 3 oct. 1943 retranchez 2 h
- du 4 au 24 oct. 1943 retranchez 1 h
- du 23 sept. au 10 oct. 1944 retranchez 2 h
- du 11 au 23 oct. 1944 retranchez 1 h
- du 23 au 30 sept. 1945 retranchez 2 h
- du 1er au 23 oct. 1945 retranchez 1 h
- du 23 au 29 sept. 1946 retranchez 2 h
- du 30 sept. au 24 oct. 1946 retranchez 1 h
- de 1947 à 1973 retranchez 1 h
- du 23 sept. au 6 oct. 1974 retranchez 2 h
- du 7 au 23 oct. 1974 retranchez 1 h
- du 23 sept. au 5 oct. 1975 retranchez 2 h
- du 6 au 24 oct. 1975 retranchez 1 h
- du 22 au 25 sept. 1976 retranchez 2 h
- du 26 sept. au 23 oct. 1976 retranchez 1 h
- du 23 au 24 sept. 1977 retranchez 2 h
- du 25 sept. au 23 oct. 1977 retranchez 1 h
- du 23 sept. au 1er oct. 1978 retranchez 2 h
- du 2 au 23 oct. 1978 retranchez 1 h

(F) : Franquistes
(R) : Républicains

ESPAGNE

Andalousie, Pays basque, Leon, Castille, Galice, Estremadure
- de 1900 à 1916 retranchez 0 h 20
- du 23 sept. au 6 oct. 1917 retranchez 1 h 20
- du 7 au 23 oct. 1917 retranchez 0 h 20

Pour les autres années de 1918 à 1978 voir tableau précédent

Si le tableau indique « aucun changement » vous retranchez 0 h 20

Si le tableau indique « retranchez 1 h » vous retranchez 1 h 20

Si le tableau indique « retranchez 2 h » vous retranchez 2 h 20

ESTONIE
- de 1900 à 1920 aucun changement
- de 1921 à 1963 retranchez 0 h 20
- depuis 1964 retranchez 1 h 20

FINLANDE
- de 1900 à 1920 aucun changement
- depuis 1921 retranchez 0 h 20

FRANCE

Aquitaine, Bretagne, Centre, Ile-de-France, Midi-Pyrénées, Nord, Normandie, Limousin, Pays de Loire, Poitou-Charente, Picardie
- de 1900 à 1910 retranchez 0 h 10
- de 1911 à 1915 aucun changement
- du 23 sept. au 1er oct. 1916 retranchez 1 h
- du 2 au 23 oct. 1916 aucun changement
- du 23 sept. au 7 oct. 1917 retranchez 1 h
- du 8 au 23 oct. 1917 aucun changement
- du 23 sept. au 6 oct. 1918 retranchez 1 h
- du 6 au 24 oct. 1918 aucun changement
- du 24 sept. au 5 oct. 1919 retranchez 1 h
- du 6 au 24 oct. 1919 aucun changement
- en 1920 et 1921 retranchez 1 h
- du 23 sept. au 7 oct. 1922 retranchez 1 h
- du 8 au 24 oct. 1922 aucun changement
- du 24 sept. au 6 oct. 1923 retranchez 1 h
- du 7 au 24 oct. 1923 aucun changement
- du 23 sept. au 4 oct. 1924 retranchez 1 h
- du 5 au 23 oct. 1924 aucun changement
- du 23 sept. au 3 oct. 1925 retranchez 1 h
- du 4 au 23 oct. 1925 aucun changement
- du 23 sept. au 2 oct. 1926 retranchez 1 h

- du 3 au 24 oct. 1926 aucun changement
- du 24 sept. au 1er oct. 1927 retranchez 1 h
- du 2 au 24 oct. 1927 aucun changement
- du 23 sept. au 6 oct. 1928 retranchez 1 h
- du 7 au 23 oct. 1928 aucun changement
- du 23 sept. au 5 oct. 1929 retranchez 1 h
- du 6 au 23 oct. 1929 aucun changement
- du 23 sept. au 4 oct. 1930 retranchez 1 h
- du 5 au 24 oct. 1930 aucun changement
- du 24 sept. au 3 oct. 1931 retranchez 1 h
- du 4 au 24 oct. 1931 aucun changement
- du 23 sept. au 1er oct. 1932 retranchez 1 h
- du 2 au 23 oct. 1932 aucun changement
- du 23 sept. au 7 oct. 1933 retranchez 1 h
- du 8 au 23 sept. 1933 aucun changement
- du 23 sept. au 6 oct. 1934 retranchez 1 h
- du 7 au 24 oct. 1934 aucun changement
- du 23 sept. au 5 oct. 1935 retranchez 1 h
- du 5 au 24 oct. 1935 aucun changement
- du 23 sept. au 3 oct. 1936 retranchez 1 h
- du 4 au 23 oct. 1936 aucun changement
- du 23 sept. au 2 oct. 1937 retranchez 1 h
- du 3 au 23 oct. 1937 aucun changement
- du 23 sept. au 1er oct. 1938 retranchez 1 h
- du 2 au 24 oct. 1938 aucun changement
- en 1939 retranchez 1 h
- en 1940 (ZO) retranchez 2 h
- en 1940 (ZNO) retranchez 1 h
- en 1941 (ZO) retranchez 2 h
- du 23 sept. au 5 oct. 1941 (ZNO) retranchez 2 h
- du 6 au 23 oct. 1941 (ZNO) retranchez 1 h
- en 1942 retranchez 2 h
- du 23 sept. au 3 oct. 1943 retranchez 2 h
- du 4 au 24 oct. 1943 retranchez 1 h
- du 23 sept. au 7 oct. 1944 retranchez 2 h
- du 8 au 23 oct. 1944 retranchez 1 h
- de 1945 à 1975 retranchez 1 h
- du 22 au 25 sept. 1976 retranchez 2 h
- du 26 sept. au 23 oct. 1976 retranchez 1 h
- du 23 au 24 sept. 1977 retranchez 2 h
- du 25 sept. au 23 oct. 1977 retranchez 1 h
- du 23 au 30 sept. 1978 retranchez 2 h
- du 1er au 23 oct. 1978 retranchez 1 h

FRANCE
Alsace, Auvergne, Bourgogne, Champagne-Ardennes, Franche-Comté, Languedoc-Roussillon, Lorraine, Rhône-Alpes, Provence-Côte d'Azur, Corse, Principauté de Monaco
- de 1900 à 1910 ajoutez 0 h 10
- de 1911 à 1915 ajoutez 0 h 20
- du 23 sept. au 1er oct. 1916 retranchez 0 h 40
- du 2 au 23 oct. 1916 ajoutez 0 h 20
- du 23 sept. au 7 oct. 1917 retranchez 0 h 40
- du 8 au 23 oct. 1917 ajoutez 0 h 20

Pour les années de 1918 à 1978 voir tableau précédent.
Si le tableau indique « aucun changement » vous ajoutez 0 h 20
Si le tableau indique « retranchez 1 h » vous retranchez 0 h 40
Si le tableau indique « retranchez 2 h » vous retranchez 1 h 40

GRÈCE
- de 1900 à 1915 aucun changement
- de 1916 à 1942 retranchez 0 h 30
- du 23 sept. au 3 oct. 1943 retranchez 0 h 30
- du 4 au 24 oct. 1943 ajoutez 0 h 30
- de 1944 à 1951 retranchez 0 h 30
- en 1952 retranchez 1 h 30
- de 1953 à 1974 retranchez 0 h 30
- du 23 sept. au 11 oct. 1975 retranchez 1 h 30
- du 12 au 24 oct. 1975 retranchez 0 h 30
- du 22 sept. au 9 oct. 1976 retranchez 1 h 30
- du 10 au 23 oct. 1976 retranchez 0 h 30
- du 23 au 29 sept. 1977 retranchez 1 h 30
- du 30 sept. au 23 oct. 1977 retranchez 0 h 30
- du 23 sept. au 1er oct. 1978 retranchez 1 h 30
- du 2 au 23 oct. 1978 retranchez 0 h 30

GROENLAND
- depuis 1900 aucun changement

HOLLANDE
- de 1900 à 1915 aucun changement
- du 23 au 30 sept. 1916 retranchez 1 h
- du 1er au 23 oct. 1916 aucun changement
- en 1917 aucun changement
- du 23 au 29 sept. 1918 retranchez 1 h
- du 30 sept. au 24 oct. 1918 aucun changement
- du 24 au 28 sept. 1919 retranchez 1 h
- du 29 sept. au 24 oct. 1919 aucun changement
- du 23 au 25 sept. 1920 retranchez 1 h
- du 26 sept. au 23 oct. 1920 aucun changement
- du 23 au 25 sept. 1921 retranchez 1 h
- du 26 sept. au 23 oct. 1921 aucun changement
- du 23 sept. au 7 oct. 1922 retranchez 1 h
- du 8 au 24 oct. 1922 aucun changement
- du 24 sept. au 6 oct. 1923 retranchez 1 h
- du 7 au 24 oct. 1923 aucun changement
- du 23 sept. au 4 oct. 1924 retranchez 1 h
- du 5 au 23 oct. 1924 aucun changement
- du 23 sept. au 3 oct. 1925 retranchez 1 h
- du 4 au 23 oct. 1925 aucun changement
- du 23 sept. au 2 oct. 1926 retranchez 1 h
- du 3 au 24 oct. 1926 aucun changement
- du 24 sept. au 1er oct. 1927 retranchez 1 h
- du 2 au 24 oct. 1927 aucun changement
- du 23 sept. au 6 oct. 1928 retranchez 1 h
- du 7 au 23 oct. 1928 aucun changement
- du 23 sept. au 5 oct. 1929 retranchez 1 h
- du 6 au 23 oct. 1929 aucun changement
- du 23 sept. au 4 oct. 1930 retranchez 1 h
- du 5 au 24 oct. 1930 aucun changement
- du 24 sept. au 3 oct. 1931 retranchez 1 h
- du 4 au 24 oct. 1931 aucun changement
- du 23 sept. au 1er oct. 1932 retranchez 1 h
- du 2 au 23 oct. 1932 aucun changement
- du 23 sept. au 7 oct. 1933 retranchez 1 h
- du 8 au 23 oct. 1933 aucun changement
- du 23 sept. au 6 oct. 1934 retranchez 1 h
- du 7 au 24 oct. 1934 aucun changement
- du 23 sept. au 5 oct. 1935 retranchez 1 h
- du 6 au 24 oct. 1935 aucun changement
- du 23 sept. au 3 oct. 1936 retranchez 1 h
- du 4 au 23 oct. 1936 aucun changement
- du 23 sept. au 2 oct. 1937 retranchez 1 h
- du 3 au 23 oct. 1937 aucun changement
- du 23 sept. au 1er oct. 1938 retranchez 1 h
- du 2 au 23 oct. 1938 aucun changement
- du 23 sept. au 7 oct. 1939 retranchez 1 h
- du 8 au 24 oct. 1939 aucun changement
- de 1940 à 1942 retranchez 1 h 40
- du 23 sept. au 3 oct. 1943 retranchez 1 h 40
- du 4 au 24 oct. 1943 retranchez 0 h 40
- du 23 sept. au 1er oct. 1944 retranchez 1 h 40
- du 2 au 23 oct. 1943 retranchez 0 h 40
- de 1945 à 1976 retranchez 0 h 40
- les 23 et 24 sept. 1977 retranchez 1 h 40
- du 25 sept. au 23 oct. 1977 retranchez 0 h 40
- du 23 au 30 sept. 1978 retranchez 1 h 40
- du 1er au 23 oct. 1978 retranchez 0 h 40

HONGRIE
- de 1900 à 1915 ajoutez 0 h 15
- du 23 au 30 sept. 1916 retranchez 0 h 45
- du 1er au 23 oct. 1916 ajoutez 0 h 15
- de 1917 à 1940 ajoutez 0 h 15
- en 1941 et 1942 retranchez 0 h 45
- du 23 sept. au 3 oct. 1943 retranchez 0 h 45
- du 4 au 24 oct. 1943 ajoutez 0 h 15
- du 23 sept. au 1er oct. 1944 retranchez 0 h 45
- du 2 au 23 oct. 1944 ajoutez 0 h 15
- en 1945 retranchez 0 h 45
- de 1946 à 1953 ajoutez 0 h 15
- du 23 sept. au 2 oct. 1954 retranchez 0 h 45
- du 3 au 23 oct. 1954 ajoutez 0 h 15
- du 23 sept. au 2 oct. 1955 retranchez 0 h 45
- du 3 au 23 oct. 1955 ajoutez 0 h 15
- du 23 au 29 sept. 1956 retranchez 0 h 45
- du 30 sept. au 23 oct. 1956 ajoutez 0 h 15
- du 23 au 28 sept. 1957 retranchez 0 h 45
- du 29 sept. au 23 oct. 1957 ajoutez 0 h 15
- depuis 1958 ajoutez 0 h 15

IRLANDE (Eire)
- de 1900 à 1915 aucun changement
- du 23 au 30 sept. 1916 retranchez 1 h
- du 1er au 23 oct. 1916 retranchez 0 h 30
- en 1917 retranchez 0 h 30

Pour les années de 1918 à 1968 voir le tableau « Angleterre »
Si le tableau indique « aucun changement » retranchez 0 h 30
Si le tableau indique « retranchez 1 h » vous retranchez 1 h 30
Si le tableau indique « retranchez 2 h » vous retranchez 2 h 30
- depuis 1969 retranchez 1 h 30

IRLANDE DU NORD (Ulster)
- de 1900 à 1915 aucun changement
- de 1916 à 1920 retranchez 0 h 25
- de 1921 à 1944 voyez « Angleterre »

Si le tableau indique « aucun changement » retranchez 0 h 25
Si le tableau indique « retranchez 1 h » vous retranchez 1 h 25
- depuis 1945 retranchez 1 h 25

ISLANDE
- de 1900 à 1907 aucun changement
- de 1908 à 1916 retranchez 0 h 25
- de 1917 à 1919 retranchez 1 h 25
- de 1920 à 1942 retranchez 0 h 25
- de 1943 à 1978 retranchez 1 h 25

ITALIE
Émilie, Ligurie, Lombardie, Piémont, Toscane, Sardaigne
- de 1900 à 1915 retranchez 0 h 20
- du 23 au 30 sept. 1916 retranchez 1 h 20
- du 1er au 23 oct. 1916 retranchez 0 h 20
- du 23 au 30 sept. 1917 retranchez 1 h 20
- du 1er au 23 oct. 1917 retranchez 0 h 20
- du 23 sept. au 6 oct. 1918 retranchez 1 h 20
- du 7 au 24 oct. 1918 retranchez 0 h 20
- du 24 sept. au 4 oct. 1919 retranchez 1 h 20
- du 5 au 24 oct. 1919 retranchez 0 h 20
- de 1920 à 1939 retranchez 0 h 20
- de 1940 à 1942 retranchez 1 h 20
- du 23 sept. au 3 oct. 1943 retranchez 1 h 20
- du 4 au 24 oct. 1943 retranchez 0 h 20
- du 23 sept. au 1er oct. 1944 retranchez 1 h 20
- du 2 au 23 oct. 1944 retranchez 0 h 20
- en 1945 retranchez 0 h 20
- du 23 sept. au 5 oct. 1946 retranchez 1 h 20
- du 6 au 24 oct. 1946 retranchez 0 h 20
- du 23 sept. au 4 oct. 1947 retranchez 1 h 20
- du 4 au 24 oct. 1947 retranchez 0 h 20
- du 23 sept. au 2 oct. 1948 retranchez 1 h 20
- du 3 au 23 oct. 1948 retranchez 0 h 20
- de 1949 à 1965 retranchez 0 h 20
- les 23 et 24 sept. 1966 retranchez 1 h 20
- du 25 sept. au 23 oct. 1966 retranchez 0 h 20
- du 23 au 30 sept. 1967 retranchez 1 h 20
- du 1er au 24 oct. 1967 retranchez 0 h 20
- en 1968 retranchez 0 h 20
- du 23 au 27 sept. 1969 retranchez 1 h 20
- du 28 sept. au 23 oct. 1969 retranchez 0 h 20
- du 23 au 26 sept. 1970 retranchez 1 h 20
- du 27 sept. au 23 oct. 1970 retranchez 0 h 20
- du 23 au 25 sept. 1971 retranchez 1 h 20
- du 26 sept. au 24 oct. 1971 retranchez 0 h 20
- du 22 au 30 sept. 1972 retranchez 1 h 20
- du 1er au 23 sept. 1972 retranchez 0 h 20
- du 23 au 29 sept. 1973 retranchez 1 h 20
- du 30 sept. au 23 oct. 1973 retranchez 0 h 20
- du 23 au 27 sept. 1974 retranchez 1 h 20
- du 28 sept. au 23 oct. 1974 retranchez 0 h 20
- du 23 au 26 sept. 1975 retranchez 1 h 20
- du 27 sept. au 24 oct. 1975 retranchez 0 h 20
- du 22 au 25 sept. 1976 retranchez 1 h 20
- du 26 sept. au 23 oct. 1976 retranchez 0 h 20
- du 23 au 24 sept. 1977 retranchez 1 h 20
- du 25 sept. au 23 oct. 1977 retranchez 0 h 20
- du 23 au 29 sept. 1978 retranchez 1 h 20
- du 30 sept. au 23 oct. 1978 retranchez 0 h 20

ITALIE
Abbruzes, Calabre, Campanie, Latium, Marches, Ombrie, Pouilles, San Marino, Sicile, Vénétie
- de 1900 à 1915 aucun changement
- du 23 au 30 sept. 1916 retranchez 1 h
- du 1er au 23 oct. 1916 aucun changement
- du 23 au 30 sept. 1917 retranchez 1 h
- du 1er au 23 oct. 1917 aucun changement
- de 1918 à 1978 voir tableau précédent

Si le tableau indique « retranchez 0 h 20 » vous notez aucun changement
Si le tableau indique « retranchez 1 h 20 » vous retranchez 1 h

LETTONIE
- de 1900 à 1917 retranchez 0 h 25
- de 1918 à 1925 aucun changement
- de 1926 à 1963 retranchez 0 h 25
- depuis 1964 retranchez 1 h 25

LITHUANIE
- de 1900 à 1918 aucun changement
- du 24 sept. au 10 oct. 1919 aucun changement
- du 11 au 24 oct. 1919 ajoutez 0 h 30
- du 23 sept. au 9 oct. 1920 retranchez 0 h 30
- du 10 au 23 oct. 1920 ajoutez 0 h 30
- de 1920 à 1939 ajoutez 0 h 30
- de 1940 à 1963 retranchez 0 h 30
- depuis 1964 retranchez 1 h 30

LUXEMBOURG
- de 1900 à 1903 aucun changement
- de 1904 à 1915 retranchez 0 h 35
- du 23 au 30 sept. 1916 retranchez 1 h 35
- en 1917 et 1918 retranchez 0 h 35
- du 24 sept. au 4 oct. 1919 retranchez 0 h 35
- du 5 au 24 oct. 1919 ajoutez 0 h 25
- en 1920 et 1921 ajoutez 0 h 25
- du 23 sept. au 7 oct. 1922 retranchez 0 h 35
- du 8 au 24 oct. 1922 ajoutez 0 h 25
- du 24 sept. au 6 oct. 1923 retranchez 0 h 35
- du 7 au 24 oct. 1923 ajoutez 0 h 25
- du 23 sept. au 4 oct. 1924 retranchez 0 h 35
- du 5 au 23 oct. 1924 ajoutez 0 h 25
- du 23 sept. au 3 oct. 1925 retranchez 0 h 35
- du 4 au 23 oct. 1925 ajoutez 0 h 25
- du 23 sept. au 2 oct. 1926 retranchez 0 h 35
- du 3 au 24 oct. 1926 ajoutez 0 h 25
- du 24 sept. au 1er oct. 1927 retranchez 0 h 35
- du 2 au 24 oct. 1927 ajoutez 0 h 25
- du 23 sept. au 6 oct. 1928 retranchez 0 h 35
- du 7 au 23 oct. 1928 ajoutez 0 h 25
- du 23 sept. au 5 oct. 1929 retranchez 0 h 35
- du 6 au 23 oct. 1929 ajoutez 0 h 25
- du 23 au 4 oct. 1930 retranchez 0 h 35
- du 5 au 24 oct. 1930 ajoutez 0 h 25
- du 24 sept. au 3 oct. 1931 retranchez 0 h 35
- du 4 au 24 oct. 1931 ajoutez 0 h 25
- du 23 sept. au 1er oct. 1932 retranchez 0 h 35
- du 2 au 23 oct. 1932 ajoutez 0 h 25

- du 23 sept. au 7 oct. 1933 retranchez 0 h 35
- du 8 au 23 oct. 1933 ajoutez 0 h 25
- du 23 sept. au 6 oct. 1934 retranchez 0 h 35
- du 7 au 24 oct. 1934 ajoutez 0 h 25
- du 23 sept. au 5 oct. 1935 retranchez 0 h 35
- du 6 au 24 oct. 1935 ajoutez 0 h 25
- du 23 sept. au 3 oct. 1936 retranchez 0 h 35
- du 4 au 23 oct. 1936 ajoutez 0 h 25
- du 23 sept. au 2 oct. 1937 retranchez 0 h 35
- du 3 au 23 oct. 1937 ajoutez 0 h 25
- du 23 sept. au 1er oct. 1938 retranchez 0 h 35
- du 2 au 24 oct. 1938 ajoutez 0 h 25
- en 1939 retranchez 0 h 35
- de 1940 à 1942 retranchez 1 h 35
- du 23 sept. au 3 oct. 1943 retranchez 1 h 35
- du 4 au 24 oct. 1943 retranchez 0 h 35
- en 1944 et 1945 retranchez 0 h 35
- du 23 sept. au 6 oct. 1946 retranchez 1 h 35
- du 7 au 24 oct. 1946 retranchez 0 h 35
- de 1947 à 1976 retranchez 0 h 35
- les 23 et 24 sept. 1977 retranchez 1 h 35
- du 25 sept. au 23 oct. 1977 retranchez 0 h 35
- du 23 au 30 sept. 1978 retranchez 1 h 35
- du 1er au 23 oct. 1978 retranchez 0 h 35

MALTE
- de 1900 à 1973 voir Sicile
- depuis 1974 aucun changement

NORVÈGE
- de 1900 à 1915 retranchez 0 h 20
- du 23 au 30 sept. 1916 retranchez 1 h 20
- de 1917 à 1939 retranchez 0 h 20
- de 1940 à 1942 retranchez 1 h 20
- du 23 sept. au 3 oct. 1943 retranchez 1 h 20
- du 4 au 24 oct. 1943 retranchez 0 h 20
- du 23 sept. au 1er oct. 1944 retranchez 1 h 20
- du 2 au 23 oct. 1944 retranchez 0 h 20
- du 23 au 30 sept. 1945 retranchez 1 h 20
- du 1er au 23 oct. 1945 retranchez 0 h 20
- depuis 1946 retranchez 0 h 20

POLOGNE
- de 1900 à 1918

Pour les territoires sous contrôle allemand voir R.D.A.

Pour les territoires sous contrôle autrichien voir Autriche

Pour les territoires sous contrôle russe aucun changement
- de 1919 à 1921 retranchez 0 h 45
- de 1922 à 1939 ajoutez 0 h 15
- de 1940 à 1942 retranchez 0 h 45
- du 23 sept. au 1er oct. 1943 retranchez 0 h 45
- du 2 au 24 oct. 1943 ajoutez 0 h 15
- du 23 sept. au 2 oct. 1944 retranchez 0 h 45
- du 3 au 23 oct. 1944 ajoutez 0 h 15
- en 1945 retranchez 0 h 45
- de 1946 à 1955 ajoutez 0 h 15
- du 23 au 29 sept. 1956 retranchez 0 h 45
- du 30 sept. au 23 oct. 1956 ajoutez 0 h 15
- du 23 au 28 sept. 1957 retranchez 0 h 45
- du 29 sept. au 23 oct. 1957 ajoutez 0 h 15
- du 23 au 27 sept. 1958 retranchez 0 h 45
- du 28 sept. au 23 oct. 1958 ajoutez 0 h 15
- du 23 au 26 sept. 1959 retranchez 0 h 45
- du 27 sept. au 24 oct. 1959 ajoutez 0 h 15
- du 23 sept. au 1er oct. 1960 retranchez 0 h 45
- du 2 au 23 oct. 1960 ajoutez 0 h 15
- du 23 au 30 sept. 1961 retranchez 0 h 45
- du 1er au 23 oct. 1961 ajoutez 0 h 15
- du 23 au 29 sept. 1962 retranchez 0 h 45
- du 30 sept. au 23 oct. 1962 ajoutez 0 h 15
- du 23 au 28 sept. 1963 retranchez 0 h 45
- du 29 sept. au 24 oct. 1963 ajoutez 0 h 15
- du 23 au 26 sept. 1964 retranchez 0 h 45
- du 27 sept. au 23 oct. 1964 ajoutez 0 h 15
- depuis 1965 ajoutez 0 h 15

PORTUGAL
- de 1900 à 1911 aucun changement
- de 1912 à 1915 retranchez 0 h 30
- en 1916 retranchez 1 h 30
- de 1917 à 1924
- du 23 sept. au 14 oct. retranchez 1 h 30
- du 15 au 24 oct. retranchez 0 h 30
- du 23 sept. au 2 oct. 1926 retranchez 1 h 30
- du 3 au 24 oct. 1926 retranchez 0 h 30
- du 24 sept. au 1er oct. 1927 retranchez 1 h 30
- du 2 au 24 oct. 1927 retranchez 0 h 30
- du 23 sept. au 6 oct. 1928 retranchez 1 h 30
- du 7 au 23 oct. 1928 retranchez 0 h 30
- du 23 sept. au 5 oct. 1929 retranchez 1 h 30
- du 6 au 23 oct. 1929 retranchez 0 h 30
- en 1930 retranchez 0 h 30
- du 24 sept. au 3 oct. 1931 retranchez 1 h 30
- du 4 au 24 oct. 1931 retranchez 0 h 30
- du 23 sept. au 1er oct. 1932 retranchez 1 h 30
- du 2 au 23 oct. 1932 retranchez 0 h 30
- en 1933 retranchez 0 h 30
- du 23 sept. au 6 oct. 1934 retranchez 1 h 30
- du 7 au 24 oct. 1934 retranchez 0 h 30
- du 23 sept. au 5 oct. 1935 retranchez 1 h 30
- du 6 au 24 oct. 1935 retranchez 0 h 30
- du 23 sept. au 3 oct. 1936 retranchez 1 h 30
- du 4 au 23 oct. 1936 retranchez 0 h 30
- du 23 sept. au 2 oct. 1937 retranchez 1 h 30
- du 3 au 23 oct. 1937 retranchez 0 h 30
- du 23 sept. au 1er oct. 1938 retranchez 1 h 30
- du 2 au 24 oct. 1938 retranchez 0 h 30
- en 1939 retranchez 1 h 30
- du 23 sept. au 7 oct. 1940 retranchez 1 h 30
- du 8 au 23 oct. 1940 retranchez 0 h 30
- du 23 sept. au 5 oct. 1941 retranchez 1 h 30
- du 6 au 23 oct. 1941 retranchez 0 h 30
- de 1942 à 1945 retranchez 1 h 30
- du 23 sept. au 5 oct. 1946 retranchez 1 h 30
- du 6 au 24 oct. 1946 retranchez 0 h 30
- du 23 sept. au 4 oct. 1947 retranchez 1 h 30
- du 5 au 24 oct. 1947 retranchez 0 h 30
- du 23 sept. au 2 oct. 1948 retranchez 1 h 30
- du 3 au 23 oct. 1948 retranchez 0 h 30
- du 23 sept. au 1er oct. 1949 retranchez 1 h 30
- du 2 au 23 oct. 1949 retranchez 0 h 30
- du 23 au 30 sept. 1950 retranchez 1 h 30
- du 1er au 23 oct. 1950 retranchez 0 h 30
- du 23 sept. au 6 oct. 1951 retranchez 1 h 30
- du 7 au 23 oct. 1951 retranchez 0 h 30
- du 23 sept. au 4 oct. 1952 retranchez 1 h 30
- du 5 au 23 oct. 1952 retranchez 0 h 30
- du 23 sept. au 3 oct. 1953 retranchez 1 h 30
- du 4 au 23 oct. 1953 retranchez 0 h 30
- du 23 sept. au 2 oct. 1954 retranchez 1 h 30
- du 3 au 23 oct. 1954 retranchez 0 h 30
- du 23 sept. au 1er oct. 1955 retranchez 1 h 30
- du 2 au 23 oct. 1955 retranchez 0 h 30
- du 23 sept. au 6 oct. 1956 retranchez 1 h 30
- du 7 au 23 oct. 1956 retranchez 0 h 30
- du 23 sept. au 5 oct. 1957 retranchez 1 h 30
- du 6 au 23 oct. 1957 retranchez 0 h 30
- du 23 sept. au 4 oct. 1958 retranchez 1 h 30
- du 5 au 23 oct. 1958 retranchez 0 h 30
- du 23 sept. au 3 oct. 1959 retranchez 1 h 30
- du 4 au 24 oct. 1959 retranchez 0 h 30
- du 23 sept. au 1er oct. 1960 retranchez 1 h 30
- du 2 au 23 oct. 1960 retranchez 0 h 30
- du 23 au 30 sept. 1961 retranchez 1 h 30
- du 1er au 23 oct. 1961 retranchez 0 h 30
- du 23 sept. au 6 oct. 1962 retranchez 1 h 30
- du 7 au 23 oct. 1962 retranchez 0 h 30
- du 23 sept. au 5 oct. 1963 retranchez 1 h 30
- du 6 au 24 oct. 1963 retranchez 0 h 30
- du 23 sept. au 3 oct. 1964 retranchez 1 h 30
- du 4 au 23 oct. 1964 retranchez 0 h 30
- du 23 sept. au 2 oct. 1965 retranchez 1 h 30
- du 3 au 23 oct. 1965 retranchez 0 h 30
- de 1966 à 1975 retranchez 1 h 30
- du 22 au 25 sept. 1976 retranchez 1 h 30
- du 26 sept. au 23 oct. 1976 retranchez 0 h 30
- les 23 et 24 sept. 1977 retranchez 1 h 30
- du 25 sept. au 23 oct. 1977 retranchez 0 h 30
- du 23 au 30 sept. 1978 retranchez 1 h 30
- du 1er au 23 oct. 1978 retranchez 0 h 30

ROUMANIE
- de 1900 à 1930 aucun changement
- en 1931 retranchez 0 h 15
- du 23 sept. au 1er oct. 1932 retranchez 1 h 15
- du 2 au 23 oct. 1932 retranchez 0 h 15
- du 23 au 30 sept. 1933 retranchez 1 h 15
- du 1er au 23 oct. 1933 retranchez 0 h 15
- du 23 sept. au 6 oct. 1934 retranchez 1 h 15
- du 7 au 24 oct. 1934 retranchez 0 h 15
- du 23 sept. au 6 oct. 1935 retranchez 1 h 15
- du 6 au 24 sept. 1935 retranchez 0 h 15
- du 23 sept. au 3 oct. 1936 retranchez 1 h 15
- du 4 au 23 oct. 1936 retranchez 0 h 15
- du 23 sept. au 2 oct. 1937 retranchez 1 h 15
- du 3 au 23 oct. 1937 retranchez 0 h 15
- du 23 sept. au 1er oct. 1938 retranchez 1 h 15
- du 2 au 24 oct. 1938 retranchez 0 h 15
- du 23 sept. au 6 oct. 1939 retranchez 1 h 15
- du 7 au 24 oct. 1939 retranchez 0 h 15
- depuis 1940 retranchez 0 h 15 *

* Sous réserve de l'heure d'été (retranchez 1 h 15) en fonction de vos informations personnelles

SUÈDE
- de 1900 à 1915 ajoutez 0 h 10
- du 23 au 29 sept. 1916 retranchez 0 h 50
- du 30 sept. au 23 oct. 1916 ajoutez 0 h 10
- depuis 1917 ajoutez 0 h 10

SUISSE
- de 1900 à 1940 retranchez 0 h 25
- du 23 sept. au 5 oct. 1941 retranchez 1 h 25
- du 6 au 23 oct. 1941 retranchez 0 h 25
- du 23 sept. au 4 oct. 1942 retranchez 1 h 25
- du 5 au 24 oct. 1942 retranchez 0 h 25
- depuis 1943 retranchez 0 h 25

TCHÉCOSLOVAQUIE
- de 1900 à 1915 ajoutez 0 h 10
- du 23 au 30 sept. 1916 retranchez 0 h 50
- du 1er au 23 oct. 1916 ajoutez 0 h 10
- de 1917 à 1939 ajoutez 0 h 10
- de 1940 à 1942 retranchez 0 h 50
- du 23 sept. au 3 oct. 1943 retranchez 0 h 50
- du 3 au 24 oct. 1943 ajoutez 0 h 10
- en 1944 ajoutez 0 h 10
- en 1945 retranchez 0 h 50
- depuis 1946 ajoutez 0 h 10

TURQUIE
- de 1900 à 1915 aucun changement
- du 23 sept. au 1e- oct. 1916 retranchez 1 h
- du 2 au 23 oct. 1916 aucun changement
- de 1917 à 1919 aucun changement
- en 1920 retranchez 1 h
- du 23 sept. au 3 oct. 1921 retranchez 1 h
- du 4 au 23 oct. 1921 aucun changement
- du 23 sept. au 8 oct. 1922 retranchez 1 h
- du 9 au 24 oct. 1922 aucun changement
- de 1923 à 1969 aucun changement
- de 1970 à 1976 retranchez 1 h
- du 23 sept. au 16 oct. 1977 retranchez 1 h
- du 17 au 23 oct. 1977 aucun changement
- du 23 sept. au 15 oct. 1977 retranchez 1 h
- du 16 au 23 oct. 1978 aucun changement

U.R.S.S.

Biélorussie, Carélie, Crimée, Ukraine, régions de Leningrad, Moscou, Orel
- de 1900 à 1917 aucun changement
- en 1918 retranchez 2 h
- de 1919 à 1929 aucun changement
- en 1930 retranchez 1 h
- de 1931 à 1963 aucun changement
- depuis 1964 retranchez 1 h

* de 1941 à 1945 heure d'été inconnue

U.R.S.S.

Arménie, Azerbaïdjan, Géorgie, régions du Caucase, de la Volga centrale et méridionale et de Kirov
- de 1900 à 1917 ajoutez 1 h *
- en 1918 retranchez 1 h *
- de 1919 à 1929 ajoutez 1 h *
- en 1930 aucun changement
- de 1931 à 1963 aucun changement
- depuis 1964 retranchez 1 h

* Sauf Géorgie aucun changement

U.R.S.S.

Versant occidental et oriental de l'Oural, Kazaghstan occidental, Turkmenistan, Ouzbekistan
- de 1900 à 1917 ajoutez 2 h
- en 1918 aucun changement
- de 1919 à 1929 ajoutez 2 h
- en 1930 ajoutez 1 h
- de 1931 à 1963 aucun changement
- depuis 1964 retranchez 1 h

YOUGOSLAVIE
- de 1900 à 1940 ajoutez 0 h 15
- en 1941 et 1942 retranchez 0 h 45
- du 23 sept. au 2 oct. 1943 retranchez 0 h 45
- du 3 au 24 oct. 1943 ajoutez 0 h 15
- du 23 sept. au 2 oct. 1944 retranchez 0 h 45
- du 3 au 24 oct. 1944 ajoutez 0 h 15
- depuis 1945 ajoutez 0 h 15

Tableau spécial de l'heure d'été pour certains pays

Pour les pays marqués d'un * nous savons qu'ils pratiquent l'heure d'été mais les dates précises de début et de fin de période ne nous sont pas connues, ainsi que les années.

Le tableau suivant vous indique comment passer directement d'une heure officielle d'été à l'heure solaire de naissance correspondante.

Vous devez utiliser ce tableau spécial si vous êtes certain(e) que votre naissance a eu lieu pendant la période officielle d'application de l'heure d'été *pour l'année de votre naissance.*

Par exemple, pour les États-Unis, cette période va du dernier dimanche d'avril à 2 heures du matin jusqu'au dernier dimanche d'octobre à 2 heures du matin.

AMERIQUE DU NORD

ALASKA
Région de Wrangel retranchez 2 h.
Région de Juneau retranchez 1 h. 15
Alaska central retranchez 1 h.
Alaska occid. retranchez 1 h.

CANADA sauf Alberta, Nouv.-Brunswick, Nouvelle-Écosse
Colombie retranchez 1 h.
Manitoba retranchez 1 h. 30
NF. Labrador retranchez 1 h. 40
Ontario Est retranchez 1 h. 20
Ontario Ouest retranchez 2 h
Québec Est retranchez 1 h. 20
Québec Ouest retranchez 0 h 45
Saskatchewan retranchez 1 h.

ETATS—UNIS
Alabama retranchez 0 h. 45
Arizona pas d'heure d'été
Arkansas retranchez 1 h. 10
Californie retranchez 1 h.
Caroline Nord retranchez 1 h. 20
Caroline Sud retranchez 1 h. 25
Colorado retranchez 1 h.
Connecticut retranchez 0 h. 50
Dakota Nord (Est) retranchez 1 h. 40
Dakota Nord (Ouest) retranchez 1 h.
Dakota Sud (Est) retranchez 1 h. 35
Dakota Sud (Ouest) retranchez 0 h. 50
Delaware retranchez 1 h.
District Fedéral retranchez 1 h.
Floride retranchez 1 h. 30
S.F. Panama Pensacola retranchez 0 h. 40
Géorgie retranchez 1 h. 35
Idaho Est retranchez 1 h. 30
Idaho Ouest retranchez 0 h. 45
Illinois retranchez 1 h.
Indiana retranchez 0 h. 45
Iowa retranchez 0 h. 45
Kansas retranchez 1 h. 30
S.F. Dodge city et Ouest retranchez 0 h. 40
Kentucky Centre et Est retranchez 1 h. 40
Kentucky Ouest retranchez 0 h. 50
Louisiane retranchez 1 h.
Maine retranchez 0 h. 40
Maryland retranchez 1 h. 10
Massachussets retranchez 0 h.45
Michigan retranchez 1 h. 45
Minnesota retranchez 1 h. 15
Mississipi retranchez 1 h.
Missouri retranchez 1 h. 10
Montana retranchez 1 h. 20
Nebraska Est retranchez 1 h. 30
Nebraska Ouest retranchez 0 h. 50
Nevada retranchez 0 h. 45
N. Hampshire retranchez 0 h. 45
N. Jersey retranchez 1 h.
New York retranchez 1 h.
N. Mexique retranchez 1 h.
Ohio retranchez 1 h. 30
Oklahoma retranchez 1 h. 30
Oregon retranchez 1 h.
Pennsylvanie retranchez 1 h. 15
Rhode Island retranchez 1 h.
Tennessee Est retranchez 1 h. 35
Tennessee Ouest retranchez 0 h. 50
Texas Est retranchez 1 h. 25
Texas Ouest retranchez 1 h. 45
Utah Est retranchez 1 h. 20
Utah Ouest retranchez 0 h. 30
Vermont retranchez 1 h.
Virginie Occidentale retranchez 1 h. 25
Washington (D.C.) retranchez 1 h.
Washington (état) retranchez 1 h.
Wisconsin retranchez 1 h.
Wyoming retranchez 1 h. 10
Hawaï pas d'heure d'été.

AMERIQUE CENTRALE

BAHAMAS (Iles) retranchez 1 h.
REP. DOMINICAINE retranchez 0 h. 40

AMERIQUE DU SUD

ARGENTINE (après 1920)
Est retranchez 1 h.
Ouest retranchez 1 h. 40
BRESIL
Sauf Accre retranchez 1 h.
Accre retranchez 0 h. 40

URUGUAY (après 1920) retranchez 1 h. 15

MOYEN ORIENT

LIBAN retranchez 0 h. 40
SYRIE retranchez 0 h. 30

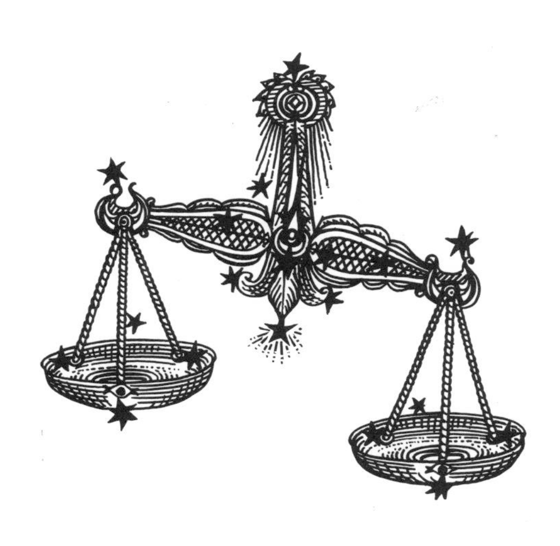

Comment découvrir votre Ascendant sans aucun calcul

Votre Ascendant est le signe zodiacal qui se levait à l'horizon Est au moment de votre naissance.

Il dépend étroitement de votre heure et de votre lieu de naissance, éléments dont nous avons déjà tenu compte dans la transformation de votre heure officielle en heure solaire de naissance.

Sans effectuer de calcul, vous pouvez dès maintenant découvrir votre signe Ascendant dans la Table des Ascendants qui vous concerne.

Pour savoir quelle Table consulter, il vous suffit de regarder à la page suivante le numéro de la Table correspondant à votre pays de naissance.

Vous consultez alors votre Table, en recherchant la colonne de votre jour de naissance, puis la ligne de votre heure solaire de naissance qui vous donne votre signe Ascendant.

Si ce signe est le dernier d'une série, vous pouvez considérer que vous êtes également influencé(e) par le signe d'après.

Exemple :

	Scorpion	
	Scorpion	
	Scorpion	
Ligne de votre heure..................	**Scorpion**	vous êtes **Scorpion** mais
	Sagittaire	vous êtes également **Sagittaire**
	Sagittaire	

En effet, en raison de la rotation de la Terre sur elle-même en 24 heures, chaque signe zodiacal se lève à son tour à l'horizon Est d'un lieu terrestre déterminé.

Ainsi dans l'ordre des signes, lorsque le **Scorpion** a fini de se lever, c'est au tour du **Sagittaire** d'apparaître, si bien que le début du **Sagittaire** se lève quelques minutes après la fin du **Scorpion** : voilà qui explique l'influence de ces deux signes Ascendants sur une personne.

Le signe Ascendant exerce une influence prépondérante sur votre tempérament, sur votre morphologie et votre comportement.

Étant l'élément le plus individualisé de votre configuration astrologique natale, votre Ascendant caractérise votre mode d'adaptation au monde extérieur aussi bien sur les plans biologique, social que professionnel.

L'analyse concernant votre signe Ascendant s'applique donc essentiellement à votre façon d'être avec les autres et, par conséquent, à la manière dont les autres vous perçoivent.

Si vous ne connaissez votre heure de naissance que de façon approximative, par exemple, « dans la matinée », « en fin d'après-midi », vous pouvez vous reporter aux descriptions et juger, à la lecture de leur analyse, du signe qui correspond le mieux à votre comportement spontané.

Vous pouvez contrôler le résultat avec un de vos proches.

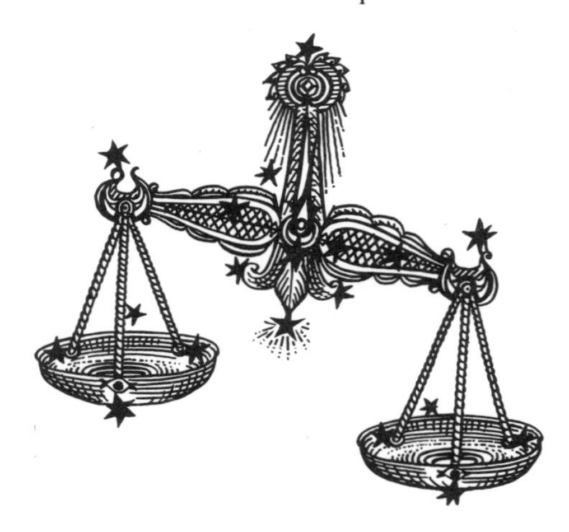

Numéro de la Table des Ascendants à consulter pour chaque pays

PAYS	TABLE N° 1	2	3	4	5	6
AFRIQUE						
AFFARS ET ISSAS	1					
AFRIQUE DU SUD		2				
ALGÉRIE			3			
SAHARA ALGÉRIEN		2				
ANGOLA	1					
BENIN (DAHOMEY)	1					
BOTSWANA		2				
CAMEROUN	1					
CAP VERT (ÎLES)	1					
CENTRAFRIQUE Rép.	1					
COMORES (ÎLES)	1					
CONGO	1					
CÔTE D'IVOIRE	1					
ÉGYPTE		2				
ÉTHIOPIE	1					
GABON	1					
GAMBIE	1					
GHANA	1					
GUINÉE	1					
GUINÉE BISSAU	1					
GUINÉE ÉQUAT.	1					
HAUTE VOLTA	1					
KENYA	1					
LESOTHO		2				
LIBÉRIA	1					
LIBYE		2				
MADAGASCAR		2				
MALAWI	1					
MAROC NORD			3			
MAURICE (ÎLE)		2				
MAURITANIE		2				
MOZAMBIQUE NORD	1					
MOZAMBIQUE SUD		2				
NIGER	1					
NIGÉRIA	1					
OUGANDA	1					
RÉUNION (ÎLE)		2				
RHODÉSIE		2				
RWANDA	1					
SAOTOME (ÎLE)	1					
SÉNÉGAL	1					
SEYCHELLES (ÎLES)	1					
SIERRA LÉONE	1					
SOMALIE	1					
SOUDAN	1					
SUD-OUEST AFRICAIN		2				
SWAZILAND		2				
TANGER			3			
TANZANIE	1					
TCHAD	1					
TOGO	1					
TUNISIE NORD			3			
TUNISIE SUD		2				
ZAÏRE	1					
ZAMBIE	1					
AMÉRIQUE DU NORD						
CANADA						
ALBERTA SUD					5	
ALBERTA NORD						6
BRITISH COLUMBIA SUD					5	
BRITISH COLUMBIA NORD						6
MANITOBA SUD					5	
MANITOBA NORD						6
NEW BRUNSWICK				4		
NEW F. LABRADOR						6
NOUVELLE ÉCOSSE				4		
ONTARIO SUD				4		

PAYS	TABLE N° 1	2	3	4	5	6
ONTARIO NORD					5	
QUÉBEC SUD				4		
QUÉBEC NORD					5	
SASKATCHEWAN SUD					5	
SASKATCHEWAN NORD						6
TERRIT. NORD-OUEST						6
St PIERRE ET MIQUELON				4		
ÉTATS-UNIS						
ALABAMA			3			
ALASKA						6
ARIZONA			3			
ARKANSAS			3			
CALIFORNIE			3			
CAROLINE NORD			3			
CAROLINE SUD			3			
COLORADO			3			
CONNECTICUT				4		
DAKOTA NORD				4		
DAKOTA SUD				4		
DELAWARE			3			
FLORIDE		2				
GÉORGIE			3			
IDAHO				4		
ILLINOIS			3			
INDIANA			3			
IOWA			3			
KANSAS			3			
KENTUCKY			3			
LOUISIANE		2				
MAINE				4		
MARYLAND			3			
MASSACHUSETTS				4		
MICHIGAN				4		
MINNESOTA				4		
MISSISSIPI			3			
MISSOURI			3			
MONTANA				4		
NEBRASKA			3			
NEVADA			3			
NEW HAMPSHIRE				4		
NEW JERSEY			3			
NEW YORK				4		
NOUVEAU MEXIQUE			3			
OHIO			3			
OKLAHOMA			3			
ORÉGON				4		
PENNSYLVANIE			3			
RHODE-ISLAND			3			
TENNESSEE			3			
TEXAS		2				
UTAH			3			
VERMONT				4		
VIRGINIE			3			
VIRGINIE OCCID.			3			
WASHINGTON			3			
WASHINGTON ÉTAT				4		
WISCONSIN				4		
WYOMING				4		
HAWAÏ		2				
BERMUDES DES (ÎLE)			3			
TERRE NEUVE (ÎLE)				4		
AMERIQUE CENTRALE						
BAHAMAS (ÎLES)		2				
BARBADE (ÎLES)	1					
COSTA-RICA	1					

PAYS	TABLE N° 1	2	3	4	5	6
CUBA		2				
CURAÇAO	1					
DOMINICAINE Rép.		2				
GUADELOUPE		2				
GUATÉMALA	1					
HAÏTI		2				
HONDURAS	1					
HONDURAS BOIT.		2				
JAMAÏQUE		2				
MARTINIQUE	1					
MEXIQUE		2				
NICARAGUA	1					
PANAMA	1					
PETITES ANTILLES (ÎLES)	1					
PORTO-RICO		2				
SAN SALVADOR	1					
AMÉRIQUE DU SUD						
ARGENTINE NORD		2				
ARGENTINE CENTRE			3			
ARGENTINE SUD				4		
BOLIVIE NORD	1					
BOLIVIE SUD		2				
BRÉSIL NORD	1					
BRÉSIL SUD soit :						
MINAS GERAIS		2				
SAO PAULO-RIO		2				
CHILI NORD		2				
CHILI CENTRE			3			
CHILI SUD				4		
COLOMBIE	1					
ÉQUATEUR	1					
GUYANA	1					
GUYANE FRANÇAISE	1					
PARAGUAY		2				
PÉROU	1					
SURINAM	1					
URUGUAY			3			
VÉNÉZUELA	1					
ASIE						
AFGHANISTAN			3			
BIRMANIE		2				
BHOUTAN		2				
CACHEMIRE			3			
CAMBODGE	1					
CEYLAN (SRILANKA)	1					
CHINE DU NORD			3			
(SINKIANG, LIAO MING,						
HOPEH, CHANSI, CHENSI						
MANDCHOURIE, KANSOU						
KIANG-SOU, NAN CHAN)						
CHINE CENTRALE		2				
(YANG TSE KIANG)						
CHINE DU SUD		2				
CORÉE DU NORD			3			
CORÉE DU SUD			3			
INDE SUD	1					
INDE CENTRE		2				
INDE NORD		2				
INDONÉSIE	1					
JAPON			3			
JAPON (YESO)				4		
LAOS		2				
MALAYSIA (FÉD.)	1					
MONGOLIE EXT.				4		
NÉPAL		2				

PAYS	TABLE N° 1	2	3	4	5	6
PAKISTAN OR. OCC.		2				
PHILIPPINES (ÎLES)	1					
THAÏLANDE	1					
U.R.S.S.						
KAZAKHSTAN				4		
KIRGHIZISTAN			3			
OUZBEKISTAN			3			
SIBÉRIE SUD					5	
(OMSK, NOVOSSIBIRSK						
IRKOUTSK)						
RESTE SIBÉRIE						6
TADJIKISTAN			3			
TURKMENISTAN			3			
VLADIVOSTOK (PROV.)				4		
VIETNAM (NORD)		2				
VIETNAM (SUD)	1					
EUROPE						
ALBANIE			3			
NORD ÉCOSSE						6
ALLEMAGNE DE L'EST					5	
ALLEMAGNE OUEST						
NORD-CENTRE					5	
BAVIÈRE-BADE				4		
ANGLETERRE					5	
AUTRICHE				4		
BELGIQUE					5	
BULGARIE				4		
CHYPRE (ÎLE)			3			
DANEMARK						6
ESPAGNE NORD				4		
ESPAGNE CENTRE			3			
ESPAGNE SUD			3			
BALÉARES (ÎLES)			3			
ESTONIE						6
FINLANDE						6
FRANCE				4		
GRÈCE			3			
GROËNLAND						6
HOLLALNDE					5	
HONGRIE				4		
IRLANDE (EIRE)					5	

PAYS	TABLE N° 1	2	3	4	5	6
IRLANDE DU NORD					5	
ISLANDE						6
ITALIE NORD CENTRE				4		
ITALIE SUD			3			
SARDAIGNE-SICILE			3			
LETTONIE						6
LITHUANIE						6
LUXEMBOURG					5	
MALTE			3			
NORVÈGE						6
POLOGNE					5	
PORTUGAL			3			
ROUMANIE				4		
SUÈDE						6
SUISSE				4		
TCHÉCOSLOVAQUIE					5	
TURQUIE			3			
U.R.S.S.						
AZERBAÏDJAN				4		
ARMÉNIE				4		
BIELORUSSIE					5	
GÉORGIE				4		
UKRAINE				4		
U.R.S.S. NORD LIGNE						
SMOLENSK-MOSCOU-						
KAZAN						6
U.R.S.S.-SUD					5	
YOUGOSLAVIE				4		
MOYEN ORIENT						
ARABIE SAOUDITE		2				
ÉMIRATS ARABES		2				
IRAK			3			
IRAN NORD			3			
IRAN SUD		2				
ISRAËL		2				
JORDANIE		2				
KOWEIT		2				
LIBAN			3			
SAMOA		2				
SYRIE			3			

PAYS	TABLE N° 1	2	3	4	5	6
YEMEN NORD	1					
YEMEN SUD	1					
OCÉANIE						
AUSTRALIE						
AUSTRALIE MÉRIDIONALE			3			
AUSTRALIE OCCIDENTALE		2				
NOUVELLES-GALLES DU SUD			3			
QUEEN'S LAND		2				
SAUF PÉNINSULE D'YORK	1					
TERRIT. DU NORD (NORD)	1					
TERRIT. DU NORD (SUD)		2				
VICTORIA			3			
TASMANIE				4		
NOUVELLE-CALÉDONIE		2				
NOUVELLE-GUINÉE	1					
NOUVELLE-ZÉLANDE						
NORD ÎLE FUMANTE			3			
SUD ÎLE DE JADE				4		
AUTRES ÎLES						
CAROLINES	1					
CHATHAM				4		
CHESTERFIELD		2				
ELLICE	1					
FIDJI	1					
GILBERT	1					
HÉBRIDES	1					
KERMADEC			3			
LOYAUTÉ		2				
MARIANNES	1					
MARQUISES	1					
MARSHALL	1					
MIDWAY		2				
SALOMON	1					
SAOA	1					
SOCIÉTÉ	1					
TONGA		2				
TOUAMOTOU	1					
TUBUAÏ		2				

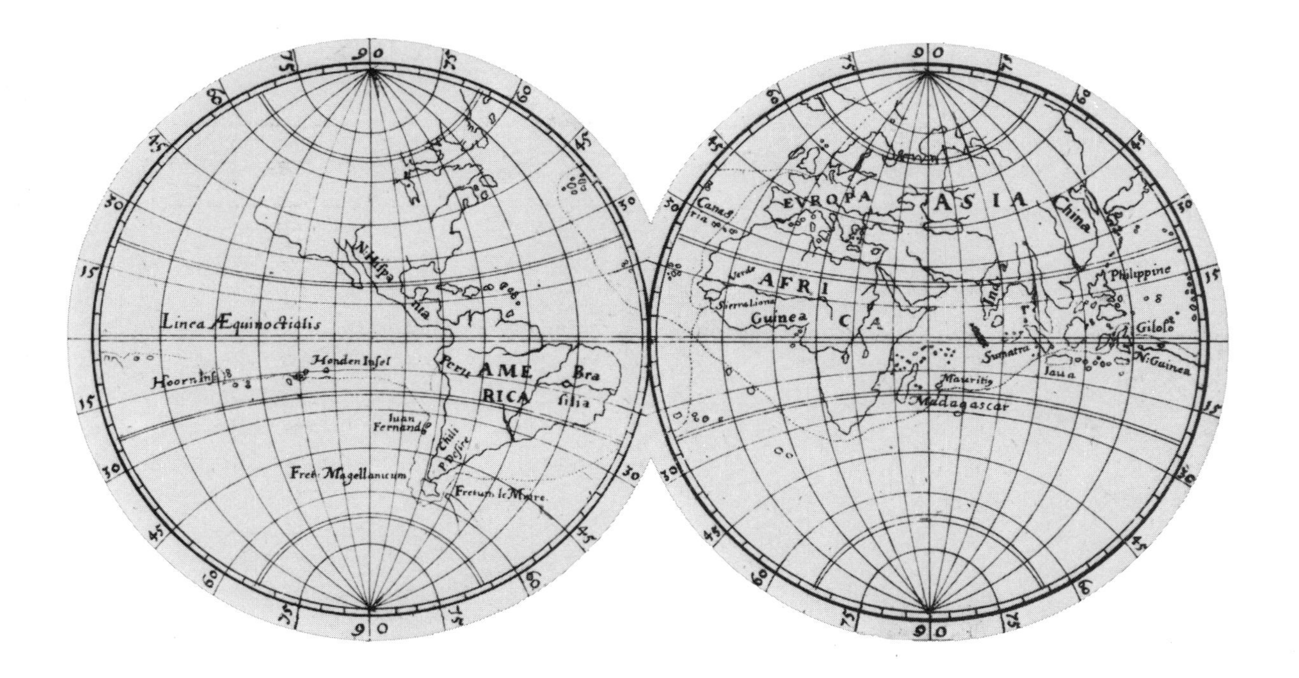

Comment découvrir votre Ascendant si vous êtes né(e) dans l'hémisphère Sud

Par rapport au Zodiaque, l'horizon Est dans l'hémisphère Sud n'est pas le même que dans l'hémisphère Nord.

Pour tenir compte de ce fait, vous ajoutez simplement 12 heures à votre heure solaire de naissance.

Si le total est supérieur à 24 heures, vous retranchez 24 heures : par exemple 20 h 30 + 12 h = 32 h 30 — 24 h = 8 h 30.

En prenant la nouvelle heure obtenue, 8 h 30 dans notre exemple, vous recherchez votre signe Ascendant exactement comme pour une naissance dans l'hémisphère Nord.

Vous obtenez le nom d'un signe zodiacal.

Celui-ci n'est pas encore votre Ascendant.

En effet, vous savez que les saisons australes sont inversées par rapport aux saisons boréales; l'été en Australie correspond à l'hiver en Europe.

De même, le signe du Bélier de l'hémisphère Nord, c'est-à-dire le début du printemps, correspond au signe de la Balance qui marque le début du printemps dans l'hémisphère Sud.

C'est donc le signe zodiacal opposé au signe que vous avez trouvé précédemment qui est votre signe Ascendant final, et le tableau ci-dessous vous permet de trouver immédiatement ce signe.

Votre signe Ascendant lu dans la Table ▼	Votre signe Ascendant final ▼
Bélier	**Balance**
Taureau	**Scorpion**
Gémeaux	**Sagittaire**
Cancer	**Capricorne**
Lion	**Verseau**
Vierge	**Poissons**
Balance	**Bélier**
Scorpion	**Taureau**
Sagittaire	**Gémeaux**
Capricorne	**Cancer**
Verseau	**Lion**
Poissons	**Vierge**

DECOUVREZ VOTRE ASCENDANT SANS AUCUN CALCUL : TABLE N° 1

VOTRE HEURE DE NAISSANCE	22 SEPTEMBRE	23 SEPTEMBRE	24 SEPTEMBRE	25 SEPTEMBRE	26 SEPTEMBRE	27 SEPTEMBRE	28 SEPTEMBRE	29 SEPTEMBRE
0 h 00	CANCER	CANCER	CANCER	CANCER	CANCER	CANCER	CANCER	CANCER
0 h 30	CANCER	CANCER	CANCER	CANCER	CANCER	CANCER	CANCER	CANCER
1 h 00	CANCER	CANCER	CANCER	CANCER	CANCER	CANCER	CANCER	CANCER
1 h 30	CANCER	CANCER	CANCER	CANCER	CANCER	CANCER	CANCER	LION
2 h 00	LION	LION	LION	LION	LION	LION	LION	LION
2 h 30	LION	LION	LION	LION	LION	LION	LION	LION
3 h 00	LION	LION	LION	LION	LION	LION	LION	LION
3 h 30	LION	LION	LION	LION	LION	LION	LION	VIERGE
4 h 00	VIERGE	VIERGE	VIERGE	VIERGE	VIERGE	VIERGE	VIERGE	VIERGE
4 h 30	VIERGE	VIERGE	VIERGE	VIERGE	VIERGE	VIERGE	VIERGE	VIERGE
5 h 00	VIERGE	VIERGE	VIERGE	VIERGE	VIERGE	VIERGE	VIERGE	VIERGE
5 h 30	VIERGE	VIERGE	VIERGE	VIERGE	VIERGE	VIERGE	VIERGE	BALANCE
6 h 00	BALANCE	BALANCE	BALANCE	BALANCE	BALANCE	BALANCE	BALANCE	BALANCE
6 h 30	BALANCE	BALANCE	BALANCE	BALANCE	BALANCE	BALANCE	BALANCE	BALANCE
7 h 00	BALANCE	BALANCE	BALANCE	BALANCE	BALANCE	BALANCE	BALANCE	BALANCE
7 h 30	BALANCE	BALANCE	BALANCE	BALANCE	BALANCE	BALANCE	SCORPION	SCORPION
8 h 00	SCORPION	SCORPION	SCORPION	SCORPION	SCORPION	SCORPION	SCORPION	SCORPION
8 h 30	SCORPION	SCORPION	SCORPION	SCORPION	SCORPION	SCORPION	SCORPION	SCORPION
9 h 00	SCORPION	SCORPION	SCORPION	SCORPION	SCORPION	SCORPION	SCORPION	SCORPION
9 h 30	SCORPION	SCORPION	SCORPION	SCORPION	SCORPION	SCORPION	SCORPION	SAGITTAIRE
10 h 00	SAGITTAIRE	SAGITTAIRE	SAGITTAIRE	SAGITTAIRE	SAGITTAIRE	SAGITTAIRE	SAGITTAIRE	SAGITTAIRE
10 h 30	SAGITTAIRE	SAGITTAIRE	SAGITTAIRE	SAGITTAIRE	SAGITTAIRE	SAGITTAIRE	SAGITTAIRE	SAGITTAIRE
11 h 00	SAGITTAIRE	SAGITTAIRE	SAGITTAIRE	SAGITTAIRE	SAGITTAIRE	SAGITTAIRE	SAGITTAIRE	SAGITTAIRE
11 h 30	SAGITTAIRE	SAGITTAIRE	SAGITTAIRE	SAGITTAIRE	SAGITTAIRE	SAGITTAIRE	SAGITTAIRE	SAGITTAIRE
MIDI	SAGITTAIRE	SAGITTAIRE	CAPRICORNE	CAPRICORNE	CAPRICORNE	CAPRICORNE	CAPRICORNE	CAPRICORNE
12 h 30	CAPRICORNE	CAPRICORNE	CAPRICORNE	CAPRICORNE	CAPRICORNE	CAPRICORNE	CAPRICORNE	CAPRICORNE
13 h 00	CAPRICORNE	CAPRICORNE	CAPRICORNE	CAPRICORNE	CAPRICORNE	CAPRICORNE	CAPRICORNE	CAPRICORNE
13 h 30	CAPRICORNE	CAPRICORNE	CAPRICORNE	CAPRICORNE	CAPRICORNE	CAPRICORNE	CAPRICORNE	CAPRICORNE
14 h 00	CAPRICORNE	CAPRICORNE	CAPRICORNE	VERSEAU	VERSEAU	VERSEAU	VERSEAU	VERSEAU
14 h 30	VERSEAU	VERSEAU	VERSEAU	VERSEAU	VERSEAU	VERSEAU	VERSEAU	VERSEAU
15 h 00	VERSEAU	VERSEAU	VERSEAU	VERSEAU	VERSEAU	VERSEAU	VERSEAU	VERSEAU
15 h 30	VERSEAU	VERSEAU	VERSEAU	VERSEAU	VERSEAU	VERSEAU	VERSEAU	VERSEAU
16 h 00	VERSEAU	VERSEAU	VERSEAU	POISSONS	POISSONS	POISSONS	POISSONS	POISSONS
16 h 30	POISSONS	POISSONS	POISSONS	POISSONS	POISSONS	POISSONS	POISSONS	POISSONS
17 h 00	POISSONS	POISSONS	POISSONS	POISSONS	POISSONS	POISSONS	POISSONS	POISSONS
17 h 30	POISSONS	POISSONS	POISSONS	POISSONS	POISSONS	POISSONS	POISSONS	BELIER
18 h 00	BELIER	BELIER	BELIER	BELIER	BELIER	BELIER	BELIER	BELIER
18 h 30	BELIER	BELIER	BELIER	BELIER	BELIER	BELIER	BELIER	BELIER
19 h 00	BELIER	BELIER	BELIER	BELIER	BELIER	BELIER	BELIER	BELIER
19 h 30	BELIER	BELIER	BELIER	TAUREAU	TAUREAU	TAUREAU	TAUREAU	TAUREAU
20 h 00	TAUREAU	TAUREAU	TAUREAU	TAUREAU	TAUREAU	TAUREAU	TAUREAU	TAUREAU
20 h 30	TAUREAU	TAUREAU	TAUREAU	TAUREAU	TAUREAU	TAUREAU	TAUREAU	TAUREAU
21 h 00	TAUREAU	TAUREAU	TAUREAU	TAUREAU	TAUREAU	TAUREAU	TAUREAU	TAUREAU
21 h 30	TAUREAU	TAUREAU	GEMEAUX	GEMEAUX	GEMEAUX	GEMEAUX	GEMEAUX	GEMEAUX
22 h 00	GEMEAUX	GEMEAUX	GEMEAUX	GEMEAUX	GEMEAUX	GEMEAUX	GEMEAUX	GEMEAUX
22 h 30	GEMEAUX	GEMEAUX	GEMEAUX	GEMEAUX	GEMEAUX	GEMEAUX	GEMEAUX	GEMEAUX
23 h 00	GEMEAUX	GEMEAUX	GEMEAUX	GEMEAUX	GEMEAUX	GEMEAUX	GEMEAUX	GEMEAUX
23 h 30	GEMEAUX	GEMEAUX	GEMEAUX	GEMEAUX	CANCER	CANCER	CANCER	CANCER

DECOUVREZ VOTRE ASCENDANT SANS AUCUN CALCUL : TABLE N° 1

VOTRE HEURE DE NAISSANCE	30 SEPTEMBRE	1 OCTOBRE	2 OCTOBRE	3 OCTOBRE	4 OCTOBRE	5 OCTOBRE	6 OCTOBRE	7 OCTOBRE
0 h 00	CANCER	CANCER	CANCER	CANCER	CANCER	CANCER	CANCER	CANCER
0 h 30	CANCER	CANCER	CANCER	CANCER	CANCER	CANCER	CANCER	CANCER
1 h 00	CANCER	CANCER	CANCER	CANCER	CANCER	CANCER	LION	LION
1 h 30	LION	LION	LION	LION	LION	LION	LION	LION
2 h 00	LION	LION	LION	LION	LION	LION	LION	LION
2 h 30	LION	LION	LION	LION	LION	LION	LION	LION
3 h 00	LION	LION	LION	LION	LION	LION	VIERGE	VIERGE
3 h 30	VIERGE	VIERGE	VIERGE	VIERGE	VIERGE	VIERGE	VIERGE	VIERGE
4 h 00	VIERGE	VIERGE	VIERGE	VIERGE	VIERGE	VIERGE	VIERGE	VIERGE
4 h 30	VIERGE	VIERGE	VIERGE	VIERGE	VIERGE	VIERGE	VIERGE	VIERGE
5 h 00	VIERGE	VIERGE	VIERGE	VIERGE	VIERGE	VIERGE	BALANCE	BALANCE
5 h 30	BALANCE	BALANCE	BALANCE	BALANCE	BALANCE	BALANCE	BALANCE	BALANCE
6 h 00	BALANCE	BALANCE	BALANCE	BALANCE	BALANCE	BALANCE	BALANCE	BALANCE
6 h 30	BALANCE	BALANCE	BALANCE	BALANCE	BALANCE	BALANCE	BALANCE	BALANCE
7 h 00	BALANCE	BALANCE	BALANCE	BALANCE	BALANCE	BALANCE	SCORPION	SCORPION
7 h 30	SCORPION	SCORPION	SCORPION	SCORPION	SCORPION	SCORPION	SCORPION	SCORPION
8 h 00	SCORPION	SCORPION	SCORPION	SCORPION	SCORPION	SCORPION	SCORPION	SCORPION
8 h 30	SCORPION	SCORPION	SCORPION	SCORPION	SCORPION	SCORPION	SCORPION	SCORPION
9 h 00	SCORPION	SCORPION	SCORPION	SCORPION	SCORPION	SCORPION	SAGITTAIRE	SAGITTAIRE
9 h 30	SAGITTAIRE	SAGITTAIRE	SAGITTAIRE	SAGITTAIRE	SAGITTAIRE	SAGITTAIRE	SAGITTAIRE	SAGITTAIRE
10 h 00	SAGITTAIRE	SAGITTAIRE	SAGITTAIRE	SAGITTAIRE	SAGITTAIRE	SAGITTAIRE	SAGITTAIRE	SAGITTAIRE
10 h 30	SAGITTAIRE	SAGITTAIRE	SAGITTAIRE	SAGITTAIRE	SAGITTAIRE	SAGITTAIRE	SAGITTAIRE	SAGITTAIRE
11 h 00	SAGITTAIRE	SAGITTAIRE	SAGITTAIRE	SAGITTAIRE	SAGITTAIRE	SAGITTAIRE	SAGITTAIRE	SAGITTAIRE
11 h 30	SAGITTAIRE	SAGITTAIRE	CAPRICORNE	CAPRICORNE	CAPRICORNE	CAPRICORNE	CAPRICORNE	CAPRICORNE
MIDI	CAPRICORNE	CAPRICORNE	CAPRICORNE	CAPRICORNE	CAPRICORNE	CAPRICORNE	CAPRICORNE	CAPRICORNE
12 h 30	CAPRICORNE	CAPRICORNE	CAPRICORNE	CAPRICORNE	CAPRICORNE	CAPRICORNE	CAPRICORNE	CAPRICORNE
13 h 00	CAPRICORNE	CAPRICORNE	CAPRICORNE	CAPRICORNE	CAPRICORNE	CAPRICORNE	CAPRICORNE	CAPRICORNE
13 h 30	CAPRICORNE	CAPRICORNE	CAPRICORNE	VERSEAU	VERSEAU	VERSEAU	VERSEAU	VERSEAU
14 h 00	VERSEAU	VERSEAU	VERSEAU	VERSEAU	VERSEAU	VERSEAU	VERSEAU	VERSEAU
14 h 30	VERSEAU	VERSEAU	VERSEAU	VERSEAU	VERSEAU	VERSEAU	VERSEAU	VERSEAU
15 h 00	VERSEAU	VERSEAU	VERSEAU	VERSEAU	VERSEAU	VERSEAU	VERSEAU	VERSEAU
15 h 30	VERSEAU	VERSEAU	POISSONS	POISSONS	POISSONS	POISSONS	POISSONS	POISSONS
16 h 00	POISSONS	POISSONS	POISSONS	POISSONS	POISSONS	POISSONS	POISSONS	POISSONS
16 h 30	POISSONS	POISSONS	POISSONS	POISSONS	POISSONS	POISSONS	POISSONS	POISSONS
17 h 00	POISSONS	POISSONS	POISSONS	POISSONS	POISSONS	POISSONS	BELIER	BELIER
17 h 30	BELIER	BELIER	BELIER	BELIER	BELIER	BELIER	BELIER	BELIER
18 h 00	BELIER	BELIER	BELIER	BELIER	BELIER	BELIER	BELIER	BELIER
18 h 30	BELIER	BELIER	BELIER	BELIER	BELIER	BELIER	BELIER	BELIER
19 h 00	BELIER	BELIER	BELIER	TAUREAU	TAUREAU	TAUREAU	TAUREAU	TAUREAU
19 h 30	TAUREAU	TAUREAU	TAUREAU	TAUREAU	TAUREAU	TAUREAU	TAUREAU	TAUREAU
20 h 00	TAUREAU	TAUREAU	TAUREAU	TAUREAU	TAUREAU	TAUREAU	TAUREAU	TAUREAU
20 h 30	TAUREAU	TAUREAU	TAUREAU	TAUREAU	TAUREAU	TAUREAU	TAUREAU	TAUREAU
21 h 00	TAUREAU	GEMEAUX	GEMEAUX	GEMEAUX	GEMEAUX	GEMEAUX	GEMEAUX	GEMEAUX
21 h 30	GEMEAUX	GEMEAUX	GEMEAUX	GEMEAUX	GEMEAUX	GEMEAUX	GEMEAUX	GEMEAUX
22 h 00	GEMEAUX	GEMEAUX	GEMEAUX	GEMEAUX	GEMEAUX	GEMEAUX	GEMEAUX	GEMEAUX
22 h 30	GEMEAUX	GEMEAUX	GEMEAUX	GEMEAUX	GEMEAUX	GEMEAUX	GEMEAUX	GEMEAUX
23 h 00	GEMEAUX	GEMEAUX	GEMEAUX	CANCER	CANCER	CANCER	CANCER	CANCER
23 h 30	CANCER	CANCER	CANCER	CANCER	CANCER	CANCER	CANCER	CANCER

VOTRE HEURE DE NAISSANCE	8 OCTOBRE	9 OCTOBRE	10 OCTOBRE	11 OCTOBRE	12 OCTOBRE	13 OCTOBRE	14 OCTOBRE	15 OCTOBRE	16 OCTOBRE
0 h 00	CANCER	CANCER	CANCER	CANCER	CANCER	CANCER	CANCER	CANCER	CANCER
0 h 30	CANCER	CANCER	CANCER	CANCER	CANCER	CANCER	LION	LION	LION
1 h 00	LION	LION	LION	LION	LION	LION	LION	LION	LION
1 h 30	LION	LION	LION	LION	LION	LION	LION	LION	LION
2 h 00	LION	LION	LION	LION	LION	LION	LION	LION	LION
2 h 30	LION	LION	LION	LION	LION	LION	VIERGE	VIERGE	VIERGE
3 h 00	VIERGE	VIERGE	VIERGE	VIERGE	VIERGE	VIERGE	VIERGE	VIERGE	VIERGE
3 h 30	VIERGE	VIERGE	VIERGE	VIERGE	VIERGE	VIERGE	VIERGE	VIERGE	VIERGE
4 h 00	VIERGE	VIERGE	VIERGE	VIERGE	VIERGE	VIERGE	VIERGE	VIERGE	VIERGE
4 h 30	VIERGE	VIERGE	VIERGE	VIERGE	VIERGE	VIERGE	BALANCE	BALANCE	BALANCE
5 h 00	BALANCE	BALANCE	BALANCE	BALANCE	BALANCE	BALANCE	BALANCE	BALANCE	BALANCE
5 h 30	BALANCE	BALANCE	BALANCE	BALANCE	BALANCE	BALANCE	BALANCE	BALANCE	BALANCE
6 h 00	BALANCE	BALANCE	BALANCE	BALANCE	BALANCE	BALANCE	BALANCE	BALANCE	BALANCE
6 h 30	BALANCE	BALANCE	BALANCE	BALANCE	BALANCE	BALANCE	SCORPION	SCORPION	SCORPION
7 h 00	SCORPION	SCORPION	SCORPION	SCORPION	SCORPION	SCORPION	SCORPION	SCORPION	SCORPION
7 h 30	SCORPION	SCORPION	SCORPION	SCORPION	SCORPION	SCORPION	SCORPION	SCORPION	SCORPION
8 h 00	SCORPION	SCORPION	SCORPION	SCORPION	SCORPION	SCORPION	SCORPION	SCORPION	SCORPION
8 h 30	SCORPION	SCORPION	SCORPION	SCORPION	SCORPION	SCORPION	SAGITTAIRE	SAGITTAIRE	SAGITTAIRE
9 h 00	SAGITTAIRE	SAGITTAIRE	SAGITTAIRE	SAGITTAIRE	SAGITTAIRE	SAGITTAIRE	SAGITTAIRE	SAGITTAIRE	SAGITTAIRE
9 h 30	SAGITTAIRE	SAGITTAIRE	SAGITTAIRE	SAGITTAIRE	SAGITTAIRE	SAGITTAIRE	SAGITTAIRE	SAGITTAIRE	SAGITTAIRE
10 h 00	SAGITTAIRE	SAGITTAIRE	SAGITTAIRE	SAGITTAIRE	SAGITTAIRE	SAGITTAIRE	SAGITTAIRE	SAGITTAIRE	SAGITTAIRE
10 h 30	SAGITTAIRE	SAGITTAIRE	SAGITTAIRE	SAGITTAIRE	SAGITTAIRE	SAGITTAIRE	SAGITTAIRE	SAGITTAIRE	SAGITTAIRE
11 h 00	SAGITTAIRE	CAPRICORNE	CAPRICORNE	CAPRICORNE	CAPRICORNE	CAPRICORNE	CAPRICORNE	CAPRICORNE	CAPRICORNE
11 h 30	CAPRICORNE	CAPRICORNE	CAPRICORNE	CAPRICORNE	CAPRICORNE	CAPRICORNE	CAPRICORNE	CAPRICORNE	CAPRICORNE
MIDI	CAPRICORNE	CAPRICORNE	CAPRICORNE	CAPRICORNE	CAPRICORNE	CAPRICORNE	CAPRICORNE	CAPRICORNE	CAPRICORNE
12 h 30	CAPRICORNE	CAPRICORNE	CAPRICORNE	CAPRICORNE	CAPRICORNE	CAPRICORNE	CAPRICORNE	CAPRICORNE	CAPRICORNE
13 h 00	CAPRICORNE	CAPRICORNE	CAPRICORNE	VERSEAU	VERSEAU	VERSEAU	VERSEAU	VERSEAU	VERSEAU
13 h 30	VERSEAU	VERSEAU	VERSEAU	VERSEAU	VERSEAU	VERSEAU	VERSEAU	VERSEAU	VERSEAU
14 h 00	VERSEAU	VERSEAU	VERSEAU	VERSEAU	VERSEAU	VERSEAU	VERSEAU	VERSEAU	VERSEAU
14 h 30	VERSEAU	VERSEAU	VERSEAU	VERSEAU	VERSEAU	VERSEAU	VERSEAU	VERSEAU	VERSEAU
15 h 00	VERSEAU	VERSEAU	POISSONS	POISSONS	POISSONS	POISSONS	POISSONS	POISSONS	POISSONS
15 h 30	POISSONS	POISSONS	POISSONS	POISSONS	POISSONS	POISSONS	POISSONS	POISSONS	POISSONS
16 h 00	POISSONS	POISSONS	POISSONS	POISSONS	POISSONS	POISSONS	POISSONS	POISSONS	POISSONS
16 h 30	POISSONS	POISSONS	POISSONS	POISSONS	POISSONS	POISSONS	BELIER	BELIER	BELIER
17 h 00	BELIER	BELIER	BELIER	BELIER	BELIER	BELIER	BELIER	BELIER	BELIER
17 h 30	BELIER	BELIER	BELIER	BELIER	BELIER	BELIER	BELIER	BELIER	BELIER
18 h 00	BELIER	BELIER	BELIER	BELIER	BELIER	BELIER	BELIER	BELIER	BELIER
18 h 30	BELIER	BELIER	BELIER	TAUREAU	TAUREAU	TAUREAU	TAUREAU	TAUREAU	TAUREAU
19 h 00	TAUREAU	TAUREAU	TAUREAU	TAUREAU	TAUREAU	TAUREAU	TAUREAU	TAUREAU	TAUREAU
19 h 30	TAUREAU	TAUREAU	TAUREAU	TAUREAU	TAUREAU	TAUREAU	TAUREAU	TAUREAU	TAUREAU
20 h 00	TAUREAU	TAUREAU	TAUREAU	TAUREAU	TAUREAU	TAUREAU	TAUREAU	TAUREAU	TAUREAU
20 h 30	TAUREAU	GEMEAUX	GEMEAUX	GEMEAUX	GEMEAUX	GEMEAUX	GEMEAUX	GEMEAUX	GEMEAUX
21 h 00	GEMEAUX	GEMEAUX	GEMEAUX	GEMEAUX	GEMEAUX	GEMEAUX	GEMEAUX	GEMEAUX	GEMEAUX
21 h 30	GEMEAUX	GEMEAUX	GEMEAUX	GEMEAUX	GEMEAUX	GEMEAUX	GEMEAUX	GEMEAUX	GEMEAUX
22 h 00	GEMEAUX	GEMEAUX	GEMEAUX	GEMEAUX	GEMEAUX	GEMEAUX	GEMEAUX	GEMEAUX	GEMEAUX
22 h 30	GEMEAUX	GEMEAUX	GEMEAUX	CANCER	CANCER	CANCER	CANCER	CANCER	CANCER
23 h 00	CANCER	CANCER	CANCER	CANCER	CANCER	CANCER	CANCER	CANCER	CANCER
23 h 30	CANCER	CANCER	CANCER	CANCER	CANCER	CANCER	CANCER	CANCER	CANCER

DECOUVREZ VOTRE ASCENDANT SANS AUCUN CALCUL : TABLE N° 1

VOTRE HEURE DE NAISSANCE	17 OCTOBRE	18 OCTOBRE	19 OCTOBRE	20 OCTOBRE	21 OCTOBRE	22 OCTOBRE	23 OCTOBRE	24 OCTOBRE
0 h 00	CANCER	CANCER	CANCER	CANCER	LION	LION	LION	LION
0 h 30	LION	LION	LION	LION	LION	LION	LION	LION
1 h 00	LION	LION	LION	LION	LION	LION	LION	LION
1 h 30	LION	LION	LION	LION	LION	LION	LION	LION
2 h 00	LION	LION	LION	LION	VIERGE	VIERGE	VIERGE	VIERGE
2 h 30	VIERGE	VIERGE	VIERGE	VIERGE	VIERGE	VIERGE	VIERGE	VIERGE
3 h 00	VIERGE	VIERGE	VIERGE	VIERGE	VIERGE	VIERGE	VIERGE	VIERGE
3 h 30	VIERGE	VIERGE	VIERGE	VIERGE	VIERGE	VIERGE	VIERGE	VIERGE
4 h 00	VIERGE	VIERGE	VIERGE	VIERGE	BALANCE	BALANCE	BALANCE	BALANCE
4 h 30	BALANCE	BALANCE	BALANCE	BALANCE	BALANCE	BALANCE	BALANCE	BALANCE
5 h 00	BALANCE	BALANCE	BALANCE	BALANCE	BALANCE	BALANCE	BALANCE	BALANCE
5 h 30	BALANCE	BALANCE	BALANCE	BALANCE	BALANCE	BALANCE	BALANCE	BALANCE
6 h 00	BALANCE	BALANCE	BALANCE	BALANCE	SCORPION	SCORPION	SCORPION	SCORPION
6 h 30	SCORPION	SCORPION	SCORPION	SCORPION	SCORPION	SCORPION	SCORPION	SCORPION
7 h 00	SCORPION	SCORPION	SCORPION	SCORPION	SCORPION	SCORPION	SCORPION	SCORPION
7 h 30	SCORPION	SCORPION	SCORPION	SCORPION	SCORPION	SCORPION	SCORPION	SCORPION
8 h 00	SCORPION	SCORPION	SCORPION	SCORPION	SAGITTAIRE	SAGITTAIRE	SAGITTAIRE	SAGITTAIRE
8 h 30	SAGITTAIRE	SAGITTAIRE	SAGITTAIRE	SAGITTAIRE	SAGITTAIRE	SAGITTAIRE	SAGITTAIRE	SAGITTAIRE
9 h 00	SAGITTAIRE	SAGITTAIRE	SAGITTAIRE	SAGITTAIRE	SAGITTAIRE	SAGITTAIRE	SAGITTAIRE	SAGITTAIRE
9 h 30	SAGITTAIRE	SAGITTAIRE	SAGITTAIRE	SAGITTAIRE	SAGITTAIRE	SAGITTAIRE	SAGITTAIRE	SAGITTAIRE
10 h 00	SAGITTAIRE	SAGITTAIRE	SAGITTAIRE	SAGITTAIRE	SAGITTAIRE	SAGITTAIRE	SAGITTAIRE	SAGITTAIRE
10 h 30	CAPRICORNE	CAPRICORNE	CAPRICORNE	CAPRICORNE	CAPRICORNE	CAPRICORNE	CAPRICORNE	CAPRICORNE
11 h 00	CAPRICORNE	CAPRICORNE	CAPRICORNE	CAPRICORNE	CAPRICORNE	CAPRICORNE	CAPRICORNE	CAPRICORNE
11 h 30	CAPRICORNE	CAPRICORNE	CAPRICORNE	CAPRICORNE	CAPRICORNE	CAPRICORNE	CAPRICORNE	CAPRICORNE
MIDI	CAPRICORNE	CAPRICORNE	CAPRICORNE	CAPRICORNE	CAPRICORNE	CAPRICORNE	CAPRICORNE	CAPRICORNE
12 h 30	CAPRICORNE	VERSEAU	VERSEAU	VERSEAU	VERSEAU	VERSEAU	VERSEAU	VERSEAU
13 h 00	VERSEAU	VERSEAU	VERSEAU	VERSEAU	VERSEAU	VERSEAU	VERSEAU	VERSEAU
13 h 30	VERSEAU	VERSEAU	VERSEAU	VERSEAU	VERSEAU	VERSEAU	VERSEAU	VERSEAU
14 h 00	VERSEAU	VERSEAU	VERSEAU	VERSEAU	VERSEAU	VERSEAU	VERSEAU	VERSEAU
14 h 30	VERSEAU	POISSONS	POISSONS	POISSONS	POISSONS	POISSONS	POISSONS	POISSONS
15 h 00	POISSONS	POISSONS	POISSONS	POISSONS	POISSONS	POISSONS	POISSONS	POISSONS
15 h 30	POISSONS	POISSONS	POISSONS	POISSONS	POISSONS	POISSONS	POISSONS	POISSONS
16 h 00	POISSONS	POISSONS	POISSONS	POISSONS	BELIER	BELIER	BELIER	BELIER
16 h 30	BELIER	BELIER	BELIER	BELIER	BELIER	BELIER	BELIER	BELIER
17 h 00	BELIER	BELIER	BELIER	BELIER	BELIER	BELIER	BELIER	BELIER
17 h 30	BELIER	BELIER	BELIER	BELIER	BELIER	BELIER	BELIER	BELIER
18 h 00	BELIER	TAUREAU	TAUREAU	TAUREAU	TAUREAU	TAUREAU	TAUREAU	TAUREAU
18 h 30	TAUREAU	TAUREAU	TAUREAU	TAUREAU	TAUREAU	TAUREAU	TAUREAU	TAUREAU
19 h 00	TAUREAU	TAUREAU	TAUREAU	TAUREAU	TAUREAU	TAUREAU	TAUREAU	TAUREAU
19 h 30	TAUREAU	TAUREAU	TAUREAU	TAUREAU	TAUREAU	TAUREAU	TAUREAU	GEMEAUX
20 h 00	GEMEAUX	GEMEAUX	GEMEAUX	GEMEAUX	GEMEAUX	GEMEAUX	GEMEAUX	GEMEAUX
20 h 30	GEMEAUX	GEMEAUX	GEMEAUX	GEMEAUX	GEMEAUX	GEMEAUX	GEMEAUX	GEMEAUX
21 h 00	GEMEAUX	GEMEAUX	GEMEAUX	GEMEAUX	GEMEAUX	GEMEAUX	GEMEAUX	GEMEAUX
21 h 30	GEMEAUX	GEMEAUX	GEMEAUX	GEMEAUX	GEMEAUX	GEMEAUX	GEMEAUX	GEMEAUX
22 h 00	GEMEAUX	GEMEAUX	CANCER	CANCER	CANCER	CANCER	CANCER	CANCER
22 h 30	CANCER	CANCER	CANCER	CANCER	CANCER	CANCER	CANCER	CANCER
23 h 00	CANCER	CANCER	CANCER	CANCER	CANCER	CANCER	CANCER	CANCER
23 h 30	CANCER	CANCER	CANCER	CANCER	CANCER	CANCER	CANCER	CANCER

DECOUVREZ VOTRE ASCENDANT SANS AUCUN CALCUL : TABLE N⁰ 2

VOTRE HEURE DE NAISSANCE	22 SEPTEMBRE	23 SEPTEMBRE	24 SEPTEMBRE	25 SEPTEMBRE	26 SEPTEMBRE	27 SEPTEMBRE	28 SEPTEMBRE	29 SEPTEMBRE
0 h 00	CANCER	CANCER	CANCER	CANCER	CANCER	CANCER	CANCER	CANCER
0 h 30	CANCER	CANCER	CANCER	CANCER	CANCER	CANCER	CANCER	CANCER
1 h 00	CANCER	CANCER	CANCER	CANCER	CANCER	LION	LION	LION
1 h 30	LION	LION	LION	LION	LION	LION	LION	LION
2 h 00	LION	LION	LION	LION	LION	LION	LION	LION
2 h 30	LION	LION	LION	LION	LION	LION	LION	LION
3 h 00	LION	LION	LION	LION	LION	LION	LION	LION
3 h 30	LION	LION	VIERGE	VIERGE	VIERGE	VIERGE	VIERGE	VIERGE
4 h 00	VIERGE	VIERGE	VIERGE	VIERGE	VIERGE	VIERGE	VIERGE	VIERGE
4 h 30	VIERGE	VIERGE	VIERGE	VIERGE	VIERGE	VIERGE	VIERGE	VIERGE
5 h 00	VIERGE	VIERGE	VIERGE	VIERGE	VIERGE	VIERGE	VIERGE	VIERGE
5 h 30	VIERGE	VIERGE	VIERGE	VIERGE	VIERGE	VIERGE	VIERGE	BALANCE
6 h 00	BALANCE	BALANCE	BALANCE	BALANCE	BALANCE	BALANCE	BALANCE	BALANCE
6 h 30	BALANCE	BALANCE	BALANCE	BALANCE	BALANCE	BALANCE	BALANCE	BALANCE
7 h 00	BALANCE	BALANCE	BALANCE	BALANCE	BALANCE	BALANCE	BALANCE	BALANCE
7 h 30	BALANCE	BALANCE	BALANCE	BALANCE	BALANCE	BALANCE	BALANCE	BALANCE
8 h 00	BALANCE	BALANCE	BALANCE	SCORPION	SCORPION	SCORPION	SCORPION	SCORPION
8 h 30	SCORPION	SCORPION	SCORPION	SCORPION	SCORPION	SCORPION	SCORPION	SCORPION
9 h 00	SCORPION	SCORPION	SCORPION	SCORPION	SCORPION	SCORPION	SCORPION	SCORPION
9 h 30	SCORPION	SCORPION	SCORPION	SCORPION	SCORPION	SCORPION	SCORPION	SCORPION
10 h 00	SCORPION	SCORPION	SCORPION	SCORPION	SCORPION	SCORPION	SCORPION	SCORPION
10 h 30	SCORPION	SAGITTAIRE	SAGITTAIRE	SAGITTAIRE	SAGITTAIRE	SAGITTAIRE	SAGITTAIRE	SAGITTAIRE
11 h 00	SAGITTAIRE	SAGITTAIRE	SAGITTAIRE	SAGITTAIRE	SAGITTAIRE	SAGITTAIRE	SAGITTAIRE	SAGITTAIRE
11 h 30	SAGITTAIRE	SAGITTAIRE	SAGITTAIRE	SAGITTAIRE	SAGITTAIRE	SAGITTAIRE	SAGITTAIRE	SAGITTAIRE
MIDI	SAGITTAIRE	SAGITTAIRE	SAGITTAIRE	SAGITTAIRE	SAGITTAIRE	SAGITTAIRE	SAGITTAIRE	SAGITTAIRE
12 h 30	SAGITTAIRE	SAGITTAIRE	SAGITTAIRE	SAGITTAIRE	SAGITTAIRE	CAPRICORNE	CAPRICORNE	CAPRICORNE
13 h 00	CAPRICORNE	CAPRICORNE	CAPRICORNE	CAPRICORNE	CAPRICORNE	CAPRICORNE	CAPRICORNE	CAPRICORNE
13 h 30	CAPRICORNE	CAPRICORNE	CAPRICORNE	CAPRICORNE	CAPRICORNE	CAPRICORNE	CAPRICORNE	CAPRICORNE
14 h 00	CAPRICORNE	CAPRICORNE	CAPRICORNE	CAPRICORNE	CAPRICORNE	CAPRICORNE	CAPRICORNE	CAPRICORNE
14 h 30	CAPRICORNE	CAPRICORNE	CAPRICORNE	CAPRICORNE	CAPRICORNE	VERSEAU	VERSEAU	VERSEAU
15 h 00	VERSEAU	VERSEAU	VERSEAU	VERSEAU	VERSEAU	VERSEAU	VERSEAU	VERSEAU
15 h 30	VERSEAU	VERSEAU	VERSEAU	VERSEAU	VERSEAU	VERSEAU	VERSEAU	VERSEAU
16 h 00	VERSEAU	VERSEAU	VERSEAU	VERSEAU	VERSEAU	VERSEAU	VERSEAU	VERSEAU
16 h 30	POISSONS	POISSONS	POISSONS	POISSONS	POISSONS	POISSONS	POISSONS	POISSONS
17 h 00	POISSONS	POISSONS	POISSONS	POISSONS	POISSONS	POISSONS	POISSONS	POISSONS
17 h 30	POISSONS	POISSONS	POISSONS	POISSONS	POISSONS	POISSONS	POISSONS	BELIER
18 h 00	BELIER	BELIER	BELIER	BELIER	BELIER	BELIER	BELIER	BELIER
18 h 30	BELIER	BELIER	BELIER	BELIER	BELIER	BELIER	BELIER	BELIER
19 h 00	BELIER	BELIER	BELIER	BELIER	BELIER	BELIER	TAUREAU	TAUREAU
19 h 30	TAUREAU	TAUREAU	TAUREAU	TAUREAU	TAUREAU	TAUREAU	TAUREAU	TAUREAU
20 h 00	TAUREAU	TAUREAU	TAUREAU	TAUREAU	TAUREAU	TAUREAU	TAUREAU	TAUREAU
20 h 30	TAUREAU	TAUREAU	TAUREAU	TAUREAU	TAUREAU	TAUREAU	TAUREAU	TAUREAU
21 h 00	GEMEAUX	GEMEAUX	GEMEAUX	GEMEAUX	GEMEAUX	GEMEAUX	GEMEAUX	GEMEAUX
21 h 30	GEMEAUX	GEMEAUX	GEMEAUX	GEMEAUX	GEMEAUX	GEMEAUX	GEMEAUX	GEMEAUX
22 h 00	GEMEAUX	GEMEAUX	GEMEAUX	GEMEAUX	GEMEAUX	GEMEAUX	GEMEAUX	GEMEAUX
22 h 30	GEMEAUX	GEMEAUX	GEMEAUX	GEMEAUX	GEMEAUX	GEMEAUX	GEMEAUX	GEMEAUX
23 h 00	CANCER	CANCER	CANCER	CANCER	CANCER	CANCER	CANCER	CANCER
23 h 30	CANCER	CANCER	CANCER	CANCER	CANCER	CANCER	CANCER	CANCER

DECOUVREZ VOTRE ASCENDANT SANS AUCUN CALCUL : TABLE N° 2

VOTRE HEURE DE NAISSANCE	30 SEPTEMBRE	1 OCTOBRE	2 OCTOBRE	3 OCTOBRE	4 OCTOBRE	5 OCTOBRE	6 OCTOBRE	7 OCTOBRE
0 h 00	CANCER	CANCER	CANCER	CANCER	CANCER	CANCER	CANCER	CANCER
0 h 30	CANCER	CANCER	CANCER	CANCER	LION	LION	LION	LION
1 h 00	LION	LION	LION	LION	LION	LION	LION	LION
1 h 30	LION	LION	LION	LION	LION	LION	LION	LION
2 h 00	LION	LION	LION	LION	LION	LION	LION	LION
2 h 30	LION	LION	LION	LION	LION	LION	LION	LION
3 h 00	LION	LION	VIERGE	VIERGE	VIERGE	VIERGE	VIERGE	VIERGE
3 h 30	VIERGE	VIERGE	VIERGE	VIERGE	VIERGE	VIERGE	VIERGE	VIERGE
4 h 00	VIERGE	VIERGE	VIERGE	VIERGE	VIERGE	VIERGE	VIERGE	VIERGE
4 h 30	VIERGE	VIERGE	VIERGE	VIERGE	VIERGE	VIERGE	VIERGE	VIERGE
5 h 00	VIERGE	VIERGE	VIERGE	VIERGE	VIERGE	VIERGE	BALANCE	BALANCE
5 h 30	BALANCE	BALANCE	BALANCE	BALANCE	BALANCE	BALANCE	BALANCE	BALANCE
6 h 00	BALANCE	BALANCE	BALANCE	BALANCE	BALANCE	BALANCE	BALANCE	BALANCE
6 h 30	BALANCE	BALANCE	BALANCE	BALANCE	BALANCE	BALANCE	BALANCE	BALANCE
7 h 00	BALANCE	BALANCE	BALANCE	BALANCE	BALANCE	BALANCE	BALANCE	BALANCE
7 h 30	BALANCE	BALANCE	BALANCE	SCORPION	SCORPION	SCORPION	SCORPION	SCORPION
8 h 00	SCORPION	SCORPION	SCORPION	SCORPION	SCORPION	SCORPION	SCORPION	SCORPION
8 h 30	SCORPION	SCORPION	SCORPION	SCORPION	SCORPION	SCORPION	SCORPION	SCORPION
9 h 00	SCORPION	SCORPION	SCORPION	SCORPION	SCORPION	SCORPION	SCORPION	SCORPION
9 h 30	SCORPION	SCORPION	SCORPION	SCORPION	SCORPION	SCORPION	SCORPION	SCORPION
10 h 00	SCORPION	SAGITTAIRE	SAGITTAIRE	SAGITTAIRE	SAGITTAIRE	SAGITTAIRE	SAGITTAIRE	SAGITTAIRE
10 h 30	SAGITTAIRE	SAGITTAIRE	SAGITTAIRE	SAGITTAIRE	SAGITTAIRE	SAGITTAIRE	SAGITTAIRE	SAGITTAIRE
11 h 00	SAGITTAIRE	SAGITTAIRE	SAGITTAIRE	SAGITTAIRE	SAGITTAIRE	SAGITTAIRE	SAGITTAIRE	SAGITTAIRE
11 h 30	SAGITTAIRE	SAGITTAIRE	SAGITTAIRE	SAGITTAIRE	SAGITTAIRE	SAGITTAIRE	SAGITTAIRE	SAGITTAIRE
MIDI	SAGITTAIRE	SAGITTAIRE	SAGITTAIRE	SAGITTAIRE	SAGITTAIRE	CAPRICORNE	CAPRICORNE	CAPRICORNE
12 h 30	CAPRICORNE	CAPRICORNE	CAPRICORNE	CAPRICORNE	CAPRICORNE	CAPRICORNE	CAPRICORNE	CAPRICORNE
13 h 00	CAPRICORNE	CAPRICORNE	CAPRICORNE	CAPRICORNE	CAPRICORNE	CAPRICORNE	CAPRICORNE	CAPRICORNE
13 h 30	CAPRICORNE	CAPRICORNE	CAPRICORNE	CAPRICORNE	CAPRICORNE	CAPRICORNE	CAPRICORNE	CAPRICORNE
14 h 00	CAPRICORNE	CAPRICORNE	CAPRICORNE	CAPRICORNE	CAPRICORNE	VERSEAU	VERSEAU	VERSEAU
14 h 30	VERSEAU	VERSEAU	VERSEAU	VERSEAU	VERSEAU	VERSEAU	VERSEAU	VERSEAU
15 h 00	VERSEAU	VERSEAU	VERSEAU	VERSEAU	VERSEAU	VERSEAU	VERSEAU	VERSEAU
15 h 30	VERSEAU	VERSEAU	VERSEAU	VERSEAU	VERSEAU	VERSEAU	VERSEAU	POISSONS
16 h 00	POISSONS	POISSONS	POISSONS	POISSONS	POISSONS	POISSONS	POISSONS	POISSONS
16 h 30	POISSONS	POISSONS	POISSONS	POISSONS	POISSONS	POISSONS	POISSONS	POISSONS
17 h 00	POISSONS	POISSONS	POISSONS	POISSONS	POISSONS	POISSONS	POISSONS	BELIER
17 h 30	BELIER	BELIER	BELIER	BELIER	BELIER	BELIER	BELIER	BELIER
18 h 00	BELIER	BELIER	BELIER	BELIER	BELIER	BELIER	BELIER	BELIER
18 h 30	BELIER	BELIER	BELIER	BELIER	BELIER	TAUREAU	TAUREAU	TAUREAU
19 h 00	TAUREAU	TAUREAU	TAUREAU	TAUREAU	TAUREAU	TAUREAU	TAUREAU	TAUREAU
19 h 30	TAUREAU	TAUREAU	TAUREAU	TAUREAU	TAUREAU	TAUREAU	TAUREAU	TAUREAU
20 h 00	TAUREAU	TAUREAU	TAUREAU	TAUREAU	TAUREAU	TAUREAU	TAUREAU	TAUREAU
20 h 30	GEMEAUX	GEMEAUX	GEMEAUX	GEMEAUX	GEMEAUX	GEMEAUX	GEMEAUX	GEMEAUX
21 h 00	GEMEAUX	GEMEAUX	GEMEAUX	GEMEAUX	GEMEAUX	GEMEAUX	GEMEAUX	GEMEAUX
21 h 30	GEMEAUX	GEMEAUX	GEMEAUX	GEMEAUX	GEMEAUX	GEMEAUX	GEMEAUX	GEMEAUX
22 h 00	GEMEAUX	GEMEAUX	GEMEAUX	GEMEAUX	GEMEAUX	GEMEAUX	GEMEAUX	CANCER
22 h 30	CANCER	CANCER	CANCER	CANCER	CANCER	CANCER	CANCER	CANCER
23 h 00	CANCER	CANCER	CANCER	CANCER	CANCER	CANCER	CANCER	CANCER
23 h 30	CANCER	CANCER	CANCER	CANCER	CANCER	CANCER	CANCER	CANCER

DECOUVREZ VOTRE ASCENDANT SANS AUCUN CALCUL : TABLE N⁰ 2

VOTRE HEURE DE NAISSANCE	8 OCTOBRE	9 OCTOBRE	10 OCTOBRE	11 OCTOBRE	12 OCTOBRE	13 OCTOBRE	14 OCTOBRE	15 OCTOBRE	16 OCTOBRE
0 h 00	CANCER	CANCER	CANCER	CANCER	LION	LION	LION	LION	LION
0 h 30	LION	LION	LION	LION	LION	LION	LION	LION	LION
1 h 00	LION	LION	LION	LION	LION	LION	LION	LION	LION
1 h 30	LION	LION	LION	LION	LION	LION	LION	LION	LION
2 h 00	LION	LION	LION	LION	LION	LION	LION	LION	LION
2 h 30	LION	LION	VIERGE	VIERGE	VIERGE	VIERGE	VIERGE	VIERGE	VIERGE
3 h 00	VIERGE	VIERGE	VIERGE	VIERGE	VIERGE	VIERGE	VIERGE	VIERGE	VIERGE
3 h 30	VIERGE	VIERGE	VIERGE	VIERGE	VIERGE	VIERGE	VIERGE	VIERGE	VIERGE
4 h 00	VIERGE	VIERGE	VIERGE	VIERGE	VIERGE	VIERGE	VIERGE	VIERGE	VIERGE
4 h 30	VIERGE	VIERGE	VIERGE	VIERGE	VIERGE	VIERGE	BALANCE	BALANCE	BALANCE
5 h 00	BALANCE	BALANCE	BALANCE	BALANCE	BALANCE	BALANCE	BALANCE	BALANCE	BALANCE
5 h 30	BALANCE	BALANCE	BALANCE	BALANCE	BALANCE	BALANCE	BALANCE	BALANCE	BALANCE
6 h 00	BALANCE	BALANCE	BALANCE	BALANCE	BALANCE	BALANCE	BALANCE	BALANCE	BALANCE
6 h 30	BALANCE	BALANCE	BALANCE	BALANCE	BALANCE	BALANCE	BALANCE	BALANCE	BALANCE
7 h 00	BALANCE	BALANCE	BALANCE	SCORPION	SCORPION	SCORPION	SCORPION	SCORPION	SCORPION
7 h 30	SCORPION	SCORPION	SCORPION	SCORPION	SCORPION	SCORPION	SCORPION	SCORPION	SCORPION
8 h 00	SCORPION	SCORPION	SCORPION	SCORPION	SCORPION	SCORPION	SCORPION	SCORPION	SCORPION
8 h 30	SCORPION	SCORPION	SCORPION	SCORPION	SCORPION	SCORPION	SCORPION	SCORPION	SCORPION
9 h 00	SCORPION	SCORPION	SCORPION	SCORPION	SCORPION	SCORPION	SCORPION	SCORPION	SAGITTAIRE
9 h 30	SAGITTAIRE	SAGITTAIRE	SAGITTAIRE	SAGITTAIRE	SAGITTAIRE	SAGITTAIRE	SAGITTAIRE	SAGITTAIRE	SAGITTAIRE
10 h 00	SAGITTAIRE	SAGITTAIRE	SAGITTAIRE	SAGITTAIRE	SAGITTAIRE	SAGITTAIRE	SAGITTAIRE	SAGITTAIRE	SAGITTAIRE
10 h 30	SAGITTAIRE	SAGITTAIRE	SAGITTAIRE	SAGITTAIRE	SAGITTAIRE	SAGITTAIRE	SAGITTAIRE	SAGITTAIRE	SAGITTAIRE
11 h 00	SAGITTAIRE	SAGITTAIRE	SAGITTAIRE	SAGITTAIRE	SAGITTAIRE	SAGITTAIRE	SAGITTAIRE	SAGITTAIRE	SAGITTAIRE
11 h 30	SAGITTAIRE	SAGITTAIRE	SAGITTAIRE	SAGITTAIRE	CAPRICORNE	CAPRICORNE	CAPRICORNE	CAPRICORNE	CAPRICORNE
MIDI	CAPRICORNE	CAPRICORNE	CAPRICORNE	CAPRICORNE	CAPRICORNE	CAPRICORNE	CAPRICORNE	CAPRICORNE	CAPRICORNE
12 h 30	CAPRICORNE	CAPRICORNE	CAPRICORNE	CAPRICORNE	CAPRICORNE	CAPRICORNE	CAPRICORNE	CAPRICORNE	CAPRICORNE
13 h 00	CAPRICORNE	CAPRICORNE	CAPRICORNE	CAPRICORNE	CAPRICORNE	CAPRICORNE	CAPRICORNE	CAPRICORNE	CAPRICORNE
13 h 30	CAPRICORNE	CAPRICORNE	CAPRICORNE	CAPRICORNE	VERSEAU	VERSEAU	VERSEAU	VERSEAU	VERSEAU
14 h 00	VERSEAU	VERSEAU	VERSEAU	VERSEAU	VERSEAU	VERSEAU	VERSEAU	VERSEAU	VERSEAU
14 h 30	VERSEAU	VERSEAU	VERSEAU	VERSEAU	VERSEAU	VERSEAU	VERSEAU	VERSEAU	VERSEAU
15 h 00	VERSEAU	VERSEAU	VERSEAU	VERSEAU	VERSEAU	VERSEAU	VERSEAU	POISSONS	POISSONS
15 h 30	POISSONS	POISSONS	POISSONS	POISSONS	POISSONS	POISSONS	POISSONS	POISSONS	POISSONS
16 h 00	POISSONS	POISSONS	POISSONS	POISSONS	POISSONS	POISSONS	POISSONS	POISSONS	POISSONS
16 h 30	POISSONS	POISSONS	POISSONS	POISSONS	POISSONS	POISSONS	BELIER	BELIER	BELIER
17 h 00	BELIER	BELIER	BELIER	BELIER	BELIER	BELIER	BELIER	BELIER	BELIER
17 h 30	BELIER	BELIER	BELIER	BELIER	BELIER	BELIER	BELIER	BELIER	BELIER
18 h 00	BELIER	BELIER	BELIER	BELIER	BELIER	TAUREAU	TAUREAU	TAUREAU	TAUREAU
18 h 30	TAUREAU	TAUREAU	TAUREAU	TAUREAU	TAUREAU	TAUREAU	TAUREAU	TAUREAU	TAUREAU
19 h 00	TAUREAU	TAUREAU	TAUREAU	TAUREAU	TAUREAU	TAUREAU	TAUREAU	TAUREAU	TAUREAU
19 h 30	TAUREAU	TAUREAU	TAUREAU	TAUREAU	TAUREAU	TAUREAU	TAUREAU	GEMEAUX	GEMEAUX
20 h 00	GEMEAUX	GEMEAUX	GEMEAUX	GEMEAUX	GEMEAUX	GEMEAUX	GEMEAUX	GEMEAUX	GEMEAUX
20 h 30	GEMEAUX	GEMEAUX	GEMEAUX	GEMEAUX	GEMEAUX	GEMEAUX	GEMEAUX	GEMEAUX	GEMEAUX
21 h 00	GEMEAUX	GEMEAUX	GEMEAUX	GEMEAUX	GEMEAUX	GEMEAUX	GEMEAUX	GEMEAUX	GEMEAUX
21 h 30	GEMEAUX	GEMEAUX	GEMEAUX	GEMEAUX	GEMEAUX	GEMEAUX	GEMEAUX	CANCER	CANCER
22 h 00	CANCER	CANCER	CANCER	CANCER	CANCER	CANCER	CANCER	CANCER	CANCER
22 h 30	CANCER	CANCER	CANCER	CANCER	CANCER	CANCER	CANCER	CANCER	CANCER
23 h 00	CANCER	CANCER	CANCER	CANCER	CANCER	CANCER	CANCER	CANCER	CANCER
23 h 30	CANCER	CANCER	CANCER	CANCER	CANCER	CANCER	CANCER	CANCER	CANCER

DECOUVREZ VOTRE ASCENDANT SANS AUCUN CALCUL : TABLE N° 2

VOTRE HEURE DE NAISSANCE	17 OCTOBRE	18 OCTOBRE	19 OCTOBRE	20 OCTOBRE	21 OCTOBRE	22 OCTOBRE	23 OCTOBRE	24 OCTOBRE
0 h 00	LION	LION	LION	LION	LION	LION	LION	LION
0 h 30	LION	LION	LION	LION	LION	LION	LION	LION
1 h 00	LION	LION	LION	LION	LION	LION	LION	LION
1 h 30	LION	LION	LION	LION	LION	LION	LION	LION
2 h 00	VIERGE	VIERGE	VIERGE	VIERGE	VIERGE	VIERGE	VIERGE	VIERGE
2 h 30	VIERGE	VIERGE	VIERGE	VIERGE	VIERGE	VIERGE	VIERGE	VIERGE
3 h 00	VIERGE	VIERGE	VIERGE	VIERGE	VIERGE	VIERGE	VIERGE	VIERGE
3 h 30	VIERGE	VIERGE	VIERGE	VIERGE	VIERGE	VIERGE	VIERGE	VIERGE
4 h 00	VIERGE	VIERGE	VIERGE	VIERGE	BALANCE	BALANCE	BALANCE	BALANCE
4 h 30	BALANCE	BALANCE	BALANCE	BALANCE	BALANCE	BALANCE	BALANCE	BALANCE
5 h 00	BALANCE	BALANCE	BALANCE	BALANCE	BALANCE	BALANCE	BALANCE	BALANCE
5 h 30	BALANCE	BALANCE	BALANCE	BALANCE	BALANCE	BALANCE	BALANCE	BALANCE
6 h 00	BALANCE	BALANCE	BALANCE	BALANCE	BALANCE	BALANCE	BALANCE	BALANCE
6 h 30	BALANCE	SCORPION	SCORPION	SCORPION	SCORPION	SCORPION	SCORPION	SCORPION
7 h 00	SCORPION	SCORPION	SCORPION	SCORPION	SCORPION	SCORPION	SCORPION	SCORPION
7 h 30	SCORPION	SCORPION	SCORPION	SCORPION	SCORPION	SCORPION	SCORPION	SCORPION
8 h 00	SCORPION	SCORPION	SCORPION	SCORPION	SCORPION	SCORPION	SCORPION	SCORPION
8 h 30	SCORPION	SCORPION	SCORPION	SCORPION	SCORPION	SCORPION	SCORPION	SAGITTAIRE
9 h 00	SAGITTAIRE	SAGITTAIRE	SAGITTAIRE	SAGITTAIRE	SAGITTAIRE	SAGITTAIRE	SAGITTAIRE	SAGITTAIRE
9 h 30	SAGITTAIRE	SAGITTAIRE	SAGITTAIRE	SAGITTAIRE	SAGITTAIRE	SAGITTAIRE	SAGITTAIRE	SAGITTAIRE
10 h 00	SAGITTAIRE	SAGITTAIRE	SAGITTAIRE	SAGITTAIRE	SAGITTAIRE	SAGITTAIRE	SAGITTAIRE	SAGITTAIRE
10 h 30	SAGITTAIRE	SAGITTAIRE	SAGITTAIRE	SAGITTAIRE	SAGITTAIRE	SAGITTAIRE	SAGITTAIRE	SAGITTAIRE
11 h 00	SAGITTAIRE	SAGITTAIRE	SAGITTAIRE	CAPRICORNE	CAPRICORNE	CAPRICORNE	CAPRICORNE	CAPRICORNE
11 h 30	CAPRICORNE	CAPRICORNE	CAPRICORNE	CAPRICORNE	CAPRICORNE	CAPRICORNE	CAPRICORNE	CAPRICORNE
MIDI	CAPRICORNE	CAPRICORNE	CAPRICORNE	CAPRICORNE	CAPRICORNE	CAPRICORNE	CAPRICORNE	CAPRICORNE
12 h 30	CAPRICORNE	CAPRICORNE	CAPRICORNE	CAPRICORNE	CAPRICORNE	CAPRICORNE	CAPRICORNE	CAPRICORNE
13 h 00	CAPRICORNE	CAPRICORNE	CAPRICORNE	VERSEAU	VERSEAU	VERSEAU	VERSEAU	VERSEAU
13 h 30	VERSEAU	VERSEAU	VERSEAU	VERSEAU	VERSEAU	VERSEAU	VERSEAU	VERSEAU
14 h 00	VERSEAU	VERSEAU	VERSEAU	VERSEAU	VERSEAU	VERSEAU	VERSEAU	VERSEAU
14 h 30	VERSEAU	VERSEAU	VERSEAU	VERSEAU	VERSEAU	POISSONS	POISSONS	POISSONS
15 h 00	POISSONS	POISSONS	POISSONS	POISSONS	POISSONS	POISSONS	POISSONS	POISSONS
15 h 30	POISSONS	POISSONS	POISSONS	POISSONS	POISSONS	POISSONS	POISSONS	POISSONS
16 h 00	POISSONS	POISSONS	POISSONS	POISSONS	BELIER	BELIER	BELIER	BELIER
16 h 30	BELIER	BELIER	BELIER	BELIER	BELIER	BELIER	BELIER	BELIER
17 h 00	BELIER	BELIER	BELIER	BELIER	BELIER	BELIER	BELIER	BELIER
17 h 30	BELIER	BELIER	BELIER	TAUREAU	TAUREAU	TAUREAU	TAUREAU	TAUREAU
18 h 00	TAUREAU	TAUREAU	TAUREAU	TAUREAU	TAUREAU	TAUREAU	TAUREAU	TAUREAU
18 h 30	TAUREAU	TAUREAU	TAUREAU	TAUREAU	TAUREAU	TAUREAU	TAUREAU	TAUREAU
19 h 00	TAUREAU	TAUREAU	TAUREAU	TAUREAU	TAUREAU	TAUREAU	GEMEAUX	GEMEAUX
19 h 30	GEMEAUX	GEMEAUX	GEMEAUX	GEMEAUX	GEMEAUX	GEMEAUX	GEMEAUX	GEMEAUX
20 h 00	GEMEAUX	GEMEAUX	GEMEAUX	GEMEAUX	GEMEAUX	GEMEAUX	GEMEAUX	GEMEAUX
20 h 30	GEMEAUX	GEMEAUX	GEMEAUX	GEMEAUX	GEMEAUX	GEMEAUX	GEMEAUX	GEMEAUX
21 h 00	GEMEAUX	GEMEAUX	GEMEAUX	GEMEAUX	GEMEAUX	GEMEAUX	CANCER	CANCER
21 h 30	CANCER	CANCER	CANCER	CANCER	CANCER	CANCER	CANCER	CANCER
22 h 00	CANCER	CANCER	CANCER	CANCER	CANCER	CANCER	CANCER	CANCER
22 h 30	CANCER	CANCER	CANCER	CANCER	CANCER	CANCER	CANCER	CANCER
23 h 00	CANCER	CANCER	CANCER	CANCER	CANCER	CANCER	CANCER	CANCER
23 h 30	CANCER	CANCER	LION	LION	LION	LION	LION	LION

DECOUVREZ VOTRE ASCENDANT SANS AUCUN CALCUL : TABLE N° 3

VOTRE HEURE DE NAISSANCE	22 SEPTEMBRE	23 SEPTEMBRE	24 SEPTEMBRE	25 SEPTEMBRE	26 SEPTEMBRE	27 SEPTEMBRE	28 SEPTEMBRE	29 SEPTEMBRE
0 h 00	CANCER	CANCER	CANCER	CANCER	CANCER	CANCER	CANCER	CANCER
0 h 30	CANCER	CANCER	CANCER	CANCER	CANCER	CANCER	CANCER	LION
1 h 00	LION	LION	LION	LION	LION	LION	LION	LION
1 h 30	LION	LION	LION	LION	LION	LION	LION	LION
2 h 00	LION	LION	LION	LION	LION	LION	LION	LION
2 h 30	LION	LION	LION	LION	LION	LION	LION	LION
3 h 00	LION	LION	LION	LION	LION	LION	LION	VIERGE
3 h 30	VIERGE	VIERGE	VIERGE	VIERGE	VIERGE	VIERGE	VIERGE	VIERGE
4 h 00	VIERGE	VIERGE	VIERGE	VIERGE	VIERGE	VIERGE	VIERGE	VIERGE
4 h 30	VIERGE	VIERGE	VIERGE	VIERGE	VIERGE	VIERGE	VIERGE	VIERGE
5 h 00	VIERGE	VIERGE	VIERGE	VIERGE	VIERGE	VIERGE	VIERGE	VIERGE
5 h 30	VIERGE	VIERGE	VIERGE	VIERGE	VIERGE	VIERGE	VIERGE	BALANCE
6 h 00	BALANCE	BALANCE	BALANCE	BALANCE	BALANCE	BALANCE	BALANCE	BALANCE
6 h 30	BALANCE	BALANCE	BALANCE	BALANCE	BALANCE	BALANCE	BALANCE	BALANCE
7 h 00	BALANCE	BALANCE	BALANCE	BALANCE	BALANCE	BALANCE	BALANCE	BALANCE
7 h 30	BALANCE	BALANCE	BALANCE	BALANCE	BALANCE	BALANCE	BALANCE	BALANCE
8 h 00	BALANCE	BALANCE	BALANCE	BALANCE	BALANCE	BALANCE	SCORPION	SCORPION
8 h 30	SCORPION	SCORPION	SCORPION	SCORPION	SCORPION	SCORPION	SCORPION	SCORPION
9 h 00	SCORPION	SCORPION	SCORPION	SCORPION	SCORPION	SCORPION	SCORPION	SCORPION
9 h 30	SCORPION	SCORPION	SCORPION	SCORPION	SCORPION	SCORPION	SCORPION	SCORPION
10 h 00	SCORPION	SCORPION	SCORPION	SCORPION	SCORPION	SCORPION	SCORPION	SCORPION
10 h 30	SCORPION	SCORPION	SCORPION	SCORPION	SCORPION	SCORPION	SAGITTAIRE	SAGITTAIRE
11 h 00	SAGITTAIRE	SAGITTAIRE	SAGITTAIRE	SAGITTAIRE	SAGITTAIRE	SAGITTAIRE	SAGITTAIRE	SAGITTAIRE
11 h 30	SAGITTAIRE	SAGITTAIRE	SAGITTAIRE	SAGITTAIRE	SAGITTAIRE	SAGITTAIRE	SAGITTAIRE	SAGITTAIRE
MIDI	SAGITTAIRE	SAGITTAIRE	SAGITTAIRE	SAGITTAIRE	SAGITTAIRE	SAGITTAIRE	SAGITTAIRE	SAGITTAIRE
12 h 30	SAGITTAIRE	SAGITTAIRE	SAGITTAIRE	SAGITTAIRE	SAGITTAIRE	SAGITTAIRE	SAGITTAIRE	SAGITTAIRE
13 h 00	SAGITTAIRE	SAGITTAIRE	SAGITTAIRE	SAGITTAIRE	CAPRICORNE	CAPRICORNE	CAPRICORNE	CAPRICORNE
13 h 30	CAPRICORNE	CAPRICORNE	CAPRICORNE	CAPRICORNE	CAPRICORNE	CAPRICORNE	CAPRICORNE	CAPRICORNE
14 h 00	CAPRICORNE	CAPRICORNE	CAPRICORNE	CAPRICORNE	CAPRICORNE	CAPRICORNE	CAPRICORNE	CAPRICORNE
14 h 30	CAPRICORNE	CAPRICORNE	CAPRICORNE	CAPRICORNE	CAPRICORNE	CAPRICORNE	CAPRICORNE	CAPRICORNE
15 h 00	CAPRICORNE	CAPRICORNE	CAPRICORNE	VERSEAU	VERSEAU	VERSEAU	VERSEAU	VERSEAU
15 h 30	VERSEAU	VERSEAU	VERSEAU	VERSEAU	VERSEAU	VERSEAU	VERSEAU	VERSEAU
16 h 00	VERSEAU	VERSEAU	VERSEAU	VERSEAU	VERSEAU	VERSEAU	VERSEAU	VERSEAU
16 h 30	VERSEAU	VERSEAU	VERSEAU	POISSONS	POISSONS	POISSONS	POISSONS	POISSONS
17 h 00	POISSONS	POISSONS	POISSONS	POISSONS	POISSONS	POISSONS	POISSONS	POISSONS
17 h 30	POISSONS	POISSONS	POISSONS	POISSONS	POISSONS	POISSONS	POISSONS	BELIER
18 h 00	BELIER	BELIER	BELIER	BELIER	BELIER	BELIER	BELIER	BELIER
18 h 30	BELIER	BELIER	BELIER	BELIER	BELIER	BELIER	BELIER	BELIER
19 h 00	BELIER	BELIER	BELIER	TAUREAU	TAUREAU	TAUREAU	TAUREAU	TAUREAU
19 h 30	TAUREAU	TAUREAU	TAUREAU	TAUREAU	TAUREAU	TAUREAU	TAUREAU	TAUREAU
20 h 00	TAUREAU	TAUREAU	TAUREAU	TAUREAU	TAUREAU	TAUREAU	TAUREAU	TAUREAU
20 h 30	TAUREAU	TAUREAU	TAUREAU	GEMEAUX	GEMEAUX	GEMEAUX	GEMEAUX	GEMEAUX
21 h 00	GEMEAUX	GEMEAUX	GEMEAUX	GEMEAUX	GEMEAUX	GEMEAUX	GEMEAUX	GEMEAUX
21 h 30	GEMEAUX	GEMEAUX	GEMEAUX	GEMEAUX	GEMEAUX	GEMEAUX	GEMEAUX	GEMEAUX
22 h 00	GEMEAUX	GEMEAUX	GEMEAUX	GEMEAUX	GEMEAUX	GEMEAUX	GEMEAUX	GEMEAUX
22 h 30	GEMEAUX	GEMEAUX	CANCER	CANCER	CANCER	CANCER	CANCER	CANCER
23 h 00	CANCER	CANCER	CANCER	CANCER	CANCER	CANCER	CANCER	CANCER
23 h 30	CANCER	CANCER	CANCER	CANCER	CANCER	CANCER	CANCER	CANCER

DECOUVREZ VOTRE ASCENDANT SANS AUCUN CALCUL : TABLE N° 3

VOTRE HEURE DE NAISSANCE	30 SEPTEMBRE	1 OCTOBRE	2 OCTOBRE	3 OCTOBRE	4 OCTOBRE	5 OCTOBRE	6 OCTOBRE	7 OCTOBRE
0 h 00	CANCER	CANCER	CANCER	CANCER	CANCER	CANCER	LION	LION
0 h 30	LION	LION	LION	LION	LION	LION	LION	LION
1 h 00	LION	LION	LION	LION	LION	LION	LION	LION
1 h 30	LION	LION	LION	LION	LION	LION	LION	LION
2 h 00	LION	LION	LION	LION	LION	LION	LION	LION
2 h 30	LION	LION	LION	LION	LION	LION	VIERGE	VIERGE
3 h 00	VIERGE	VIERGE	VIERGE	VIERGE	VIERGE	VIERGE	VIERGE	VIERGE
3 h 30	VIERGE	VIERGE	VIERGE	VIERGE	VIERGE	VIERGE	VIERGE	VIERGE
4 h 00	VIERGE	VIERGE	VIERGE	VIERGE	VIERGE	VIERGE	VIERGE	VIERGE
4 h 30	VIERGE	VIERGE	VIERGE	VIERGE	VIERGE	VIERGE	VIERGE	VIERGE
5 h 00	VIERGE	VIERGE	VIERGE	VIERGE	VIERGE	VIERGE	BALANCE	BALANCE
5 h 30	BALANCE	BALANCE	BALANCE	BALANCE	BALANCE	BALANCE	BALANCE	BALANCE
6 h 00	BALANCE	BALANCE	BALANCE	BALANCE	BALANCE	BALANCE	BALANCE	BALANCE
6 h 30	BALANCE	BALANCE	BALANCE	BALANCE	BALANCE	BALANCE	BALANCE	BALANCE
7 h 00	BALANCE	BALANCE	BALANCE	BALANCE	BALANCE	BALANCE	BALANCE	BALANCE
7 h 30	BALANCE	BALANCE	BALANCE	BALANCE	BALANCE	BALANCE	SCORPION	SCORPION
8 h 00	SCORPION	SCORPION	SCORPION	SCORPION	SCORPION	SCORPION	SCORPION	SCORPION
8 h 30	SCORPION	SCORPION	SCORPION	SCORPION	SCORPION	SCORPION	SCORPION	SCORPION
9 h 00	SCORPION	SCORPION	SCORPION	SCORPION	SCORPION	SCORPION	SCORPION	SCORPION
9 h 30	SCORPION	SCORPION	SCORPION	SCORPION	SCORPION	SCORPION	SCORPION	SCORPION
10 h 00	SCORPION	SCORPION	SCORPION	SCORPION	SCORPION	SCORPION	SAGITTAIRE	SAGITTAIRE
10 h 30	SAGITTAIRE	SAGITTAIRE	SAGITTAIRE	SAGITTAIRE	SAGITTAIRE	SAGITTAIRE	SAGITTAIRE	SAGITTAIRE
11 h 00	SAGITTAIRE	SAGITTAIRE	SAGITTAIRE	SAGITTAIRE	SAGITTAIRE	SAGITTAIRE	SAGITTAIRE	SAGITTAIRE
11 h 30	SAGITTAIRE	SAGITTAIRE	SAGITTAIRE	SAGITTAIRE	SAGITTAIRE	SAGITTAIRE	SAGITTAIRE	SAGITTAIRE
MIDI	SAGITTAIRE	SAGITTAIRE	SAGITTAIRE	SAGITTAIRE	SAGITTAIRE	SAGITTAIRE	SAGITTAIRE	SAGITTAIRE
12 h 30	SAGITTAIRE	SAGITTAIRE	SAGITTAIRE	CAPRICORNE	CAPRICORNE	CAPRICORNE	CAPRICORNE	CAPRICORNE
13 h 00	CAPRICORNE	CAPRICORNE	CAPRICORNE	CAPRICORNE	CAPRICORNE	CAPRICORNE	CAPRICORNE	CAPRICORNE
13 h 30	CAPRICORNE	CAPRICORNE	CAPRICORNE	CAPRICORNE	CAPRICORNE	CAPRICORNE	CAPRICORNE	CAPRICORNE
14 h 00	CAPRICORNE	CAPRICORNE	CAPRICORNE	CAPRICORNE	CAPRICORNE	CAPRICORNE	CAPRICORNE	CAPRICORNE
14 h 30	CAPRICORNE	CAPRICORNE	VERSEAU	VERSEAU	VERSEAU	VERSEAU	VERSEAU	VERSEAU
15 h 00	VERSEAU	VERSEAU	VERSEAU	VERSEAU	VERSEAU	VERSEAU	VERSEAU	VERSEAU
15 h 30	VERSEAU	VERSEAU	VERSEAU	VERSEAU	VERSEAU	VERSEAU	VERSEAU	VERSEAU
16 h 00	VERSEAU	VERSEAU	POISSONS	POISSONS	POISSONS	POISSONS	POISSONS	POISSONS
16 h 30	POISSONS	POISSONS	POISSONS	POISSONS	POISSONS	POISSONS	POISSONS	POISSONS
17 h 00	POISSONS	POISSONS	POISSONS	POISSONS	POISSONS	POISSONS	BELIER	BELIER
17 h 30	BELIER	BELIER	BELIER	BELIER	BELIER	BELIER	BELIER	BELIER
18 h 00	BELIER	BELIER	BELIER	BELIER	BELIER	BELIER	BELIER	BELIER
18 h 30	BELIER	BELIER	TAUREAU	TAUREAU	TAUREAU	TAUREAU	TAUREAU	TAUREAU
19 h 00	TAUREAU	TAUREAU	TAUREAU	TAUREAU	TAUREAU	TAUREAU	TAUREAU	TAUREAU
19 h 30	TAUREAU	TAUREAU	TAUREAU	TAUREAU	TAUREAU	TAUREAU	TAUREAU	TAUREAU
20 h 00	TAUREAU	TAUREAU	GEMEAUX	GEMEAUX	GEMEAUX	GEMEAUX	GEMEAUX	GEMEAUX
20 h 30	GEMEAUX	GEMEAUX	GEMEAUX	GEMEAUX	GEMEAUX	GEMEAUX	GEMEAUX	GEMEAUX
21 h 00	GEMEAUX	GEMEAUX	GEMEAUX	GEMEAUX	GEMEAUX	GEMEAUX	GEMEAUX	GEMEAUX
21 h 30	GEMEAUX	GEMEAUX	GEMEAUX	GEMEAUX	GEMEAUX	GEMEAUX	GEMEAUX	GEMEAUX
22 h 00	GEMEAUX	GEMEAUX	CANCER	CANCER	CANCER	CANCER	CANCER	CANCER
22 h 30	CANCER	CANCER	CANCER	CANCER	CANCER	CANCER	CANCER	CANCER
23 h 00	CANCER	CANCER	CANCER	CANCER	CANCER	CANCER	CANCER	CANCER
23 h 30	CANCER	CANCER	CANCER	CANCER	CANCER	CANCER	CANCER	CANCER

DECOUVREZ VOTRE ASCENDANT SANS AUCUN CALCUL : TABLE N° 3

VOTRE HEURE DE NAISSANCE	8 OCTOBRE	9 OCTOBRE	10 OCTOBRE	11 OCTOBRE	12 OCTOBRE	13 OCTOBRE	14 OCTOBRE	15 OCTOBRE	16 OCTOBRE
0 h 00	LION	LION	LION	LION	LION	LION	LION	LION	LION
0 h 30	LION	LION	LION	LION	LION	LION	LION	LION	LION
1 h 00	LION	LION	LION	LION	LION	LION	LION	LION	LION
1 h 30	LION	LION	LION	LION	LION	LION	LION	LION	LION
2 h 00	LION	LION	LION	LION	LION	LION	VIERGE	VIERGE	VIERGE
2 h 30	VIERGE	VIERGE	VIERGE	VIERGE	VIERGE	VIERGE	VIERGE	VIERGE	VIERGE
3 h 00	VIERGE	VIERGE	VIERGE	VIERGE	VIERGE	VIERGE	VIERGE	VIERGE	VIERGE
3 h 30	VIERGE	VIERGE	VIERGE	VIERGE	VIERGE	VIERGE	VIERGE	VIERGE	VIERGE
4 h 00	VIERGE	VIERGE	VIERGE	VIERGE	VIERGE	VIERGE	VIERGE	VIERGE	VIERGE
4 h 30	VIERGE	VIERGE	VIERGE	VIERGE	VIERGE	VIERGE	BALANCE	BALANCE	BALANCE
5 h 00	BALANCE	BALANCE	BALANCE	BALANCE	BALANCE	BALANCE	BALANCE	BALANCE	BALANCE
5 h 30	BALANCE	BALANCE	BALANCE	BALANCE	BALANCE	BALANCE	BALANCE	BALANCE	BALANCE
6 h 00	BALANCE	BALANCE	BALANCE	BALANCE	BALANCE	BALANCE	BALANCE	BALANCE	BALANCE
6 h 30	BALANCE	BALANCE	BALANCE	BALANCE	BALANCE	BALANCE	BALANCE	BALANCE	BALANCE
7 h 00	BALANCE	BALANCE	BALANCE	BALANCE	BALANCE	SCORPION	SCORPION	SCORPION	SCORPION
7 h 30	SCORPION	SCORPION	SCORPION	SCORPION	SCORPION	SCORPION	SCORPION	SCORPION	SCORPION
8 h 00	SCORPION	SCORPION	SCORPION	SCORPION	SCORPION	SCORPION	SCORPION	SCORPION	SCORPION
8 h 30	SCORPION	SCORPION	SCORPION	SCORPION	SCORPION	SCORPION	SCORPION	SCORPION	SCORPION
9 h 00	SCORPION	SCORPION	SCORPION	SCORPION	SCORPION	SCORPION	SCORPION	SCORPION	SCORPION
9 h 30	SCORPION	SCORPION	SCORPION	SCORPION	SCORPION	SAGITTAIRE	SAGITTAIRE	SAGITTAIRE	SAGITTAIRE
10 h 00	SAGITTAIRE	SAGITTAIRE	SAGITTAIRE	SAGITTAIRE	SAGITTAIRE	SAGITTAIRE	SAGITTAIRE	SAGITTAIRE	SAGITTAIRE
10 h 30	SAGITTAIRE	SAGITTAIRE	SAGITTAIRE	SAGITTAIRE	SAGITTAIRE	SAGITTAIRE	SAGITTAIRE	SAGITTAIRE	SAGITTAIRE
11 h 00	SAGITTAIRE	SAGITTAIRE	SAGITTAIRE	SAGITTAIRE	SAGITTAIRE	SAGITTAIRE	SAGITTAIRE	SAGITTAIRE	SAGITTAIRE
11 h 30	SAGITTAIRE	SAGITTAIRE	SAGITTAIRE	SAGITTAIRE	SAGITTAIRE	SAGITTAIRE	SAGITTAIRE	SAGITTAIRE	SAGITTAIRE
MIDI	SAGITTAIRE	SAGITTAIRE	SAGITTAIRE	CAPRICORNE	CAPRICORNE	CAPRICORNE	CAPRICORNE	CAPRICORNE	CAPRICORNE
12 h 30	CAPRICORNE	CAPRICORNE	CAPRICORNE	CAPRICORNE	CAPRICORNE	CAPRICORNE	CAPRICORNE	CAPRICORNE	CAPRICORNE
13 h 00	CAPRICORNE	CAPRICORNE	CAPRICORNE	CAPRICORNE	CAPRICORNE	CAPRICORNE	CAPRICORNE	CAPRICORNE	CAPRICORNE
13 h 30	CAPRICORNE	CAPRICORNE	CAPRICORNE	CAPRICORNE	CAPRICORNE	CAPRICORNE	CAPRICORNE	CAPRICORNE	CAPRICORNE
14 h 00	CAPRICORNE	CAPRICORNE	VERSEAU	VERSEAU	VERSEAU	VERSEAU	VERSEAU	VERSEAU	VERSEAU
14 h 30	VERSEAU	VERSEAU	VERSEAU	VERSEAU	VERSEAU	VERSEAU	VERSEAU	VERSEAU	VERSEAU
15 h 00	VERSEAU	VERSEAU	VERSEAU	VERSEAU	VERSEAU	VERSEAU	VERSEAU	VERSEAU	VERSEAU
15 h 30	VERSEAU	VERSEAU	POISSONS	POISSONS	POISSONS	POISSONS	POISSONS	POISSONS	POISSONS
16 h 00	POISSONS	POISSONS	POISSONS	POISSONS	POISSONS	POISSONS	POISSONS	POISSONS	POISSONS
16 h 30	POISSONS	POISSONS	POISSONS	POISSONS	POISSONS	POISSONS	BELIER	BELIER	BELIER
17 h 00	BELIER	BELIER	BELIER	BELIER	BELIER	BELIER	BELIER	BELIER	BELIER
17 h 30	BELIER	BELIER	BELIER	BELIER	BELIER	BELIER	BELIER	BELIER	BELIER
18 h 00	BELIER	BELIER	BELIER	TAUREAU	TAUREAU	TAUREAU	TAUREAU	TAUREAU	TAUREAU
18 h 30	TAUREAU	TAUREAU	TAUREAU	TAUREAU	TAUREAU	TAUREAU	TAUREAU	TAUREAU	TAUREAU
19 h 00	TAUREAU	TAUREAU	TAUREAU	TAUREAU	TAUREAU	TAUREAU	TAUREAU	TAUREAU	TAUREAU
19 h 30	TAUREAU	TAUREAU	GEMEAUX	GEMEAUX	GEMEAUX	GEMEAUX	GEMEAUX	GEMEAUX	GEMEAUX
20 h 00	GEMEAUX	GEMEAUX	GEMEAUX	GEMEAUX	GEMEAUX	GEMEAUX	GEMEAUX	GEMEAUX	GEMEAUX
20 h 30	GEMEAUX	GEMEAUX	GEMEAUX	GEMEAUX	GEMEAUX	GEMEAUX	GEMEAUX	GEMEAUX	GEMEAUX
21 h 00	GEMEAUX	GEMEAUX	GEMEAUX	GEMEAUX	GEMEAUX	GEMEAUX	GEMEAUX	GEMEAUX	GEMEAUX
21 h 30	GEMEAUX	CANCER	CANCER	CANCER	CANCER	CANCER	CANCER	CANCER	CANCER
22 h 00	CANCER	CANCER	CANCER	CANCER	CANCER	CANCER	CANCER	CANCER	CANCER
22 h 30	CANCER	CANCER	CANCER	CANCER	CANCER	CANCER	CANCER	CANCER	CANCER
23 h 00	CANCER	CANCER	CANCER	CANCER	CANCER	CANCER	CANCER	CANCER	CANCER
23 h 30	CANCER	CANCER	CANCER	CANCER	CANCER	CANCER	LION	LION	LION

DECOUVREZ VOTRE ASCENDANT SANS AUCUN CALCUL : TABLE N° 3

VOTRE HEURE DE NAISSANCE	17 OCTOBRE	18 OCTOBRE	19 OCTOBRE	20 OCTOBRE	21 OCTOBRE	22 OCTOBRE	23 OCTOBRE	24 OCTOBRE
0 h 00	LION	LION	LION	LION	LION	LION	LION	LION
0 h 30	LION	LION	LION	LION	LION	LION	LION	LION
1 h 00	LION	LION	LION	LION	LION	LION	LION	LION
1 h 30	LION	LION	LION	LION	VIERGE	VIERGE	VIERGE	VIERGE
2 h 00	VIERGE	VIERGE	VIERGE	VIERGE	VIERGE	VIERGE	VIERGE	VIERGE
2 h 30	VIERGE	VIERGE	VIERGE	VIERGE	VIERGE	VIERGE	VIERGE	VIERGE
3 h 00	VIERGE	VIERGE	VIERGE	VIERGE	VIERGE	VIERGE	VIERGE	VIERGE
3 h 30	VIERGE	VIERGE	VIERGE	VIERGE	VIERGE	VIERGE	VIERGE	VIERGE
4 h 00	VIERGE	VIERGE	VIERGE	VIERGE	BALANCE	BALANCE	BALANCE	BALANCE
4 h 30	BALANCE	BALANCE	BALANCE	BALANCE	BALANCE	BALANCE	BALANCE	BALANCE
5 h 00	BALANCE	BALANCE	BALANCE	BALANCE	BALANCE	BALANCE	BALANCE	BALANCE
5 h 30	BALANCE	BALANCE	BALANCE	BALANCE	BALANCE	BALANCE	BALANCE	BALANCE
6 h 00	BALANCE	BALANCE	BALANCE	BALANCE	BALANCE	BALANCE	BALANCE	BALANCE
6 h 30	BALANCE	BALANCE	BALANCE	BALANCE	SCORPION	SCORPION	SCORPION	SCORPION
7 h 00	SCORPION	SCORPION	SCORPION	SCORPION	SCORPION	SCORPION	SCORPION	SCORPION
7 h 30	SCORPION	SCORPION	SCORPION	SCORPION	SCORPION	SCORPION	SCORPION	SCORPION
8 h 00	SCORPION	SCORPION	SCORPION	SCORPION	SCORPION	SCORPION	SCORPION	SCORPION
8 h 30	SCORPION	SCORPION	SCORPION	SCORPION	SCORPION	SCORPION	SCORPION	SCORPION
9 h 00	SCORPION	SCORPION	SCORPION	SAGITTAIRE	SAGITTAIRE	SAGITTAIRE	SAGITTAIRE	SAGITTAIRE
9 h 30	SAGITTAIRE	SAGITTAIRE	SAGITTAIRE	SAGITTAIRE	SAGITTAIRE	SAGITTAIRE	SAGITTAIRE	SAGITTAIRE
10 h 00	SAGITTAIRE	SAGITTAIRE	SAGITTAIRE	SAGITTAIRE	SAGITTAIRE	SAGITTAIRE	SAGITTAIRE	SAGITTAIRE
10 h 30	SAGITTAIRE	SAGITTAIRE	SAGITTAIRE	SAGITTAIRE	SAGITTAIRE	SAGITTAIRE	SAGITTAIRE	SAGITTAIRE
11 h 00	SAGITTAIRE	SAGITTAIRE	SAGITTAIRE	SAGITTAIRE	SAGITTAIRE	SAGITTAIRE	SAGITTAIRE	SAGITTAIRE
11 h 30	SAGITTAIRE	CAPRICORNE	CAPRICORNE	CAPRICORNE	CAPRICORNE	CAPRICORNE	CAPRICORNE	CAPRICORNE
MIDI	CAPRICORNE	CAPRICORNE	CAPRICORNE	CAPRICORNE	CAPRICORNE	CAPRICORNE	CAPRICORNE	CAPRICORNE
12 h 30	CAPRICORNE	CAPRICORNE	CAPRICORNE	CAPRICORNE	CAPRICORNE	CAPRICORNE	CAPRICORNE	CAPRICORNE
13 h 00	CAPRICORNE	CAPRICORNE	CAPRICORNE	CAPRICORNE	CAPRICORNE	CAPRICORNE	CAPRICORNE	CAPRICORNE
13 h 30	CAPRICORNE	VERSEAU	VERSEAU	VERSEAU	VERSEAU	VERSEAU	VERSEAU	VERSEAU
14 h 00	VERSEAU	VERSEAU	VERSEAU	VERSEAU	VERSEAU	VERSEAU	VERSEAU	VERSEAU
14 h 30	VERSEAU	VERSEAU	VERSEAU	VERSEAU	VERSEAU	VERSEAU	VERSEAU	VERSEAU
15 h 00	VERSEAU	POISSONS	POISSONS	POISSONS	POISSONS	POISSONS	POISSONS	POISSONS
15 h 30	POISSONS	POISSONS	POISSONS	POISSONS	POISSONS	POISSONS	POISSONS	POISSONS
16 h 00	POISSONS	POISSONS	POISSONS	POISSONS	BELIER	BELIER	BELIER	BELIER
16 h 30	BELIER	BELIER	BELIER	BELIER	BELIER	BELIER	BELIER	BELIER
17 h 00	BELIER	BELIER	BELIER	BELIER	BELIER	BELIER	BELIER	BELIER
17 h 30	BELIER	TAUREAU	TAUREAU	TAUREAU	TAUREAU	TAUREAU	TAUREAU	TAUREAU
18 h 00	TAUREAU	TAUREAU	TAUREAU	TAUREAU	TAUREAU	TAUREAU	TAUREAU	TAUREAU
18 h 30	TAUREAU	TAUREAU	TAUREAU	TAUREAU	TAUREAU	TAUREAU	TAUREAU	TAUREAU
19 h 00	TAUREAU	GEMEAUX	GEMEAUX	GEMEAUX	GEMEAUX	GEMEAUX	GEMEAUX	GEMEAUX
19 h 30	GEMEAUX	GEMEAUX	GEMEAUX	GEMEAUX	GEMEAUX	GEMEAUX	GEMEAUX	GEMEAUX
20 h 00	GEMEAUX	GEMEAUX	GEMEAUX	GEMEAUX	GEMEAUX	GEMEAUX	GEMEAUX	GEMEAUX
20 h 30	GEMEAUX	GEMEAUX	GEMEAUX	GEMEAUX	GEMEAUX	GEMEAUX	GEMEAUX	CANCER
21 h 00	CANCER	CANCER	CANCER	CANCER	CANCER	CANCER	CANCER	CANCER
21 h 30	CANCER	CANCER	CANCER	CANCER	CANCER	CANCER	CANCER	CANCER
22 h 00	CANCER	CANCER	CANCER	CANCER	CANCER	CANCER	CANCER	CANCER
22 h 30	CANCER	CANCER	CANCER	CANCER	CANCER	CANCER	CANCER	CANCER
23 h 00	CANCER	CANCER	CANCER	CANCER	CANCER	LION	LION	LION
23 h 30	LION	LION	LION	LION	LION	LION	LION	LION

DECOUVREZ VOTRE ASCENDANT SANS AUCUN CALCUL : TABLE N° 4

VOTRE HEURE DE NAISSANCE	22 SEPTEMBRE	23 SEPTEMBRE	24 SEPTEMBRE	25 SEPTEMBRE	26 SEPTEMBRE	27 SEPTEMBRE	28 SEPTEMBRE	29 SEPTEMBRE
0 h 00	CANCER	CANCER	CANCER	CANCER	CANCER	CANCER	CANCER	CANCER
0 h 30	CANCER	CANCER	LION	LION	LION	LION	LION	LION
1 h 00	LION	LION	LION	LION	LION	LION	LION	LION
1 h 30	LION	LION	LION	LION	LION	LION	LION	LION
2 h 00	LION	LION	LION	LION	LION	LION	LION	LION
2 h 30	LION	LION	LION	LION	LION	LION	LION	LION
3 h 00	LION	LION	LION	LION	VIERGE	VIERGE	VIERGE	VIERGE
3 h 30	VIERGE	VIERGE	VIERGE	VIERGE	VIERGE	VIERGE	VIERGE	VIERGE
4 h 00	VIERGE	VIERGE	VIERGE	VIERGE	VIERGE	VIERGE	VIERGE	VIERGE
4 h 30	VIERGE	VIERGE	VIERGE	VIERGE	VIERGE	VIERGE	VIERGE	VIERGE
5 h 00	VIERGE	VIERGE	VIERGE	VIERGE	VIERGE	VIERGE	VIERGE	VIERGE
5 h 30	VIERGE	VIERGE	VIERGE	VIERGE	VIERGE	VIERGE	VIERGE	BALANCE
6 h 00	BALANCE	BALANCE	BALANCE	BALANCE	BALANCE	BALANCE	BALANCE	BALANCE
6 h 30	BALANCE	BALANCE	BALANCE	BALANCE	BALANCE	BALANCE	BALANCE	BALANCE
7 h 00	BALANCE	BALANCE	BALANCE	BALANCE	BALANCE	BALANCE	BALANCE	BALANCE
7 h 30	BALANCE	BALANCE	BALANCE	BALANCE	BALANCE	BALANCE	BALANCE	BALANCE
8 h 00	BALANCE	BALANCE	BALANCE	BALANCE	BALANCE	BALANCE	BALANCE	BALANCE
8 h 30	BALANCE	SCORPION	SCORPION	SCORPION	SCORPION	SCORPION	SCORPION	SCORPION
9 h 00	SCORPION	SCORPION	SCORPION	SCORPION	SCORPION	SCORPION	SCORPION	SCORPION
9 h 30	SCORPION	SCORPION	SCORPION	SCORPION	SCORPION	SCORPION	SCORPION	SCORPION
10 h 00	SCORPION	SCORPION	SCORPION	SCORPION	SCORPION	SCORPION	SCORPION	SCORPION
10 h 30	SCORPION	SCORPION	SCORPION	SCORPION	SCORPION	SCORPION	SCORPION	SCORPION
11 h 00	SCORPION	SCORPION	SCORPION	SCORPION	SAGITTAIRE	SAGITTAIRE	SAGITTAIRE	SAGITTAIRE
11 h 30	SAGITTAIRE	SAGITTAIRE	SAGITTAIRE	SAGITTAIRE	SAGITTAIRE	SAGITTAIRE	SAGITTAIRE	SAGITTAIRE
MIDI	SAGITTAIRE	SAGITTAIRE	SAGITTAIRE	SAGITTAIRE	SAGITTAIRE	SAGITTAIRE	SAGITTAIRE	SAGITTAIRE
12 h 30	SAGITTAIRE	SAGITTAIRE	SAGITTAIRE	SAGITTAIRE	SAGITTAIRE	SAGITTAIRE	SAGITTAIRE	SAGITTAIRE
13 h 00	SAGITTAIRE	SAGITTAIRE	SAGITTAIRE	SAGITTAIRE	SAGITTAIRE	SAGITTAIRE	SAGITTAIRE	SAGITTAIRE
13 h 30	SAGITTAIRE	SAGITTAIRE	SAGITTAIRE	CAPRICORNE	CAPRICORNE	CAPRICORNE	CAPRICORNE	CAPRICORNE
14 h 00	CAPRICORNE	CAPRICORNE	CAPRICORNE	CAPRICORNE	CAPRICORNE	CAPRICORNE	CAPRICORNE	CAPRICORNE
14 h 30	CAPRICORNE	CAPRICORNE	CAPRICORNE	CAPRICORNE	CAPRICORNE	CAPRICORNE	CAPRICORNE	CAPRICORNE
15 h 00	CAPRICORNE	CAPRICORNE	CAPRICORNE	CAPRICORNE	CAPRICORNE	CAPRICORNE	CAPRICORNE	CAPRICORNE
15 h 30	CAPRICORNE	VERSEAU	VERSEAU	VERSEAU	VERSEAU	VERSEAU	VERSEAU	VERSEAU
16 h 00	VERSEAU	VERSEAU	VERSEAU	VERSEAU	VERSEAU	VERSEAU	VERSEAU	VERSEAU
16 h 30	VERSEAU	VERSEAU	VERSEAU	VERSEAU	VERSEAU	VERSEAU	POISSONS	POISSONS
17 h 00	POISSONS	POISSONS	POISSONS	POISSONS	POISSONS	POISSONS	POISSONS	POISSONS
17 h 30	POISSONS	POISSONS	POISSONS	POISSONS	POISSONS	POISSONS	POISSONS	BELIER
18 h 00	BELIER	BELIER	BELIER	BELIER	BELIER	BELIER	BELIER	BELIER
18 h 30	BELIER	BELIER	BELIER	BELIER	BELIER	BELIER	BELIER	BELIER
19 h 00	TAUREAU	TAUREAU	TAUREAU	TAUREAU	TAUREAU	TAUREAU	TAUREAU	TAUREAU
19 h 30	TAUREAU	TAUREAU	TAUREAU	TAUREAU	TAUREAU	TAUREAU	TAUREAU	TAUREAU
20 h 00	TAUREAU	TAUREAU	TAUREAU	TAUREAU	TAUREAU	GEMEAUX	GEMEAUX	GEMEAUX
20 h 30	GEMEAUX	GEMEAUX	GEMEAUX	GEMEAUX	GEMEAUX	GEMEAUX	GEMEAUX	GEMEAUX
21 h 00	GEMEAUX	GEMEAUX	GEMEAUX	GEMEAUX	GEMEAUX	GEMEAUX	GEMEAUX	GEMEAUX
21 h 30	GEMEAUX	GEMEAUX	GEMEAUX	GEMEAUX	GEMEAUX	GEMEAUX	GEMEAUX	GEMEAUX
22 h 00	GEMEAUX	GEMEAUX	GEMEAUX	CANCER	CANCER	CANCER	CANCER	CANCER
22 h 30	CANCER	CANCER	CANCER	CANCER	CANCER	CANCER	CANCER	CANCER
23 h 00	CANCER	CANCER	CANCER	CANCER	CANCER	CANCER	CANCER	CANCER
23 h 30	CANCER	CANCER	CANCER	CANCER	CANCER	CANCER	CANCER	CANCER

DECOUVREZ VOTRE ASCENDANT SANS AUCUN CALCUL : TABLE N⁰ 4

VOTRE HEURE DE NAISSANCE	30 SEPTEMBRE	1 OCTOBRE	2 OCTOBRE	3 OCTOBRE	4 OCTOBRE	5 OCTOBRE	6 OCTOBRE	7 OCTOBRE
0 h 00	CANCER	LION	LION	LION	LION	LION	LION	LION
0 h 30	LION	LION	LION	LION	LION	LION	LION	LION
1 h 00	LION	LION	LION	LION	LION	LION	LION	LION
1 h 30	LION	LION	LION	LION	LION	LION	LION	LION
2 h 00	LION	LION	LION	LION	LION	LION	LION	LION
2 h 30	LION	LION	LION	LION	VIERGE	VIERGE	VIERGE	VIERGE
3 h 00	VIERGE	VIERGE	VIERGE	VIERGE	VIERGE	VIERGE	VIERGE	VIERGE
3 h 30	VIERGE	VIERGE	VIERGE	VIERGE	VIERGE	VIERGE	VIERGE	VIERGE
4 h 00	VIERGE	VIERGE	VIERGE	VIERGE	VIERGE	VIERGE	VIERGE	VIERGE
4 h 30	VIERGE	VIERGE	VIERGE	VIERGE	VIERGE	VIERGE	VIERGE	VIERGE
5 h 00	VIERGE	VIERGE	VIERGE	VIERGE	VIERGE	VIERGE	BALANCE	BALANCE
5 h 30	BALANCE	BALANCE	BALANCE	BALANCE	BALANCE	BALANCE	BALANCE	BALANCE
6 h 00	BALANCE	BALANCE	BALANCE	BALANCE	BALANCE	BALANCE	BALANCE	BALANCE
6 h 30	BALANCE	BALANCE	BALANCE	BALANCE	BALANCE	BALANCE	BALANCE	BALANCE
7 h 00	BALANCE	BALANCE	BALANCE	BALANCE	BALANCE	BALANCE	BALANCE	BALANCE
7 h 30	BALANCE	BALANCE	BALANCE	BALANCE	BALANCE	BALANCE	BALANCE	BALANCE
8 h 00	BALANCE	SCORPION	SCORPION	SCORPION	SCORPION	SCORPION	SCORPION	SCORPION
8 h 30	SCORPION	SCORPION	SCORPION	SCORPION	SCORPION	SCORPION	SCORPION	SCORPION
9 h 00	SCORPION	SCORPION	SCORPION	SCORPION	SCORPION	SCORPION	SCORPION	SCORPION
9 h 30	SCORPION	SCORPION	SCORPION	SCORPION	SCORPION	SCORPION	SCORPION	SCORPION
10 h 00	SCORPION	SCORPION	SCORPION	SCORPION	SCORPION	SCORPION	SCORPION	SCORPION
10 h 30	SCORPION	SCORPION	SCORPION	SAGITTAIRE	SAGITTAIRE	SAGITTAIRE	SAGITTAIRE	SAGITTAIRE
11 h 00	SAGITTAIRE	SAGITTAIRE	SAGITTAIRE	SAGITTAIRE	SAGITTAIRE	SAGITTAIRE	SAGITTAIRE	SAGITTAIRE
11 h 30	SAGITTAIRE	SAGITTAIRE	SAGITTAIRE	SAGITTAIRE	SAGITTAIRE	SAGITTAIRE	SAGITTAIRE	SAGITTAIRE
MIDI	SAGITTAIRE	SAGITTAIRE	SAGITTAIRE	SAGITTAIRE	SAGITTAIRE	SAGITTAIRE	SAGITTAIRE	SAGITTAIRE
12 h 30	SAGITTAIRE	SAGITTAIRE	SAGITTAIRE	SAGITTAIRE	SAGITTAIRE	SAGITTAIRE	SAGITTAIRE	SAGITTAIRE
13 h 00	SAGITTAIRE	SAGITTAIRE	CAPRICORNE	CAPRICORNE	CAPRICORNE	CAPRICORNE	CAPRICORNE	CAPRICORNE
13 h 30	CAPRICORNE	CAPRICORNE	CAPRICORNE	CAPRICORNE	CAPRICORNE	CAPRICORNE	CAPRICORNE	CAPRICORNE
14 h 00	CAPRICORNE	CAPRICORNE	CAPRICORNE	CAPRICORNE	CAPRICORNE	CAPRICORNE	CAPRICORNE	CAPRICORNE
14 h 30	CAPRICORNE	CAPRICORNE	CAPRICORNE	CAPRICORNE	CAPRICORNE	CAPRICORNE	CAPRICORNE	CAPRICORNE
15 h 00	VERSEAU	VERSEAU	VERSEAU	VERSEAU	VERSEAU	VERSEAU	VERSEAU	VERSEAU
15 h 30	VERSEAU	VERSEAU	VERSEAU	VERSEAU	VERSEAU	VERSEAU	VERSEAU	VERSEAU
16 h 00	VERSEAU	VERSEAU	VERSEAU	VERSEAU	VERSEAU	VERSEAU	POISSONS	POISSONS
16 h 30	POISSONS	POISSONS	POISSONS	POISSONS	POISSONS	POISSONS	POISSONS	POISSONS
17 h 00	POISSONS	POISSONS	POISSONS	POISSONS	POISSONS	POISSONS	BELIER	BELIER
17 h 30	BELIER	BELIER	BELIER	BELIER	BELIER	BELIER	BELIER	BELIER
18 h 00	BELIER	BELIER	BELIER	BELIER	BELIER	BELIER	BELIER	BELIER
18 h 30	TAUREAU	TAUREAU	TAUREAU	TAUREAU	TAUREAU	TAUREAU	TAUREAU	TAUREAU
19 h 00	TAUREAU	TAUREAU	TAUREAU	TAUREAU	TAUREAU	TAUREAU	TAUREAU	TAUREAU
19 h 30	TAUREAU	TAUREAU	TAUREAU	TAUREAU	TAUREAU	GEMEAUX	GEMEAUX	GEMEAUX
20 h 00	GEMEAUX	GEMEAUX	GEMEAUX	GEMEAUX	GEMEAUX	GEMEAUX	GEMEAUX	GEMEAUX
20 h 30	GEMEAUX	GEMEAUX	GEMEAUX	GEMEAUX	GEMEAUX	GEMEAUX	GEMEAUX	GEMEAUX
21 h 00	GEMEAUX	GEMEAUX	GEMEAUX	GEMEAUX	GEMEAUX	GEMEAUX	GEMEAUX	GEMEAUX
21 h 30	GEMEAUX	GEMEAUX	CANCER	CANCER	CANCER	CANCER	CANCER	CANCER
22 h 00	CANCER	CANCER	CANCER	CANCER	CANCER	CANCER	CANCER	CANCER
22 h 30	CANCER	CANCER	CANCER	CANCER	CANCER	CANCER	CANCER	CANCER
23 h 00	CANCER	CANCER	CANCER	CANCER	CANCER	CANCER	CANCER	CANCER
23 h 30	CANCER	CANCER	CANCER	CANCER	CANCER	CANCER	CANCER	CANCER

DECOUVREZ VOTRE ASCENDANT SANS AUCUN CALCUL : TABLE N° 4

VOTRE HEURE DE NAISSANCE	8 OCTOBRE	9 OCTOBRE	10 OCTOBRE	11 OCTOBRE	12 OCTOBRE	13 OCTOBRE	14 OCTOBRE	15 OCTOBRE	16 OCTOBRE
0 h 00	LION	LION	LION	LION	LION	LION	LION	LION	LION
0 h 30	LION	LION	LION	LION	LION	LION	LION	LION	LION
1 h 00	LION	LION	LION	LION	LION	LION	LION	LION	LION
1 h 30	LION	LION	LION	LION	LION	LION	LION	LION	LION
2 h 00	LION	LION	LION	VIERGE	VIERGE	VIERGE	VIERGE	VIERGE	VIERGE
2 h 30	VIERGE	VIERGE	VIERGE	VIERGE	VIERGE	VIERGE	VIERGE	VIERGE	VIERGE
3 h 00	VIERGE	VIERGE	VIERGE	VIERGE	VIERGE	VIERGE	VIERGE	VIERGE	VIERGE
3 h 30	VIERGE	VIERGE	VIERGE	VIERGE	VIERGE	VIERGE	VIERGE	VIERGE	VIERGE
4 h 00	VIERGE	VIERGE	VIERGE	VIERGE	VIERGE	VIERGE	VIERGE	VIERGE	VIERGE
4 h 30	VIERGE	VIERGE	VIERGE	VIERGE	VIERGE	VIERGE	BALANCE	BALANCE	BALANCE
5 h 00	BALANCE	BALANCE	BALANCE	BALANCE	BALANCE	BALANCE	BALANCE	BALANCE	BALANCE
5 h 30	BALANCE	BALANCE	BALANCE	BALANCE	BALANCE	BALANCE	BALANCE	BALANCE	BALANCE
6 h 00	BALANCE	BALANCE	BALANCE	BALANCE	BALANCE	BALANCE	BALANCE	BALANCE	BALANCE
6 h 30	BALANCE	BALANCE	BALANCE	BALANCE	BALANCE	BALANCE	BALANCE	BALANCE	BALANCE
7 h 00	BALANCE	BALANCE	BALANCE	BALANCE	BALANCE	BALANCE	BALANCE	BALANCE	SCORPION
7 h 30	SCORPION	SCORPION	SCORPION	SCORPION	SCORPION	SCORPION	SCORPION	SCORPION	SCORPION
8 h 00	SCORPION	SCORPION	SCORPION	SCORPION	SCORPION	SCORPION	SCORPION	SCORPION	SCORPION
8 h 30	SCORPION	SCORPION	SCORPION	SCORPION	SCORPION	SCORPION	SCORPION	SCORPION	SCORPION
9 h 00	SCORPION	SCORPION	SCORPION	SCORPION	SCORPION	SCORPION	SCORPION	SCORPION	SCORPION
9 h 30	SCORPION	SCORPION	SCORPION	SCORPION	SCORPION	SCORPION	SCORPION	SCORPION	SCORPION
10 h 00	SCORPION	SCORPION	SCORPION	SAGITTAIRE	SAGITTAIRE	SAGITTAIRE	SAGITTAIRE	SAGITTAIRE	SAGITTAIRE
10 h 30	SAGITTAIRE	SAGITTAIRE	SAGITTAIRE	SAGITTAIRE	SAGITTAIRE	SAGITTAIRE	SAGITTAIRE	SAGITTAIRE	SAGITTAIRE
11 h 00	SAGITTAIRE	SAGITTAIRE	SAGITTAIRE	SAGITTAIRE	SAGITTAIRE	SAGITTAIRE	SAGITTAIRE	SAGITTAIRE	SAGITTAIRE
11 h 30	SAGITTAIRE	SAGITTAIRE	SAGITTAIRE	SAGITTAIRE	SAGITTAIRE	SAGITTAIRE	SAGITTAIRE	SAGITTAIRE	SAGITTAIRE
MIDI	SAGITTAIRE	SAGITTAIRE	SAGITTAIRE	SAGITTAIRE	SAGITTAIRE	SAGITTAIRE	SAGITTAIRE	SAGITTAIRE	SAGITTAIRE
12 h 30	SAGITTAIRE	SAGITTAIRE	CAPRICORNE	CAPRICORNE	CAPRICORNE	CAPRICORNE	CAPRICORNE	CAPRICORNE	CAPRICORNE
13 h 00	CAPRICORNE	CAPRICORNE	CAPRICORNE	CAPRICORNE	CAPRICORNE	CAPRICORNE	CAPRICORNE	CAPRICORNE	CAPRICORNE
13 h 30	CAPRICORNE	CAPRICORNE	CAPRICORNE	CAPRICORNE	CAPRICORNE	CAPRICORNE	CAPRICORNE	CAPRICORNE	CAPRICORNE
14 h 00	CAPRICORNE	CAPRICORNE	CAPRICORNE	CAPRICORNE	CAPRICORNE	CAPRICORNE	CAPRICORNE	CAPRICORNE	VERSEAU
14 h 30	VERSEAU	VERSEAU	VERSEAU	VERSEAU	VERSEAU	VERSEAU	VERSEAU	VERSEAU	VERSEAU
15 h 00	VERSEAU	VERSEAU	VERSEAU	VERSEAU	VERSEAU	VERSEAU	VERSEAU	VERSEAU	VERSEAU
15 h 30	VERSEAU	VERSEAU	VERSEAU	VERSEAU	VERSEAU	POISSONS	POISSONS	POISSONS	POISSONS
16 h 00	POISSONS	POISSONS	POISSONS	POISSONS	POISSONS	POISSONS	POISSONS	POISSONS	POISSONS
16 h 30	POISSONS	POISSONS	POISSONS	POISSONS	POISSONS	POISSONS	BELIER	BELIER	BELIER
17 h 00	BELIER	BELIER	BELIER	BELIER	BELIER	BELIER	BELIER	BELIER	BELIER
17 h 30	BELIER	BELIER	BELIER	BELIER	BELIER	BELIER	BELIER	TAUREAU	TAUREAU
18 h 00	TAUREAU	TAUREAU	TAUREAU	TAUREAU	TAUREAU	TAUREAU	TAUREAU	TAUREAU	TAUREAU
18 h 30	TAUREAU	TAUREAU	TAUREAU	TAUREAU	TAUREAU	TAUREAU	TAUREAU	TAUREAU	TAUREAU
19 h 00	TAUREAU	TAUREAU	TAUREAU	TAUREAU	GEMEAUX	GEMEAUX	GEMEAUX	GEMEAUX	GEMEAUX
19 h 30	GEMEAUX	GEMEAUX	GEMEAUX	GEMEAUX	GEMEAUX	GEMEAUX	GEMEAUX	GEMEAUX	GEMEAUX
20 h 00	GEMEAUX	GEMEAUX	GEMEAUX	GEMEAUX	GEMEAUX	GEMEAUX	GEMEAUX	GEMEAUX	GEMEAUX
20 h 30	GEMEAUX	GEMEAUX	GEMEAUX	GEMEAUX	GEMEAUX	GEMEAUX	GEMEAUX	GEMEAUX	GEMEAUX
21 h 00	GEMEAUX	GEMEAUX	CANCER	CANCER	CANCER	CANCER	CANCER	CANCER	CANCER
21 h 30	CANCER	CANCER	CANCER	CANCER	CANCER	CANCER	CANCER	CANCER	CANCER
22 h 00	CANCER	CANCER	CANCER	CANCER	CANCER	CANCER	CANCER	CANCER	CANCER
22 h 30	CANCER	CANCER	CANCER	CANCER	CANCER	CANCER	CANCER	CANCER	CANCER
23 h 00	CANCER	CANCER	CANCER	CANCER	CANCER	CANCER	CANCER	CANCER	CANCER
23 h 30	CANCER	LION	LION	LION	LION	LION	LION	LION	LION

DECOUVREZ VOTRE ASCENDANT SANS AUCUN CALCUL : TABLE N⁰ 4

VOTRE HEURE DE NAISSANCE	17 OCTOBRE	18 OCTOBRE	19 OCTOBRE	20 OCTOBRE	21 OCTOBRE	22 OCTOBRE	23 OCTOBRE	24 OCTOBRE
0 h 00	LION	LION	LION	LION	LION	LION	LION	LION
0 h 30	LION	LION	LION	LION	LION	LION	LION	LION
1 h 00	LION	LION	LION	LION	LION	LION	LION	LION
1 h 30	LION	LION	VIERGE	VIERGE	VIERGE	VIERGE	VIERGE	VIERGE
2 h 00	VIERGE	VIERGE	VIERGE	VIERGE	VIERGE	VIERGE	VIERGE	VIERGE
2 h 30	VIERGE	VIERGE	VIERGE	VIERGE	VIERGE	VIERGE	VIERGE	VIERGE
3 h 00	VIERGE	VIERGE	VIERGE	VIERGE	VIERGE	VIERGE	VIERGE	VIERGE
3 h 30	VIERGE	VIERGE	VIERGE	VIERGE	VIERGE	VIERGE	VIERGE	VIERGE
4 h 00	VIERGE	VIERGE	VIERGE	VIERGE	BALANCE	BALANCE	BALANCE	BALANCE
4 h 30	BALANCE	BALANCE	BALANCE	BALANCE	BALANCE	BALANCE	BALANCE	BALANCE
5 h 00	BALANCE	BALANCE	BALANCE	BALANCE	BALANCE	BALANCE	BALANCE	BALANCE
5 h 30	BALANCE	BALANCE	BALANCE	BALANCE	BALANCE	BALANCE	BALANCE	BALANCE
6 h 00	BALANCE	BALANCE	BALANCE	BALANCE	BALANCE	BALANCE	BALANCE	BALANCE
6 h 30	BALANCE	BALANCE	BALANCE	BALANCE	BALANCE	BALANCE	SCORPION	SCORPION
7 h 00	SCORPION	SCORPION	SCORPION	SCORPION	SCORPION	SCORPION	SCORPION	SCORPION
7 h 30	SCORPION	SCORPION	SCORPION	SCORPION	SCORPION	SCORPION	SCORPION	SCORPION
8 h 00	SCORPION	SCORPION	SCORPION	SCORPION	SCORPION	SCORPION	SCORPION	SCORPION
8 h 30	SCORPION	SCORPION	SCORPION	SCORPION	SCORPION	SCORPION	SCORPION	SCORPION
9 h 00	SCORPION	SCORPION	SCORPION	SCORPION	SCORPION	SCORPION	SCORPION	SCORPION
9 h 30	SCORPION	SCORPION	SAGITTAIRE	SAGITTAIRE	SAGITTAIRE	SAGITTAIRE	SAGITTAIRE	SAGITTAIRE
10 h 00	SAGITTAIRE	SAGITTAIRE	SAGITTAIRE	SAGITTAIRE	SAGITTAIRE	SAGITTAIRE	SAGITTAIRE	SAGITTAIRE
10 h 30	SAGITTAIRE	SAGITTAIRE	SAGITTAIRE	SAGITTAIRE	SAGITTAIRE	SAGITTAIRE	SAGITTAIRE	SAGITTAIRE
11 h 00	SAGITTAIRE	SAGITTAIRE	SAGITTAIRE	SAGITTAIRE	SAGITTAIRE	SAGITTAIRE	SAGITTAIRE	SAGITTAIRE
11 h 30	SAGITTAIRE	SAGITTAIRE	SAGITTAIRE	SAGITTAIRE	SAGITTAIRE	SAGITTAIRE	SAGITTAIRE	SAGITTAIRE
MIDI	SAGITTAIRE	CAPRICORNE	CAPRICORNE	CAPRICORNE	CAPRICORNE	CAPRICORNE	CAPRICORNE	CAPRICORNE
12 h 30	CAPRICORNE	CAPRICORNE	CAPRICORNE	CAPRICORNE	CAPRICORNE	CAPRICORNE	CAPRICORNE	CAPRICORNE
13 h 00	CAPRICORNE	CAPRICORNE	CAPRICORNE	CAPRICORNE	CAPRICORNE	CAPRICORNE	CAPRICORNE	CAPRICORNE
13 h 30	CAPRICORNE	CAPRICORNE	CAPRICORNE	CAPRICORNE	CAPRICORNE	CAPRICORNE	VERSEAU	VERSEAU
14 h 00	VERSEAU	VERSEAU	VERSEAU	VERSEAU	VERSEAU	VERSEAU	VERSEAU	VERSEAU
14 h 30	VERSEAU	VERSEAU	VERSEAU	VERSEAU	VERSEAU	VERSEAU	VERSEAU	VERSEAU
15 h 00	VERSEAU	VERSEAU	VERSEAU	VERSEAU	POISSONS	POISSONS	POISSONS	POISSONS
15 h 30	POISSONS	POISSONS	POISSONS	POISSONS	POISSONS	POISSONS	POISSONS	POISSONS
16 h 00	POISSONS	POISSONS	POISSONS	POISSONS	BELIER	BELIER	BELIER	BELIER
16 h 30	BELIER	BELIER	BELIER	BELIER	BELIER	BELIER	BELIER	BELIER
17 h 00	BELIER	BELIER	BELIER	BELIER	BELIER	BELIER	TAUREAU	TAUREAU
17 h 30	TAUREAU	TAUREAU	TAUREAU	TAUREAU	TAUREAU	TAUREAU	TAUREAU	TAUREAU
18 h 00	TAUREAU	TAUREAU	TAUREAU	TAUREAU	TAUREAU	TAUREAU	TAUREAU	TAUREAU
18 h 30	TAUREAU	TAUREAU	TAUREAU	GEMEAUX	GEMEAUX	GEMEAUX	GEMEAUX	GEMEAUX
19 h 00	GEMEAUX	GEMEAUX	GEMEAUX	GEMEAUX	GEMEAUX	GEMEAUX	GEMEAUX	GEMEAUX
19 h 30	GEMEAUX	GEMEAUX	GEMEAUX	GEMEAUX	GEMEAUX	GEMEAUX	GEMEAUX	GEMEAUX
20 h 00	GEMEAUX	GEMEAUX	GEMEAUX	GEMEAUX	GEMEAUX	GEMEAUX	GEMEAUX	GEMEAUX
20 h 30	GEMEAUX	CANCER	CANCER	CANCER	CANCER	CANCER	CANCER	CANCER
21 h 00	CANCER	CANCER	CANCER	CANCER	CANCER	CANCER	CANCER	CANCER
21 h 30	CANCER	CANCER	CANCER	CANCER	CANCER	CANCER	CANCER	CANCER
22 h 00	CANCER	CANCER	CANCER	CANCER	CANCER	CANCER	CANCER	CANCER
22 h 30	CANCER	CANCER	CANCER	CANCER	CANCER	CANCER	CANCER	LION
23 h 00	LION	LION	LION	LION	LION	LION	LION	LION
23 h 30	LION	LION	LION	LION	LION	LION	LION	LION

DECOUVREZ VOTRE ASCENDANT SANS AUCUN CALCUL : TABLE N⁰ 5

VOTRE HEURE DE NAISSANCE	22 SEPTEMBRE	23 SEPTEMBRE	24 SEPTEMBRE	25 SEPTEMBRE	26 SEPTEMBRE	27 SEPTEMBRE	28 SEPTEMBRE	29 SEPTEMBRE
0 h 00	CANCER	CANCER	CANCER	LION	LION	LION	LION	LION
0 h 30	LION	LION	LION	LION	LION	LION	LION	LION
1 h 00	LION	LION	LION	LION	LION	LION	LION	LION
1 h 30	LION	LION	LION	LION	LION	LION	LION	LION
2 h 00	LION	LION	LION	LION	LION	LION	LION	LION
2 h 30	LION	LION	LION	LION	LION	LION	LION	LION
3 h 00	LION	VIERGE	VIERGE	VIERGE	VIERGE	VIERGE	VIERGE	VIERGE
3 h 30	VIERGE	VIERGE	VIERGE	VIERGE	VIERGE	VIERGE	VIERGE	VIERGE
4 h 00	VIERGE	VIERGE	VIERGE	VIERGE	VIERGE	VIERGE	VIERGE	VIERGE
4 h 30	VIERGE	VIERGE	VIERGE	VIERGE	VIERGE	VIERGE	VIERGE	VIERGE
5 h 00	VIERGE	VIERGE	VIERGE	VIERGE	VIERGE	VIERGE	VIERGE	VIERGE
5 h 30	VIERGE	VIERGE	VIERGE	VIERGE	VIERGE	VIERGE	VIERGE	BALANCE
6 h 00	BALANCE	BALANCE	BALANCE	BALANCE	BALANCE	BALANCE	BALANCE	BALANCE
6 h 30	BALANCE	BALANCE	BALANCE	BALANCE	BALANCE	BALANCE	BALANCE	BALANCE
7 h 00	BALANCE	BALANCE	BALANCE	BALANCE	BALANCE	BALANCE	BALANCE	BALANCE
7 h 30	BALANCE	BALANCE	BALANCE	BALANCE	BALANCE	BALANCE	BALANCE	BALANCE
8 h 00	BALANCE	BALANCE	BALANCE	BALANCE	BALANCE	BALANCE	BALANCE	BALANCE
8 h 30	BALANCE	BALANCE	BALANCE	BALANCE	BALANCE	SCORPION	SCORPION	SCORPION
9 h 00	SCORPION	SCORPION	SCORPION	SCORPION	SCORPION	SCORPION	SCORPION	SCORPION
9 h 30	SCORPION	SCORPION	SCORPION	SCORPION	SCORPION	SCORPION	SCORPION	SCORPION
10 h 00	SCORPION	SCORPION	SCORPION	SCORPION	SCORPION	SCORPION	SCORPION	SCORPION
10 h 30	SCORPION	SCORPION	SCORPION	SCORPION	SCORPION	SCORPION	SCORPION	SCORPION
11 h 00	SCORPION	SCORPION	SCORPION	SCORPION	SCORPION	SCORPION	SCORPION	SCORPION
11 h 30	SCORPION	SCORPION	SCORPION	SAGITTAIRE	SAGITTAIRE	SAGITTAIRE	SAGITTAIRE	SAGITTAIRE
MIDI	SAGITTAIRE	SAGITTAIRE	SAGITTAIRE	SAGITTAIRE	SAGITTAIRE	SAGITTAIRE	SAGITTAIRE	SAGITTAIRE
12 h 30	SAGITTAIRE	SAGITTAIRE	SAGITTAIRE	SAGITTAIRE	SAGITTAIRE	SAGITTAIRE	SAGITTAIRE	SAGITTAIRE
13 h 00	SAGITTAIRE	SAGITTAIRE	SAGITTAIRE	SAGITTAIRE	SAGITTAIRE	SAGITTAIRE	SAGITTAIRE	SAGITTAIRE
13 h 30	SAGITTAIRE	SAGITTAIRE	SAGITTAIRE	SAGITTAIRE	SAGITTAIRE	SAGITTAIRE	SAGITTAIRE	SAGITTAIRE
14 h 00	SAGITTAIRE	SAGITTAIRE	SAGITTAIRE	CAPRICORNE	CAPRICORNE	CAPRICORNE	CAPRICORNE	CAPRICORNE
14 h 30	CAPRICORNE	CAPRICORNE	CAPRICORNE	CAPRICORNE	CAPRICORNE	CAPRICORNE	CAPRICORNE	CAPRICORNE
15 h 00	CAPRICORNE	CAPRICORNE	CAPRICORNE	CAPRICORNE	CAPRICORNE	CAPRICORNE	CAPRICORNE	CAPRICORNE
15 h 30	CAPRICORNE	CAPRICORNE	CAPRICORNE	CAPRICORNE	CAPRICORNE	CAPRICORNE	CAPRICORNE	VERSEAU
16 h 00	VERSEAU	VERSEAU	VERSEAU	VERSEAU	VERSEAU	VERSEAU	VERSEAU	VERSEAU
16 h 30	VERSEAU	VERSEAU	VERSEAU	VERSEAU	VERSEAU	VERSEAU	VERSEAU	VERSEAU
17 h 00	VERSEAU	POISSONS	POISSONS	POISSONS	POISSONS	POISSONS	POISSONS	POISSONS
17 h 30	POISSONS	POISSONS	POISSONS	POISSONS	POISSONS	POISSONS	POISSONS	BELIER
18 h 00	BELIER	BELIER	BELIER	BELIER	BELIER	BELIER	BALANCE	BELIER
18 h 30	BELIER	BELIER	BELIER	BELIER	TAUREAU	TAUREAU	TAUREAU	TAUREAU
19 h 00	TAUREAU	TAUREAU	TAUREAU	TAUREAU	TAUREAU	TAUREAU	TAUREAU	TAUREAU
19 h 30	TAUREAU	TAUREAU	TAUREAU	TAUREAU	TAUREAU	TAUREAU	GEMEAUX	GEMEAUX
20 h 00	GEMEAUX	GEMEAUX	GEMEAUX	GEMEAUX	GEMEAUX	GEMEAUX	GEMEAUX	GEMEAUX
20 h 30	GEMEAUX	GEMEAUX	GEMEAUX	GEMEAUX	GEMEAUX	GEMEAUX	GEMEAUX	GEMEAUX
21 h 00	GEMEAUX	GEMEAUX	GEMEAUX	GEMEAUX	GEMEAUX	GEMEAUX	GEMEAUX	GEMEAUX
21 h 30	GEMEAUX	GEMEAUX	GEMEAUX	CANCER	CANCER	CANCER	CANCER	CANCER
22 h 00	CANCER	CANCER	CANCER	CANCER	CANCER	CANCER	CANCER	CANCER
22 h 30	CANCER	CANCER	CANCER	CANCER	CANCER	CANCER	CANCER	CANCER
23 h 00	CANCER	CANCER	CANCER	CANCER	CANCER	CANCER	CANCER	CANCER
23 h 30	CANCER	CANCER	CANCER	CANCER	CANCER	CANCER	CANCER	CANCER

DECOUVREZ VOTRE ASCENDANT SANS AUCUN CALCUL : TABLE N° 5

VOTRE HEURE DE NAISSANCE	30 SEPTEMBRE	1 OCTOBRE	2 OCTOBRE	3 OCTOBRE	4 OCTOBRE	5 OCTOBRE	6 OCTOBRE	7 OCTOBRE
0 h 00	LION	LION	LION	LION	LION	LION	LION	LION
0 h 30	LION	LION	LION	LION	LION	LION	LION	LION
1 h 00	LION	LION	LION	LION	LION	LION	LION	LION
1 h 30	LION	LION	LION	LION	LION	LION	LION	LION
2 h 00	LION	LION	LION	LION	LION	LION	LION	LION
2 h 30	VIERGE	VIERGE	VIERGE	VIERGE	VIERGE	VIERGE	VIERGE	VIERGE
3 h 00	VIERGE	VIERGE	VIERGE	VIERGE	VIERGE	VIERGE	VIERGE	VIERGE
3 h 30	VIERGE	VIERGE	VIERGE	VIERGE	VIERGE	VIERGE	VIERGE	VIERGE
4 h 00	VIERGE	VIERGE	VIERGE	VIERGE	VIERGE	VIERGE	VIERGE	VIERGE
4 h 30	VIERGE	VIERGE	VIERGE	VIERGE	VIERGE	VIERGE	VIERGE	VIERGE
5 h 00	VIERGE	VIERGE	VIERGE	VIERGE	VIERGE	VIERGE	BALANCE	BALANCE
5 h 30	BALANCE	BALANCE	BALANCE	BALANCE	BALANCE	BALANCE	BALANCE	BALANCE
6 h 00	BALANCE	BALANCE	BALANCE	BALANCE	BALANCE	BALANCE	BALANCE	BALANCE
6 h 30	BALANCE	BALANCE	BALANCE	BALANCE	BALANCE	BALANCE	BALANCE	BALANCE
7 h 00	BALANCE	BALANCE	BALANCE	BALANCE	BALANCE	BALANCE	BALANCE	BALANCE
7 h 30	BALANCE	BALANCE	BALANCE	BALANCE	BALANCE	BALANCE	BALANCE	BALANCE
8 h 00	BALANCE	BALANCE	BALANCE	BALANCE	SCORPION	SCORPION	SCORPION	SCORPION
8 h 30	SCORPION	SCORPION	SCORPION	SCORPION	SCORPION	SCORPION	SCORPION	SCORPION
9 h 00	SCORPION	SCORPION	SCORPION	SCORPION	SCORPION	SCORPION	SCORPION	SCORPION
9 h 30	SCORPION	SCORPION	SCORPION	SCORPION	SCORPION	SCORPION	SCORPION	SCORPION
10 h 00	SCORPION	SCORPION	SCORPION	SCORPION	SCORPION	SCORPION	SCORPION	SCORPION
10 h 30	SCORPION	SCORPION	SCORPION	SCORPION	SCORPION	SCORPION	SCORPION	SCORPION
11 h 00	SCORPION	SCORPION	SCORPION	SAGITTAIRE	SAGITTAIRE	SAGITTAIRE	SAGITTAIRE	SAGITTAIRE
11 h 30	SAGITTAIRE	SAGITTAIRE	SAGITTAIRE	SAGITTAIRE	SAGITTAIRE	SAGITTAIRE	SAGITTAIRE	SAGITTAIRE
MIDI	SAGITTAIRE	SAGITTAIRE	SAGITTAIRE	SAGITTAIRE	SAGITTAIRE	SAGITTAIRE	SAGITTAIRE	SAGITTAIRE
12 h 30	SAGITTAIRE	SAGITTAIRE	SAGITTAIRE	SAGITTAIRE	SAGITTAIRE	SAGITTAIRE	SAGITTAIRE	SAGITTAIRE
13 h 00	SAGITTAIRE	SAGITTAIRE	SAGITTAIRE	SAGITTAIRE	SAGITTAIRE	SAGITTAIRE	SAGITTAIRE	SAGITTAIRE
13 h 30	SAGITTAIRE	SAGITTAIRE	CAPRICORNE	CAPRICORNE	CAPRICORNE	CAPRICORNE	CAPRICORNE	CAPRICORNE
14 h 00	CAPRICORNE	CAPRICORNE	CAPRICORNE	CAPRICORNE	CAPRICORNE	CAPRICORNE	CAPRICORNE	CAPRICORNE
14 h 30	CAPRICORNE	CAPRICORNE	CAPRICORNE	CAPRICORNE	CAPRICORNE	CAPRICORNE	CAPRICORNE	CAPRICORNE
15 h 00	CAPRICORNE	CAPRICORNE	CAPRICORNE	CAPRICORNE	CAPRICORNE	CAPRICORNE	VERSEAU	VERSEAU
15 h 30	VERSEAU	VERSEAU	VERSEAU	VERSEAU	VERSEAU	VERSEAU	VERSEAU	VERSEAU
16 h 00	VERSEAU	VERSEAU	VERSEAU	VERSEAU	VERSEAU	VERSEAU	VERSEAU	VERSEAU
16 h 30	VERSEAU	POISSONS	POISSONS	POISSONS	POISSONS	POISSONS	POISSONS	POISSONS
17 h 00	POISSONS	POISSONS	POISSONS	POISSONS	POISSONS	POISSONS	BELIER	BELIER
17 h 30	BELIER	BELIER	BELIER	BELIER	BELIER	BELIER	BELIER	BELIER
18 h 00	BELIER	BELIER	BELIER	BELIER	TAUREAU	TAUREAU	TAUREAU	TAUREAU
18 h 30	TAUREAU	TAUREAU	TAUREAU	TAUREAU	TAUREAU	TAUREAU	TAUREAU	TAUREAU
19 h 00	TAUREAU	TAUREAU	TAUREAU	TAUREAU	TAUREAU	GEMEAUX	GEMEAUX	GEMEAUX
19 h 30	GEMEAUX	GEMEAUX	GEMEAUX	GEMEAUX	GEMEAUX	GEMEAUX	GEMEAUX	GEMEAUX
20 h 00	GEMEAUX	GEMEAUX	GEMEAUX	GEMEAUX	GEMEAUX	GEMEAUX	GEMEAUX	GEMEAUX
20 h 30	GEMEAUX	GEMEAUX	GEMEAUX	GEMEAUX	GEMEAUX	GEMEAUX	GEMEAUX	GEMEAUX
21 h 00	GEMEAUX	GEMEAUX	CANCER	CANCER	CANCER	CANCER	CANCER	CANCER
21 h 30	CANCER	CANCER	CANCER	CANCER	CANCER	CANCER	CANCER	CANCER
22 h 00	CANCER	CANCER	CANCER	CANCER	CANCER	CANCER	CANCER	CANCER
22 h 30	CANCER	CANCER	CANCER	CANCER	CANCER	CANCER	CANCER	CANCER
23 h 00	CANCER	CANCER	CANCER	CANCER	CANCER	CANCER	CANCER	CANCER
23 h 30	CANCER	CANCER	LION	LION	LION	LION	LION	LION

DECOUVREZ VOTRE ASCENDANT SANS AUCUN CALCUL : TABLE N° 5

VOTRE HEURE DE NAISSANCE	8 OCTOBRE	9 OCTOBRE	10 OCTOBRE	11 OCTOBRE	12 OCTOBRE	13 OCTOBRE	14 OCTOBRE	15 OCTOBRE	16 OCTOBRE
0 h 00	LION	LION	LION	LION	LION	LION	LION	LION	LION
0 h 30	LION	LION	LION	LION	LION	LION	LION	LION	LION
1 h 00	LION	LION	LION	LION	LION	LION	LION	LION	LION
1 h 30	LION	LION	LION	LION	LION	LION	LION	LION	VIERGE
2 h 00	VIERGE	VIERGE	VIERGE	VIERGE	VIERGE	VIERGE	VIERGE	VIERGE	VIERGE
2 h 30	VIERGE	VIERGE	VIERGE	VIERGE	VIERGE	VIERGE	VIERGE	VIERGE	VIERGE
3 h 00	VIERGE	VIERGE	VIERGE	VIERGE	VIERGE	VIERGE	VIERGE	VIERGE	VIERGE
3 h 30	VIERGE	VIERGE	VIERGE	VIERGE	VIERGE	VIERGE	VIERGE	VIERGE	VIERGE
4 h 00	VIERGE	VIERGE	VIERGE	VIERGE	VIERGE	VIERGE	VIERGE	VIERGE	VIERGE
4 h 30	VIERGE	VIERGE	VIERGE	VIERGE	VIERGE	VIERGE	BALANCE	BALANCE	BALANCE
5 h 00	BALANCE	BALANCE	BALANCE	BALANCE	BALANCE	BALANCE	BALANCE	BALANCE	BALANCE
5 h 30	BALANCE	BALANCE	BALANCE	BALANCE	BALANCE	BALANCE	BALANCE	BALANCE	BALANCE
6 h 00	BALANCE	BALANCE	BALANCE	BALANCE	BALANCE	BALANCE	BALANCE	BALANCE	BALANCE
6 h 30	BALANCE	BALANCE	BALANCE	BALANCE	BALANCE	BALANCE	BALANCE	BALANCE	BALANCE
7 h 00	BALANCE	BALANCE	BALANCE	BALANCE	BALANCE	BALANCE	BALANCE	BALANCE	BALANCE
7 h 30	BALANCE	BALANCE	BALANCE	BALANCE	SCORPION	SCORPION	SCORPION	SCORPION	SCORPION
8 h 00	SCORPION	SCORPION	SCORPION	SCORPION	SCORPION	SCORPION	SCORPION	SCORPION	SCORPION
8 h 30	SCORPION	SCORPION	SCORPION	SCORPION	SCORPION	SCORPION	SCORPION	SCORPION	SCORPION
9 h 00	SCORPION	SCORPION	SCORPION	SCORPION	SCORPION	SCORPION	SCORPION	SCORPION	SCORPION
9 h 30	SCORPION	SCORPION	SCORPION	SCORPION	SCORPION	SCORPION	SCORPION	SCORPION	SCORPION
10 h 00	SCORPION	SCORPION	SCORPION	SCORPION	SCORPION	SCORPION	SCORPION	SCORPION	SCORPION
10 h 30	SCORPION	SCORPION	SAGITTAIRE	SAGITTAIRE	SAGITTAIRE	SAGITTAIRE	SAGITTAIRE	SAGITTAIRE	SAGITTAIRE
11 h 00	SAGITTAIRE	SAGITTAIRE	SAGITTAIRE	SAGITTAIRE	SAGITTAIRE	SAGITTAIRE	SAGITTAIRE	SAGITTAIRE	SAGITTAIRE
11 h 30	SAGITTAIRE	SAGITTAIRE	SAGITTAIRE	SAGITTAIRE	SAGITTAIRE	SAGITTAIRE	SAGITTAIRE	SAGITTAIRE	SAGITTAIRE
MIDI	SAGITTAIRE	SAGITTAIRE	SAGITTAIRE	SAGITTAIRE	SAGITTAIRE	SAGITTAIRE	SAGITTAIRE	SAGITTAIRE	SAGITTAIRE
12 h 30	SAGITTAIRE	SAGITTAIRE	SAGITTAIRE	SAGITTAIRE	SAGITTAIRE	SAGITTAIRE	SAGITTAIRE	SAGITTAIRE	SAGITTAIRE
13 h 00	SAGITTAIRE	SAGITTAIRE	CAPRICORNE	CAPRICORNE	CAPRICORNE	CAPRICORNE	CAPRICORNE	CAPRICORNE	CAPRICORNE
13 h 30	CAPRICORNE	CAPRICORNE	CAPRICORNE	CAPRICORNE	CAPRICORNE	CAPRICORNE	CAPRICORNE	CAPRICORNE	CAPRICORNE
14 h 00	CAPRICORNE	CAPRICORNE	CAPRICORNE	CAPRICORNE	CAPRICORNE	CAPRICORNE	CAPRICORNE	CAPRICORNE	CAPRICORNE
14 h 30	CAPRICORNE	CAPRICORNE	CAPRICORNE	CAPRICORNE	CAPRICORNE	CAPRICORNE	CAPRICORNE	VERSEAU	VERSEAU
15 h 00	VERSEAU	VERSEAU	VERSEAU	VERSEAU	VERSEAU	VERSEAU	VERSEAU	VERSEAU	VERSEAU
15 h 30	VERSEAU	VERSEAU	VERSEAU	VERSEAU	VERSEAU	VERSEAU	VERSEAU	VERSEAU	VERSEAU
16 h 00	VERSEAU	POISSONS	POISSONS	POISSONS	POISSONS	POISSONS	POISSONS	POISSONS	POISSONS
16 h 30	POISSONS	POISSONS	POISSONS	POISSONS	POISSONS	POISSONS	BELIER	BELIER	BELIER
17 h 00	BELIER	BELIER	BELIER	BELIER	BELIER	BELIER	BELIER	BELIER	BELIER
17 h 30	BELIER	BELIER	BELIER	BELIER	TAUREAU	TAUREAU	TAUREAU	TAUREAU	TAUREAU
18 h 00	TAUREAU	TAUREAU	TAUREAU	TAUREAU	TAUREAU	TAUREAU	TAUREAU	TAUREAU	TAUREAU
18 h 30	TAUREAU	TAUREAU	TAUREAU	TAUREAU	TAUREAU	GEMEAUX	GEMEAUX	GEMEAUX	GEMEAUX
19 h 00	GEMEAUX	GEMEAUX	GEMEAUX	GEMEAUX	GEMEAUX	GEMEAUX	GEMEAUX	GEMEAUX	GEMEAUX
19 h 30	GEMEAUX	GEMEAUX	GEMEAUX	GEMEAUX	GEMEAUX	GEMEAUX	GEMEAUX	GEMEAUX	GEMEAUX
20 h 00	GEMEAUX	GEMEAUX	GEMEAUX	GEMEAUX	GEMEAUX	GEMEAUX	GEMEAUX	GEMEAUX	GEMEAUX
20 h 30	GEMEAUX	GEMEAUX	CANCER	CANCER	CANCER	CANCER	CANCER	CANCER	CANCER
21 h 00	CANCER	CANCER	CANCER	CANCER	CANCER	CANCER	CANCER	CANCER	CANCER
21 h 30	CANCER	CANCER	CANCER	CANCER	CANCER	CANCER	CANCER	CANCER	CANCER
22 h 00	CANCER	CANCER	CANCER	CANCER	CANCER	CANCER	CANCER	CANCER	CANCER
22 h 30	CANCER	CANCER	CANCER	CANCER	CANCER	CANCER	CANCER	CANCER	CANCER
23 h 00	CANCER	CANCER	LION	LION	LION	LION	LION	LION	LION
23 h 30	LION	LION	LION	LION	LION	LION	LION	LION	LION

DECOUVREZ VOTRE ASCENDANT SANS AUCUN CALCUL : TABLE N° 5

VOTRE HEURE DE NAISSANCE	17 OCTOBRE	18 OCTOBRE	19 OCTOBRE	20 OCTOBRE	21 OCTOBRE	22 OCTOBRE	23 OCTOBRE	24 OCTOBRE
0 h 00	LION	LION	LION	LION	LION	LION	LION	LION
0 h 30	LION	LION	LION	LION	LION	LION	LION	LION
1 h 00	LION	LION	LION	LION	LION	LION	VIERGE	VIERGE
1 h 30	VIERGE	VIERGE	VIERGE	VIERGE	VIERGE	VIERGE	VIERGE	VIERGE
2 h 00	VIERGE	VIERGE	VIERGE	VIERGE	VIERGE	VIERGE	VIERGE	VIERGE
2 h 30	VIERGE	VIERGE	VIERGE	VIERGE	VIERGE	VIERGE	VIERGE	VIERGE
3 h 00	VIERGE	VIERGE	VIERGE	VIERGE	VIERGE	VIERGE	VIERGE	VIERGE
3 h 30	VIERGE	VIERGE	VIERGE	VIERGE	VIERGE	VIERGE	VIERGE	VIERGE
4 h 00	VIERGE	VIERGE	VIERGE	VIERGE	BALANCE	BALANCE	BALANCE	BALANCE
4 h 30	BALANCE	BALANCE	BALANCE	BALANCE	BALANCE	BALANCE	BALANCE	BALANCE
5 h 00	BALANCE	BALANCE	BALANCE	BALANCE	BALANCE	BALANCE	BALANCE	BALANCE
5 h 30	BALANCE	BALANCE	BALANCE	BALANCE	BALANCE	BALANCE	BALANCE	BALANCE
6 h 00	BALANCE	BALANCE	BALANCE	BALANCE	BALANCE	BALANCE	BALANCE	BALANCE
6 h 30	BALANCE	BALANCE	BALANCE	BALANCE	BALANCE	BALANCE	BALANCE	BALANCE
7 h 00	BALANCE	BALANCE	SCORPION	SCORPION	SCORPION	SCORPION	SCORPION	SCORPION
7 h 30	SCORPION	SCORPION	SCORPION	SCORPION	SCORPION	SCORPION	SCORPION	SCORPION
8 h 00	SCORPION	SCORPION	SCORPION	SCORPION	SCORPION	SCORPION	SCORPION	SCORPION
8 h 30	SCORPION	SCORPION	SCORPION	SCORPION	SCORPION	SCORPION	SCORPION	SCORPION
9 h 00	SCORPION	SCORPION	SCORPION	SCORPION	SCORPION	SCORPION	SCORPION	SCORPION
9 h 30	SCORPION	SCORPION	SCORPION	SCORPION	SCORPION	SCORPION	SCORPION	SCORPION
10 h 00	SCORPION	SAGITTAIRE	SAGITTAIRE	SAGITTAIRE	SAGITTAIRE	SAGITTAIRE	SAGITTAIRE	SAGITTAIRE
10 h 30	SAGITTAIRE	SAGITTAIRE	SAGITTAIRE	SAGITTAIRE	SAGITTAIRE	SAGITTAIRE	SAGITTAIRE	SAGITTAIRE
11 h 00	SAGITTAIRE	SAGITTAIRE	SAGITTAIRE	SAGITTAIRE	SAGITTAIRE	SAGITTAIRE	SAGITTAIRE	SAGITTAIRE
11 h 30	SAGITTAIRE	SAGITTAIRE	SAGITTAIRE	SAGITTAIRE	SAGITTAIRE	SAGITTAIRE	SAGITTAIRE	SAGITTAIRE
MIDI	SAGITTAIRE	SAGITTAIRE	SAGITTAIRE	SAGITTAIRE	SAGITTAIRE	SAGITTAIRE	SAGITTAIRE	SAGITTAIRE
12 h 30	SAGITTAIRE	CAPRICORNE	CAPRICORNE	CAPRICORNE	CAPRICORNE	CAPRICORNE	CAPRICORNE	CAPRICORNE
13 h 00	CAPRICORNE	CAPRICORNE	CAPRICORNE	CAPRICORNE	CAPRICORNE	CAPRICORNE	CAPRICORNE	CAPRICORNE
13 h 30	CAPRICORNE	CAPRICORNE	CAPRICORNE	CAPRICORNE	CAPRICORNE	CAPRICORNE	CAPRICORNE	CAPRICORNE
14 h 00	CAPRICORNE	CAPRICORNE	CAPRICORNE	CAPRICORNE	CAPRICORNE	VERSEAU	VERSEAU	VERSEAU
14 h 30	VERSEAU	VERSEAU	VERSEAU	VERSEAU	VERSEAU	VERSEAU	VERSEAU	VERSEAU
15 h 00	VERSEAU	VERSEAU	VERSEAU	VERSEAU	VERSEAU	VERSEAU	VERSEAU	VERSEAU
15 h 30	POISSONS	POISSONS	POISSONS	POISSONS	POISSONS	POISSONS	POISSONS	POISSONS
16 h 00	POISSONS	POISSONS	POISSONS	POISSONS	BELIER	BELIER	BELIER	BELIER
16 h 30	BELIER	BELIER	BELIER	BELIER	BELIER	BELIER	BELIER	BELIER
17 h 00	BELIER	BELIER	TAUREAU	TAUREAU	TAUREAU	TAUREAU	TAUREAU	TAUREAU
17 h 30	TAUREAU	TAUREAU	TAUREAU	TAUREAU	TAUREAU	TAUREAU	TAUREAU	TAUREAU
18 h 00	TAUREAU	TAUREAU	TAUREAU	GEMEAUX	GEMEAUX	GEMEAUX	GEMEAUX	GEMEAUX
18 h 30	GEMEAUX	GEMEAUX	GEMEAUX	GEMEAUX	GEMEAUX	GEMEAUX	GEMEAUX	GEMEAUX
19 h 00	GEMEAUX	GEMEAUX	GEMEAUX	GEMEAUX	GEMEAUX	GEMEAUX	GEMEAUX	GEMEAUX
19 h 30	GEMEAUX	GEMEAUX	GEMEAUX	GEMEAUX	GEMEAUX	GEMEAUX	GEMEAUX	GEMEAUX
20 h 00	CANCER	CANCER	CANCER	CANCER	CANCER	CANCER	CANCER	CANCER
20 h 30	CANCER	CANCER	CANCER	CANCER	CANCER	CANCER	CANCER	CANCER
21 h 00	CANCER	CANCER	CANCER	CANCER	CANCER	CANCER	CANCER	CANCER
21 h 30	CANCER	CANCER	CANCER	CANCER	CANCER	CANCER	CANCER	CANCER
22 h 00	CANCER	CANCER	CANCER	CANCER	CANCER	CANCER	CANCER	CANCER
22 h 30	CANCER	LION	LION	LION	LION	LION	LION	LION
23 h 00	LION	LION	LION	LION	LION	LION	LION	LION
23 h 30	LION	LION	LION	LION	LION	LION	LION	LION

DECOUVREZ VOTRE ASCENDANT SANS AUCUN CALCUL : TABLE N° 6

VOTRE HEURE DE NAISSANCE	22 SEPTEMBRE	23 SEPTEMBRE	24 SEPTEMBRE	25 SEPTEMBRE	26 SEPTEMBRE	27 SEPTEMBRE	28 SEPTEMBRE	29 SEPTEMBRE
0 h 00	LION	LION	LION	LION	LION	LION	LION	LION
0 h 30	LION	LION	LION	LION	LION	LION	LION	LION
1 h 00	LION	LION	LION	LION	LION	LION	LION	LION
1 h 30	LION	LION	LION	LION	LION	LION	LION	LION
2 h 00	LION	LION	LION	LION	LION	LION	LION	LION
2 h 30	LION	LION	LION	LION	VIERGE	VIERGE	VIERGE	VIERGE
3 h 00	VIERGE	VIERGE	VIERGE	VIERGE	VIERGE	VIERGE	VIERGE	VIERGE
3 h 30	VIERGE	VIERGE	VIERGE	VIERGE	VIERGE	VIERGE	VIERGE	VIERGE
4 h 00	VIERGE	VIERGE	VIERGE	VIERGE	VIERGE	VIERGE	VIERGE	VIERGE
4 h 30	VIERGE	VIERGE	VIERGE	VIERGE	VIERGE	VIERGE	VIERGE	VIERGE
5 h 00	VIERGE	VIERGE	VIERGE	VIERGE	VIERGE	VIERGE	VIERGE	VIERGE
5 h 30	VIERGE	VIERGE	VIERGE	VIERGE	VIERGE	VIERGE	VIERGE	BALANCE
6 h 00	BALANCE	BALANCE	BALANCE	BALANCE	BALANCE	BALANCE	BALANCE	BALANCE
6 h 30	BALANCE	BALANCE	BALANCE	BALANCE	BALANCE	BALANCE	BALANCE	BALANCE
7 h 00	BALANCE	BALANCE	BALANCE	BALANCE	BALANCE	BALANCE	BALANCE	BALANCE
7 h 30	BALANCE	BALANCE	BALANCE	BALANCE	BALANCE	BALANCE	BALANCE	BALANCE
8 h 00	BALANCE	BALANCE	BALANCE	BALANCE	BALANCE	BALANCE	BALANCE	BALANCE
8 h 30	BALANCE	BALANCE	BALANCE	BALANCE	BALANCE	BALANCE	BALANCE	BALANCE
9 h 00	BALANCE	SCORPION	SCORPION	SCORPION	SCORPION	SCORPION	SCORPION	SCORPION
9 h 30	SCORPION	SCORPION	SCORPION	SCORPION	SCORPION	SCORPION	SCORPION	SCORPION
10 h 00	SCORPION	SCORPION	SCORPION	SCORPION	SCORPION	SCORPION	SCORPION	SCORPION
10 h 30	SCORPION	SCORPION	SCORPION	SCORPION	SCORPION	SCORPION	SCORPION	SCORPION
11 h 00	SCORPION	SCORPION	SCORPION	SCORPION	SCORPION	SCORPION	SCORPION	SCORPION
11 h 30	SCORPION	SCORPION	SCORPION	SCORPION	SCORPION	SCORPION	SCORPION	SCORPION
MIDI	SCORPION	SCORPION	SCORPION	SCORPION	SAGITTAIRE	SAGITTAIRE	SAGITTAIRE	SAGITTAIRE
12 h 30	SAGITTAIRE	SAGITTAIRE	SAGITTAIRE	SAGITTAIRE	SAGITTAIRE	SAGITTAIRE	SAGITTAIRE	SAGITTAIRE
13 h 00	SAGITTAIRE	SAGITTAIRE	SAGITTAIRE	SAGITTAIRE	SAGITTAIRE	SAGITTAIRE	SAGITTAIRE	SAGITTAIRE
13 h 30	SAGITTAIRE	SAGITTAIRE	SAGITTAIRE	SAGITTAIRE	SAGITTAIRE	SAGITTAIRE	SAGITTAIRE	SAGITTAIRE
14 h 00	SAGITTAIRE	SAGITTAIRE	SAGITTAIRE	SAGITTAIRE	SAGITTAIRE	SAGITTAIRE	SAGITTAIRE	SAGITTAIRE
14 h 30	SAGITTAIRE	SAGITTAIRE	SAGITTAIRE	SAGITTAIRE	SAGITTAIRE	SAGITTAIRE	SAGITTAIRE	SAGITTAIRE
15 h 00	CAPRICORNE	CAPRICORNE	CAPRICORNE	CAPRICORNE	CAPRICORNE	CAPRICORNE	CAPRICORNE	CAPRICORNE
15 h 30	CAPRICORNE	CAPRICORNE	CAPRICORNE	CAPRICORNE	CAPRICORNE	CAPRICORNE	CAPRICORNE	CAPRICORNE
16 h 00	CAPRICORNE	CAPRICORNE	CAPRICORNE	CAPRICORNE	CAPRICORNE	CAPRICORNE	CAPRICORNE	CAPRICORNE
16 h 30	CAPRICORNE	CAPRICORNE	VERSEAU	VERSEAU	VERSEAU	VERSEAU	VERSEAU	VERSEAU
17 h 00	VERSEAU	VERSEAU	VERSEAU	VERSEAU	VERSEAU	VERSEAU	POISSONS	POISSONS
17 h 30	POISSONS	POISSONS	POISSONS	POISSONS	POISSONS	POISSONS	POISSONS	BELIER
18 h 00	BELIER	BELIER	BELIER	BELIER	BELIER	BELIER	BELIER	BELIER
18 h 30	TAUREAU	TAUREAU	TAUREAU	TAUREAU	TAUREAU	TAUREAU	TAUREAU	TAUREAU
19 h 00	TAUREAU	TAUREAU	TAUREAU	TAUREAU	GEMEAUX	GEMEAUX	GEMEAUX	GEMEAUX
19 h 30	GEMEAUX	GEMEAUX	GEMEAUX	GEMEAUX	GEMEAUX	GEMEAUX	GEMEAUX	GEMEAUX
20 h 00	GEMEAUX	GEMEAUX	GEMEAUX	GEMEAUX	GEMEAUX	GEMEAUX	GEMEAUX	GEMEAUX
20 h 30	GEMEAUX	GEMEAUX	GEMEAUX	GEMEAUX	GEMEAUX	CANCER	CANCER	CANCER
21 h 00	CANCER	CANCER	CANCER	CANCER	CANCER	CANCER	CANCER	CANCER
21 h 30	CANCER	CANCER	CANCER	CANCER	CANCER	CANCER	CANCER	CANCER
22 h 00	CANCER	CANCER	CANCER	CANCER	CANCER	CANCER	CANCER	CANCER
22 h 30	CANCER	CANCER	CANCER	CANCER	CANCER	CANCER	CANCER	CANCER
23 h 00	CANCER	CANCER	CANCER	CANCER	CANCER	CANCER	CANCER	CANCER
23 h 30	CANCER	LION	LION	LION	LION	LION	LION	LION

DECOUVREZ VOTRE ASCENDANT SANS AUCUN CALCUL : TABLE N° 6

VOTRE HEURE DE NAISSANCE	30 SEPTEMBRE	1 OCTOBRE	2 OCTOBRE	3 OCTOBRE	4 OCTOBRE	5 OCTOBRE	6 OCTOBRE	7 OCTOBRE
0 h 00	LION	LION	LION	LION	LION	LION	LION	LION
0 h 30	LION	LION	LION	LION	LION	LION	LION	LION
1 h 00	LION	LION	LION	LION	LION	LION	LION	LION
1 h 30	LION	LION	LION	LION	LION	LION	LION	LION
2 h 00	LION	LION	LION	VIERGE	VIERGE	VIERGE	VIERGE	VIERGE
2 h 30	VIERGE	VIERGE	VIERGE	VIERGE	VIERGE	VIERGE	VIERGE	VIERGE
3 h 00	VIERGE	VIERGE	VIERGE	VIERGE	VIERGE	VIERGE	VIERGE	VIERGE
3 h 30	VIERGE	VIERGE	VIERGE	VIERGE	VIERGE	VIERGE	VIERGE	VIERGE
4 h 00	VIERGE	VIERGE	VIERGE	VIERGE	VIERGE	VIERGE	VIERGE	VIERGE
4 h 30	VIERGE	VIERGE	VIERGE	VIERGE	VIERGE	VIERGE	VIERGE	VIERGE
5 h 00	VIERGE	VIERGE	VIERGE	VIERGE	VIERGE	VIERGE	BALANCE	BALANCE
5 h 30	BALANCE	BALANCE	BALANCE	BALANCE	BALANCE	BALANCE	BALANCE	BALANCE
6 h 00	BALANCE	BALANCE	BALANCE	BALANCE	BALANCE	BALANCE	BALANCE	BALANCE
6 h 30	BALANCE	BALANCE	BALANCE	BALANCE	BALANCE	BALANCE	BALANCE	BALANCE
7 h 00	BALANCE	BALANCE	BALANCE	BALANCE	BALANCE	BALANCE	BALANCE	BALANCE
7 h 30	BALANCE	BALANCE	BALANCE	BALANCE	BALANCE	BALANCE	BALANCE	BALANCE
8 h 00	BALANCE	BALANCE	BALANCE	BALANCE	BALANCE	BALANCE	BALANCE	BALANCE
8 h 30	BALANCE	SCORPION	SCORPION	SCORPION	SCORPION	SCORPION	SCORPION	SCORPION
9 h 00	SCORPION	SCORPION	SCORPION	SCORPION	SCORPION	SCORPION	SCORPION	SCORPION
9 h 30	SCORPION	SCORPION	SCORPION	SCORPION	SCORPION	SCORPION	SCORPION	SCORPION
10 h 00	SCORPION	SCORPION	SCORPION	SCORPION	SCORPION	SCORPION	SCORPION	SCORPION
10 h 30	SCORPION	SCORPION	SCORPION	SCORPION	SCORPION	SCORPION	SCORPION	SCORPION
11 h 00	SCORPION	SCORPION	SCORPION	SCORPION	SCORPION	SCORPION	SCORPION	SCORPION
11 h 30	SCORPION	SCORPION	SCORPION	SCORPION	SAGITTAIRE	SAGITTAIRE	SAGITTAIRE	SAGITTAIRE
MIDI	SAGITTAIRE	SAGITTAIRE	SAGITTAIRE	SAGITTAIRE	SAGITTAIRE	SAGITTAIRE	SAGITTAIRE	SAGITTAIRE
12 h 30	SAGITTAIRE	SAGITTAIRE	SAGITTAIRE	SAGITTAIRE	SAGITTAIRE	SAGITTAIRE	SAGITTAIRE	SAGITTAIRE
13 h 00	SAGITTAIRE	SAGITTAIRE	SAGITTAIRE	SAGITTAIRE	SAGITTAIRE	SAGITTAIRE	SAGITTAIRE	SAGITTAIRE
13 h 30	SAGITTAIRE	SAGITTAIRE	SAGITTAIRE	SAGITTAIRE	SAGITTAIRE	SAGITTAIRE	SAGITTAIRE	SAGITTAIRE
14 h 00	SAGITTAIRE	SAGITTAIRE	SAGITTAIRE	SAGITTAIRE	SAGITTAIRE	SAGITTAIRE	SAGITTAIRE	SAGITTAIRE
14 h 30	CAPRICORNE	CAPRICORNE	CAPRICORNE	CAPRICORNE	CAPRICORNE	CAPRICORNE	CAPRICORNE	CAPRICORNE
15 h 00	CAPRICORNE	CAPRICORNE	CAPRICORNE	CAPRICORNE	CAPRICORNE	CAPRICORNE	CAPRICORNE	CAPRICORNE
15 h 30	CAPRICORNE	CAPRICORNE	CAPRICORNE	CAPRICORNE	CAPRICORNE	CAPRICORNE	CAPRICORNE	CAPRICORNE
16 h 00	CAPRICORNE	VERSEAU	VERSEAU	VERSEAU	VERSEAU	VERSEAU	VERSEAU	VERSEAU
16 h 30	VERSEAU	VERSEAU	VERSEAU	VERSEAU	VERSEAU	VERSEAU	POISSONS	POISSONS
17 h 00	POISSONS	POISSONS	POISSONS	POISSONS	POISSONS	POISSONS	BELIER	BELIER
17 h 30	BELIER	BELIER	BELIER	BELIER	BELIER	BELIER	BELIER	BELIER
18 h 00	TAUREAU	TAUREAU	TAUREAU	TAUREAU	TAUREAU	TAUREAU	TAUREAU	TAUREAU
18 h 30	TAUREAU	TAUREAU	TAUREAU	TAUREAU	GEMEAUX	GEMEAUX	GEMEAUX	GEMEAUX
19 h 00	GEMEAUX	GEMEAUX	GEMEAUX	GEMEAUX	GEMEAUX	GEMEAUX	GEMEAUX	GEMEAUX
19 h 30	GEMEAUX	GEMEAUX	GEMEAUX	GEMEAUX	GEMEAUX	GEMEAUX	GEMEAUX	GEMEAUX
20 h 00	GEMEAUX	GEMEAUX	GEMEAUX	GEMEAUX	CANCER	CANCER	CANCER	CANCER
20 h 30	CANCER	CANCER	CANCER	CANCER	CANCER	CANCER	CANCER	CANCER
21 h 00	CANCER	CANCER	CANCER	CANCER	CANCER	CANCER	CANCER	CANCER
21 h 30	CANCER	CANCER	CANCER	CANCER	CANCER	CANCER	CANCER	CANCER
22 h 00	CANCER	CANCER	CANCER	CANCER	CANCER	CANCER	CANCER	CANCER
22 h 30	CANCER	CANCER	CANCER	CANCER	CANCER	CANCER	CANCER	CANCER
23 h 00	CANCER	LION	LION	LION	LION	LION	LION	LION
23 h 30	LION	LION	LION	LION	LION	LION	LION	LION

DECOUVREZ VOTRE ASCENDANT SANS AUCUN CALCUL : TABLE N⁰ 6

VOTRE HEURE DE NAISSANCE	8 OCTOBRE	9 OCTOBRE	10 OCTOBRE	11 OCTOBRE	12 OCTOBRE	13 OCTOBRE	14 OCTOBRE	15 OCTOBRE	16 OCTOBRE
0 h 00	LION	LION	LION	LION	LION	LION	LION	LION	LION
0 h 30	LION	LION	LION	LION	LION	LION	LION	LION	LION
1 h 00	LION	LION	LION	LION	LION	LION	LION	LION	LION
1 h 30	LION	LION	LION	VIERGE	VIERGE	VIERGE	VIERGE	VIERGE	VIERGE
2 h 00	VIERGE	VIERGE	VIERGE	VIERGE	VIERGE	VIERGE	VIERGE	VIERGE	VIERGE
2 h 30	VIERGE	VIERGE	VIERGE	VIERGE	VIERGE	VIERGE	VIERGE	VIERGE	VIERGE
3 h 00	VIERGE	VIERGE	VIERGE	VIERGE	VIERGE	VIERGE	VIERGE	VIERGE	VIERGE
3 h 30	VIERGE	VIERGE	VIERGE	VIERGE	VIERGE	VIERGE	VIERGE	VIERGE	VIERGE
4 h 00	VIERGE	VIERGE	VIERGE	VIERGE	VIERGE	VIERGE	VIERGE	VIERGE	VIERGE
4 h 30	VIERGE	VIERGE	VIERGE	VIERGE	VIERGE	VIERGE	BALANCE	BALANCE	BALANCE
5 h 00	BALANCE	BALANCE	BALANCE	BALANCE	BALANCE	BALANCE	BALANCE	BALANCE	BALANCE
5 h 30	BALANCE	BALANCE	BALANCE	BALANCE	BALANCE	BALANCE	BALANCE	BALANCE	BALANCE
6 h 00	BALANCE	BALANCE	BALANCE	BALANCE	BALANCE	BALANCE	BALANCE	BALANCE	BALANCE
6 h 30	BALANCE	BALANCE	BALANCE	BALANCE	BALANCE	BALANCE	BALANCE	BALANCE	BALANCE
7 h 00	BALANCE	BALANCE	BALANCE	BALANCE	BALANCE	BALANCE	BALANCE	BALANCE	BALANCE
7 h 30	BALANCE	BALANCE	BALANCE	BALANCE	BALANCE	BALANCE	BALANCE	BALANCE	SCORPION
8 h 00	SCORPION	SCORPION	SCORPION	SCORPION	SCORPION	SCORPION	SCORPION	SCORPION	SCORPION
8 h 30	SCORPION	SCORPION	SCORPION	SCORPION	SCORPION	SCORPION	SCORPION	SCORPION	SCORPION
9 h 00	SCORPION	SCORPION	SCORPION	SCORPION	SCORPION	SCORPION	SCORPION	SCORPION	SCORPION
9 h 30	SCORPION	SCORPION	SCORPION	SCORPION	SCORPION	SCORPION	SCORPION	SCORPION	SCORPION
10 h 00	SCORPION	SCORPION	SCORPION	SCORPION	SCORPION	SCORPION	SCORPION	SCORPION	SCORPION
10 h 30	SCORPION	SCORPION	SCORPION	SCORPION	SCORPION	SCORPION	SCORPION	SCORPION	SCORPION
11 h 00	SCORPION	SCORPION	SCORPION	SCORPION	SAGITTAIRE	SAGITTAIRE	SAGITTAIRE	SAGITTAIRE	SAGITTAIRE
11 h 30	SAGITTAIRE	SAGITTAIRE	SAGITTAIRE	SAGITTAIRE	SAGITTAIRE	SAGITTAIRE	SAGITTAIRE	SAGITTAIRE	SAGITTAIRE
MIDI	SAGITTAIRE	SAGITTAIRE	SAGITTAIRE	SAGITTAIRE	SAGITTAIRE	SAGITTAIRE	SAGITTAIRE	SAGITTAIRE	SAGITTAIRE
12 h 30	SAGITTAIRE	SAGITTAIRE	SAGITTAIRE	SAGITTAIRE	SAGITTAIRE	SAGITTAIRE	SAGITTAIRE	SAGITTAIRE	SAGITTAIRE
13 h 00	SAGITTAIRE	SAGITTAIRE	SAGITTAIRE	SAGITTAIRE	SAGITTAIRE	SAGITTAIRE	SAGITTAIRE	SAGITTAIRE	SAGITTAIRE
13 h 30	SAGITTAIRE	SAGITTAIRE	SAGITTAIRE	SAGITTAIRE	SAGITTAIRE	SAGITTAIRE	SAGITTAIRE	SAGITTAIRE	CAPRICORNE
14 h 00	CAPRICORNE	CAPRICORNE	CAPRICORNE	CAPRICORNE	CAPRICORNE	CAPRICORNE	CAPRICORNE	CAPRICORNE	CAPRICORNE
14 h 30	CAPRICORNE	CAPRICORNE	CAPRICORNE	CAPRICORNE	CAPRICORNE	CAPRICORNE	CAPRICORNE	CAPRICORNE	CAPRICORNE
15 h 00	CAPRICORNE	VERSEAU	VERSEAU	VERSEAU	VERSEAU	VERSEAU	VERSEAU	VERSEAU	VERSEAU
15 h 30	VERSEAU	VERSEAU	VERSEAU	VERSEAU	VERSEAU	VERSEAU	VERSEAU	VERSEAU	VERSEAU
16 h 00	VERSEAU	VERSEAU	VERSEAU	VERSEAU	VERSEAU	POISSONS	POISSONS	POISSONS	POISSONS
16 h 30	POISSONS	POISSONS	POISSONS	POISSONS	POISSONS	POISSONS	BELIER	BELIER	BELIER
17 h 00	BELIER	BELIER	BELIER	BELIER	BELIER	BELIER	BELIER	TAUREAU	TAUREAU
17 h 30	TAUREAU	TAUREAU	TAUREAU	TAUREAU	TAUREAU	TAUREAU	TAUREAU	TAUREAU	TAUREAU
18 h 00	TAUREAU	TAUREAU	TAUREAU	TAUREAU	GEMEAUX	GEMEAUX	GEMEAUX	GEMEAUX	GEMEAUX
18 h 30	GEMEAUX	GEMEAUX	GEMEAUX	GEMEAUX	GEMEAUX	GEMEAUX	GEMEAUX	GEMEAUX	GEMEAUX
19 h 00	GEMEAUX	GEMEAUX	GEMEAUX	GEMEAUX	GEMEAUX	GEMEAUX	GEMEAUX	GEMEAUX	GEMEAUX
19 h 30	GEMEAUX	GEMEAUX	GEMEAUX	GEMEAUX	CANCER	CANCER	CANCER	CANCER	CANCER
20 h 00	CANCER	CANCER	CANCER	CANCER	CANCER	CANCER	CANCER	CANCER	CANCER
20 h 30	CANCER	CANCER	CANCER	CANCER	CANCER	CANCER	CANCER	CANCER	CANCER
21 h 00	CANCER	CANCER	CANCER	CANCER	CANCER	CANCER	CANCER	CANCER	CANCER
21 h 30	CANCER	CANCER	CANCER	CANCER	CANCER	CANCER	CANCER	CANCER	CANCER
22 h 00	CANCER	CANCER	CANCER	CANCER	CANCER	CANCER	CANCER	LION	LION
22 h 30	LION	LION	LION	LION	LION	LION	LION	LION	LION
23 h 00	LION	LION	LION	LION	LION	LION	LION	LION	LION
23 h 30	LION	LION	LION	LION	LION	LION	LION	LION	LION

DECOUVREZ VOTRE ASCENDANT SANS AUCUN CALCUL : TABLE N° 6

VOTRE HEURE DE NAISSANCE	17 OCTOBRE	18 OCTOBRE	19 OCTOBRE	20 OCTOBRE	21 OCTOBRE	22 OCTOBRE	23 OCTOBRE	24 OCTOBRE
0 h 00	LION	LION	LION	LION	LION	LION	LION	LION
0 h 30	LION	LION	LION	LION	LION	LION	LION	LION
1 h 00	LION	LION	VIERGE	VIERGE	VIERGE	VIERGE	VIERGE	VIERGE
1 h 30	VIERGE	VIERGE	VIERGE	VIERGE	VIERGE	VIERGE	VIERGE	VIERGE
2 h 00	VIERGE	VIERGE	VIERGE	VIERGE	VIERGE	VIERGE	VIERGE	VIERGE
2 h 30	VIERGE	VIERGE	VIERGE	VIERGE	VIERGE	VIERGE	VIERGE	VIERGE
3 h 00	VIERGE	VIERGE	VIERGE	VIERGE	VIERGE	VIERGE	VIERGE	VIERGE
3 h 30	VIERGE	VIERGE	VIERGE	VIERGE	VIERGE	VIERGE	VIERGE	VIERGE
4 h 00	VIERGE	VIERGE	VIERGE	VIERGE	BALANCE	BALANCE	BALANCE	BALANCE
4 h 30	BALANCE	BALANCE	BALANCE	BALANCE	BALANCE	BALANCE	BALANCE	BALANCE
5 h 00	BALANCE	BALANCE	BALANCE	BALANCE	BALANCE	BALANCE	BALANCE	BALANCE
5 h 30	BALANCE	BALANCE	BALANCE	BALANCE	BALANCE	BALANCE	BALANCE	BALANCE
6 h 00	BALANCE	BALANCE	BALANCE	BALANCE	BALANCE	BALANCE	BALANCE	BALANCE
6 h 30	BALANCE	BALANCE	BALANCE	BALANCE	BALANCE	BALANCE	BALANCE	BALANCE
7 h 00	BALANCE	BALANCE	BALANCE	BALANCE	BALANCE	BALANCE	BALANCE	SCORPION
7 h 30	SCORPION	SCORPION	SCORPION	SCORPION	SCORPION	SCORPION	SCORPION	SCORPION
8 h 00	SCORPION	SCORPION	SCORPION	SCORPION	SCORPION	SCORPION	SCORPION	SCORPION
8 h 30	SCORPION	SCORPION	SCORPION	SCORPION	SCORPION	SCORPION	SCORPION	SCORPION
9 h 00	SCORPION	SCORPION	SCORPION	SCORPION	SCORPION	SCORPION	SCORPION	SCORPION
9 h 30	SCORPION	SCORPION	SCORPION	SCORPION	SCORPION	SCORPION	SCORPION	SCORPION
10 h 00	SCORPION	SCORPION	SCORPION	SCORPION	SCORPION	SCORPION	SCORPION	SCORPION
10 h 30	SCORPION	SCORPION	SAGITTAIRE	SAGITTAIRE	SAGITTAIRE	SAGITTAIRE	SAGITTAIRE	SAGITTAIRE
11 h 00	SAGITTAIRE	SAGITTAIRE	SAGITTAIRE	SAGITTAIRE	SAGITTAIRE	SAGITTAIRE	SAGITTAIRE	SAGITTAIRE
11 h 30	SAGITTAIRE	SAGITTAIRE	SAGITTAIRE	SAGITTAIRE	SAGITTAIRE	SAGITTAIRE	SAGITTAIRE	SAGITTAIRE
MIDI	SAGITTAIRE	SAGITTAIRE	SAGITTAIRE	SAGITTAIRE	SAGITTAIRE	SAGITTAIRE	SAGITTAIRE	SAGITTAIRE
12 h 30	SAGITTAIRE	SAGITTAIRE	SAGITTAIRE	SAGITTAIRE	SAGITTAIRE	SAGITTAIRE	SAGITTAIRE	SAGITTAIRE
13 h 00	SAGITTAIRE	SAGITTAIRE	SAGITTAIRE	SAGITTAIRE	SAGITTAIRE	SAGITTAIRE	CAPRICORNE	CAPRICORNE
13 h 30	CAPRICORNE	CAPRICORNE	CAPRICORNE	CAPRICORNE	CAPRICORNE	CAPRICORNE	CAPRICORNE	CAPRICORNE
14 h 00	CAPRICORNE	CAPRICORNE	CAPRICORNE	CAPRICORNE	CAPRICORNE	CAPRICORNE	CAPRICORNE	CAPRICORNE
14 h 30	CAPRICORNE	CAPRICORNE	CAPRICORNE	CAPRICORNE	CAPRICORNE	CAPRICORNE	CAPRICORNE	CAPRICORNE
15 h 00	VERSEAU	VERSEAU	VERSEAU	VERSEAU	VERSEAU	VERSEAU	VERSEAU	VERSEAU
15 h 30	VERSEAU	VERSEAU	VERSEAU	VERSEAU	POISSONS	POISSONS	POISSONS	POISSONS
16 h 00	POISSONS	POISSONS	POISSONS	POISSONS	BELIER	BELIER	BELIER	BELIER
16 h 30	BELIER	BELIER	BELIER	BELIER	BELIER	TAUREAU	TAUREAU	TAUREAU
17 h 00	TAUREAU	TAUREAU	TAUREAU	TAUREAU	TAUREAU	TAUREAU	TAUREAU	TAUREAU
17 h 30	TAUREAU	TAUREAU	GEMEAUX	GEMEAUX	GEMEAUX	GEMEAUX	GEMEAUX	GEMEAUX
18 h 00	GEMEAUX	GEMEAUX	GEMEAUX	GEMEAUX	GEMEAUX	GEMEAUX	GEMEAUX	GEMEAUX
18 h 30	GEMEAUX	GEMEAUX	GEMEAUX	GEMEAUX	GEMEAUX	GEMEAUX	GEMEAUX	GEMEAUX
19 h 00	GEMEAUX	GEMEAUX	GEMEAUX	CANCER	CANCER	CANCER	CANCER	CANCER
19 h 30	CANCER	CANCER	CANCER	CANCER	CANCER	CANCER	CANCER	CANCER
20 h 00	CANCER	CANCER	CANCER	CANCER	CANCER	CANCER	CANCER	CANCER
20 h 30	CANCER	CANCER	CANCER	CANCER	CANCER	CANCER	CANCER	CANCER
21 h 00	CANCER	CANCER	CANCER	CANCER	CANCER	CANCER	CANCER	CANCER
21 h 30	CANCER	CANCER	CANCER	CANCER	CANCER	CANCER	LION	LION
22 h 00	LION	LION	LION	LION	LION	LION	LION	LION
22 h 30	LION	LION	LION	LION	LION	LION	LION	LION
23 h 00	LION	LION	LION	LION	LION	LION	LION	LION
23 h 30	LION	LION	LION	LION	LION	LION	LION	LION

Scott Fitzgerald, natif de la Balance : son œuvre est littéralement imprégnée de cette quête d'un amour stable, dans le confort et la beauté des choses, pour une harmonie jamais atteinte.

Combinaison du Signe avec les Ascendants

Le Soleil est assimilé au *Moi-de-valeur* des philosophes qui est le modèle proposé comme idéal au *Moi empirique.*

Or, ce Moi empirique, sujet à des manifestations diverses et changeantes, correspond précisément au signe *Ascendant.* L'Astrologie traditionnelle rattache à l'Ascendant la constitution et l'apparence physiques, la mentalité et le caractère moral. On pourrait dire d'une façon plus générale qu'il représente l'individu plongé dans son milieu; il est le véhicule donné à l'*ego* pour se manifester au cours de son incarnation.

Pour les observateurs extérieurs, nous sommes surtout marqués par notre signe Ascendant parce que c'est à travers lui qu'ils nous « reçoivent ». Il est indispensable de le connaître car il conditionne nos réactions épidermiques qui règlent nos relations avec le milieu environnant. Or, chez beaucoup de sujets, ce conditionnement prend le pas sur le Moi profond.

Balance Ascendant Bélier

Non seulement son sens de l'équité commandera à ce type de veiller à ce que la justice règne dans toutes les affaires auxquelles il sera mêlé, mais il osera encore s'attaquer avec vigueur à l'injustice. Sa sociabilité naturelle sera soutenue par son désir de se rendre utile aux autres vers lesquels le pousse un grand élan de dévouement.

Esprit largement ouvert au monde environnant, il est avide de savoir et à l'affût de tout ce qui est nouveau. Mais sa trop grande mobilité l'expose au danger de la dispersion.

L'instabilité commune aux deux signes empêche ce type de travailler avec méthode et persévérance. C'est, avec le désintéressement, une des raisons pour lesquelles il sera un mauvais défenseur de ses intérêts personnels.

Vénus et Mars, planètes maîtresses de ces deux signes, forment un couple dont la mythologie a fait le symbole de l'amour-passion, même s'il scandalisait l'Olympe, Vénus étant l'épouse légitime d'Héphaïstos, dieu du Feu souterrain. Il est donc normal que ce type soit poussé à faire très tôt un mariage d'amour car les natifs de la Balance reçoivent ici du Bélier cette ardeur conquérante qui manque à leur panoplie d'amoureux.

On sait que les Balance ont un sens artistique développé; mais s'ils sont fort habiles à reproduire ce que d'autres ont créé, ils sont rarement des créateurs. L'union de Mars et de Vénus leur en donne précisément la possibilité.

Un autre défaut des Balance est leur indécision. A force de peser le pour et le contre, ils n'arrivent pas à prendre de décision. Le Bélier, qui est impulsif et a tendance à se jeter tête baissée dans l'aventure pour réfléchir ensuite aux conséquences, va donner à la Balance l'impulsion nécessaire; en retour, il recevra d'elle la réflexion qui lui fait un peu défaut. On voit que, dans ce domaine aussi, la combinaison des deux influences peut avoir les plus heureux effets.

De la même façon, la mise en train, toujours assez longue chez les Balance, va bénéficier du sens de l'initiative et de l'esprit d'entreprise du Bélier. Mais si ce dernier commence facilement ce qu'il entreprend — parfois même avec précipitation —, il a de la peine à terminer sa tâche car il manque de la patience nécessaire pour mener une action à son terme. Malheureusement, la Balance ne lui sera pas ici d'un grand secours car les natifs de ce signe, comme de tous les signes d'Air, fixent difficilement leur attention de façon durable sur un seul objet.

Ce natif est généreux et ne se laisse pas arrêter dans son élan par des calculs sordides. Enfin, il sait dire non quand il a choisi son parti.

En revanche, le manque d'objectivité, l'esprit de contestation, la brusquerie, ou même la brutalité, peuvent altérer ses rapports avec autrui quand l'influence du Bélier déborde trop largement celle de la Balance. Mais ce n'est pas là le cas général.

Les tempêtes d'équinoxe qui sont propres aux deux signes, ne resteront pas toujours intérieures, comme chez les natifs de la Balance, mais elles pourront se manifester au grand jour avec une violence explosive.

Quant à l'apparence physique, qui dans beaucoup de cas dépend d'abord de l'Ascendant, elle sera heureusement influencée par la Balance qui adoucira les traits accusés et énergiques du Bélier en leur donnant un peu de cette grâce vénusienne qui, pour une femme surtout, lui fait fâcheusement défaut.

Balance Ascendant Taureau

Ce mariage entre la Balance et le Taureau donne un être de sentiment très sensible aux manifestations les plus « aériennes » de l'art, telles la musique et la danse, mais aussi un être romanesque et sentimental, avide de sensations fortes pour alimenter sa robuste sensualité. La gourmandise lui fait rechercher les plaisirs de la table qu'il sait également apprécier en gourmet.

Ses besoins esthétiques le poussent à créer autour de lui un cadre harmonieux, mais sans grande originalité, car il donne volontiers dans un sage conformisme. Son rêve, c'est de posséder une maison à la campagne, au milieu des fleurs qu'il adore. Il se sent profondément enraciné dans la terre et recherche instinctivement son contact comme le faisait le géant Antée.

Ses dons artistiques devraient trouver à s'exercer sur la matière car il a le sens des lignes, des volumes et des formes : la sculpture et la peinture modernes sont des moyens d'expression propres à lui convenir car elles se sont fortement « matérialisées ». La musique « concrète » évolue dans le même sens.

Ces dons artistiques ont d'autant plus de chances de s'exprimer à travers lui que la Balance est un signe d'Air et le Taureau un signe de Terre. Or, la nature nous offre des exemples de ce que ces deux éléments peuvent réaliser quand ils s'unissent pour œuvrer ensemble. Dans certains déserts, le sable soulevé par les tempêtes de vent sculpte les roches des montagnes disséminées à travers les étendues arides et leur donne des formes étranges qui font penser à des silhouettes animales ou humaines. Il y a là une indication intéressante quant aux possibilités de réalisation contenues dans la combinaison de ces deux éléments.

Le besoin de plaire, commun à la Balance et au Taureau, est à la base de la grande sociabilité de ce type. Alors qu'avec la Balance, cette sociabilité n'était qu'inconsciemment intéressée, elle risque avec le Taureau d'être utilisée à des fins égoïstes en lui donnant l'occasion de se faire des relations qui serviront ses intérêts immédiats ou l'aideront à réaliser son idéal de possession et de jouissance.

On connaît la vivacité d'esprit de la Balance, sa pensée souple et mobile, prête à appréhender mille objets. Le danger d'éparpillement est la rançon de cette constante disponibilité. Mais le réalisme, la concentration et l'obstination méthodique du Taureau vont stabiliser et discipliner la pensée vagabonde et quelque peu fantaisiste de la Balance pour en faire un instrument efficace au service de réalisations concrètes.

La volonté « massive » du Taureau s'humanise au contact de la Vénus uranienne, mais il lui est difficile d'accepter la perpétuelle irrésolution de la Balance. Aussi l'incite-t-elle à prendre des décisions, mûrement réfléchies certes, mais irrévocables.

La subtilité et la souplesse de la Balance seront malgré tout utilisées pour atteindre le but, clairement défini.

La taille est généralement moyenne, le corps plutôt trapu. Les traits réguliers sont assez beaux, mais le visage dilaté a tendance à s'alourdir avec l'âge. L'ensemble a quelque chose d'un peu massif.

Balance Ascendant Gémeaux

Cette combinaison consacre l'union de deux signes d'Air et des deux planètes dites inférieures, Vénus et Mercure.

Toutes les qualités, bonnes ou moins bonnes, qui s'attachent aux signes d'Air, s'extériorisent dans ce type, avec la liberté qui est propre à l'Air. L'élan vital est ici au service de l'intellect qui imprime sa marque à tout le comportement. Ce type est spontané, naturel et décontracté. Largement ouvert au milieu environnant, il réagit vivement à toutes les sollicitations extérieures.

L'énergie est assez capricieuse car l'attention a de la peine à se concentrer durablement sur un même objet. Il en résulte un manque de suite, non dans la pensée qui procède volontiers par intuition, mais dans l'action qui ignore les buts utilitaires.

L'indécision chronique de la Balance est renforcée par la démarche virevoltante des Gémeaux. Il est alors difficile à ce type d'imposer sa volonté aux autres. Ce n'est d'ailleurs pas son but; il aspire davantage à communiquer avec eux, à les comprendre et, si possible, à les convaincre qu'à les dominer pour les soumettre à sa volonté.

Car ses ambitions sont surtout d'ordre intellectuel. Dans ce domaine, la nature l'a comblé en lui donnant une intelligence claire, vive, perspicace, souple, déliée, toujours disponible, quoique parfois fantaisiste, inconstante et inégale.

Vénus apporte sa grâce, son charme et sa sensibilité, et ce type apparaît aux autres comme un être gai, enjoué et affable. Être de communication, il aime la compagnie et a pour chacun des paroles aimables. Il excelle à distraire les invités. Comme il a des lumières sur un grand nombre de sujets et qu'il connaît beaucoup de monde, il a toujours quelque chose à raconter. Il le fait de façon fort plaisante et parsème son récit de remarques cocasses ou originales; elles sont le fait d'un observateur auquel rien n'échappe et qui a le sens de l'humour.

On comprend aisément que tous ces dons sont autant d'atouts qui lui permettent non seulement de briller en société, mais également de plaire sans qu'il s'y efforce beaucoup. C'est aussi pour cela que ses attachements sont peu durables. Sollicité de toutes parts, il résiste mal au plaisir de jouer de son charme pour séduire qui lui plaît. Mais ses sentiments ne sont pas assez profonds pour qu'il ne soit pas tenté de chercher de nouvelles sensations. Les regrettables penchants de la Balance, qui « papillonne » volontiers, trouvent là dans les Gémeaux un allié de choix.

Son inconstance ne se manifeste pas qu'en amour. Elle lui joue aussi des tours dans tous les domaines de la vie. Son dilettantisme de touche-à-tout lui permet rarement d'aller jusqu'au bout de ses entreprises et l'empêche de construire sa vie sur des bases solides. Comme les gens qui travaillent avec le vent, il fait des bulles. Et même si, par la grâce de Vénus, son vent a le charme du zéphir, il n'en est pas moins du vent.

L'alliance de Vénus et de Mercure réunit les conditions favorables à l'éclosion de dons artistiques. C'est surtout dans le domaine littéraire qu'il peut s'exprimer comme romancier, essayiste, biographe ou poète. La musique — c'est l'air qui propage les sons — peut également l'attirer.

Balance Ascendant Cancer

En tant que signe d'Air, la Balance insuffle (cardinal) des pensées qui tendent vers un état d'équilibre dont la paix et la justice sociales sont des manifestations concrètes. Gandhi, apôtre de la non-violence, est un bon exemple de l'impact que peut avoir un idéal de justice et de paix lancé par un natif de la Balance.

Le Cancer est un signe d'Eau. En tant que signe cardinal, il diffuse dans son milieu environnant les forces instinctuelles de son inconscient qui se traduisent par des sentiments, des émotions, des sensations et des souvenirs dont se nourrit son imagination. C'est ainsi que, à travers ses livres, Proust qui avait le Soleil et trois planètes en Cancer a projeté (cardinal) avec force sa vie émotionnelle vers ses lecteurs.

Car la Balance et le Cancer réunissent les deux planètes féminines par excellence, Vénus et la Lune, tandis que Mars, la planète virile, est en « débilité », aussi bien dans la Balance (exil) que dans le Cancer (chute). Aussi les valeurs féminines risquent-elles d'écraser les valeurs masculines.

Le caractère est doux, bienveillant, serviable, conciliant, tolérant, mais dangereusement impressionnable. Le sens de la famille et l'amour des enfants sont fortement marqués. Le tempérament sensuel est alimenté par une imagination vive échafaudant des romans que le sujet vit intensément.

La sensibilité risque de prendre une place démesurée avec tous les inconvénients qu'entraîne une telle prédominance. Le caractère est soumis à de constantes fluctuations provoquées par le flot d'impressions et de sensations auxquelles tout être humain est exposé. Les conséquences de cette hypersensibilité sont d'abord une grande vulnérabilité aux agressions de la vie, vulnérabilité qui s'accompagne le plus souvent d'une susceptibilité pouvant prendre des formes pathologiques. Ensuite, le sujet subit d'autant plus facilement l'influence des uns et des autres que sa volonté est déficiente. La seule façon pour lui de résister aux pressions extérieures est de leur opposer sa force d'inertie qui est grande, mais cela ne saurait suffire dans tous les cas.

Le Cancer n'a malheureusement aucune de ces mâles vertus qui pourraient compenser les faiblesses bien connues de la Balance : le manque d'affirmation de soi et l'indécision. Le sujet est donc bien mal armé pour surmonter les déceptions sentimentales que le destin ne lui épargnera pas et qui l'atteignent au plus profond de lui-même.

En revanche, le fort sentiment de justice que lui donne la Balance peut exalter le besoin de dévouement propre au Cancer. L'action désintéressée lui fournit alors un moyen d'échapper aux effets débilitants d'une sentimentalité stérile.

Une aide non négligeable peut également venir du conjoint. Si celui-ci a assez de force de caractère, ses conseils et ses encouragements pourront aider le sujet à acquérir le sens des responsabilités.

Le domaine le plus fécond pour ce type mixte sera celui de l'expression artistique. Pour peu que le destin lui ait « remis » à la naissance une quantité suffisante de Terre, l'alliance de l'imagination et de la sensibilité esthétique lui permettra de se réaliser dans une œuvre d'art.

Physiquement, cette combinaison donne des êtres de taille très moyenne et même plutôt petite et trapue, aux formes pleines.

Balance Ascendant Lion

Le Lion comme la Balance sont des actifs, extravertis et sociables. Mais l'action du Lion, dans ses manifestations dissonantes, devient facilement dominatrice, orgueilleuse, théâtrale, parfois même cynique. C'est de ces excès que le préserve la Balance qui arrondit les angles d'une nature un peu trop impérieuse. La bienveillance et la délicatesse vénusiennes atténuent ce qu'une attitude hautaine pourrait avoir d'insupportable.

Le dynamisme du Lion, sa puissance de volonté, son esprit d'initiative et son sens de l'organisation bousculent les hésitations chroniques de la Balance, tandis que l'enthousiasme léonien réchauffe la tiédeur de ses ambitions.

L'esprit d'équité de la Balance, son indulgence, sa bienveillance et son idéal de paix empêchent le Lion de tomber dans le despotisme auquel pourrait l'entraîner son besoin de domination. La Balance pourra même révéler le côté le plus noble du caractère léonien qui est fait aussi de générosité et de magnanimité.

Le sens esthétique est très développé dans les deux signes. La Balance et le Lion ont un égal sentiment du beau, même si ce n'est pas pour les mêmes raisons. Le Lion a besoin d'être entouré de belles choses parce qu'elles flattent sa personne qui ne saurait se contenter d'un décor médiocre, tandis que la Balance vit dans un cadre raffiné parce qu'il lui procure les émotions esthétiques dont son âme a besoin.

Le résultat, c'est que le natif de la Balance Ascendant Lion s'efforce de vivre dans un décor qui allie le bon goût à la qualité et à la richesse des matériaux.

Il fait preuve de recherche jusque dans sa façon de s'habiller car il choisit autant que possible des vêtements qui le « classent ». Il se montre dans les manifestations artistiques consacrées surtout à la musique, au chant et à la danse. Il est même possible que, non content d'admirer les créations des autres, il manifeste une authentique vocation artistique.

Sa réussite sociale semble aussi avoir les faveurs de la chance. Il est vrai que tant de qualités mises au service d'une carrière ne peuvent que conduire aux honneurs flattant agréablement sa vanité de Lion. Un Lion qui sait utiliser au maximum les relations que draine vers lui la sociabilité d'une Balance, qui, livrée à elle-même, aurait moins d'ambition.

Le signe sur lequel se trouve l'Ascendant détermine en grande partie l'apparence physique. Celle du Lion peut être solaire ou léonine. C'est sans doute vers la première, plus belle, que l'influence de Vénus fera pencher la balance. Mais quelle que soit cette apparence, elle sera toujours avantageuse. Des traits réguliers et bien dessinés, un teint clair, des cheveux blonds tirant sur le roux, un corps plutôt mince, de taille plus élevée que la moyenne, presque athlétique, ou bien très moyenne, mais trapue. Le sujet se tient très droit, mais la souplesse ondulante de la Balance l'empêche de se figer dans une raideur qui le ferait paraître désagréablement hautain.

Balance Ascendant Vierge

Mercure, maître de la Vierge, fait plutôt penser à Minerve, la déesse de la froide sagesse. Minerve présidait à l'ordre social et, s'il lui arrivait d'intervenir dans la guerre, ce n'était qu'après mûre réflexion. Elle patronnait les arts libéraux et l'artisanat. Pour les Anciens, elle était la vierge par excellence, celle dont le cœur ignorait la passion.

C'est l'alliance du sentiment et de la raison. On sait combien le natif de la Balance est capable de s'inventer de prétextes pour repousser le moment où il lui faudra commencer un travail. A condition évidemment qu'il ne soit pas soumis à un rythme de travail imposé parce qu'il n'est que le maillon d'une chaîne dans une usine, ou un rouage nécessaire au fonctionnement d'une administration. Quand notre Balance a enfin réussi à se décider, il se ménage de nombreuses pauses car ce n'est pas un acharné du travail auquel, de toute façon, il ne porte qu'un intérêt très relatif. A moins qu'il ne fasse un métier d'art dont l'exercice s'apparente pour lui davantage au jeu qu'au travail. Or, la Vierge va créer dans ce domaine un nouvel équilibre dont ce type mixte ne peut que profiter.

En effet, le Virginien manifeste de remarquables qualités dans le travail. Son ingéniosité lui permet tout d'abord de s'adapter aux circonstances qui ne le prennent jamais vraiment au dépourvu car c'est un prévoyant qui a de la ressource. Puis, après avoir analysé la situation, il apporte dans l'exécution de sa tâche de la méthode et une grande conscience. C'est un méticuleux que rongent les scrupules. L'efficacité lui importe avant tout : il veut obtenir des résultats concrets.

Ses défauts sont ceux de ses qualités. C'est un perfectionniste qui est toujours tenté de donner trop d'importance aux détails car, dans sa minutie, il ne veut rien laisser au hasard. Pour mieux se concentrer, il étouffe sa sensibilité, se replie sur lui-même et réduit volontiers la communication avec le monde environnant aux sujets qui entrent dans le cadre de son travail. Cependant les détails l'empêchent souvent d'avoir une vue synthétique des choses. Effrayé par ce qu'il imagine être la complexité de sa tâche, il devient nerveux et développe un sentiment d'infériorité qui se traduit finalement par une modestie excessive.

Heureusement que la Balance apporte son contrepoids. En réfrénant ce goût virginien du détail, elle permet au sujet d'être plus détendu et de prendre de temps en temps ses distances par rapport à un travail qui menace de l'accaparer. Il obéit alors un peu moins à la froide logique et un peu plus à la fantaisie. Et comme il ne refuse pas de s'ouvrir aux autres, servir n'est plus seulement un devoir, cela devient aussi un plaisir.

Si les deux signes se complètent avec bonheur, ils rendent malgré tout le sujet hésitant. La Vierge par prudence et la Balance par équité. C'est le seul point qui puisse encore poser problème car il y a fort à parier que ce défaut, loin de s'atténuer, risque de devenir gênant. A moins qu'une forte composante martienne dans le thème n'empêche le sujet de devenir la victime de ses tergiversations.

Balance Ascendant Balance

C'est la combinaison de ceux qui sont nés autour du lever du Soleil. Tout ce qui a été dit jusqu'ici à propos de la Balance vaut très largement pour ce type qui est en principe d'une grande homogénéité. Les qualités et les défauts du signe sont amplifiés par cette double appartenance à un même signe zodiacal. Nous avons affaire là à une sorte de mariage « consanguin », et l'expérience montre que ce genre d'alliance donne des enfants plus fragiles que les autres.

Pour toutes ces raisons, il paraît souhaitable que le sujet doublement Balance ait un thème qui comporte une seconde dominante zodiacale (par exemple, trois ou quatre planètes dans un autre signe). Elle fera heureusement contrepoids à une influence qui, en s'exerçant trop exclusivement, risquerait de déséquilibrer le sujet, ce qui serait assez paradoxal dans le cas d'un Balance!

Dans cette affaire, c'est surtout l'homme Balance qui pourrait souffrir d'un excès de sensibilité et de charme car, de toute évidence, ces qualités conviennent mieux à une femme qu'à un représentant de l'autre sexe.

Buster Keaton : cet humoriste célèbre a le regard doux et l'ironie distante qu'ont souvent les natifs de la Balance.

Balance Ascendant Scorpion

L'Eau du Scorpion, signe fixe, est une eau dormante. C'est l'eau des marécages. « Il n'est pire eau que l'eau qui dort », dit la sagesse populaire. Cette eau des marais à la surface paisible, à peine troublée de temps à autre par l'éclatement silencieux de quelques bulles montées des profondeurs, cette eau ne dort qu'en apparence. Sous son miroir trompeur se cache la plus grande effervescence. C'est une eau de mort qui peut, ou non, redonner la vie.

Le Scorpion est le royaume de Mars, dieu de l'énergie. Mais ce n'est plus l'énergie en liberté du Bélier. C'est une énergie contenue et comprimée qu'une étincelle suffirait à libérer brutalement.

Cette alliance de la Balance et du Scorpion marie également Mars et Vénus. Étant donné le caractère volcanique du Scorpion, les feux de cette passion ne vont plus brûler comme une flamme claire et pure. C'est plutôt une lave destructrice.

D'un côté, la nature profonde du sujet, représentée par le signe solaire, aspire à créer une vie harmonieuse où tout est mesure et sensibilité, et tend à s'insérer sans heurt dans une société plus ou moins dominée par les préjugés. De l'autre, le signe Ascendant qui influence fortement le comportement. Ennemi des nuances, le Scorpion est entier dans ses affections comme dans ses haines. Alors que la Balance emprunte la voie du milieu, le Scorpion prend les sentiers qui escaladent les crêtes ou plongent dans les ravins. Autant l'un est affable et charmeur, autant l'autre est abrupt et inquiétant. La comparaison des deux signes n'est finalement qu'une longue suite d'oppositions.

Il est donc naturel que cette alliance donne souvent un être instable et plein de contradictions. Grâce à la Balance, le sujet peut offrir un visage serein et des manières courtoises : mais, sous

Robert Bresson : cinéaste de la Balance et réalisateur de *Une femme douce*, film réunissant toutes les obsessions feutrées de ce signe.

ces dehors aimables se cache une énergie indomptable que les épreuves ne réussissent pas à décourager quand, sous l'influence du Scorpion changé en aigle, elle est tendue vers un idéal élevé.

Cependant sous cette apparence harmonieuse peut également se dissimuler un être qui s'abandonne à l'instinct destructeur et autodestructif du Scorpion. C'est le côté « serpent » du signe qui n'a pas su se transformer en aigle, puisque le reptile et le rapace sont les deux figures opposées d'un même symbole.

Les conflits que ne manqueront pas de susciter les contradictions inhérentes à cette combinaison risquent de rester sans solution satisfaisante. Ils feront naître chez le sujet des tensions insupportables qui le feront vivre dans l'angoisse. Or, l'angoisse n'est que trop souvent le premier pas sur le chemin qui mène à la dépression nerveuse, une des formes de l'autodestruction.

En revanche, si le sujet développe les possibilités les plus hautes contenues dans le signe du Scorpion, il trouvera finalement un allié dans la Balance qui, au-delà de ses complaisances et de ses facilités, est éprise d'un idéal de beauté et de justice. Alors, ce type s'apaisera et se transfigurera à mesure que passeront les années. Et puis la Balance peut jouer un rôle modérateur, assouplir une autorité trop raide, atténuer une critique trop virulente, civiliser un comportement trop rude.

Physiquement, ni la Balance ni le Scorpion ne sont des signes de grande taille. Toutefois, le Scorpion peut donner un corps musclé, robuste et de forte carrure. Le visage est « mouvementé » et il serait comme taillé au couteau si la Balance ne venait, selon son habitude, adoucir un peu les traits. Le regard ne s'oublie pas car, malgré sa froideur, il exerce une sorte de fascination magnétique.

Balance Ascendant Sagittaire

Le feu du Sagittaire auquel s'unit la Balance n'est plus le feu dévorant et changeant du Bélier, ni le feu rayonnant et constant du Lion, mais le feu mystique qui, tel celui du buisson ardent dont parle la Bible, brûle sans consumer. En accord avec le caractère mutable ou double du Sagittaire, c'est le feu de la transformation et de la sublimation.

Activé par l'air de la Balance, le feu du Sagittaire va conduire les natifs de ce type vers l'idéal élevé que montre la flèche du centaure, symbole du signe.

C'est également l'union de Vénus et de Jupiter, ces deux planètes que les Anciens appelaient la Petite et la Grande Fortune.

Le sujet s'intéresse sincèrement aux autres. Il fait preuve à leur égard de compréhension et de tolérance. Il a un sens aigu du droit et ne supporte pas l'injustice. Rien d'étonnant à ce qu'il prenne fait et cause pour les faibles qui, dans nos sociétés modernes, sont exposés à toutes sortes d'oppressions.

Cela ne l'empêche pas d'avoir un côté conformiste puisqu'il est prêt à accepter l'ordre social avec toutes ses imperfections et à tenir compte du « qu'en-dira-t-on ». Sa profonde sociabilité lui donne le goût des réceptions qu'il organise pour traiter avec faste ses amis ou ses relations — dans la mesure évidemment où ses moyens le lui permettent. Il choisit de préférence les professions qui le mettent en contact avec les autres.

L'affection des gens lui est aussi précieuse que nécessaire. Mais l'intérêt qu'il porte à ses semblables ne l'empêche pas d'être très occupé de lui-même. Cependant, il s'agit moins d'égoïsme que d'égotisme. Il aime qu'on reconnaisse sa valeur et il lui est bien difficile de résister à la tentation des honneurs. Il tient beaucoup à ce que son « image de marque » soit la meilleure possible. Pour cela, il essaie de tirer parti des nombreuses relations que lui apporte la Balance pour gravir les échelons de sa carrière.

A ces traits de caractère plus ou moins communs aux deux signes, le Sagittaire ajoute une dimension spirituelle qui fait défaut à la Balance. C'est que le Sagittaire, neuvième signe, est analogue à la Maison IX, secteur des grandes explorations sur le Terre comme dans le ciel. Il franchit aussi aisément les frontières de son pays que celles des préoccupations quotidiennes de l'esprit pour pénétrer dans l'univers abstrait de la philosophie ou de la religion. Animé d'une forte volonté de progrès, il veut aller toujours plus loin. Le Sagittaire est essentiellement le signe de l'*expansion*. Il est d'ailleurs lié dans le schéma de l'Homme-Zodiaque aux cuisses qui sont comme les bielles de la machine humaine grâce auxquelles l'énergie se transforme en mouvement.

Il manifeste un solide optimisme car il croit fermement à sa bonne étoile. C'est vrai qu'il est souvent favorisé par la chance, mais il faut reconnaître qu'il apporte de son côté des qualités qui contribuent efficacement à sa réussite sociale : intelligence, sens de l'organisation, ambition, dynamisme, volonté, générosité, sens des contacts. La Balance qui, dans ce domaine, a de nombreuses lacunes, se contente d'apporter sa sensibilité, sa délicatesse, son charme et son tact pour parfaire l'œuvre commune.

Le type harmonique présentera un visage aux traits fins, quoique marqués, avec un nez puissant, un front haut et droit et un teint coloré. Le corps est svelte. Ou bien les traits sont plus grossiers et le corps tend à s'alourdir avec les années.

Balance Ascendant Capricorne

La Balance et le Capricorne, c'est l'alliance de Vénus, planète de la sensibilité et du charme, et de Saturne, planète de la réflexion et de l'ambition. Ce n'est pas une alliance impossible car nous avons vu que ces deux planètes étaient dignifiées dans la Balance, Vénus y étant en domicile et Saturne en exaltation.

Comme Saturne est en dignité à la fois dans la Balance (exaltation) et dans le Capricorne (domicile), il a de bonnes chances de l'emporter sur Vénus. Il est d'ailleurs dans sa nature persévérante et ambitieuse de s'imposer en marquant cette combinaison de son empreinte. L'influence vénusienne de la Balance risque de n'apparaître qu'en contrepoint, d'autant plus que la Balance saturnienne peut peser dans cette association d'un poids plus lourd que la Balance vénusienne.

Le Capricornien est un angoissé qui, même dans les circonstances les plus joyeuses de la vie, est incapable de goûter pleinement son plaisir. La Balance, en revanche, a le sens de la fête et le goût des réunions entre amis ou copains qui sont autant d'occasions d'oublier les soucis de l'existence tout en cultivant l'amitié.

Le Capricorne n'est pas signe de Terre pour rien : il aime le travail et y apporte toute son attention et tous ses soins. Comme il a un sens élevé du devoir, on peut compter sur lui. Le natif de la Balance, en revanche, n'aime pas le travail pour le travail. Dans le cas le plus favorable, il y voit une occasion d'exercer ses dispositions artistiques. Cependant, quoi qu'il fasse, il reste un dilettante.

Avec les années, le Capricorne acquiert une assurance croissante. Ce n'est pas qu'il doutait de sa propre valeur, mais il n'osait pas le montrer car c'est un orgueilleux qui est sourd aux compliments. La Balance, au contraire, donne facilement dans la vanité. Son manque de confiance en soi l'amène à rechercher l'approbation et l'appui de son entourage.

En amour, le Capricorne a un idéal trop élevé pour ne pas éprouver de cruelles déceptions. La méfiance qu'il en conçoit rend plus difficiles ses rapports avec l'autre sexe. Tout différent est le natif de la Balance qui est pétri de sentiment et ne peut se réaliser pleinement que dans un amour partagé. Malgré les échecs qu'il peut essuyer dans ce domaine, il est toujours prêt à tenter de nouvelles expériences sans rien perdre de son optimisme.

Ces contradictions ne doivent pas faire oublier les quelques points communs aux deux signes : le besoin de tendresse, la fidélité en amitié, le goût des études et de l'abstraction, la recherche d'un équilibre fondamental qui est la condition d'une vie réussie, sans parler d'une évidente inaptitude à l'affairisme.

L'intransigeance du Capricorne risque souvent de l'emporter, mais elle ne pourra jamais imposer totalement sa loi à la sensibilité et au charme vénusiens. Il en résultera une personnalité complexe qui sera plus d'une fois une énigme pour l'entourage. Seul le type harmonique, qui se rencontre plus rarement, saura tirer le meilleur parti d'une situation ambiguë en réconciliant les tendances antagonistes dans un fragile équilibre.

L'influence prépondérante de l'Ascendant saturnien sur l'apparence physique se traduit par un type long, assez maigre, donnant l'impression d'être embarrassé par son corps. Le nez est allongé et la bouche médiocrement sensuelle, à moins que la douce Vénus ne gonfle un peu des lèvres trop minces. Le front est haut et ses angles bien marqués. Malgré sa gaucherie un peu pesante, ce type a une « présence » certaine.

Balance Ascendant Verseau

Sans entrer dans les détails, notons que Saturne, maître du Verseau, n'est pas tout à fait le même que Saturne, maître du Capricorne.

Ce sont des valeurs aériennes qui sont mises en relief par la combinaison Balance-Verseau. L'Air est essentiellement l'élément de la communication et des échanges.

La grande sociabilité du sujet le pousse à participer activement à la vie du milieu. La Balance est le premier signe communautaire du Zodiaque, mais sa communauté se réduit généralement aux deux partenaires du couple. Avec les idées de fraternité du Verseau, cette communauté s'élargit non seulement aux amis qui sont très importants pour lui (le Verseau, onzième signe, est analogue à la Maison XI, secteur des amis), mais à l'humanité entière. Cet intérêt pour les autres est porté par un généreux altruisme qui confère à l'aimable sociabilité de la Balance une tout autre qualité. Avec une réserve cependant : le Verseau ne s'engage jamais au-delà de sa liberté personnelle car il n'accepte pas d'aliéner son indépendance.

Le sujet est doublement conciliant, mais ce n'est plus seulement pour les raisons quelque peu égoïstes de la Balance dont la tolérance est pour une bonne part motivée par son horreur d'avoir des « histoires ». Le Verseau, qui est foncièrement désintéressé cherche sincèrement à comprendre les autres. Il est ouvert à toutes les suggestions, aussi folles soient-elles.

La Balance dépend beaucoup des autres car il lui faut sentir l'approbation et l'appui de son entourage. Ce n'est évidemment possible que dans le cas d'une intégration complète au milieu. Le Verseau a également besoin des autres, mais c'est pour répandre sur eux l'eau vive contenue dans le vase de Ganymède, l'échanson des dieux, qui est le symbole du signe. Son goût de la liberté s'accommode mal de la dépendance dans laquelle se complaît la Balance. Aussi l'aidera-t-il dans ce domaine à élargir son horizon et à ne pas trop compter sur les autres.

Le Verseau n'a pas de peine à s'adapter aux situations imprévues et difficiles que lui réserve un destin souvent heurté. On dirait même qu'il aime le changement qui les accompagne. La

Balance, en revanche, aime son confort et souffre d'en être privé. Son destin est généralement plus facile que celui du Verseau.

Nous savons que le natif de la Balance est attiré par tout ce qui touche à l'art, tandis que celui du Verseau trouve son plaisir dans les spéculations mathématiques, la recherche scientifique ou les innovations techniques, quand les circonstances de la vie lui ont permis de poursuivre des études supérieures. Certains domaines professionnels, comme par exemple l'architecture ou la musique électronique, peuvent permettre de marier ces goûts qui ne sont pas incompatibles.

Physiquement, le sujet est de taille moyenne, mais s'il n'a rien d'un athlète, le corps n'en est pas moins bien proportionné. Seule peut-être la cage thoracique, à cause de l'importance de l'élément Air, est un peu plus développée que la moyenne. La démarche, très souple, a quelque chose de bondissant.

Verseau et Balance sont des signes de beauté. Les traits du visage ne démentent pas cette réputation. Les yeux, d'un éclat profond, ont un regard clair, tandis que les cheveux tirent sur le blond.

Balance Ascendant Poissons

Les Poissons, douzième et dernier signe, marquent la fin d'un cycle et des quatre cycles du quaternaire élémentaire qui constituent le Zodiaque. Voilà pourquoi le natif des Poissons donne si souvent l'impression d'être « ailleurs », un ailleurs qui se situerait au-delà des limites de notre monde. Si son corps est là, il entend, mais n'écoute pas, il voit, mais ne regarde pas.

Ce n'est pas une attitude qui favorise l'action de la volonté sur les affaires de ce monde. Et comme un des points faibles de la Balance est justement sa difficulté à s'affirmer, son union avec les Poissons va rendre ce type mixte plus velléitaire que volontaire.

Cela est d'autant plus grave que les sensibilités de ces deux signes s'additionnant, le sujet est très vulnérable aux agressions de toutes sortes qui assaillent constamment l'être humain. Il les ressent beaucoup plus profondément que les autres car il participe véritablement aux souffrances du monde. Ne trouvant pas en lui-même les ressources qui lui permettraient de faire face, soit il se réfugie dans son univers neptunien, soit il succombe à l'angoisse.

Cependant, son hypersensibilité est telle qu'il peut, en l'espace d'une heure et au gré des fluctuations de l'ambiance environnante, changer complètement d'humeur, passant avec un naturel déroutant pour l'entourage d'une profonde tristesse à une joie exubérante.

Un autre point sur lequel la Balance et les Poissons se rencontrent est la fuite devant les responsabilités. Le sujet sait ce qu'il conviendrait de faire, mais comme tous les êtres velléitaires, il n'a pas assez de volonté pour éviter de tomber dans la lâcheté.

Vénus, en dignité dans les deux signes, pousse le sujet à idéaliser les êtres et les choses. Cette tendance explique ses engouements faciles. Les humains étant malheureusement ce qu'ils sont, il arrive tôt ou tard que le sujet soit cruellement déçu par ceux qu'il avait placés sur un piédestal. De sa déception naîtrait un profond découragement s'il n'était capable de reporter bientôt son admiration sur d'autres. Mais il est quand même tenté d'accuser les autres de ne pas avoir eu les qualités qu'il leur avait si facilement prêtées.

Alors que la Balance, signe aérien, participe intensément à tout ce qui se passe dans le milieu, les Poissons peuvent à tout moment s'envoler sur les ailes de l'imagination et devenir indifférents à tout ce qui se passe autour d'eux. Ils se « dédoublent », semblant vivre sur deux plans : leur corps physique est sur Terre, mais leur âme flotte dans un monde supraphysique.

Le natif de la Balance a un sens esthétique très développé. Il a besoin de vivre dans un cadre élégant et harmonieux qui contribue à son épanouissement physique et moral. Ce fort sentiment du beau s'accompagne parfois de dons artistiques que la sensibilité et l'imagination des Poissons ne peuvent que renforcer. Mais comment ce côté Balance du sujet, auquel les fautes de goût sont insupportables, ne souffrirait-il pas de la tendance « hippy » que manifeste son côté Poissons avec tout ce qui l'accompagne : vie de bohème, dilettantisme artiste, anticonformisme enfantin, etc. ? Cet antagonisme risque de provoquer des tiraillements intérieurs qui seront aussi difficiles à éviter qu'à surmonter.

Malgré l'influence équilibrante et embellissante de la Balance, le sujet est physiquement assez marqué par les Poissons à travers lesquels s'exprime le plus souvent l'influence jupitérienne qui, dans ce signe, a tendance à gonfler les chairs.

Cependant, quand Neptune fait plus fortement sentir son influence, tout le corps s'allonge et prend une allure dégingandée.

Chapitre IV

Quelques personnalités nées sous le Signe de la Balance

Louis Aragon, né sous le signe de la Balance : un des plus grands écrivains de notre génération.

Quelques grands noms

Aragon

Né en 1897, Louis Aragon appartient à cette génération riche en écrivains de talent (Breton, Eluard, Artaud, Montherlant, Giono, etc.) qui a été fortement marquée par la fameuse conjonction Neptune-Pluton de la fin du XIXe siècle. Dans son *Traité pratique d'Astrologie* (Seuil), A. Barbault définit ainsi cette conjonction : « Aspect de génération qui met en jeu les tendances les plus profondes de la sensibilité et qui peut pousser aussi bien vers des désirs troubles que vers une révolte sociale ou vers une connaissance philosophique : il fait triompher des tendances irrationnelles. »
Quel rôle cette conjonction joue-t-elle donc dans le thème d'Aragon? Quand il naquit dans les beaux quartiers de la capitale le 3 octobre 1897 à midi, le signe du Sagittaire montait à l'horizon tandis que le Soleil culminait dans la Balance et que la conjonction Neptune-Pluton disparaissait au couchant.
Le Sagittaire est symbolisé par un centaure qui tire à l'arc : ce signe double produit deux types assez différents malgré leur fonds commun : le type « archer » et le type « cheval ». Aragon, qui a le Sagittaire à l'Ascendant, est incontestablement signé par le type « archer » : grand et svelte, notre poète est un aristocrate aux yeux bleus qui ne manque pas d'allure. Comme, en outre, le signe de la Balance, important dans l'horoscope, est un signe de beauté, on comprend mieux l'élégance de l'homme et du style.
Le Soleil Balance n'est pas seul à culminer, il est accompagné de Mars, les deux planètes encadrant le Milieu-du-Ciel. Au mi-point du Soleil et de Mars, le Milieu-du-Ciel donne un tempérament combatif, plein d'audace et de panache. Animé de solides convictions, il sait prendre ses responsabilités et se lancer dans l'aventure. La rançon de cette liberté, ce sont les crises de conscience.
A. Volguine, qui a consacré un livre au problème des encadrements, note qu'il est préférable que Mars se dirige vers le Soleil, autrement dit qu'il le suive dans le sens des signes. C'est ici le contraire : l'action ne tend pas vers l'idéal, mais c'est l'idéal qui nourrit l'action.
Cette configuration soli-martienne se trouve dans la Balance. Or, nous avons vu que ces deux planètes « viriles » sont en débilité dans la Balance. Cette faiblesse est ici compensée en partie par le fait que Mars se plaît en Maison X (analogue au Capricorne, son lieu d'exaltation) et que le Soleil ne se déplaît pas en IX (analogue au Sagittaire où il est dignifié par trigonocratie).
D'autre part, le Soleil et Mars reçoivent par trigone un soutien vigoureux de la fameuse conjonction Neptune-Pluton qui prend en son milieu l'axe Ascendant-Descendant. On a l'impression que cet aspect de génération, par sa position et par ses relations avec les autres éléments du thème, joue un rôle très important dans la vie d'Aragon dont il nourrit l'action.
Il agit également de façon plus ou moins heureuse sur sa pensée et ses convictions par le carré que Neptune envoie à l'étroite conjonction Mercure-Jupiter dans la Maison IX, et ce d'autant plus sûrement que Jupiter est maître de l'Ascendant. Ce carré de Neptune trouve sa correspondance dans cet aveu du poète : *Oui je me suis trompé cent mille fois de route.*
Enfin, dernier élément important de cet horoscope, la conjonction Saturne-Uranus sur la pointe de la Maison XII, en semi-carré d'une part au Soleil, d'autre part à la Lune. Cette configuration douloureuse est illustrée par ces vers d'Aragon : « *Il n'y a pas un pouce de ma chair ou de mon âme qui ne porte / Marque d'une mutilation qui ne soit mémoire d'une plaie / La mer extérieure a fait cruellement de mon cœur ce galet / Il grince en moi ce cœur comme une porte.* »

Après cette analyse sommaire de la structure de l'horoscope, revenons au signe culminant de la Balance qui doit retenir notre intérêt. Avec ses deux planètes masculines, il caractérise l'action du poète : sa poésie sera militante. Mars dans la Balance ne donne pas toujours le meilleur de lui-même, d'où le caractère provoquant de ses prises de position successives qui lui ont valu de solides inimitiés. Né bourgeois, il fut tour à tour dadaïste, surréaliste, communiste, poète patriotique, stalinien et antistalinien. Ces avatars, qui l'ont fait vomir par ceux qu'il abandonnait en changeant de camp, font qu'un critique a pu écrire qu' « il y a toujours eu autour de lui un parfum de soufre et de reniement » (Boisdeffre).

Et pourtant, malgré cette action tombant facilement dans la révolte et la provocation — même dans ses œuvres, il rompt délibérément avec les contraintes poétiques — que lui vaut un Mars « débilité » en Balance, les constantes de ce signe se manifestent à travers toute son œuvre.
La Balance est signe de beauté et d'élégance, et ces qualités se retrouvent dans la prose d'Aragon comme dans ses poèmes qui font de lui un des meilleurs écrivains français (ce qui ne veut pas dire un des plus grands). La Balance est encore signe d'amour, d'art et de justice. Tout cela se retrouve abondamment dans son œuvre. Son art, essentiellement militant, lui a fait chanter la révolution par passion d'une plus grande justice : il veut contribuer à la transformation du monde.
Pendant la guerre, il a renoué avec les traditions nationales et chanté la France comme une femme aimée. Avec Elsa, l'amour de sa vie, nous avons là deux thèmes qui, à ce stade particulier de l'œuvre d'Aragon, reviennent constamment et souvent se confondent : le thème patriotique est associé au thème de l'amour (Mars dans la Balance). Depuis sa rencontre avec Elsa Triolet, un soir de novembre 1928, « je suis à toi, à toi seule » apparaît sous des formes sans cesse renouvelées dans toute son œuvre qui n'est qu'une longue quête amoureuse de la vérité.

Brigitte Bardot

Brigitte Bardot, phénomène de photogénie, dont la beauté longiligne et dansante a fait rêver des millions d'êtres.

On a déjà tellement écrit sur Brigitte Bardot qu'il n'est vraiment pas nécessaire de la présenter. Alors, essayons de la retrouver à travers son horoscope. Elle est née à Paris le 28 septembre 1934, à 13 h 20. Trois configurations retiennent d'emblée l'attention. D'abord, l'Ascendant en plein milieu du Sagittaire. Comme Aragon, dont le thème présente la même orientation, B.B. est une représentante du type « archer » (par opposition au type « cheval »). Ses photos ont assez souvent rempli les pages des magazines pour que personne n'ignore qu'elle a un corps élancé avec de longues jambes fuselées. Elle a fait de la danse : les influences conjuguées du Sagittaire, de la Balance et des Gémeaux l'y prédisposaient. Cet Ascendant reçoit un trigone de Mars et un sesqui-carré d'Uranus : autant dire que sous son allure de petite fille capricieuse se cache une force réelle dont elle a fait la preuve en plus d'une circonstance.
Femme-enfant, elle l'est par sa Lune au Descendant qui a d'autant plus de poids dans ce thème qu'elle est la seule planète en conjonction avec un angle et que la Lune est toujours importante dans l'horoscope d'une femme. Par son sesqui-carré à Jupiter, maître de l'Ascendant, cette Lune souligne ses liens avec la native. Elle confère à B.B. une nature tournée vers l'instant présent, ouverte aux sensations du moment et toujours prête à suivre les fantaisies de son caprice en ignorant délibéremment les contraintes de la vie en société. Mais dans les moments difficiles, cette Lune, maîtresse de la Maison VIII (la mort) et carré à Neptune (illusions et déceptions), est emportée par les tourbillons du destin, sans plus savoir à qui ou à quoi se raccrocher. Brigitte confiait récemment que, complètement déséquilibrée par le cinéma, elle aurait très bien pu finir comme Marilyn puisqu'elle a tenté trois ou quatre fois de se suicider.
Cette notion d'équilibre ou de déséquilibre nous amène directement à la Balance qui est le troisième élément fondamental de cet horoscope. Il se trouve au zénith et reçoit trois planètes : le Soleil, Jupiter et Mercure. La Maison X étant celle de l'image de marque, il est normal que B.B. soit connue dans le monde pour sa beauté et pour ses prestations artistiques. Le Milieu-du-Ciel se trouve à mi-distance du Soleil, d'un côté, et de la conjonction Mercure-Jupiter, de l'autre. Cette configuration remarquable a donc deux volets : le premier, Soleil-Milieu-du-Ciel-Jupiter, est la garantie du succès, d'une vie

matérielle largement assurée et d'une sorte de protection dans les difficultés; le second, Soleil-Milieu-du-Ciel-Mercure, est la marque d'un être qui ne craint pas d'affirmer bien haut des opinions qui ne doivent rien à personne. Mars dans le Lion, sur la pointe de IX et en trigone à l'Ascendant, va exactement dans le même sens. On sait avec quelle force de conviction B.B. a défendu à la télévision et ailleurs des causes qui lui sont chères.

Le maître de la Maison X, Vénus, est en chute dans la Vierge et au quinconce de Saturne. Or, que dit aujourd'hui B.B. de son « métier » d'idole? Qu'elle n'a jamais aimé tourner, qu'elle détestait être continuellement en représentation et que l'obligation d'être toujours maquillée et pomponnée lui pesait. Elle aurait bien aimé parfois pouvoir être « moche », comme tout le monde. Même si elle n'est pas tout à fait sincère, ces propos confirment les indications données par Vénus.

Quand, enfin, elle assure qu'elle n'a jamais attrapé la « grosse tête » et que le succès n'était pas sa drogue, on ne peut pas être plus Balance : toujours ce besoin d'équilibre.

Aujourd'hui, B.B. vit paisiblement à Saint-Tropez entre ses amis et ses chiens. Et elle affirme qu'elle est « bien dans sa peau ». Au fond, elle a réalisé son idéal Balance.

Henri Bergson

Si Bergson n'a pas laissé un système philosophique aussi puissant que celui de Hegel ou de Spinoza, par exemple, son œuvre, qui a ouvert les sources de la vie spirituelle, n'en reste pas moins originale et elle connut en son temps un retentissement considérable dans le monde.

Il naquit à Paris le 18 octobre 1859. L'heure n'a pas été enregistrée à l'état civil, mais selon une lettre conservée par la famille, il serait venu au monde entre 9 heures et midi [1]. Le Soleil et Mercure étaient dans la Balance, tandis que Jupiter et la Lune occupaient le Cancer. Peut-être le Milieu-du-Ciel se plaçait-il également sur la Balance, mais l'heure est trop imprécise pour pouvoir orienter le thème de façon sûre. Cela exigerait une étude longue et délicate qui déborderait le cadre de cette esquisse, destinée seulement à faire ressortir les valeurs Balance.

La vie et la carrière de Bergson ont été des modèles de régularité. Il a d'abord été un élève extrêmement brillant qui raflait tous les prix. Il obtint, entre autres, au Concours général, le premier prix de dissertation française et le premier prix de mathématiques. Ces résultats révélaient non seulement des dons exceptionnels, mais une intelligence remarquablement *équilibrée*, aussi à l'aise en lettres qu'en sciences.

Ce furent ensuite l'École normale supérieure, où il eut Jaurès comme condisciple, l'agrégation de philosphie, des postes dans des lycées de province et de Paris, la Faculté et, enfin, une chaire au Collège de France où son succès fut mémorable : on se battait pour avoir des places. Il a connu tous les honneurs désirables : l'Académie française, le prix Nobel, le titre de grand-croix de la Légion d'honneur et une renommée mondiale.

Que savons-nous de son caractère? Quand René Doumic le reçut sous la Coupole, il évoqua le jeune Bergson, cet adolescent au « charme délicat de blond », si courtois qu'« on n'avait jamais vu collégien si poli ». Plus tard, Bergson, devenu professeur de lycée, fit par deux fois le discours des prix sur la *politesse*.

Il était d'une extrême sensibilité et d'une grande douceur, mais cela n'excluait ni l'indépendance d'esprit, ni la ténacité. Il eut toute sa vie la passion du vrai, et ses affirmations étaient toujours assortie de preuves. Quand il n'avait pas étudié un problème à fond, il répugnait à prendre position, de peur de ne pas être *équitable*.

Or, nous savons bien maintenant que le charme, la douceur, la courtoisie et l'équité sont des vertus essentiellement Balance.

Dans son horoscope, Mercure est en Balance. Nous avons eu l'occasion de noter que ceux qui ont cette configuration s'expriment avec facilité; leur talent de pédagogue leur permet de faire croire que la matière enseignée est dépourvue d'aridité. Or, Bergson a écrit : « Il n'y a pas d'idée philosophique, si profonde et si subtile soit-elle, qui ne puisse s'exprimer dans la langue de tout le monde. » C'est un fait que, refusant d'employer le jargon habituel aux philosophes, il excellait à présenter les raisonnements les plus ardus avec une limpidité qui faisait penser qu'ils étaient simples.

L'influence de la Balance apparaît encore dans la *musique* de ses phrases et dans son style *imagé*. Curieusement, elle se manifeste aussi dans le titre de certains de ses ouvrages où il paraissait soucieux d'établir une sorte d'équilibre : *Matière et mémoire*, *la Pensée et le mouvant*, *Durée et simultanéité*, *les Deux Sources de la morale et de la religion*. Si les notions de *source* et de *mémoire* relèvent du Cancer (signe occupé dans son thème par la Lune et Jupiter, dignifiés), la notion de *durée*, essentielle dans l'œuvre de Bergson, est liée à Saturne qui représente la Balance par son exaltation dans ce signe.

Bergson n'a pas seulement enseigné. Pendant la Première Guerre mondiale, le gouvernement français lui confia des missions diplomatiques en Espagne et aux États-Unis, dont il s'acquitta à merveille. D'autre part, il fut pendant trois ans président de la Commission internationale de la Coopération intellectuelle de la SDN. La diplomatie et la coopération, voilà encore des activités typiquement Balance.

Les quinze dernières années de sa vie furent assombries par la maladie : des rhumatismes déformants le clouèrent dans son fauteuil, mais sa lucidité et sa volonté restèrent intactes jusqu'au bout (une redoutable opposition Mars-Neptune).

Mort pendant l'Occupation, le 3 janvier 1941, sa qualité de juif qu'il revendiquait fit qu'il dût être enterré dans la plus grande discrétion.

1. Renseignement communiqué par A. Barbault. La lettre en question aurait été lue par l'astrologue américain Edouard Sanchez.

Georges Brassens

Georges Brassens, grand amoureux des femmes, a chanté toute sa vie le bonheur d'être deux.

Georges Brassens est né sous le signe de Vénus. C'est normal, après tout, pour un poète, un vrai dont toute l'œuvre, ou presque, n'est qu'une suite de variations sur l'amour.

Il est né à Sète, le 22 octobre 1921, au coucher du Soleil, à 18 heures selon l'état civil. L'Ascendant était sur les premiers degrés du Taureau, tandis que quatre planètes, dont le Soleil, occupaient la Balance. Ainsi cette naissance était-elle marquée par deux signes vénusiens.

Physiquement, il est signé du Taureau; il en a la carrure, si l'on peut dire, puisque la force du taureau réside dans le cou et les épaules. Sa façon un peu rude de prendre possession de la scène l'a fait comparer à un ours ou même à son « gorille ». Il a aussi le regard du Taureau; : des yeux sombres, mais grands ouverts qui n'ont rien à dissimuler; ils expriment la bonté foncière d'un tendre qui joue parfois les bourrus.

Puisque Brassens est vénusien, interrogeons sa Vénus. Elle est en domicile dans la Balance, étroitement conjointe à Saturne qui est exalté dans la Balance. C'est l'union paradoxale de deux planètes dont les natures sont diamétralement opposées. En effet, Vénus personnifie l'amour avec ses plaisirs et son insouciance, alors que Saturne symbolise la froide sagesse avec ses renoncements et sa réserve. Et pourtant, cette union singulière, c'est la clé de Brassens. Elle explique le personnage, assez énigmatique pour le public; il ne fait rien pour se rendre populaire, et pourtant les gens l'aiment parce qu'ils sentent sa bonté vraie et sa soif de tendresse.

Dans la Balance, Vénus et Saturne donnent le meilleur d'elles-mêmes. Aussi l'œuvre de ce grand poète de la chanson ne pouvait-elle être que de qualité. Il faut la lire avec attention pour en goûter pleinement la saveur.

Il a chanté tous les aspects de l'amour, certains même inattendus comme dans *la Fille à cent sous*. Cela, tout le monde le sait. Mais à regarder de près sous les mots volontairement grossiers, on découvre des perles de sagesse qui témoignent d'une lucidité qui ne s'acquiert qu'au prix de la souffrance. C'est son côté saturnien, après le côté vénusien.

Cet amas de planètes en Maison VI met l'accent sur les difficultés rencontrées dans la vie, sur les problèmes de santé, sur le travail et sur les animaux domestiques, quatre domaines qui relèvent de ce secteur.

On sait que, lorsque quittant Sète où il avait eu une jeunesse heureuse, il « monta » à Paris, Brassens y connut des années très difficiles où il souffrit de la faim et du froid. Heureusement que la Balance atténua ses souffrances en mettant sur sa route des êtres fraternels comme « Jeanne » et l'« Auvergnat ». La Balance est liée aux reins, et la presse a abondamment parlé des ennuis qu'il a eus de ce côté-là. Son travail est consacré à l'art, c'est évident, mais il ne ménage ni son temps ni sa peine. Récemment, il disait qu'il compose bon an mal an quatre chansons, écrites par petits bouts lentement mûris (Vénus conjointe à Saturne). Quant aux animaux, aux chats en particulier, il en est « dingue ». Lorsque dans *P... de toi*, il reproche à la fille d'avoir fait des misères à ses chats, on sent que c'est vraiment la dernière chose qu'elle aurait dû faire.

Au-delà de la Balance qui joue un rôle important dans l'horoscope de Brassens, notons encore quelques particularités.

Presque toutes les planètes sont sous l'horizon : il n'aime pas tellement se montrer et rentre dès que possible dans sa coquille. Uranus en bon aspect du Soleil et de l'Ascendant : originalité et indépendance. On sait ses attaches avec le mouvement libertaire. Jupiter en carré à la Lune et à Pluton conjoints : le rejet des valeurs bourgeoises et des « choses qui se font ». Neptune sur la pointe de V en carré à un Mercure critique et mordant dans le Scorpion, et en triline (105 degrés) à l'Ascendant : un masque d'immoralité derrière lequel Brassens cache souvent son angoisse et qu'il ne faut pas prendre pour argent comptant.

Brassens? Un très grand poète.

Julien Clerc

Paul-Alain Leclerc, dit Julien Clerc [1], est né à Paris le 4 octobre 1947, à 17 h 50 : en cette fin de journée d'automne, le Soleil, bas sur l'horizon, jetait ses derniers feux. Julien est né de la rencontre d'un père poitevin et d'une mère guadeloupéenne. Malheureusement, le couple se sépara rapidement et Julien suivit son père dans son nouveau foyer. Désormais, il ne verra plus sa mère que pendant les week-ends. Aucune différence ne sera faite entre lui et les demi-frères et sœurs qui viendront agrandir la famille, mais c'est lui qui se sentira différent. Il est partagé entre le monde de son père et celui de sa mère.

L'école communale ne lui convenant pas, on le met au lycée Lakanal. Il y fera toutes ses études primaires et secondaires. Mais pas plus chez lui qu'au lycée il n'a d'amis. C'est un solitaire qui se lie difficilement. Cette solitude lui sera très pénible quand il lui faudra passer, sans personne à qui se confier, le cap délicat de la puberté. Seules les grandes vacances dans le Poitou lui permettent de vivre en liberté avec les copains du cru.

Sa première expérience véritable des autres, il la fera au sein d'une troupe d'Éclaireurs. A cette occasion, il observe avec curiosité ses propres réactions : il est très exigeant avec ceux qu'il commande, et frondeur avec ceux qui le commandent.

Entre 16 et 17 ans, la chanson entre dans sa vie. Au début, il veut écrire texte et musique : les textes ne sont pas bons, mais la musique est meilleure. Alors, il mettra les textes des autres en musique et les chantera.

Il débute dans les rallies et les clubs. Puis c'est la rencontre d'Étienne Roda-Gil qui, avec Maurice Vallet, un camarade de Lakanal, va devenir son parolier. Entre-temps, Julien a passé son bac, réussi à Propédeutique et échoué à Sciences Po. Alors, il tâte du droit (Balance), mais sans aller bien loin.

La chanson s'impose à lui. Son premier disque sort en avril 1968. Il est soutenu par l'équipe de *Salut les copains* qui croit fort en lui. Il apparaît à l'affiche de l'Olympia. En 1969, c'est l'aventure enrichissante de *Hair*.

De nouveau l'Olympia et les galas. Après sa rencontre début 1976 avec Miou-Miou qui va lui donner une fille, il arrête pendant deux ans. Il veut faire le point. Depuis, il a repris son métier. Il est aujourd'hui un des grands de la chanson.

Que nous révèle son thème? L'Ascendant est sur les derniers degrés des Poissons, mais aucune planète dans les alentours. Toutefois, l'Ascendant reçoit deux aspects exacts et contradictoires : un carré d'Uranus et un trigone de Jupiter qui le stimulent et l'apaisent. Quand Julien raconte qu'enfant il était d'une sensibilité excessive et que, dans sa solitude, il s'inventait des amis, on pense tout de suite aux Poissons et on se dit qu'il n'a sans doute rien perdu de sa sensibilité.

1. Dans la Collection « Chansons d'aujourd'hui », chez Seghers, Danièle Heymann a consacré une monographie à Julien Clerc.

Julien Clerc : sa gentillesse tendre et caressante, son talent, sa discrétion l'ont imposé au grand public.

Les deux configurations marquantes de son thème sont, d'une part, Uranus conjoint au Fond-du-ciel, d'autre part, la conjonction exacte Soleil-Neptune dans la Balance.

Uranus est à environ 1 degré et demi de la cuspide de la Maison IV, le foyer. Quand par direction symbolique (un degré = un an), la conjonction est devenue exacte, les parents de Julien se sont séparés. Uranus représente ce foyer disloqué dont l'enfant a souffert, ainsi que ses rapports parfois difficiles avec son père dans son nouveau foyer où il reçut une éducation très stricte qui ne laissait rien au hasard.

Le carré d'Uranus à l'Ascendant doit lui souffler des réactions surprenant l'entourage; le goût de la révolte qui, lorsqu'il était enfant, s'exprimait par des refus, aujourd'hui, doit prendre des formes plus agressives.

La conjonction Soleil-Neptune fait ressortir toutes les valeurs Balance que nous connaissons déjà. Elle est importante parce qu'elle est la seule conjonction exacte de l'horoscope, du moins entre planètes. De plus, elle met en jeu le maître de l'Ascendant, Neptune, et elle est en semi-carré à Jupiter qui est le second maître de l'Ascendant.

Soleil-Neptune, c'est la combinaison d'une grande sensibilité et du besoin de s'affirmer en se référant à un système de valeurs philosophiques, mystiques ou politiques. Or, Julien reconnaît qu'il est un mélange de timidité et d'audace, à la fois discret et désireux de s'imposer.

Si l'on en croit l'astrologue Carter, cette conjonction pousserait le sujet à s'éloigner des choses concrètes pour se réfugier dans l'art, la musique ou le théâtre. Cela paraît d'autant plus vrai qu'elle se trouve ici dans la Balance, signe d'art. D'ailleurs, quand Julien s'est lancé dans la chanson, l'axe Ascendant-Descendant est arrivé par direction symbolique sur cette conjonction.

Enfin, cette conjonction est en Maison VII (les autres et, pour un artiste, le public), elle est en trigone à la Lune, maîtresse de la V (la création artistique) qui se trouve en III (les copains, à la base du succès de Julien Clerc). Tout est lié.

Dans la Maison VII, on trouve encore Vénus dans la Balance où elle est en domicile. C'est dire si le charme du chanteur agit sur le public, sensible à la chaleur de sa voix et aux rêves nostalgiques de celui qui chante ces paroles de Roda-Gil qu'il a fait siennes : « *Un jour je prendrai la route/ Vers ailleurs coûte que coûte/ Je traverserai la nuit/ Pour rejoindre la cavalerie.* »

Gandhi

Gandhi a su imposer la non-violence comme engagement politique.

Mohandas Karamshand Gandhi, dit le Mahatma, naquit à Porbandar le 2 octobre 1869. Son heure de naissance est controversée. Certains le font naître vers midi, d'autres peu après le lever du Soleil. Nous penchons plutôt pour cette heure matinale. Nous dirons plus loin pourquoi.

En 1883 — il avait 14 ans —, son père le maria à une adolescente qui avait un an de moins que lui et qu'il n'avait jamais rencontrée.

En 1885, son père mourait et, la même année, Gandhi s'embarquait pour l'Angleterre, son père ayant décidé depuis longtemps qu'il serait avocat. En 1891, son diplôme en poche, il retournait aux Indes, mais ses débuts d'avocat furent difficiles. Alors, il accepta un poste qu'on lui offrait en Afrique du Sud pour défendre les nombreux Indiens qui y travaillaient. Ainsi commença son travail en faveur de ses frères. En 1914, il regagna les Indes et soutint la politique alliée contre la promesse que son pays recevrait l'indépendance après la guerre. Les Anglais n'ayant pas tenu parole, il entama une lutte qui devait durer près de quarante ans. Condamnant toute violence, il fit adopter par ses partisans le principe de la « désobéissance civile ». De concession en concession, le gouvernement britannique dut finalement accorder à l'Inde l'indépendance totale, au lendemain de la Seconde Guerre mondiale. Mais pendant toutes ces années de lutte, Gandhi paya largement de sa personne : il fut emprisonné à maintes reprises et il entreprit de nombreuses grèves de la faim.

Le 30 janvier 1948, les balles d'un fanatique mettaient fin à sa vie dans une Inde déchirée entre hindous et musulmans.

Quand on considère le thème de Gandhi, on est frappé par la force d'une configuration qui domine l'ensemble : Vénus et Mars en opposition à Jupiter et Pluton, les quatre planètes étant en quadrature à la Lune. Cette configuration explosive est d'autant plus puissante qu'elle met en jeu trois signes fixes qui indiquent qu'il ne peut s'agir là d'un feu de paille. Il y a dans cette configuration une fantastique source d'énergie sans laquelle Gandhi n'aurait jamais pu mener à bien ce combat d'un homme luttant contre un empire. Mais ce fut un combat *pacifique*. Il a donc fallu que Gandhi trouve en lui les ressources nécessaires pour canaliser les redoutables énergies que cachait sa frêle apparence.

C'est ici qu'interviennent deux facteurs.

Tout d'abord la Balance. Il est difficile de concevoir l'œuvre de paix et de justice de Gandhi sans une forte influence de la Balance. Le Soleil s'y trouve déjà, mais on peut penser que l'Ascendant en occupe les derniers degrés car la présence seule du Soleil ne suffirait pas à expliquer l'œuvre de Gandhi.
La présence de l'Ascendant fin Balance — ce qui suppose une naissance matinale — aurait une autre justification : il valoriserait Mercure au début du Scorpion qui, sans cette conjonction avec l'Ascendant, serait sans aspect avec les éléments du thème. Ce serait fort étonnant dans le cas d'un homme qui a été avocat pendant près d'un quart de siècle!
Deuxième facteur : Uranus encore en Maison IX, mais proche du Milieu-du-Ciel. est la planète qui détend par trigone et sextile la violente opposition Mars-Vénus/Jupiter-Pluton. C'est dans la religion (IX) que Gandhi a trouvé la force de transformer en non-violence active les puissances qui l'habitaient, y compris une ardeur sexuelle dont les exigences lui ont posé quelques problèmes...
Le Soleil en Maison XII témoigne des privations de toutes sortes que Gandhi s'est imposé et des multiples emprisonnements que lui ont infligés les Anglais. Ses grèves de la faim trouvaient un soutien dans le sextile que Saturne, planète de la restriction dans le secteur de la nourriture (II), envoyait au Soleil.
L'exemple de Gandhi montre comment certains individus parviennent à dominer ce que l'on appelle communément un « mauvais » horoscope.

Le Corbusier

Le Corbusier a inventé, par une architecture créative et adaptée au monde moderne, de nouvelles conditions de bien-être : thème cher à la Balance.

Le 6 octobre 1887, à 21 heures, naissait à La Chaux-de-Fonds, en Suisse, un des hommes qui allait le plus influencer l'architecture de la première moitié du XXe siècle : Charles-Édouard Jeanneret, dit Le Corbusier. Le Soleil était en Balance, alors que le signe des Gémeaux finissait de monter à l'orient.
Dès l'âge de 13 ans, Le Corbusier commençait à apprendre le métier de son père qui était ciseleur sur montre. Mais on peut penser qu'il fut très tôt attiré par l'architecture, puisqu'à 17 ans il dessinait pour son premier client une maison qui fit alors sensation parce qu'elle était simple et fonctionnelle. Cette précocité fut dans doute un effet du signe des Gémeaux, une des dominantes du thème avec la Balance.
A 19 ans, il partait faire son tour d'Europe qui le conduisit en Italie, en Autriche, en Hongrie et en France. Quatre ans plus tard, l'école des Beaux-Arts de sa ville natale lui donnait une bourse d'études pour l'Allemagne. Il compléta sa formation en visitant les Balkans, l'Asie Mineure, la Grèce et de nouveau l'Italie, le pays des grands bâtisseurs.

Ce goût des voyages lointains, témoignant d'une exceptionnelle mobilité au service d'une inlassable curiosité, est dû au signe des Gémeaux et aussi à Uranus, maître de la Maison IX, — celle des voyages hors des frontières natales —, qui est conjoint au Soleil et relié, d'une part, au Milieu-du-Ciel par sesqui-carré et, d'autre part, à l'Ascendant par un triline (105 degrés), ces deux aspects étant très exacts. Comme Uranus et le Soleil sont dans la Balance et en Maison V, il est probable que ces pérégrinations studieuses furent très agréables à Le Corbusier tout en lui permettant de faire une ample moisson d'idées originales.

Pendant la guerre de 1914, il enseigna à l'école des Beaux-Arts de La Chaux-de-Fonds, puis il vint vivre à Paris où il installa son atelier rue de Sèvres. En 1930, il obtint la nationalité française. Une fois encore, l'étranger allait jouer un rôle décisif dans sa vie, une vie que désormais il consacre largement au travail de cabinet. Comme les commandes n'affluent pas, il va vivre pendant des années dans une sorte de semi-retraite pour réfléchir aux problèmes que posent les rapports de l'homme avec la cité. Par ailleurs, il cherche à faire connaître ses idées en écrivant des livres et en multipliant les articles dans les revues.

La retraite volontaire, ce sont les trois planètes sur la cuspide de la Maison XII; l'œuvre écrite, c'est Mercure dans le Scorpion, en Maison V, trigone Ascendant.

Le Corbusier a peut-être été plus théoricien que praticien. Ses idées ont davantage contribué à le faire connaître que ses réalisations qui demeurent relativement peu nombreuses. Un coup d'œil sur son horoscope montre la majorité des planètes sous l'horizon. Les seules qui s'élèvent au-dessus de l'horizon sont en Maison XII, le plus « intériorisé » des secteurs : réclusion (volontaire ou non), travail de cabinet, obstacles et attaques sournoises d'ennemis qui souvent n'osent pas dire leur nom.

Dans les années qui ont précédé et suivi la Seconde Guerre mondiale, Le Corbusier a émaillé le monde de projets et de constructions. De grands projets d'abord : Genève (Société des Nations), Moscou (Palais des Soviets), New-York (ONU) qui furent primés, mais non retenus; de grandes réalisations ensuite dont les plus célèbres sont le Centrosoyouz (Moscou), la Cité radieuse (Marseille), la ville de Chandigarh (Indes), Notre-Dame du Haut (Ronchamp).

A propos du Centrosoyouz édifié à Moscou dans les années 30, il est piquant de noter qu'il fut jugé là-bas « contre-révolutionnaire », ce qui est le comble pour un architecte qui avait à se défendre d'être révolutionnaire, alors qu'il se voulait sutout réformateur.

La Balance, signe qui retient surtout notre intérêt, est donc occupé par le Soleil et Uranus étroitement conjoints, en Maison V. Cela peut se traduire par des idées « révolutionnaires » dans le domaine de la création artistique. Quand Le Corbusier déclarait qu'il était « dominé par les impératifs de l'harmonie, de la beauté et de la plastique », il faisait une profession de foi Balance.

Un autre effet de la Balance est plus inattendu : l'architecte avait mis au point une sorte de garde-fou, le *modulor* qui devait l'aider à garder la mesure (Balance) en maintenant ses créations à l'échelle humaine.

Le Corbusier a quitté cette terre à l'âge de 78 ans après une vie consacrée à imaginer le futur pour aider au mieux-être des hommes.

Franz Liszt

George Sand, qui avait quelque expérience des hommes exceptionnels, définissait Liszt en ces termes : « Prince par le cœur comme par le talent, sublime dans les grandes choses, toujours supérieur dans les petites. »

Cet hommage rendu au célèbre musicien n'est pas pour surprendre l'astrologue. En effet, lorsque Liszt naquit à Raiding, en Hongrie, le 22 octobre 1811, à 1 heure du matin, les derniers degrés du Lion montaient à l'horizon, et l'Ascendant était en conjonction avec Regulus, l'étoile royale. D'après Julevno, un classique du début de ce siècle, une telle conjonction confère au natif des « sentiments d'élévation, de grandeur et de noblesse », ce qui rejoint le jugement de George Sand.

Mais qui était donc ce personnage étonnant qui défraya la chronique artistique et mondaine pendant une bonne partie du XIXe siècle?

Liszt fut d'abord un enfant prodige qui donna à 9 ans son premier concert public au cours duquel il se livra à des improvisations sur des airs à la mode. Son père, qui était aussi son professeur, s'installa avec lui, d'abord à Vienne, puis à Paris. Liszt avait alors 11 ans. S'il ne fut pas accepté au Conservatoire, en revanche les salons parisiens lui furent largement ouverts. Et il donna des concerts un peu partout en France et en Angleterre.

Les années 1826-1828 furent marquées par trois événements importants : il publie douze études pour piano; il traverse une grave crise mystique, s'imposant des jeûnes sévères qui mettent sa santé en péril; enfin, il s'éprend passionnément de l'une de ses belles élèves, qui le lui rend bien : Caroline de Saint-Cricq. Mais le comte de Saint-Cricq, alors ministre du Commerce, qui ne veut pas d'une mésalliance, marie précipitamment sa fille. C'est pour le jeune musicien une cruelle déception qu'il n'oubliera jamais.

La musique, le mysticisme, l'amour vont jusqu'à la fin constituer la trame de la vie de Liszt. Nous aurions pu ajouter que, dans cette même période, il perdit son père et que, plus tard, deux de ses enfants seront fauchés en pleine jeunesse. Cet être sensible en éprouvera une grande douleur.

Il était aussi fasciné par les femmes qu'il les fascinait lui-même, aussi ses aventures amoureuses furent-elles nombreuses. Son père mourant l'avait mis en garde : « Je crains pour toi les femmes : elles troubleront ta vie et la domineront. » Cependant, ses passions ne brisèrent jamais complètement ses élans mystiques qui renaissaient comme les têtes de l'Hydre de Lerne. Il est vrai qu'il y était aidé par ses amours elles-mêmes qui finissaient toujours par lui laisser un goût de cendre.

Deux femmes ont marqué son existence plus durablement que les autres. D'abord, Marie d'Agoult, sa compagne pendant dix ans, lui donna trois enfants : Daniel, Blandine et Cosima qui devait épouser Wagner. Puis une nouvelle Caroline croisa sa vie : Caroline de Sayn-Wittgenstein, rencontrée à Kiev et qui remua ciel et terre pour épouser son musicien. Mais celui-ci se retira lorsque Caroline commença à écrire de pesants traités de philosophie tels que *la Perfection chrétienne et la vie intérieure*. Pour mieux échapper au mariage, Liszt se fit donner à Rome les ordres mineurs. C'était en 1865. Mais si le nouvel abbé porta la soutane, ce qui fit sourire toute l'Europe, il n'en renonça pas pour autant à l'amour.
Il faudrait encore parler de la comtesse Olga Janina qui le poursuivit de ses assiduités et de ses pistolets, allant jusqu'à se déguiser en garçon pour le retrouver; puis de la baronne de Meyendorff, mais il est impossible de les citer toutes. Liszt mourut à Bayreuth en 1886, au cours de sa dernière grande tournée. Il avait 75 ans. Cet être désintéressé, qui avait si généreusement aidé les jeunes talents, quitta cette terre aussi démuni qu'il y était arrivé : il laissait en tout et pour tout une soutane et un peu de linge.

Franz Liszt : son élégance, sa beauté, son talent raffiné l'inscrivent parmi les grands noms de la musique.

François Mauriac

Bien que né une dizaine d'années avant Aragon, le 11 octobre 1885, à 4 heures à Bordeaux, François Mauriac a lui aussi « bénéficié » de la conjonction Neptune-Pluton qui marque fortement son horoscope.
C'est au cours des années 1891-1892 que cette conjonction est devenue plusieurs fois exacte, mais comme elle est formée par les deux planètes les plus lentes que nous connaissions, il est normal de les trouver très proches l'une de l'autre dans les années qui ont précédé ou suivi la conjonction. Dans le thème de Mauriac, elles sont mises en valeur par leur opposition à la Lune et à Vénus avec lesquelles elles constituent ce que l'on pourrait appeler la « colonne vertébrale » de l'horoscope dont elles deviennent du même coup une des clés.
La Lune et Vénus, planètes éminemment réceptives, se trouvent dans le Scorpion, signe « creuset » dans lequel les éléments de la vie se décomposent et se recomposent. A travers ces deux planètes, exarcerbées par l'opposition de Neptune et de Pluton, surgit l'univers tourmenté de Mauriac avec ses créatures déchirées sur lesquelles semble peser une malédiction. Lui-même a confié que, dès qu'il se mettait au travail, ses personnages entraient dans une lumière sulfureuse qui lui était propre.
Mauriac a certes trois planètes dans la Balance, et pourtant sa conjonction Lune-Vénus dans le Scorpion en Maison III, secteur de l'écriture, est si marquante qu'elle ferait de lui plutôt un représentant du Scorpion que de la Balance.
Les personnages de Mauriac se débattent entre les délices et les tourments de la chair auxquels viennent s'ajouter les conflits qui naissent des contraintes que le groupe social oppose aux désirs individuels. De la lecture de ses romans se dégage une pénible impression de désespérance qui pèse lourdement sur ses personnages.

François Mauriac : son œuvre est déchirée entre sa sensualité et sa spiritualité.

Mais, vers 1930 — Mauriac a alors 45 ans — une lumière d'espoir envahit peu à peu son œuvre. C'est au moment où Uranus, qui a parcouru un peu plus de la moitié du Zodiaque, arrive par transit à l'opposition de la conjonction Soleil-Mercure dans la Balance, que les forces *équilibrantes* de ce signe commencent à se manifester dans les drames mauriaciens. Dans *la Fin de la nuit*, au titre évocateur, qui est une sorte de suite donnée à l'un de ses plus fameux romans, *Thérèse Desqueyroux*, se dessine le rachat de la célèbre héroïne. Désormais, la grâce et le salut, sources de paix, viennent contrebalancer les forces démoniaques qui torturaient des créatures qui, jusque-là, semblaient irrémédiablement perdues. Voilà pourquoi Mauriac écrivait dans *les Anges noirs* (1936) : « Ceux qui semblent voués au mal, peut-être étaient-ils élus avant les autres, et la profondeur de leur chute donne la mesure de leur vocation. »

Uranus dans la Balance en Maison I s'est manifesté avec éclat lorsque, pendant la guerre d'Espagne, Mauriac s'est élevé avec vigueur et courage contre les excès de la guerre civile dans les deux camps, cela au risque de heurter la bourgeoisie catholique qui ne manqua pas de s'offusquer bruyamment.

Yves Montand

Yves Montand est né à Monsummano (Italie) le 13 octobre 1921, à minuit. Du fait de l'émigration de ses parents, il a passé sa jeunesse à Marseille. Il a dû travailler de bonne heure et fit divers métiers. Mais il s'intéressait à la chanson, et quelques succès locaux l'encouragèrent à persévérer dans cette voie (le Soleil Balance sur la pointe de IV peut être l'indice d'une hérédité artistique).

Devenu professionnel, il gravit assez rapidement les échelons de sa nouvelle carrière et se retrouva un jour au même programme qu'Édith Piaf. Cette rencontre avec la grande chanteuse fut décisive pour la suite de sa carrière, car non seulement ils vécurent une belle histoire d'amour, mais Piaf, qui avait un côté Pygmalion, l'a puissamment aidé à devenir un grand de la chanson. Il faut dire qu'il était un « élève » attentif et doué. Mais lorsqu'elle comprit qu'elle n'avait plus rien à lui apprendre, elle rompit avec lui, et Montand en fut très malheureux (sans doute l'arrivée d'Uranus par direction symbolique, vers 23-24 ans, à l'opposition de Saturne).
Montand a poursuivi sa route et perfectionné son art. Interpréter une chanson, c'est, pour lui, dresser un décor imaginaire que « voit » le spectateur et c'est vivre sa chanson avec tout son être. Sans le savoir, il jetait ainsi un pont vers le théâtre et surtout le cinéma.

A 28 ans, c'est la rencontre avec Simone Signoret qui allait changer toute sa vie (Vénus arrivant par direction symbolique sur le Soleil). A partir de là, la carrière de Montand ne cesse de prendre de l'ampleur. Le cinéma fait de plus en plus appel à lui. Il avait presque tout à apprendre dans ce domaine qui est très différent du music-hall, mais, à force de volonté et de travail, il est devenu aujourd'hui capable de donner la réplique aux meilleurs.
En 1956 et 1959, il y a eu les grandes tournées en URSS et aux États-Unis qui l'ont consacré vedette internationale. Depuis, il se partage entre le cinéma et la chanson, trouvant ainsi une forme d'*équilibre* à l'intérieur de son art.
Car au moment de sa naissance, le Soleil était en Balance avec Jupiter et Saturne. Seule planète angulaire, le Soleil est en étroite conjonction avec la pointe de IV et avec l'axe des Nœuds de la Lune (les relations). En IV, on trouve encore Mercure dans le Scorpion. Les deux autres planètes en Balance, Jupiter et Saturne, sont en III dont la cuspide est sur la Vierge, conjointe à Vénus accompagnée de Mars.
A elles seules, les Maisons III et IV regroupent donc six planètes. C'est là qu'est le centre de gravité du thème qui souligne, entre autres, l'importance du « foyer ». Que ce soit l'appartement de la place Dauphine (la « Roulotte ») ou la maison d'Autheuil, près de Paris, le foyer est pour Montand et sa femme un lieu privilégié auquel tous deux sont attachés, et où défilent les copains et les gens du spectacle, une des significations de la Balance [1].
La cuspide de la Maison III est conjointe à Vénus, planète importante pour le chanteur parce qu'elle est maîtresse du Soleil et semi-carré à l'Ascendant. Elle rappelle que les femmes ont joué un grand rôle dans son « éducation » (III), ce qui par ailleurs a eu d'heureuses répercussions sur son succès, Vénus étant le second maître de X, et de plus conjointe à Mars, premier maître de X.
L'Ascendant est sur le Lion, fier et généreux, et Neptune, que l'on y dit exalté, occupe la Maison I. Le Lion est un signe de spectacle (les natifs du signe ont presque toujours un complexe d'exhibition), et Neptune donne à Montand la faculté de vivre intensément ses chansons et de se glisser facilement dans la peau de ses personnages. Comme Neptune est trigone au Milieu-du-Ciel, cette faculté sert sa réussite.
On dit que les Balance n'ont pas beaucoup de volonté. Dans l'absolu, c'est vrai; mais ici, le Soleil est très fortement soutenu par la conjonction Lune-Uranus en VIII (une des clés de cet horoscope) qui est en sesqui-carré au Soleil, semi-carré au Milieu-du-Ciel et quinconce (exact) à l'Ascendant : c'est l'indice d'une puissante émotivité (c'est un Lion-Balance qui explose facilement) et d'une énergie indomptable au service d'une grande ambition. En VIII, elle montre que Montand est capable de renoncements; il sait d'autant mieux prendre sur lui qu'il est un perfectionniste qui, lorsqu'il a eu une inspiration pour l'interprétation d'une de ses chansons, l'exploite à fond avec toutes les ressources de sa technique (Mars-Vénus dans la Vierge).
Enfin, la Balance, c'est le goût de la vérité et la passion de la justice. Ainsi s'expliquent les choix politiques dont font partie certains de ses films comme *État de siège*, *Z* ou *l'Aveu*. Il n'a cependant pas adhéré au parti communiste pour garder sa liberté de critique, ce qui correspond à un profond souci d'équité, typiquement Balance.

1. Certains détails ont été empruntés au livre de Simone Signoret, *la Nostalgie n'est plus ce qu'elle était* (Seuil).

Lanza del Vasto

Lanza del Vasto, poète du vent : « J'ai ma maison dans le vent sans mémoire. J'ai mon savoir dans les livres du vent, Comme la mer, j'ai dans le vent ma gloire, Comme le vent, j'ai ma fin dans le vent. »

Joseph Jean Lanza di Trabia-Branciforte, dit Lanza del Vasto, se réclame de Gandhi dont il s'est efforcé de répandre les idées en Occident. Il est né à San Vitto dei Normani le 29 septembre 1901, à midi. Il est intéressant de comparer les thèmes du maître et du disciple. Tous deux sont Balance par le Soleil, tous deux ont Uranus angulaire et tous deux ont une conjonction Mars-Vénus dans le Scorpion, presque aux mêmes degrés. En outre, le Milieu-du-Ciel de Lanza coïncide avec le Soleil de Gandhi dont l'Ascendant se place sur le Mercure de Lanza (à condition évidemment que Gandhi soit né environ une heure après le lever du Soleil). Cette dernière coïncidence signifierait que Gandhi a eu de l'ascendant sur la pensée (Mercure) de Lanza, ce qui est une évidence.
La rencontre des deux hommes a été l'aboutissement d'une recherche que Lanza a racontée dans un livre dont le succès mérité a beaucoup contribué à le faire connaître du grand public : *le Pèlerinage aux sources*, paru en 1944.
Issu d'une famille de vieille noblesse italienne, il ne manque pas d'allure, et son aristocratie n'est pas empruntée.
Son Ascendant se trouve à peu près à la même place que celui de Brigitte Bardot et il a, lui aussi, le type « archer ». Mais alors que le maître de l'Ascendant de l'actrice est en Balance, signe de beauté et de grâce, celui de Lanza est conjoint à Saturne dans le Capricorne, ce qui explique son type à prédominance saturnienne : haute stature avec une forte charpente osseuse assez dépouillée.
Lanza commença par goûter pleinement les plaisirs de la vie mondaine. Son éducation et des dons divers lui permettaient de briller dans les salons (Soleil au zénith). Mais il finit par se lasser de cette vie superficielle (Soleil à mi-distance de Neptune et de Saturne : ascétisme, maladie). Alors, il décida de partir pour les Indes à la recherche des sources de la vraie vie. Sa rencontre avec Gandhi fut décisive. Le Balance qu'il était ne pouvait qu'être séduit par l'idéal de paix et de justice du Mahatma. Quant à son côté Capricornien qui domine la seconde partie de sa vie (la Maison I est également partagée entre le Sagittaire et le Capricorne), il était tout prêt à accepter le retour à une vie simple et naturelle consacrée d'une part à la prière et à la méditation, d'autre part à une activité artisanale, les valeurs spirituelles *équilibrant* les valeurs matérielles.

De retour en France, Lanza a propagé ces idées. Pour les mettre en pratique (Capricorne), il a fondé dans le Vaucluse une première communauté. Depuis quelques années, *l'Arche*, tel est son nom, a essaimé, car Lanza, qui a le sens de la *mesure*, ne souhaite pas qu'une communauté groupe plus d'une trentaine de personnes.

Watteau

Nous ne connaissons que la date de baptême de Jean-Antoine Watteau : le 10 octobre 1684. Il est donc probable qu'il est né un ou deux jours plus tôt et que la Lune est conjointe au Soleil et à Jupiter dans la Balance. Cela renforcerait singulièrement l'importance de ce signe. Mais l'œuvre de ce peintre est une si parfaite illustration des caractères de la Balance qu'il n'y aurait là rien de surprenant.

C'est à 17 ans que Watteau débute à Paris en faisant des copies et des tableaux religieux. Puis il travailla dans l'atelier du peintre Gilot où il prit le goût des personnages de théâtre et surtout de la comédie italienne, thème qui reviendra souvent sur ses toiles. Chez le graveur Claude Audran, il découvrit Rubens dont il aima la verve.

L'influence de la Balance est évidente dans l'œuvre de Watteau, mais les aspects vénusiens et saturniens du signe sont aussi intimement liés dans son être et son œuvre qu'ils le sont dans son horoscope. En effet, Vénus et Saturne culminent dans la Vierge, et Mars, vraisemblablement maître de l'Ascendant, vient s'insérer entre les deux planètes. Il renforce l'une et l'autre, mais dans un signe d'introversion : le besoin d'amour, celui de l'âme comme celui du corps, est d'autant plus violent qu'il est plus contenu. Et on comprend pourquoi le marchand de tableaux Gersaint, qui fut son ami, décrit Watteau comme un personnage tout en contrastes : inquiet et charmant, libertin d'esprit et sage de mœurs, impatient et timide, bon et difficile de caractère, réservé et entier dans ses volontés.

René Huyghe, à qui l'on doit tant d'études pénétrantes dans le domaine de l'art, a fait remarquer que Watteau réduisait la réalité à ses aspects *aériens* et *délicats*, mais qu'il la chargeait d'une telle intensité de *sensation* qu'elle semblait plus présente encore. Toujours la Balance...

Valéry Giscard d'Estaing et François Mitterrand

Si nous associons ici ces deux noms, c'est moins parce qu'ils s'affrontent depuis des années sur la scène politique que parce qu'ils ont des configurations communes. Tous deux, en effet, sont Balance par l'Ascendant et tous deux ont la Lune en Balance. Cette Lune est d'autant plus intéressante à étudier que, dans les deux horoscopes, elle a maîtrise sur la Maison X, celle de la réussite sociale et des honneurs. De plus, la Lune est significateur général de la foule, et comme dans un régime démocratique les hommes politiques sont appelés à briguer régulièrement les suffrages du peuple, il est important que dans leur thème la Lune soit forte par position et par aspects.

Il y a d'abord un certain nombre de dispositions dues à la présence de la Lune dans le signe de la Balance qui doivent se retrouver chez nos deux hommes politiques. Énumérons-en les principales :

La sensibilité. Comme les hommes politiques n'ont pas pour habitude d'étaler leurs émotions en public, il n'est pas toujours facile d'en juger. Cependant, il est rare qu'ils ne se trahissent pas une fois ou l'autre devant les caméras de télévision, et il semble bien, en effet, que Mitterrand comme Giscard soient plus sensibles qu'ils n'aiment le laisser paraître.

Le désir de justice. Chez Mitterrand, dirigeant d'un parti qui a inscrit en priorité à son programme une plus juste répartition des richesses, la chose paraît évidente. Si, de son côté, Giscard d'Estaing semble engagé dans une action, encore timide, qui va malgré tout dans le même sens, il est opposé à toute mesure trop radicale (et c'est aussi une attitude Balance!).

L'attachement au terroir et à l'histoire de la famille. On sait l'intérêt que Giscard d'Estaing porte aux problèmes de généalogie... Quant à Mitterrand, il profite des rares loisirs que lui laisse la politique pour retrouver le contact avec la terre, avec les « racines ».

Le goût de la littérature. La presse a parlé à plusieurs reprises de la prédilection que Giscard d'Estaing marque pour l'œuvre de Flaubert et de Maupassant. Chez Mitterrand, cela va plus loin puisqu'il a écrit plusieurs livres qui ont eu les faveurs de la critique, unanime à louer son style.

Le sens esthétique. On ne peut guère en juger que d'après les propos tenus en public par ces messieurs. Ce qui est certain, c'est que tous deux ne sont pas hommes à se laisser aller à des propos débraillés. Ils mettent au contraire un point d'honneur à s'exprimer avec élégance et ils y parviennent sans peine.

Essayons à présent de répondre à la question de savoir pourquoi l'un a été investi de la charge suprême, alors que l'autre a vainement tenté sa chance à plusieurs reprises. Pour cela, nous allons interroger leur Lune puisque, nous l'avons dit, cet astre est lié aux suffrages populaires. Mais auparavant, il est bon de rappeler que les deux candidats ont recueilli un nombre de voix sensiblement égal. Il est donc normal que des indices d'élévation apparaissent dans les deux horoscopes.

La popularité étant généralement indiquée par un bon aspect entre la Lune et Jupiter, c'est surtout dans cette direction que nous devons chercher les différences.

Dans le thème de Giscard, la Lune, maîtresse de la Maison X (le succès), a une très forte position puisqu'elle est conjointe à l'Ascendant, mais surtout elle reçoit de Jupiter, flanqué de Mercure et du Soleil, un trigone exact. C'est assurément une très bonne configuration, et il est même permis de penser que les suffrages féminins ont peut-être aidé Giscard à faire la différence.

Dans l'horoscope de Mitterrand, la Lune est à 9 degrés du Soleil avec lequel elle forme une conjonction, appliquante certes, mais un peu large. Et avec Jupiter, elle est en opposition. Là aussi, l'aspect est appliquant, mais l'orbe est plus restreint (6 degrés). Les oppositions ne sont pas nécessairement désastreuses, comme on serait peut-être tenté de le croire : cela dépend en grande partie de la nature des planètes. Cependant, bien qu'une opposition Lune-Jupiter ne soit pas un obstacle, il faut reconnaître que, dans le thème de Giscard, les choses se présentent mieux pour la Lune qui est puissamment soutenue.

C'est sans doute ce qui explique la différence des résultats.

Chapitre V

A la recherche de votre « Moi » profond

L'éclipse totale du soleil, comme celle qui a lieu sur ce document, est un phénomène rare, dont il faut tenir compte en astrologie.

Dans quel Signe se trouvaient les Planètes à votre naissance

Comment utiliser les Tables des positions planétaires

Les planètes, le Soleil et la Lune sont des points d'émission énergétiques qui correspondent chacun à une certaine expression de votre personnalité.

Mais ces corps célestes n'agissent pas directement sur nous.

Entre eux et la Terre, le Zodiaque avec ses douze signes différents constitue une sorte de bande abstraite à travers laquelle va s'exercer l'action des astres sur la Terre.

Ainsi la planète Jupiter n'agit-elle pas directement sur vous mais à travers le signe zodiacal dans lequel, vue de la Terre, elle se trouvait au moment de votre naissance.

C'est pourquoi, pour connaître le mode d'action complet de Jupiter sur vous, vous devez rechercher ce signe.

Les Tables de positions planétaires de 1910 à 1989 vous permettront de trouver d'un seul coup d'œil pour l'année et le jour de votre naissance le signe zodiacal dans lequel se trouvait chacune des huit planètes de Mercure à Pluton.

Vous pouvez reporter ces positions sur la page 2 de votre *Guide psycho-astrologique personnel* (en tiré à part).

Pour la Lune, vous procédez différemment car cet astre se déplace beaucoup plus rapidement que les planètes, si bien qu'il vous faut tenir compte de votre heure de naissance pour connaître son signe zodiacal.

Dans les *Tables des positions planétaires* vous trouvez la position de la Lune à midi, temps universel de Greenwich, près de Londres.

Comme la Lune parcourt en moyenne 12 degrés zodiacaux par jour, elle reste environ deux jours et demi dans un signe puisque chaque signe compte 30 degrés zodiacaux.

Toutes les deux heures la Lune parcourt 1 degré zodiacal et c'est en fonction de cela que nous trouverons sa position finale.

Pratiquement, voici comment vous allez opérer.

1) Si les *Tables des positions planétaires* vous indiquent une position de la Lune comprise entre 6 et 23 degrés de n'importe quel signe zodiacal, la Lune est restée toute la journée dans ce signe que vous inscrivez sur votre *Guide psycho-astrologique personnel.*

2) Si les *Tables* vous indiquent une position 0, 1, 2, 3, 4, 5, ou 24, 25, 26, 27, 28, 29 degrés d'un signe zodiacal, vous devez tenir compte de votre heure et lieu de naissance pour trouver la position réelle de la Lune à ce moment-là. Vous procédez alors comme indiqué à la page 211.

DECOUVREZ DANS QUEL SIGNE SE TROUVAIENT LES PLANETES A VOTRE NAISSANCE

1910	MERCURE	VENUS	MARS	JUPITER	SATURNE	URANUS	NEPTUNE	PLUTON	LUNE *
23 SEPTEMBRE	BALANCE	VIERGE	BALANCE	BALANCE	TAUREAU	CAPRICORNE	CANCER	GEMEAUX	28 TAUREAU
24 SEPTEMBRE	BALANCE	VIERGE	BALANCE	BALANCE	TAUREAU	CAPRICORNE	CANCER	GEMEAUX	12 GEMEAUX
25 SEPTEMBRE	BALANCE	VIERGE	BALANCE	BALANCE	TAUREAU	CAPRICORNE	CANCER	GEMEAUX	26 GEMEAUX
26 SEPTEMBRE	BALANCE	VIERGE	BALANCE	BALANCE	TAUREAU	CAPRICORNE	CANCER	GEMEAUX	10 CANCER
27 SEPTEMBRE	BALANCE	VIERGE	BALANCE	BALANCE	TAUREAU	CAPRICORNE	CANCER	GEMEAUX	24 CANCER
28 SEPTEMBRE	BALANCE	VIERGE	BALANCE	BALANCE	TAUREAU	CAPRICORNE	CANCER	GEMEAUX	7 LION
29 SEPTEMBRE	VIERGE	VIERGE	BALANCE	BALANCE	TAUREAU	CAPRICORNE	CANCER	GEMEAUX	20 LION
30 SEPTEMBRE	VIERGE	VIERGE	BALANCE	BALANCE	TAUREAU	CAPRICORNE	CANCER	GEMEAUX	3 VIERGE
1 OCTOBRE	VIERGE	VIERGE	BALANCE	BALANCE	TAUREAU	CAPRICORNE	CANCER	GEMEAUX	16 VIERGE
2 OCTOBRE	VIERGE	VIERGE	BALANCE	BALANCE	TAUREAU	CAPRICORNE	CANCER	GEMEAUX	28 VIERGE
3 OCTOBRE	VIERGE	VIERGE	BALANCE	BALANCE	TAUREAU	CAPRICORNE	CANCER	GEMEAUX	11 BALANCE
4 OCTOBRE	VIERGE	VIERGE	BALANCE	BALANCE	TAUREAU	CAPRICORNE	CANCER	GEMEAUX	23 BALANCE
5 OCTOBRE	VIERGE	VIERGE	BALANCE	BALANCE	TAUREAU	CAPRICORNE	CANCER	GEMEAUX	5 SCORPION
6 OCTOBRE	VIERGE	VIERGE	BALANCE	BALANCE	TAUREAU	CAPRICORNE	CANCER	GEMEAUX	17 SCORPION
7 OCTOBRE	VIERGE	BALANCE	BALANCE	BALANCE	TAUREAU	CAPRICORNE	CANCER	GEMEAUX	28 SCORPION
8 OCTOBRE	VIERGE	BALANCE	BALANCE	BALANCE	TAUREAU	CAPRICORNE	CANCER	GEMEAUX	10 SAGITTAIRE
9 OCTOBRE	VIERGE	BALANCE	BALANCE	BALANCE	TAUREAU	CAPRICORNE	CANCER	GEMEAUX	22 SAGITTAIRE
10 OCTOBRE	VIERGE	BALANCE	BALANCE	BALANCE	TAUREAU	CAPRICORNE	CANCER	GEMEAUX	4 CAPRICORNE
11 OCTOBRE	VIERGE	BALANCE	BALANCE	BALANCE	TAUREAU	CAPRICORNE	CANCER	GEMEAUX	16 CAPRICORNE
12 OCTOBRE	BALANCE	BALANCE	BALANCE	BALANCE	TAUREAU	CAPRICORNE	CANCER	GEMEAUX	29 CAPRICORNE
13 OCTOBRE	BALANCE	BALANCE	BALANCE	BALANCE	TAUREAU	CAPRICORNE	CANCER	GEMEAUX	12 VERSEAU
14 OCTOBRE	BALANCE	BALANCE	BALANCE	BALANCE	TAUREAU	CAPRICORNE	CANCER	GEMEAUX	25 VERSEAU
15 OCTOBRE	BALANCE	BALANCE	BALANCE	BALANCE	TAUREAU	CAPRICORNE	CANCER	GEMEAUX	9 POISSONS
16 OCTOBRE	BALANCE	BALANCE	BALANCE	BALANCE	TAUREAU	CAPRICORNE	CANCER	GEMEAUX	23 POISSONS
17 OCTOBRE	BALANCE	BALANCE	BALANCE	BALANCE	TAUREAU	CAPRICORNE	CANCER	GEMEAUX	8 BELIER
18 OCTOBRE	BALANCE	BALANCE	BALANCE	BALANCE	TAUREAU	CAPRICORNE	CANCER	GEMEAUX	22 BELIER
19 OCTOBRE	BALANCE	BALANCE	BALANCE	BALANCE	TAUREAU	CAPRICORNE	CANCER	GEMEAUX	8 TAUREAU
20 OCTOBRE	BALANCE	BALANCE	BALANCE	BALANCE	TAUREAU	CAPRICORNE	CANCER	GEMEAUX	23 TAUREAU
21 OCTOBRE	BALANCE	BALANCE	BALANCE	BALANCE	TAUREAU	CAPRICORNE	CANCER	GEMEAUX	8 GEMEAUX
22 OCTOBRE	BALANCE	BALANCE	BALANCE	BALANCE	TAUREAU	CAPRICORNE	CANCER	GEMEAUX	22 GEMEAUX
23 OCTOBRE	BALANCE	BALANCE	BALANCE	BALANCE	TAUREAU	CAPRICORNE	CANCER	GEMEAUX	7 CANCER
24 OCTOBRE	BALANCE	BALANCE	BALANCE	BALANCE	TAUREAU	CAPRICORNE	CANCER	GEMEAUX	20 CANCER

LE SOLEIL ENTRE DANS LE SIGNE DE LA BALANCE LE 23 SEPTEMBRE 1910 A 22 h 15
LE SOLEIL QUITTE LE SIGNE DE LA BALANCE LE 24 OCTOBRE 1910 A 7 h 00

* LES CHIFFRES INDIQUENT LES DEGRES

1911	MERCURE	VENUS	MARS	JUPITER	SATURNE	URANUS	NEPTUNE	PLUTON	LUNE *
24 SEPTEMBRE	VIERGE	VIERGE	GEMEAUX	SCORPION	TAUREAU	CAPRICORNE	CANCER	GEMEAUX	23 BALANCE
25 SEPTEMBRE	VIERGE	VIERGE	GEMEAUX	SCORPION	TAUREAU	CAPRICORNE	CANCER	GEMEAUX	6 SCORPION
26 SEPTEMBRE	VIERGE	VIERGE	GEMEAUX	SCORPION	TAUREAU	CAPRICORNE	CANCER	GEMEAUX	18 SCORPION
27 SEPTEMBRE	VIERGE	VIERGE	GEMEAUX	SCORPION	TAUREAU	CAPRICORNE	CANCER	GEMEAUX	0 SAGITTAIRE
28 SEPTEMBRE	VIERGE	VIERGE	GEMEAUX	SCORPION	TAUREAU	CAPRICORNE	CANCER	GEMEAUX	13 SAGITTAIRE
29 SEPTEMBRE	VIERGE	VIERGE	GEMEAUX	SCORPION	TAUREAU	CAPRICORNE	CANCER	GEMEAUX	24 SAGITTAIRE
30 SEPTEMBRE	VIERGE	VIERGE	GEMEAUX	SCORPION	TAUREAU	CAPRICORNE	CANCER	GEMEAUX	6 CAPRICORNE
1 OCTOBRE	VIERGE	VIERGE	GEMEAUX	SCORPION	TAUREAU	CAPRICORNE	CANCER	GEMEAUX	18 CAPRICORNE
2 OCTOBRE	VIERGE	VIERGE	GEMEAUX	SCORPION	TAUREAU	CAPRICORNE	CANCER	GEMEAUX	0 VERSEAU
3 OCTOBRE	VIERGE	VIERGE	GEMEAUX	SCORPION	TAUREAU	CAPRICORNE	CANCER	GEMEAUX	12 VERSEAU
4 OCTOBRE	VIERGE	VIERGE	GEMEAUX	SCORPION	TAUREAU	CAPRICORNE	CANCER	GEMEAUX	25 VERSEAU
5 OCTOBRE	VIERGE	VIERGE	GEMEAUX	SCORPION	TAUREAU	CAPRICORNE	CANCER	GEMEAUX	8 POISSONS
6 OCTOBRE	VIERGE	VIERGE	GEMEAUX	SCORPION	TAUREAU	CAPRICORNE	CANCER	GEMEAUX	21 POISSONS
7 OCTOBRE	BALANCE	VIERGE	GEMEAUX	SCORPION	TAUREAU	CAPRICORNE	CANCER	GEMEAUX	4 BELIER
8 OCTOBRE	BALANCE	VIERGE	GEMEAUX	SCORPION	TAUREAU	CAPRICORNE	CANCER	GEMEAUX	18 BELIER
9 OCTOBRE	BALANCE	VIERGE	GEMEAUX	SCORPION	TAUREAU	CAPRICORNE	CANCER	GEMEAUX	2 TAUREAU
10 OCTOBRE	BALANCE	VIERGE	GEMEAUX	SCORPION	TAUREAU	CAPRICORNE	CANCER	GEMEAUX	16 TAUREAU
11 OCTOBRE	BALANCE	VIERGE	GEMEAUX	SCORPION	TAUREAU	CAPRICORNE	CANCER	GEMEAUX	0 GEMEAUX
12 OCTOBRE	BALANCE	VIERGE	GEMEAUX	SCORPION	TAUREAU	CAPRICORNE	CANCER	GEMEAUX	15 GEMEAUX
13 OCTOBRE	BALANCE	VIERGE	GEMEAUX	SCORPION	TAUREAU	CAPRICORNE	CANCER	GEMEAUX	29 GEMEAUX
14 OCTOBRE	BALANCE	VIERGE	GEMEAUX	SCORPION	TAUREAU	CAPRICORNE	CANCER	GEMEAUX	13 CANCER
15 OCTOBRE	BALANCE	VIERGE	GEMEAUX	SCORPION	TAUREAU	CAPRICORNE	CANCER	GEMEAUX	27 CANCER
16 OCTOBRE	BALANCE	VIERGE	GEMEAUX	SCORPION	TAUREAU	CAPRICORNE	CANCER	GEMEAUX	11 LION
17 OCTOBRE	BALANCE	VIERGE	GEMEAUX	SCORPION	TAUREAU	CAPRICORNE	CANCER	GEMEAUX	25 LION
18 OCTOBRE	BALANCE	VIERGE	GEMEAUX	SCORPION	TAUREAU	CAPRICORNE	CANCER	GEMEAUX	9 VIERGE
19 OCTOBRE	BALANCE	VIERGE	GEMEAUX	SCORPION	TAUREAU	CAPRICORNE	CANCER	GEMEAUX	22 VIERGE
20 OCTOBRE	BALANCE	VIERGE	GEMEAUX	SCORPION	TAUREAU	CAPRICORNE	CANCER	GEMEAUX	6 BALANCE
21 OCTOBRE	BALANCE	VIERGE	GEMEAUX	SCORPION	TAUREAU	CAPRICORNE	CANCER	GEMEAUX	19 BALANCE
22 OCTOBRE	BALANCE	VIERGE	GEMEAUX	SCORPION	TAUREAU	CAPRICORNE	CANCER	GEMEAUX	1 SCORPION
23 OCTOBRE	BALANCE	VIERGE	GEMEAUX	SCORPION	TAUREAU	CAPRICORNE	CANCER	GEMEAUX	14 SCORPION
24 OCTOBRE	SCORPION	VIERGE	GEMEAUX	SCORPION	TAUREAU	CAPRICORNE	CANCER	GEMEAUX	26 SCORPION

LE SOLEIL ENTRE DANS LE SIGNE DE LA BALANCE LE 24 SEPTEMBRE 1911 A 4 h 00
LE SOLEIL QUITTE LE SIGNE DE LA BALANCE LE 24 OCTOBRE 1911 A 12 h 45

* LES CHIFFRES INDIQUENT LES DEGRES

DECOUVREZ DANS QUEL SIGNE SE TROUVAIENT LES PLANETES A VOTRE NAISSANCE

1912	MERCURE	VENUS	MARS	JUPITER	SATURNE	URANUS	NEPTUNE	PLUTON	LUNE *
23 SEPTEMBRE	VIERGE	BALANCE	BALANCE	SAGITTAIRE	GEMEAUX	CAPRICORNE	CANCER	CANCER	26 VERSEAU
24 SEPTEMBRE	VIERGE	BALANCE	BALANCE	SAGITTAIRE	GEMEAUX	CAPRICORNE	CANCER	CANCER	8 POISSONS
25 SEPTEMBRE	VIERGE	BALANCE	BALANCE	SAGITTAIRE	GEMEAUX	CAPRICORNE	CANCER	CANCER	21 POISSONS
26 SEPTEMBRE	VIERGE	BALANCE	BALANCE	SAGITTAIRE	GEMEAUX	CAPRICORNE	CANCER	CANCER	3 BELIER
27 SEPTEMBRE	VIERGE	BALANCE	BALANCE	SAGITTAIRE	GEMEAUX	CAPRICORNE	CANCER	CANCER	15 BELIER
28 SEPTEMBRE	BALANCE	BALANCE	BALANCE	SAGITTAIRE	GEMEAUX	CAPRICORNE	CANCER	CANCER	28 BELIER
29 SEPTEMBRE	BALANCE	BALANCE	BALANCE	SAGITTAIRE	GEMEAUX	CAPRICORNE	CANCER	CANCER	11 TAUREAU
30 SEPTEMBRE	BALANCE	SCORPION	BALANCE	SAGITTAIRE	GEMEAUX	CAPRICORNE	CANCER	CANCER	24 TAUREAU
1 OCTOBRE	BALANCE	SCORPION	BALANCE	SAGITTAIRE	GEMEAUX	CAPRICORNE	CANCER	CANCER	7 GEMEAUX
2 OCTOBRE	BALANCE	SCORPION	BALANCE	SAGITTAIRE	GEMEAUX	CAPRICORNE	CANCER	CANCER	21 GEMEAUX
3 OCTOBRE	BALANCE	SCORPION	BALANCE	SAGITTAIRE	GEMEAUX	CAPRICORNE	CANCER	CANCER	5 CANCER
4 OCTOBRE	BALANCE	SCORPION	BALANCE	SAGITTAIRE	GEMEAUX	CAPRICORNE	CANCER	CANCER	19 CANCER
5 OCTOBRE	BALANCE	SCORPION	BALANCE	SAGITTAIRE	GEMEAUX	CAPRICORNE	CANCER	CANCER	3 LION
6 OCTOBRE	BALANCE	SCORPION	BALANCE	SAGITTAIRE	GEMEAUX	CAPRICORNE	CANCER	CANCER	18 LION
7 OCTOBRE	BALANCE	SCORPION	BALANCE	SAGITTAIRE	GEMEAUX	CAPRICORNE	CANCER	CANCER	2 VIERGE
8 OCTOBRE	BALANCE	SCORPION	BALANCE	SAGITTAIRE	GEMEAUX	CAPRICORNE	CANCER	CANCER	17 VIERGE
9 OCTOBRE	BALANCE	SCORPION	BALANCE	SAGITTAIRE	GEMEAUX	CAPRICORNE	CANCER	CANCER	1 BALANCE
10 OCTOBRE	BALANCE	SCORPION	BALANCE	SAGITTAIRE	GEMEAUX	CAPRICORNE	CANCER	CANCER	16 BALANCE
11 OCTOBRE	BALANCE	SCORPION	BALANCE	SAGITTAIRE	GEMEAUX	CAPRICORNE	CANCER	CANCER	0 SCORPION
12 OCTOBRE	BALANCE	SCORPION	BALANCE	SAGITTAIRE	GEMEAUX	CAPRICORNE	CANCER	CANCER	13 SCORPION
13 OCTOBRE	BALANCE	SCORPION	BALANCE	SAGITTAIRE	GEMEAUX	CAPRICORNE	CANCER	CANCER	27 SCORPION
14 OCTOBRE	BALANCE	SCORPION	BALANCE	SAGITTAIRE	GEMEAUX	CAPRICORNE	CANCER	CANCER	10 SAGITTAIRE
15 OCTOBRE	BALANCE	SCORPION	BALANCE	SAGITTAIRE	GEMEAUX	CAPRICORNE	CANCER	CANCER	22 SAGITTAIRE
16 OCTOBRE	SCORPION	SCORPION	BALANCE	SAGITTAIRE	GEMEAUX	CAPRICORNE	CANCER	CANCER	5 CAPRICORNE
17 OCTOBRE	SCORPION	SCORPION	BALANCE	SAGITTAIRE	GEMEAUX	CAPRICORNE	CANCER	GEMEAUX	17 CAPRICORNE
18 OCTOBRE	SCORPION	SCORPION	SCORPION	SAGITTAIRE	GEMEAUX	CAPRICORNE	CANCER	GEMEAUX	29 CAPRICORNE
19 OCTOBRE	SCORPION	SCORPION	SCORPION	SAGITTAIRE	GEMEAUX	CAPRICORNE	CANCER	GEMEAUX	11 VERSEAU
20 OCTOBRE	SCORPION	SCORPION	SCORPION	SAGITTAIRE	GEMEAUX	CAPRICORNE	CANCER	GEMEAUX	23 VERSEAU
21 OCTOBRE	SCORPION	SCORPION	SCORPION	SAGITTAIRE	GEMEAUX	CAPRICORNE	CANCER	GEMEAUX	5 POISSONS
22 OCTOBRE	SCORPION	SCORPION	SCORPION	SAGITTAIRE	GEMEAUX	CAPRICORNE	CANCER	GEMEAUX	17 POISSONS
23 OCTOBRE	SCORPION	SCORPION	SCORPION	SAGITTAIRE	GEMEAUX	CAPRICORNE	CANCER	GEMEAUX	29 POISSONS

LE SOLEIL ENTRE DANS LE SIGNE DE LA BALANCE LE 23 SEPTEMBRE 1912 A 10 h 00
LE SOLEIL QUITTE LE SIGNE DE LA BALANCE LE 23 OCTOBRE 1912 A 18 h 45

* LES CHIFFRES INDIQUENT LES DEGRES

1913	MERCURE	VENUS	MARS	JUPITER	SATURNE	URANUS	NEPTUNE	PLUTON	LUNE *
23 SEPTEMBRE	BALANCE	LION	CANCER	CAPRICORNE	GEMEAUX	VERSEAU	CANCER	CANCER	29 GEMEAUX
24 SEPTEMBRE	BALANCE	LION	CANCER	CAPRICORNE	GEMEAUX	VERSEAU	CANCER	CANCER	13 CANCER
25 SEPTEMBRE	BALANCE	LION	CANCER	CAPRICORNE	GEMEAUX	VERSEAU	CANCER	CANCER	26 CANCER
26 SEPTEMBRE	BALANCE	LION	CANCER	CAPRICORNE	GEMEAUX	VERSEAU	CANCER	CANCER	11 LION
27 SEPTEMBRE	BALANCE	VIERGE	CANCER	CAPRICORNE	GEMEAUX	VERSEAU	CANCER	CANCER	25 LION
28 SEPTEMBRE	BALANCE	VIERGE	CANCER	CAPRICORNE	GEMEAUX	VERSEAU	CANCER	CANCER	10 VIERGE
29 SEPTEMBRE	BALANCE	VIERGE	CANCER	CAPRICORNE	GEMEAUX	VERSEAU	CANCER	CANCER	25 VIERGE
30 SEPTEMBRE	BALANCE	VIERGE	CANCER	CAPRICORNE	GEMEAUX	VERSEAU	CANCER	CANCER	11 BALANCE
1 OCTOBRE	BALANCE	VIERGE	CANCER	CAPRICORNE	GEMEAUX	VERSEAU	CANCER	CANCER	26 BALANCE
2 OCTOBRE	BALANCE	VIERGE	CANCER	CAPRICORNE	GEMEAUX	VERSEAU	CANCER	CANCER	10 SCORPION
3 OCTOBRE	BALANCE	VIERGE	CANCER	CAPRICORNE	GEMEAUX	VERSEAU	CANCER	CANCER	25 SCORPION
4 OCTOBRE	BALANCE	VIERGE	CANCER	CAPRICORNE	GEMEAUX	VERSEAU	CANCER	CANCER	9 SAGITTAIRE
5 OCTOBRE	BALANCE	VIERGE	CANCER	CAPRICORNE	GEMEAUX	VERSEAU	CANCER	CANCER	22 SAGITTAIRE
6 OCTOBRE	BALANCE	VIERGE	CANCER	CAPRICORNE	GEMEAUX	VERSEAU	CANCER	CANCER	6 CAPRICORNE
7 OCTOBRE	BALANCE	VIERGE	CANCER	CAPRICORNE	GEMEAUX	VERSEAU	CANCER	CANCER	18 CAPRICORNE
8 OCTOBRE	BALANCE	VIERGE	CANCER	CAPRICORNE	GEMEAUX	VERSEAU	CANCER	CANCER	1 VERSEAU
9 OCTOBRE	SCORPION	VIERGE	CANCER	CAPRICORNE	GEMEAUX	VERSEAU	CANCER	CANCER	13 VERSEAU
10 OCTOBRE	SCORPION	VIERGE	CANCER	CAPRICORNE	GEMEAUX	VERSEAU	CANCER	CANCER	25 VERSEAU
11 OCTOBRE	SCORPION	VIERGE	CANCER	CAPRICORNE	GEMEAUX	VERSEAU	CANCER	CANCER	7 POISSONS
12 OCTOBRE	SCORPION	VIERGE	CANCER	CAPRICORNE	GEMEAUX	VERSEAU	CANCER	CANCER	18 POISSONS
13 OCTOBRE	SCORPION	VIERGE	CANCER	CAPRICORNE	GEMEAUX	VERSEAU	CANCER	CANCER	0 BELIER
14 OCTOBRE	SCORPION	VIERGE	CANCER	CAPRICORNE	GEMEAUX	VERSEAU	CANCER	CANCER	12 BELIER
15 OCTOBRE	SCORPION	VIERGE	CANCER	CAPRICORNE	GEMEAUX	VERSEAU	CANCER	CANCER	24 BELIER
16 OCTOBRE	SCORPION	VIERGE	CANCER	CAPRICORNE	GEMEAUX	VERSEAU	CANCER	CANCER	6 TAUREAU
17 OCTOBRE	SCORPION	VIERGE	CANCER	CAPRICORNE	GEMEAUX	VERSEAU	CANCER	CANCER	18 TAUREAU
18 OCTOBRE	SCORPION	VIERGE	CANCER	CAPRICORNE	GEMEAUX	VERSEAU	CANCER	CANCER	1 GEMEAUX
19 OCTOBRE	SCORPION	VIERGE	CANCER	CAPRICORNE	GEMEAUX	VERSEAU	CANCER	CANCER	13 GEMEAUX
20 OCTOBRE	SCORPION	VIERGE	CANCER	CAPRICORNE	GEMEAUX	VERSEAU	CANCER	CANCER	26 GEMEAUX
21 OCTOBRE	SCORPION	BALANCE	CANCER	CAPRICORNE	GEMEAUX	VERSEAU	CANCER	CANCER	9 CANCER
22 OCTOBRE	SCORPION	BALANCE	CANCER	CAPRICORNE	GEMEAUX	VERSEAU	CANCER	CANCER	22 CANCER
23 OCTOBRE	SCORPION	BALANCE	CANCER	CAPRICORNE	GEMEAUX	VERSEAU	CANCER	CANCER	6 LION
24 OCTOBRE	SCORPION	BALANCE	CANCER	CAPRICORNE	GEMEAUX	VERSEAU	CANCER	CANCER	20 LION

LE SOLEIL ENTRE DANS LE SIGNE DE LA BALANCE LE 23 SEPTEMBRE 1913 A 15 h 45
LE SOLEIL QUITTE LE SIGNE DE LA BALANCE LE 24 OCTOBRE 1913 A 0 h 20

* LES CHIFFRES INDIQUENT LES DEGRES

DECOUVREZ DANS QUEL SIGNE SE TROUVAIENT LES PLANETES A VOTRE NAISSANCE

1914	MERCURE	VENUS	MARS	JUPITER	SATURNE	URANUS	NEPTUNE	PLUTON	LUNE *
23 SEPTEMBRE	BALANCE	SCORPION	BALANCE	VERSEAU	CANCER	VERSEAU	LION	CANCER	20 SCORPION
24 SEPTEMBRE	BALANCE	SCORPION	BALANCE	VERSEAU	CANCER	VERSEAU	LION	CANCER	4 SAGITTAIRE
25 SEPTEMBRE	BALANCE	SCORPION	BALANCE	VERSEAU	CANCER	VERSEAU	LION	CANCER	18 SAGITTAIRE
26 SEPTEMBRE	BALANCE	SCORPION	BALANCE	VERSEAU	CANCER	VERSEAU	LION	CANCER	2 CAPRICORNE
27 SEPTEMBRE	BALANCE	SCORPION	BALANCE	VERSEAU	CANCER	VERSEAU	LION	CANCER	16 CAPRICORNE
28 SEPTEMBRE	BALANCE	SCORPION	BALANCE	VERSEAU	CANCER	VERSEAU	LION	CANCER	29 CAPRICORNE
29 SEPTEMBRE	BALANCE	SCORPION	SCORPION	VERSEAU	CANCER	VERSEAU	LION	CANCER	12 VERSEAU
30 SEPTEMBRE	BALANCE	SCORPION	SCORPION	VERSEAU	CANCER	VERSEAU	LION	CANCER	24 VERSEAU
1 OCTOBRE	BALANCE	SCORPION	SCORPION	VERSEAU	CANCER	VERSEAU	LION	CANCER	7 POISSONS
2 OCTOBRE	SCORPION	SCORPION	SCORPION	VERSEAU	CANCER	VERSEAU	LION	CANCER	19 POISSONS
3 OCTOBRE	SCORPION	SCORPION	SCORPION	VERSEAU	CANCER	VERSEAU	LION	CANCER	1 BELIER
4 OCTOBRE	SCORPION	SCORPION	SCORPION	VERSEAU	CANCER	VERSEAU	LION	CANCER	13 BELIER
5 OCTOBRE	SCORPION	SCORPION	SCORPION	VERSEAU	CANCER	VERSEAU	LION	CANCER	25 BELIER
6 OCTOBRE	SCORPION	SCORPION	SCORPION	VERSEAU	CANCER	VERSEAU	LION	CANCER	7 TAUREAU
7 OCTOBRE	SCORPION	SCORPION	SCORPION	VERSEAU	CANCER	VERSEAU	LION	CANCER	18 TAUREAU
8 OCTOBRE	SCORPION	SCORPION	SCORPION	VERSEAU	CANCER	VERSEAU	LION	CANCER	0 GEMEAUX
9 OCTOBRE	SCORPION	SCORPION	SCORPION	VERSEAU	CANCER	VERSEAU	LION	CANCER	12 GEMEAUX
10 OCTOBRE	SCORPION	SAGITTAIRE	SCORPION	VERSEAU	CANCER	VERSEAU	LION	CANCER	24 GEMEAUX
11 OCTOBRE	SCORPION	SAGITTAIRE	SCORPION	VERSEAU	CANCER	VERSEAU	LION	CANCER	7 CANCER
12 OCTOBRE	SCORPION	SAGITTAIRE	SCORPION	VERSEAU	CANCER	VERSEAU	LION	CANCER	19 CANCER
13 OCTOBRE	SCORPION	SAGITTAIRE	SCORPION	VERSEAU	CANCER	VERSEAU	LION	CANCER	2 LION
14 OCTOBRE	SCORPION	SAGITTAIRE	SCORPION	VERSEAU	CANCER	VERSEAU	LION	CANCER	15 LION
15 OCTOBRE	SCORPION	SAGITTAIRE	SCORPION	VERSEAU	CANCER	VERSEAU	LION	CANCER	29 LION
16 OCTOBRE	SCORPION	SAGITTAIRE	SCORPION	VERSEAU	CANCER	VERSEAU	LION	CANCER	13 VIERGE
17 OCTOBRE	SCORPION	SAGITTAIRE	SCORPION	VERSEAU	CANCER	VERSEAU	LION	CANCER	28 VIERGE
18 OCTOBRE	SCORPION	SAGITTAIRE	SCORPION	VERSEAU	CANCER	VERSEAU	LION	CANCER	13 BALANCE
19 OCTOBRE	SCORPION	SAGITTAIRE	SCORPION	VERSEAU	CANCER	VERSEAU	LION	CANCER	28 BALANCE
20 OCTOBRE	SCORPION	SAGITTAIRE	SCORPION	VERSEAU	CANCER	VERSEAU	LION	CANCER	13 SCORPION
21 OCTOBRE	SCORPION	SAGITTAIRE	SCORPION	VERSEAU	CANCER	VERSEAU	LION	CANCER	29 SCORPION
22 OCTOBRE	SCORPION	SAGITTAIRE	SCORPION	VERSEAU	CANCER	VERSEAU	LION	CANCER	13 SAGITTAIRE
23 OCTOBRE	SCORPION	SAGITTAIRE	SCORPION	VERSEAU	CANCER	VERSEAU	LION	CANCER	28 SAGITTAIRE
24 OCTOBRE	SCORPION	SAGITTAIRE	SCORPION	VERSEAU	CANCER	VERSEAU	LION	CANCER	12 CAPRICORNE

LE SOLEIL ENTRE DANS LE SIGNE DE LA BALANCE LE 23 SEPTEMBRE 1914 A 21 h 00
QUITTE LE SIGNE DE LA BALANCE LE 24 OCTOBRE 1914 A 6 h 00

* LES CHIFFRES INDIQUENT LES DEGRES

1915	MERCURE	VENUS	MARS	JUPITER	SATURNE	URANUS	NEPTUNE	PLUTON	LUNE *
24 SEPTEMBRE	BALANCE	BALANCE	CANCER	POISSONS	CANCER	VERSEAU	LION	CANCER	13 BELIER
25 SEPTEMBRE	BALANCE	BALANCE	CANCER	POISSONS	CANCER	VERSEAU	LION	CANCER	26 BELIER
26 SEPTEMBRE	BALANCE	BALANCE	CANCER	POISSONS	CANCER	VERSEAU	LION	CANCER	8 TAUREAU
27 SEPTEMBRE	BALANCE	BALANCE	CANCER	POISSONS	CANCER	VERSEAU	LION	CANCER	20 TAUREAU
28 SEPTEMBRE	SCORPION	BALANCE	CANCER	POISSONS	CANCER	VERSEAU	LION	CANCER	2 GEMEAUX
29 SEPTEMBRE	SCORPION	BALANCE	CANCER	POISSONS	CANCER	VERSEAU	LION	CANCER	14 GEMEAUX
30 SEPTEMBRE	SCORPION	BALANCE	CANCER	POISSONS	CANCER	VERSEAU	LION	CANCER	26 GEMEAUX
1 OCTOBRE	SCORPION	BALANCE	CANCER	POISSONS	CANCER	VERSEAU	LION	CANCER	8 CANCER
2 OCTOBRE	SCORPION	BALANCE	CANCER	POISSONS	CANCER	VERSEAU	LION	CANCER	20 CANCER
3 OCTOBRE	SCORPION	BALANCE	CANCER	POISSONS	CANCER	VERSEAU	LION	CANCER	2 LION
4 OCTOBRE	SCORPION	BALANCE	CANCER	POISSONS	CANCER	VERSEAU	LION	CANCER	15 LION
5 OCTOBRE	SCORPION	BALANCE	CANCER	POISSONS	CANCER	VERSEAU	LION	CANCER	27 LION
6 OCTOBRE	SCORPION	BALANCE	CANCER	POISSONS	CANCER	VERSEAU	LION	CANCER	11 VIERGE
7 OCTOBRE	SCORPION	BALANCE	CANCER	POISSONS	CANCER	VERSEAU	LION	CANCER	24 VIERGE
8 OCTOBRE	SCORPION	BALANCE	LION	POISSONS	CANCER	VERSEAU	LION	CANCER	8 BALANCE
9 OCTOBRE	SCORPION	BALANCE	LION	POISSONS	CANCER	VERSEAU	LION	CANCER	23 BALANCE
10 OCTOBRE	SCORPION	BALANCE	LION	POISSONS	CANCER	VERSEAU	LION	CANCER	7 SCORPION
11 OCTOBRE	SCORPION	BALANCE	LION	POISSONS	CANCER	VERSEAU	LION	CANCER	22 SCORPION
12 OCTOBRE	SCORPION	BALANCE	LION	POISSONS	CANCER	VERSEAU	LION	CANCER	7 SAGITTAIRE
13 OCTOBRE	SCORPION	BALANCE	LION	POISSONS	CANCER	VERSEAU	LION	CANCER	21 SAGITTAIRE
14 OCTOBRE	SCORPION	BALANCE	LION	POISSONS	CANCER	VERSEAU	LION	CANCER	6 CAPRICORNE
15 OCTOBRE	SCORPION	BALANCE	LION	POISSONS	CANCER	VERSEAU	LION	CANCER	20 CAPRICORNE
16 OCTOBRE	SCORPION	SCORPION	LION	POISSONS	CANCER	VERSEAU	LION	CANCER	4 VERSEAU
17 OCTOBRE	SCORPION	SCORPION	LION	POISSONS	CANCER	VERSEAU	LION	CANCER	17 VERSEAU
18 OCTOBRE	SCORPION	SCORPION	LION	POISSONS	CANCER	VERSEAU	LION	CANCER	0 POISSONS
19 OCTOBRE	SCORPION	SCORPION	LION	POISSONS	CANCER	VERSEAU	LION	CANCER	14 POISSONS
20 OCTOBRE	SCORPION	SCORPION	LION	POISSONS	CANCER	VERSEAU	LION	CANCER	26 POISSONS
21 OCTOBRE	BALANCE	SCORPION	LION	POISSONS	CANCER	VERSEAU	LION	CANCER	9 BELIER
22 OCTOBRE	BALANCE	SCORPION	LION	POISSONS	CANCER	VERSEAU	LION	CANCER	22 BELIER
23 OCTOBRE	BALANCE	SCORPION	LION	POISSONS	CANCER	VERSEAU	LION	CANCER	4 TAUREAU
24 OCTOBRE	BALANCE	SCORPION	LION	POISSONS	CANCER	VERSEAU	LION	CANCER	16 TAUREAU

LE SOLEIL ENTRE DANS LE SIGNE DE LA BALANCE LE 24 SEPTEMBRE 1915 A 3 h 10
QUITTE LE SIGNE DE LA BALANCE LE 24 OCTOBRE 1915 A 12 h 00

* LES CHIFFRES INDIQUENT LES DEGRES

DECOUVREZ DANS QUEL SIGNE SE TROUVAIENT LES PLANETES A VOTRE NAISSANCE

1916	MERCURE	VENUS	MARS	JUPITER	SATURNE	URANUS	NEPTUNE	PLUTON	LUNE *
23 SEPTEMBRE	BALANCE	LION	SCORPION	TAUREAU	CANCER	VERSEAU	LION	CANCER	16 LION
24 SEPTEMBRE	BALANCE	LION	SCORPION	TAUREAU	CANCER	VERSEAU	LION	CANCER	28 LION
25 SEPTEMBRE	BALANCE	LION	SCORPION	TAUREAU	CANCER	VERSEAU	LION	CANCER	11 VIERGE
26 SEPTEMBRE	BALANCE	LION	SCORPION	TAUREAU	CANCER	VERSEAU	LION	CANCER	23 VIERGE
27 SEPTEMBRE	BALANCE	LION	SCORPION	TAUREAU	CANCER	VERSEAU	LION	CANCER	6 BALANCE
28 SEPTEMBRE	BALANCE	LION	SCORPION	TAUREAU	CANCER	VERSEAU	LION	CANCER	19 BALANCE
29 SEPTEMBRE	BALANCE	LION	SCORPION	TAUREAU	CANCER	VERSEAU	LION	CANCER	2 SCORPION
30 SEPTEMBRE	BALANCE	LION	SCORPION	TAUREAU	CANCER	VERSEAU	LION	CANCER	16 SCORPION
1 OCTOBRE	BALANCE	LION	SCORPION	TAUREAU	CANCER	VERSEAU	LION	CANCER	29 SCORPION
2 OCTOBRE	BALANCE	LION	SCORPION	TAUREAU	CANCER	VERSEAU	LION	CANCER	13 SAGITTAIRE
3 OCTOBRE	BALANCE	LION	SCORPION	TAUREAU	CANCER	VERSEAU	LION	CANCER	27 SAGITTAIRE
4 OCTOBRE	BALANCE	LION	SCORPION	TAUREAU	CANCER	VERSEAU	LION	CANCER	11 CAPRICORNE
5 OCTOBRE	BALANCE	LION	SCORPION	TAUREAU	CANCER	VERSEAU	LION	CANCER	25 CAPRICORNE
6 OCTOBRE	BALANCE	LION	SCORPION	TAUREAU	CANCER	VERSEAU	LION	CANCER	9 VERSEAU
7 OCTOBRE	BALANCE	LION	SCORPION	TAUREAU	CANCER	VERSEAU	LION	CANCER	24 VERSEAU
8 OCTOBRE	BALANCE	VIERGE	SCORPION	TAUREAU	CANCER	VERSEAU	LION	CANCER	8 POISSONS
9 OCTOBRE	BALANCE	VIERGE	SCORPION	TAUREAU	CANCER	VERSEAU	LION	CANCER	22 POISSONS
10 OCTOBRE	BALANCE	VIERGE	SCORPION	TAUREAU	CANCER	VERSEAU	LION	CANCER	6 BELIER
11 OCTOBRE	BALANCE	VIERGE	SCORPION	TAUREAU	CANCER	VERSEAU	LION	CANCER	20 BELIER
12 OCTOBRE	BALANCE	VIERGE	SCORPION	TAUREAU	CANCER	VERSEAU	LION	CANCER	4 TAUREAU
13 OCTOBRE	BALANCE	VIERGE	SCORPION	TAUREAU	CANCER	VERSEAU	LION	CANCER	17 TAUREAU
14 OCTOBRE	BALANCE	VIERGE	SCORPION	TAUREAU	CANCER	VERSEAU	LION	CANCER	0 GEMEAUX
15 OCTOBRE	BALANCE	VIERGE	SCORPION	TAUREAU	CANCER	VERSEAU	LION	CANCER	12 GEMEAUX
16 OCTOBRE	BALANCE	VIERGE	SCORPION	TAUREAU	CANCER	VERSEAU	LION	CANCER	25 GEMEAUX
17 OCTOBRE	BALANCE	VIERGE	SCORPION	TAUREAU	LION	VERSEAU	LION	CANCER	7 CANCER
18 OCTOBRE	BALANCE	VIERGE	SCORPION	TAUREAU	LION	VERSEAU	LION	CANCER	19 CANCER
19 OCTOBRE	BALANCE	VIERGE	SCORPION	TAUREAU	LION	VERSEAU	LION	CANCER	0 LION
20 OCTOBRE	BALANCE	VIERGE	SCORPION	TAUREAU	LION	VERSEAU	LION	CANCER	12 LION
21 OCTOBRE	BALANCE	VIERGE	SCORPION	TAUREAU	LION	VERSEAU	LION	CANCER	24 LION
22 OCTOBRE	BALANCE	VIERGE	SAGITTAIRE	TAUREAU	LION	VERSEAU	LION	CANCER	6 VIERGE
23 OCTOBRE	BALANCE	VIERGE	SAGITTAIRE	TAUREAU	LION	VERSEAU	LION	CANCER	19 VIERGE

LE SOLEIL ENTRE DANS LE SIGNE DE LA BALANCE LE 23 SEPTEMBRE 1916 A 9 h 00
LE SOLEIL QUITTE LE SIGNE DE LA BALANCE LE 23 OCTOBRE 1916 A 17 h 45

* LES CHIFFRES INDIQUENT LES DEGRES

1917	MERCURE	VENUS	MARS	JUPITER	SATURNE	URANUS	NEPTUNE	PLUTON	LUNE *
23 SEPTEMBRE	VIERGE	SCORPION	LION	GEMEAUX	LION	VERSEAU	LION	CANCER	20 SAGITTAIRE
24 SEPTEMBRE	VIERGE	SCORPION	LION	GEMEAUX	LION	VERSEAU	LION	CANCER	4 CAPRICORNE
25 SEPTEMBRE	VIERGE	SCORPION	LION	GEMEAUX	LION	VERSEAU	LION	CANCER	18 CAPRICORNE
26 SEPTEMBRE	VIERGE	SCORPION	LION	GEMEAUX	LION	VERSEAU	LION	CANCER	2 VERSEAU
27 SEPTEMBRE	VIERGE	SCORPION	LION	GEMEAUX	LION	VERSEAU	LION	CANCER	16 VERSEAU
28 SEPTEMBRE	VIERGE	SCORPION	LION	GEMEAUX	LION	VERSEAU	LION	CANCER	1 POISSONS
29 SEPTEMBRE	VIERGE	SCORPION	LION	GEMEAUX	LION	VERSEAU	LION	CANCER	16 POISSONS
30 SEPTEMBRE	VIERGE	SCORPION	LION	GEMEAUX	LION	VERSEAU	LION	CANCER	1 BELIER
1 OCTOBRE	VIERGE	SCORPION	LION	GEMEAUX	LION	VERSEAU	LION	CANCER	16 BELIER
2 OCTOBRE	VIERGE	SCORPION	LION	GEMEAUX	LION	VERSEAU	LION	CANCER	1 TAUREAU
3 OCTOBRE	VIERGE	SCORPION	LION	GEMEAUX	LION	VERSEAU	LION	CANCER	16 TAUREAU
4 OCTOBRE	VIERGE	SCORPION	LION	GEMEAUX	LION	VERSEAU	LION	CANCER	1 GEMEAUX
5 OCTOBRE	VIERGE	SCORPION	LION	GEMEAUX	LION	VERSEAU	LION	CANCER	13 GEMEAUX
6 OCTOBRE	VIERGE	SCORPION	LION	GEMEAUX	LION	VERSEAU	LION	CANCER	26 GEMEAUX
7 OCTOBRE	VIERGE	SCORPION	LION	GEMEAUX	LION	VERSEAU	LION	CANCER	8 CANCER
8 OCTOBRE	VIERGE	SCORPION	LION	GEMEAUX	LION	VERSEAU	LION	CANCER	21 CANCER
9 OCTOBRE	VIERGE	SCORPION	LION	GEMEAUX	LION	VERSEAU	LION	CANCER	3 LION
10 OCTOBRE	BALANCE	SCORPION	LION	GEMEAUX	LION	VERSEAU	LION	CANCER	15 LION
11 OCTOBRE	BALANCE	SCORPION	LION	GEMEAUX	LION	VERSEAU	LION	CANCER	26 LION
12 OCTOBRE	BALANCE	SAGITTAIRE	LION	GEMEAUX	LION	VERSEAU	LION	CANCER	8 VIERGE
13 OCTOBRE	BALANCE	SAGITTAIRE	LION	GEMEAUX	LION	VERSEAU	LION	CANCER	20 VIERGE
14 OCTOBRE	BALANCE	SAGITTAIRE	LION	GEMEAUX	LION	VERSEAU	LION	CANCER	2 BALANCE
15 OCTOBRE	BALANCE	SAGITTAIRE	LION	GEMEAUX	LION	VERSEAU	LION	CANCER	14 BALANCE
16 OCTOBRE	BALANCE	SAGITTAIRE	LION	GEMEAUX	LION	VERSEAU	LION	CANCER	27 BALANCE
17 OCTOBRE	BALANCE	SAGITTAIRE	LION	GEMEAUX	LION	VERSEAU	LION	CANCER	9 SCORPION
18 OCTOBRE	BALANCE	SAGITTAIRE	LION	GEMEAUX	LION	VERSEAU	LION	CANCER	22 SCORPION
19 OCTOBRE	BALANCE	SAGITTAIRE	LION	GEMEAUX	LION	VERSEAU	LION	CANCER	4 SAGITTAIRE
20 OCTOBRE	BALANCE	SAGITTAIRE	LION	GEMEAUX	LION	VERSEAU	LION	CANCER	17 SAGITTAIRE
21 OCTOBRE	BALANCE	SAGITTAIRE	LION	GEMEAUX	LION	VERSEAU	LION	CANCER	1 CAPRICORNE
22 OCTOBRE	BALANCE	SAGITTAIRE	LION	GEMEAUX	LION	VERSEAU	LION	CANCER	14 CAPRICORNE
23 OCTOBRE	BALANCE	SAGITTAIRE	LION	GEMEAUX	LION	VERSEAU	LION	CANCER	28 CAPRICORNE

LE SOLEIL ENTRE DANS LE SIGNE DE LA BALANCE LE 23 SEPTEMBRE 1917 A 14 h45
LE SOLEIL QUITTE LE SIGNE DE LA BALANCE LE 23 OCTOBRE 1917 A 23 h 30

* LES CHIFFRES INDIQUENT LES DEGRES

DECOUVREZ DANS QUEL SIGNE SE TROUVAIENT LES PLANETES A VOTRE NAISSANCE

1918	MERCURE	VENUS	MARS	JUPITER	SATURNE	URANUS	NEPTUNE	PLUTON	LUNE *
23 SEPTEMBRE	VIERGE	VIERGE	SCORPION	CANCER	LION	VERSEAU	LION	CANCER	11 TAUREAU
24 SEPTEMBRE	VIERGE	VIERGE	SCORPION	CANCER	LION	VERSEAU	LION	CANCER	26 TAUREAU
25 SEPTEMBRE	VIERGE	VIERGE	SCORPION	CANCER	LION	VERSEAU	LION	CANCER	10 GEMEAUX
26 SEPTEMBRE	VIERGE	VIERGE	SCORPION	CANCER	LION	VERSEAU	LION	CANCER	24 GEMEAUX
27 SEPTEMBRE	VIERGE	VIERGE	SCORPION	CANCER	LION	VERSEAU	LION	CANCER	7 CANCER
28 SEPTEMBRE	VIERGE	VIERGE	SCORPION	CANCER	LION	VERSEAU	LION	CANCER	20 CANCER
29 SEPTEMBRE	VIERGE	VIERGE	SCORPION	CANCER	LION	VERSEAU	LION	CANCER	3 LION
30 SEPTEMBRE	VIERGE	VIERGE	SCORPION	CANCER	LION	VERSEAU	LION	CANCER	15 LION
1 OCTOBRE	VIERGE	VIERGE	SAGITTAIRE	CANCER	LION	VERSEAU	LION	CANCER	27 LION
2 OCTOBRE	VIERGE	VIERGE	SAGITTAIRE	CANCER	LION	VERSEAU	LION	CANCER	9 VIERGE
3 OCTOBRE	BALANCE	VIERGE	SAGITTAIRE	CANCER	LION	VERSEAU	LION	CANCER	21 VIERGE
4 OCTOBRE	BALANCE	VIERGE	SAGITTAIRE	CANCER	LION	VERSEAU	LION	CANCER	3 BALANCE
5 OCTOBRE	BALANCE	VIERGE	SAGITTAIRE	CANCER	LION	VERSEAU	LION	CANCER	15 BALANCE
6 OCTOBRE	BALANCE	BALANCE	SAGITTAIRE	CANCER	LION	VERSEAU	LION	CANCER	27 BALANCE
7 OCTOBRE	BALANCE	BALANCE	SAGITTAIRE	CANCER	LION	VERSEAU	LION	CANCER	9 SCORPION
8 OCTOBRE	BALANCE	BALANCE	SAGITTAIRE	CANCER	LION	VERSEAU	LION	CANCER	21 SCORPION
9 OCTOBRE	BALANCE	BALANCE	SAGITTAIRE	CANCER	LION	VERSEAU	LION	CANCER	3 SAGITTAIRE
10 OCTOBRE	BALANCE	BALANCE	SAGITTAIRE	CANCER	LION	VERSEAU	LION	CANCER	15 SAGITTAIRE
11 OCTOBRE	BALANCE	BALANCE	SAGITTAIRE	CANCER	LION	VERSEAU	LION	CANCER	27 SAGITTAIRE
12 OCTOBRE	BALANCE	BALANCE	SAGITTAIRE	CANCER	LION	VERSEAU	LION	CANCER	10 CAPRICORNE
13 OCTOBRE	BALANCE	BALANCE	SAGITTAIRE	CANCER	LION	VERSEAU	LION	CANCER	23 CAPRICORNE
14 OCTOBRE	BALANCE	BALANCE	SAGITTAIRE	CANCER	LION	VERSEAU	LION	CANCER	6 VERSEAU
15 OCTOBRE	BALANCE	BALANCE	SAGITTAIRE	CANCER	LION	VERSEAU	LION	CANCER	20 VERSEAU
16 OCTOBRE	BALANCE	BALANCE	SAGITTAIRE	CANCER	LION	VERSEAU	LION	CANCER	4 POISSONS
17 OCTOBRE	BALANCE	BALANCE	SAGITTAIRE	CANCER	LION	VERSEAU	LION	CANCER	19 POISSONS
18 OCTOBRE	BALANCE	BALANCE	SAGITTAIRE	CANCER	LION	VERSEAU	LION	CANCER	4 BELIER
19 OCTOBRE	BALANCE	BALANCE	SAGITTAIRE	CANCER	LION	VERSEAU	LION	CANCER	19 BELIER
20 OCTOBRE	BALANCE	BALANCE	SAGITTAIRE	CANCER	LION	VERSEAU	LION	CANCER	5 TAUREAU
21 OCTOBRE	SCORPION	BALANCE	SAGITTAIRE	CANCER	LION	VERSEAU	LION	CANCER	20 TAUREAU
22 OCTOBRE	SCORPION	BALANCE	SAGITTAIRE	CANCER	LION	VERSEAU	LION	CANCER	4 GEMEAUX
23 OCTOBRE	SCORPION	BALANCE	SAGITTAIRE	CANCER	LION	VERSEAU	LION	CANCER	19 GEMEAUX
24 OCTOBRE	SCORPION	BALANCE	SAGITTAIRE	CANCER	LION	VERSEAU	LION	CANCER	3 CANCER

LE SOLEIL ENTRE DANS LE SIGNE DE LA BALANCE LE 23 SEPTEMBRE 1918 A 20 h 30
LE SOLEIL QUITTE LE SIGNE DE LA BALANCE LE 24 OCTOBRE 1918 A 5 h 20

* LES CHIFFRES INDIQUENT LES DEGRES

1919	MERCURE	VENUS	MARS	JUPITER	SATURNE	URANUS	NEPTUNE	PLUTON	LUNE *
24 SEPTEMBRE	VIERGE	VIERGE	LION	LION	VIERGE	VERSEAU	LION	CANCER	4 BALANCE
25 SEPTEMBRE	VIERGE	VIERGE	LION	LION	VIERGE	VERSEAU	LION	CANCER	16 BALANCE
26 SEPTEMBRE	BALANCE	VIERGE	LION	LION	VIERGE	VERSEAU	LION	CANCER	28 BALANCE
27 SEPTEMBRE	BALANCE	VIERGE	LION	LION	VIERGE	VERSEAU	LION	CANCER	10 SCORPION
28 SEPTEMBRE	BALANCE	VIERGE	LION	LION	VIERGE	VERSEAU	LION	CANCER	22 SCORPION
29 SEPTEMBRE	BALANCE	VIERGE	LION	LION	VIERGE	VERSEAU	LION	CANCER	4 SAGITTAIRE
30 SEPTEMBRE	BALANCE	VIERGE	LION	LION	VIERGE	VERSEAU	LION	CANCER	16 SAGITTAIRE
1 OCTOBRE	BALANCE	VIERGE	LION	LION	VIERGE	VERSEAU	LION	CANCER	27 SAGITTAIRE
2 OCTOBRE	BALANCE	VIERGE	LION	LION	VIERGE	VERSEAU	LION	CANCER	9 CAPRICORNE
3 OCTOBRE	BALANCE	VIERGE	LION	LION	VIERGE	VERSEAU	LION	CANCER	22 CAPRICORNE
4 OCTOBRE	BALANCE	VIERGE	LION	LION	VIERGE	VERSEAU	LION	CANCER	4 VERSEAU
5 OCTOBRE	BALANCE	VIERGE	LION	LION	VIERGE	VERSEAU	LION	CANCER	17 VERSEAU
6 OCTOBRE	BALANCE	VIERGE	LION	LION	VIERGE	VERSEAU	LION	CANCER	1 POISSONS
7 OCTOBRE	BALANCE	VIERGE	LION	LION	VIERGE	VERSEAU	LION	CANCER	15 POISSONS
8 OCTOBRE	BALANCE	VIERGE	LION	LION	VIERGE	VERSEAU	LION	CANCER	29 POISSONS
9 OCTOBRE	BALANCE	VIERGE	LION	LION	VIERGE	VERSEAU	LION	CANCER	14 BELIER
10 OCTOBRE	BALANCE	VIERGE	VIERGE	LION	VIERGE	VERSEAU	LION	CANCER	29 BELIER
11 OCTOBRE	BALANCE	VIERGE	VIERGE	LION	VIERGE	VERSEAU	LION	CANCER	14 TAUREAU
12 OCTOBRE	BALANCE	VIERGE	VIERGE	LION	VIERGE	VERSEAU	LION	CANCER	28 TAUREAU
13 OCTOBRE	SCORPION	VIERGE	VIERGE	LION	VIERGE	VERSEAU	LION	CANCER	13 GEMEAUX
14 OCTOBRE	SCORPION	VIERGE	VIERGE	LION	VIERGE	VERSEAU	LION	CANCER	27 GEMEAUX
15 OCTOBRE	SCORPION	VIERGE	VIERGE	LION	VIERGE	VERSEAU	LION	CANCER	12 CANCER
16 OCTOBRE	SCORPION	VIERGE	VIERGE	LION	VIERGE	VERSEAU	LION	CANCER	25 CANCER
17 OCTOBRE	SCORPION	VIERGE	VIERGE	LION	VIERGE	VERSEAU	LION	CANCER	9 LION
18 OCTOBRE	SCORPION	VIERGE	VIERGE	LION	VIERGE	VERSEAU	LION	CANCER	22 LION
19 OCTOBRE	SCORPION	VIERGE	VIERGE	LION	VIERGE	VERSEAU	LION	CANCER	5 VIERGE
20 OCTOBRE	SCORPION	VIERGE	VIERGE	LION	VIERGE	VERSEAU	LION	CANCER	18 VIERGE
21 OCTOBRE	SCORPION	VIERGE	VIERGE	LION	VIERGE	VERSEAU	LION	CANCER	0 BALANCE
22 OCTOBRE	SCORPION	VIERGE	VIERGE	LION	VIERGE	VERSEAU	LION	CANCER	13 BALANCE
23 OCTOBRE	SCORPION	VIERGE	VIERGE	LION	VIERGE	VERSEAU	LION	CANCER	25 BALANCE
24 OCTOBRE	SCORPION	VIERGE	VIERGE	LION	VIERGE	VERSEAU	LION	CANCER	7 SCORPION

LE SOLEIL ENTRE DANS LE SIGNE DE LA BALANCE LE 24 SEPTEMBRE 1919 A 2 h 20
LE SOLEIL QUITTE LE SIGNE DE LA BALANCE LE 24 OCTOBRE 1919 A 11h 10

* LES CHIFFRES INDIQUENT LES DEGRES

DECOUVREZ DANS QUEL SIGNE SE TROUVAIENT LES PLANETES A VOTRE NAISSANCE

1920	MERCURE	VENUS	MARS	JUPITER	SATURNE	URANUS	NEPTUNE	PLUTON	LUNE *
23 SEPTEMBRE	BALANCE	BALANCE	SAGITTAIRE	VIERGE	VIERGE	POISSONS	LION	CANCER	6 VERSEAU
24 SEPTEMBRE	BALANCE	BALANCE	SAGITTAIRE	VIERGE	VIERGE	POISSONS	LION	CANCER	18 VERSEAU
25 SEPTEMBRE	BALANCE	BALANCE	SAGITTAIRE	VIERGE	VIERGE	POISSONS	LION	CANCER	1 POISSONS
26 SEPTEMBRE	BALANCE	BALANCE	SAGITTAIRE	VIERGE	VIERGE	POISSONS	LION	CANCER	14 POISSONS
27 SEPTEMBRE	BALANCE	BALANCE	SAGITTAIRE	VIERGE	VIERGE	POISSONS	LION	CANCER	27 POISSONS
28 SEPTEMBRE	BALANCE	BALANCE	SAGITTAIRE	VIERGE	VIERGE	POISSONS	LION	CANCER	10 BELIER
29 SEPTEMBRE	BALANCE	BALANCE	SAGITTAIRE	VIERGE	VIERGE	POISSONS	LION	CANCER	23 BELIER
30 SEPTEMBRE	BALANCE	SCORPION	SAGITTAIRE	VIERGE	VIERGE	POISSONS	LION	CANCER	7 TAUREAU
1 OCTOBRE	BALANCE	SCORPION	SAGITTAIRE	VIERGE	VIERGE	POISSONS	LION	CANCER	21 TAUREAU
2 OCTOBRE	BALANCE	SCORPION	SAGITTAIRE	VIERGE	VIERGE	POISSONS	LION	CANCER	5 GEMEAUX
3 OCTOBRE	BALANCE	SCORPION	SAGITTAIRE	VIERGE	VIERGE	POISSONS	LION	CANCER	19 GEMEAUX
4 OCTOBRE	BALANCE	SCORPION	SAGITTAIRE	VIERGE	VIERGE	POISSONS	LION	CANCER	4 CANCER
5 OCTOBRE	SCORPION	SCORPION	SAGITTAIRE	VIERGE	VIERGE	POISSONS	LION	CANCER	18 CANCER
6 OCTOBRE	SCORPION	SCORPION	SAGITTAIRE	VIERGE	VIERGE	POISSONS	LION	CANCER	2 LION
7 OCTOBRE	SCORPION	SCORPION	SAGITTAIRE	VIERGE	VIERGE	POISSONS	LION	CANCER	16 LION
8 OCTOBRE	SCORPION	SCORPION	SAGITTAIRE	VIERGE	VIERGE	POISSONS	LION	CANCER	0 VIERGE
9 OCTOBRE	SCORPION	SCORPION	SAGITTAIRE	VIERGE	VIERGE	POISSONS	LION	CANCER	14 VIERGE
10 OCTOBRE	SCORPION	SCORPION	SAGITTAIRE	VIERGE	VIERGE	POISSONS	LION	CANCER	28 VIERGE
11 OCTOBRE	SCORPION	SCORPION	SAGITTAIRE	VIERGE	VIERGE	POISSONS	LION	CANCER	11 BALANCE
12 OCTOBRE	SCORPION	SCORPION	SAGITTAIRE	VIERGE	VIERGE	POISSONS	LION	CANCER	24 BALANCE
13 OCTOBRE	SCORPION	SCORPION	SAGITTAIRE	VIERGE	VIERGE	POISSONS	LION	CANCER	7 SCORPION
14 OCTOBRE	SCORPION	SCORPION	SAGITTAIRE	VIERGE	VIERGE	POISSONS	LION	CANCER	20 SCORPION
15 OCTOBRE	SCORPION	SCORPION	SAGITTAIRE	VIERGE	VIERGE	POISSONS	LION	CANCER	2 SAGITTAIRE
16 OCTOBRE	SCORPION	SCORPION	SAGITTAIRE	VIERGE	VIERGE	POISSONS	LION	CANCER	14 SAGITTAIRE
17 OCTOBRE	SCORPION	SCORPION	SAGITTAIRE	VIERGE	VIERGE	POISSONS	LION	CANCER	26 SAGITTAIRE
18 OCTOBRE	SCORPION	SCORPION	SAGITTAIRE	VIERGE	VIERGE	POISSONS	LION	CANCER	8 CAPRICORNE
19 OCTOBRE	SCORPION	SCORPION	CAPRICORNE	VIERGE	VIERGE	POISSONS	LION	CANCER	20 CAPRICORNE
20 OCTOBRE	SCORPION	SCORPION	CAPRICORNE	VIERGE	VIERGE	POISSONS	LION	CANCER	2 VERSEAU
21 OCTOBRE	SCORPION	SCORPION	CAPRICORNE	VIERGE	VIERGE	POISSONS	LION	CANCER	14 VERSEAU
22 OCTOBRE	SCORPION	SCORPION	CAPRICORNE	VIERGE	VIERGE	POISSONS	LION	CANCER	26 VERSEAU
23 OCTOBRE	SCORPION	SCORPION	CAPRICORNE	VIERGE	VIERGE	POISSONS	LION	CANCER	9 POISSONS

LE SOLEIL ENTRE DANS LE SIGNE DE LA BALANCE LE 23 SEPTEMBRE 1920 A 8 h 15
LE SOLEIL QUITTE LE SIGNE DE LA BALANCE LE 23 OCTOBRE 1920 A 17 h 00
* LES CHIFFRES INDIQUENT LES DEGRES

1921	MERCURE	VENUS	MARS	JUPITER	SATURNE	URANUS	NEPTUNE	PLUTON	LUNE *
23 SEPTEMBRE	BALANCE	LION	VIERGE	VIERGE	VIERGE	POISSONS	LION	CANCER	12 GEMEAUX
24 SEPTEMBRE	BALANCE	LION	VIERGE	VIERGE	VIERGE	POISSONS	LION	CANCER	26 GEMEAUX
25 SEPTEMBRE	BALANCE	LION	VIERGE	VIERGE	VIERGE	POISSONS	LION	CANCER	9 CANCER
26 SEPTEMBRE	BALANCE	VIERGE	VIERGE	BALANCE	VIERGE	POISSONS	LION	CANCER	24 CANCER
27 SEPTEMBRE	BALANCE	VIERGE	VIERGE	BALANCE	VIERGE	POISSONS	LION	CANCER	8 LION
28 SEPTEMBRE	BALANCE	VIERGE	VIERGE	BALANCE	VIERGE	POISSONS	LION	CANCER	23 LION
29 SEPTEMBRE	BALANCE	VIERGE	VIERGE	BALANCE	VIERGE	POISSONS	LION	CANCER	8 VIERGE
30 SEPTEMBRE	SCORPION	VIERGE	VIERGE	BALANCE	VIERGE	POISSONS	LION	CANCER	22 VIERGE
1 OCTOBRE	SCORPION	VIERGE	VIERGE	BALANCE	VIERGE	POISSONS	LION	CANCER	7 BALANCE
2 OCTOBRE	SCORPION	VIERGE	VIERGE	BALANCE	VIERGE	POISSONS	LION	CANCER	22 BALANCE
3 OCTOBRE	SCORPION	VIERGE	VIERGE	BALANCE	VIERGE	POISSONS	LION	CANCER	6 SCORPION
4 OCTOBRE	SCORPION	VIERGE	VIERGE	BALANCE	VIERGE	POISSONS	LION	CANCER	19 SCORPION
5 OCTOBRE	SCORPION	VIERGE	VIERGE	BALANCE	VIERGE	POISSONS	LION	CANCER	3 SAGITTAIRE
6 OCTOBRE	SCORPION	VIERGE	VIERGE	BALANCE	VIERGE	POISSONS	LION	CANCER	16 SAGITTAIRE
7 OCTOBRE	SCORPION	VIERGE	VIERGE	BALANCE	VIERGE	POISSONS	LION	CANCER	28 SAGITTAIRE
8 OCTOBRE	SCORPION	VIERGE	VIERGE	BALANCE	BALANCE	POISSONS	LION	CANCER	11 CAPRICORNE
9 OCTOBRE	SCORPION	VIERGE	VIERGE	BALANCE	BALANCE	POISSONS	LION	CANCER	23 CAPRICORNE
10 OCTOBRE	SCORPION	VIERGE	VIERGE	BALANCE	BALANCE	POISSONS	LION	CANCER	5 VERSEAU
11 OCTOBRE	SCORPION	VIERGE	VIERGE	BALANCE	BALANCE	POISSONS	LION	CANCER	16 VERSEAU
12 OCTOBRE	SCORPION	VIERGE	VIERGE	BALANCE	BALANCE	POISSONS	LION	CANCER	28 VERSEAU
13 OCTOBRE	SCORPION	VIERGE	VIERGE	BALANCE	BALANCE	POISSONS	LION	CANCER	10 POISSONS
14 OCTOBRE	SCORPION	VIERGE	VIERGE	BALANCE	BALANCE	POISSONS	LION	CANCER	22 POISSONS
15 OCTOBRE	SCORPION	VIERGE	VIERGE	BALANCE	BALANCE	POISSONS	LION	CANCER	4 BELIER
16 OCTOBRE	SCORPION	VIERGE	VIERGE	BALANCE	BALANCE	POISSONS	LION	CANCER	17 BELIER
17 OCTOBRE	SCORPION	VIERGE	VIERGE	BALANCE	BALANCE	POISSONS	LION	CANCER	0 TAUREAU
18 OCTOBRE	SCORPION	VIERGE	VIERGE	BALANCE	BALANCE	POISSONS	LION	CANCER	12 TAUREAU
19 OCTOBRE	SCORPION	VIERGE	VIERGE	BALANCE	BALANCE	POISSONS	LION	CANCER	26 TAUREAU
20 OCTOBRE	SCORPION	VIERGE	VIERGE	BALANCE	BALANCE	POISSONS	LION	CANCER	9 GEMEAUX
21 OCTOBRE	SCORPION	BALANCE	VIERGE	BALANCE	BALANCE	POISSONS	LION	CANCER	22 GEMEAUX
22 OCTOBRE	SCORPION	BALANCE	VIERGE	BALANCE	BALANCE	POISSONS	LION	CANCER	6 CANCER
23 OCTOBRE	SCORPION	BALANCE	VIERGE	BALANCE	BALANCE	POISSONS	LION	CANCER	20 CANCER

LE SOLEIL ENTRE DANS LE SIGNE DE LA BALANCE LE 23 SEPTEMBRE 1921 A 14 h 10
LE SOLEIL QUITTE LE SIGNE DE LA BALANCE LE 23 OCTOBRE 1921 A 22 h 45
* LES CHIFFRES INDIQUENT LES DEGRES

DECOUVREZ DANS QUEL SIGNE SE TROUVAIENT LES PLANETES A VOTRE NAISSANCE

1922	MERCURE	VENUS	MARS	JUPITER	SATURNE	URANUS	NEPTUNE	PLUTON	LUNE *
23 SEPTEMBRE	BALANCE	SCORPION	CAPRICORNE	BALANCE	BALANCE	POISSONS	LION	CANCER	2 SCORPION
24 SEPTEMBRE	BALANCE	SCORPION	CAPRICORNE	BALANCE	BALANCE	POISSONS	LION	CANCER	16 SCORPION
25 SEPTEMBRE	BALANCE	SCORPION	CAPRICORNE	BALANCE	BALANCE	POISSONS	LION	CANCER	1 SAGITTAIRE
26 SEPTEMBRE	BALANCE	SCORPION	CAPRICORNE	BALANCE	BALANCE	POISSONS	LION	CANCER	15 SAGITTAIRE
27 SEPTEMBRE	BALANCE	SCORPION	CAPRICORNE	BALANCE	BALANCE	POISSONS	LION	CANCER	28 SAGITTAIRE
28 SEPTEMBRE	BALANCE	SCORPION	CAPRICORNE	BALANCE	BALANCE	POISSONS	LION	CANCER	11 CAPRICORNE
29 SEPTEMBRE	BALANCE	SCORPION	CAPRICORNE	BALANCE	BALANCE	POISSONS	LION	CANCER	23 CAPRICORNE
30 SEPTEMBRE	BALANCE	SCORPION	CAPRICORNE	BALANCE	BALANCE	POISSONS	LION	CANCER	6 VERSEAU
1 OCTOBRE	SCORPION	SCORPION	CAPRICORNE	BALANCE	BALANCE	POISSONS	LION	CANCER	18 VERSEAU
2 OCTOBRE	SCORPION	SCORPION	CAPRICORNE	BALANCE	BALANCE	POISSONS	LION	CANCER	0 POISSONS
3 OCTOBRE	SCORPION	SCORPION	CAPRICORNE	BALANCE	BALANCE	POISSONS	LION	CANCER	12 POISSONS
4 OCTOBRE	SCORPION	SCORPION	CAPRICORNE	BALANCE	BALANCE	POISSONS	LION	CANCER	23 POISSONS
5 OCTOBRE	BALANCE	SCORPION	CAPRICORNE	BALANCE	BALANCE	POISSONS	LION	CANCER	5 BELIER
6 OCTOBRE	BALANCE	SCORPION	CAPRICORNE	BALANCE	BALANCE	POISSONS	LION	CANCER	17 BELIER
7 OCTOBRE	BALANCE	SCORPION	CAPRICORNE	BALANCE	BALANCE	POISSONS	LION	CANCER	29 BELIER
8 OCTOBRE	BALANCE	SCORPION	CAPRICORNE	BALANCE	BALANCE	POISSONS	LION	CANCER	11 TAUREAU
9 OCTOBRE	BALANCE	SCORPION	CAPRICORNE	BALANCE	BALANCE	POISSONS	LION	CANCER	23 TAUREAU
10 OCTOBRE	BALANCE	SCORPION	CAPRICORNE	BALANCE	BALANCE	POISSONS	LION	CANCER	5 GEMEAUX
11 OCTOBRE	BALANCE	SAGITTAIRE	CAPRICORNE	BALANCE	BALANCE	POISSONS	LION	CANCER	18 GEMEAUX
12 OCTOBRE	BALANCE	SAGITTAIRE	CAPRICORNE	BALANCE	BALANCE	POISSONS	LION	CANCER	1 CANCER
13 OCTOBRE	BALANCE	SAGITTAIRE	CAPRICORNE	BALANCE	BALANCE	POISSONS	LION	CANCER	14 CANCER
14 OCTOBRE	BALANCE	SAGITTAIRE	CAPRICORNE	BALANCE	BALANCE	POISSONS	LION	CANCER	27 CANCER
15 OCTOBRE	BALANCE	SAGITTAIRE	CAPRICORNE	BALANCE	BALANCE	POISSONS	LION	CANCER	11 LION
16 OCTOBRE	BALANCE	SAGITTAIRE	CAPRICORNE	BALANCE	BALANCE	POISSONS	LION	CANCER	25 LION
17 OCTOBRE	BALANCE	SAGITTAIRE	CAPRICORNE	BALANCE	BALANCE	POISSONS	LION	CANCER	10 VIERGE
18 OCTOBRE	BALANCE	SAGITTAIRE	CAPRICORNE	BALANCE	BALANCE	POISSONS	LION	CANCER	25 VIERGE
19 OCTOBRE	BALANCE	SAGITTAIRE	CAPRICORNE	BALANCE	BALANCE	POISSONS	LION	CANCER	10 BALANCE
20 OCTOBRE	BALANCE	SAGITTAIRE	CAPRICORNE	BALANCE	BALANCE	POISSONS	LION	CANCER	25 BALANCE
21 OCTOBRE	BALANCE	SAGITTAIRE	CAPRICORNE	BALANCE	BALANCE	POISSONS	LION	CANCER	10 SCORPION
22 OCTOBRE	BALANCE	SAGITTAIRE	CAPRICORNE	BALANCE	BALANCE	POISSONS	LION	CANCER	25 SCORPION
23 OCTOBRE	BALANCE	SAGITTAIRE	CAPRICORNE	BALANCE	BALANCE	POISSONS	LION	CANCER	9 SAGITTAIRE
24 OCTOBRE	BALANCE	SAGITTAIRE	CAPRICORNE	BALANCE	BALANCE	POISSONS	LION	CANCER	23 SAGITTAIRE

LE SOLEIL ENTRE DANS LE SIGNE DE LA BALANCE LE 23 SEPTEMBRE 1922 A 10 h 00
QUITTE LE SIGNE DE LA BALANCE LE 24 OCTOBRE 1922 A 4 h 45

* LES CHIFFRES INDIQUENT LES DEGRES

1923	MERCURE	VENUS	MARS	JUPITER	SATURNE	URANUS	NEPTUNE	PLUTON	LUNE *
24 SEPTEMBRE	BALANCE	BALANCE	VIERGE	SCORPION	BALANCE	POISSONS	LION	CANCER	24 POISSONS
25 SEPTEMBRE	BALANCE	BALANCE	VIERGE	SCORPION	BALANCE	POISSONS	LION	CANCER	6 BELIER
26 SEPTEMBRE	BALANCE	BALANCE	VIERGE	SCORPION	BALANCE	POISSONS	LION	CANCER	18 BELIER
27 SEPTEMBRE	BALANCE	BALANCE	VIERGE	SCORPION	BALANCE	POISSONS	LION	CANCER	0 TAUREAU
28 SEPTEMBRE	BALANCE	BALANCE	VIERGE	SCORPION	BALANCE	POISSONS	LION	CANCER	12 TAUREAU
29 SEPTEMBRE	BALANCE	BALANCE	VIERGE	SCORPION	BALANCE	POISSONS	LION	CANCER	24 TAUREAU
30 SEPTEMBRE	BALANCE	BALANCE	VIERGE	SCORPION	BALANCE	POISSONS	LION	CANCER	6 GEMEAUX
1 OCTOBRE	BALANCE	BALANCE	VIERGE	SCORPION	BALANCE	POISSONS	LION	CANCER	18 GEMEAUX
2 OCTOBRE	BALANCE	BALANCE	VIERGE	SCORPION	BALANCE	POISSONS	LION	CANCER	0 CANCER
3 OCTOBRE	BALANCE	BALANCE	VIERGE	SCORPION	BALANCE	POISSONS	LION	CANCER	12 CANCER
4 OCTOBRE	BALANCE	BALANCE	VIERGE	SCORPION	BALANCE	POISSONS	LION	CANCER	25 CANCER
5 OCTOBRE	VIERGE	BALANCE	VIERGE	SCORPION	BALANCE	POISSONS	LION	CANCER	8 LION
6 OCTOBRE	VIERGE	BALANCE	VIERGE	SCORPION	BALANCE	POISSONS	LION	CANCER	21 LION
7 OCTOBRE	VIERGE	BALANCE	VIERGE	SCORPION	BALANCE	POISSONS	LION	CANCER	5 VIERGE
8 OCTOBRE	VIERGE	BALANCE	VIERGE	SCORPION	BALANCE	POISSONS	LION	CANCER	19 VIERGE
9 OCTOBRE	VIERGE	BALANCE	VIERGE	SCORPION	BALANCE	POISSONS	LION	CANCER	4 BALANCE
10 OCTOBRE	VIERGE	BALANCE	VIERGE	SCORPION	BALANCE	POISSONS	LION	CANCER	19 BALANCE
11 OCTOBRE	VIERGE	BALANCE	VIERGE	SCORPION	BALANCE	POISSONS	LION	CANCER	4 SCORPION
12 OCTOBRE	BALANCE	BALANCE	VIERGE	SCORPION	BALANCE	POISSONS	LION	CANCER	20 SCORPION
13 OCTOBRE	BALANCE	BALANCE	VIERGE	SCORPION	BALANCE	POISSONS	LION	CANCER	5 SAGITTAIRE
14 OCTOBRE	BALANCE	BALANCE	VIERGE	SCORPION	BALANCE	POISSONS	LION	CANCER	19 SAGITTAIRE
15 OCTOBRE	BALANCE	SCORPION	VIERGE	SCORPION	BALANCE	POISSONS	LION	CANCER	3 CAPRICORNE
16 OCTOBRE	BALANCE	SCORPION	VIERGE	SCORPION	BALANCE	POISSONS	LION	CANCER	17 CAPRICORNE
17 OCTOBRE	BALANCE	SCORPION	VIERGE	SCORPION	BALANCE	POISSONS	LION	CANCER	0 VERSEAU
18 OCTOBRE	BALANCE	SCORPION	BALANCE	SCORPION	BALANCE	POISSONS	LION	CANCER	13 VERSEAU
19 OCTOBRE	BALANCE	SCORPION	BALANCE	SCORPION	BALANCE	POISSONS	LION	CANCER	26 VERSEAU
20 OCTOBRE	BALANCE	SCORPION	BALANCE	SCORPION	BALANCE	POISSONS	LION	CANCER	9 POISSONS
21 OCTOBRE	BALANCE	SCORPION	BALANCE	SCORPION	BALANCE	POISSONS	LION	CANCER	21 POISSONS
22 OCTOBRE	BALANCE	SCORPION	BALANCE	SCORPION	BALANCE	POISSONS	LION	CANCER	3 BELIER
23 OCTOBRE	BALANCE	SCORPION	BALANCE	SCORPION	BALANCE	POISSONS	LION	CANCER	15 BELIER
24 OCTOBRE	BALANCE	SCORPION	BALANCE	SCORPION	BALANCE	POISSONS	LION	CANCER	27 BELIER

LE SOLEIL ENTRE DANS LE SIGNE DE LA BALANCE LE 24 SEPTEMBRE 1923 A 1 h 45
QUITTE LE SIGNE DE LA BALANCE LE 24 OCTOBRE 1923 A 10 h 30

* LES CHIFFRES INDIQUENT LES DEGRES

DECOUVREZ DANS QUEL SIGNE SE TROUVAIENT LES PLANETES A VOTRE NAISSANCE

1924	MERCURE	VENUS	MARS	JUPITER	SATURNE	URANUS	NEPTUNE	PLUTON	LUNE *
23 SEPTEMBRE	VIERGE	LION	VERSEAU	SAGITTAIRE	SCORPION	POISSONS	LION	CANCER	26 CANCER
24 SEPTEMBRE	VIERGE	LION	VERSEAU	SAGITTAIRE	SCORPION	POISSONS	LION	CANCER	8 LION
25 SEPTEMBRE	VIERGE	LION	VERSEAU	SAGITTAIRE	SCORPION	POISSONS	LION	CANCER	20 LION
26 SEPTEMBRE	VIERGE	LION	VERSEAU	SAGITTAIRE	SCORPION	POISSONS	LION	CANCER	3 VIERGE
27 SEPTEMBRE	VIERGE	LION	VERSEAU	SAGITTAIRE	SCORPION	POISSONS	LION	CANCER	17 VIERGE
28 SEPTEMBRE	VIERGE	LION	VERSEAU	SAGITTAIRE	SCORPION	POISSONS	LION	CANCER	0 BALANCE
29 SEPTEMBRE	VIERGE	LION	VERSEAU	SAGITTAIRE	SCORPION	POISSONS	LION	CANCER	14 BALANCE
30 SEPTEMBRE	VIERGE	LION	VERSEAU	SAGITTAIRE	SCORPION	POISSONS	LION	CANCER	28 BALANCE
1 OCTOBRE	VIERGE	LION	VERSEAU	SAGITTAIRE	SCORPION	POISSONS	LION	CANCER	13 SCORPION
2 OCTOBRE	VIERGE	LION	VERSEAU	SAGITTAIRE	SCORPION	POISSONS	LION	CANCER	27 SCORPION
3 OCTOBRE	VIERGE	LION	VERSEAU	SAGITTAIRE	SCORPION	POISSONS	LION	CANCER	12 SAGITTAIRE
4 OCTOBRE	VIERGE	LION	VERSEAU	SAGITTAIRE	SCORPION	POISSONS	LION	CANCER	26 SAGITTAIRE
5 OCTOBRE	VIERGE	LION	VERSEAU	SAGITTAIRE	SCORPION	POISSONS	LION	CANCER	10 CAPRICORNE
6 OCTOBRE	VIERGE	LION	VERSEAU	SAGITTAIRE	SCORPION	POISSONS	LION	CANCER	24 CAPRICORNE
7 OCTOBRE	BALANCE	LION	VERSEAU	SAGITTAIRE	SCORPION	POISSONS	LION	CANCER	8 VERSEAU
8 OCTOBRE	BALANCE	VIERGE	VERSEAU	SAGITTAIRE	SCORPION	POISSONS	LION	CANCER	22 VERSEAU
9 OCTOBRE	BALANCE	VIERGE	VERSEAU	SAGITTAIRE	SCORPION	POISSONS	LION	CANCER	5 POISSONS
10 OCTOBRE	BALANCE	VIERGE	VERSEAU	SAGITTAIRE	SCORPION	POISSONS	LION	CANCER	18 POISSONS
11 OCTOBRE	BALANCE	VIERGE	VERSEAU	SAGITTAIRE	SCORPION	POISSONS	LION	CANCER	2 BELIER
12 OCTOBRE	BALANCE	VIERGE	VERSEAU	SAGITTAIRE	SCORPION	POISSONS	LION	CANCER	14 BELIER
13 OCTOBRE	BALANCE	VIERGE	VERSEAU	SAGITTAIRE	SCORPION	POISSONS	LION	CANCER	27 BELIER
14 OCTOBRE	BALANCE	VIERGE	VERSEAU	SAGITTAIRE	SCORPION	POISSONS	LION	CANCER	10 TAUREAU
15 OCTOBRE	BALANCE	VIERGE	VERSEAU	SAGITTAIRE	SCORPION	POISSONS	LION	CANCER	22 TAUREAU
16 OCTOBRE	BALANCE	VIERGE	VERSEAU	SAGITTAIRE	SCORPION	POISSONS	LION	CANCER	4 GEMEAUX
17 OCTOBRE	BALANCE	VIERGE	VERSEAU	SAGITTAIRE	SCORPION	POISSONS	LION	CANCER	16 GEMEAUX
18 OCTOBRE	BALANCE	VIERGE	VERSEAU	SAGITTAIRE	SCORPION	POISSONS	LION	CANCER	28 GEMEAUX
19 OCTOBRE	BALANCE	VIERGE	VERSEAU	SAGITTAIRE	SCORPION	POISSONS	LION	CANCER	10 CANCER
20 OCTOBRE	BALANCE	VIERGE	POISSONS	SAGITTAIRE	SCORPION	POISSONS	LION	CANCER	21 CANCER
21 OCTOBRE	BALANCE	VIERGE	POISSONS	SAGITTAIRE	SCORPION	POISSONS	LION	CANCER	4 LION
22 OCTOBRE	BALANCE	VIERGE	POISSONS	SAGITTAIRE	SCORPION	POISSONS	LION	CANCER	16 LION
23 OCTOBRE	BALANCE	VIERGE	POISSONS	SAGITTAIRE	SCORPION	POISSONS	LION	CANCER	28 LION

LE SOLEIL ENTRE DANS LE SIGNE DE LA BALANCE LE 23 SEPTEMBRE 1924 A 7 h 45
LE SOLEIL QUITTE LE SIGNE DE LA BALANCE LE 23 OCTOBRE 1924 A 16 h 30

* LES CHIFFRES INDIQUENT LES DEGRES

1925	MERCURE	VENUS	MARS	JUPITER	SATURNE	URANUS	NEPTUNE	PLUTON	LUNE *
23 SEPTEMBRE	VIERGE	SCORPION	VIERGE	CAPRICORNE	SCORPION	POISSONS	LION	CANCER	4 SAGITTAIRE
24 SEPTEMBRE	VIERGE	SCORPION	VIERGE	CAPRICORNE	SCORPION	POISSONS	LION	CANCER	18 SAGITTAIRE
25 SEPTEMBRE	VIERGE	SCORPION	VIERGE	CAPRICORNE	SCORPION	POISSONS	LION	CANCER	2 CAPRICORNE
26 SEPTEMBRE	VIERGE	SCORPION	VIERGE	CAPRICORNE	SCORPION	POISSONS	LION	CANCER	16 CAPRICORNE
27 SEPTEMBRE	VIERGE	SCORPION	VIERGE	CAPRICORNE	SCORPION	POISSONS	LION	CANCER	0 VERSEAU
28 SEPTEMBRE	VIERGE	SCORPION	VIERGE	CAPRICORNE	SCORPION	POISSONS	LION	CANCER	14 VERSEAU
29 SEPTEMBRE	VIERGE	SCORPION	BALANCE	CAPRICORNE	SCORPION	POISSONS	LION	CANCER	29 VERSEAU
30 SEPTEMBRE	BALANCE	SCORPION	BALANCE	CAPRICORNE	SCORPION	POISSONS	LION	CANCER	13 POISSONS
1 OCTOBRE	BALANCE	SCORPION	BALANCE	CAPRICORNE	SCORPION	POISSONS	LION	CANCER	28 POISSONS
2 OCTOBRE	BALANCE	SCORPION	BALANCE	CAPRICORNE	SCORPION	POISSONS	LION	CANCER	12 BELIER
3 OCTOBRE	BALANCE	SCORPION	BALANCE	CAPRICORNE	SCORPION	POISSONS	LION	CANCER	26 BELIER
4 OCTOBRE	BALANCE	SCORPION	BALANCE	CAPRICORNE	SCORPION	POISSONS	LION	CANCER	10 TAUREAU
5 OCTOBRE	BALANCE	SCORPION	BALANCE	CAPRICORNE	SCORPION	POISSONS	LION	CANCER	23 TAUREAU
6 OCTOBRE	BALANCE	SCORPION	BALANCE	CAPRICORNE	SCORPION	POISSONS	LION	CANCER	6 GEMEAUX
7 OCTOBRE	BALANCE	SCORPION	BALANCE	CAPRICORNE	SCORPION	POISSONS	LION	CANCER	18 GEMEAUX
8 OCTOBRE	BALANCE	SCORPION	BALANCE	CAPRICORNE	SCORPION	POISSONS	LION	CANCER	0 CANCER
9 OCTOBRE	BALANCE	SCORPION	BALANCE	CAPRICORNE	SCORPION	POISSONS	LION	CANCER	12 CANCER
10 OCTOBRE	BALANCE	SCORPION	BALANCE	CAPRICORNE	SCORPION	POISSONS	LION	CANCER	24 CANCER
11 OCTOBRE	BALANCE	SCORPION	BALANCE	CAPRICORNE	SCORPION	POISSONS	LION	CANCER	6 LION
12 OCTOBRE	BALANCE	SAGITTAIRE	BALANCE	CAPRICORNE	SCORPION	POISSONS	LION	CANCER	18 LION
13 OCTOBRE	BALANCE	SAGITTAIRE	BALANCE	CAPRICORNE	SCORPION	POISSONS	LION	CANCER	0 VIERGE
14 OCTOBRE	BALANCE	SAGITTAIRE	BALANCE	CAPRICORNE	SCORPION	POISSONS	LION	CANCER	12 VIERGE
15 OCTOBRE	BALANCE	SAGITTAIRE	BALANCE	CAPRICORNE	SCORPION	POISSONS	LION	CANCER	24 VIERGE
16 OCTOBRE	BALANCE	SAGITTAIRE	BALANCE	CAPRICORNE	SCORPION	POISSONS	LION	CANCER	7 BALANCE
17 OCTOBRE	SCORPION	SAGITTAIRE	BALANCE	CAPRICORNE	SCORPION	POISSONS	LION	CANCER	20 BALANCE
18 OCTOBRE	SCORPION	SAGITTAIRE	BALANCE	CAPRICORNE	SCORPION	POISSONS	LION	CANCER	3 SCORPION
19 OCTOBRE	SCORPION	SAGITTAIRE	BALANCE	CAPRICORNE	SCORPION	POISSONS	LION	CANCER	17 SCORPION
20 OCTOBRE	SCORPION	SAGITTAIRE	BALANCE	CAPRICORNE	SCORPION	POISSONS	LION	CANCER	1 SAGITTAIRE
21 OCTOBRE	SCORPION	SAGITTAIRE	BALANCE	CAPRICORNE	SCORPION	POISSONS	LION	CANCER	15 SAGITTAIRE
22 OCTOBRE	SCORPION	SAGITTAIRE	BALANCE	CAPRICORNE	SCORPION	POISSONS	LION	CANCER	29 SAGITTAIRE
23 OCTOBRE	SCORPION	SAGITTAIRE	BALANCE	CAPRICORNE	SCORPION	POISSONS	LION	CANCER	13 CAPRICORNE

LE SOLEIL ENTRE DANS LE SIGNE DE LA BALANCE LE 23 SEPTEMBRE 1925 A 13 h 30
LE SOLEIL QUITTE LE SIGNE DE LA BALANCE LE 23 OCTOBRE 1925 A 22 h 15

* LES CHIFFRES INDIQUENT LES DEGRES

DECOUVREZ DANS QUEL SIGNE SE TROUVAIENT LES PLANETES A VOTRE NAISSANCE

1926	MERCURE	VENUS	MARS	JUPITER	SATURNE	URANUS	NEPTUNE	PLUTON	LUNE *
23 SEPTEMBRE	BALANCE	VIERGE	TAUREAU	VERSEAU	SCORPION	POISSONS	LION	CANCER	23 BELIER
24 SEPTEMBRE	BALANCE	VIERGE	TAUREAU	VERSEAU	SCORPION	POISSONS	LION	CANCER	7 TAUREAU
25 SEPTEMBRE	BALANCE	VIERGE	TAUREAU	VERSEAU	SCORPION	POISSONS	LION	CANCER	22 TAUREAU
26 SEPTEMBRE	BALANCE	VIERGE	TAUREAU	VERSEAU	SCORPION	POISSONS	LION	CANCER	5 GEMEAUX
27 SEPTEMBRE	BALANCE	VIERGE	TAUREAU	VERSEAU	SCORPION	POISSONS	LION	CANCER	19 GEMEAUX
28 SEPTEMBRE	BALANCE	VIERGE	TAUREAU	VERSEAU	SCORPION	POISSONS	LION	CANCER	1 CANCER
29 SEPTEMBRE	BALANCE	VIERGE	TAUREAU	VERSEAU	SCORPION	POISSONS	LION	CANCER	14 CANCER
30 SEPTEMBRE	BALANCE	VIERGE	TAUREAU	VERSEAU	SCORPION	POISSONS	LION	CANCER	26 CANCER
1 OCTOBRE	BALANCE	VIERGE	TAUREAU	VERSEAU	SCORPION	POISSONS	LION	CANCER	8 LION
2 OCTOBRE	BALANCE	VIERGE	TAUREAU	VERSEAU	SCORPION	POISSONS	LION	CANCER	20 LION
3 OCTOBRE	BALANCE	VIERGE	TAUREAU	VERSEAU	SCORPION	POISSONS	LION	CANCER	2 VIERGE
4 OCTOBRE	BALANCE	VIERGE	TAUREAU	VERSEAU	SCORPION	POISSONS	LION	CANCER	14 VIERGE
5 OCTOBRE	BALANCE	VIERGE	TAUREAU	VERSEAU	SCORPION	POISSONS	LION	CANCER	25 VIERGE
6 OCTOBRE	BALANCE	BALANCE	TAUREAU	VERSEAU	SCORPION	POISSONS	LION	CANCER	7 BALANCE
7 OCTOBRE	BALANCE	BALANCE	TAUREAU	VERSEAU	SCORPION	POISSONS	LION	CANCER	20 BALANCE
8 OCTOBRE	BALANCE	BALANCE	TAUREAU	VERSEAU	SCORPION	POISSONS	LION	CANCER	2 SCORPION
9 OCTOBRE	BALANCE	BALANCE	TAUREAU	VERSEAU	SCORPION	POISSONS	LION	CANCER	14 SCORPION
10 OCTOBRE	SCORPION	BALANCE	TAUREAU	VERSEAU	SCORPION	POISSONS	LION	CANCER	27 SCORPION
11 OCTOBRE	SCORPION	BALANCE	TAUREAU	VERSEAU	SCORPION	POISSONS	LION	CANCER	9 SAGITTAIRE
12 OCTOBRE	SCORPION	BALANCE	TAUREAU	VERSEAU	SCORPION	POISSONS	LION	CANCER	22 SAGITTAIRE
13 OCTOBRE	SCORPION	BALANCE	TAUREAU	VERSEAU	SCORPION	POISSONS	LION	CANCER	5 CAPRICORNE
14 OCTOBRE	SCORPION	BALANCE	TAUREAU	VERSEAU	SCORPION	POISSONS	LION	CANCER	19 CAPRICORNE
15 OCTOBRE	SCORPION	BALANCE	TAUREAU	VERSEAU	SCORPION	POISSONS	LION	CANCER	3 VERSEAU
16 OCTOBRE	SCORPION	BALANCE	TAUREAU	VERSEAU	SCORPION	POISSONS	LION	CANCER	17 VERSEAU
17 OCTOBRE	SCORPION	BALANCE	TAUREAU	VERSEAU	SCORPION	POISSONS	LION	CANCER	1 POISSONS
18 OCTOBRE	SCORPION	BALANCE	TAUREAU	VERSEAU	SCORPION	POISSONS	LION	CANCER	16 POISSONS
19 OCTOBRE	SCORPION	BALANCE	TAUREAU	VERSEAU	SCORPION	POISSONS	LION	CANCER	1 BELIER
20 OCTOBRE	SCORPION	BALANCE	TAUREAU	VERSEAU	SCORPION	POISSONS	LION	CANCER	16 BELIER
21 OCTOBRE	SCORPION	BALANCE	TAUREAU	VERSEAU	SCORPION	POISSONS	LION	CANCER	1 TAUREAU
22 OCTOBRE	SCORPION	BALANCE	TAUREAU	VERSEAU	SCORPION	POISSONS	LION	CANCER	16 TAUREAU
23 OCTOBRE	SCORPION	BALANCE	TAUREAU	VERSEAU	SCORPION	POISSONS	LION	CANCER	0 GEMEAUX
24 OCTOBRE	SCORPION	BALANCE	TAUREAU	VERSEAU	SCORPION	POISSONS	LION	CANCER	14 GEMEAUX

LE SOLEIL ENTRE DANS LE SIGNE DE LA BALANCE LE 23 SEPTEMBRE 1926 A 19 h 15
LE SOLEIL QUITTE LE SIGNE DE LA BALANCE LE 24 OCTOBRE 1926 A 4 h 00

* LES CHIFFRES INDIQUENT LES DEGRES

1927	MERCURE	VENUS	MARS	JUPITER	SATURNE	URANUS	NEPTUNE	PLUTON	LUNE *
24 SEPTEMBRE	BALANCE	VIERGE	BALANCE	POISSONS	SAGITTAIRE	BELIER	LION	CANCER	14 VIERGE
25 SEPTEMBRE	BALANCE	VIERGE	BALANCE	POISSONS	SAGITTAIRE	BELIER	LION	CANCER	26 VIERGE
26 SEPTEMBRE	BALANCE	VIERGE	BALANCE	POISSONS	SAGITTAIRE	BELIER	LION	CANCER	8 BALANCE
27 SEPTEMBRE	BALANCE	VIERGE	BALANCE	POISSONS	SAGITTAIRE	BELIER	LION	CANCER	20 BALANCE
28 SEPTEMBRE	BALANCE	VIERGE	BALANCE	POISSONS	SAGITTAIRE	BELIER	LION	CANCER	2 SCORPION
29 SEPTEMBRE	BALANCE	VIERGE	BALANCE	POISSONS	SAGITTAIRE	BELIER	LION	CANCER	14 SCORPION
30 SEPTEMBRE	BALANCE	VIERGE	BALANCE	POISSONS	SAGITTAIRE	BELIER	LION	CANCER	26 SCORPION
1 OCTOBRE	BALANCE	VIERGE	BALANCE	POISSONS	SAGITTAIRE	BELIER	LION	CANCER	8 SAGITTAIRE
2 OCTOBRE	BALANCE	VIERGE	BALANCE	POISSONS	SAGITTAIRE	BELIER	LION	CANCER	20 SAGITTAIRE
3 OCTOBRE	SCORPION	VIERGE	BALANCE	POISSONS	SAGITTAIRE	BELIER	LION	CANCER	2 CAPRICORNE
4 OCTOBRE	SCORPION	VIERGE	BALANCE	POISSONS	SAGITTAIRE	BELIER	LION	CANCER	15 CAPRICORNE
5 OCTOBRE	SCORPION	VIERGE	BALANCE	POISSONS	SAGITTAIRE	BELIER	LION	CANCER	28 CAPRICORNE
6 OCTOBRE	SCORPION	VIERGE	BALANCE	POISSONS	SAGITTAIRE	BELIER	LION	CANCER	11 VERSEAU
7 OCTOBRE	SCORPION	VIERGE	BALANCE	POISSONS	SAGITTAIRE	BELIER	LION	CANCER	26 VERSEAU
8 OCTOBRE	SCORPION	VIERGE	BALANCE	POISSONS	SAGITTAIRE	BELIER	LION	CANCER	10 POISSONS
9 OCTOBRE	SCORPION	VIERGE	BALANCE	POISSONS	SAGITTAIRE	BELIER	LION	CANCER	25 POISSONS
10 OCTOBRE	SCORPION	VIERGE	BALANCE	POISSONS	SAGITTAIRE	BELIER	LION	CANCER	10 BELIER
11 OCTOBRE	SCORPION	VIERGE	BALANCE	POISSONS	SAGITTAIRE	BELIER	LION	CANCER	26 BELIER
12 OCTOBRE	SCORPION	VIERGE	BALANCE	POISSONS	SAGITTAIRE	BELIER	LION	CANCER	11 TAUREAU
13 OCTOBRE	SCORPION	VIERGE	BALANCE	POISSONS	SAGITTAIRE	BELIER	LION	CANCER	26 TAUREAU
14 OCTOBRE	SCORPION	VIERGE	BALANCE	POISSONS	SAGITTAIRE	BELIER	LION	CANCER	10 GEMEAUX
15 OCTOBRE	SCORPION	VIERGE	BALANCE	POISSONS	SAGITTAIRE	BELIER	LION	CANCER	25 GEMEAUX
16 OCTOBRE	SCORPION	VIERGE	BALANCE	POISSONS	SAGITTAIRE	BELIER	LION	CANCER	8 CANCER
17 OCTOBRE	SCORPION	VIERGE	BALANCE	POISSONS	SAGITTAIRE	BELIER	LION	CANCER	22 CANCER
18 OCTOBRE	SCORPION	VIERGE	BALANCE	POISSONS	SAGITTAIRE	BELIER	LION	CANCER	4 LION
19 OCTOBRE	SCORPION	VIERGE	BALANCE	POISSONS	SAGITTAIRE	BELIER	LION	CANCER	17 LION
20 OCTOBRE	SCORPION	VIERGE	BALANCE	POISSONS	SAGITTAIRE	BELIER	LION	CANCER	29 LION
21 OCTOBRE	SCORPION	VIERGE	BALANCE	POISSONS	SAGITTAIRE	BELIER	LION	CANCER	11 VIERGE
22 OCTOBRE	SCORPION	VIERGE	BALANCE	POISSONS	SAGITTAIRE	BELIER	LION	CANCER	23 VIERGE
23 OCTOBRE	SCORPION	VIERGE	BALANCE	POISSONS	SAGITTAIRE	BELIER	LION	CANCER	5 BALANCE
24 OCTOBRE	SCORPION	VIERGE	BALANCE	POISSONS	SAGITTAIRE	BELIER	LION	CANCER	17 BALANCE

LE SOLEIL ENTRE DANS LE SIGNE DE LA BALANCE LE 24 SEPTEMBRE 1927 A 1 h 00
LE SOLEIL QUITTE LE SIGNE DE LA BALANCE LE 24 OCTOBRE 1927 A 10 h 00

* LES CHIFFRES INDIQUENT LES DEGRES

DECOUVREZ DANS QUEL SIGNE SE TROUVAIENT LES PLANETES A VOTRE NAISSANCE

1928	MERCURE	VENUS	MARS	JUPITER	SATURNE	URANUS	NEPTUNE	PLUTON	LUNE *
23 SEPTEMBRE	BALANCE	BALANCE	GEMEAUX	TAUREAU	SAGITTAIRE	BELIER	LION	CANCER	15 CAPRICORNE
24 SEPTEMBRE	BALANCE	BALANCE	GEMEAUX	TAUREAU	SAGITTAIRE	BELIER	LION	CANCER	28 CAPRICORNE
25 SEPTEMBRE	BALANCE	BALANCE	GEMEAUX	TAUREAU	SAGITTAIRE	BELIER	LION	CANCER	10 VERSEAU
26 SEPTEMBRE	BALANCE	BALANCE	GEMEAUX	TAUREAU	SAGITTAIRE	BELIER	LION	CANCER	23 VERSEAU
27 SEPTEMBRE	BALANCE	BALANCE	GEMEAUX	TAUREAU	SAGITTAIRE	BELIER	LION	CANCER	7 POISSONS
28 SEPTEMBRE	SCORPION	BALANCE	GEMEAUX	TAUREAU	SAGITTAIRE	BELIER	LION	CANCER	21 POISSONS
29 SEPTEMBRE	SCORPION	SCORPION	GEMEAUX	TAUREAU	SAGITTAIRE	BELIER	LION	CANCER	5 BELIER
30 SEPTEMBRE	SCORPION	SCORPION	GEMEAUX	TAUREAU	SAGITTAIRE	BELIER	LION	CANCER	20 BELIER
1 OCTOBRE	SCORPION	SCORPION	GEMEAUX	TAUREAU	SAGITTAIRE	BELIER	LION	CANCER	5 TAUREAU
2 OCTOBRE	SCORPION	SCORPION	GEMEAUX	TAUREAU	SAGITTAIRE	BELIER	LION	CANCER	19 TAUREAU
3 OCTOBRE	SCORPION	SCORPION	CANCER	TAUREAU	SAGITTAIRE	BELIER	LION	CANCER	4 GEMEAUX
4 OCTOBRE	SCORPION	SCORPION	CANCER	TAUREAU	SAGITTAIRE	BELIER	LION	CANCER	18 GEMEAUX
5 OCTOBRE	SCORPION	SCORPION	CANCER	TAUREAU	SAGITTAIRE	BELIER	LION	CANCER	2 CANCER
6 OCTOBRE	SCORPION	SCORPION	CANCER	TAUREAU	SAGITTAIRE	BELIER	LION	CANCER	16 CANCER
7 OCTOBRE	SCORPION	SCORPION	CANCER	TAUREAU	SAGITTAIRE	BELIER	LION	CANCER	0 LION
8 OCTOBRE	SCORPION	SCORPION	CANCER	TAUREAU	SAGITTAIRE	BELIER	LION	CANCER	14 LION
9 OCTOBRE	SCORPION	SCORPION	CANCER	TAUREAU	SAGITTAIRE	BELIER	LION	CANCER	27 LION
10 OCTOBRE	SCORPION	SCORPION	CANCER	TAUREAU	SAGITTAIRE	BELIER	LION	CANCER	10 VIERGE
11 OCTOBRE	SCORPION	SCORPION	CANCER	TAUREAU	SAGITTAIRE	BELIER	LION	CANCER	23 VIERGE
12 OCTOBRE	SCORPION	SCORPION	CANCER	TAUREAU	SAGITTAIRE	BELIER	LION	CANCER	5 BALANCE
13 OCTOBRE	SCORPION	SCORPION	CANCER	TAUREAU	SAGITTAIRE	BELIER	LION	CANCER	18 BALANCE
14 OCTOBRE	SCORPION	SCORPION	CANCER	TAUREAU	SAGITTAIRE	BELIER	LION	CANCER	0 SCORPION
15 OCTOBRE	SCORPION	SCORPION	CANCER	TAUREAU	SAGITTAIRE	BELIER	LION	CANCER	12 SCORPION
16 OCTOBRE	SCORPION	SCORPION	CANCER	TAUREAU	SAGITTAIRE	BELIER	LION	CANCER	24 SCORPION
17 OCTOBRE	SCORPION	SCORPION	CANCER	TAUREAU	SAGITTAIRE	BELIER	LION	CANCER	6 SAGITTAIRE
18 OCTOBRE	SCORPION	SCORPION	CANCER	TAUREAU	SAGITTAIRE	BELIER	LION	CANCER	17 SAGITTAIRE
19 OCTOBRE	SCORPION	SCORPION	CANCER	TAUREAU	SAGITTAIRE	BELIER	LION	CANCER	29 SAGITTAIRE
20 OCTOBRE	SCORPION	SCORPION	CANCER	TAUREAU	SAGITTAIRE	BELIER	LION	CANCER	11 CAPRICORNE
21 OCTOBRE	SCORPION	SCORPION	CANCER	TAUREAU	SAGITTAIRE	BELIER	VIERGE	CANCER	23 CAPRICORNE
22 OCTOBRE	SCORPION	SCORPION	CANCER	TAUREAU	SAGITTAIRE	BELIER	VIERGE	CANCER	6 VERSEAU
23 OCTOBRE	SCORPION	SCORPION	CANCER	TAUREAU	SAGITTAIRE	BELIER	VIERGE	CANCER	18 VERSEAU

LE SOLEIL ENTRE DANS LE SIGNE DE LA BALANCE LE 23 SEPTEMBRE 1928 A 7 h 00
LE SOLEIL QUITTE LE SIGNE DE LA BALANCE LE 23 OCTOBRE 1928 A 15 h 45

* LES CHIFFRES INDIQUENT LES DEGRES

1929	MERCURE	VENUS	MARS	JUPITER	SATURNE	URANUS	NEPTUNE	PLUTON	LUNE *
23 SEPTEMBRE	BALANCE	LION	BALANCE	GEMEAUX	SAGITTAIRE	BELIER	VIERGE	CANCER	26 TAUREAU
24 SEPTEMBRE	BALANCE	LION	BALANCE	GEMEAUX	SAGITTAIRE	BELIER	VIERGE	CANCER	10 GEMEAUX
25 SEPTEMBRE	BALANCE	LION	BALANCE	GEMEAUX	SAGITTAIRE	BELIER	VIERGE	CANCER	24 GEMEAUX
26 SEPTEMBRE	BALANCE	VIERGE	BALANCE	GEMEAUX	SAGITTAIRE	BELIER	VIERGE	CANCER	8 CANCER
27 SEPTEMBRE	BALANCE	VIERGE	BALANCE	GEMEAUX	SAGITTAIRE	BELIER	VIERGE	CANCER	22 CANCER
28 SEPTEMBRE	BALANCE	VIERGE	BALANCE	GEMEAUX	SAGITTAIRE	BELIER	VIERGE	CANCER	7 LION
29 SEPTEMBRE	BALANCE	VIERGE	BALANCE	GEMEAUX	SAGITTAIRE	BELIER	VIERGE	CANCER	21 LION
30 SEPTEMBRE	BALANCE	VIERGE	BALANCE	GEMEAUX	SAGITTAIRE	BELIER	VIERGE	CANCER	5 VIERGE
1 OCTOBRE	BALANCE	VIERGE	BALANCE	GEMEAUX	SAGITTAIRE	BELIER	VIERGE	CANCER	19 VIERGE
2 OCTOBRE	BALANCE	VIERGE	BALANCE	GEMEAUX	SAGITTAIRE	BELIER	VIERGE	CANCER	3 BALANCE
3 OCTOBRE	BALANCE	VIERGE	BALANCE	GEMEAUX	SAGITTAIRE	BELIER	VIERGE	CANCER	17 BALANCE
4 OCTOBRE	BALANCE	VIERGE	BALANCE	GEMEAUX	SAGITTAIRE	BELIER	VIERGE	CANCER	0 SCORPION
5 OCTOBRE	BALANCE	VIERGE	BALANCE	GEMEAUX	SAGITTAIRE	BELIER	VIERGE	CANCER	13 SCORPION
6 OCTOBRE	BALANCE	VIERGE	SCORPION	GEMEAUX	SAGITTAIRE	BELIER	VIERGE	CANCER	25 SCORPION
7 OCTOBRE	BALANCE	VIERGE	SCORPION	GEMEAUX	SAGITTAIRE	BELIER	VIERGE	CANCER	8 SAGITTAIRE
8 OCTOBRE	BALANCE	VIERGE	SCORPION	GEMEAUX	SAGITTAIRE	BELIER	VIERGE	CANCER	20 SAGITTARE
9 OCTOBRE	BALANCE	VIERGE	SCORPION	GEMEAUX	SAGITTAIRE	BELIER	VIERGE	CANCER	2 CAPRICORNE
10 OCTOBRE	BALANCE	VIERGE	SCORPION	GEMEAUX	SAGITTAIRE	BELIER	VIERGE	CANCER	14 CAPRICORNE
11 OCTOBRE	BALANCE	VIERGE	SCORPION	GEMEAUX	SAGITTAIRE	BELIER	VIERGE	CANCER	25 CAPRICORNE
12 OCTOBRE	BALANCE	VIERGE	SCORPION	GEMEAUX	SAGITTAIRE	BELIER	VIERGE	CANCER	7 VERSEAU
13 OCTOBRE	BALANCE	VIERGE	SCORPION	GEMEAUX	SAGITTAIRE	BELIER	VIERGE	CANCER	20 VERSEAU
14 OCTOBRE	BALANCE	VIERGE	SCORPION	GEMEAUX	SAGITTAIRE	BELIER	VIERGE	CANCER	2 POISSONS
15 OCTOBRE	BALANCE	VIERGE	SCORPION	GEMEAUX	SAGITTAIRE	BELIER	VIERGE	CANCER	15 POISSONS
16 OCTOBRE	BALANCE	VIERGE	SCORPION	GEMEAUX	SAGITTAIRE	BELIER	VIERGE	CANCER	27 POISSONS
17 OCTOBRE	BALANCE	VIERGE	SCORPION	GEMEAUX	SAGITTAIRE	BELIER	VIERGE	CANCER	11 BELIER
18 OCTOBRE	BALANCE	VIERGE	SCORPION	GEMEAUX	SAGITTAIRE	BELIER	VIERGE	CANCER	24 BELIER
19 OCTOBRE	BALANCE	VIERGE	SCORPION	GEMEAUX	SAGITTAIRE	BELIER	VIERGE	CANCER	8 TAUREAU
20 OCTOBRE	BALANCE	BALANCE	SCORPION	GEMEAUX	SAGITTAIRE	BELIER	VIERGE	CANCER	22 TAUREAU
21 OCTOBRE	BALANCE	BALANCE	SCORPION	GEMEAUX	SAGITTAIRE	BELIER	VIERGE	CANCER	6 GEMEAUX
22 OCTOBRE	BALANCE	BALANCE	SCORPION	GEMEAUX	SAGITTAIRE	BELIER	VIERGE	CANCER	20 GEMEAUX
23 OCTOBRE	BALANCE	BALANCE	SCORPION	GEMEAUX	SAGITTAIRE	BELIER	VIERGE	CANCER	5 CANCER

LE SOLEIL ENTRE DANS LE SIGNE DE LA BALANCE LE 23 SEPTEMBRE 1929 A 12 h 45
LE SOLEIL QUITTE LE SIGNE DE LA BALANCE LE 23 OCTOBRE 1929 A 21 h 30

* LES CHIFFRES INDIQUENT LES DEGRES

DECOUVREZ DANS QUEL SIGNE SE TROUVAIENT LES PLANETES A VOTRE NAISSANCE

1930	MERCURE	VENUS	MARS	JUPITER	SATURNE	URANUS	NEPTUNE	PLUTON	LUNE *
23 SEPTEMBRE	VIERGE	SCORPION	CANCER	CANCER	CAPRICORNE	BELIER	VIERGE	CANCER	13 BALANCE
24 SEPTEMBRE	VIERGE	SCORPION	CANCER	CANCER	CAPRICORNE	BELIER	VIERGE	CANCER	28 BALANCE
25 SEPTEMBRE	VIERGE	SCORPION	CANCER	CANCER	CAPRICORNE	BELIER	VIERGE	CANCER	12 SCORPION
26 SEPTEMBRE	VIERGE	SCORPION	CANCER	CANCER	CAPRICORNE	BELIER	VIERGE	CANCER	25 SCORPION
27 SEPTEMBRE	VIERGE	SCORPION	CANCER	CANCER	CAPRICORNE	BELIER	VIERGE	CANCER	9 SAGITTAIRE
28 SEPTEMBRE	VIERGE	SCORPION	CANCER	CANCER	CAPRICORNE	BELIER	VIERGE	CANCER	21 SAGITTAIRE
29 SEPTEMBRE	VIERGE	SCORPION	CANCER	CANCER	CAPRICORNE	BELIER	VIERGE	CANCER	4 CAPRICORNE
30 SEPTEMBRE	VIERGE	SCORPION	CANCER	CANCER	CAPRICORNE	BELIER	VIERGE	CANCER	16 CAPRICORNE
1 OCTOBRE	VIERGE	SCORPION	CANCER	CANCER	CAPRICORNE	BELIER	VIERGE	CANCER	28 CAPRICORNE
2 OCTOBRE	VIERGE	SCORPION	CANCER	CANCER	CAPRICORNE	BELIER	VIERGE	CANCER	10 VERSEAU
3 OCTOBRE	VIERGE	SCORPION	CANCER	CANCER	CAPRICORNE	BELIER	VIERGE	CANCER	22 VERSEAU
4 OCTOBRE	VIERGE	SCORPION	CANCER	CANCER	CAPRICORNE	BELIER	VIERGE	CANCER	4 POISSONS
5 OCTOBRE	VIERGE	SCORPION	CANCER	CANCER	CAPRICORNE	BELIER	VIERGE	CANCER	16 POISSONS
6 OCTOBRE	VIERGE	SCORPION	CANCER	CANCER	CAPRICORNE	BELIER	VIERGE	CANCER	28 POISSONS
7 OCTOBRE	VIERGE	SCORPION	CANCER	CANCER	CAPRICORNE	BELIER	VIERGE	CANCER	10 BELIER
8 OCTOBRE	VIERGE	SCORPION	CANCER	CANCER	CAPRICORNE	BELIER	VIERGE	CANCER	22 BELIER
9 OCTOBRE	VIERGE	SCORPION	CANCER	CANCER	CAPRICORNE	BELIER	VIERGE	CANCER	5 TAUREAU
10 OCTOBRE	VIERGE	SCORPION	CANCER	CANCER	CAPRICORNE	BELIER	VIERGE	CANCER	18 TAUREAU
11 OCTOBRE	BALANCE	SCORPION	CANCER	CANCER	CAPRICORNE	BELIER	VIERGE	CANCER	0 GEMEAUX
12 OCTOBRE	BALANCE	SAGITTAIRE	CANCER	CANCER	CAPRICORNE	BELIER	VIERGE	CANCER	14 GEMEAUX
13 OCTOBRE	BALANCE	SAGITTAIRE	CANCER	CANCER	CAPRICORNE	BELIER	VIERGE	CANCER	27 GEMEAUX
14 OCTOBRE	BALANCE	SAGITTAIRE	CANCER	CANCER	CAPRICORNE	BELIER	VIERGE	CANCER	11 CANCER
15 OCTOBRE	BALANCE	SAGITTAIRE	CANCER	CANCER	CAPRICORNE	BELIER	VIERGE	CANCER	25 CANCER
16 OCTOBRE	BALANCE	SAGITTAIRE	CANCER	CANCER	CAPRICORNE	BELIER	VIERGE	CANCER	9 LION
17 OCTOBRE	BALANCE	SAGITTAIRE	CANCER	CANCER	CAPRICORNE	BELIER	VIERGE	CANCER	23 LION
18 OCTOBRE	BALANCE	SAGITTAIRE	CANCER	CANCER	CAPRICORNE	BELIER	VIERGE	CANCER	8 VIERGE
19 OCTOBRE	BALANCE	SAGITTAIRE	CANCER	CANCER	CAPRICORNE	BELIER	VIERGE	CANCER	23 VIERGE
20 OCTOBRE	BALANCE	SAGITTAIRE	CANCER	CANCER	CAPRICORNE	BELIER	VIERGE	CANCER	7 BALANCE
21 OCTOBRE	BALANCE	SAGITTAIRE	LION	CANCER	CAPRICORNE	BELIER	VIERGE	CANCER	22 BALANCE
22 OCTOBRE	BALANCE	SAGITTAIRE	LION	CANCER	CAPRICORNE	BELIER	VIERGE	CANCER	6 SCORPION
23 OCTOBRE	BALANCE	SAGITTAIRE	LION	CANCER	CAPRICORNE	BELIER	VIERGE	CANCER	20 SCORPION
24 OCTOBRE	BALANCE	SAGITTAIRE	LION	CANCER	CAPRICORNE	BELIER	VIERGE	CANCER	3 SAGITTAIRE

LE SOLEIL ENTRE DANS LE SIGNE DE LA BALANCE LE 23 SEPTEMBRE 1930 A 18 h 20
LE SOLEIL QUITTE LE SIGNE DE LA BALANCE LE 24 OCTOBRE 1930 A 3 h 15

* LES CHIFFRES INDIQUENT LES DEGRES

1931	MERCURE	VENUS	MARS	JUPITER	SATURNE	URANUS	NEPTUNE	PLUTON	LUNE *
24 SEPTEMBRE	VIERGE	BALANCE	SCORPION	LION	CAPRICORNE	BELIER	VIERGE	CANCER	5 POISSONS
25 SEPTEMBRE	VIERGE	BALANCE	SCORPION	LION	CAPRICORNE	BELIER	VIERGE	CANCER	17 POISSONS
26 SEPTEMBRE	VIERGE	BALANCE	SCORPION	LION	CAPRICORNE	BELIER	VIERGE	CANCER	29 POISSONS
27 SEPTEMBRE	VIERGE	BALANCE	SCORPION	LION	CAPRICORNE	BELIER	VIERGE	CANCER	10 BELIER
28 SEPTEMBRE	VIERGE	BALANCE	SCORPION	LION	CAPRICORNE	BELIER	VIERGE	CANCER	22 BELIER
29 SEPTEMBRE	VIERGE	BALANCE	SCORPION	LION	CAPRICORNE	BELIER	VIERGE	CANCER	4 TAUREAU
30 SEPTEMBRE	VIERGE	BALANCE	SCORPION	LION	CAPRICORNE	BELIER	VIERGE	CANCER	16 TAUREAU
1 OCTOBRE	VIERGE	BALANCE	SCORPION	LION	CAPRICORNE	BELIER	VIERGE	CANCER	28 TAUREAU
2 OCTOBRE	VIERGE	BALANCE	SCORPION	LION	CAPRICORNE	BELIER	VIERGE	CANCER	10 GEMEAUX
3 OCTOBRE	VIERGE	BALANCE	SCORPION	LION	CAPRICORNE	BELIER	VIERGE	CANCER	23 GEMEAUX
4 OCTOBRE	VIERGE	BALANCE	SCORPION	LION	CAPRICORNE	BELIER	VIERGE	CANCER	6 CANCER
5 OCTOBRE	BALANCE	BALANCE	SCORPION	LION	CAPRICORNE	BELIER	VIERGE	CANCER	19 CANCER
6 OCTOBRE	BALANCE	BALANCE	SCORPION	LION	CAPRICORNE	BELIER	VIERGE	CANCER	3 LION
7 OCTOBRE	BALANCE	BALANCE	SCORPION	LION	CAPRICORNE	BELIER	VIERGE	CANCER	17 LION
8 OCTOBRE	BALANCE	BALANCE	SCORPION	LION	CAPRICORNE	BELIER	VIERGE	CANCER	1 VIERGE
9 OCTOBRE	BALANCE	BALANCE	SCORPION	LION	CAPRICORNE	BELIER	VIERGE	CANCER	16 VIERGE
10 OCTOBRE	BALANCE	BALANCE	SCORPION	LION	CAPRICORNE	BELIER	VIERGE	CANCER	1 BALANCE
11 OCTOBRE	BALANCE	BALANCE	SCORPION	LION	CAPRICORNE	BELIER	VIERGE	CANCER	16 BALANCE
12 OCTOBRE	BALANCE	BALANCE	SCORPION	LION	CAPRICORNE	BELIER	VIERGE	CANCER	1 SCORPION
13 OCTOBRE	BALANCE	BALANCE	SCORPION	LION	CAPRICORNE	BELIER	VIERGE	CANCER	16 SCORPION
14 OCTOBRE	BALANCE	BALANCE	SCORPION	LION	CAPRICORNE	BELIER	VIERGE	CANCER	1 SAGITTAIRE
15 OCTOBRE	BALANCE	SCORPION	SCORPION	LION	CAPRICORNE	BELIER	VIERGE	CANCER	15 SAGITTAIRE
16 OCTOBRE	BALANCE	SCORPION	SCORPION	LION	CAPRICORNE	BELIER	VIERGE	CANCER	29 SAGITTAIRE
17 OCTOBRE	BALANCE	SCORPION	SCORPION	LION	CAPRICORNE	BELIER	VIERGE	CANCER	12 CAPRICORNE
18 OCTOBRE	BALANCE	SCORPION	SCORPION	LION	CAPRICORNE	BELIER	VIERGE	CANCER	25 CAPRICORNE
19 OCTOBRE	BALANCE	SCORPION	SCORPION	LION	CAPRICORNE	BELIER	VIERGE	CANCER	8 VERSEAU
20 OCTOBRE	BALANCE	SCORPION	SCORPION	LION	CAPRICORNE	BELIER	VIERGE	CANCER	20 VERSEAU
21 OCTOBRE	BALANCE	SCORPION	SCORPION	LION	CAPRICORNE	BELIER	VIERGE	CANCER	2 POISSONS
22 OCTOBRE	SCORPION	SCORPION	SCORPION	LION	CAPRICORNE	BELIER	VIERGE	CANCER	14 POISSONS
23 OCTOBRE	SCORPION	SCORPION	SCORPION	LION	CAPRICORNE	BELIER	VIERGE	CANCER	26 POISSONS
24 OCTOBRE	SCORPION	SCORPION	SCORPION	LION	CAPRICORNE	BELIER	VIERGE	CANCER	7 BELIER

LE SOLEIL ENTRE DANS LE SIGNE DE LA BALANCE LE 24 SEPTEMBRE 1931 A 0 h 15
LE SOLEIL QUITTE LE SIGNE DE LA BALANCE LE 24 OCTOBRE 1931 A 9 h 00

* LES CHIFFRES INDIQUENT LES DEGRES

DECOUVREZ DANS QUEL SIGNE SE TROUVAIENT LES PLANETES A VOTRE NAISSANCE

1932	MERCURE	VENUS	MARS	JUPITER	SATURNE	URANUS	NEPTUNE	PLUTON	LUNE *
23 SEPTEMBRE	VIERGE	LION	LION	VIERGE	CAPRICORNE	BELIER	VIERGE	CANCER	5 CANCER
24 SEPTEMBRE	VIERGE	LION	LION	VIERGE	CAPRICORNE	BELIER	VIERGE	CANCER	18 CANCER
25 SEPTEMBRE	VIERGE	LION	LION	VIERGE	CAPRICORNE	BELIER	VIERGE	CANCER	0 LION
26 SEPTEMBRE	BALANCE	LION	LION	VIERGE	CAPRICORNE	BELIER	VIERGE	CANCER	14 LION
27 SEPTEMBRE	BALANCE	LION	LION	VIERGE	CAPRICORNE	BELIER	VIERGE	CANCER	27 LION
28 SEPTEMBRE	BALANCE	LION	LION	VIERGE	CAPRICORNE	BELIER	VIERGE	CANCER	11 VIERGE
29 SEPTEMBRE	BALANCE	LION	LION	VIERGE	CAPRICORNE	BELIER	VIERGE	CANCER	26 VIERGE
30 SEPTEMBRE	BALANCE	LION	LION	VIERGE	CAPRICORNE	BELIER	VIERGE	CANCER	11 BALANCE
1 OCTOBRE	BALANCE	LION	LION	VIERGE	CAPRICORNE	BELIER	VIERGE	CANCER	25 BALANCE
2 OCTOBRE	BALANCE	LION	LION	VIERGE	CAPRICORNE	BELIER	VIERGE	CANCER	10 SCORPION
3 OCTOBRE	BALANCE	LION	LION	VIERGE	CAPRICORNE	BELIER	VIERGE	CANCER	25 SCORPION
4 OCTOBRE	BALANCE	LION	LION	VIERGE	CAPRICORNE	BELIER	VIERGE	CANCER	10 SAGITTAIRE
5 OCTOBRE	BALANCE	LION	LION	VIERGE	CAPRICORNE	BELIER	VIERGE	CANCER	24 SAGITTAIRE
6 OCTOBRE	BALANCE	LION	LION	VIERGE	CAPRICORNE	BELIER	VIERGE	CANCER	8 CAPRICORNE
7 OCTOBRE	BALANCE	VIERGE	LION	VIERGE	CAPRICORNE	BELIER	VIERGE	CANCER	22 CAPRICORNE
8 OCTOBRE	BALANCE	VIERGE	LION	VIERGE	CAPRICORNE	BELIER	VIERGE	CANCER	5 VERSEAU
9 OCTOBRE	BALANCE	VIERGE	LION	VIERGE	CAPRICORNE	BELIER	VIERGE	CANCER	18 VERSEAU
10 OCTOBRE	BALANCE	VIERGE	LION	VIERGE	CAPRICORNE	BELIER	VIERGE	CANCER	1 POISSONS
11 OCTOBRE	BALANCE	VIERGE	LION	VIERGE	CAPRICORNE	BELIER	VIERGE	CANCER	13 POISSONS
12 OCTOBRE	BALANCE	VIERGE	LION	VIERGE	CAPRICORNE	BELIER	VIERGE	CANCER	26 POISSONS
13 OCTOBRE	BALANCE	VIERGE	LION	VIERGE	CAPRICORNE	BELIER	VIERGE	CANCER	8 BELIER
14 OCTOBRE	SCORPION	VIERGE	LION	VIERGE	CAPRICORNE	BELIER	VIERGE	CANCER	20 BELIER
15 OCTOBRE	SCORPION	VIERGE	LION	VIERGE	CAPRICORNE	BELIER	VIERGE	CANCER	2 TAUREAU
16 OCTOBRE	SCORPION	VIERGE	LION	VIERGE	CAPRICORNE	BELIER	VIERGE	CANCER	14 TAUREAU
17 OCTOBRE	SCORPION	VIERGE	LION	VIERGE	CAPRICORNE	BELIER	VIERGE	CANCER	26 TAUREAU
18 OCTOBRE	SCORPION	VIERGE	LION	VIERGE	CAPRICORNE	BELIER	VIERGE	CANCER	8 GEMEAUX
19 OCTOBRE	SCORPION	VIERGE	LION	VIERGE	CAPRICORNE	BELIER	VIERGE	CANCER	19 GEMEAUX
20 OCTOBRE	SCORPION	VIERGE	LION	VIERGE	CAPRICORNE	BELIER	VIERGE	CANCER	1 CANCER
21 OCTOBRE	SCORPION	VIERGE	LION	VIERGE	CAPRICORNE	BELIER	VIERGE	CANCER	14 CANCER
22 OCTOBRE	SCORPION	VIERGE	LION	VIERGE	CAPRICORNE	BELIER	VIERGE	CANCER	26 CANCER
23 OCTOBRE	SCORPION	VIERGE	LION	VIERGE	CAPRICORNE	BELIER	VIERGE	CANCER	9 LION

ENTRE DANS LE SIGNE DE LA — LE 23 SEPTEMBRE — A 6 h 00
LE SOLEIL — BALANCE — 1932 — * LES CHIFFRES INDIQUENT LES DEGRES
QUITTE LE SIGNE DE LA — LE 23 OCTOBRE — A 14 h 50

1933	MERCURE	VENUS	MARS	JUPITER	SATURNE	URANUS	NEPTUNE	PLUTON	LUNE *
23 SEPTEMBRE	BALANCE	SCORPION	SCORPION	BALANCE	VERSEAU	BELIER	VIERGE	CANCER	18 SCORPION
24 SEPTEMBRE	BALANCE	SCORPION	SCORPION	BALANCE	VERSEAU	BELIER	VIERGE	CANCER	2 SAGITTAIRE
25 SEPTEMBRE	BALANCE	SCORPION	SCORPION	BALANCE	VERSEAU	BELIER	VIERGE	CANCER	16 SAGITTAIRE
26 SEPTEMBRE	BALANCE	SCORPION	SCORPION	BALANCE	VERSEAU	BELIER	VIERGE	CANCER	1 CAPRICORNE
27 SEPTEMBRE	BALANCE	SCORPION	SCORPION	BALANCE	VERSEAU	BELIER	VIERGE	CANCER	15 CAPRICORNE
28 SEPTEMBRE	BALANCE	SCORPION	SCORPION	BALANCE	VERSEAU	BELIER	VIERGE	CANCER	29 CAPRICORNE
29 SEPTEMBRE	BALANCE	SCORPION	SCORPION	BALANCE	VERSEAU	BELIER	VIERGE	CANCER	13 VERSEAU
30 SEPTEMBRE	BALANCE	SCORPION	SCORPION	BALANCE	VERSEAU	BELIER	VIERGE	CANCER	27 VERSEAU
1 OCTOBRE	BALANCE	SCORPION	SCORPION	BALANCE	VERSEAU	BELIER	VIERGE	CANCER	10 POISSONS
2 OCTOBRE	BALANCE	SCORPION	SCORPION	BALANCE	VERSEAU	BELIER	VIERGE	CANCER	24 POISSONS
3 OCTOBRE	BALANCE	SCORPION	SCORPION	BALANCE	VERSEAU	BELIER	VIERGE	CANCER	7 BELIER
4 OCTOBRE	BALANCE	SCORPION	SCORPION	BALANCE	VERSEAU	BELIER	VIERGE	CANCER	20 BELIER
5 OCTOBRE	BALANCE	SCORPION	SCORPION	BALANCE	VERSEAU	BELIER	VIERGE	CANCER	3 TAUREAU
6 OCTOBRE	BALANCE	SCORPION	SCORPION	BALANCE	VERSEAU	BELIER	VIERGE	CANCER	15 TAUREAU
7 OCTOBRE	SCORPION	SCORPION	SCORPION	BALANCE	VERSEAU	BELIER	VIERGE	CANCER	27 TAUREAU
8 OCTOBRE	SCORPION	SCORPION	SCORPION	BALANCE	VERSEAU	BELIER	VIERGE	CANCER	10 GEMEAUX
9 OCTOBRE	SCORPION	SCORPION	SAGITTAIRE	BALANCE	VERSEAU	BELIER	VIERGE	CANCER	22 GEMEAUX
10 OCTOBRE	SCORPION	SCORPION	SAGITTAIRE	BALANCE	VERSEAU	BELIER	VIERGE	CANCER	3 CANCER
11 OCTOBRE	SCORPION	SAGITTAIRE	SAGITTAIRE	BALANCE	VERSEAU	BELIER	VIERGE	CANCER	15 CANCER
12 OCTOBRE	SCORPION	SAGITTAIRE	SAGITTAIRE	BALANCE	VERSEAU	BELIER	VIERGE	CANCER	27 CANCER
13 OCTOBRE	SCORPION	SAGITTAIRE	SAGITTAIRE	BALANCE	VERSEAU	BELIER	VIERGE	CANCER	9 LION
14 OCTOBRE	SCORPION	SAGITTAIRE	SAGITTAIRE	BALANCE	VERSEAU	BELIER	VIERGE	CANCER	22 LION
15 OCTOBRE	SCORPION	SAGITTAIRE	SAGITTAIRE	BALANCE	VERSEAU	BELIER	VIERGE	CANCER	4 VIERGE
16 OCTOBRE	SCORPION	SAGITTAIRE	SAGITTAIRE	BALANCE	VERSEAU	BELIER	VIERGE	CANCER	17 VIERGE
17 OCTOBRE	SCORPION	SAGITTAIRE	SAGITTAIRE	BALANCE	VERSEAU	BELIER	VIERGE	CANCER	1 BALANCE
18 OCTOBRE	SCORPION	SAGITTAIRE	SAGITTAIRE	BALANCE	VERSEAU	BELIER	VIERGE	CANCER	15 BALANCE
19 OCTOBRE	SCORPION	SAGITTAIRE	SAGITTAIRE	BALANCE	VERSEAU	BELIER	VIERGE	CANCER	29 BALANCE
20 OCTOBRE	SCORPION	SAGITTAIRE	SAGITTAIRE	BALANCE	VERSEAU	BELIER	VIERGE	CANCER	13 SCORPION
21 OCTOBRE	SCORPION	SAGITTAIRE	SAGITTAIRE	BALANCE	VERSEAU	BELIER	VIERGE	CANCER	28 SCORPION
22 OCTOBRE	SCORPION	SAGITTAIRE	SAGITTAIRE	BALANCE	VERSEAU	BELIER	VIERGE	CANCER	13 SAGITTAIRE
23 OCTOBRE	SCORPION	SAGITTAIRE	SAGITTAIRE	BALANCE	VERSEAU	BELIER	VIERGE	CANCER	27 SAGITTAIRE

ENTRE DANS LE SIGNE DE LA — LE 23 SEPTEMBRE — A 11 h 45
LE SOLEIL — BALANCE — 1933 — * LES CHIFFRES INDIQUENT LES DEGRES
QUITTE LE SIGNE DE LA — LE 23 OCTOBRE — A 20 h 30

DECOUVREZ DANS QUEL SIGNE SE TROUVAIENT LES PLANETES A VOTRE NAISSANCE

1934	MERCURE	VENUS	MARS	JUPITER	SATURNE	URANUS	NEPTUNE	PLUTON	LUNE *
23 SEPTEMBRE	BALANCE	VIERGE	LION	BALANCE	VERSEAU	TAUREAU	VIERGE	CANCER	4 BELIER
24 SEPTEMBRE	BALANCE	VIERGE	LION	BALANCE	VERSEAU	TAUREAU	VIERGE	CANCER	18 BELIER
25 SEPTEMBRE	BALANCE	VIERGE	LION	BALANCE	VERSEAU	TAUREAU	VIERGE	CANCER	2 TAUREAU
26 SEPTEMBRE	BALANCE	VIERGE	LION	BALANCE	VERSEAU	TAUREAU	VIERGE	CANCER	16 TAUREAU
27 SEPTEMBRE	BALANCE	VIERGE	LION	BALANCE	VERSEAU	TAUREAU	VIERGE	CANCER	29 TAUREAU
28 SEPTEMBRE	BALANCE	VIERGE	LION	BALANCE	VERSEAU	TAUREAU	VIERGE	CANCER	12 GEMEAUX
29 SEPTEMBRE	BALANCE	VIERGE	LION	BALANCE	VERSEAU	TAUREAU	VIERGE	CANCER	24 GEMEAUX
30 SEPTEMBRE	BALANCE	VIERGE	LION	BALANCE	VERSEAU	TAUREAU	VIERGE	CANCER	6 CANCER
1 OCTOBRE	SCORPION	VIERGE	LION	BALANCE	VERSEAU	TAUREAU	VIERGE	CANCER	18 CANCER
2 OCTOBRE	SCORPION	VIERGE	LION	BALANCE	VERSEAU	TAUREAU	VIERGE	CANCER	0 LION
3 OCTOBRE	SCORPION	VIERGE	LION	BALANCE	VERSEAU	TAUREAU	VIERGE	CANCER	12 LION
4 OCTOBRE	SCORPION	VIERGE	LION	BALANCE	VERSEAU	TAUREAU	VIERGE	CANCER	23 LION
5 OCTOBRE	SCORPION	BALANCE	LION	BALANCE	VERSEAU	TAUREAU	VIERGE	CANCER	5 VIERGE
6 OCTOBRE	SCORPION	BALANCE	LION	BALANCE	VERSEAU	TAUREAU	VIERGE	CANCER	18 VIERGE
7 OCTOBRE	SCORPION	BALANCE	LION	BALANCE	VERSEAU	TAUREAU	VIERGE	CANCER	0 BALANCE
8 OCTOBRE	SCORPION	BALANCE	LION	BALANCE	VERSEAU	TAUREAU	VIERGE	CANCER	13 BALANCE
9 OCTOBRE	SCORPION	BALANCE	LION	BALANCE	VERSEAU	TAUREAU	VIERGE	CANCER	26 BALANCE
10 OCTOBRE	SCORPION	BALANCE	LION	BALANCE	VERSEAU	BELIER	VIERGE	CANCER	9 SCORPION
11 OCTOBRE	SCORPION	BALANCE	LION	SCORPION	VERSEAU	BELIER	VIERGE	CANCER	22 SCORPION
12 OCTOBRE	SCORPION	BALANCE	LION	SCORPION	VERSEAU	BELIER	VIERGE	CANCER	6 SAGITTAIRE
13 OCTOBRE	SCORPION	BALANCE	LION	SCORPION	VERSEAU	BELIER	VIERGE	CANCER	19 SAGITTAIRE
14 OCTOBRE	SCORPION	BALANCE	LION	SCORPION	VERSEAU	BELIER	VIERGE	CANCER	3 CAPRICORNE
15 OCTOBRE	SCORPION	BALANCE	LION	SCORPION	VERSEAU	BELIER	VIERGE	CANCER	17 CAPRICORNE
16 OCTOBRE	SCORPION	BALANCE	LION	SCORPION	VERSEAU	BELIER	VIERGE	CANCER	1 VERSEAU
17 OCTOBRE	SCORPION	BALANCE	LION	SCORPION	VERSEAU	BELIER	VIERGE	CANCER	15 VERSEAU
18 OCTOBRE	SCORPION	BALANCE	VIERGE	SCORPION	VERSEAU	BELIER	VIERGE	CANCER	0 POISSONS
19 OCTOBRE	SCORPION	BALANCE	VIERGE	SCORPION	VERSEAU	BELIER	VIERGE	CANCER	14 POISSONS
20 OCTOBRE	SCORPION	BALANCE	VIERGE	SCORPION	VERSEAU	BELIER	VIERGE	CANCER	28 POISSONS
21 OCTOBRE	SCORPION	BALANCE	VIERGE	SCORPION	VERSEAU	BELIER	VIERGE	CANCER	12 BELIER
22 OCTOBRE	SCORPION	BALANCE	VIERGE	SCORPION	VERSEAU	BELIER	VIERGE	CANCER	26 BELIER
23 OCTOBRE	SCORPION	BALANCE	VIERGE	SCORPION	VERSEAU	BELIER	VIERGE	CANCER	10 TAUREAU
24 OCTOBRE	SCORPION	BALANCE	VIERGE	SCORPION	VERSEAU	BELIER	VIERGE	CANCER	23 TAUREAU

LE SOLEIL ENTRE DANS LE SIGNE DE LA BALANCE LE 23 SEPTEMBRE 1934 A 17 h 30
LE SOLEIL QUITTE LE SIGNE DE LA BALANCE LE 24 OCTOBRE 1934 A 2 h 20

* LES CHIFFRES INDIQUENT LES DEGRES

1935	MERCURE	VENUS	MARS	JUPITER	SATURNE	URANUS	NEPTUNE	PLUTON	LUNE *
23 SEPTEMBRE	BALANCE	VIERGE	SAGITTAIRE	SCORPION	POISSONS	TAUREAU	VIERGE	CANCER	13 LION
24 SEPTEMBRE	BALANCE	VIERGE	SAGITTAIRE	SCORPION	POISSONS	TAUREAU	VIERGE	CANCER	25 LION
25 SEPTEMBRE	BALANCE	VIERGE	SAGITTAIRE	SCORPION	POISSONS	TAUREAU	VIERGE	CANCER	7 VIERGE
26 SEPTEMBRE	BALANCE	VIERGE	SAGITTAIRE	SCORPION	POISSONS	TAUREAU	VIERGE	CANCER	19 VIERGE
27 SEPTEMBRE	BALANCE	VIERGE	SAGITTAIRE	SCORPION	POISSONS	TAUREAU	VIERGE	CANCER	1 BALANCE
28 SEPTEMBRE	BALANCE	VIERGE	SAGITTAIRE	SCORPION	POISSONS	TAUREAU	VIERGE	CANCER	13 BALANCE
29 SEPTEMBRE	SCORPION	VIERGE	SAGITTAIRE	SCORPION	POISSONS	TAUREAU	VIERGE	CANCER	25 BALANCE
30 SEPTEMBRE	SCORPION	VIERGE	SAGITTAIRE	SCORPION	POISSONS	TAUREAU	VIERGE	CANCER	7 SCORPION
1 OCTOBRE	SCORPION	VIERGE	SAGITTAIRE	SCORPION	POISSONS	TAUREAU	VIERGE	CANCER	19 SCORPION
2 OCTOBRE	SCORPION	VIERGE	SAGITTAIRE	SCORPION	POISSONS	TAUREAU	VIERGE	CANCER	1 SAGITTAIRE
3 OCTOBRE	SCORPION	VIERGE	SAGITTAIRE	SCORPION	POISSONS	TAUREAU	VIERGE	CANCER	14 SAGITTAIRE
4 OCTOBRE	SCORPION	VIERGE	SAGITTAIRE	SCORPION	POISSONS	TAUREAU	VIERGE	CANCER	27 SAGITTAIRE
5 OCTOBRE	SCORPION	VIERGE	SAGITTAIRE	SCORPION	POISSONS	TAUREAU	VIERGE	CANCER	10 CAPRICORNE
6 OCTOBRE	SCORPION	VIERGE	SAGITTAIRE	SCORPION	POISSONS	TAUREAU	VIERGE	CANCER	24 CAPRICORNE
7 OCTOBRE	SCORPION	VIERGE	SAGITTAIRE	SCORPION	POISSONS	TAUREAU	VIERGE	CANCER	8 VERSEAU
8 OCTOBRE	SCORPION	VIERGE	SAGITTAIRE	SCORPION	POISSONS	TAUREAU	VIERGE	CANCER	22 VERSEAU
9 OCTOBRE	SCORPION	VIERGE	SAGITTAIRE	SCORPION	POISSONS	TAUREAU	VIERGE	CANCER	7 POISSONS
10 OCTOBRE	SCORPION	VIERGE	SAGITTAIRE	SCORPION	POISSONS	TAUREAU	VIERGE	CANCER	22 POISSONS
11 OCTOBRE	SCORPION	VIERGE	SAGITTAIRE	SCORPION	POISSONS	TAUREAU	VIERGE	CANCER	7 BELIER
12 OCTOBRE	SCORPION	VIERGE	SAGITTAIRE	SCORPION	POISSONS	TAUREAU	VIERGE	CANCER	22 BELIER
13 OCTOBRE	BALANCE	VIERGE	SAGITTAIRE	SCORPION	POISSONS	TAUREAU	VIERGE	CANCER	7 TAUREAU
14 OCTOBRE	BALANCE	VIERGE	SAGITTAIRE	SCORPION	POISSONS	TAUREAU	VIERGE	CANCER	22 TAUREAU
15 OCTOBRE	BALANCE	VIERGE	SAGITTAIRE	SCORPION	POISSONS	TAUREAU	VIERGE	CANCER	6 GEMEAUX
16 OCTOBRE	BALANCE	VIERGE	SAGITTAIRE	SCORPION	POISSONS	TAUREAU	VIERGE	CANCER	20 GEMEAUX
17 OCTOBRE	BALANCE	VIERGE	SAGITTAIRE	SCORPION	POISSONS	TAUREAU	VIERGE	CANCER	3 CANCER
18 OCTOBRE	BALANCE	VIERGE	SAGITTAIRE	SCORPION	POISSONS	TAUREAU	VIERGE	CANCER	15 CANCER
19 OCTOBRE	BALANCE	VIERGE	SAGITTAIRE	SCORPION	POISSONS	TAUREAU	VIERGE	CANCER	28 CANCER
20 OCTOBRE	BALANCE	VIERGE	SAGITTAIRE	SCORPION	POISSONS	TAUREAU	VIERGE	CANCER	10 LION
21 OCTOBRE	BALANCE	VIERGE	SAGITTAIRE	SCORPION	POISSONS	TAUREAU	VIERGE	CANCER	22 LION
22 OCTOBRE	BALANCE	VIERGE	SAGITTAIRE	SCORPION	POISSONS	TAUREAU	VIERGE	CANCER	4 VIERGE
23 OCTOBRE	BALANCE	VIERGE	SAGITTAIRE	SCORPION	POISSONS	TAUREAU	VIERGE	CANCER	16 VIERGE
24 OCTOBRE	BALANCE	VIERGE	SAGITTAIRE	SCORPION	POISSONS	TAUREAU	VIERGE	CANCER	27 VIERGE

LE SOLEIL ENTRE DANS LE SIGNE DE LA BALANCE LE 23 SEPTEMBRE 1935 A 23 h 30
LE SOLEIL QUITTE LE SIGNE DE LA BALANCE LE 24 OCTOBRE 1935 A 8 h 15

* LES CHIFFRES INDIQUENT LES DEGRES

DECOUVREZ DANS QUEL SIGNE SE TROUVAIENT LES PLANETES A VOTRE NAISSANCE

1936	MERCURE	VENUS	MARS	JUPITER	SATURNE	URANUS	NEPTUNE	PLUTON	LUNE *
23 SEPTEMBRE	BALANCE	BALANCE	LION	SAGITTAIRE	POISSONS	TAUREAU	VIERGE	CANCER	25 SAGITTAIRE
24 SEPTEMBRE	BALANCE	BALANCE	LION	SAGITTAIRE	POISSONS	TAUREAU	VIERGE	CANCER	8 CAPRICORNE
25 SEPTEMBRE	BALANCE	BALANCE	LION	SAGITTAIRE	POISSONS	TAUREAU	VIERGE	CANCER	20 CAPRICORNE
26 SEPTEMBRE	BALANCE	BALANCE	LION	SAGITTAIRE	POISSONS	TAUREAU	VIERGE	CANCER	4 VERSEAU
27 SEPTEMBRE	BALANCE	BALANCE	VIERGE	SAGITTAIRE	POISSONS	TAUREAU	VIERGE	CANCER	17 VERSEAU
28 SEPTEMBRE	BALANCE	BALANCE	VIERGE	SAGITTAIRE	POISSONS	TAUREAU	VIERGE	CANCER	2 POISSONS
29 SEPTEMBRE	BALANCE	SCORPION	VIERGE	SAGITTAIRE	POISSONS	TAUREAU	VIERGE	CANCER	16 POISSONS
30 SEPTEMBRE	BALANCE	SCORPION	VIERGE	SAGITTAIRE	POISSONS	TAUREAU	VIERGE	CANCER	1 BELIER
1 OCTOBRE	BALANCE	SCORPION	VIERGE	SAGITTAIRE	POISSONS	TAUREAU	VIERGE	CANCER	17 BELIER
2 OCTOBRE	BALANCE	SCORPION	VIERGE	SAGITTAIRE	POISSONS	TAUREAU	VIERGE	CANCER	2 TAUREAU
3 OCTOBRE	BALANCE	SCORPION	VIERGE	SAGITTAIRE	POISSONS	TAUREAU	VIERGE	CANCER	17 TAUREAU
4 OCTOBRE	BALANCE	SCORPION	VIERGE	SAGITTAIRE	POISSONS	TAUREAU	VIERGE	CANCER	2 GEMEAUX
5 OCTOBRE	BALANCE	SCORPION	VIERGE	SAGITTAIRE	POISSONS	TAUREAU	VIERGE	CANCER	16 GEMEAUX
6 OCTOBRE	BALANCE	SCORPION	VIERGE	SAGITTAIRE	POISSONS	TAUREAU	VIERGE	CANCER	0 CANCER
7 OCTOBRE	BALANCE	SCORPION	VIERGE	SAGITTAIRE	POISSONS	TAUREAU	VIERGE	CANCER	13 CANCER
8 OCTOBRE	BALANCE	SCORPION	VIERGE	SAGITTAIRE	POISSONS	TAUREAU	VIERGE	CANCER	27 CANCER
9 OCTOBRE	BALANCE	SCORPION	VIERGE	SAGITTAIRE	POISSONS	TAUREAU	VIERGE	CANCER	9 LION
10 OCTOBRE	BALANCE	SCORPION	VIERGE	SAGITTAIRE	POISSONS	TAUREAU	VIERGE	CANCER	22 LION
11 OCTOBRE	BALANCE	SCORPION	VIERGE	SAGITTAIRE	POISSONS	TAUREAU	VIERGE	CANCER	4 VIERGE
12 OCTOBRE	BALANCE	SCORPION	VIERGE	SAGITTAIRE	POISSONS	TAUREAU	VIERGE	CANCER	16 VIERGE
13 OCTOBRE	BALANCE	SCORPION	VIERGE	SAGITTAIRE	POISSONS	TAUREAU	VIERGE	CANCER	28 VIERGE
14 OCTOBRE	BALANCE	SCORPION	VIERGE	SAGITTAIRE	POISSONS	TAUREAU	VIERGE	CANCER	10 BALANCE
15 OCTOBRE	BALANCE	SCORPION	VIERGE	SAGITTAIRE	POISSONS	TAUREAU	VIERGE	CANCER	22 BALANCE
16 OCTOBRE	BALANCE	SCORPION	VIERGE	SAGITTAIRE	POISSONS	TAUREAU	VIERGE	CANCER	4 SCORPION
17 OCTOBRE	BALANCE	SCORPION	VIERGE	SAGITTAIRE	POISSONS	TAUREAU	VIERGE	CANCER	16 SCORPION
18 OCTOBRE	BALANCE	SCORPION	VIERGE	SAGITTAIRE	POISSONS	TAUREAU	VIERGE	CANCER	28 SCORPION
19 OCTOBRE	BALANCE	SCORPION	VIERGE	SAGITTAIRE	POISSONS	TAUREAU	VIERGE	CANCER	10 SAGITTAIRE
20 OCTOBRE	BALANCE	SCORPION	VIERGE	SAGITTAIRE	POISSONS	TAUREAU	VIERGE	CANCER	22 SAGITTAIRE
21 OCTOBRE	BALANCE	SCORPION	VIERGE	SAGITTAIRE	POISSONS	TAUREAU	VIERGE	CANCER	4 CAPRICORNE
22 OCTOBRE	BALANCE	SCORPION	VIERGE	SAGITTAIRE	POISSONS	TAUREAU	VIERGE	CANCER	16 CAPRICORNE
23 OCTOBRE	BALANCE	SAGITTAIRE	VIERGE	SAGITTAIRE	POISSONS	TAUREAU	VIERGE	CANCER	29 CAPRICORNE

LE SOLEIL ENTRE DANS LE SIGNE DE LA BALANCE LE 23 SEPTEMBRE 1936 A 5 h 15
QUITTE LE SIGNE DE LA BALANCE LE 23 OCTOBRE 1936 A 14 h 00

* LES CHIFFRES INDIQUENT LES DEGRES

1937	MERCURE	VENUS	MARS	JUPITER	SATURNE	URANUS	NEPTUNE	PLUTON	LUNE *
23 SEPTEMBRE	VIERGE	LION	SAGITTAIRE	CAPRICORNE	BELIER	TAUREAU	VIERGE	CANCER	10 TAUREAU
24 SEPTEMBRE	VIERGE	LION	SAGITTAIRE	CAPRICORNE	BELIER	TAUREAU	VIERGE	CANCER	24 TAUREAU
25 SEPTEMBRE	VIERGE	VIERGE	SAGITTAIRE	CAPRICORNE	BELIER	TAUREAU	VIERGE	CANCER	9 GEMEAUX
26 SEPTEMBRE	VIERGE	VIERGE	SAGITTAIRE	CAPRICORNE	BELIER	TAUREAU	VIERGE	CANCER	23 GEMEAUX
27 SEPTEMBRE	VIERGE	VIERGE	SAGITTAIRE	CAPRICORNE	BELIER	TAUREAU	VIERGE	CANCER	7 CANCER
28 SEPTEMBRE	VIERGE	VIERGE	SAGITTAIRE	CAPRICORNE	BELIER	TAUREAU	VIERGE	CANCER	21 CANCER
29 SEPTEMBRE	VIERGE	VIERGE	SAGITTAIRE	CAPRICORNE	BELIER	TAUREAU	VIERGE	CANCER	5 LION
30 SEPTEMBRE	VIERGE	VIERGE	CAPRICORNE	CAPRICORNE	BELIER	TAUREAU	VIERGE	CANCER	18 LION
1 OCTOBRE	VIERGE	VIERGE	CAPRICORNE	CAPRICORNE	BELIER	TAUREAU	VIERGE	CANCER	2 VIERGE
2 OCTOBRE	VIERGE	VIERGE	CAPRICORNE	CAPRICORNE	BELIER	TAUREAU	VIERGE	CANCER	15 VIERGE
3 OCTOBRE	VIERGE	VIERGE	CAPRICORNE	CAPRICORNE	BELIER	TAUREAU	VIERGE	CANCER	28 VIERGE
4 OCTOBRE	VIERGE	VIERGE	CAPRICORNE	CAPRICORNE	BELIER	TAUREAU	VIERGE	CANCER	11 BALANCE
5 OCTOBRE	VIERGE	VIERGE	CAPRICORNE	CAPRICORNE	BELIER	TAUREAU	VIERGE	CANCER	23 BALANCE
6 OCTOBRE	VIERGE	VIERGE	CAPRICORNE	CAPRICORNE	BELIER	TAUREAU	VIERGE	CANCER	5 SCORPION
7 OCTOBRE	VIERGE	VIERGE	CAPRICORNE	CAPRICORNE	BELIER	TAUREAU	VIERGE	CANCER	17 SCORPION
8 OCTOBRE	BALANCE	VIERGE	CAPRICORNE	CAPRICORNE	BELIER	TAUREAU	VIERGE	CANCER	29 SCORPION
9 OCTOBRE	BALANCE	VIERGE	CAPRICORNE	CAPRICORNE	BELIER	TAUREAU	VIERGE	LION	11 SAGITTAIRE
10 OCTOBRE	BALANCE	VIERGE	CAPRICORNE	CAPRICORNE	BELIER	TAUREAU	VIERGE	LION	23 SAGITTAIRE
11 OCTOBRE	BALANCE	VIERGE	CAPRICORNE	CAPRICORNE	BELIER	TAUREAU	VIERGE	LION	5 CAPRICORNE
12 OCTOBRE	BALANCE	VIERGE	CAPRICORNE	CAPRICORNE	BELIER	TAUREAU	VIERGE	LION	17 CAPRICORNE
13 OCTOBRE	BALANCE	VIERGE	CAPRICORNE	CAPRICORNE	BELIER	TAUREAU	VIERGE	LION	29 CAPRICORNE
14 OCTOBRE	BALANCE	VIERGE	CAPRICORNE	CAPRICORNE	BELIER	TAUREAU	VIERGE	LION	11 VERSEAU
15 OCTOBRE	BALANCE	VIERGE	CAPRICORNE	CAPRICORNE	BELIER	TAUREAU	VIERGE	LION	24 VERSEAU
16 OCTOBRE	BALANCE	VIERGE	CAPRICORNE	CAPRICORNE	BELIER	TAUREAU	VIERGE	LION	7 POISSONS
17 OCTOBRE	BALANCE	VIERGE	CAPRICORNE	CAPRICORNE	BELIER	TAUREAU	VIERGE	LION	21 POISSONS
18 OCTOBRE	BALANCE	VIERGE	CAPRICORNE	CAPRICORNE	POISSONS	TAUREAU	VIERGE	LION	5 BELIER
19 OCTOBRE	BALANCE	VIERGE	CAPRICORNE	CAPRICORNE	POISSONS	TAUREAU	VIERGE	LION	20 BELIER
20 OCTOBRE	BALANCE	BALANCE	CAPRICORNE	CAPRICORNE	POISSONS	TAUREAU	VIERGE	LION	4 TAUREAU
21 OCTOBRE	BALANCE	BALANCE	CAPRICORNE	CAPRICORNE	POISSONS	TAUREAU	VIERGE	LION	19 TAUREAU
22 OCTOBRE	BALANCE	BALANCE	CAPRICORNE	CAPRICORNE	POISSONS	TAUREAU	VIERGE	LION	4 GEMEAUX
23 OCTOBRE	BALANCE	BALANCE	CAPRICORNE	CAPRICORNE	POISSONS	TAUREAU	VIERGE	LION	19 GEMEAUX

LE SOLEIL ENTRE DANS LE SIGNE DE LA BALANCE LE 23 SEPTEMBRE 1937 A 11 h 00
QUITTE LE SIGNE DE LA BALANCE LE 23 OCTOBRE 1937 A 20 h 00

* LES CHIFFRES INDIQUENT LES DEGRES

DECOUVREZ DANS QUEL SIGNE SE TROUVAIENT LES PLANETES A VOTRE NAISSANCE

1938	MERCURE	VENUS	MARS	JUPITER	SATURNE	URANUS	NEPTUNE	PLUTON	LUNE *
23 SEPTEMBRE	VIERGE	SCORPION	VIERGE	VERSEAU	BELIER	TAUREAU	VIERGE	LION	25 VIERGE
24 SEPTEMBRE	VIERGE	SCORPION	VIERGE	VERSEAU	BELIER	TAUREAU	VIERGE	LION	9 BALANCE
25 SEPTEMBRE	VIERGE	SCORPION	VIERGE	VERSEAU	BELIER	TAUREAU	VIERGE	LION	22 BALANCE
26 SEPTEMBRE	VIERGE	SCORPION	VIERGE	VERSEAU	BELIER	TAUREAU	VIERGE	LION	6 SCORPION
27 SEPTEMBRE	VIERGE	SCORPION	VIERGE	VERSEAU	BELIER	TAUREAU	VIERGE	LION	19 SCORPION
28 SEPTEMBRE	VIERGE	SCORPION	VIERGE	VERSEAU	BELIER	TAUREAU	VIERGE	LION	1 SAGITTAIRE
29 SEPTEMBRE	VIERGE	SCORPION	VIERGE	VERSEAU	BELIER	TAUREAU	VIERGE	LION	13 SAGITTAIRE
30 SEPTEMBRE	VIERGE	SCORPION	VIERGE	VERSEAU	BELIER	TAUREAU	VIERGE	LION	26 SAGITTAIRE
1 OCTOBRE	BALANCE	SCORPION	VIERGE	VERSEAU	BELIER	TAUREAU	VIERGE	LION	7 CAPRICORNE
2 OCTOBRE	BALANCE	SCORPION	VIERGE	VERSEAU	BELIER	TAUREAU	VIERGE	LION	19 CAPRICORNE
3 OCTOBRE	BALANCE	SCORPION	VIERGE	VERSEAU	BELIER	TAUREAU	VIERGE	LION	1 VERSEAU
4 OCTOBRE	BALANCE	SCORPION	VIERGE	VERSEAU	BELIER	TAUREAU	VIERGE	LION	13 VERSEAU
5 OCTOBRE	BALANCE	SCORPION	VIERGE	VERSEAU	BELIER	TAUREAU	VIERGE	LION	25 VERSEAU
6 OCTOBRE	BALANCE	SCORPION	VIERGE	VERSEAU	BELIER	TAUREAU	VIERGE	LION	8 POISSONS
7 OCTOBRE	BALANCE	SCORPION	VIERGE	VERSEAU	BELIER	TAUREAU	VIERGE	LION	20 POISSONS
8 OCTOBRE	BALANCE	SCORPION	VIERGE	VERSEAU	BELIER	TAUREAU	VIERGE	LION	3 BELIER
9 OCTOBRE	BALANCE	SCORPION	VIERGE	VERSEAU	BELIER	TAUREAU	VIERGE	LION	16 BELIER
10 OCTOBRE	BALANCE	SCORPION	VIERGE	VERSEAU	BELIER	TAUREAU	VIERGE	LION	0 TAUREAU
11 OCTOBRE	BALANCE	SCORPION	VIERGE	VERSEAU	BELIER	TAUREAU	VIERGE	LION	13 TAUREAU
12 OCTOBRE	BALANCE	SCORPION	VIERGE	VERSEAU	BELIER	TAUREAU	VIERGE	LION	27 TAUREAU
13 OCTOBRE	BALANCE	SCORPION	VIERGE	VERSEAU	BELIER	TAUREAU	VIERGE	LION	11 GEMEAUX
14 OCTOBRE	BALANCE	SAGITTAIRE	VIERGE	VERSEAU	BELIER	TAUREAU	VIERGE	LION	25 GEMEAUX
15 OCTOBRE	BALANCE	SAGITTAIRE	VIERGE	VERSEAU	BELIER	TAUREAU	VIERGE	LION	9 CANCER
16 OCTOBRE	BALANCE	SAGITTAIRE	VIERGE	VERSEAU	BELIER	TAUREAU	VIERGE	LION	24 CANCER
17 OCTOBRE	BALANCE	SAGITTAIRE	VIERGE	VERSEAU	BELIER	TAUREAU	VIERGE	LION	8 LION
18 OCTOBRE	BALANCE	SAGITTAIRE	VIERGE	VERSEAU	BELIER	TAUREAU	VIERGE	LION	22 LION
19 OCTOBRE	SCORPION	SAGITTAIRE	VIERGE	VERSEAU	BELIER	TAUREAU	VIERGE	LION	6 VIERGE
20 OCTOBRE	SCORPION	SAGITTAIRE	VIERGE	VERSEAU	BELIER	TAUREAU	VIERGE	LION	20 VIERGE
21 OCTOBRE	SCORPION	SAGITTAIRE	VIERGE	VERSEAU	BELIER	TAUREAU	VIERGE	LION	4 BALANCE
22 OCTOBRE	SCORPION	SAGITTAIRE	VIERGE	VERSEAU	BELIER	TAUREAU	VIERGE	LION	17 BALANCE
23 OCTOBRE	SCORPION	SAGITTAIRE	VIERGE	VERSEAU	BELIER	TAUREAU	VIERGE	LION	1 SCORPION
24 OCTOBRE	SCORPION	SAGITTAIRE	VIERGE	VERSEAU	BELIER	TAUREAU	VIERGE	LION	14 SCORPION

LE SOLEIL ENTRE DANS LE SIGNE DE LA BALANCE LE 23 SEPTEMBRE 1938 A 16 h 45
LE SOLEIL QUITTE LE SIGNE DE LA BALANCE LE 24 OCTOBRE 1938 A 1 h 45

* LES CHIFFRES INDIQUENT LES DEGRES

1939	MERCURE	VENUS	MARS	JUPITER	SATURNE	URANUS	NEPTUNE	PLUTON	LUNE *
23 SEPTEMBRE	BALANCE	BALANCE	CAPRICORNE	BELIER	BELIER	TAUREAU	VIERGE	LION	3 VERSEAU
24 SEPTEMBRE	BALANCE	BALANCE	VERSEAU	BELIER	BELIER	TAUREAU	VIERGE	LION	15 VERSEAU
25 SEPTEMBRE	BALANCE	BALANCE	VERSEAU	BELIER	BELIER	TAUREAU	VIERGE	LION	27 VERSEAU
26 SEPTEMBRE	BALANCE	BALANCE	VERSEAU	BELIER	BELIER	TAUREAU	VIERGE	LION	9 POISSONS
27 SEPTEMBRE	BALANCE	BALANCE	VERSEAU	BELIER	BELIER	TAUREAU	VIERGE	LION	21 POISSONS
28 SEPTEMBRE	BALANCE	BALANCE	VERSEAU	BELIER	BELIER	TAUREAU	VIERGE	LION	3 BELIER
29 SEPTEMBRE	BALANCE	BALANCE	VERSEAU	BELIER	BELIER	TAUREAU	VIERGE	LION	15 BELIER
30 SEPTEMBRE	BALANCE	BALANCE	VERSEAU	BELIER	BELIER	TAUREAU	VIERGE	LION	27 BELIER
1 OCTOBRE	BALANCE	BALANCE	VERSEAU	BELIER	BELIER	TAUREAU	VIERGE	LION	10 TAUREAU
2 OCTOBRE	BALANCE	BALANCE	VERSEAU	BELIER	BELIER	TAUREAU	VIERGE	LION	22 TAUREAU
3 OCTOBRE	BALANCE	BALANCE	VERSEAU	BELIER	BELIER	TAUREAU	VIERGE	LION	5 GEMEAUX
4 OCTOBRE	BALANCE	BALANCE	VERSEAU	BELIER	BELIER	TAUREAU	VIERGE	LION	18 GEMEAUX
5 OCTOBRE	BALANCE	BALANCE	VERSEAU	BELIER	BELIER	TAUREAU	VIERGE	LION	2 CANCER
6 OCTOBRE	BALANCE	BALANCE	VERSEAU	BELIER	BELIER	TAUREAU	VIERGE	LION	15 CANCER
7 OCTOBRE	BALANCE	BALANCE	VERSEAU	BELIER	BELIER	TAUREAU	VIERGE	LION	0 LION
8 OCTOBRE	BALANCE	BALANCE	VERSEAU	BELIER	BELIER	TAUREAU	VIERGE	LION	14 LION
9 OCTOBRE	BALANCE	BALANCE	VERSEAU	BELIER	BELIER	TAUREAU	VIERGE	LION	29 LION
10 OCTOBRE	BALANCE	BALANCE	VERSEAU	BELIER	BELIER	TAUREAU	VIERGE	LION	13 VIERGE
11 OCTOBRE	SCORPION	BALANCE	VERSEAU	BELIER	BELIER	TAUREAU	VIERGE	LION	28 VIERGE
12 OCTOBRE	SCORPION	BALANCE	VERSEAU	BELIER	BELIER	TAUREAU	VIERGE	LION	13 BALANCE
13 OCTOBRE	SCORPION	BALANCE	VERSEAU	BELIER	BELIER	TAUREAU	VIERGE	LION	28 BALANCE
14 OCTOBRE	SCORPION	SCORPION	VERSEAU	BELIER	BELIER	TAUREAU	VIERGE	LION	12 SCORPION
15 OCTOBRE	SCORPION	SCORPION	VERSEAU	BELIER	BELIER	TAUREAU	VIERGE	LION	26 SCORPION
16 OCTOBRE	SCORPION	SCORPION	VERSEAU	BELIER	BELIER	TAUREAU	VIERGE	LION	9 SAGITTAIRE
17 OCTOBRE	SCORPION	SCORPION	VERSEAU	BELIER	BELIER	TAUREAU	VIERGE	LION	23 SAGITTAIRE
18 OCTOBRE	SCORPION	SCORPION	VERSEAU	BELIER	BELIER	TAUREAU	VIERGE	LION	5 CAPRICORNE
19 OCTOBRE	SCORPION	SCORPION	VERSEAU	BELIER	BELIER	TAUREAU	VIERGE	LION	18 CAPRICORNE
20 OCTOBRE	SCORPION	SCORPION	VERSEAU	BELIER	BELIER	TAUREAU	VIERGE	LION	0 VERSEAU
21 OCTOBRE	SCORPION	SCORPION	VERSEAU	BELIER	BELIER	TAUREAU	VIERGE	LION	12 VERSEAU
22 OCTOBRE	SCORPION	SCORPION	VERSEAU	BELIER	BELIER	TAUREAU	VIERGE	LION	24 VERSEAU
23 OCTOBRE	SCORPION	SCORPION	VERSEAU	BELIER	BELIER	TAUREAU	VIERGE	LION	6 POISSONS
24 OCTOBRE	SCORPION	SCORPION	VERSEAU	BELIER	BELIER	TAUREAU	VIERGE	LION	17 POISSONS

LE SOLEIL ENTRE DANS LE SIGNE DE LA BALANCE LE 23 SEPTEMBRE 1939 A 22 h 40
LE SOLEIL QUITTE LE SIGNE DE LA BALANCE LE 24 OCTOBRE 1939 A 7 h 30

* LES CHIFFRES INDIQUENT LES DEGRES

DECOUVREZ DANS QUEL SIGNE SE TROUVAIENT LES PLANETES A VOTRE NAISSANCE

1940	MERCURE	VENUS	MARS	JUPITER	SATURNE	URANUS	NEPTUNE	PLUTON	LUNE *
23 SEPTEMBRE	BALANCE	LION	VIERGE	TAUREAU	TAUREAU	TAUREAU	VIERGE	LION	15 GEMEAUX
24 SEPTEMBRE	BALANCE	LION	VIERGE	TAUREAU	TAUREAU	TAUREAU	VIERGE	LION	28 GEMEAUX
25 SEPTEMBRE	BALANCE	LION	VIERGE	TAUREAU	TAUREAU	TAUREAU	VIERGE	LION	11 CANCER
26 SEPTEMBRE	BALANCE	LION	VIERGE	TAUREAU	TAUREAU	TAUREAU	VIERGE	LION	24 CANCER
27 SEPTEMBRE	BALANCE	LION	VIERGE	TAUREAU	TAUREAU	TAUREAU	VIERGE	LION	8 LION
28 SEPTEMBRE	BALANCE	LION	VIERGE	TAUREAU	TAUREAU	TAUREAU	VIERGE	LION	23 LION
29 SEPTEMBRE	BALANCE	LION	VIERGE	TAUREAU	TAUREAU	TAUREAU	VIERGE	LION	7 VIERGE
30 SEPTEMBRE	BALANCE	LION	VIERGE	TAUREAU	TAUREAU	TAUREAU	VIERGE	LION	22 VIERGE
1 OCTOBRE	BALANCE	LION	VIERGE	TAUREAU	TAUREAU	TAUREAU	VIERGE	LION	7 BALANCE
2 OCTOBRE	BALANCE	LION	VIERGE	TAUREAU	TAUREAU	TAUREAU	VIERGE	LION	23 BALANCE
3 OCTOBRE	SCORPION	LION	VIERGE	TAUREAU	TAUREAU	TAUREAU	VIERGE	LION	8 SCORPION
4 OCTOBRE	SCORPION	LION	VIERGE	TAUREAU	TAUREAU	TAUREAU	VIERGE	LION	22 SCORPION
5 OCTOBRE	SCORPION	LION	VIERGE	TAUREAU	TAUREAU	TAUREAU	VIERGE	LION	7 SAGITTAIRE
6 OCTOBRE	SCORPION	LION	BALANCE	TAUREAU	TAUREAU	TAUREAU	VIERGE	LION	21 SAGITTAIRE
7 OCTOBRE	SCORPION	VIERGE	BALANCE	TAUREAU	TAUREAU	TAUREAU	VIERGE	LION	4 CAPRICORNE
8 OCTOBRE	SCORPION	VIERGE	BALANCE	TAUREAU	TAUREAU	TAUREAU	VIERGE	LION	18 CAPRICORNE
9 OCTOBRE	SCORPION	VIERGE	BALANCE	TAUREAU	TAUREAU	TAUREAU	VIERGE	LION	0 VERSEAU
10 OCTOBRE	SCORPION	VIERGE	BALANCE	TAUREAU	TAUREAU	TAUREAU	VIERGE	LION	13 VERSEAU
11 OCTOBRE	SCORPION	VIERGE	BALANCE	TAUREAU	TAUREAU	TAUREAU	VIERGE	LION	25 VERSEAU
12 OCTOBRE	SCORPION	VIERGE	BALANCE	TAUREAU	TAUREAU	TAUREAU	VIERGE	LION	7 POISSONS
13 OCTOBRE	SCORPION	VIERGE	BALANCE	TAUREAU	TAUREAU	TAUREAU	VIERGE	LION	19 POISSONS
14 OCTOBRE	SCORPION	VIERGE	BALANCE	TAUREAU	TAUREAU	TAUREAU	VIERGE	LION	1 BELIER
15 OCTOBRE	SCORPION	VIERGE	BALANCE	TAUREAU	TAUREAU	TAUREAU	VIERGE	LION	13 BELIER
16 OCTOBRE	SCORPION	VIERGE	BALANCE	TAUREAU	TAUREAU	TAUREAU	VIERGE	LION	24 BELIER
17 OCTOBRE	SCORPION	VIERGE	BALANCE	TAUREAU	TAUREAU	TAUREAU	VIERGE	LION	6 TAUREAU
18 OCTOBRE	SCORPION	VIERGE	BALANCE	TAUREAU	TAUREAU	TAUREAU	VIERGE	LION	18 TAUREAU
19 OCTOBRE	SCORPION	VIERGE	BALANCE	TAUREAU	TAUREAU	TAUREAU	VIERGE	LION	0 GEMEAUX
20 OCTOBRE	SCORPION	VIERGE	BALANCE	TAUREAU	TAUREAU	TAUREAU	VIERGE	LION	12 GEMEAUX
21 OCTOBRE	SCORPION	VIERGE	BALANCE	TAUREAU	TAUREAU	TAUREAU	VIERGE	LION	25 GEMEAUX
22 OCTOBRE	SCORPION	VIERGE	BALANCE	TAUREAU	TAUREAU	TAUREAU	VIERGE	LION	7 CANCER
23 OCTOBRE	SCORPION	VIERGE	BALANCE	TAUREAU	TAUREAU	TAUREAU	VIERGE	LION	20 CANCER

LE SOLEIL ENTRE DANS LE SIGNE DE LA BALANCE LE 23 SEPTEMBRE 1940 A 4 h 30
LE SOLEIL QUITTE LE SIGNE DE LA BALANCE LE 23 OCTOBRE 1940 A 13 h 30

* LES CHIFFRES INDIQUENT LES DEGRES

1941	MERCURE	VENUS	MARS	JUPITER	SATURNE	URANUS	NEPTUNE	PLUTON	LUNE *
23 SEPTEMBRE	BALANCE	SCORPION	BELIER	GEMEAUX	TAUREAU	GEMEAUX	VIERGE	LION	1 SCORPION
24 SEPTEMBRE	BALANCE	SCORPION	BELIER	GEMEAUX	TAUREAU	GEMEAUX	VIERGE	LION	16 SCORPION
25 SEPTEMBRE	BALANCE	SCORPION	BELIER	GEMEAUX	TAUREAU	GEMEAUX	VIERGE	LION	1 SAGITTAIRE
26 SEPTEMBRE	BALANCE	SCORPION	BELIER	GEMEAUX	TAUREAU	GEMEAUX	VIERGE	LION	15 SAGITTAIRE
27 SEPTEMBRE	BALANCE	SCORPION	BELIER	GEMEAUX	TAUREAU	GEMEAUX	VIERGE	LION	29 SAGITTAIRE
28 SEPTEMBRE	SCORPION	SCORPION	BELIER	GEMEAUX	TAUREAU	GEMEAUX	VIERGE	LION	13 CAPRICORNE
29 SEPTEMBRE	SCORPION	SCORPION	BELIER	GEMEAUX	TAUREAU	GEMEAUX	VIERGE	LION	27 CAPRICORNE
30 SEPTEMBRE	SCORPION	SCORPION	BELIER	GEMEAUX	TAUREAU	GEMEAUX	VIERGE	LION	10 VERSEAU
1 OCTOBRE	SCORPION	SCORPION	BELIER	GEMEAUX	TAUREAU	GEMEAUX	VIERGE	LION	23 VERSEAU
2 OCTOBRE	SCORPION	SCORPION	BELIER	GEMEAUX	TAUREAU	GEMEAUX	VIERGE	LION	6 POISSONS
3 OCTOBRE	SCORPION	SCORPION	BELIER	GEMEAUX	TAUREAU	GEMEAUX	VIERGE	LION	18 POISSONS
4 OCTOBRE	SCORPION	SCORPION	BELIER	GEMEAUX	TAUREAU	GEMEAUX	VIERGE	LION	1 BELIER
5 OCTOBRE	SCORPION	SCORPION	BELIER	GEMEAUX	TAUREAU	TAUREAU	VIERGE	LION	13 BELIER
6 OCTOBRE	SCORPION	SCORPION	BELIER	GEMEAUX	TAUREAU	TAUREAU	VIERGE	LION	25 BELIER
7 OCTOBRE	SCORPION	SCORPION	BELIER	GEMEAUX	TAUREAU	TAUREAU	VIERGE	LION	7 TAUREAU
8 OCTOBRE	SCORPION	SCORPION	BELIER	GEMEAUX	TAUREAU	TAUREAU	VIERGE	LION	18 TAUREAU
9 OCTOBRE	SCORPION	SCORPION	BELIER	GEMEAUX	TAUREAU	TAUREAU	VIERGE	LION	1 GEMEAUX
10 OCTOBRE	SCORPION	SCORPION	BELIER	GEMEAUX	TAUREAU	TAUREAU	VIERGE	LION	13 GEMEAUX
11 OCTOBRE	SCORPION	SAGITTAIRE	BELIER	GEMEAUX	TAUREAU	TAUREAU	VIERGE	LION	25 GEMEAUX
12 OCTOBRE	SCORPION	SAGITTAIRE	BELIER	GEMEAUX	TAUREAU	TAUREAU	VIERGE	LION	7 CANCER
13 OCTOBRE	SCORPION	SAGITTAIRE	BELIER	GEMEAUX	TAUREAU	TAUREAU	VIERGE	LION	19 CANCER
14 OCTOBRE	SCORPION	SAGITTAIRE	BELIER	GEMEAUX	TAUREAU	TAUREAU	VIERGE	LION	2 LION
15 OCTOBRE	SCORPION	SAGITTAIRE	BELIER	GEMEAUX	TAUREAU	TAUREAU	VIERGE	LION	14 LION
16 OCTOBRE	SCORPION	SAGITTAIRE	BELIER	GEMEAUX	TAUREAU	TAUREAU	VIERGE	LION	28 LION
17 OCTOBRE	SCORPION	SAGITTAIRE	BELIER	GEMEAUX	TAUREAU	TAUREAU	VIERGE	LION	11 VIERGE
18 OCTOBRE	SCORPION	SAGITTAIRE	BELIER	GEMEAUX	TAUREAU	TAUREAU	VIERGE	LION	25 VIERGE
19 OCTOBRE	SCORPION	SAGITTAIRE	BELIER	GEMEAUX	TAUREAU	TAUREAU	VIERGE	LION	10 BALANCE
20 OCTOBRE	SCORPION	SAGITTAIRE	BELIER	GEMEAUX	TAUREAU	TAUREAU	VIERGE	LION	25 BALANCE
21 OCTOBRE	SCORPION	SAGITTAIRE	BELIER	GEMEAUX	TAUREAU	TAUREAU	VIERGE	LION	10 SCORPION
22 OCTOBRE	SCORPION	SAGITTAIRE	BELIER	GEMEAUX	TAUREAU	TAUREAU	VIERGE	LION	25 SCORPION
23 OCTOBRE	SCORPION	SAGITTAIRE	BELIER	GEMEAUX	TAUREAU	TAUREAU	VIERGE	LION	10 SAGITTAIRE

LE SOLEIL ENTRE DANS LE SIGNE DE LA BALANCE LE 23 SEPTEMBRE 1941 A 10 h 20
LE SOLEIL QUITTE LE SIGNE DE LA BALANCE LE 23 OCTOBRE 1941 A 19 h 15

* LES CHIFFRES INDIQUENT LES DEGRES

DECOUVREZ DANS QUEL SIGNE SE TROUVAIENT LES PLANETES A VOTRE NAISSANCE

1942	MERCURE	VENUS	MARS	JUPITER	SATURNE	URANUS	NEPTUNE	PLUTON	LUNE *
23 SEPTEMBRE	BALANCE	VIERGE	BALANCE	CANCER	GEMEAUX	GEMEAUX	VIERGE	LION	15 POISSONS
24 SEPTEMBRE	BALANCE	VIERGE	BALANCE	CANCER	GEMEAUX	GEMEAUX	VIERGE	LION	29 POISSONS
25 SEPTEMBRE	BALANCE	VIERGE	BALANCE	CANCER	GEMEAUX	GEMEAUX	VIERGE	LION	12 BELIER
26 SEPTEMBRE	BALANCE	VIERGE	BALANCE	CANCER	GEMEAUX	GEMEAUX	VIERGE	LION	26 BELIER
27 SEPTEMBRE	BALANCE	VIERGE	BALANCE	CANCER	GEMEAUX	GEMEAUX	VIERGE	LION	8 TAUREAU
28 SEPTEMBRE	BALANCE	VIERGE	BALANCE	CANCER	GEMEAUX	GEMEAUX	VIERGE	LION	21 TAUREAU
29 SEPTEMBRE	BALANCE	VIERGE	BALANCE	CANCER	GEMEAUX	GEMEAUX	VIERGE	LION	3 GEMEAUX
30 SEPTEMBRE	BALANCE	VIERGE	BALANCE	CANCER	GEMEAUX	GEMEAUX	VIERGE	LION	15 GEMEAUX
1 OCTOBRE	BALANCE	VIERGE	BALANCE	CANCER	GEMEAUX	GEMEAUX	VIERGE	LION	27 GEMEAUX
2 OCTOBRE	BALANCE	VIERGE	BALANCE	CANCER	GEMEAUX	GEMEAUX	VIERGE	LION	9 CANCER
3 OCTOBRE	BALANCE	VIERGE	BALANCE	CANCER	GEMEAUX	GEMEAUX	BALANCE	LION	21 CANCER
4 OCTOBRE	BALANCE	VIERGE	BALANCE	CANCER	GEMEAUX	GEMEAUX	BALANCE	LION	3 LION
5 OCTOBRE	BALANCE	BALANCE	BALANCE	CANCER	GEMEAUX	GEMEAUX	BALANCE	LION	15 LION
6 OCTOBRE	BALANCE	BALANCE	BALANCE	CANCER	GEMEAUX	GEMEAUX	BALANCE	LION	27 LION
7 OCTOBRE	BALANCE	BALANCE	BALANCE	CANCER	GEMEAUX	GEMEAUX	BALANCE	LION	10 VIERGE
8 OCTOBRE	BALANCE	BALANCE	BALANCE	CANCER	GEMEAUX	GEMEAUX	BALANCE	LION	23 VIERGE
9 OCTOBRE	BALANCE	BALANCE	BALANCE	CANCER	GEMEAUX	GEMEAUX	BALANCE	LION	7 BALANCE
10 OCTOBRE	BALANCE	BALANCE	BALANCE	CANCER	GEMEAUX	GEMEAUX	BALANCE	LION	20 BALANCE
11 OCTOBRE	BALANCE	BALANCE	BALANCE	CANCER	GEMEAUX	GEMEAUX	BALANCE	LION	4 SCORPION
12 OCTOBRE	BALANCE	BALANCE	BALANCE	CANCER	GEMEAUX	GEMEAUX	BALANCE	LION	19 SCORPION
13 OCTOBRE	BALANCE	BALANCE	BALANCE	CANCER	GEMEAUX	GEMEAUX	BALANCE	LION	3 SAGITTAIRE
14 OCTOBRE	BALANCE	BALANCE	BALANCE	CANCER	GEMEAUX	GEMEAUX	BALANCE	LION	18 SAGITTAIRE
15 OCTOBRE	BALANCE	BALANCE	BALANCE	CANCER	GEMEAUX	GEMEAUX	BALANCE	LION	2 CAPRICORNE
16 OCTOBRE	BALANCE	BALANCE	BALANCE	CANCER	GEMEAUX	GEMEAUX	BALANCE	LION	16 CAPRICORNE
17 OCTOBRE	BALANCE	BALANCE	BALANCE	CANCER	GEMEAUX	GEMEAUX	BALANCE	LION	0 VERSEAU
18 OCTOBRE	BALANCE	BALANCE	BALANCE	CANCER	GEMEAUX	GEMEAUX	BALANCE	LION	14 VERSEAU
19 OCTOBRE	BALANCE	BALANCE	BALANCE	CANCER	GEMEAUX	GEMEAUX	BALANCE	LION	28 VERSEAU
20 OCTOBRE	BALANCE	BALANCE	BALANCE	CANCER	GEMEAUX	GEMEAUX	BALANCE	LION	11 POISSONS
21 OCTOBRE	BALANCE	BALANCE	BALANCE	CANCER	GEMEAUX	GEMEAUX	BALANCE	LION	25 POISSONS
22 OCTOBRE	BALANCE	BALANCE	BALANCE	CANCER	GEMEAUX	GEMEAUX	BALANCE	LION	8 BELIER
23 OCTOBRE	BALANCE	BALANCE	BALANCE	CANCER	GEMEAUX	GEMEAUX	BALANCE	LION	21 BELIER

LE SOLEIL ENTRE DANS LE SIGNE DE LA BALANCE LE 23 SEPTEMBRE 1942 A 16 h 00
QUITTE LE SIGNE DE LA BALANCE LE 23 OCTOBRE 1942 A 0 h 45

* LES CHIFFRES INDIQUENT LES DEGRES

1943	MERCURE	VENUS	MARS	JUPITER	SATURNE	URANUS	NEPTUNE	PLUTON	LUNE *
23 SEPTEMBRE	BALANCE	VIERGE	GEMEAUX	LION	GEMEAUX	GEMEAUX	BALANCE	LION	23 CANCER
24 SEPTEMBRE	BALANCE	VIERGE	GEMEAUX	LION	GEMEAUX	GEMEAUX	BALANCE	LION	5 LION
25 SEPTEMBRE	SCORPION	VIERGE	GEMEAUX	LION	GEMEAUX	GEMEAUX	BALANCE	LION	17 LION
26 SEPTEMBRE	SCORPION	VIERGE	GEMEAUX	LION	GEMEAUX	GEMEAUX	BALANCE	LION	29 LION
27 SEPTEMBRE	SCORPION	VIERGE	GEMEAUX	LION	GEMEAUX	GEMEAUX	BALANCE	LION	11 VIERGE
28 SEPTEMBRE	SCORPION	VIERGE	GEMEAUX	LION	GEMEAUX	GEMEAUX	BALANCE	LION	23 VIERGE
29 SEPTEMBRE	SCORPION	VIERGE	GEMEAUX	LION	GEMEAUX	GEMEAUX	BALANCE	LION	5 BALANCE
30 SEPTEMBRE	SCORPION	VIERGE	GEMEAUX	LION	GEMEAUX	GEMEAUX	BALANCE	LION	18 BALANCE
1 OCTOBRE	SCORPION	VIERGE	GEMEAUX	LION	GEMEAUX	GEMEAUX	BALANCE	LION	1 SCORPION
2 OCTOBRE	SCORPION	VIERGE	GEMEAUX	LION	GEMEAUX	GEMEAUX	BALANCE	LION	14 SCORPION
3 OCTOBRE	SCORPION	VIERGE	GEMEAUX	LION	GEMEAUX	GEMEAUX	BALANCE	LION	27 SCORPION
4 OCTOBRE	SCORPION	VIERGE	GEMEAUX	LION	GEMEAUX	GEMEAUX	BALANCE	LION	10 SAGITTAIRE
5 OCTOBRE	SCORPION	VIERGE	GEMEAUX	LION	GEMEAUX	GEMEAUX	BALANCE	LION	24 SAGITTAIRE
6 OCTOBRE	SCORPION	VIERGE	GEMEAUX	LION	GEMEAUX	GEMEAUX	BALANCE	LION	8 CAPRICORNE
7 OCTOBRE	SCORPION	VIERGE	GEMEAUX	LION	GEMEAUX	GEMEAUX	BALANCE	LION	22 CAPRICORNE
8 OCTOBRE	SCORPION	VIERGE	GEMEAUX	LION	GEMEAUX	GEMEAUX	BALANCE	LION	6 VERSEAU
9 OCTOBRE	SCORPION	VIERGE	GEMEAUX	LION	GEMEAUX	GEMEAUX	BALANCE	LION	20 VERSEAU
10 OCTOBRE	SCORPION	VIERGE	GEMEAUX	LION	GEMEAUX	GEMEAUX	BALANCE	LION	5 POISSONS
11 OCTOBRE	SCORPION	VIERGE	GEMEAUX	LION	GEMEAUX	GEMEAUX	BALANCE	LION	19 POISSONS
12 OCTOBRE	BALANCE	VIERGE	GEMEAUX	LION	GEMEAUX	GEMEAUX	BALANCE	LION	4 BELIER
13 OCTOBRE	BALANCE	VIERGE	GEMEAUX	LION	GEMEAUX	GEMEAUX	BALANCE	LION	18 BELIER
14 OCTOBRE	BALANCE	VIERGE	GEMEAUX	LION	GEMEAUX	GEMEAUX	BALANCE	LION	2 TAUREAU
15 OCTOBRE	BALANCE	VIERGE	GEMEAUX	LION	GEMEAUX	GEMEAUX	BALANCE	LION	16 TAUREAU
16 OCTOBRE	BALANCE	VIERGE	GEMEAUX	LION	GEMEAUX	GEMEAUX	BALANCE	LION	0 GEMEAUX
17 OCTOBRE	BALANCE	VIERGE	GEMEAUX	LION	GEMEAUX	GEMEAUX	BALANCE	LION	13 GEMEAUX
18 OCTOBRE	BALANCE	VIERGE	GEMEAUX	LION	GEMEAUX	GEMEAUX	BALANCE	LION	25 GEMEAUX
19 OCTOBRE	BALANCE	VIERGE	GEMEAUX	LION	GEMEAUX	GEMEAUX	BALANCE	LION	8 CANCER
20 OCTOBRE	BALANCE	VIERGE	GEMEAUX	LION	GEMEAUX	GEMEAUX	BALANCE	LION	20 CANCER
21 OCTOBRE	BALANCE	VIERGE	GEMEAUX	LION	GEMEAUX	GEMEAUX	BALANCE	LION	2 LION
22 OCTOBRE	BALANCE	VIERGE	GEMEAUX	LION	GEMEAUX	GEMEAUX	BALANCE	LION	13 LION
23 OCTOBRE	BALANCE	VIERGE	GEMEAUX	LION	GEMEAUX	GEMEAUX	BALANCE	LION	25 LION
24 OCTOBRE	BALANCE	VIERGE	GEMEAUX	LION	GEMEAUX	GEMEAUX	BALANCE	LION	7 VIERGE

LE SOLEIL ENTRE DANS LE SIGNE DE LA BALANCE LE 23 SEPTEMBRE 1943 A 22 h 00
QUITTE LE SIGNE DE LA BALANCE LE 24 OCTOBRE 1943 A 7 h 00

* LES CHIFFRES INDIQUENT LES DEGRES

DECOUVREZ DANS QUEL SIGNE SE TROUVAIENT LES PLANETES A VOTRE NAISSANCE

1944	MERCURE	VENUS	MARS	JUPITER	SATURNE	URANUS	NEPTUNE	PLUTON	LUNE *
23 SEPTEMBRE	VIERGE	BALANCE	BALANCE	VIERGE	CANCER	GEMEAUX	BALANCE	LION	6 SAGITTAIRE
24 SEPTEMBRE	VIERGE	BALANCE	BALANCE	VIERGE	CANCER	GEMEAUX	BALANCE	LION	19 SAGITTAIRE
25 SEPTEMBRE	VIERGE	BALANCE	BALANCE	VIERGE	CANCER	GEMEAUX	BALANCE	LION	2 CAPRICORNE
26 SEPTEMBRE	VIERGE	BALANCE	BALANCE	VIERGE	CANCER	GEMEAUX	BALANCE	LION	15 CAPRICORNE
27 SEPTEMBRE	VIERGE	BALANCE	BALANCE	VIERGE	CANCER	GEMEAUX	BALANCE	LION	29 CAPRICORNE
28 SEPTEMBRE	VIERGE	SCORPION	BALANCE	VIERGE	CANCER	GEMEAUX	BALANCE	LION	13 VERSEAU
29 SEPTEMBRE	VIERGE	SCORPION	BALANCE	VIERGE	CANCER	GEMEAUX	BALANCE	LION	28 VERSEAU
30 SEPTEMBRE	VIERGE	SCORPION	BALANCE	VIERGE	CANCER	GEMEAUX	BALANCE	LION	13 POISSONS
1 OCTOBRE	VIERGE	SCORPION	BALANCE	VIERGE	CANCER	GEMEAUX	BALANCE	LION	28 POISSONS
2 OCTOBRE	VIERGE	SCORPION	BALANCE	VIERGE	CANCER	GEMEAUX	BALANCE	LION	13 BELIER
3 OCTOBRE	VIERGE	SCORPION	BALANCE	VIERGE	CANCER	GEMEAUX	BALANCE	LION	29 BELIER
4 OCTOBRE	VIERGE	SCORPION	BALANCE	VIERGE	CANCER	GEMEAUX	BALANCE	LION	13 TAUREAU
5 OCTOBRE	BALANCE	SCORPION	BALANCE	VIERGE	CANCER	GEMEAUX	BALANCE	LION	28 TAUREAU
6 OCTOBRE	BALANCE	SCORPION	BALANCE	VIERGE	CANCER	GEMEAUX	BALANCE	LION	12 GEMEAUX
7 OCTOBRE	BALANCE	SCORPION	BALANCE	VIERGE	CANCER	GEMEAUX	BALANCE	LION	25 GEMEAUX
8 OCTOBRE	BALANCE	SCORPION	BALANCE	VIERGE	CANCER	GEMEAUX	BALANCE	LION	8 CANCER
9 OCTOBRE	BALANCE	SCORPION	BALANCE	VIERGE	CANCER	GEMEAUX	BALANCE	LION	21 CANCER
10 OCTOBRE	BALANCE	SCORPION	BALANCE	VIERGE	CANCER	GEMEAUX	BALANCE	LION	3 LION
11 OCTOBRE	BALANCE	SCORPION	BALANCE	VIERGE	CANCER	GEMEAUX	BALANCE	LION	15 LION
12 OCTOBRE	BALANCE	SCORPION	BALANCE	VIERGE	CANCER	GEMEAUX	BALANCE	LION	27 LION
13 OCTOBRE	BALANCE	SCORPION	SCORPION	VIERGE	CANCER	GEMEAUX	BALANCE	LION	9 VIERGE
14 OCTOBRE	BALANCE	SCORPION	SCORPION	VIERGE	CANCER	GEMEAUX	BALANCE	LION	21 VIERGE
15 OCTOBRE	BALANCE	SCORPION	SCORPION	VIERGE	CANCER	GEMEAUX	BALANCE	LION	3 BALANCE
16 OCTOBRE	BALANCE	SCORPION	SCORPION	VIERGE	CANCER	GEMEAUX	BALANCE	LION	15 BALANCE
17 OCTOBRE	BALANCE	SCORPION	SCORPION	VIERGE	CANCER	GEMEAUX	BALANCE	LION	27 BALANCE
18 OCTOBRE	BALANCE	SCORPION	SCORPION	VIERGE	CANCER	GEMEAUX	BALANCE	LION	9 SCORPION
19 OCTOBRE	BALANCE	SCORPION	SCORPION	VIERGE	CANCER	GEMEAUX	BALANCE	LION	21 SCORPION
20 OCTOBRE	BALANCE	SCORPION	SCORPION	VIERGE	CANCER	GEMEAUX	BALANCE	LION	3 SAGITTAIRE
21 OCTOBRE	BALANCE	SCORPION	SCORPION	VIERGE	CANCER	GEMEAUX	BALANCE	LION	16 SAGITTAIRE
22 OCTOBRE	SCORPION	SCORPION	SCORPION	VIERGE	CANCER	GEMEAUX	BALANCE	LION	29 SAGITTAIRE
23 OCTOBRE	SCORPION	SAGITTAIRE	SCORPION	VIERGE	CANCER	GEMEAUX	BALANCE	LION	12 CAPRICORNE

LE SOLEIL ENTRE DANS LE SIGNE DE LA BALANCE LE 23 SEPTEMBRE 1944 A 3 h 45
QUITTE LE SIGNE DE LA BALANCE LE 23 OCTOBRE 1944 A 12 h 45

* LES CHIFFRES INDIQUENT LES DEGRES

1945	MERCURE	VENUS	MARS	JUPITER	SATURNE	URANUS	NEPTUNE	PLUTON	LUNE *
23 SEPTEMBRE	VIERGE	LION	CANCER	BALANCE	CANCER	GEMEAUX	BALANCE	LION	23 BELIER
24 SEPTEMBRE	VIERGE	LION	CANCER	BALANCE	CANCER	GEMEAUX	BALANCE	LION	8 TAUREAU
25 SEPTEMBRE	VIERGE	VIERGE	CANCER	BALANCE	CANCER	GEMEAUX	BALANCE	LION	23 TAUREAU
26 SEPTEMBRE	VIERGE	VIERGE	CANCER	BALANCE	CANCER	GEMEAUX	BALANCE	LION	7 GEMEAUX
27 SEPTEMBRE	BALANCE	VIERGE	CANCER	BALANCE	CANCER	GEMEAUX	BALANCE	LION	21 GEMEAUX
28 SEPTEMBRE	BALANCE	VIERGE	CANCER	BALANCE	CANCER	GEMEAUX	BALANCE	LION	5 CANCER
29 SEPTEMBRE	BALANCE	VIERGE	CANCER	BALANCE	CANCER	GEMEAUX	BALANCE	LION	18 CANCER
30 SEPTEMBRE	BALANCE	VIERGE	CANCER	BALANCE	CANCER	GEMEAUX	BALANCE	LION	1 LION
1 OCTOBRE	BALANCE	VIERGE	CANCER	BALANCE	CANCER	GEMEAUX	BALANCE	LION	14 LION
2 OCTOBRE	BALANCE	VIERGE	CANCER	BALANCE	CANCER	GEMEAUX	BALANCE	LION	27 LION
3 OCTOBRE	BALANCE	VIERGE	CANCER	BALANCE	CANCER	GEMEAUX	BALANCE	LION	9 VIERGE
4 OCTOBRE	BALANCE	VIERGE	CANCER	BALANCE	CANCER	GEMEAUX	BALANCE	LION	21 VIERGE
5 OCTOBRE	BALANCE	VIERGE	CANCER	BALANCE	CANCER	GEMEAUX	BALANCE	LION	4 BALANCE
6 OCTOBRE	BALANCE	VIERGE	CANCER	BALANCE	CANCER	GEMEAUX	BALANCE	LION	16 BALANCE
7 OCTOBRE	BALANCE	VIERGE	CANCER	BALANCE	CANCER	GEMEAUX	BALANCE	LION	27 BALANCE
8 OCTOBRE	BALANCE	VIERGE	CANCER	BALANCE	CANCER	GEMEAUX	BALANCE	LION	9 SCORPION
9 OCTOBRE	BALANCE	VIERGE	CANCER	BALANCE	CANCER	GEMEAUX	BALANCE	LION	21 SCORPION
10 OCTOBRE	BALANCE	VIERGE	CANCER	BALANCE	CANCER	GEMEAUX	BALANCE	LION	3 SAGITTAIRE
11 OCTOBRE	BALANCE	VIERGE	CANCER	BALANCE	CANCER	GEMEAUX	BALANCE	LION	15 SAGITAIRE
12 OCTOBRE	BALANCE	VIERGE	CANCER	BALANCE	CANCER	GEMEAUX	BALANCE	LION	27 SAGITTAIRE
13 OCTOBRE	BALANCE	VIERGE	CANCER	BALANCE	CANCER	GEMEAUX	BALANCE	LION	9 CAPRICORNE
14 OCTOBRE	BALANCE	VIERGE	CANCER	BALANCE	CANCER	GEMEAUX	BALANCE	LION	22 CAPRICORNE
15 OCTOBRE	SCORPION	VIERGE	CANCER	BALANCE	CANCER	GEMEAUX	BALANCE	LION	4 VERSEAU
16 OCTOBRE	SCORPION	VIERGE	CANCER	BALANCE	CANCER	GEMEAUX	BALANCE	LION	18 VERSEAU
17 OCTOBRE	SCORPION	VIERGE	CANCER	BALANCE	CANCER	GEMEAUX	BALANCE	LION	2 POISSONS
18 OCTOBRE	SCORPION	VIERGE	CANCER	BALANCE	CANCER	GEMEAUX	BALANCE	LION	16 POISSONS
19 OCTOBRE	SCORPION	BALANCE	CANCER	BALANCE	CANCER	GEMEAUX	BALANCE	LION	1 BELIER
20 OCTOBRE	SCORPION	BALANCE	CANCER	BALANCE	CANCER	GEMEAUX	BALANCE	LION	16 BELIER
21 OCTOBRE	SCORPION	BALANCE	CANCER	BALANCE	CANCER	GEMEAUX	BALANCE	LION	1 TAUREAU
22 OCTOBRE	SCORPION	BALANCE	CANCER	BALANCE	CANCER	GEMEAUX	BALANCE	LION	17 TAUREAU
23 OCTOBRE	SCORPION	BALANCE	CANCER	BALANCE	CANCER	GEMEAUX	BALANCE	LION	2 GEMEAUX

LE SOLEIL ENTRE DANS LE SIGNE DE LA BALANCE LE 23 SEPTEMBRE 1945 A 9 h 40
QUITTE LE SIGNE DE LA BALANCE LE 23 OCTOBRE 1945 A 18 h 30

* LES CHIFFRES INDIQUENT LES DEGRES

DECOUVREZ DANS QUEL SIGNE SE TROUVAIENT LES PLANETES A VOTRE NAISSANCE

1946	MERCURE	VENUS	MARS	JUPITER	SATURNE	URANUS	NEPTUNE	PLUTON	LUNE *
23 SEPTEMBRE	BALANCE	SCORPION	BALANCE	BALANCE	LION	GEMEAUX	BALANCE	LION	7 VIERGE
24 SEPTEMBRE	BALANCE	SCORPION	BALANCE	BALANCE	LION	GEMEAUX	BALANCE	LION	20 VIERGE
25 SEPTEMBRE	BALANCE	SCORPION	SCORPION	SCORPION	LION	GEMEAUX	BALANCE	LION	3 BALANCE
26 SEPTEMBRE	BALANCE	SCORPION	SCORPION	SCORPION	LION	GEMEAUX	BALANCE	LION	16 BALANCE
27 SEPTEMBRE	BALANCE	SCORPION	SCORPION	SCORPION	LION	GEMEAUX	BALANCE	LION	29 BALANCE
28 SEPTEMBRE	BALANCE	SCORPION	SCORPION	SCORPION	LION	GEMEAUX	BALANCE	LION	11 SCORPION
29 SEPTEMBRE	BALANCE	SCORPION	SCORPION	SCORPION	LION	GEMEAUX	BALANCE	LION	23 SCORPION
30 SEPTEMBRE	BALANCE	SCORPION	SCORPION	SCORPION	LION	GEMEAUX	BALANCE	LION	5 SAGITTAIRE
1 OCTOBRE	BALANCE	SCORPION	SCORPION	SCORPION	LION	GEMEAUX	BALANCE	LION	17 SAGITTAIRE
2 OCTOBRE	BALANCE	SCORPION	SCORPION	SCORPION	LION	GEMEAUX	BALANCE	LION	28 SAGITTAIRE
3 OCTOBRE	BALANCE	SCORPION	SCORPION	SCORPION	LION	GEMEAUX	BALANCE	LION	10 CAPRICORNE
4 OCTOBRE	BALANCE	SCORPION	SCORPION	SCORPION	LION	GEMEAUX	BALANCE	LION	22 CAPRICORNE
5 OCTOBRE	BALANCE	SCORPION	SCORPION	SCORPION	LION	GEMEAUX	BALANCE	LION	5 VERSEAU
6 OCTOBRE	BALANCE	SCORPION	SCORPION	SCORPION	LION	GEMEAUX	BALANCE	LION	17 VERSEAU
7 OCTOBRE	BALANCE	SCORPION	SCORPION	SCORPION	LION	GEMEAUX	BALANCE	LION	0 POISSONS
8 OCTOBRE	SCORPION	SCORPION	SCORPION	SCORPION	LION	GEMEAUX	BALANCE	LION	13 POISSONS
9 OCTOBRE	SCORPION	SCORPION	SCORPION	SCORPION	LION	GEMEAUX	BALANCE	LION	27 POISSONS
10 OCTOBRE	SCORPION	SCORPION	SCORPION	SCORPION	LION	GEMEAUX	BALANCE	LION	11 BELIER
11 OCTOBRE	SCORPION	SCORPION	SCORPION	SCORPION	LION	GEMEAUX	BALANCE	LION	26 BELIER
12 OCTOBRE	SCORPION	SCORPION	SCORPION	SCORPION	LION	GEMEAUX	BALANCE	LION	10 TAUREAU
13 OCTOBRE	SCORPION	SCORPION	SCORPION	SCORPION	LION	GEMEAUX	BALANCE	LION	25 TAUREAU
14 OCTOBRE	SCORPION	SCORPION	SCORPION	SCORPION	LION	GEMEAUX	BALANCE	LION	10 GEMEAUX
15 OCTOBRE	SCORPION	SCORPION	SCORPION	SCORPION	LION	GEMEAUX	BALANCE	LION	24 GEMEAUX
16 OCTOBRE	SCORPION	SAGITTAIRE	SCORPION	SCORPION	LION	GEMEAUX	BALANCE	LION	8 CANCER
17 OCTOBRE	SCORPION	SAGITTAIRE	SCORPION	SCORPION	LION	GEMEAUX	BALANCE	LION	22 CANCER
18 OCTOBRE	SCORPION	SAGITTAIRE	SCORPION	SCORPION	LION	GEMEAUX	BALANCE	LION	6 LION
19 OCTOBRE	SCORPION	SAGITTAIRE	SCORPION	SCORPION	LION	GEMEAUX	BALANCE	LION	20 LION
20 OCTOBRE	SCORPION	SAGITTAIRE	SCORPION	SCORPION	LION	GEMEAUX	BALANCE	LION	3 VIERGE
21 OCTOBRE	SCORPION	SAGITTAIRE	SCORPION	SCORPION	LION	GEMEAUX	BALANCE	LION	16 VIERGE
22 OCTOBRE	SCORPION	SAGITTAIRE	SCORPION	SCORPION	LION	GEMEAUX	BALANCE	LION	29 VIERGE
23 OCTOBRE	SCORPION	SAGITTAIRE	SCORPION	SCORPION	LION	GEMEAUX	BALANCE	LION	12 BALANCE
24 OCTOBRE	SCORPION	SAGITTAIRE	SCORPION	SCORPION	LION	GEMEAUX	BALANCE	LION	25 BALANCE

LE SOLEIL ENTRE DANS LE SIGNE DE LA BALANCE LE 23 SEPTEMBRE 1946 A 15 h 30
QUITTE LE SIGNE DE LA BALANCE LE 24 OCTOBRE 1946 A 0 h 30

* LES CHIFFRES INDIQUENT LES DEGRES

1947	MERCURE	VENUS	MARS	JUPITER	SATURNE	URANUS	NEPTUNE	PLUTON	LUNE *
23 SEPTEMBRE	BALANCE	BALANCE	CANCER	SCORPION	LION	GEMEAUX	BALANCE	LION	13 CAPRICORNE
24 SEPTEMBRE	BALANCE	BALANCE	CANCER	SCORPION	LION	GEMEAUX	BALANCE	LION	25 CAPRICORNE
25 SEPTEMBRE	BALANCE	BALANCE	CANCER	SCORPION	LION	GEMEAUX	BALANCE	LION	7 VERSEAU
26 SEPTEMBRE	BALANCE	BALANCE	CANCER	SCORPION	LION	GEMEAUX	BALANCE	LION	19 VERSEAU
27 SEPTEMBRE	BALANCE	BALANCE	CANCER	SCORPION	LION	GEMEAUX	BALANCE	LION	1 POISSONS
28 SEPTEMBRE	BALANCE	BALANCE	CANCER	SCORPION	LION	GEMEAUX	BALANCE	LION	13 POISSONS
29 SEPTEMBRE	BALANCE	BALANCE	CANCER	SCORPION	LION	GEMEAUX	BALANCE	LION	26 POISSONS
30 SEPTEMBRE	BALANCE	BALANCE	CANCER	SCORPION	LION	GEMEAUX	BALANCE	LION	9 BELIER
1 OCTOBRE	BALANCE	BALANCE	LION	SCORPION	LION	GEMEAUX	BALANCE	LION	22 BELIER
2 OCTOBRE	SCORPION	BALANCE	LION	SCORPION	LION	GEMEAUX	BALANCE	LION	5 TAUREAU
3 OCTOBRE	SCORPION	BALANCE	LION	SCORPION	LION	GEMEAUX	BALANCE	LION	18 TAUREAU
4 OCTOBRE	SCORPION	BALANCE	LION	SCORPION	LION	GEMEAUX	BALANCE	LION	2 GEMEAUX
5 OCTOBRE	SCORPION	BALANCE	LION	SCORPION	LION	GEMEAUX	BALANCE	LION	16 GEMEAUX
6 OCTOBRE	SCORPION	BALANCE	LION	SCORPION	LION	GEMEAUX	BALANCE	LION	0 CANCER
7 OCTOBRE	SCORPION	BALANCE	LION	SCORPION	LION	GEMEAUX	BALANCE	LION	14 CANCER
8 OCTOBRE	SCORPION	BALANCE	LION	SCORPION	LION	GEMEAUX	BALANCE	LION	28 CANCER
9 OCTOBRE	SCORPION	BALANCE	LION	SCORPION	LION	GEMEAUX	BALANCE	LION	12 LION
10 OCTOBRE	SCORPION	BALANCE	LION	SCORPION	LION	GEMEAUX	BALANCE	LION	27 LION
11 OCTOBRE	SCORPION	BALANCE	LION	SCORPION	LION	GEMEAUX	BALANCE	LION	11 VIERGE
12 OCTOBRE	SCORPION	BALANCE	LION	SCORPION	LION	GEMEAUX	BALANCE	LION	25 VIERGE
13 OCTOBRE	SCORPION	BALANCE	LION	SCORPION	LION	GEMEAUX	BALANCE	LION	9 BALANCE
14 OCTOBRE	SCORPION	SCORPION	LION	SCORPION	LION	GEMEAUX	BALANCE	LION	23 BALANCE
15 OCTOBRE	SCORPION	SCORPION	LION	SCORPION	LION	GEMEAUX	BALANCE	LION	6 SCORPION
16 OCTOBRE	SCORPION	SCORPION	LION	SCORPION	LION	GEMEAUX	BALANCE	LION	20 SCORPION
17 OCTOBRE	SCORPION	SCORPION	LION	SCORPION	LION	GEMEAUX	BALANCE	LION	2 SAGITTAIRE
18 OCTOBRE	SCORPION	SCORPION	LION	SCORPION	LION	GEMEAUX	BALANCE	LION	15 SAGITTAIRE
19 OCTOBRE	SCORPION	SCORPION	LION	SCORPION	LION	GEMEAUX	BALANCE	LION	27 SAGITTAIRE
20 OCTOBRE	SCORPION	SCORPION	LION	SCORPION	LION	GEMEAUX	BALANCE	LION	9 CAPRICORNE
21 OCTOBRE	SCORPION	SCORPION	LION	SCORPION	LION	GEMEAUX	BALANCE	LION	21 CAPRICORNE
22 OCTOBRE	SCORPION	SCORPION	LION	SCORPION	LION	GEMEAUX	BALANCE	LION	3 VERSEAU
23 OCTOBRE	SCORPION	SCORPION	LION	SCORPION	LION	GEMEAUX	BALANCE	LION	15 VERSEAU
24 OCTOBRE	SCORPION	SCORPION	LION	SAGITTAIRE	LION	GEMEAUX	BALANCE	LION	27 VERSEAU

LE SOLEIL ENTRE DANS LE SIGNE DE LA BALANCE LE 23 SEPTEMBRE 1947 A 21 h 15
QUITTE LE SIGNE DE LA BALANCE LE 24 OCTOBRE 1947 A 6 h 15

* LES CHIFFRES INDIQUENT LES DEGRES

DECOUVREZ DANS QUEL SIGNE SE TROUVAIENT LES PLANETES A VOTRE NAISSANCE

1948	MERCURE	VENUS	MARS	JUPITER	SATURNE	URANUS	NEPTUNE	PLUTON	LUNE *
23 SEPTEMBRE	BALANCE	LION	SCORPION	SAGITTAIRE	VIERGE	CANCER	BALANCE	LION	27 TAUREAU
24 SEPTEMBRE	BALANCE	LION	SCORPION	SAGITTAIRE	VIERGE	CANCER	BALANCE	LION	10 GEMEAUX
25 SEPTEMBRE	BALANCE	LION	SCORPION	SAGITTAIRE	VIERGE	CANCER	BALANCE	LION	23 GEMEAUX
26 SEPTEMBRE	BALANCE	LION	SCORPION	SAGITTAIRE	VIERGE	CANCER	BALANCE	LION	7 CANCER
27 SEPTEMBRE	SCORPION	LION	SCORPION	SAGITTAIRE	VIERGE	CANCER	BALANCE	LION	20 CANCER
28 SEPTEMBRE	SCORPION	LION	SCORPION	SAGITTAIRE	VIERGE	CANCER	BALANCE	LION	5 LION
29 SEPTEMBRE	SCORPION	LION	SCORPION	SAGITTAIRE	VIERGE	CANCER	BALANCE	LION	19 LION
30 SEPTEMBRE	SCORPION	LION	SCORPION	SAGITTAIRE	VIERGE	CANCER	BALANCE	LION	4 VIERGE
1 OCTOBRE	SCORPION	LION	SCORPION	SAGITTAIRE	VIERGE	CANCER	BALANCE	LION	19 VIERGE
2 OCTOBRE	SCORPION	LION	SCORPION	SAGITTAIRE	VIERGE	CANCER	BALANCE	LION	4 BALANCE
3 OCTOBRE	SCORPION	LION	SCORPION	SAGITTAIRE	VIERGE	CANCER	BALANCE	LION	19 BALANCE
4 OCTOBRE	SCORPION	LION	SCORPION	SAGITTAIRE	VIERGE	CANCER	BALANCE	LION	4 SCORPION
5 OCTOBRE	SCORPION	LION	SCORPION	SAGITTAIRE	VIERGE	CANCER	BALANCE	LION	18 SCORPION
6 OCTOBRE	SCORPION	LION	SCORPION	SAGITTAIRE	VIERGE	CANCER	BALANCE	LION	2 SAGITTAIRE
7 OCTOBRE	SCORPION	VIERGE	SCORPION	SAGITTAIRE	VIERGE	CANCER	BALANCE	LION	15 SAGITTAIRE
8 OCTOBRE	SCORPION	VIERGE	SCORPION	SAGITTAIRE	VIERGE	CANCER	BALANCE	LION	28 SAGITTAIRE
9 OCTOBRE	SCORPION	VIERGE	SCORPION	SAGITTAIRE	VIERGE	CANCER	BALANCE	LION	11 CAPRICORNE
10 OCTOBRE	SCORPION	VIERGE	SCORPION	SAGITTAIRE	VIERGE	CANCER	BALANCE	LION	23 CAPRICORNE
11 OCTOBRE	SCORPION	VIERGE	SCORPION	SAGITTAIRE	VIERGE	CANCER	BALANCE	LION	5 VERSEAU
12 OCTOBRE	SCORPION	VIERGE	SCORPION	SAGITTAIRE	VIERGE	CANCER	BALANCE	LION	17 VERSEAU
13 OCTOBRE	SCORPION	VIERGE	SCORPION	SAGITTAIRE	VIERGE	CANCER	BALANCE	LION	29 VERSEAU
14 OCTOBRE	SCORPION	VIERGE	SCORPION	SAGITTAIRE	VIERGE	CANCER	BALANCE	LION	11 POISSONS
15 OCTOBRE	SCORPION	VIERGE	SCORPION	SAGITTAIRE	VIERGE	CANCER	BALANCE	LION	23 POISSONS
16 OCTOBRE	SCORPION	VIERGE	SCORPION	SAGITTAIRE	VIERGE	CANCER	BALANCE	LION	5 BELIER
17 OCTOBRE	BALANCE	VIERGE	SAGITTAIRE	SAGITTAIRE	VIERGE	CANCER	BALANCE	LION	17 BELIER
18 OCTOBRE	BALANCE	VIERGE	SAGITTAIRE	SAGITTAIRE	VIERGE	CANCER	BALANCE	LION	29 BELIER
19 OCTOBRE	BALANCE	VIERGE	SAGITTAIRE	SAGITTAIRE	VIERGE	CANCER	BALANCE	LION	12 TAUREAU
20 OCTOBRE	BALANCE	VIERGE	SAGITTAIRE	SAGITTAIRE	VIERGE	CANCER	BALANCE	LION	24 TAUREAU
21 OCTOBRE	BALANCE	VIERGE	SAGITTAIRE	SAGITTAIRE	VIERGE	CANCER	BALANCE	LION	7 GEMEAUX
22 OCTOBRE	BALANCE	VIERGE	SAGITTAIRE	SAGITTAIRE	VIERGE	CANCER	BALANCE	LION	20 GEMEAUX
23 OCTOBRE	BALANCE	VIERGE	SAGITTAIRE	SAGITTAIRE	VIERGE	CANCER	BALANCE	LION	3 CANCER

ENTRE DANS LE SIGNE DE LA — LE 23 SEPTEMBRE — A 3 h 10
LE SOLEIL — BALANCE — 1948 — * LES CHIFFRES INDIQUENT LES DEGRES
QUITTE LE SIGNE DE LA — LE 23 OCTOBRE — A 12 h 00

1949	MERCURE	VENUS	MARS	JUPITER	SATURNE	URANUS	NEPTUNE	PLUTON	LUNE *
23 SEPTEMBRE	BALANCE	SCORPION	LION	CAPRICORNE	VIERGE	CANCER	BALANCE	LION	14 BALANCE
24 SEPTEMBRE	BALANCE	SCORPION	LION	CAPRICORNE	VIERGE	CANCER	BALANCE	LION	29 BALANCE
25 SEPTEMBRE	BALANCE	SCORPION	LION	CAPRICORNE	VIERGE	CANCER	BALANCE	LION	14 SCORPION
26 SEPTEMBRE	BALANCE	SCORPION	LION	CAPRICORNE	VIERGE	CANCER	BALANCE	LION	28 SCORPION
27 SEPTEMBRE	BALANCE	SCORPION	LION	CAPRICORNE	VIERGE	CANCER	BALANCE	LION	12 SAGITTAIRE
28 SEPTEMBRE	BALANCE	SCORPION	LION	CAPRICORNE	VIERGE	CANCER	BALANCE	LION	26 SAGITTAIRE
29 SEPTEMBRE	BALANCE	SCORPION	LION	CAPRICORNE	VIERGE	CANCER	BALANCE	LION	10 CAPRICORNE
30 SEPTEMBRE	BALANCE	SCORPION	LION	CAPRICORNE	VIERGE	CANCER	BALANCE	LION	23 CAPRICORNE
1 OCTOBRE	BALANCE	SCORPION	LION	CAPRICORNE	VIERGE	CANCER	BALANCE	LION	5 VERSEAU
2 OCTOBRE	BALANCE	SCORPION	LION	CAPRICORNE	VIERGE	CANCER	BALANCE	LION	18 VERSEAU
3 OCTOBRE	BALANCE	SCORPION	LION	CAPRICORNE	VIERGE	CANCER	BALANCE	LION	0 POISSONS
4 OCTOBRE	BALANCE	SCORPION	LION	CAPRICORNE	VIERGE	CANCER	BALANCE	LION	12 POISSONS
5 OCTOBRE	BALANCE	SCORPION	LION	CAPRICORNE	VIERGE	CANCER	BALANCE	LION	24 POISSONS
6 OCTOBRE	BALANCE	SCORPION	LION	CAPRICORNE	VIERGE	CANCER	BALANCE	LION	6 BELIER
7 OCTOBRE	BALANCE	SCORPION	LION	CAPRICORNE	VIERGE	CANCER	BALANCE	LION	18 BELIER
8 OCTOBRE	BALANCE	SCORPION	LION	CAPRICORNE	VIERGE	CANCER	BALANCE	LION	29 BELIER
9 OCTOBRE	BALANCE	SCORPION	LION	CAPRICORNE	VIERGE	CANCER	BALANCE	LION	11 TAUREAU
10 OCTOBRE	BALANCE	SAGITTAIRE	LION	CAPRICORNE	VIERGE	CANCER	BALANCE	LION	23 TAUREAU
11 OCTOBRE	BALANCE	SAGITTAIRE	LION	CAPRICORNE	VIERGE	CANCER	BALANCE	LION	5 GEMEAUX
12 OCTOBRE	BALANCE	SAGITTAIRE	LION	CAPRICORNE	VIERGE	CANCER	BALANCE	LION	17 GEMEAUX
13 OCTOBRE	BALANCE	SAGITTAIRE	LION	CAPRICORNE	VIERGE	CANCER	BALANCE	LION	0 CANCER
14 OCTOBRE	BALANCE	SAGITTAIRE	LION	CAPRICORNE	VIERGE	CANCER	BALANCE	LION	12 CANCER
15 OCTOBRE	BALANCE	SAGITTAIRE	LION	CAPRICORNE	VIERGE	CANCER	BALANCE	LION	25 CANCER
16 OCTOBRE	BALANCE	SAGITTAIRE	LION	CAPRICORNE	VIERGE	CANCER	BALANCE	LION	9 LION
17 OCTOBRE	BALANCE	SAGITTAIRE	LION	CAPRICORNE	VIERGE	CANCER	BALANCE	LION	23 LION
18 OCTOBRE	BALANCE	SAGITTAIRE	LION	CAPRICORNE	VIERGE	CANCER	BALANCE	LION	7 VIERGE
19 OCTOBRE	BALANCE	SAGITTAIRE	LION	CAPRICORNE	VIERGE	CANCER	BALANCE	LION	22 VIERGE
20 OCTOBRE	BALANCE	SAGITTAIRE	LION	CAPRICORNE	VIERGE	CANCER	BALANCE	LION	7 BALANCE
21 OCTOBRE	BALANCE	SAGITTAIRE	LION	CAPRICORNE	VIERGE	CANCER	BALANCE	LION	22 BALANCE
22 OCTOBRE	BALANCE	SAGITTAIRE	LION	CAPRICORNE	VIERGE	CANCER	BALANCE	LION	7 SCORPION
23 OCTOBRE	BALANCE	SAGITTAIRE	LION	CAPRICORNE	VIERGE	CANCER	BALANCE	LION	22 SCORPION

ENTRE DANS LE SIGNE DE LA — LE 23 SEPTEMBRE — A 9 h 00
LE SOLEIL — BALANCE — 1949 — * LES CHIFFRES INDIQUENT LES DEGRES
QUITTE LE SIGNE DE LA — LE 23 OCTOBRE — A 17 h 50

DECOUVREZ DANS QUEL SIGNE SE TROUVAIENT LES PLANETES A VOTRE NAISSANCE

1950	MERCURE	VENUS	MARS	JUPITER	SATURNE	URANUS	NEPTUNE	PLUTON	LUNE *
23 SEPTEMBRE	VIERGE	VIERGE	SCORPION	VERSEAU	VIERGE	CANCER	BALANCE	LION	28 VERSEAU
24 SEPTEMBRE	VIERGE	VIERGE	SCORPION	VERSEAU	VIERGE	CANCER	BALANCE	LION	11 POISSONS
25 SEPTEMBRE	VIERGE	VIERGE	SCORPION	VERSEAU	VIERGE	CANCER	BALANCE	LION	24 POISSONS
26 SEPTEMBRE	VIERGE	VIERGE	SAGITTAIRE	VERSEAU	VIERGE	CANCER	BALANCE	LION	6 BELIER
27 SEPTEMBRE	VIERGE	VIERGE	SAGITTAIRE	VERSEAU	VIERGE	CANCER	BALANCE	LION	18 BELIER
28 SEPTEMBRE	VIERGE	VIERGE	SAGITTAIRE	VERSEAU	VIERGE	CANCER	BALANCE	LION	1 TAUREAU
29 SEPTEMBRE	VIERGE	VIERGE	SAGITTAIRE	VERSEAU	VIERGE	CANCER	BALANCE	LION	13 TAUREAU
30 SEPTEMBRE	VIERGE	VIERGE	SAGITTAIRE	VERSEAU	VIERGE	CANCER	BALANCE	LION	24 TAUREAU
1 OCTOBRE	VIERGE	VIERGE	SAGITTAIRE	VERSEAU	VIERGE	CANCER	BALANCE	LION	6 GEMEAUX
2 OCTOBRE	VIERGE	VIERGE	SAGITTAIRE	VERSEAU	VIERGE	CANCER	BALANCE	LION	18 GEMEAUX
3 OCTOBRE	VIERGE	VIERGE	SAGITTAIRE	VERSEAU	VIERGE	CANCER	BALANCE	LION	0 CANCER
4 OCTOBRE	VIERGE	BALANCE	SAGITTAIRE	VERSEAU	VIERGE	CANCER	BALANCE	LION	12 CANCER
5 OCTOBRE	VIERGE	BALANCE	SAGITTAIRE	VERSEAU	VIERGE	CANCER	BALANCE	LION	25 CANCER
6 OCTOBRE	VIERGE	BALANCE	SAGITTAIRE	VERSEAU	VIERGE	CANCER	BALANCE	LION	7 LION
7 OCTOBRE	VIERGE	BALANCE	SAGITTAIRE	VERSEAU	VIERGE	CANCER	BALANCE	LION	20 LION
8 OCTOBRE	VIERGE	BALANCE	SAGITTAIRE	VERSEAU	VIERGE	CANCER	BALANCE	LION	4 VIERGE
9 OCTOBRE	VIERGE	BALANCE	SAGITTAIRE	VERSEAU	VIERGE	CANCER	BALANCE	LION	18 VIERGE
10 OCTOBRE	BALANCE	BALANCE	SAGITTAIRE	VERSEAU	VIERGE	CANCER	BALANCE	LION	2 BALANCE
11 OCTOBRE	BALANCE	BALANCE	SAGITTAIRE	VERSEAU	VIERGE	CANCER	BALANCE	LION	16 BALANCE
12 OCTOBRE	BALANCE	BALANCE	SAGITTAIRE	VERSEAU	VIERGE	CANCER	BALANCE	LION	1 SCORPION
13 OCTOBRE	BALANCE	BALANCE	SAGITTAIRE	VERSEAU	VIERGE	CANCER	BALANCE	LION	16 SCORPION
14 OCTOBRE	BALANCE	BALANCE	SAGITTAIRE	VERSEAU	VIERGE	CANCER	BALANCE	LION	1 SAGITTAIRE
15 OCTOBRE	BALANCE	BALANCE	SAGITTAIRE	VERSEAU	VIERGE	CANCER	BALANCE	LION	16 SAGITTAIRE
16 OCTOBRE	BALANCE	BALANCE	SAGITTAIRE	VERSEAU	VIERGE	CANCER	BALANCE	LION	0 CAPRICORNE
17 OCTOBRE	BALANCE	BALANCE	SAGITTAIRE	VERSEAU	VIERGE	CANCER	BALANCE	LION	14 CAPRICORNE
18 OCTOBRE	BALANCE	BALANCE	SAGITTAIRE	VERSEAU	VIERGE	CANCER	BALANCE	LION	28 CAPRICORNE
19 OCTOBRE	BALANCE	BALANCE	SAGITTAIRE	VERSEAU	VIERGE	CANCER	BALANCE	LION	12 VERSEAU
20 OCTOBRE	BALANCE	BALANCE	SAGITTAIRE	VERSEAU	VIERGE	CANCER	BALANCE	LION	25 VERSEAU
21 OCTOBRE	BALANCE	BALANCE	SAGITTAIRE	VERSEAU	VIERGE	CANCER	BALANCE	LION	8 POISSONS
22 OCTOBRE	BALANCE	BALANCE	SAGITTAIRE	VERSEAU	VIERGE	CANCER	BALANCE	LION	20 POISSONS
23 OCTOBRE	BALANCE	BALANCE	SAGITTAIRE	VERSEAU	VIERGE	CANCER	BALANCE	LION	3 BELIER

LE SOLEIL ENTRE DANS LE SIGNE DE LA BALANCE LE 23 SEPTEMBRE 1950 A 14 h 30
LE SOLEIL QUITTE LE SIGNE DE LA BALANCE LE 23 OCTOBRE 1950 A 23 h 30
* LES CHIFFRES INDIQUENT LES DEGRES

1951	MERCURE	VENUS	MARS	JUPITER	SATURNE	URANUS	NEPTUNE	PLUTON	LUNE *
23 SEPTEMBRE	VIERGE	VIERGE	LION	BELIER	BALANCE	CANCER	BALANCE	LION	3 CANCER
24 SEPTEMBRE	VIERGE	VIERGE	LION	BELIER	BALANCE	CANCER	BALANCE	LION	15 CANCER
25 SEPTEMBRE	VIERGE	VIERGE	LION	BELIER	BALANCE	CANCER	BALANCE	LION	27 CANCER
26 SEPTEMBRE	VIERGE	VIERGE	LION	BELIER	BALANCE	CANCER	BALANCE	LION	9 LION
27 SEPTEMBRE	VIERGE	VIERGE	LION	BELIER	BALANCE	CANCER	BALANCE	LION	21 LION
28 SEPTEMBRE	VIERGE	VIERGE	LION	BELIER	BALANCE	CANCER	BALANCE	LION	3 VIERGE
29 SEPTEMBRE	VIERGE	VIERGE	LION	BELIER	BALANCE	CANCER	BALANCE	LION	16 VIERGE
30 SEPTEMBRE	VIERGE	VIERGE	LION	BELIER	BALANCE	CANCER	BALANCE	LION	29 VIERGE
1 OCTOBRE	VIERGE	VIERGE	LION	BELIER	BALANCE	CANCER	BALANCE	LION	12 BALANCE
2 OCTOBRE	VIERGE	VIERGE	LION	BELIER	BALANCE	CANCER	BALANCE	LION	26 BALANCE
3 OCTOBRE	BALANCE	VIERGE	LION	BELIER	BALANCE	CANCER	BALANCE	LION	10 SCORPION
4 OCTOBRE	BALANCE	VIERGE	LION	BELIER	BALANCE	CANCER	BALANCE	LION	24 SCORPION
5 OCTOBRE	BALANCE	VIERGE	VIERGE	BELIER	BALANCE	CANCER	BALANCE	LION	8 SAGITTAIRE
6 OCTOBRE	BALANCE	VIERGE	VIERGE	BELIER	BALANCE	CANCER	BALANCE	LION	22 SAGITTAIRE
7 OCTOBRE	BALANCE	VIERGE	VIERGE	BELIER	BALANCE	CANCER	BALANCE	LION	6 CAPRICORNE
8 OCTOBRE	BALANCE	VIERGE	VIERGE	BELIER	BALANCE	CANCER	BALANCE	LION	21 CAPRICORNE
9 OCTOBRE	BALANCE	VIERGE	VIERGE	BELIER	BALANCE	CANCER	BALANCE	LION	5 VERSEAU
10 OCTOBRE	BALANCE	VIERGE	VIERGE	BELIER	BALANCE	CANCER	BALANCE	LION	19 VERSEAU
11 OCTOBRE	BALANCE	VIERGE	VIERGE	BELIER	BALANCE	CANCER	BALANCE	LION	3 POISSONS
12 OCTOBRE	BALANCE	VIERGE	VIERGE	BELIER	BALANCE	CANCER	BALANCE	LION	16 POISSONS
13 OCTOBRE	BALANCE	VIERGE	VIERGE	BELIER	BALANCE	CANCER	BALANCE	LION	0 BELIER
14 OCTOBRE	BALANCE	VIERGE	VIERGE	BELIER	BALANCE	CANCER	BALANCE	LION	13 BELIER
15 OCTOBRE	BALANCE	VIERGE	VIERGE	BELIER	BALANCE	CANCER	BALANCE	LION	27 BELIER
16 OCTOBRE	BALANCE	VIERGE	VIERGE	BELIER	BALANCE	CANCER	BALANCE	LION	10 TAUREAU
17 OCTOBRE	BALANCE	VIERGE	VIERGE	BELIER	BALANCE	CANCER	BALANCE	LION	22 TAUREAU
18 OCTOBRE	BALANCE	VIERGE	VIERGE	BELIER	BALANCE	CANCER	BALANCE	LION	5 GEMEAUX
19 OCTOBRE	BALANCE	VIERGE	VIERGE	BELIER	BALANCE	CANCER	BALANCE	LION	17 GEMEAUX
20 OCTOBRE	SCORPION	VIERGE	VIERGE	BELIER	BALANCE	CANCER	BALANCE	LION	29 GEMEAUX
21 OCTOBRE	SCORPION	VIERGE	VIERGE	BELIER	BALANCE	CANCER	BALANCE	LION	11 CANCER
22 OCTOBRE	SCORPION	VIERGE	VIERGE	BELIER	BALANCE	CANCER	BALANCE	LION	23 CANCER
23 OCTOBRE	SCORPION	VIERGE	VIERGE	BELIER	BALANCE	CANCER	BALANCE	LION	4 LION

LE SOLEIL ENTRE DANS LE SIGNE DE LA BALANCE LE 23 SEPTEMBRE 1951 A 20 h 30
LE SOLEIL QUITTE LE SIGNE DE LA BALANCE LE 23 OCTOBRE 1951 A 5 h 30
* LES CHIFFRES INDIQUENT LES DEGRES

DECOUVREZ DANS QUEL SIGNE SE TROUVAIENT LES PLANETES A VOTRE NAISSANCE

1952	MERCURE	VENUS	MARS	JUPITER	SATURNE	URANUS	NEPTUNE	PLUTON	LUNE *
23 SEPTEMBRE	VIERGE	BALANCE	SAGITTAIRE	TAUREAU	BALANCE	CANCER	BALANCE	LION	18 SCORPION
24 SEPTEMBRE	BALANCE	BALANCE	SAGITTAIRE	TAUREAU	BALANCE	CANCER	BALANCE	LION	2 SAGITTAIRE
25 SEPTEMBRE	BALANCE	BALANCE	SAGITTAIRE	TAUREAU	BALANCE	CANCER	BALANCE	LION	15 SAGITTAIRE
26 SEPTEMBRE	BALANCE	BALANCE	SAGITTAIRE	TAUREAU	BALANCE	CANCER	BALANCE	LION	28 SAGITTAIRE
27 SEPTEMBRE	BALANCE	BALANCE	SAGITTAIRE	TAUREAU	BALANCE	CANCER	BALANCE	LION	12 CAPRICORNE
28 SEPTEMBRE	BALANCE	SCORPION	SAGITTAIRE	TAUREAU	BALANCE	CANCER	BALANCE	LION	26 CAPRICORNE
29 SEPTEMBRE	BALANCE	SCORPION	SAGITTAIRE	TAUREAU	BALANCE	CANCER	BALANCE	LION	11 VERSEAU
30 SEPTEMBRE	BALANCE	SCORPION	SAGITTAIRE	TAUREAU	BALANCE	CANCER	BALANCE	LION	25 VERSEAU
1 OCTOBRE	BALANCE	SCORPION	SAGITTAIRE	TAUREAU	BALANCE	CANCER	BALANCE	LION	10 POISSONS
2 OCTOBRE	BALANCE	SCORPION	SAGITTAIRE	TAUREAU	BALANCE	CANCER	BALANCE	LION	25 POISSONS
3 OCTOBRE	BALANCE	SCORPION	SAGITTAIRE	TAUREAU	BALANCE	CANCER	BALANCE	LION	10 BELIER
4 OCTOBRE	BALANCE	SCORPION	SAGITTAIRE	TAUREAU	BALANCE	CANCER	BALANCE	LION	24 BELIER
5 OCTOBRE	BALANCE	SCORPION	SAGITTAIRE	TAUREAU	BALANCE	CANCER	BALANCE	LION	8 TAUREAU
6 OCTOBRE	BALANCE	SCORPION	SAGITTAIRE	TAUREAU	BALANCE	CANCER	BALANCE	LION	22 TAUREAU
7 OCTOBRE	BALANCE	SCORPION	SAGITTAIRE	TAUREAU	BALANCE	CANCER	BALANCE	LION	6 GEMEAUX
8 OCTOBRE	BALANCE	SCORPION	SAGITTAIRE	TAUREAU	BALANCE	CANCER	BALANCE	LION	19 GEMEAUX
9 OCTOBRE	BALANCE	SCORPION	SAGITTAIRE	TAUREAU	BALANCE	CANCER	BALANCE	LION	1 CANCER
10 OCTOBRE	BALANCE	SCORPION	SAGITTAIRE	TAUREAU	BALANCE	CANCER	BALANCE	LION	13 CANCER
11 OCTOBRE	BALANCE	SCORPION	SAGITTAIRE	TAUREAU	BALANCE	CANCER	BALANCE	LION	25 CANCER
12 OCTOBRE	SCORPION	SCORPION	CAPRICORNE	TAUREAU	BALANCE	CANCER	BALANCE	LION	7 LION
13 OCTOBRE	SCORPION	SCORPION	CAPRICORNE	TAUREAU	BALANCE	CANCER	BALANCE	LION	19 LION
14 OCTOBRE	SCORPION	SCORPION	CAPRICORNE	TAUREAU	BALANCE	CANCER	BALANCE	LION	1 VIERGE
15 OCTOBRE	SCORPION	SCORPION	CAPRICORNE	TAUREAU	BALANCE	CANCER	BALANCE	LION	13 VIERGE
16 OCTOBRE	SCORPION	SCORPION	CAPRICORNE	TAUREAU	BALANCE	CANCER	BALANCE	LION	25 VIERGE
17 OCTOBRE	SCORPION	SCORPION	CAPRICORNE	TAUREAU	BALANCE	CANCER	BALANCE	LION	7 BALANCE
18 OCTOBRE	SCORPION	SCORPION	CAPRICORNE	TAUREAU	BALANCE	CANCER	BALANCE	LION	19 BALANCE
19 OCTOBRE	SCORPION	SCORPION	CAPRICORNE	TAUREAU	BALANCE	CANCER	BALANCE	LION	2 SCORPION
20 OCTOBRE	SCORPION	SCORPION	CAPRICORNE	TAUREAU	BALANCE	CANCER	BALANCE	LION	15 SCORPION
21 OCTOBRE	SCORPION	SCORPION	CAPRICORNE	TAUREAU	BALANCE	CANCER	BALANCE	LION	28 SCORPION
22 OCTOBRE	SCORPION	SAGITTAIRE	CAPRICORNE	TAUREAU	BALANCE	CANCER	BALANCE	LION	12 SAGITTAIRE
23 OCTOBRE	SCORPION	SAGITTAIRE	CAPRICORNE	TAUREAU	BALANCE	CANCER	BALANCE	LION	25 SAGITTAIRE

LE SOLEIL ENTRE DANS LE SIGNE DE LA BALANCE LE 23 SEPTEMBRE 1952 A 2 h 15
LE SOLEIL QUITTE LE SIGNE DE LA BALANCE LE 23 OCTOBRE 1952 A 11 h 15

* LES CHIFFRES INDIQUENT LES DEGRES

1953	MERCURE	VENUS	MARS	JUPITER	SATURNE	URANUS	NEPTUNE	PLUTON	LUNE *
23 SEPTEMBRE	BALANCE	LION	VIERGE	GEMEAUX	BALANCE	CANCER	BALANCE	LION	4 BELIER
24 SEPTEMBRE	BALANCE	VIERGE	VIERGE	GEMEAUX	BALANCE	CANCER	BALANCE	LION	20 BELIER
25 SEPTEMBRE	BALANCE	VIERGE	VIERGE	GEMEAUX	BALANCE	CANCER	BALANCE	LION	5 TAUREAU
26 SEPTEMBRE	BALANCE	VIERGE	VIERGE	GEMEAUX	BALANCE	CANCER	BALANCE	LION	20 TAUREAU
27 SEPTEMBRE	BALANCE	VIERGE	VIERGE	GEMEAUX	BALANCE	CANCER	BALANCE	LION	4 GEMEAUX
28 SEPTEMBRE	BALANCE	VIERGE	VIERGE	GEMEAUX	BALANCE	CANCER	BALANCE	LION	18 GEMEAUX
29 SEPTEMBRE	BALANCE	VIERGE	VIERGE	GEMEAUX	BALANCE	CANCER	BALANCE	LION	1 CANCER
30 SEPTEMBRE	BALANCE	VIERGE	VIERGE	GEMEAUX	BALANCE	CANCER	BALANCE	LION	14 CANCER
1 OCTOBRE	BALANCE	VIERGE	VIERGE	GEMEAUX	BALANCE	CANCER	BALANCE	LION	26 CANCER
2 OCTOBRE	BALANCE	VIERGE	VIERGE	GEMEAUX	BALANCE	CANCER	BALANCE	LION	8 LION
3 OCTOBRE	BALANCE	VIERGE	VIERGE	GEMEAUX	BALANCE	CANCER	BALANCE	LION	20 LION
4 OCTOBRE	BALANCE	VIERGE	VIERGE	GEMEAUX	BALANCE	CANCER	BALANCE	LION	2 VIERGE
5 OCTOBRE	SCORPION	VIERGE	VIERGE	GEMEAUX	BALANCE	CANCER	BALANCE	LION	14 VIERGE
6 OCTOBRE	SCORPION	VIERGE	VIERGE	GEMEAUX	BALANCE	CANCER	BALANCE	LION	26 VIERGE
7 OCTOBRE	SCORPION	VIERGE	VIERGE	GEMEAUX	BALANCE	CANCER	BALANCE	LION	8 BALANCE
8 OCTOBRE	SCORPION	VIERGE	VIERGE	GEMEAUX	BALANCE	CANCER	BALANCE	LION	20 BALANCE
9 OCTOBRE	SCORPION	VIERGE	VIERGE	GEMEAUX	BALANCE	CANCER	BALANCE	LION	2 SCORPION
10 OCTOBRE	SCORPION	VIERGE	VIERGE	GEMEAUX	BALANCE	CANCER	BALANCE	LION	14 SCORPION
11 OCTOBRE	SCORPION	VIERGE	VIERGE	GEMEAUX	BALANCE	CANCER	BALANCE	LION	26 SCORPION
12 OCTOBRE	SCORPION	VIERGE	VIERGE	GEMEAUX	BALANCE	CANCER	BALANCE	LION	8 SAGITTAIRE
13 OCTOBRE	SCORPION	VIERGE	VIERGE	GEMEAUX	BALANCE	CANCER	BALANCE	LION	21 SAGITTAIRE
14 OCTOBRE	SCORPION	VIERGE	VIERGE	GEMEAUX	BALANCE	CANCER	BALANCE	LION	3 CAPRICORNE
15 OCTOBRE	SCORPION	VIERGE	VIERGE	GEMEAUX	BALANCE	CANCER	BALANCE	LION	17 CAPRICORNE
16 OCTOBRE	SCORPION	VIERGE	VIERGE	GEMEAUX	BALANCE	CANCER	BALANCE	LION	0 VERSEAU
17 OCTOBRE	SCORPION	VIERGE	VIERGE	GEMEAUX	BALANCE	CANCER	BALANCE	LION	14 VERSEAU
18 OCTOBRE	SCORPION	VIERGE	VIERGE	GEMEAUX	BALANCE	CANCER	BALANCE	LION	28 VERSEAU
19 OCTOBRE	SCORPION	BALANCE	VIERGE	GEMEAUX	BALANCE	CANCER	BALANCE	LION	13 POISSONS
20 OCTOBRE	SCORPION	BALANCE	VIERGE	GEMEAUX	BALANCE	CANCER	BALANCE	LION	27 POISSONS
21 OCTOBRE	SCORPION	BALANCE	VIERGE	GEMEAUX	BALANCE	CANCER	BALANCE	LION	13 BELIER
22 OCTOBRE	SCORPION	BALANCE	VIERGE	GEMEAUX	BALANCE	CANCER	BALANCE	LION	28 BELIER
23 OCTOBRE	SCORPION	BALANCE	VIERGE	GEMEAUX	SCORPION	CANCER	BALANCE	LION	13 TAUREAU

LE SOLEIL ENTRE DANS LE SIGNE DE LA BALANCE LE 23 SEPTEMBRE 1953 A 8 h 00
LE SOLEIL QUITTE LE SIGNE DE LA BALANCE LE 23 OCTOBRE 1953 A 17 h 00

* LES CHIFFRES INDIQUENT LES DEGRES

DECOUVREZ DANS QUEL SIGNE SE TROUVAIENT LES PLANETES A VOTRE NAISSANCE

1954	MERCURE	VENUS	MARS	JUPITER	SATURNE	URANUS	NEPTUNE	PLUTON	LUNE *
23 SEPTEMBRE	BALANCE	SCORPION	CAPRICORNE	CANCER	SCORPION	CANCER	BALANCE	LION	19 LION
24 SEPTEMBRE	BALANCE	SCORPION	CAPRICORNE	CANCER	SCORPION	CANCER	BALANCE	LION	2 VIERGE
25 SEPTEMBRE	BALANCE	SCORPION	CAPRICORNE	CANCER	SCORPION	CANCER	BALANCE	LION	14 VIERGE
26 SEPTEMBRE	BALANCE	SCORPION	CAPRICORNE	CANCER	SCORPION	CANCER	BALANCE	LION	27 VIERGE
27 SEPTEMBRE	BALANCE	SCORPION	CAPRICORNE	CANCER	SCORPION	CANCER	BALANCE	LION	9 BALANCE
28 SEPTEMBRE	BALANCE	SCORPION	CAPRICORNE	CANCER	SCORPION	CANCER	BALANCE	LION	21 BALANCE
29 SEPTEMBRE	SCORPION	SCORPION	CAPRICORNE	CANCER	SCORPION	CANCER	BALANCE	LION	3 SCORPION
30 SEPTEMBRE	SCORPION	SCORPION	CAPRICORNE	CANCER	SCORPION	CANCER	BALANCE	LION	15 SCORPION
1 OCTOBRE	SCORPION	SCORPION	CAPRICORNE	CANCER	SCORPION	CANCER	BALANCE	LION	26 SCORPION
2 OCTOBRE	SCORPION	SCORPION	CAPRICORNE	CANCER	SCORPION	CANCER	BALANCE	LION	8 SAGITTAIRE
3 OCTOBRE	SCORPION	SCORPION	CAPRICORNE	CANCER	SCORPION	CANCER	BALANCE	LION	20 SAGITTAIRE
4 OCTOBRE	SCORPION	SCORPION	CAPRICORNE	CANCER	SCORPION	CANCER	BALANCE	LION	2 CAPRICORNE
5 OCTOBRE	SCORPION	SCORPION	CAPRICORNE	CANCER	SCORPION	CANCER	BALANCE	LION	14 CAPRICORNE
6 OCTOBRE	SCORPION	SCORPION	CAPRICORNE	CANCER	SCORPION	CANCER	BALANCE	LION	27 CAPRICORNE
7 OCTOBRE	SCORPION	SCORPION	CAPRICORNE	CANCER	SCORPION	CANCER	BALANCE	LION	10 VERSEAU
8 OCTOBRE	SCORPION	SCORPION	CAPRICORNE	CANCER	SCORPION	CANCER	BALANCE	LION	24 VERSEAU
9 OCTOBRE	SCORPION	SCORPION	CAPRICORNE	CANCER	SCORPION	CANCER	BALANCE	LION	8 POISSONS
10 OCTOBRE	SCORPION	SCORPION	CAPRICORNE	CANCER	SCORPION	CANCER	BALANCE	LION	22 POISSONS
11 OCTOBRE	SCORPION	SCORPION	CAPRICORNE	CANCER	SCORPION	CANCER	BALANCE	LION	7 BELIER
12 OCTOBRE	SCORPION	SCORPION	CAPRICORNE	CANCER	SCORPION	CANCER	BALANCE	LION	22 BELIER
13 OCTOBRE	SCORPION	SCORPION	CAPRICORNE	CANCER	SCORPION	CANCER	BALANCE	LION	8 TAUREAU
14 OCTOBRE	SCORPION	SCORPION	CAPRICORNE	CANCER	SCORPION	CANCER	BALANCE	LION	23 TAUREAU
15 OCTOBRE	SCORPION	SCORPION	CAPRICORNE	CANCER	SCORPION	CANCER	BALANCE	LION	8 GEMEAUX
16 OCTOBRE	SCORPION	SCORPION	CAPRICORNE	CANCER	SCORPION	CANCER	BALANCE	LION	22 GEMEAUX
17 OCTOBRE	SCORPION	SCORPION	CAPRICORNE	CANCER	SCORPION	CANCER	BALANCE	LION	6 CANCER
18 OCTOBRE	SCORPION	SCORPION	CAPRICORNE	CANCER	SCORPION	CANCER	BALANCE	LION	20 CANCER
19 OCTOBRE	SCORPION	SCORPION	CAPRICORNE	CANCER	SCORPION	CANCER	BALANCE	LION	3 LION
20 OCTOBRE	SCORPION	SCORPION	CAPRICORNE	CANCER	SCORPION	CANCER	BALANCE	LION	16 LION
21 OCTOBRE	SCORPION	SCORPION	VERSEAU	CANCER	SCORPION	CANCER	BALANCE	LION	29 LION
22 OCTOBRE	SCORPION	SCORPION	VERSEAU	CANCER	SCORPION	CANCER	BALANCE	LION	11 VIERGE
23 OCTOBRE	SCORPION	SCORPION	VERSEAU	CANCER	SCORPION	CANCER	BALANCE	LION	23 VIERGE

LE SOLEIL ENTRE DANS LE SIGNE DE LA BALANCE LE 23 SEPTEMBRE 1954 A 13 h 45
LE SOLEIL QUITTE LE SIGNE DE LA BALANCE LE 23 OCTOBRE 1954 A 22 h 45

* LES CHIFFRES INDIQUENT LES DEGRES

1955	MERCURE	VENUS	MARS	JUPITER	SATURNE	URANUS	NEPTUNE	PLUTON	LUNE *
23 SEPTEMBRE	BALANCE	BALANCE	VIERGE	LION	SCORPION	LION	BALANCE	LION	22 SAGITTAIRE
24 SEPTEMBRE	BALANCE	BALANCE	VIERGE	LION	SCORPION	LION	BALANCE	LION	4 CAPRICORNE
25 SEPTEMBRE	BALANCE	BALANCE	VIERGE	LION	SCORPION	LION	BALANCE	LION	16 CAPRICORNE
26 SEPTEMBRE	BALANCE	BALANCE	VIERGE	LION	SCORPION	LION	BALANCE	LION	28 CAPRICORNE
27 SEPTEMBRE	BALANCE	BALANCE	VIERGE	LION	SCORPION	LION	BALANCE	LION	10 VERSEAU
28 SEPTEMBRE	BALANCE	BALANCE	VIERGE	LION	SCORPION	LION	BALANCE	LION	23 VERSEAU
29 SEPTEMBRE	BALANCE	BALANCE	VIERGE	LION	SCORPION	LION	BALANCE	LION	6 POISSONS
30 SEPTEMBRE	BALANCE	BALANCE	VIERGE	LION	SCORPION	LION	BALANCE	LION	20 POISSONS
1 OCTOBRE	BALANCE	BALANCE	VIERGE	LION	SCORPION	LION	BALANCE	LION	3 BELIER
2 OCTOBRE	BALANCE	BALANCE	VIERGE	LION	SCORPION	LION	BALANCE	LION	17 BELIER
3 OCTOBRE	BALANCE	BALANCE	VIERGE	LION	SCORPION	LION	BALANCE	LION	2 TAUREAU
4 OCTOBRE	BALANCE	BALANCE	VIERGE	LION	SCORPION	LION	BALANCE	LION	16 TAUREAU
5 OCTOBRE	BALANCE	BALANCE	VIERGE	LION	SCORPION	LION	BALANCE	LION	0 GEMEAUX
6 OCTOBRE	BALANCE	BALANCE	VIERGE	LION	SCORPION	LION	BALANCE	LION	15 GEMEAUX
7 OCTOBRE	BALANCE	BALANCE	VIERGE	LION	SCORPION	LION	BALANCE	LION	29 GEMEAUX
8 OCTOBRE	BALANCE	BALANCE	VIERGE	LION	SCORPION	LION	BALANCE	LION	13 CANCER
9 OCTOBRE	BALANCE	BALANCE	VIERGE	LION	SCORPION	LION	BALANCE	LION	27 CANCER
10 OCTOBRE	BALANCE	BALANCE	VIERGE	LION	SCORPION	LION	BALANCE	LION	11 LION
11 OCTOBRE	BALANCE	BALANCE	VIERGE	LION	SCORPION	LION	BALANCE	LION	24 LION
12 OCTOBRE	BALANCE	BALANCE	VIERGE	LION	SCORPION	LION	BALANCE	LION	8 VIERGE
13 OCTOBRE	BALANCE	SCORPION	BALANCE	LION	SCORPION	LION	BALANCE	LION	21 VIERGE
14 OCTOBRE	BALANCE	SCORPION	BALANCE	LION	SCORPION	LION	BALANCE	LION	4 BALANCE
15 OCTOBRE	BALANCE	SCORPION	BALANCE	LION	SCORPION	LION	BALANCE	LION	17 BALANCE
16 OCTOBRE	BALANCE	SCORPION	BALANCE	LION	SCORPION	LION	BALANCE	LION	0 SCORPION
17 OCTOBRE	BALANCE	SCORPION	BALANCE	LION	SCORPION	LION	BALANCE	LION	12 SCORPION
18 OCTOBRE	BALANCE	SCORPION	BALANCE	LION	SCORPION	LION	BALANCE	LION	25 SCORPION
19 OCTOBRE	BALANCE	SCORPION	BALANCE	LION	SCORPION	LION	BALANCE	LION	7 SAGITTAIRE
20 OCTOBRE	BALANCE	SCORPION	BALANCE	LION	SCORPION	LION	BALANCE	LION	18 SAGITTAIRE
21 OCTOBRE	BALANCE	SCORPION	BALANCE	LION	SCORPION	LION	BALANCE	LION	0 CAPRICORNE
22 OCTOBRE	BALANCE	SCORPION	BALANCE	LION	SCORPION	LION	BALANCE	LION	12 CAPRICORNE
23 OCTOBRE	BALANCE	SCORPION	BALANCE	LION	SCORPION	LION	BALANCE	LION	24 CAPRICORNE

LE SOLEIL ENTRE DANS LE SIGNE DE LA BALANCE LE 23 SEPTEMBRE 1955 A 19 h 30
LE SOLEIL QUITTE LE SIGNE DE LA BALANCE LE 23 OCTOBRE 1955 A 4 h 30

* LES CHIFFRES INDIQUENT LES DEGRES

DECOUVREZ DANS QUEL SIGNE SE TROUVAIENT LES PLANETES A VOTRE NAISSANCE

1956	MERCURE	VENUS	MARS	JUPITER	SATURNE	URANUS	NEPTUNE	PLUTON	LUNE *
23 SEPTEMBRE	BALANCE	LION	POISSONS	VIERGE	SCORPION	LION	BALANCE	LION	10 TAUREAU
24 SEPTEMBRE	BALANCE	LION	POISSONS	VIERGE	SCORPION	LION	BALANCE	LION	23 TAUREAU
25 SEPTEMBRE	BALANCE	LION	POISSONS	VIERGE	SCORPION	LION	BALANCE	LION	7 GEMEAUX
26 SEPTEMBRE	BALANCE	LION	POISSONS	VIERGE	SCORPION	LION	BALANCE	LION	20 GEMEAUX
27 SEPTEMBRE	BALANCE	LION	POISSONS	VIERGE	SCORPION	LION	BALANCE	LION	4 CANCER
28 SEPTEMBRE	BALANCE	LION	POISSONS	VIERGE	SCORPION	LION	BALANCE	LION	18 CANCER
29 SEPTEMBRE	BALANCE	LION	POISSONS	VIERGE	SCORPION	LION	BALANCE	LION	3 LION
30 SEPTEMBRE	VIERGE	LION	POISSONS	VIERGE	SCORPION	LION	BALANCE	LION	17 LION
1 OCTOBRE	VIERGE	LION	POISSONS	VIERGE	SCORPION	LION	BALANCE	LION	2 VIERGE
2 OCTOBRE	VIERGE	LION	POISSONS	VIERGE	SCORPION	LION	BALANCE	LION	16 VIERGE
3 OCTOBRE	VIERGE	LION	POISSONS	VIERGE	SCORPION	LION	BALANCE	LION	1 BALANCE
4 OCTOBRE	VIERGE	LION	POISSONS	VIERGE	SCORPION	LION	BALANCE	LION	15 BALANCE
5 OCTOBRE	VIERGE	LION	POISSONS	VIERGE	SCORPION	LION	BALANCE	LION	29 BALANCE
6 OCTOBRE	VIERGE	VIERGE	POISSONS	VIERGE	SCORPION	LION	BALANCE	LION	12 SCORPION
7 OCTOBRE	VIERGE	VIERGE	POISSONS	VIERGE	SCORPION	LION	BALANCE	LION	26 SCORPION
8 OCTOBRE	VIERGE	VIERGE	POISSONS	VIERGE	SCORPION	LION	BALANCE	LION	8 SAGITTAIRE
9 OCTOBRE	VIERGE	VIERGE	POISSONS	VIERGE	SCORPION	LION	BALANCE	LION	21 SAGITTAIRE
10 OCTOBRE	VIERGE	VIERGE	POISSONS	VIERGE	SCORPION	LION	BALANCE	LION	3 CAPRICORNE
11 OCTOBRE	BALANCE	VIERGE	POISSONS	VIERGE	SAGITTAIRE	LION	BALANCE	LION	15 CAPRICORNE
12 OCTOBRE	BALANCE	VIERGE	POISSONS	VIERGE	SAGITTAIRE	LION	BALANCE	LION	27 CAPRICORNE
13 OCTOBRE	BALANCE	VIERGE	POISSONS	VIERGE	SAGITTAIRE	LION	BALANCE	LION	8 VERSEAU
14 OCTOBRE	BALANCE	VIERGE	POISSONS	VIERGE	SAGITTAIRE	LION	BALANCE	LION	20 VERSEAU
15 OCTOBRE	BALANCE	VIERGE	POISSONS	VIERGE	SAGITTAIRE	LION	BALANCE	LION	2 POISSONS
16 OCTOBRE	BALANCE	VIERGE	POISSONS	VIERGE	SAGITTAIRE	LION	BALANCE	LION	15 POISSONS
17 OCTOBRE	BALANCE	VIERGE	POISSONS	VIERGE	SAGITTAIRE	LION	BALANCE	LION	27 POISSONS
18 OCTOBRE	BALANCE	VIERGE	POISSONS	VIERGE	SAGITTAIRE	LION	BALANCE	LION	10 BELIER
19 OCTOBRE	BALANCE	VIERGE	POISSONS	VIERGE	SAGITTAIRE	LION	SCORPION	LION	23 BELIER
20 OCTOBRE	BALANCE	VIERGE	POISSONS	VIERGE	SAGITTAIRE	LION	SCORPION	VIERGE	6 TAUREAU
21 OCTOBRE	BALANCE	VIERGE	POISSONS	VIERGE	SAGITTAIRE	LION	SCORPION	VIERGE	20 TAUREAU
22 OCTOBRE	BALANCE	VIERGE	POISSONS	VIERGE	SAGITTAIRE	LION	SCORPION	VIERGE	3 GEMEAUX
23 OCTOBRE	BALANCE	VIERGE	POISSONS	VIERGE	SAGITTAIRE	LION	SCORPION	VIERGE	17 GEMEAUX

LE SOLEIL ENTRE DANS LE SIGNE DE LA BALANCE LE 23 SEPTEMBRE 1956 A 1 h 20
LE SOLEIL QUITTE LE SIGNE DE LA BALANCE LE 23 OCTOBRE 1956 A 10 h 20

* LES CHIFFRES INDIQUENT LES DEGRES

1957	MERCURE	VENUS	MARS	JUPITER	SATURNE	URANUS	NEPTUNE	PLUTON	LUNE *
23 SEPTEMBRE	VIERGE	SCORPION	VIERGE	BALANCE	SAGITTAIRE	LION	SCORPION	VIERGE	26 VIERGE
24 SEPTEMBRE	VIERGE	SCORPION	BALANCE	BALANCE	SAGITTAIRE	LION	SCORPION	VIERGE	11 BALANCE
25 SEPTEMBRE	VIERGE	SCORPION	BALANCE	BALANCE	SAGITTAIRE	LION	SCORPION	VIERGE	26 BALANCE
26 SEPTEMBRE	VIERGE	SCORPION	BALANCE	BALANCE	SAGITTAIRE	LION	SCORPION	VIERGE	10 SCORPION
27 SEPTEMBRE	VIERGE	SCORPION	BALANCE	BALANCE	SAGITTAIRE	LION	SCORPION	VIERGE	24 SCORPION
28 SEPTEMBRE	VIERGE	SCORPION	BALANCE	BALANCE	SAGITTAIRE	LION	SCORPION	VIERGE	8 SAGITTAIRE
29 SEPTEMBRE	VIERGE	SCORPION	BALANCE	BALANCE	SAGITTAIRE	LION	SCORPION	VIERGE	21 SAGITTAIRE
30 SEPTEMBRE	VIERGE	SCORPION	BALANCE	BALANCE	SAGITTAIRE	LION	SCORPION	VIERGE	4 CAPRICORNE
1 OCTOBRE	VIERGE	SCORPION	BALANCE	BALANCE	SAGITTAIRE	LION	SCORPION	VIERGE	16 CAPRICORNE
2 OCTOBRE	VIERGE	SCORPION	BALANCE	BALANCE	SAGITTAIRE	LION	SCORPION	VIERGE	29 CAPRICORNE
3 OCTOBRE	VIERGE	SCORPION	BALANCE	BALANCE	SAGITTAIRE	LION	SCORPION	VIERGE	11 VERSEAU
4 OCTOBRE	VIERGE	SCORPION	BALANCE	BALANCE	SAGITTAIRE	LION	SCORPION	VIERGE	23 VERSEAU
5 OCTOBRE	VIERGE	SCORPION	BALANCE	BALANCE	SAGITTAIRE	LION	SCORPION	VIERGE	4 POISSONS
6 OCTOBRE	BALANCE	SCORPION	BALANCE	BALANCE	SAGITTAIRE	LION	SCORPION	VIERGE	16 POISSONS
7 OCTOBRE	BALANCE	SCORPION	BALANCE	BALANCE	SAGITTAIRE	LION	SCORPION	VIERGE	28 POISSONS
8 OCTOBRE	BALANCE	SCORPION	BALANCE	BALANCE	SAGITTAIRE	LION	SCORPION	VIERGE	10 BELIER
9 OCTOBRE	BALANCE	SCORPION	BALANCE	BALANCE	SAGITTAIRE	LION	SCORPION	VIERGE	22 BELIER
10 OCTOBRE	BALANCE	SAGITTAIRE	BALANCE	BALANCE	SAGITTAIRE	LION	SCORPION	VIERGE	4 TAUREAU
11 OCTOBRE	BALANCE	SAGITTAIRE	BALANCE	BALANCE	SAGITTAIRE	LION	SCORPION	VIERGE	17 TAUREAU
12 OCTOBRE	BALANCE	SAGITTAIRE	BALANCE	BALANCE	SAGITTAIRE	LION	SCORPION	VIERGE	29 TAUREAU
13 OCTOBRE	BALANCE	SAGITTAIRE	BALANCE	BALANCE	SAGITTAIRE	LION	SCORPION	VIERGE	12 GEMEAUX
14 OCTOBRE	BALANCE	SAGITTAIRE	BALANCE	BALANCE	SAGITTAIRE	LION	SCORPION	VIERGE	25 GEMEAUX
15 OCTOBRE	BALANCE	SAGITTAIRE	BALANCE	BALANCE	SAGITTAIRE	LION	SCORPION	VIERGE	8 CANCER
16 OCTOBRE	BALANCE	SAGITTAIRE	BALANCE	BALANCE	SAGITTAIRE	LION	SCORPION	VIERGE	22 CANCER
17 OCTOBRE	BALANCE	SAGITTAIRE	BALANCE	BALANCE	SAGITTAIRE	LION	SCORPION	VIERGE	6 LION
18 OCTOBRE	BALANCE	SAGITTAIRE	BALANCE	BALANCE	SAGITTAIRE	LION	SCORPION	VIERGE	20 LION
19 OCTOBRE	BALANCE	SAGITTAIRE	BALANCE	BALANCE	SAGITTAIRE	LION	SCORPION	VIERGE	4 VIERGE
20 OCTOBRE	BALANCE	SAGITTAIRE	BALANCE	BALANCE	SAGITTAIRE	LION	SCORPION	VIERGE	19 VIERGE
21 OCTOBRE	BALANCE	SAGITTAIRE	BALANCE	BALANCE	SAGITTAIRE	LION	SCORPION	VIERGE	4 BALANCE
22 OCTOBRE	BALANCE	SAGITTAIRE	BALANCE	BALANCE	SAGITTAIRE	LION	SCORPION	VIERGE	19 BALANCE
23 OCTOBRE	BALANCE	SAGITTAIRE	BALANCE	BALANCE	SAGITTAIRE	LION	SCORPION	VIERGE	4 SCORPION

LE SOLEIL ENTRE DANS LE SIGNE DE LA BALANCE LE 23 SEPTEMBRE 1957 A 7 h 15
LE SOLEIL QUITTE LE SIGNE DE LA BALANCE LE 23 OCTOBRE 1957 A 16 h 15

* LES CHIFFRES INDIQUENT LES DEGRES

DECOUVREZ DANS QUEL SIGNE SE TROUVAIENT LES PLANETES A VOTRE NAISSANCE

1958	MERCURE	VENUS	MARS	JUPITER	SATURNE	URANUS	NEPTUNE	PLUTON	LUNE *
23 SEPTEMBRE	VIERGE	VIERGE	GEMEAUX	SCORPION	SAGITTAIRE	LION	SCORPION	VIERGE	10 VERSEAU
24 SEPTEMBRE	VIERGE	VIERGE	GEMEAUX	SCORPION	SAGITTAIRE	LION	SCORPION	VIERGE	23 VERSEAU
25 SEPTEMBRE	VIERGE	VIERGE	GEMEAUX	SCORPION	SAGITTAIRE	LION	SCORPION	VIERGE	5 POISSONS
26 SEPTEMBRE	VIERGE	VIERGE	GEMEAUX	SCORPION	SAGITTAIRE	LION	SCORPION	VIERGE	17 POISSONS
27 SEPTEMBRE	VIERGE	VIERGE	GEMEAUX	SCORPION	SAGITTAIRE	LION	SCORPION	VIERGE	29 POISSONS
28 SEPTEMBRE	VIERGE	VIERGE	GEMEAUX	SCORPION	SAGITTAIRE	LION	SCORPION	VIERGE	11 BELIER
29 SEPTEMBRE	BALANCE	VIERGE	GEMEAUX	SCORPION	SAGITTAIRE	LION	SCORPION	VIERGE	23 BELIER
30 SEPTEMBRE	BALANCE	VIERGE	GEMEAUX	SCORPION	SAGITTAIRE	LION	SCORPION	VIERGE	5 TAUREAU
1 OCTOBRE	BALANCE	VIERGE	GEMEAUX	SCORPION	SAGITTAIRE	LION	SCORPION	VIERGE	16 TAUREAU
2 OCTOBRE	BALANCE	VIERGE	GEMEAUX	SCORPION	SAGITTAIRE	LION	SCORPION	VIERGE	28 TAUREAU
3 OCTOBRE	BALANCE	VIERGE	GEMEAUX	SCORPION	SAGITTAIRE	LION	SCORPION	VIERGE	10 GEMEAUX
4 OCTOBRE	BALANCE	BALANCE	GEMEAUX	SCORPION	SAGITTAIRE	LION	SCORPION	VIERGE	22 GEMEAUX
5 OCTOBRE	BALANCE	BALANCE	GEMEAUX	SCORPION	SAGITTAIRE	LION	SCORPION	VIERGE	5 CANCER
6 OCTOBRE	BALANCE	BALANCE	GEMEAUX	SCORPION	SAGITTAIRE	LION	SCORPION	VIERGE	18 CANCER
7 OCTOBRE	BALANCE	BALANCE	GEMEAUX	SCORPION	SAGITTAIRE	LION	SCORPION	VIERGE	1 LION
8 OCTOBRE	BALANCE	BALANCE	GEMEAUX	SCORPION	SAGITTAIRE	LION	SCORPION	VIERGE	14 LION
9 OCTOBRE	BALANCE	BALANCE	GEMEAUX	SCORPION	SAGITTAIRE	LION	SCORPION	VIERGE	29 LION
10 OCTOBRE	BALANCE	BALANCE	GEMEAUX	SCORPION	SAGITTAIRE	LION	SCORPION	VIERGE	13 VIERGE
11 OCTOBRE	BALANCE	BALANCE	GEMEAUX	SCORPION	SAGITTAIRE	LION	SCORPION	VIERGE	28 VIERGE
12 OCTOBRE	BALANCE	BALANCE	GEMEAUX	SCORPION	SAGITTAIRE	LION	SCORPION	VIERGE	13 BALANCE
13 OCTOBRE	BALANCE	BALANCE	GEMEAUX	SCORPION	SAGITTAIRE	LION	SCORPION	VIERGE	28 BALANCE
14 OCTOBRE	BALANCE	BALANCE	GEMEAUX	SCORPION	SAGITTAIRE	LION	SCORPION	VIERGE	13 SCORPION
15 OCTOBRE	BALANCE	BALANCE	GEMEAUX	SCORPION	SAGITTAIRE	LION	SCORPION	VIERGE	28 SCORPION
16 OCTOBRE	SCORPION	BALANCE	GEMEAUX	SCORPION	SAGITTAIRE	LION	SCORPION	VIERGE	13 SAGITTAIRE
17 OCTOBRE	SCORPION	BALANCE	GEMEAUX	SCORPION	SAGITTAIRE	LION	SCORPION	VIERGE	27 SAGITTAIRE
18 OCTOBRE	SCORPION	BALANCE	GEMEAUX	SCORPION	SAGITTAIRE	LION	SCORPION	VIERGE	11 CAPRICORNE
19 OCTOBRE	SCORPION	BALANCE	GEMEAUX	SCORPION	SAGITTAIRE	LION	SCORPION	VIERGE	24 CAPRICORNE
20 OCTOBRE	SCORPION	BALANCE	GEMEAUX	SCORPION	SAGITTAIRE	LION	SCORPION	VIERGE	7 VERSEAU
21 OCTOBRE	SCORPION	BALANCE	GEMEAUX	SCORPION	SAGITTAIRE	LION	SCORPION	VIERGE	20 VERSEAU
22 OCTOBRE	SCORPION	BALANCE	GEMEAUX	SCORPION	SAGITTAIRE	LION	SCORPION	VIERGE	2 POISSONS
23 OCTOBRE	SCORPION	BALANCE	GEMEAUX	SCORPION	SAGITTAIRE	LION	SCORPION	VIERGE	14 POISSONS

LE SOLEIL ENTRE DANS LE SIGNE DE LA BALANCE LE 23 SEPTEMBRE 1958 A 13 h 00
LE SOLEIL QUITTE LE SIGNE DE LA BALANCE LE 23 OCTOBRE 1958 A 22 h 00

* LES CHIFFRES INDIQUENT LES DEGRES

1959	MERCURE	VENUS	MARS	JUPITER	SATURNE	URANUS	NEPTUNE	PLUTON	LUNE *
23 SEPTEMBRE	BALANCE	LION	BALANCE	SCORPION	CAPRICORNE	LION	SCORPION	VIERGE	12 GEMEAUX
24 SEPTEMBRE	BALANCE	LION	BALANCE	SCORPION	CAPRICORNE	LION	SCORPION	VIERGE	24 GEMEAUX
25 SEPTEMBRE	BALANCE	VIERGE	BALANCE	SCORPION	CAPRICORNE	LION	SCORPION	VIERGE	6 CANCER
26 SEPTEMBRE	BALANCE	VIERGE	BALANCE	SCORPION	CAPRICORNE	LION	SCORPION	VIERGE	18 CANCER
27 SEPTEMBRE	BALANCE	VIERGE	BALANCE	SCORPION	CAPRICORNE	LION	SCORPION	VIERGE	0 LION
28 SEPTEMBRE	BALANCE	VIERGE	BALANCE	SCORPION	CAPRICORNE	LION	SCORPION	VIERGE	13 LION
29 SEPTEMBRE	BALANCE	VIERGE	BALANCE	SCORPION	CAPRICORNE	LION	SCORPION	VIERGE	26 LION
30 SEPTEMBRE	BALANCE	VIERGE	BALANCE	SCORPION	CAPRICORNE	LION	SCORPION	VIERGE	10 VIERGE
1 OCTOBRE	BALANCE	VIERGE	BALANCE	SCORPION	CAPRICORNE	LION	SCORPION	VIERGE	24 VIERGE
2 OCTOBRE	BALANCE	VIERGE	BALANCE	SCORPION	CAPRICORNE	LION	SCORPION	VIERGE	8 BALANCE
3 OCTOBRE	BALANCE	VIERGE	BALANCE	SCORPION	CAPRICORNE	LION	SCORPION	VIERGE	22 BALANCE
4 OCTOBRE	BALANCE	VIERGE	BALANCE	SCORPION	CAPRICORNE	LION	SCORPION	VIERGE	7 SCORPION
5 OCTOBRE	BALANCE	VIERGE	BALANCE	SCORPION	CAPRICORNE	LION	SCORPION	VIERGE	22 SCORPION
6 OCTOBRE	BALANCE	VIERGE	BALANCE	SAGITTAIRE	CAPRICORNE	LION	SCORPION	VIERGE	6 SAGITTAIRE
7 OCTOBRE	BALANCE	VIERGE	BALANCE	SAGITTAIRE	CAPRICORNE	LION	SCORPION	VIERGE	21 SAGITTAIRE
8 OCTOBRE	BALANCE	VIERGE	BALANCE	SAGITTAIRE	CAPRICORNE	LION	SCORPION	VIERGE	5 CAPRICORNE
9 OCTOBRE	SCORPION	VIERGE	BALANCE	SAGITTAIRE	CAPRICORNE	LION	SCORPION	VIERGE	19 CAPRICORNE
10 OCTOBRE	SCORPION	VIERGE	BALANCE	SAGITTAIRE	CAPRICORNE	LION	SCORPION	VIERGE	3 VERSEAU
11 OCTOBRE	SCORPION	VIERGE	BALANCE	SAGITTAIRE	CAPRICORNE	LION	SCORPION	VIERGE	16 VERSEAU
12 OCTOBRE	SCORPION	VIERGE	BALANCE	SAGITTAIRE	CAPRICORNE	LION	SCORPION	VIERGE	0 POISSONS
13 OCTOBRE	SCORPION	VIERGE	BALANCE	SAGITTAIRE	CAPRICORNE	LION	SCORPION	VIERGE	13 POISSONS
14 OCTOBRE	SCORPION	VIERGE	BALANCE	SAGITTAIRE	CAPRICORNE	LION	SCORPION	VIERGE	25 POISSONS
15 OCTOBRE	SCORPION	VIERGE	BALANCE	SAGITTAIRE	CAPRICORNE	LION	SCORPION	VIERGE	8 BELIER
16 OCTOBRE	SCORPION	VIERGE	BALANCE	SAGITTAIRE	CAPRICORNE	LION	SCORPION	VIERGE	20 BELIER
17 OCTOBRE	SCORPION	VIERGE	BALANCE	SAGITTAIRE	CAPRICORNE	LION	SCORPION	VIERGE	2 TAUREAU
18 OCTOBRE	SCORPION	VIERGE	BALANCE	SAGITTAIRE	CAPRICORNE	LION	SCORPION	VIERGE	14 TAUREAU
19 OCTOBRE	SCORPION	VIERGE	BALANCE	SAGITTAIRE	CAPRICORNE	LION	SCORPION	VIERGE	26 TAUREAU
20 OCTOBRE	SCORPION	VIERGE	BALANCE	SAGITTAIRE	CAPRICORNE	LION	SCORPION	VIERGE	8 GEMEAUX
21 OCTOBRE	SCORPION	VIERGE	SCORPION	SAGITTAIRE	CAPRICORNE	LION	SCORPION	VIERGE	20 GEMEAUX
22 OCTOBRE	SCORPION	VIERGE	SCORPION	SAGITTAIRE	CAPRICORNE	LION	SCORPION	VIERGE	2 CANCER
23 OCTOBRE	SCORPION	VIERGE	SCORPION	SAGITTAIRE	CAPRICORNE	LION	SCORPION	VIERGE	14 CANCER
24 OCTOBRE	SCORPION	VIERGE	SCORPION	SAGITTAIRE	CAPRICORNE	LION	SCORPION	VIERGE	26 CANCER

LE SOLEIL ENTRE DANS LE SIGNE DE LA BALANCE LE 23 SEPTEMBRE 1959 A 19 h 00
LE SOLEIL QUITTE LE SIGNE DE LA BALANCE LE 24 OCTOBRE 1959 A 4 h 00

* LES CHIFFRES INDIQUENT LES DEGRES

DECOUVREZ DANS QUEL SIGNE SE TROUVAIENT LES PLANETES A VOTRE NAISSANCE

1960	MERCURE	VENUS	MARS	JUPITER	SATURNE	URANUS	NEPTUNE	PLUTON	LUNE *
23 SEPTEMBRE	BALANCE	BALANCE	CANCER	SAGITTAIRE	CAPRICORNE	LION	SCORPION	VIERGE	1 SCORPION
24 SEPTEMBRE	BALANCE	BALANCE	CANCER	SAGITTAIRE	CAPRICORNE	LION	SCORPION	VIERGE	15 SCORPION
25 SEPTEMBRE	BALANCE	BALANCE	CANCER	SAGITTAIRE	CAPRICORNE	LION	SCORPION	VIERGE	29 SCORPION
26 SEPTEMBRE	BALANCE	BALANCE	CANCER	SAGITTAIRE	CAPRICORNE	LION	SCORPION	VIERGE	12 SAGITTAIRE
27 SEPTEMBRE	BALANCE	SCORPION	CANCER	SAGITTAIRE	CAPRICORNE	LION	SCORPION	VIERGE	27 SAGITTAIRE
28 SEPTEMBRE	BALANCE	SCORPION	CANCER	SAGITTAIRE	CAPRICORNE	LION	SCORPION	VIERGE	11 CAPRICORNE
29 SEPTEMBRE	BALANCE	SCORPION	CANCER	SAGITTAIRE	CAPRICORNE	LION	SCORPION	VIERGE	25 CAPRICORNE
30 SEPTEMBRE	BALANCE	SCORPION	CANCER	SAGITTAIRE	CAPRICORNE	LION	SCORPION	VIERGE	9 VERSEAU
1 OCTOBRE	BALANCE	SCORPION	CANCER	SAGITTAIRE	CAPRICORNE	LION	SCORPION	VIERGE	24 VERSEAU
2 OCTOBRE	SCORPION	SCORPION	CANCER	SAGITTAIRE	CAPRICORNE	LION	SCORPION	VIERGE	8 POISSONS
3 OCTOBRE	SCORPION	SCORPION	CANCER	SAGITTAIRE	CAPRICORNE	LION	SCORPION	VIERGE	22 POISSONS
4 OCTOBRE	SCORPION	SCORPION	CANCER	SAGITTAIRE	CAPRICORNE	LION	SCORPION	VIERGE	6 BELIER
5 OCTOBRE	SCORPION	SCORPION	CANCER	SAGITTAIRE	CAPRICORNE	LION	SCORPION	VIERGE	19 BELIER
6 OCTOBRE	SCORPION	SCORPION	CANCER	SAGITTAIRE	CAPRICORNE	LION	SCORPION	VIERGE	2 TAUREAU
7 OCTOBRE	SCORPION	SCORPION	CANCER	SAGITTAIRE	CAPRICORNE	LION	SCORPION	VIERGE	15 TAUREAU
8 OCTOBRE	SCORPION	SCORPION	CANCER	SAGITTAIRE	CAPRICORNE	LION	SCORPION	VIERGE	28 TAUREAU
9 OCTOBRE	SCORPION	SCORPION	CANCER	SAGITTAIRE	CAPRICORNE	LION	SCORPION	VIERGE	10 GEMEAUX
10 OCTOBRE	SCORPION	SCORPION	CANCER	SAGITTAIRE	CAPRICORNE	LION	SCORPION	VIERGE	23 GEMEAUX
11 OCTOBRE	SCORPION	SCORPION	CANCER	SAGITTAIRE	CAPRICORNE	LION	SCORPION	VIERGE	4 CANCER
12 OCTOBRE	SCORPION	SCORPION	CANCER	SAGITTAIRE	CAPRICORNE	LION	SCORPION	VIERGE	16 CANCER
13 OCTOBRE	SCORPION	SCORPION	CANCER	SAGITTAIRE	CAPRICORNE	LION	SCORPION	VIERGE	28 CANCER
14 OCTOBRE	SCORPION	SCORPION	CANCER	SAGITTAIRE	CAPRICORNE	LION	SCORPION	VIERGE	10 LION
15 OCTOBRE	SCORPION	SCORPION	CANCER	SAGITTAIRE	CAPRICORNE	LION	SCORPION	VIERGE	22 LION
16 OCTOBRE	SCORPION	SCORPION	CANCER	SAGITTAIRE	CAPRICORNE	LION	SCORPION	VIERGE	4 VIERGE
17 OCTOBRE	SCORPION	SCORPION	CANCER	SAGITTAIRE	CAPRICORNE	LION	SCORPION	VIERGE	17 VIERGE
18 OCTOBRE	SCORPION	SCORPION	CANCER	SAGITTAIRE	CAPRICORNE	LION	SCORPION	VIERGE	0 BALANCE
19 OCTOBRE	SCORPION	SCORPION	CANCER	SAGITTAIRE	CAPRICORNE	LION	SCORPION	VIERGE	13 BALANCE
20 OCTOBRE	SCORPION	SCORPION	CANCER	SAGITTAIRE	CAPRICORNE	LION	SCORPION	VIERGE	27 BALANCE
21 OCTOBRE	SCORPION	SCORPION	CANCER	SAGITTAIRE	CAPRICORNE	LION	SCORPION	VIERGE	11 SCORPION
22 OCTOBRE	SCORPION	SAGITTAIRE	CANCER	SAGITTAIRE	CAPRICORNE	LION	SCORPION	VIERGE	25 SCORPION
23 OCTOBRE	SCORPION	SAGITTAIRE	CANCER	SAGITTAIRE	CAPRICORNE	LION	SCORPION	VIERGE	9 SAGITTAIRE

ENTRE DANS LE SIGNE DE LA LE 23 SEPTEMBRE A 0 h 45
LE SOLEIL BALANCE 1960 * LES CHIFFRES INDIQUENT LES DEGRES
QUITTE LE SIGNE DE LA LE 23 OCTOBRE A 9 h 45

1961	MERCURE	VENUS	MARS	JUPITER	SATURNE	URANUS	NEPTUNE	PLUTON	LUNE *
23 SEPTEMBRE	BALANCE	LION	BALANCE	CAPRICORNE	CAPRICORNE	LION	SCORPION	VIERGE	16 POISSONS
24 SEPTEMBRE	BALANCE	VIERGE	BALANCE	CAPRICORNE	CAPRICORNE	LION	SCORPION	VIERGE	1 BELIER
25 SEPTEMBRE	BALANCE	VIERGE	BALANCE	CAPRICORNE	CAPRICORNE	LION	SCORPION	VIERGE	16 BELIER
26 SEPTEMBRE	BALANCE	VIERGE	BALANCE	CAPRICORNE	CAPRICORNE	LION	SCORPION	VIERGE	0 TAUREAU
27 SEPTEMBRE	BALANCE	VIERGE	BALANCE	CAPRICORNE	CAPRICORNE	LION	SCORPION	VIERGE	15 TAUREAU
28 SEPTEMBRE	SCORPION	VIERGE	BALANCE	CAPRICORNE	CAPRICORNE	LION	SCORPION	VIERGE	28 TAUREAU
29 SEPTEMBRE	SCORPION	VIERGE	BALANCE	CAPRICORNE	CAPRICORNE	LION	SCORPION	VIERGE	11 GEMEAUX
30 SEPTEMBRE	SCORPION	VIERGE	BALANCE	CAPRICORNE	CAPRICORNE	LION	SCORPION	VIERGE	24 GEMEAUX
1 OCTOBRE	SCORPION	VIERGE	BALANCE	CAPRICORNE	CAPRICORNE	LION	SCORPION	VIERGE	7 CANCER
2 OCTOBRE	SCORPION	VIERGE	SCORPION	CAPRICORNE	CAPRICORNE	LION	SCORPION	VIERGE	19 CANCER
3 OCTOBRE	SCORPION	VIERGE	SCORPION	CAPRICORNE	CAPRICORNE	LION	SCORPION	VIERGE	1 LION
4 OCTOBRE	SCORPION	VIERGE	SCORPION	CAPRICORNE	CAPRICORNE	LION	SCORPION	VIERGE	13 LION
5 OCTOBRE	SCORPION	VIERGE	SCORPION	CAPRICORNE	CAPRICORNE	LION	SCORPION	VIERGE	24 LION
6 OCTOBRE	SCORPION	VIERGE	SCORPION	CAPRICORNE	CAPRICORNE	LION	SCORPION	VIERGE	6 VIERGE
7 OCTOBRE	SCORPION	VIERGE	SCORPION	CAPRICORNE	CAPRICORNE	LION	SCORPION	VIERGE	18 VIERGE
8 OCTOBRE	SCORPION	VIERGE	SCORPION	CAPRICORNE	CAPRICORNE	LION	SCORPION	VIERGE	0 BALANCE
9 OCTOBRE	SCORPION	VIERGE	SCORPION	CAPRICORNE	CAPRICORNE	LION	SCORPION	VIERGE	12 BALANCE
10 OCTOBRE	SCORPION	VIERGE	SCORPION	CAPRICORNE	CAPRICORNE	LION	SCORPION	VIERGE	25 BALANCE
11 OCTOBRE	SCORPION	VIERGE	SCORPION	CAPRICORNE	CAPRICORNE	LION	SCORPION	VIERGE	7 SCORPION
12 OCTOBRE	SCORPION	VIERGE	SCORPION	CAPRICORNE	CAPRICORNE	LION	SCORPION	VIERGE	20 SCORPION
13 OCTOBRE	SCORPION	VIERGE	SCORPION	CAPRICORNE	CAPRICORNE	LION	SCORPION	VIERGE	3 SAGITTAIRE
14 OCTOBRE	SCORPION	VIERGE	SCORPION	CAPRICORNE	CAPRICORNE	LION	SCORPION	VIERGE	17 SAGITTAIRE
15 OCTOBRE	SCORPION	VIERGE	SCORPION	CAPRICORNE	CAPRICORNE	LION	SCORPION	VIERGE	0 CAPRICORNE
16 OCTOBRE	SCORPION	VIERGE	SCORPION	CAPRICORNE	CAPRICORNE	LION	SCORPION	VIERGE	14 CAPRICORNE
17 OCTOBRE	SCORPION	VIERGE	SCORPION	CAPRICORNE	CAPRICORNE	LION	SCORPION	VIERGE	28 CAPRICORNE
18 OCTOBRE	SCORPION	BALANCE	SCORPION	CAPRICORNE	CAPRICORNE	LION	SCORPION	VIERGE	12 VERSEAU
19 OCTOBRE	SCORPION	BALANCE	SCORPION	CAPRICORNE	CAPRICORNE	LION	SCORPION	VIERGE	26 VERSEAU
20 OCTOBRE	SCORPION	BALANCE	SCORPION	CAPRICORNE	CAPRICORNE	LION	SCORPION	VIERGE	10 POISSONS
21 OCTOBRE	SCORPION	BALANCE	SCORPION	CAPRICORNE	CAPRICORNE	LION	SCORPION	VIERGE	25 POISSONS
22 OCTOBRE	BALANCE	BALANCE	SCORPION	CAPRICORNE	CAPRICORNE	LION	SCORPION	VIERGE	10 BELIER
23 OCTOBRE	BALANCE	BALANCE	SCORPION	CAPRICORNE	CAPRICORNE	LION	SCORPION	VIERGE	24 BELIER

ENTRE DANS LE SIGNE DE LA LE 23 SEPTEMBRE A 6 h 15
LE SOLEIL BALANCE 1961 * LES CHIFFRES INDIQUENT LES DEGRES
QUITTE LE SIGNE DE LA LE 23 OCTOBRE A 15 h 30

DECOUVREZ DANS QUEL SIGNE SE TROUVAIENT LES PLANETES A VOTRE NAISSANCE

1962	MERCURE	VENUS	MARS	JUPITER	SATURNE	URANUS	NEPTUNE	PLUTON	LUNE *
23 SEPTEMBRE	BALANCE	SCORPION	CANCER	POISSONS	VERSEAU	VIERGE	SCORPION	VIERGE	1 LION
24 SEPTEMBRE	BALANCE	SCORPION	CANCER	POISSONS	VERSEAU	VIERGE	SCORPION	VIERGE	13 LION
25 SEPTEMBRE	BALANCE	SCORPION	CANCER	POISSONS	VERSEAU	VIERGE	SCORPION	VIERGE	25 LION
26 SEPTEMBRE	BALANCE	SCORPION	CANCER	POISSONS	VERSEAU	VIERGE	SCORPION	VIERGE	7 VIERGE
27 SEPTEMBRE	BALANCE	SCORPION	CANCER	POISSONS	VERSEAU	VIERGE	SCORPION	VIERGE	19 VIERGE
28 SEPTEMBRE	BALANCE	SCORPION	CANCER	POISSONS	VERSEAU	VIERGE	SCORPION	VIERGE	1 BALANCE
29 SEPTEMBRE	BALANCE	SCORPION	CANCER	POISSONS	VERSEAU	VIERGE	SCORPION	VIERGE	13 BALANCE
30 SEPTEMBRE	BALANCE	SCORPION	CANCER	POISSONS	VERSEAU	VIERGE	SCORPION	VIERGE	25 BALANCE
1 OCTOBRE	BALANCE	SCORPION	CANCER	POISSONS	VERSEAU	VIERGE	SCORPION	VIERGE	7 SCORPION
2 OCTOBRE	BALANCE	SCORPION	CANCER	POISSONS	VERSEAU	VIERGE	SCORPION	VIERGE	19 SCORPION
3 OCTOBRE	BALANCE	SCORPION	CANCER	POISSONS	VERSEAU	VIERGE	SCORPION	VIERGE	1 SAGITTAIRE
4 OCTOBRE	BALANCE	SCORPION	CANCER	POISSONS	VERSEAU	VIERGE	SCORPION	VIERGE	13 SAGITTAIRE
5 OCTOBRE	BALANCE	SCORPION	CANCER	POISSONS	VERSEAU	VIERGE	SCORPION	VIERGE	26 SAGITTAIRE
6 OCTOBRE	BALANCE	SCORPION	CANCER	POISSONS	VERSEAU	VIERGE	SCORPION	VIERGE	8 CAPRICORNE
7 OCTOBRE	BALANCE	SCORPION	CANCER	POISSONS	VERSEAU	VIERGE	SCORPION	VIERGE	22 CAPRICORNE
8 OCTOBRE	BALANCE	SCORPION	CANCER	POISSONS	VERSEAU	VIERGE	SCORPION	VIERGE	5 VERSEAU
9 OCTOBRE	BALANCE	SCORPION	CANCER	POISSONS	VERSEAU	VIERGE	SCORPION	VIERGE	19 VERSEAU
10 OCTOBRE	BALANCE	SCORPION	CANCER	POISSONS	VERSEAU	VIERGE	SCORPION	VIERGE	4 POISSONS
11 OCTOBRE	BALANCE	SCORPION	CANCER	POISSONS	VERSEAU	VIERGE	SCORPION	VIERGE	19 POISSONS
12 OCTOBRE	BALANCE	SCORPION	LION	POISSONS	VERSEAU	VIERGE	SCORPION	VIERGE	4 BELIER
13 OCTOBRE	BALANCE	SCORPION	LION	POISSONS	VERSEAU	VIERGE	SCORPION	VIERGE	19 BELIER
14 OCTOBRE	BALANCE	SCORPION	LION	POISSONS	VERSEAU	VIERGE	SCORPION	VIERGE	4 TAUREAU
15 OCTOBRE	BALANCE	SCORPION	LION	POISSONS	VERSEAU	VIERGE	SCORPION	VIERGE	19 TAUREAU
16 OCTOBRE	BALANCE	SCORPION	LION	POISSONS	VERSEAU	VIERGE	SCORPION	VIERGE	4 GEMEAUX
17 OCTOBRE	BALANCE	SCORPION	LION	POISSONS	VERSEAU	VIERGE	SCORPION	VIERGE	18 GEMEAUX
18 OCTOBRE	BALANCE	SCORPION	LION	POISSONS	VERSEAU	VIERGE	SCORPION	VIERGE	2 CANCER
19 OCTOBRE	BALANCE	SCORPION	LION	POISSONS	VERSEAU	VIERGE	SCORPION	VIERGE	15 CANCER
20 OCTOBRE	BALANCE	SCORPION	LION	POISSONS	VERSEAU	VIERGE	SCORPION	VIERGE	28 CANCER
21 OCTOBRE	BALANCE	SCORPION	LION	POISSONS	VERSEAU	VIERGE	SCORPION	VIERGE	10 LION
22 OCTOBRE	BALANCE	SCORPION	LION	POISSONS	VERSEAU	VIERGE	SCORPION	VIERGE	22 LION
23 OCTOBRE	BALANCE	SCORPION	LION	POISSONS	VERSEAU	VIERGE	SCORPION	VIERGE	4 VIERGE

LE SOLEIL ENTRE DANS LE SIGNE DE LA BALANCE LE 23 SEPTEMBRE 1962 A 12 h 20
LE SOLEIL QUITTE LE SIGNE DE LA BALANCE LE 23 OCTOBRE 1962 A 21 h 30

* LES CHIFFRES INDIQUENT LES DEGRES

1963	MERCURE	VENUS	MARS	JUPITER	SATURNE	URANUS	NEPTUNE	PLUTON	LUNE *
23 SEPTEMBRE	VIERGE	BALANCE	SCORPION	BELIER	VERSEAU	VIERGE	SCORPION	VIERGE	2 SAGITTAIRE
24 SEPTEMBRE	VIERGE	BALANCE	SCORPION	BELIER	VERSEAU	VIERGE	SCORPION	VIERGE	14 SAGITTAIRE
25 SEPTEMBRE	VIERGE	BALANCE	SCORPION	BELIER	VERSEAU	VIERGE	SCORPION	VIERGE	26 SAGITTAIRE
26 SEPTEMBRE	VIERGE	BALANCE	SCORPION	BELIER	VERSEAU	VIERGE	SCORPION	VIERGE	8 CAPRICORNE
27 SEPTEMBRE	VIERGE	BALANCE	SCORPION	BELIER	VERSEAU	VIERGE	SCORPION	VIERGE	20 CAPRICORNE
28 SEPTEMBRE	VIERGE	BALANCE	SCORPION	BELIER	VERSEAU	VIERGE	SCORPION	VIERGE	3 VERSEAU
29 SEPTEMBRE	VIERGE	BALANCE	SCORPION	BELIER	VERSEAU	VIERGE	SCORPION	VIERGE	16 VERSEAU
30 SEPTEMBRE	VIERGE	BALANCE	SCORPION	BELIER	VERSEAU	VIERGE	SCORPION	VIERGE	0 POISSONS
1 OCTOBRE	VIERGE	BALANCE	SCORPION	BELIER	VERSEAU	VIERGE	SCORPION	VIERGE	14 POISSONS
2 OCTOBRE	VIERGE	BALANCE	SCORPION	BELIER	VERSEAU	VIERGE	SCORPION	VIERGE	29 POISSONS
3 OCTOBRE	VIERGE	BALANCE	SCORPION	BELIER	VERSEAU	VIERGE	SCORPION	VIERGE	13 BELIER
4 OCTOBRE	VIERGE	BALANCE	SCORPION	BELIER	VERSEAU	VIERGE	SCORPION	VIERGE	29 BELIER
5 OCTOBRE	VIERGE	BALANCE	SCORPION	BELIER	VERSEAU	VIERGE	SCORPION	VIERGE	14 TAUREAU
6 OCTOBRE	VIERGE	BALANCE	SCORPION	BELIER	VERSEAU	VIERGE	SCORPION	VIERGE	28 TAUREAU
7 OCTOBRE	VIERGE	BALANCE	SCORPION	BELIER	VERSEAU	VIERGE	SCORPION	VIERGE	13 GEMEAUX
8 OCTOBRE	VIERGE	BALANCE	SCORPION	BELIER	VERSEAU	VIERGE	SCORPION	VIERGE	27 GEMEAUX
9 OCTOBRE	VIERGE	BALANCE	SCORPION	BELIER	VERSEAU	VIERGE	SCORPION	VIERGE	11 CANCER
10 OCTOBRE	VIERGE	BALANCE	SCORPION	BELIER	VERSEAU	VIERGE	SCORPION	VIERGE	25 CANCER
11 OCTOBRE	BALANCE	BALANCE	SCORPION	BELIER	VERSEAU	VIERGE	SCORPION	VIERGE	8 LION
12 OCTOBRE	BALANCE	SCORPION	SCORPION	BELIER	VERSEAU	VIERGE	SCORPION	VIERGE	21 LION
13 OCTOBRE	BALANCE	SCORPION	SCORPION	BELIER	VERSEAU	VIERGE	SCORPION	VIERGE	4 VIERGE
14 OCTOBRE	BALANCE	SCORPION	SCORPION	BELIER	VERSEAU	VIERGE	SCORPION	VIERGE	16 VIERGE
15 OCTOBRE	BALANCE	SCORPION	SCORPION	BELIER	VERSEAU	VIERGE	SCORPION	VIERGE	28 VIERGE
16 OCTOBRE	BALANCE	SCORPION	SCORPION	BELIER	VERSEAU	VIERGE	SCORPION	VIERGE	11 BALANCE
17 OCTOBRE	BALANCE	SCORPION	SCORPION	BELIER	VERSEAU	VIERGE	SCORPION	VIERGE	23 BALANCE
18 OCTOBRE	BALANCE	SCORPION	SCORPION	BELIER	VERSEAU	VIERGE	SCORPION	VIERGE	5 SCORPION
19 OCTOBRE	BALANCE	SCORPION	SCORPION	BELIER	VERSEAU	VIERGE	SCORPION	VIERGE	17 SCORPION
20 OCTOBRE	BALANCE	SCORPION	SCORPION	BELIER	VERSEAU	VIERGE	SCORPION	VIERGE	28 SCORPION
21 OCTOBRE	BALANCE	SCORPION	SCORPION	BELIER	VERSEAU	VIERGE	SCORPION	VIERGE	10 SAGITTAIRE
22 OCTOBRE	BALANCE	SCORPION	SCORPION	BELIER	VERSEAU	VIERGE	SCORPION	VIERGE	22 SAGITTAIRE
23 OCTOBRE	BALANCE	SCORPION	SCORPION	BELIER	VERSEAU	VIERGE	SCORPION	VIERGE	4 CAPRICORNE
24 OCTOBRE	BALANCE	SCORPION	SCORPION	BELIER	VERSEAU	VIERGE	SCORPION	VIERGE	16 CAPRICORNE

LE SOLEIL ENTRE DANS LE SIGNE DE LA BALANCE LE 23 SEPTEMBRE 1963 A 18 h 15
LE SOLEIL QUITTE LE SIGNE DE LA BALANCE LE 24 OCTOBRE 1963 A 3 h 15

* LES CHIFFRES INDIQUENT LES DEGRES

DECOUVREZ DANS QUEL SIGNE SE TROUVAIENT LES PLANETES A VOTRE NAISSANCE

1964	MERCURE	VENUS	MARS	JUPITER	SATURNE	URANUS	NEPTUNE	PLUTON	LUNE *
23 SEPTEMBRE	VIERGE	LION	LION	TAUREAU	VERSEAU	VIERGE	SCORPION	VIERGE	23 BELIER
24 SEPTEMBRE	VIERGE	LION	LION	TAUREAU	VERSEAU	VIERGE	SCORPION	VIERGE	7 TAUREAU
25 SEPTEMBRE	VIERGE	LION	LION	TAUREAU	VERSEAU	VIERGE	SCORPION	VIERGE	21 TAUREAU
26 SEPTEMBRE	VIERGE	LION	LION	TAUREAU	VERSEAU	VIERGE	SCORPION	VIERGE	5 GEMEAUX
27 SEPTEMBRE	VIERGE	LION	LION	TAUREAU	VERSEAU	VIERGE	SCORPION	VIERGE	19 GEMEAUX
28 SEPTEMBRE	VIERGE	LION	LION	TAUREAU	VERSEAU	VIERGE	SCORPION	VIERGE	3 CANCER
29 SEPTEMBRE	VIERGE	LION	LION	TAUREAU	VERSEAU	VIERGE	SCORPION	VIERGE	17 CANCER
30 SEPTEMBRE	VIERGE	LION	LION	TAUREAU	VERSEAU	VIERGE	SCORPION	VIERGE	1 LION
1 OCTOBRE	VIERGE	LION	LION	TAUREAU	VERSEAU	VIERGE	SCORPION	VIERGE	15 LION
2 OCTOBRE	VIERGE	LION	LION	TAUREAU	VERSEAU	VIERGE	SCORPION	VIERGE	29 LION
3 OCTOBRE	BALANCE	LION	LION	TAUREAU	VERSEAU	VIERGE	SCORPION	VIERGE	13 VIERGE
4 OCTOBRE	BALANCE	LION	LION	TAUREAU	VERSEAU	VIERGE	SCORPION	VIERGE	26 VIERGE
5 OCTOBRE	BALANCE	LION	LION	TAUREAU	VERSEAU	VIERGE	SCORPION	VIERGE	10 BALANCE
6 OCTOBRE	BALANCE	VIERGE	LION	TAUREAU	VERSEAU	VIERGE	SCORPION	VIERGE	23 BALANCE
7 OCTOBRE	BALANCE	VIERGE	LION	TAUREAU	VERSEAU	VIERGE	SCORPION	VIERGE	5 SCORPION
8 OCTOBRE	BALANCE	VIERGE	LION	TAUREAU	VERSEAU	VIERGE	SCORPION	VIERGE	18 SCORPION
9 OCTOBRE	BALANCE	VIERGE	LION	TAUREAU	VERSEAU	VIERGE	SCORPION	VIERGE	0 SAGITTAIRE
10 OCTOBRE	BALANCE	VIERGE	LION	TAUREAU	VERSEAU	VIERGE	SCORPION	VIERGE	12 SAGITTAIRE
11 OCTOBRE	BALANCE	VIERGE	LION	TAUREAU	VERSEAU	VIERGE	SCORPION	VIERGE	24 SAGITTAIRE
12 OCTOBRE	BALANCE	VIERGE	LION	TAUREAU	VERSEAU	VIERGE	SCORPION	VIERGE	6 CAPRICORNE
13 OCTOBRE	BALANCE	VIERGE	LION	TAUREAU	VERSEAU	VIERGE	SCORPION	VIERGE	18 CAPRICORNE
14 OCTOBRE	BALANCE	VIERGE	LION	TAUREAU	VERSEAU	VIERGE	SCORPION	VIERGE	0 VERSEAU
15 OCTOBRE	BALANCE	VIERGE	LION	TAUREAU	VERSEAU	VIERGE	SCORPION	VIERGE	12 VERSEAU
16 OCTOBRE	BALANCE	VIERGE	LION	TAUREAU	VERSEAU	VIERGE	SCORPION	VIERGE	24 VERSEAU
17 OCTOBRE	BALANCE	VIERGE	LION	TAUREAU	VERSEAU	VIERGE	SCORPION	VIERGE	7 POISSONS
18 OCTOBRE	BALANCE	VIERGE	LION	TAUREAU	VERSEAU	VIERGE	SCORPION	VIERGE	20 POISSONS
19 OCTOBRE	BALANCE	VIERGE	LION	TAUREAU	VERSEAU	VIERGE	SCORPION	VIERGE	4 BELIER
20 OCTOBRE	SCORPION	VIERGE	LION	TAUREAU	VERSEAU	VIERGE	SCORPION	VIERGE	18 BELIER
21 OCTOBRE	SCORPION	VIERGE	LION	TAUREAU	VERSEAU	VIERGE	SCORPION	VIERGE	2 TAUREAU
22 OCTOBRE	SCORPION	VIERGE	LION	TAUREAU	VERSEAU	VIERGE	SCORPION	VIERGE	16 TAUREAU
23 OCTOBRE	SCORPION	VIERGE	LION	TAUREAU	VERSEAU	VIERGE	SCORPION	VIERGE	1 GEMEAUX

LE SOLEIL ENTRE DANS LE SIGNE DE LA BALANCE LE 23 SEPTEMBRE 1964 A 0 h 45
LE SOLEIL QUITTE LE SIGNE DE LA BALANCE LE 23 OCTOBRE 1964 A 9 h 45

* LES CHIFFRES INDIQUENT LES DEGRES

1965	MERCURE	VENUS	MARS	JUPITER	SATURNE	URANUS	NEPTUNE	PLUTON	LUNE *
23 SEPTEMBRE	VIERGE	SCORPION	SCORPION	CANCER	POISSONS	VIERGE	SCORPION	VIERGE	7VIERGE
24 SEPTEMBRE	VIERGE	SCORPION	SCORPION	CANCER	POISSONS	VIERGE	SCORPION	VIERGE	22 VIERGE
25 SEPTEMBRE	BALANCE	SCORPION	SCORPION	CANCER	POISSONS	VIERGE	SCORPION	VIERGE	7 BALANCE
26 SEPTEMBRE	BALANCE	SCORPION	SCORPION	CANCER	POISSONS	VIERGE	SCORPION	VIERGE	21 BALANCE
27 SEPTEMBRE	BALANCE	SCORPION	SCORPION	CANCER	POISSONS	VIERGE	SCORPION	VIERGE	5 SCORPION
28 SEPTEMBRE	BALANCE	SCORPION	SCORPION	CANCER	POISSONS	VIERGE	SCORPION	VIERGE	18 SCORPION
29 SEPTEMBRE	BALANCE	SCORPION	SCORPION	CANCER	POISSONS	VIERGE	SCORPION	VIERGE	1 SAGITTAIRE
30 SEPTEMBRE	BALANCE	SCORPION	SCORPION	CANCER	POISSONS	VIERGE	SCORPION	VIERGE	14 SAGITTAIRE
1 OCTOBRE	BALANCE	SCORPION	SCORPION	CANCER	POISSONS	VIERGE	SCORPION	VIERGE	26 SAGITTAIRE
2 OCTOBRE	BALANCE	SCORPION	SCORPION	CANCER	POISSONS	VIERGE	SCORPION	VIERGE	8 CAPRICORNE
3 OCTOBRE	BALANCE	SCORPION	SCORPION	CANCER	POISSONS	VIERGE	SCORPION	VIERGE	20 CAPRICORNE
4 OCTOBRE	BALANCE	SCORPION	SAGITTAIRE	CANCER	POISSONS	VIERGE	SCORPION	VIERGE	2 VERSEAU
5 OCTOBRE	BALANCE	SCORPION	SAGITTAIRE	CANCER	POISSONS	VIERGE	SCORPION	VIERGE	14 VERSEAU
6 OCTOBRE	BALANCE	SCORPION	SAGITTAIRE	CANCER	POISSONS	VIERGE	SCORPION	VIERGE	26 VERSEAU
7 OCTOBRE	BALANCE	SCORPION	SAGITTAIRE	CANCER	POISSONS	VIERGE	SCORPION	VIERGE	8 POISSONS
8 OCTOBRE	BALANCE	SCORPION	SAGITTAIRE	CANCER	POISSONS	VIERGE	SCORPION	VIERGE	20 POISSONS
9 OCTOBRE	BALANCE	SCORPION	SAGITTAIRE	CANCER	POISSONS	VIERGE	SCORPION	VIERGE	3 BELIER
10 OCTOBRE	BALANCE	SAGITTAIRE	SAGITTAIRE	CANCER	POISSONS	VIERGE	SCORPION	VIERGE	16 BELIER
11 OCTOBRE	BALANCE	SAGITTAIRE	SAGITTAIRE	CANCER	POISSONS	VIERGE	SCORPION	VIERGE	28 BELIER
12 OCTOBRE	BALANCE	SAGITTAIRE	SAGITTAIRE	CANCER	POISSONS	VIERGE	SCORPION	VIERGE	12 TAUREAU
13 OCTOBRE	SCORPION	SAGITTAIRE	SAGITTAIRE	CANCER	POISSONS	VIERGE	SCORPION	VIERGE	25 TAUREAU
14 OCTOBRE	SCORPION	SAGITTAIRE	SAGITTAIRE	CANCER	POISSONS	VIERGE	SCORPION	VIERGE	8 GEMEAUX
15 OCTOBRE	SCORPION	SAGITTAIRE	SAGITTAIRE	CANCER	POISSONS	VIERGE	SCORPION	VIERGE	22 GEMEAUX
16 OCTOBRE	SCORPION	SAGITTAIRE	SAGITTAIRE	CANCER	POISSONS	VIERGE	SCORPION	VIERGE	6 CANCER
17 OCTOBRE	SCORPION	SAGITTAIRE	SAGITTAIRE	CANCER	POISSONS	VIERGE	SCORPION	VIERGE	20 CANCER
18 OCTOBRE	SCORPION	SAGITTAIRE	SAGITTAIRE	CANCER	POISSONS	VIERGE	SCORPION	VIERGE	4 LION
19 OCTOBRE	SCORPION	SAGITTAIRE	SAGITTAIRE	CANCER	POISSONS	VIERGE	SCORPION	VIERGE	18 LION
20 OCTOBRE	SCORPION	SAGITTAIRE	SAGITTAIRE	CANCER	POISSONS	VIERGE	SCORPION	VIERGE	3 VIERGE
21 OCTOBRE	SCORPION	SAGITTAIRE	SAGITTAIRE	CANCER	POISSONS	VIERGE	SCORPION	VIERGE	17 VIERGE
22 OCTOBRE	SCORPION	SAGITTAIRE	SAGITTAIRE	CANCER	POISSONS	VIERGE	SCORPION	VIERGE	1 BALANCE
23 OCTOBRE	SCORPION	SAGITTAIRE	SAGITTAIRE	CANCER	POISSONS	VIERGE	SCORPION	VIERGE	15 BALANCE

LE SOLEIL ENTRE DANS LE SIGNE DE LA BALANCE LE 23 SEPTEMBRE 1965 A 6 h 00
LE SOLEIL QUITTE LE SIGNE DE LA BALANCE LE 23 OCTOBRE 1965 A 15 h 00

* LES CHIFFRES INDIQUENT LES DEGRES

DECOUVREZ DANS QUEL SIGNE SE TROUVAIENT LES PLANETES A VOTRE NAISSANCE

1966	MERCURE	VENUS	MARS	JUPITER	SATURNE	URANUS	NEPTUNE	PLUTON	LUNE *
23 SEPTEMBRE	BALANCE	VIERGE	LION	CANCER	POISSONS	VIERGE	SCORPION	VIERGE	22 CAPRICORNE
24 SEPTEMBRE	BALANCE	VIERGE	LION	CANCER	POISSONS	VIERGE	SCORPION	VIERGE	4 VERSEAU
25 SEPTEMBRE	BALANCE	VIERGE	LION	CANCER	POISSONS	VIERGE	SCORPION	VIERGE	16 VERSEAU
26 SEPTEMBRE	BALANCE	VIERGE	LION	CANCER	POISSONS	VIERGE	SCORPION	VIERGE	28 VERSEAU
27 SEPTEMBRE	BALANCE	VIERGE	LION	CANCER	POISSONS	VIERGE	SCORPION	VIERGE	10 POISSONS
28 SEPTEMBRE	BALANCE	VIERGE	LION	LION	POISSONS	VIERGE	SCORPION	VIERGE	22 POISSONS
29 SEPTEMBRE	BALANCE	VIERGE	LION	LION	POISSONS	VIERGE	SCORPION	VIERGE	3 BELIER
30 SEPTEMBRE	BALANCE	VIERGE	LION	LION	POISSONS	VIERGE	SCORPION	VIERGE	15 BELIER
1 OCTOBRE	BALANCE	VIERGE	LION	LION	POISSONS	VIERGE	SCORPION	VIERGE	27 BELIER
2 OCTOBRE	BALANCE	VIERGE	LION	LION	POISSONS	VIERGE	SCORPION	VIERGE	9 TAUREAU
3 OCTOBRE	BALANCE	BALANCE	LION	LION	POISSONS	VIERGE	SCORPION	VIERGE	22 TAUREAU
4 OCTOBRE	BALANCE	BALANCE	LION	LION	POISSONS	VIERGE	SCORPION	VIERGE	4 GEMEAUX
5 OCTOBRE	BALANCE	BALANCE	LION	LION	POISSONS	VIERGE	SCORPION	VIERGE	17 GEMEAUX
6 OCTOBRE	SCORPION	BALANCE	LION	LION	POISSONS	VIERGE	SCORPION	VIERGE	0 CANCER
7 OCTOBRE	SCORPION	BALANCE	LION	LION	POISSONS	VIERGE	SCORPION	VIERGE	13 CANCER
8 OCTOBRE	SCORPION	BALANCE	LION	LION	POISSONS	VIERGE	SCORPION	VIERGE	27 CANCER
9 OCTOBRE	SCORPION	BALANCE	LION	LION	POISSONS	VIERGE	SCORPION	VIERGE	11 LION
10 OCTOBRE	SCORPION	BALANCE	LION	LION	POISSONS	VIERGE	SCORPION	VIERGE	25 LION
11 OCTOBRE	SCORPION	BALANCE	LION	LION	POISSONS	VIERGE	SCORPION	VIERGE	10 VIERGE
12 OCTOBRE	SCORPION	BALANCE	LION	LION	POISSONS	VIERGE	SCORPION	VIERGE	25 VIERGE
13 OCTOBRE	SCORPION	BALANCE	VIERGE	LION	POISSONS	VIERGE	SCORPION	VIERGE	10 BALANCE
14 OCTOBRE	SCORPION	BALANCE	VIERGE	LION	POISSONS	VIERGE	SCORPION	VIERGE	25 BALANCE
15 OCTOBRE	SCORPION	BALANCE	VIERGE	LION	POISSONS	VIERGE	SCORPION	VIERGE	10 SCORPION
16 OCTOBRE	SCORPION	BALANCE	VIERGE	LION	POISSONS	VIERGE	SCORPION	VIERGE	24 SCORPION
17 OCTOBRE	SCORPION	BALANCE	VIERGE	LION	POISSONS	VIERGE	SCORPION	VIERGE	8 SAGITTAIRE
18 OCTOBRE	SCORPION	BALANCE	VIERGE	LION	POISSONS	VIERGE	SCORPION	VIERGE	22 SAGITTAIRE
19 OCTOBRE	SCORPION	BALANCE	VIERGE	LION	POISSONS	VIERGE	SCORPION	VIERGE	5 CAPRICORNE
20 OCTOBRE	SCORPION	BALANCE	VIERGE	LION	POISSONS	VIERGE	SCORPION	VIERGE	18 CAPRICORNE
21 OCTOBRE	SCORPION	BALANCE	VIERGE	LION	POISSONS	VIERGE	SCORPION	VIERGE	0 VERSEAU
22 OCTOBRE	SCORPION	BALANCE	VIERGE	LION	POISSONS	VIERGE	SCORPION	VIERGE	13 VERSEAU
23 OCTOBRE	SCORPION	BALANCE	VIERGE	LION	POISSONS	VIERGE	SCORPION	VIERGE	25 VERSEAU

LE SOLEIL ENTRE DANS LE SIGNE DE LA BALANCE LE 23 SEPTEMBRE 1966 A 11 h 30
QUITTE LE SIGNE DE LA BALANCE LE 23 OCTOBRE 1966 A 20 h 40

* LES CHIFFRES INDIQUENT LES DEGRES

1967	MERCURE	VENUS	MARS	JUPITER	SATURNE	URANUS	NEPTUNE	PLUTON	LUNE *
23 SEPTEMBRE	BALANCE	LION	SAGITTAIRE	LION	BELIER	VIERGE	SCORPION	VIERGE	22 TAUREAU
24 SEPTEMBRE	BALANCE	LION	SAGITTAIRE	LION	BELIER	VIERGE	SCORPION	VIERGE	3 GEMEAUX
25 SEPTEMBRE	BALANCE	LION	SAGITTAIRE	LION	BELIER	VIERGE	SCORPION	VIERGE	15 GEMEAUX
26 SEPTEMBRE	BALANCE	LION	SAGITTAIRE	LION	BELIER	VIERGE	SCORPION	VIERGE	28 GEMEAUX
27 SEPTEMBRE	BALANCE	LION	SAGITTAIRE	LION	BELIER	VIERGE	SCORPION	VIERGE	10 CANCER
28 SEPTEMBRE	BALANCE	LION	SAGITTAIRE	LION	BELIER	VIERGE	SCORPION	VIERGE	23 CANCER
29 SEPTEMBRE	BALANCE	LION	SAGITTAIRE	LION	BELIER	VIERGE	SCORPION	VIERGE	7 LION
30 SEPTEMBRE	SCORPION	LION	SAGITTAIRE	LION	BELIER	VIERGE	SCORPION	VIERGE	20 LION
1 OCTOBRE	SCORPION	LION	SAGITTAIRE	LION	BELIER	VIERGE	SCORPION	VIERGE	5 VIERGE
2 OCTOBRE	SCORPION	VIERGE	SAGITTAIRE	LION	BELIER	VIERGE	SCORPION	VIERGE	19 VIERGE
3 OCTOBRE	SCORPION	VIERGE	SAGITTAIRE	LION	BELIER	VIERGE	SCORPION	VIERGE	4 BALANCE
4 OCTOBRE	SCORPION	VIERGE	SAGITTAIRE	LION	BELIER	VIERGE	SCORPION	VIERGE	19 BALANCE
5 OCTOBRE	SCORPION	VIERGE	SAGITTAIRE	LION	BELIER	VIERGE	SCORPION	VIERGE	5 SCORPION
6 OCTOBRE	SCORPION	VIERGE	SAGITTAIRE	LION	BELIER	VIERGE	SCORPION	VIERGE	20 SCORPION
7 OCTOBRE	SCORPION	VIERGE	SAGITTAIRE	LION	BELIER	VIERGE	SCORPION	VIERGE	4 SAGITTAIRE
8 OCTOBRE	SCORPION	VIERGE	SAGITTAIRE	LION	BELIER	VIERGE	SCORPION	VIERGE	19 SAGITTAIRE
9 OCTOBRE	SCORPION	VIERGE	SAGITTAIRE	LION	BELIER	VIERGE	SCORPION	VIERGE	3 CAPRICORNE
10 OCTOBRE	SCORPION	VIERGE	SAGITTAIRE	LION	BELIER	VIERGE	SCORPION	VIERGE	16 CAPRICORNE
11 OCTOBRE	SCORPION	VIERGE	SAGITTAIRE	LION	BELIER	VIERGE	SCORPION	VIERGE	29 CAPRICORNE
12 OCTOBRE	SCORPION	VIERGE	SAGITTAIRE	LION	BELIER	VIERGE	SCORPION	VIERGE	12 VERSEAU
13 OCTOBRE	SCORPION	VIERGE	SAGITTAIRE	LION	BELIER	VIERGE	SCORPION	VIERGE	25 VERSEAU
14 OCTOBRE	SCORPION	VIERGE	SAGITTAIRE	LION	BELIER	VIERGE	SCORPION	VIERGE	7 POISSONS
15 OCTOBRE	SCORPION	VIERGE	SAGITTAIRE	LION	BELIER	VIERGE	SCORPION	VIERGE	19 POISSONS
16 OCTOBRE	SCORPION	VIERGE	SAGITTAIRE	LION	BELIER	VIERGE	SCORPION	VIERGE	1 BELIER
17 OCTOBRE	SCORPION	VIERGE	SAGITTAIRE	LION	BELIER	VIERGE	SCORPION	VIERGE	13 BELIER
18 OCTOBRE	SCORPION	VIERGE	SAGITTAIRE	LION	BELIER	VIERGE	SCORPION	VIERGE	25 BELIER
19 OCTOBRE	SCORPION	VIERGE	SAGITTAIRE	VIERGE	BELIER	VIERGE	SCORPION	VIERGE	7 TAUREAU
20 OCTOBRE	SCORPION	VIERGE	SAGITTAIRE	VIERGE	BELIER	VIERGE	SCORPION	VIERGE	18 TAUREAU
21 OCTOBRE	SCORPION	VIERGE	SAGITTAIRE	VIERGE	BELIER	VIERGE	SCORPION	VIERGE	0 GEMEAUX
22 OCTOBRE	SCORPION	VIERGE	SAGITTAIRE	VIERGE	BELIER	VIERGE	SCORPION	VIERGE	12 GEMEAUX
23 OCTOBRE	SCORPION	VIERGE	CAPRICORNE	VIERGE	BELIER	VIERGE	SCORPION	VIERGE	24 GEMEAUX
24 OCTOBRE	SCORPION	VIERGE	CAPRICORNE	VIERGE	BELIER	VIERGE	SCORPION	VIERGE	7 CANCER

LE SOLEIL ENTRE DANS LE SIGNE DE LA BALANCE LE 23 SEPTEMBRE 1967 A 17 h 30
QUITTE LE SIGNE DE LA BALANCE LE 24 OCTOBRE 1967 A 2 h 30

* LES CHIFFRES INDIQUENT LES DEGRES

DECOUVREZ DANS QUEL SIGNE SE TROUVAIENT LES PLANETES A VOTRE NAISSANCE

1968	MERCURE	VENUS	MARS	JUPITER	SATURNE	URANUS	NEPTUNE	PLUTON	LUNE *
22 SEPTEMBRE	BALANCE	BALANCE	VIERGE	VIERGE	BELIER	VIERGE	SCORPION	VIERGE	0 BALANCE
23 SEPTEMBRE	BALANCE	BALANCE	VIERGE	VIERGE	BELIER	VIERGE	SCORPION	VIERGE	14 BALANCE
24 SEPTEMBRE	BALANCE	BALANCE	VIERGE	VIERGE	BELIER	VIERGE	SCORPION	VIERGE	28 BALANCE
25 SEPTEMBRE	BALANCE	BALANCE	VIERGE	VIERGE	BELIER	VIERGE	SCORPION	VIERGE	12 SCORPION
26 SEPTEMBRE	BALANCE	BALANCE	VIERGE	VIERGE	BELIER	VIERGE	SCORPION	VIERGE	27 SCORPION
27 SEPTEMBRE	BALANCE	SCORPION	VIERGE	VIERGE	BELIER	VIERGE	SCORPION	VIERGE	11 SAGITTAIRE
28 SEPTEMBRE	BALANCE	SCORPION	VIERGE	VIERGE	BELIER	VIERGE	SCORPION	VIERGE	26 SAGITTAIRE
29 SEPTEMBRE	SCORPION	SCORPION	VIERGE	VIERGE	BELIER	BALANCE	SCORPION	VIERGE	10 CAPRICORNE
30 SEPTEMBRE	SCORPION	SCORPION	VIERGE	VIERGE	BELIER	BALANCE	SCORPION	VIERGE	24 CAPRICORNE
1 OCTOBRE	SCORPION	SCORPION	VIERGE	VIERGE	BELIER	BALANCE	SCORPION	VIERGE	8 VERSEAU
2 OCTOBRE	SCORPION	SCORPION	VIERGE	VIERGE	BELIER	BALANCE	SCORPION	VIERGE	21 VERSEAU
3 OCTOBRE	SCORPION	SCORPION	VIERGE	VIERGE	BELIER	BALANCE	SCORPION	VIERGE	4 POISSONS
4 OCTOBRE	SCORPION	SCORPION	VIERGE	VIERGE	BELIER	BALANCE	SCORPION	VIERGE	18 POISSONS
5 OCTOBRE	SCORPION	SCORPION	VIERGE	VIERGE	BELIER	BALANCE	SCORPION	VIERGE	0 BELIER
6 OCTOBRE	SCORPION	SCORPION	VIERGE	VIERGE	BELIER	BALANCE	SCORPION	VIERGE	13 BELIER
7 OCTOBRE	SCORPION	SCORPION	VIERGE	VIERGE	BELIER	BALANCE	SCORPION	VIERGE	26 BELIER
8 OCTOBRE	BALANCE	SCORPION	VIERGE	VIERGE	BELIER	BALANCE	SCORPION	VIERGE	8 TAUREAU
9 OCTOBRE	BALANCE	SCORPION	VIERGE	VIERGE	BELIER	BALANCE	SCORPION	VIERGE	20 TAUREAU
10 OCTOBRE	BALANCE	SCORPION	VIERGE	VIERGE	BELIER	BALANCE	SCORPION	VIERGE	2 GEMEAUX
11 OCTOBRE	BALANCE	SCORPION	VIERGE	VIERGE	BELIER	BALANCE	SCORPION	VIERGE	14 GEMEAUX
12 OCTOBRE	BALANCE	SCORPION	VIERGE	VIERGE	BELIER	BALANCE	SCORPION	VIERGE	26 GEMEAUX
13 OCTOBRE	BALANCE	SCORPION	VIERGE	VIERGE	BELIER	BALANCE	SCORPION	VIERGE	7 CANCER
14 OCTOBRE	BALANCE	SCORPION	VIERGE	VIERGE	BELIER	BALANCE	SCORPION	VIERGE	19 CANCER
15 OCTOBRE	BALANCE	SCORPION	VIERGE	VIERGE	BELIER	BALANCE	SCORPION	VIERGE	2 LION
16 OCTOBRE	BALANCE	SCORPION	VIERGE	VIERGE	BELIER	BALANCE	SCORPION	VIERGE	14 LION
17 OCTOBRE	BALANCE	SCORPION	VIERGE	VIERGE	BELIER	BALANCE	SCORPION	VIERGE	27 LION
18 OCTOBRE	BALANCE	SCORPION	VIERGE	VIERGE	BELIER	BALANCE	SCORPION	VIERGE	10 VIERGE
19 OCTOBRE	BALANCE	SCORPION	VIERGE	VIERGE	BELIER	BALANCE	SCORPION	VIERGE	27 VIERGE
20 OCTOBRE	BALANCE	SCORPION	VIERGE	VIERGE	BELIER	BALANCE	SCORPION	VIERGE	8 BALANCE
21 OCTOBRE	BALANCE	SAGITTAIRE	VIERGE	VIERGE	BELIER	BALANCE	SCORPION	VIERGE	22 BALANCE
22 OCTOBRE	BALANCE	SAGITTAIRE	VIERGE	VIERGE	BELIER	BALANCE	SCORPION	VIERGE	7 SCORPION
23 OCTOBRE	BALANCE	SAGITTAIRE	VIERGE	VIERGE	BELIER	BALANCE	SCORPION	VIERGE	22 SCORPION

LE SOLEIL ENTRE DANS LE SIGNE DE LA BALANCE LE 22 SEPTEMBRE 1968 A 23 h 15
LE SOLEIL QUITTE LE SIGNE DE LA BALANCE LE 23 OCTOBRE 1968 A 8 h 15

* LES CHIFFRES INDIQUENT LES DEGRES

1969	MERCURE	VENUS	MARS	JUPITER	SATURNE	URANUS	NEPTUNE	PLUTON	LUNE *
23 SEPTEMBRE	BALANCE	VIERGE	CAPRICORNE	BALANCE	TAUREAU	BALANCE	SCORPION	VIERGE	29 VERSEAU
24 SEPTEMBRE	BALANCE	VIERGE	CAPRICORNE	BALANCE	TAUREAU	BALANCE	SCORPION	VIERGE	13 POISSONS
25 SEPTEMBRE	BALANCE	VIERGE	CAPRICORNE	BALANCE	TAUREAU	BALANCE	SCORPION	VIERGE	27 POISSONS
26 SEPTEMBRE	BALANCE	VIERGE	CAPRICORNE	BALANCE	TAUREAU	BALANCE	SCORPION	VIERGE	11 BELIER
27 SEPTEMBRE	BALANCE	VIERGE	CAPRICORNE	BALANCE	TAUREAU	BALANCE	SCORPION	VIERGE	25 BELIER
28 SEPTEMBRE	BALANCE	VIERGE	CAPRICORNE	BALANCE	TAUREAU	BALANCE	SCORPION	VIERGE	8 TAUREAU
29 SEPTEMBRE	BALANCE	VIERGE	CAPRICORNE	BALANCE	TAUREAU	BALANCE	SCORPION	VIERGE	21 TAUREAU
30 SEPTEMBRE	BALANCE	VIERGE	CAPRICORNE	BALANCE	TAUREAU	BALANCE	SCORPION	VIERGE	4 GEMEAUX
1 OCTOBRE	BALANCE	VIERGE	CAPRICORNE	BALANCE	TAUREAU	BALANCE	SCORPION	VIERGE	16 GEMEAUX
2 OCTOBRE	BALANCE	VIERGE	CAPRICORNE	BALANCE	TAUREAU	BALANCE	SCORPION	VIERGE	28 GEMEAUX
3 OCTOBRE	BALANCE	VIERGE	CAPRICORNE	BALANCE	TAUREAU	BALANCE	SCORPION	VIERGE	10 CANCER
4 OCTOBRE	BALANCE	VIERGE	CAPRICORNE	BALANCE	TAUREAU	BALANCE	SCORPION	VIERGE	22 CANCER
5 OCTOBRE	BALANCE	VIERGE	CAPRICORNE	BALANCE	TAUREAU	BALANCE	SCORPION	VIERGE	4 LION
6 OCTOBRE	BALANCE	VIERGE	CAPRICORNE	BALANCE	TAUREAU	BALANCE	SCORPION	VIERGE	16 LION
7 OCTOBRE	VIERGE	VIERGE	CAPRICORNE	BALANCE	TAUREAU	BALANCE	SCORPION	VIERGE	28 LION
8 OCTOBRE	VIERGE	VIERGE	CAPRICORNE	BALANCE	TAUREAU	BALANCE	SCORPION	VIERGE	10 VIERGE
9 OCTOBRE	VIERGE	VIERGE	CAPRICORNE	BALANCE	TAUREAU	BALANCE	SCORPION	VIERGE	23 VIERGE
10 OCTOBRE	BALANCE	VIERGE	CAPRICORNE	BALANCE	TAUREAU	BALANCE	SCORPION	VIERGE	6 BALANCE
11 OCTOBRE	BALANCE	VIERGE	CAPRICORNE	BALANCE	TAUREAU	BALANCE	SCORPION	VIERGE	19 BALANCE
12 OCTOBRE	BALANCE	VIERGE	CAPRICORNE	BALANCE	TAUREAU	BALANCE	SCORPION	VIERGE	2 SCORPION
13 OCTOBRE	BALANCE	VIERGE	CAPRICORNE	BALANCE	TAUREAU	BALANCE	SCORPION	VIERGE	16 SCORPION
14 OCTOBRE	BALANCE	VIERGE	CAPRICORNE	BALANCE	TAUREAU	BALANCE	SCORPION	VIERGE	0 SAGITTAIRE
15 OCTOBRE	BALANCE	VIERGE	CAPRICORNE	BALANCE	TAUREAU	BALANCE	SCORPION	VIERGE	14 SAGITTAIRE
16 OCTOBRE	BALANCE	VIERGE	CAPRICORNE	BALANCE	TAUREAU	BALANCE	SCORPION	VIERGE	28 SAGITTAIRE
17 OCTOBRE	BALANCE	VIERGE	CAPRICORNE	BALANCE	TAUREAU	BALANCE	SCORPION	VIERGE	12 CAPRICORNE
18 OCTOBRE	BALANCE	BALANCE	CAPRICORNE	BALANCE	TAUREAU	BALANCE	SCORPION	VIERGE	27 CAPRICORNE
19 OCTOBRE	BALANCE	BALANCE	CAPRICORNE	BALANCE	TAUREAU	BALANCE	SCORPION	VIERGE	11 VERSEAU
20 OCTOBRE	BALANCE	BALANCE	CAPRICORNE	BALANCE	TAUREAU	BALANCE	SCORPION	VIERGE	25 VERSEAU
21 OCTOBRE	BALANCE	BALANCE	CAPRICORNE	BALANCE	TAUREAU	BALANCE	SCORPION	VIERGE	9 POISSONS
22 OCTOBRE	BALANCE	BALANCE	CAPRICORNE	BALANCE	TAUREAU	BALANCE	SCORPION	VIERGE	23 POISSONS
23 OCTOBRE	BALANCE	BALANCE	CAPRICORNE	BALANCE	TAUREAU	BALANCE	SCORPION	VIERGE	6 BELIER

LE SOLEIL ENTRE DANS LE SIGNE DE LA BALANCE LE 23 SEPTEMBRE 1969 A 5 h 00
LE SOLEIL QUITTE LE SIGNE DE LA BALANCE LE 23 OCTOBRE 1969 A 13 h 50

* LES CHIFFRES INDIQUENT LES DEGRES

DECOUVREZ DANS QUEL SIGNE SE TROUVAIENT LES PLANETES A VOTRE NAISSANCE

1970	MERCURE	VENUS	MARS	JUPITER	SATURNE	URANUS	NEPTUNE	PLUTON	LUNE *
23 SEPTEMBRE	VIERGE	SCORPION	VIERGE	SCORPION	TAUREAU	BALANCE	SCORPION	VIERGE	12 CANCER
24 SEPTEMBRE	VIERGE	SCORPION	VIERGE	SCORPION	TAUREAU	BALANCE	SCORPION	VIERGE	24 CANCER
25 SEPTEMBRE	VIERGE	SCORPION	VIERGE	SCORPION	TAUREAU	BALANCE	SCORPION	VIERGE	6 LION
26 SEPTEMBRE	VIERGE	SCORPION	VIERGE	SCORPION	TAUREAU	BALANCE	SCORPION	VIERGE	18 LION
27 SEPTEMBRE	VIERGE	SCORPION	VIERGE	SCORPION	TAUREAU	BALANCE	SCORPION	VIERGE	0 VIERGE
28 SEPTEMBRE	VIERGE	SCORPION	VIERGE	SCORPION	TAUREAU	BALANCE	SCORPION	VIERGE	12 VIERGE
29 SEPTEMBRE	VIERGE	SCORPION	VIERGE	SCORPION	TAUREAU	BALANCE	SCORPION	VIERGE	23 VIERGE
30 SEPTEMBRE	VIERGE	SCORPION	VIERGE	SCORPION	TAUREAU	BALANCE	SCORPION	VIERGE	5 BALANCE
1 OCTOBRE	VIERGE	SCORPION	VIERGE	SCORPION	TAUREAU	BALANCE	SCORPION	VIERGE	18 BALANCE
2 OCTOBRE	VIERGE	SCORPION	VIERGE	SCORPION	TAUREAU	BALANCE	SCORPION	VIERGE	0 SCORPION
3 OCTOBRE	VIERGE	SCORPION	VIERGE	SCORPION	TAUREAU	BALANCE	SCORPION	VIERGE	12 SCORPION
4 OCTOBRE	VIERGE	SCORPION	VIERGE	SCORPION	TAUREAU	BALANCE	SCORPION	VIERGE	25 SCORPION
5 OCTOBRE	VIERGE	SCORPION	VIERGE	SCORPION	TAUREAU	BALANCE	SCORPION	VIERGE	8 SAGITTAIRE
6 OCTOBRE	VIERGE	SCORPION	VIERGE	SCORPION	TAUREAU	BALANCE	SCORPION	VIERGE	21 SAGITTAIRE
7 OCTOBRE	VIERGE	SCORPION	VIERGE	SCORPION	TAUREAU	BALANCE	SCORPION	VIERGE	5 CAPRICORNE
8 OCTOBRE	BALANCE	SCORPION	VIERGE	SCORPION	TAUREAU	BALANCE	SCORPION	VIERGE	18 CAPRICORNE
9 OCTOBRE	BALANCE	SCORPION	VIERGE	SCORPION	TAUREAU	BALANCE	SCORPION	VIERGE	2 VERSEAU
10 OCTOBRE	BALANCE	SCORPION	VIERGE	SCORPION	TAUREAU	BALANCE	SCORPION	VIERGE	17 VERSEAU
11 OCTOBRE	BALANCE	SCORPION	VIERGE	SCORPION	TAUREAU	BALANCE	SCORPION	VIERGE	1 POISSONS
12 OCTOBRE	BALANCE	SCORPION	VIERGE	SCORPION	TAUREAU	BALANCE	SCORPION	VIERGE	16 POISSONS
13 OCTOBRE	BALANCE	SCORPION	VIERGE	SCORPION	TAUREAU	BALANCE	SCORPION	VIERGE	1 BELIER
14 OCTOBRE	BALANCE	SCORPION	VIERGE	SCORPION	TAUREAU	BALANCE	SCORPION	VIERGE	16 BELIER
15 OCTOBRE	BALANCE	SCORPION	VIERGE	SCORPION	TAUREAU	BALANCE	SCORPION	VIERGE	0 TAUREAU
16 OCTOBRE	BALANCE	SCORPION	VIERGE	SCORPION	TAUREAU	BALANCE	SCORPION	VIERGE	15 TAUREAU
17 OCTOBRE	BALANCE	SCORPION	VIERGE	SCORPION	TAUREAU	BALANCE	SCORPION	VIERGE	29 TAUREAU
18 OCTOBRE	BALANCE	SCORPION	VIERGE	SCORPION	TAUREAU	BALANCE	SCORPION	VIERGE	12 GEMEAUX
19 OCTOBRE	BALANCE	SCORPION	VIERGE	SCORPION	TAUREAU	BALANCE	SCORPION	VIERGE	25 GEMEAUX
20 OCTOBRE	BALANCE	SCORPION	BALANCE	SCORPION	TAUREAU	BALANCE	SCORPION	VIERGE	8 CANCER
21 OCTOBRE	BALANCE	SCORPION	BALANCE	SCORPION	TAUREAU	BALANCE	SCORPION	VIERGE	20 CANCER
22 OCTOBRE	BALANCE	SCORPION	BALANCE	SCORPION	TAUREAU	BALANCE	SCORPION	VIERGE	3 LION
23 OCTOBRE	BALANCE	SCORPION	BALANCE	SCORPION	TAUREAU	BALANCE	SCORPION	VIERGE	14 LION

	ENTRE DANS LE SIGNE DE LA		LE 23 SEPTEMBRE	A 10 h 45	
LE SOLEIL		BALANCE	1970		* LES CHIFFRES INDIQUENT LES DEGRES
	QUITTE LE SIGNE DE LA		LE 23 OCTOBRE	A 19 h 50	

1971	MERCURE	VENUS	MARS	JUPITER	SATURNE	URANUS	NEPTUNE	PLUTON	LUNE *
23 SEPTEMBRE	VIERGE	BALANCE	VERSEAU	SAGITTAIRE	GEMEAUX	BALANCE	SAGITTAIRE	VIERGE	12 SCORPION
24 SEPTEMBRE	VIERGE	BALANCE	VERSEAU	SAGITTAIRE	GEMEAUX	BALANCE	SAGITTAIRE	VIERGE	24 SCORPION
25 SEPTEMBRE	VIERGE	BALANCE	VERSEAU	SAGITTAIRE	GEMEAUX	BALANCE	SAGITTAIRE	VIERGE	6 SAGITTAIRE
26 SEPTEMBRE	VIERGE	BALANCE	VERSEAU	SAGITTAIRE	GEMEAUX	BALANCE	SAGITTAIRE	VIERGE	18 SAGITTAIRE
27 SEPTEMBRE	VIERGE	BALANCE	VERSEAU	SAGITTAIRE	GEMEAUX	BALANCE	SAGITTAIRE	VIERGE	1 CAPRICORNE
28 SEPTEMBRE	VIERGE	BALANCE	VERSEAU	SAGITTAIRE	GEMEAUX	BALANCE	SAGITTAIRE	VIERGE	14 CAPRICORNE
29 SEPTEMBRE	VIERGE	BALANCE	VERSEAU	SAGITTAIRE	GEMEAUX	BALANCE	SAGITTAIRE	VIERGE	27 CAPRICORNE
30 SEPTEMBRE	BALANCE	BALANCE	VERSEAU	SAGITTAIRE	GEMEAUX	BALANCE	SAGITTAIRE	VIERGE	11 VERSEAU
1 OCTOBRE	BALANCE	BALANCE	VERSEAU	SAGITTAIRE	GEMEAUX	BALANCE	SAGITTAIRE	VIERGE	25 VERSEAU
2 OCTOBRE	BALANCE	BALANCE	VERSEAU	SAGITTAIRE	GEMEAUX	BALANCE	SAGITTAIRE	VIERGE	10 POISSONS
3 OCTOBRE	BALANCE	BALANCE	VERSEAU	SAGITTAIRE	GEMEAUX	BALANCE	SAGITTAIRE	VIERGE	25 POISSONS
4 OCTOBRE	BALANCE	BALANCE	VERSEAU	SAGITTAIRE	GEMEAUX	BALANCE	SAGITTAIRE	VIERGE	10 BELIER
5 OCTOBRE	BALANCE	BALANCE	VERSEAU	SAGITTAIRE	GEMEAUX	BALANCE	SAGITTAIRE	BALANCE	25 BELIER
6 OCTOBRE	BALANCE	BALANCE	VERSEAU	SAGITTAIRE	GEMEAUX	BALANCE	SAGITTAIRE	BALANCE	11 TAUREAU
7 OCTOBRE	BALANCE	BALANCE	VERSEAU	SAGITTAIRE	GEMEAUX	BALANCE	SAGITTAIRE	BALANCE	25 TAUREAU
8 OCTOBRE	BALANCE	BALANCE	VERSEAU	SAGITTAIRE	GEMEAUX	BALANCE	SAGITTAIRE	BALANCE	10 GEMEAUX
9 OCTOBRE	BALANCE	BALANCE	VERSEAU	SAGITTAIRE	GEMEAUX	BALANCE	SAGITTAIRE	BALANCE	24 GEMEAUX
10 OCTOBRE	BALANCE	BALANCE	VERSEAU	SAGITTAIRE	GEMEAUX	BALANCE	SAGITTAIRE	BALANCE	7 CANCER
11 OCTOBRE	BALANCE	BALANCE	VERSEAU	SAGITTAIRE	GEMEAUX	BALANCE	SAGITTAIRE	BALANCE	20 CANCER
12 OCTOBRE	BALANCE	SCORPION	VERSEAU	SAGITTAIRE	GEMEAUX	BALANCE	SAGITTAIRE	BALANCE	3 LION
13 OCTOBRE	BALANCE	SCORPION	VERSEAU	SAGITTAIRE	GEMEAUX	BALANCE	SAGITTAIRE	BALANCE	15 LION
14 OCTOBRE	BALANCE	SCORPION	VERSEAU	SAGITTAIRE	GEMEAUX	BALANCE	SAGITTAIRE	BALANCE	28 LION
15 OCTOBRE	BALANCE	SCORPION	VERSEAU	SAGITTAIRE	GEMEAUX	BALANCE	SAGITTAIRE	BALANCE	9 VIERGE
16 OCTOBRE	BALANCE	SCORPION	VERSEAU	SAGITTAIRE	GEMEAUX	BALANCE	SAGITTAIRE	BALANCE	21 VIERGE
17 OCTOBRE	BALANCE	SCORPION	VERSEAU	SAGITTAIRE	GEMEAUX	BALANCE	SAGITTAIRE	BALANCE	3 BALANCE
18 OCTOBRE	SCORPION	SCORPION	VERSEAU	SAGITTAIRE	GEMEAUX	BALANCE	SAGITTAIRE	BALANCE	15 BALANCE
19 OCTOBRE	SCORPION	SCORPION	VERSEAU	SAGITTAIRE	GEMEAUX	BALANCE	SAGITTAIRE	BALANCE	27 BALANCE
20 OCTOBRE	SCORPION	SCORPION	VERSEAU	SAGITTAIRE	GEMEAUX	BALANCE	SAGITTAIRE	BALANCE	9 SCORPION
21 OCTOBRE	SCORPION	SCORPION	VERSEAU	SAGITTAIRE	GEMEAUX	BALANCE	SAGITTAIRE	BALANCE	21 SCORPION
22 OCTOBRE	SCORPION	SCORPION	VERSEAU	SAGITTAIRE	GEMEAUX	BALANCE	SAGITTAIRE	BALANCE	3 SAGITTAIRE
23 OCTOBRE	SCORPION	SCORPION	VERSEAU	SAGITTAIRE	GEMEAUX	BALANCE	SAGITTAIRE	BALANCE	15 SAGITTAIRE

	ENTRE DANS LE SIGNE DE LA		LE 23 SEPTEMBRE	A 16 h 30	
LE SOLEIL		BALANCE	1971		* LES CHIFFRES INDIQUENT LES DEGRES
	QUITTE LE SIGNE DE LA		LE 23 OCTOBRE	A 1 h 40	

DECOUVREZ DANS QUEL SIGNE SE TROUVAIENT LES PLANETES A VOTRE NAISSANCE

1972	MERCURE	VENUS	MARS	JUPITER	SATURNE	URANUS	NEPTUNE	PLUTON	LUNE *
22 SEPTEMBRE	BALANCE	LION	VIERGE	SAGITTAIRE	GEMEAUX	BALANCE	SAGITTAIRE	BALANCE	20 POISSONS
23 SEPTEMBRE	BALANCE	LION	VIERGE	SAGITTAIRE	GEMEAUX	BALANCE	SAGITTAIRE	BALANCE	5 BELIER
24 SEPTEMBRE	BALANCE	LION	VIERGE	SAGITTAIRE	GEMEAUX	BALANCE	SAGITTAIRE	BALANCE	19 BELIER
25 SEPTEMBRE	BALANCE	LION	VIERGE	SAGITTAIRE	GEMEAUX	BALANCE	SAGITTAIRE	BALANCE	4 TAUREAU
26 SEPTEMBRE	BALANCE	LION	VIERGE	CAPRICORNE	GEMEAUX	BALANCE	SAGITTAIRE	BALANCE	19 TAUREAU
27 SEPTEMBRE	BALANCE	LION	VIERGE	CAPRICORNE	GEMEAUX	BALANCE	SAGITTAIRE	BALANCE	4 GEMEAUX
28 SEPTEMBRE	BALANCE	LION	VIERGE	CAPRICORNE	GEMEAUX	BALANCE	SAGITTAIRE	BALANCE	18 GEMEAUX
29 SEPTEMBRE	BALANCE	LION	VIERGE	CAPRICORNE	GEMEAUX	BALANCE	SAGITTAIRE	BALANCE	2 CANCER
30 SEPTEMBRE	BALANCE	LION	VIERGE	CAPRICORNE	GEMEAUX	BALANCE	SAGITTAIRE	BALANCE	16 CANCER
1 OCTOBRE	BALANCE	LION	BALANCE	CAPRICORNE	GEMEAUX	BALANCE	SAGITTAIRE	BALANCE	29 CANCER
2 OCTOBRE	BALANCE	LION	BALANCE	CAPRICORNE	GEMEAUX	BALANCE	SAGITTAIRE	BALANCE	13 LION
3 OCTOBRE	BALANCE	LION	BALANCE	CAPRICORNE	GEMEAUX	BALANCE	SAGITTAIRE	BALANCE	26 LION
4 OCTOBRE	BALANCE	LION	BALANCE	CAPRICORNE	GEMEAUX	BALANCE	SAGITTAIRE	BALANCE	8 VIERGE
5 OCTOBRE	BALANCE	VIERGE	BALANCE	CAPRICORNE	GEMEAUX	BALANCE	SAGITTAIRE	BALANCE	21 VIERGE
6 OCTOBRE	BALANCE	VIERGE	BALANCE	CAPRICORNE	GEMEAUX	BALANCE	SAGITTAIRE	BALANCE	3 BALANCE
7 OCTOBRE	BALANCE	VIERGE	BALANCE	CAPRICORNE	GEMEAUX	BALANCE	SAGITTAIRE	BALANCE	16 BALANCE
8 OCTOBRE	BALANCE	VIERGE	BALANCE	CAPRICORNE	GEMEAUX	BALANCE	SAGITTAIRE	BALANCE	28 BALANCE
9 OCTOBRE	SCORPION	VIERGE	BALANCE	CAPRICORNE	GEMEAUX	BALANCE	SAGITTAIRE	BALANCE	10 SCORPION
10 OCTOBRE	SCORPION	VIERGE	BALANCE	CAPRICORNE	GEMEAUX	BALANCE	SAGITTAIRE	BALANCE	22 SCORPION
11 OCTOBRE	SCORPION	VIERGE	BALANCE	CAPRICORNE	GEMEAUX	BALANCE	SAGITTAIRE	BALANCE	4 SAGITTAIRE
12 OCTOBRE	SCORPION	VIERGE	BALANCE	CAPRICORNE	GEMEAUX	BALANCE	SAGITTAIRE	BALANCE	15 SAGITTAIRE
13 OCTOBRE	SCORPION	VIERGE	BALANCE	CAPRICORNE	GEMEAUX	BALANCE	SAGITTAIRE	BALANCE	27 SAGITTAIRE
14 OCTOBRE	SCORPION	VIERGE	BALANCE	CAPRICORNE	GEMEAUX	BALANCE	SAGITTAIRE	BALANCE	9 CAPRICORNE
15 OCTOBRE	SCORPION	VIERGE	BALANCE	CAPRICORNE	GEMEAUX	BALANCE	SAGITTAIRE	BALANCE	21 CAPRICORNE
16 OCTOBRE	SCORPION	VIERGE	BALANCE	CAPRICORNE	GEMEAUX	BALANCE	SAGITTAIRE	BALANCE	4 VERSEAU
17 OCTOBRE	SCORPION	VIERGE	BALANCE	CAPRICORNE	GEMEAUX	BALANCE	SAGITTAIRE	BALANCE	17 VERSEAU
18 OCTOBRE	SCORPION	VIERGE	BALANCE	CAPRICORNE	GEMEAUX	BALANCE	SAGITTAIRE	BALANCE	0 POISSONS
19 OCTOBRE	SCORPION	VIERGE	BALANCE	CAPRICORNE	GEMEAUX	BALANCE	SAGITTAIRE	BALANCE	14 POISSONS
20 OCTOBRE	SCORPION	VIERGE	BALANCE	CAPRICORNE	GEMEAUX	BALANCE	SAGITTAIRE	BALANCE	28 POISSONS
21 OCTOBRE	SCORPION	VIERGE	BALANCE	CAPRICORNE	GEMEAUX	BALANCE	SAGITTAIRE	BALANCE	13 BELIER
22 OCTOBRE	SCORPION	VIERGE	BALANCE	CAPRICORNE	GEMEAUX	BALANCE	SAGITTAIRE	BALANCE	28 BELIER
23 OCTOBRE	SCORPION	VIERGE	BALANCE	CAPRICORNE	GEMEAUX	BALANCE	SAGITTAIRE	BALANCE	13 TAUREAU

LE SOLEIL ENTRE DANS LE SIGNE DE LA BALANCE LE 22 SEPTEMBRE 1972 A 22 h 20
LE SOLEIL QUITTE LE SIGNE DE LA BALANCE LE 23 OCTOBRE 1972 A 7 h 30

* LES CHIFFRES INDIQUENT LES DEGRES

1973	MERCURE	VENUS	MARS	JUPITER	SATURNE	URANUS	NEPTUNE	PLUTON	LUNE *
23 SEPTEMBRE	BALANCE	SCORPION	TAUREAU	VERSEAU	CANCER	BALANCE	SAGITTAIRE	BALANCE	20 LION
24 SEPTEMBRE	BALANCE	SCORPION	TAUREAU	VERSEAU	CANCER	BALANCE	SAGITTAIRE	BALANCE	4 VIERGE
25 SEPTEMBRE	BALANCE	SCORPION	TAUREAU	VERSEAU	CANCER	BALANCE	SAGITTAIRE	BALANCE	18 VIERGE
26 SEPTEMBRE	BALANCE	SCORPION	TAUREAU	VERSEAU	CANCER	BALANCE	SAGITTAIRE	BALANCE	2 BALANCE
27 SEPTEMBRE	BALANCE	SCORPION	TAUREAU	VERSEAU	CANCER	BALANCE	SAGITTAIRE	BALANCE	15 BALANCE
28 SEPTEMBRE	BALANCE	SCORPION	TAUREAU	VERSEAU	CANCER	BALANCE	SAGITTAIRE	BALANCE	28 BALANCE
29 SEPTEMBRE	BALANCE	SCORPION	TAUREAU	VERSEAU	CANCER	BALANCE	SAGITTAIRE	BALANCE	11 SCORPION
30 SEPTEMBRE	BALANCE	SCORPION	TAUREAU	VERSEAU	CANCER	BALANCE	SAGITTAIRE	BALANCE	24 SCORPION
1 OCTOBRE	BALANCE	SCORPION	TAUREAU	VERSEAU	CANCER	BALANCE	SAGITTAIRE	BALANCE	6 SAGITTAIRE
2 OCTOBRE	BALANCE	SCORPION	TAUREAU	VERSEAU	CANCER	BALANCE	SAGITTAIRE	BALANCE	18 SAGITTAIRE
3 OCTOBRE	SCORPION	SCORPION	TAUREAU	VERSEAU	CANCER	BALANCE	SAGITTAIRE	BALANCE	0 CAPRICORNE
4 OCTOBRE	SCORPION	SCORPION	TAUREAU	VERSEAU	CANCER	BALANCE	SAGITTAIRE	BALANCE	11 CAPRICORNE
5 OCTOBRE	SCORPION	SCORPION	TAUREAU	VERSEAU	CANCER	BALANCE	SAGITTAIRE	BALANCE	23 CAPRICORNE
6 OCTOBRE	SCORPION	SCORPION	TAUREAU	VERSEAU	CANCER	BALANCE	SAGITTAIRE	BALANCE	5 VERSEAU
7 OCTOBRE	SCORPION	SCORPION	TAUREAU	VERSEAU	CANCER	BALANCE	SAGITTAIRE	BALANCE	17 VERSEAU
8 OCTOBRE	SCORPION	SCORPION	TAUREAU	VERSEAU	CANCER	BALANCE	SAGITTAIRE	BALANCE	0 POISSONS
9 OCTOBRE	SCORPION	SAGITTAIRE	TAUREAU	VERSEAU	CANCER	BALANCE	SAGITTAIRE	BALANCE	13 POISSONS
10 OCTOBRE	SCORPION	SAGITTAIRE	TAUREAU	VERSEAU	CANCER	BALANCE	SAGITTAIRE	BALANCE	26 POISSONS
11 OCTOBRE	SCORPION	SAGITTAIRE	TAUREAU	VERSEAU	CANCER	BALANCE	SAGITTAIRE	BALANCE	10 BELIER
12 OCTOBRE	SCORPION	SAGITTAIRE	TAUREAU	VERSEAU	CANCER	BALANCE	SAGITTAIRE	BALANCE	23 BELIER
13 OCTOBRE	SCORPION	SAGITTAIRE	TAUREAU	VERSEAU	CANCER	BALANCE	SAGITTAIRE	BALANCE	8 TAUREAU
14 OCTOBRE	SCORPION	SAGITTAIRE	TAUREAU	VERSEAU	CANCER	BALANCE	SAGITTAIRE	BALANCE	22 TAUREAU
15 OCTOBRE	SCORPION	SAGITTAIRE	TAUREAU	VERSEAU	CANCER	BALANCE	SAGITTAIRE	BALANCE	6 GEMEAUX
16 OCTOBRE	SCORPION	SAGITTAIRE	TAUREAU	VERSEAU	CANCER	BALANCE	SAGITTAIRE	BALANCE	20 GEMEAUX
17 OCTOBRE	SCORPION	SAGITTAIRE	TAUREAU	VERSEAU	CANCER	BALANCE	SAGITTAIRE	BALANCE	5 CANCER
18 OCTOBRE	SCORPION	SAGITTAIRE	TAUREAU	VERSEAU	CANCER	BALANCE	SAGITTAIRE	BALANCE	19 CANCER
19 OCTOBRE	SCORPION	SAGITTAIRE	TAUREAU	VERSEAU	CANCER	BALANCE	SAGITTAIRE	BALANCE	3 LION
20 OCTOBRE	SCORPION	SAGITTAIRE	TAUREAU	VERSEAU	CANCER	BALANCE	SAGITTAIRE	BALANCE	17 LION
21 OCTOBRE	SCORPION	SAGITTAIRE	TAUREAU	VERSEAU	CANCER	BALANCE	SAGITTAIRE	BALANCE	1 VIERGE
22 OCTOBRE	SCORPION	SAGITTAIRE	TAUREAU	VERSEAU	CANCER	BALANCE	SAGITTAIRE	BALANCE	14 VIERGE
23 OCTOBRE	SCORPION	SAGITTAIRE	TAUREAU	VERSEAU	CANCER	BALANCE	SAGITTAIRE	BALANCE	28 VIERGE

LE SOLEIL ENTRE DANS LE SIGNE DE LA BALANCE LE 23 SEPTEMBRE 1973 A 4 h 15
LE SOLEIL QUITTE LE SIGNE DE LA BALANCE LE 23 OCTOBRE 1973 A 13 h 15

* LES CHIFFRES INDIQUENT LES DEGRES

DECOUVREZ DANS QUEL SIGNE SE TROUVAIENT LES PLANETES A VOTRE NAISSANCE

1974	MERCURE	VENUS	MARS	JUPITER	SATURNE	URANUS	NEPTUNE	PLUTON	LUNE *
23 SEPTEMBRE	BALANCE	VIERGE	BALANCE	POISSONS	CANCER	BALANCE	SAGITTAIRE	BALANCE	2 CAPRICORNE
24 SEPTEMBRE	BALANCE	VIERGE	BALANCE	POISSONS	CANCER	BALANCE	SAGITTAIRE	BALANCE	14 CAPRICORNE
25 SEPTEMBRE	BALANCE	VIERGE	BALANCE	POISSONS	CANCER	BALANCE	SAGITTAIRE	BALANCE	26 CAPRICORNE
26 SEPTEMBRE	BALANCE	VIERGE	BALANCE	POISSONS	CANCER	BALANCE	SAGITTAIRE	BALANCE	8 VERSEAU
27 SEPTEMBRE	BALANCE	VIERGE	BALANCE	POISSONS	CANCER	BALANCE	SAGITTAIRE	BALANCE	20 VERSEAU
28 SEPTEMBRE	SCORPION	VIERGE	BALANCE	POISSONS	CANCER	BALANCE	SAGITTAIRE	BALANCE	2 POISSONS
29 SEPTEMBRE	SCORPION	VIERGE	BALANCE	POISSONS	CANCER	BALANCE	SAGITTAIRE	BALANCE	14 POISSONS
30 SEPTEMBRE	SCORPION	VIERGE	BALANCE	POISSONS	CANCER	BALANCE	SAGITTAIRE	BALANCE	26 POISSONS
1 OCTOBRE	SCORPION	VIERGE	BALANCE	POISSONS	CANCER	BALANCE	SAGITTAIRE	BALANCE	8 BELIER
2 OCTOBRE	SCORPION	VIERGE	BALANCE	POISSONS	CANCER	BALANCE	SAGITTAIRE	BALANCE	21 BELIER
3 OCTOBRE	SCORPION	BALANCE	BALANCE	POISSONS	CANCER	BALANCE	SAGITTAIRE	BALANCE	4 TAUREAU
4 OCTOBRE	SCORPION	BALANCE	BALANCE	POISSONS	CANCER	BALANCE	SAGITTAIRE	BALANCE	17 TAUREAU
5 OCTOBRE	SCORPION	BALANCE	BALANCE	POISSONS	CANCER	BALANCE	SAGITTAIRE	BALANCE	0 GEMEAUX
6 OCTOBRE	SCORPION	BALANCE	BALANCE	POISSONS	CANCER	BALANCE	SAGITTAIRE	BALANCE	13 GEMEAUX
7 OCTOBRE	SCORPION	BALANCE	BALANCE	POISSONS	CANCER	BALANCE	SAGITTAIRE	BALANCE	27 GEMEAUX
8 OCTOBRE	SCORPION	BALANCE	BALANCE	POISSONS	CANCER	BALANCE	SAGITTAIRE	BALANCE	10 CANCER
9 OCTOBRE	SCORPION	BALANCE	BALANCE	POISSONS	CANCER	BALANCE	SAGITTAIRE	BALANCE	24 CANCER
10 OCTOBRE	SCORPION	BALANCE	BALANCE	POISSONS	CANCER	BALANCE	SAGITTAIRE	BALANCE	9 LION
11 OCTOBRE	SCORPION	BALANCE	BALANCE	POISSONS	CANCER	BALANCE	SAGITTAIRE	BALANCE	23 LION
12 OCTOBRE	SCORPION	BALANCE	BALANCE	POISSONS	CANCER	BALANCE	SAGITTAIRE	BALANCE	8 VIERGE
13 OCTOBRE	SCORPION	BALANCE	BALANCE	POISSONS	CANCER	BALANCE	SAGITTAIRE	BALANCE	22 VIERGE
14 OCTOBRE	SCORPION	BALANCE	BALANCE	POISSONS	CANCER	BALANCE	SAGITTAIRE	BALANCE	7 BALANCE
15 OCTOBRE	SCORPION	BALANCE	BALANCE	POISSONS	CANCER	BALANCE	SAGITTAIRE	BALANCE	21 BALANCE
16 OCTOBRE	SCORPION	BALANCE	BALANCE	POISSONS	CANCER	BALANCE	SAGITTAIRE	BALANCE	5 SCORPION
17 OCTOBRE	SCORPION	BALANCE	BALANCE	POISSONS	CANCER	BALANCE	SAGITTAIRE	BALANCE	19 SCORPION
18 OCTOBRE	SCORPION	BALANCE	BALANCE	POISSONS	CANCER	BALANCE	SAGITTAIRE	BALANCE	2 SAGITTAIRE
19 OCTOBRE	SCORPION	BALANCE	BALANCE	POISSONS	CANCER	BALANCE	SAGITTAIRE	BALANCE	15 SAGITTAIRE
20 OCTOBRE	SCORPION	BALANCE	BALANCE	POISSONS	CANCER	BALANCE	SAGITTAIRE	BALANCE	28 SAGITTAIRE
21 OCTOBRE	SCORPION	BALANCE	BALANCE	POISSONS	CANCER	BALANCE	SAGITTAIRE	BALANCE	10 CAPRICORNE
22 OCTOBRE	SCORPION	BALANCE	BALANCE	POISSONS	CANCER	BALANCE	SAGITTAIRE	BALANCE	22 CAPRICORNE
23 OCTOBRE	SCORPION	BALANCE	BALANCE	POISSONS	CANCER	BALANCE	SAGITTAIRE	BALANCE	4 VERSEAU

LE SOLEIL ENTRE DANS LE SIGNE DE LA BALANCE LE 23 SEPTEMBRE 1974 A 9 h 45
LE SOLEIL QUITTE LE SIGNE DE LA BALANCE LE 23 OCTOBRE 1974 A 19 h 00

* LES CHIFFRES INDIQUENT LES DEGRES

1975	MERCURE	VENUS	MARS	JUPITER	SATURNE	URANUS	NEPTUNE	PLUTON	LUNE *
23 SEPTEMBRE	BALANCE	LION	GEMEAUX	BELIER	LION	SCORPION	SAGITTAIRE	BALANCE	2 TAUREAU
24 SEPTEMBRE	BALANCE	LION	GEMEAUX	BELIER	LION	SCORPION	SAGITTAIRE	BALANCE	11 TAUREAU
25 SEPTEMBRE	BALANCE	LION	GEMEAUX	BELIER	LION	SCORPION	SAGITTAIRE	BALANCE	26 TAUREAU
26 SEPTEMBRE	BALANCE	LION	GEMEAUX	BELIER	LION	SCORPION	SAGITTAIRE	BALANCE	9 GEMEAUX
27 SEPTEMBRE	BALANCE	LION	GEMEAUX	BELIER	LION	SCORPION	SAGITTAIRE	BALANCE	22 GEMEAUX
28 SEPTEMBRE	BALANCE	LION	GEMEAUX	BELIER	LION	SCORPION	SAGITTAIRE	BALANCE	5 CANCER
29 SEPTEMBRE	BALANCE	LION	GEMEAUX	BELIER	LION	SCORPION	SAGITTAIRE	BALANCE	18 CANCER
30 SEPTEMBRE	BALANCE	LION	GEMEAUX	BELIER	LION	SCORPION	SAGITTAIRE	BALANCE	2 LION
1 OCTOBRE	BALANCE	LION	GEMEAUX	BELIER	LION	SCORPION	SAGITTAIRE	BALANCE	16 LION
2 OCTOBRE	BALANCE	LION	GEMEAUX	BELIER	LION	SCORPION	SAGITTAIRE	BALANCE	1 VIERGE
3 OCTOBRE	BALANCE	LION	GEMEAUX	BELIER	LION	SCORPION	SAGITTAIRE	BALANCE	16 VIERGE
4 OCTOBRE	BALANCE	VIERGE	GEMEAUX	BELIER	LION	SCORPION	SAGITTAIRE	BALANCE	1 BALANCE
5 OCTOBRE	BALANCE	VIERGE	GEMEAUX	BELIER	LION	SCORPION	SAGITTAIRE	BALANCE	16 BALANCE
6 OCTOBRE	BALANCE	VIERGE	GEMEAUX	BELIER	LION	SCORPION	SAGITTAIRE	BALANCE	1 SCORPION
7 OCTOBRE	BALANCE	VIERGE	GEMEAUX	BELIER	LION	SCORPION	SAGITTAIRE	BALANCE	16 SCORPION
8 OCTOBRE	BALANCE	VIERGE	GEMEAUX	BELIER	LION	SCORPION	SAGITTAIRE	BALANCE	0 SAGITTAIRE
9 OCTOBRE	BALANCE	VIERGE	GEMEAUX	BELIER	LION	SCORPION	SAGITTAIRE	BALANCE	14 SAGITTAIRE
10 OCTOBRE	BALANCE	VIERGE	GEMEAUX	BELIER	LION	SCORPION	SAGITTAIRE	BALANCE	28 SAGITTAIRE
11 OCTOBRE	BALANCE	VIERGE	GEMEAUX	BELIER	LION	SCORPION	SAGITTAIRE	BALANCE	11 CAPRICORNE
12 OCTOBRE	BALANCE	VIERGE	GEMEAUX	BELIER	LION	SCORPION	SAGITTAIRE	BALANCE	23 CAPRICORNE
13 OCTOBRE	BALANCE	VIERGE	GEMEAUX	BELIER	LION	SCORPION	SAGITTAIRE	BALANCE	6 VERSEAU
14 OCTOBRE	BALANCE	VIERGE	GEMEAUX	BELIER	LION	SCORPION	SAGITTAIRE	BALANCE	18 VERSEAU
15 OCTOBRE	BALANCE	VIERGE	GEMEAUX	BELIER	LION	SCORPION	SAGITTAIRE	BALANCE	0 POISSONS
16 OCTOBRE	BALANCE	VIERGE	GEMEAUX	BELIER	LION	SCORPION	SAGITTAIRE	BALANCE	12 POISSONS
17 OCTOBRE	BALANCE	VIERGE	CANCER	BELIER	LION	SCORPION	SAGITTAIRE	BALANCE	24 POISSONS
18 OCTOBRE	BALANCE	VIERGE	CANCER	BELIER	LION	SCORPION	SAGITTAIRE	BALANCE	5 BELIER
19 OCTOBRE	BALANCE	VIERGE	CANCER	BELIER	LION	SCORPION	SAGITTAIRE	BALANCE	17 BELIER
20 OCTOBRE	BALANCE	VIERGE	CANCER	BELIER	LION	SCORPION	SAGITTAIRE	BALANCE	29 BELIER
21 OCTOBRE	BALANCE	VIERGE	CANCER	BELIER	LION	SCORPION	SAGITTAIRE	BALANCE	11 TAUREAU
22 OCTOBRE	BALANCE	VIERGE	CANCER	BELIER	LION	SCORPION	SAGITTAIRE	BALANCE	24 TAUREAU
23 OCTOBRE	BALANCE	VIERGE	CANCER	BELIER	LION	SCORPION	SAGITTAIRE	BALANCE	6 GEMEAUX
24 OCTOBRE	BALANCE	VIERGE	CANCER	BELIER	LION	SCORPION	SAGITTAIRE	BALANCE	18 GEMEAUX

LE SOLEIL ENTRE DANS LE SIGNE DE LA BALANCE LE 23 SEPTEMBRE 1975 A 15 h 45
LE SOLEIL QUITTE LE SIGNE DE LA BALANCE LE 24 OCTOBRE 1975 A 1 h 00

* LES CHIFFRES INDIQUENT LES DEGRES

DECOUVREZ DANS QUEL SIGNE SE TROUVAIENT LES PLANETES A VOTRE NAISSANCE

1976	MERCURE	VENUS	MARS	JUPITER	SATURNE	URANUS	NEPTUNE	PLUTON	LUNE *
22 SEPTEMBRE	VIERGE	BALANCE	BALANCE	GEMEAUX	LION	SCORPION	SAGITTAIRE	BALANCE	11 VIERGE
23 SEPTEMBRE	VIERGE	BALANCE	BALANCE	GEMEAUX	LION	SCORPION	SAGITTAIRE	BALANCE	26 VIERGE
24 SEPTEMBRE	VIERGE	BALANCE	BALANCE	GEMEAUX	LION	SCORPION	SAGITTAIRE	BALANCE	11 BALANCE
25 SEPTEMBRE	VIERGE	BALANCE	BALANCE	GEMEAUX	LION	SCORPION	SAGITTAIRE	BALANCE	26 BALANCE
26 SEPTEMBRE	VIERGE	SCORPION	BALANCE	GEMEAUX	LION	SCORPION	SAGITTAIRE	BALANCE	10 SCORPION
27 SEPTEMBRE	VIERGE	SCORPION	BALANCE	GEMEAUX	LION	SCORPION	SAGITTAIRE	BALANCE	25 SCORPION
28 SEPTEMBRE	VIERGE	SCORPION	BALANCE	GEMEAUX	LION	SCORPION	SAGITTAIRE	BALANCE	10 SAGITTAIRE
29 SEPTEMBRE	VIERGE	SCORPION	BALANCE	GEMEAUX	LION	SCORPION	SAGITTAIRE	BALANCE	24 SAGITTAIRE
30 SEPTEMBRE	VIERGE	SCORPION	BALANCE	GEMEAUX	LION	SCORPION	SAGITTAIRE	BALANCE	8 CAPRICORNE
1 OCTOBRE	VIERGE	SCORPION	BALANCE	GEMEAUX	LION	SCORPION	SAGITTAIRE	BALANCE	21 CAPRICORNE
2 OCTOBRE	VIERGE	SCORPION	BALANCE	GEMEAUX	LION	SCORPION	SAGITTAIRE	BALANCE	4 VERSEAU
3 OCTOBRE	VIERGE	SCORPION	BALANCE	GEMEAUX	LION	SCORPION	SAGITTAIRE	BALANCE	17 VERSEAU
4 OCTOBRE	VIERGE	SCORPION	BALANCE	GEMEAUX	LION	SCORPION	SAGITTAIRE	BALANCE	0 POISSONS
5 OCTOBRE	VIERGE	SCORPION	BALANCE	GEMEAUX	LION	SCORPION	SAGITTAIRE	BALANCE	12 POISSONS
6 OCTOBRE	VIERGE	SCORPION	BALANCE	GEMEAUX	LION	SCORPION	SAGITTAIRE	BALANCE	24 POISSONS
7 OCTOBRE	VIERGE	SCORPION	BALANCE	GEMEAUX	LION	SCORPION	SAGITTAIRE	BALANCE	6 BELIER
8 OCTOBRE	VIERGE	SCORPION	BALANCE	GEMEAUX	LION	SCORPION	SAGITTAIRE	BALANCE	18 BELIER
9 OCTOBRE	VIERGE	SCORPION	SCORPION	GEMEAUX	LION	SCORPION	SAGITTAIRE	BALANCE	0 TAUREAU
10 OCTOBRE	VIERGE	SCORPION	SCORPION	GEMEAUX	LION	SCORPION	SAGITTAIRE	BALANCE	12 TAUREAU
11 OCTOBRE	BALANCE	SCORPION	SCORPION	GEMEAUX	LION	SCORPION	SAGITTAIRE	BALANCE	24 TAUREAU
12 OCTOBRE	BALANCE	SCORPION	SCORPION	GEMEAUX	LION	SCORPION	SAGITTAIRE	BALANCE	5 GEMEAUX
13 OCTOBRE	BALANCE	SCORPION	SCORPION	GEMEAUX	LION	SCORPION	SAGITTAIRE	BALANCE	17 GEMEAUX
14 OCTOBRE	BALANCE	SCORPION	SCORPION	GEMEAUX	LION	SCORPION	SAGITTAIRE	BALANCE	29 GEMEAUX
15 OCTOBRE	BALANCE	SCORPION	SCORPION	GEMEAUX	LION	SCORPION	SAGITTAIRE	BALANCE	12 CANCER
16 OCTOBRE	BALANCE	SCORPION	SCORPION	GEMEAUX	LION	SCORPION	SAGITTAIRE	BALANCE	24 CANCER
17 OCTOBRE	BALANCE	SCORPION	SCORPION	TAUREAU	LION	SCORPION	SAGITTAIRE	BALANCE	7 LION
18 OCTOBRE	BALANCE	SCORPION	SCORPION	TAUREAU	LION	SCORPION	SAGITTAIRE	BALANCE	21 LION
19 OCTOBRE	BALANCE	SCORPION	SCORPION	TAUREAU	LION	SCORPION	SAGITTAIRE	BALANCE	5 VIERGE
20 OCTOBRE	BALANCE	SCORPION	SCORPION	TAUREAU	LION	SCORPION	SAGITTAIRE	BALANCE	19 VIERGE
21 OCTOBRE	BALANCE	SAGITTAIRE	SCORPION	TAUREAU	LION	SCORPION	SAGITTAIRE	BALANCE	4 BALANCE
22 OCTOBRE	BALANCE	SAGITTAIRE	SCORPION	TAUREAU	LION	SCORPION	SAGITTAIRE	BALANCE	19 BALANCE
23 OCTOBRE	BALANCE	SAGITTAIRE	SCORPION	TAUREAU	LION	SCORPION	SAGITTAIRE	BALANCE	4 SCORPION

LE SOLEIL ENTRE DANS LE SIGNE DE LA BALANCE LE 22 SEPTEMBRE 1976 A 21 h 40
LE SOLEIL QUITTE LE SIGNE DE LA BALANCE LE 23 OCTOBRE 1976 A 6 h 30

* LES CHIFFRES INDIQUENT LES DEGRES

1977	MERCURE	VENUS	MARS	JUPITER	SATURNE	URANUS	NEPTUNE	PLUTON	LUNE *
23 SEPTEMBRE	VIERGE	VIERGE	CANCER	CANCER	LION	SCORPION	SAGITTAIRE	BALANCE	12 VERSEAU
24 SEPTEMBRE	VIERGE	VIERGE	CANCER	CANCER	LION	SCORPION	SAGITTAIRE	BALANCE	26 VERSEAU
25 SEPTEMBRE	VIERGE	VIERGE	CANCER	CANCER	LION	SCORPION	SAGITTAIRE	BALANCE	9 POISSONS
26 SEPTEMBRE	VIERGE	VIERGE	CANCER	CANCER	LION	SCORPION	SAGITTAIRE	BALANCE	23 POISSONS
27 SEPTEMBRE	VIERGE	VIERGE	CANCER	CANCER	LION	SCORPION	SAGITTAIRE	BALANCE	6 BELIER
28 SEPTEMBRE	VIERGE	VIERGE	CANCER	CANCER	LION	SCORPION	SAGITTAIRE	BALANCE	19 BELIER
29 SEPTEMBRE	VIERGE	VIERGE	CANCER	CANCER	LION	SCORPION	SAGITTAIRE	BALANCE	1 TAUREAU
30 SEPTEMBRE	VIERGE	VIERGE	CANCER	CANCER	LION	SCORPION	SAGITTAIRE	BALANCE	13 TAUREAU
1 OCTOBRE	VIERGE	VIERGE	CANCER	CANCER	LION	SCORPION	SAGITTAIRE	BALANCE	25 TAUREAU
2 OCTOBRE	VIERGE	VIERGE	CANCER	CANCER	LION	SCORPION	SAGITTAIRE	BALANCE	7 GEMEAUX
3 OCTOBRE	VIERGE	VIERGE	CANCER	CANCER	LION	SCORPION	SAGITTAIRE	BALANCE	19 GEMEAUX
4 OCTOBRE	BALANCE	VIERGE	CANCER	CANCER	LION	SCORPION	SAGITTAIRE	BALANCE	1 CANCER
5 OCTOBRE	BALANCE	VIERGE	CANCER	CANCER	LION	SCORPION	SAGITTAIRE	BALANCE	13 CANCER
6 OCTOBRE	BALANCE	VIERGE	CANCER	CANCER	LION	SCORPION	SAGITTAIRE	BALANCE	25 CANCER
7 OCTOBRE	BALANCE	VIERGE	CANCER	CANCER	LION	SCORPION	SAGITTAIRE	BALANCE	7 LION
8 OCTOBRE	BALANCE	VIERGE	CANCER	CANCER	LION	SCORPION	SAGITTAIRE	BALANCE	20 LION
9 OCTOBRE	BALANCE	VIERGE	CANCER	CANCER	LION	SCORPION	SAGITTAIRE	BALANCE	3 VIERGE
10 OCTOBRE	BALANCE	VIERGE	CANCER	CANCER	LION	SCORPION	SAGITTAIRE	BALANCE	16 VIERGE
11 OCTOBRE	BALANCE	VIERGE	CANCER	CANCER	LION	SCORPION	SAGITTAIRE	BALANCE	0 BALANCE
12 OCTOBRE	BALANCE	VIERGE	CANCER	CANCER	LION	SCORPION	SAGITTAIRE	BALANCE	14 BALANCE
13 OCTOBRE	BALANCE	VIERGE	CANCER	CANCER	LION	SCORPION	SAGITTAIRE	BALANCE	28 BALANCE
14 OCTOBRE	BALANCE	VIERGE	CANCER	CANCER	LION	SCORPION	SAGITTAIRE	BALANCE	13 SCORPION
15 OCTOBRE	BALANCE	VIERGE	CANCER	CANCER	LION	SCORPION	SAGITTAIRE	BALANCE	28 SCORPION
16 OCTOBRE	BALANCE	VIERGE	CANCER	CANCER	LION	SCORPION	SAGITTAIRE	BALANCE	12 SAGITAIRE
17 OCTOBRE	BALANCE	BALANCE	CANCER	CANCER	LION	SCORPION	SAGITTAIRE	BALANCE	27 SAGITAIRE
18 OCTOBRE	BALANCE	BALANCE	CANCER	CANCER	LION	SCORPION	SAGITTAIRE	BALANCE	11 CAPRICORNE
19 OCTOBRE	BALANCE	BALANCE	CANCER	CANCER	LION	SCORPION	SAGITTAIRE	BALANCE	25 CAPRICORNE
20 OCTOBRE	BALANCE	BALANCE	CANCER	CANCER	LION	SCORPION	SAGITTAIRE	BALANCE	9 VERSEAU
21 OCTOBRE	BALANCE	BALANCE	CANCER	CANCER	LION	SCORPION	SAGITTAIRE	BALANCE	23 VERSEAU
22 OCTOBRE	SCORPION	BALANCE	CANCER	CANCER	LION	SCORPION	SAGITTAIRE	BALANCE	6 POISSONS
23 OCTOBRE	SCORPION	BALANCE	CANCER	CANCER	LION	SCORPION	SAGITTAIRE	BALANCE	19 POISSONS

LE SOLEIL ENTRE DANS LE SIGNE DE LA BALANCE LE 23 SEPTEMBRE 1977 A 3 h 10
LE SOLEIL QUITTE LE SIGNE DE LA BALANCE LE 23 OCTOBRE 1977 A 12 h 15

* LES CHIFFRES INDIQUENT LES DEGRES

DECOUVREZ DANS QUEL SIGNE SE TROUVAIENT LES PLANETES A VOTRE NAISSANCE

1978	MERCURE	VENUS	MARS	JUPITER	SATURNE	URANUS	NEPTUNE	PLUTON	LUNE *
23 SEPTEMBRE	VIERGE	SCORPION	SCORPION	LION	VIERGE	SCORPION	SAGITTAIRE	BALANCE	22 GEMEAUX
24 SEPTEMBRE	VIERGE	SCORPION	SCORPION	LION	VIERGE	SCORPION	SAGITTAIRE	BALANCE	4 CANCER
25 SEPTEMBRE	VIERGE	SCORPION	SCORPION	LION	VIERGE	SCORPION	SAGITTAIRE	BALANCE	16 CANCER
26 SEPTEMBRE	VIERGE	SCORPION	SCORPION	LION	VIERGE	SCORPION	SAGITTAIRE	BALANCE	28 CANCER
27 SEPTEMBRE	BALANCE	SCORPION	SCORPION	LION	VIERGE	SCORPION	SAGITTAIRE	BALANCE	10 LION
28 SEPTEMBRE	BALANCE	SCORPION	SCORPION	LION	VIERGE	SCORPION	SAGITTAIRE	BALANCE	22 LION
29 SEPTEMBRE	BALANCE	SCORPION	SCORPION	LION	VIERGE	SCORPION	SAGITTAIRE	BALANCE	4 VIERGE
30 SEPTEMBRE	BALANCE	SCORPION	SCORPION	LION	VIERGE	SCORPION	SAGITTAIRE	BALANCE	16 VIERGE
1 OCTOBRE	BALANCE	SCORPION	SCORPION	LION	VIERGE	SCORPION	SAGITTAIRE	BALANCE	28 VIERGE
2 OCTOBRE	BALANCE	SCORPION	SCORPION	LION	VIERGE	SCORPION	SAGITTAIRE	BALANCE	11 BALANCE
3 OCTOBRE	BALANCE	SCORPION	SCORPION	LION	VIERGE	SCORPION	SAGITTAIRE	BALANCE	24 BALANCE
4 OCTOBRE	BALANCE	SCORPION	SCORPION	LION	VIERGE	SCORPION	SAGITTAIRE	BALANCE	8 SCORPION
5 OCTOBRE	BALANCE	SCORPION	SCORPION	LION	VIERGE	SCORPION	SAGITTAIRE	BALANCE	21 SCORPION
6 OCTOBRE	BALANCE	SCORPION	SCORPION	LION	VIERGE	SCORPION	SAGITTAIRE	BALANCE	5 SAGITTAIRE
7 OCTOBRE	BALANCE	SCORPION	SCORPION	LION	VIERGE	SCORPION	SAGITTAIRE	BALANCE	17 SAGITTAIRE
8 OCTOBRE	BALANCE	SCORPION	SCORPION	LION	VIERGE	SCORPION	SAGITTAIRE	BALANCE	3 CAPRICORNE
9 OCTOBRE	BALANCE	SCORPION	SCORPION	LION	VIERGE	SCORPION	SAGITTAIRE	BALANCE	17 CAPRICORNE
10 OCTOBRE	BALANCE	SCORPION	SCORPION	LION	VIERGE	SCORPION	SAGITTAIRE	BALANCE	1 VERSEAU
11 OCTOBRE	BALANCE	SCORPION	SCORPION	LION	VIERGE	SCORPION	SAGITTAIRE	BALANCE	15 VERSEAU
12 OCTOBRE	BALANCE	SCORPION	SCORPION	LION	VIERGE	SCORPION	SAGITTAIRE	BALANCE	0 POISSONS
13 OCTOBRE	BALANCE	SCORPION	SCORPION	LION	VIERGE	SCORPION	SAGITTAIRE	BALANCE	14 POISSONS
14 OCTOBRE	SCORPION	SCORPION	SCORPION	LION	VIERGE	SCORPION	SAGITTAIRE	BALANCE	28 POISSONS
15 OCTOBRE	SCORPION	SCORPION	SCORPION	LION	VIERGE	SCORPION	SAGITTAIRE	BALANCE	12 BELIER
16 OCTOBRE	SCORPION	SCORPION	SCORPION	LION	VIERGE	SCORPION	SAGITTAIRE	BALANCE	26 BELIER
17 OCTOBRE	SCORPION	SCORPION	SCORPION	LION	VIERGE	SCORPION	SAGITTAIRE	BALANCE	9 TAUREAU
18 OCTOBRE	SCORPION	SCORPION	SCORPION	LION	VIERGE	SCORPION	SAGITTAIRE	BALANCE	22 TAUREAU
19 OCTOBRE	SCORPION	SCORPION	SCORPION	LION	VIERGE	SCORPION	SAGITTAIRE	BALANCE	5 GEMEAUX
20 OCTOBRE	SCORPION	SCORPION	SCORPION	LION	VIERGE	SCORPION	SAGITTAIRE	BALANCE	17 GEMEAUX
21 OCTOBRE	SCORPION	SCORPION	SCORPION	LION	VIERGE	SCORPION	SAGITTAIRE	BALANCE	0 CANCER
22 OCTOBRE	SCORPION	SCORPION	SCORPION	LION	VIERGE	SCORPION	SAGITTAIRE	BALANCE	12 CANCER
23 OCTOBRE	SCORPION	SCORPION	SCORPION	LION	VIERGE	SCORPION	SAGITTAIRE	BALANCE	24 CANCER

LE SOLEIL ENTRE DANS LE SIGNE DE LA BALANCE LE 23 SEPTEMBRE 1978 A 9 h 10
LE SOLEIL QUITTE LE SIGNE DE LA BALANCE LE 23 OCTOBRE 1978 A 18 h 30

* LES CHIFFRES INDIQUENT LES DEGRES

1979	MERCURE	VENUS	MARS	JUPITER	SATURNE	URANUS	NEPTUNE	PLUTON	LUNE *
23 SEPTEMBRE	BALANCE	BALANCE	CANCER	LION	VIERGE	SCORPION	SAGITTAIRE	BALANCE	23 BALANCE
24 SEPTEMBRE	BALANCE	BALANCE	CANCER	LION	VIERGE	SCORPION	SAGITTAIRE	BALANCE	5 SCORPION
25 SEPTEMBRE	BALANCE	BALANCE	LION	LION	VIERGE	SCORPION	SAGITTAIRE	BALANCE	17 SCORPION
26 SEPTEMBRE	BALANCE	BALANCE	LION	LION	VIERGE	SCORPION	SAGITTAIRE	BALANCE	0 SAGITTAIRE
27 SEPTEMBRE	BALANCE	BALANCE	LION	LION	VIERGE	SCORPION	SAGITTAIRE	BALANCE	13 SAGITTAIRE
28 SEPTEMBRE	BALANCE	BALANCE	LION	LION	VIERGE	SCORPION	SAGITTAIRE	BALANCE	26 SAGITTAIRE
29 SEPTEMBRE	BALANCE	BALANCE	LION	VIERGE	VIERGE	SCORPION	SAGITTAIRE	BALANCE	9 CAPRICORNE
30 SEPTEMBRE	BALANCE	BALANCE	LION	VIERGE	VIERGE	SCORPION	SAGITTAIRE	BALANCE	23 CAPRICORNE
1 OCTOBRE	BALANCE	BALANCE	LION	VIERGE	VIERGE	SCORPION	SAGITTAIRE	BALANCE	8 VERSEAU
2 OCTOBRE	BALANCE	BALANCE	LION	VIERGE	VIERGE	SCORPION	SAGITTAIRE	BALANCE	22 VERSEAU
3 OCTOBRE	BALANCE	BALANCE	LION	VIERGE	VIERGE	SCORPION	SAGITTAIRE	BALANCE	7 POISSONS
4 OCTOBRE	BALANCE	BALANCE	LION	VIERGE	VIERGE	SCORPION	SAGITTAIRE	BALANCE	22 POISSONS
5 OCTOBRE	BALANCE	BALANCE	LION	VIERGE	VIERGE	SCORPION	SAGITTAIRE	BALANCE	7 BELIER
6 OCTOBRE	BALANCE	BALANCE	LION	VIERGE	VIERGE	SCORPION	SAGITTAIRE	BALANCE	22 BELIER
7 OCTOBRE	SCORPION	BALANCE	LION	VIERGE	VIERGE	SCORPION	SAGITTAIRE	BALANCE	7 TAUREAU
8 OCTOBRE	SCORPION	BALANCE	LION	VIERGE	VIERGE	SCORPION	SAGITTAIRE	BALANCE	21 TAUREAU
9 OCTOBRE	SCORPION	BALANCE	LION	VIERGE	VIERGE	SCORPION	SAGITTAIRE	BALANCE	5 GEMEAUX
10 OCTOBRE	SCORPION	BALANCE	LION	VIERGE	VIERGE	SCORPION	SAGITTAIRE	BALANCE	18 GEMEAUX
11 OCTOBRE	SCORPION	SCORPION	LION	VIERGE	VIERGE	SCORPION	SAGITTAIRE	BALANCE	1 CANCER
12 OCTOBRE	SCORPION	SCORPION	LION	VIERGE	VIERGE	SCORPION	SAGITTAIRE	BALANCE	14 CANCER
13 OCTOBRE	SCORPION	SCORPION	LION	VIERGE	VIERGE	SCORPION	SAGITTAIRE	BALANCE	26 CANCER
14 OCTOBRE	SCORPION	SCORPION	LION	VIERGE	VIERGE	SCORPION	SAGITTAIRE	BALANCE	8 LION
15 OCTOBRE	SCORPION	SCORPION	LION	VIERGE	VIERGE	SCORPION	SAGITTAIRE	BALANCE	20 LION
16 OCTOBRE	SCORPION	SCORPION	LION	VIERGE	VIERGE	SCORPION	SAGITTAIRE	BALANCE	2 VIERGE
17 OCTOBRE	SCORPION	SCORPION	LION	VIERGE	VIERGE	SCORPION	SAGITTAIRE	BALANCE	13 VIERGE
18 OCTOBRE	SCORPION	SCORPION	LION	VIERGE	VIERGE	SCORPION	SAGITTAIRE	BALANCE	25 VIERGE
19 OCTOBRE	SCORPION	SCORPION	LION	VIERGE	VIERGE	SCORPION	SAGITTAIRE	BALANCE	7 BALANCE
20 OCTOBRE	SCORPION	SCORPION	LION	VIERGE	VIERGE	SCORPION	SAGITTAIRE	BALANCE	19 BALANCE
21 OCTOBRE	SCORPION	SCORPION	LION	VIERGE	VIERGE	SCORPION	SAGITTAIRE	BALANCE	2 SCORPION
22 OCTOBRE	SCORPION	SCORPION	LION	VIERGE	VIERGE	SCORPION	SAGITTAIRE	BALANCE	14 SCORPION
23 OCTOBRE	SCORPION	SCORPION	LION	VIERGE	VIERGE	SCORPION	SAGITTAIRE	BALANCE	27 SCORPION
24 OCTOBRE	SCORPION	SCORPION	LION	VIERGE	VIERGE	SCORPION	SAGITTAIRE	BALANCE	10 SAGITTAIRE

LE SOLEIL ENTRE DANS LE SIGNE DE LA BALANCE LE 23 SEPTEMBRE 1979 A 14 h 45
LE SOLEIL QUITTE LE SIGNE DE LA BALANCE LE 24 OCTOBRE 1979 A 0 h 10

* LES CHIFFRES INDIQUENT LES DEGRES

DECOUVREZ DANS QUEL SIGNE SE TROUVAIENT LES PLANETES A VOTRE NAISSANCE

1980	MERCURE	VENUS	MARS	JUPITER	SATURNE	URANUS	NEPTUNE	PLUTON	LUNE *
22 SEPTEMBRE	BALANCE	LION	SCORPION	VIERGE	BALANCE	SCORPION	SAGITTAIRE	BALANCE	1 POISSONS
23 SEPTEMBRE	BALANCE	LION	SCORPION	VIERGE	BALANCE	SCORPION	SAGITTAIRE	BALANCE	16 POISSONS
24 SEPTEMBRE	BALANCE	LION	SCORPION	VIERGE	BALANCE	SCORPION	SAGITTAIRE	BALANCE	1 BELIER
25 SEPTEMBRE	BALANCE	LION	SCORPION	VIERGE	BALANCE	SCORPION	SAGITTAIRE	BALANCE	16 BELIER
26 SEPTEMBRE	BALANCE	LION	SCORPION	VIERGE	BALANCE	SCORPION	SAGITTAIRE	BALANCE	2 TAUREAU
27 SEPTEMBRE	BALANCE	LION	SCORPION	VIERGE	BALANCE	SCORPION	SAGITTAIRE	BALANCE	17 TAUREAU
28 SEPTEMBRE	BALANCE	LION	SCORPION	VIERGE	BALANCE	SCORPION	SAGITTAIRE	BALANCE	1 GEMEAUX
29 SEPTEMBRE	BALANCE	LION	SCORPION	VIERGE	BALANCE	SCORPION	SAGITTAIRE	BALANCE	15 GEMEAUX
30 SEPTEMBRE	SCORPION	LION	SCORPION	VIERGE	BALANCE	SCORPION	SAGITTAIRE	BALANCE	29 GEMEAUX
1 OCTOBRE	SCORPION	LION	SCORPION	VIERGE	BALANCE	SCORPION	SAGITTAIRE	BALANCE	13 CANCER
2 OCTOBRE	SCORPION	LION	SCORPION	VIERGE	BALANCE	SCORPION	SAGITTAIRE	BALANCE	25 CANCER
3 OCTOBRE	SCORPION	LION	SCORPION	VIERGE	BALANCE	SCORPION	SAGITTAIRE	BALANCE	8 LION
4 OCTOBRE	SCORPION	LION	SCORPION	VIERGE	BALANCE	SCORPION	SAGITTAIRE	BALANCE	20 LION
5 OCTOBRE	SCORPION	VIERGE	SCORPION	VIERGE	BALANCE	SCORPION	SAGITTAIRE	BALANCE	3 VIERGE
6 OCTOBRE	SCORPION	VIERGE	SCORPION	VIERGE	BALANCE	SCORPION	SAGITTAIRE	BALANCE	15 VIERGE
7 OCTOBRE	SCORPION	VIERGE	SCORPION	VIERGE	BALANCE	SCORPION	SAGITTAIRE	BALANCE	26 VIERGE
8 OCTOBRE	SCORPION	VIERGE	SCORPION	VIERGE	BALANCE	SCORPION	SAGITTAIRE	BALANCE	8 BALANCE
9 OCTOBRE	SCORPION	VIERGE	SCORPION	VIERGE	BALANCE	SCORPION	SAGITTAIRE	BALANCE	20 BALANCE
10 OCTOBRE	SCORPION	VIERGE	SCORPION	VIERGE	BALANCE	SCORPION	SAGITTAIRE	BALANCE	2 SCORPION
11 OCTOBRE	SCORPION	VIERGE	SCORPION	VIERGE	BALANCE	SCORPION	SAGITTAIRE	BALANCE	14 SCORPION
12 OCTOBRE	SCORPION	VIERGE	SAGITTAIRE	VIERGE	BALANCE	SCORPION	SAGITTAIRE	BALANCE	26 SCORPION
13 OCTOBRE	SCORPION	VIERGE	SAGITTAIRE	VIERGE	BALANCE	SCORPION	SAGITTAIRE	BALANCE	8 SAGITTAIRE
14 OCTOBRE	SCORPION	VIERGE	SAGITTAIRE	VIERGE	BALANCE	SCORPION	SAGITTAIRE	BALANCE	20 SAGITTAIRE
15 OCTOBRE	SCORPION	VIERGE	SAGITTAIRE	VIERGE	BALANCE	SCORPION	SAGITTAIRE	BALANCE	2 CAPRICORNE
16 OCTOBRE	SCORPION	VIERGE	SAGITTAIRE	VIERGE	BALANCE	SCORPION	SAGITTAIRE	BALANCE	15 CAPRICORNE
17 OCTOBRE	SCORPION	VIERGE	SAGITTAIRE	VIERGE	BALANCE	SCORPION	SAGITTAIRE	BALANCE	28 CAPRICORNE
18 OCTOBRE	SCORPION	VIERGE	SAGITTAIRE	VIERGE	BALANCE	SCORPION	SAGITTAIRE	BALANCE	11 VERSEAU
19 OCTOBRE	SCORPION	VIERGE	SAGITTAIRE	VIERGE	BALANCE	SCORPION	SAGITTAIRE	BALANCE	25 VERSEAU
20 OCTOBRE	SCORPION	VIERGE	SAGITTAIRE	VIERGE	BALANCE	SCORPION	SAGITTAIRE	BALANCE	10 POISSONS
21 OCTOBRE	SCORPION	VIERGE	SAGITTAIRE	VIERGE	BALANCE	SCORPION	SAGITTAIRE	BALANCE	24 POISSONS
22 OCTOBRE	SCORPION	VIERGE	SAGITTAIRE	VIERGE	BALANCE	SCORPION	SAGITTAIRE	BALANCE	9 BELIER
23 OCTOBRE	SCORPION	VIERGE	SAGITTAIRE	VIERGE	BALANCE	SCORPION	SAGITTAIRE	BALANCE	25 BELIER

LE SOLEIL ENTRE DANS LE SIGNE DE LA BALANCE LE 22 SEPTEMBRE 1980 A 20 h 45
LE SOLEIL QUITTE LE SIGNE DE LA BALANCE LE 23 OCTOBRE 1980 A 6 h 00

* LES CHIFFRES INDIQUENT LES DEGRES

1981	MERCURE	VENUS	MARS	JUPITER	SATURNE	URANUS	NEPTUNE	PLUTON	LUNE *
23 SEPTEMBRE	BALANCE	SCORPION	LION	BALANCE	BALANCE	SCORPION	SAGITTAIRE	BALANCE	4 LION
24 SEPTEMBRE	BALANCE	SCORPION	LION	BALANCE	BALANCE	SCORPION	SAGITTAIRE	BALANCE	17 LION
25 SEPTEMBRE	BALANCE	SCORPION	LION	BALANCE	BALANCE	SCORPION	SAGITTAIRE	BALANCE	0 VIERGE
26 SEPTEMBRE	BALANCE	SCORPION	LION	BALANCE	BALANCE	SCORPION	SAGITTAIRE	BALANCE	13 VIERGE
27 SEPTEMBRE	SCORPION	SCORPION	LION	BALANCE	BALANCE	SCORPION	SAGITTAIRE	BALANCE	26 VIERGE
28 SEPTEMBRE	SCORPION	SCORPION	LION	BALANCE	BALANCE	SCORPION	SAGITTAIRE	BALANCE	9 BALANCE
29 SEPTEMBRE	SCORPION	SCORPION	LION	BALANCE	BALANCE	SCORPION	SAGITTAIRE	BALANCE	21 BALANCE
30 SEPTEMBRE	SCORPION	SCORPION	LION	BALANCE	BALANCE	SCORPION	SAGITTAIRE	BALANCE	3 SCORPION
1 OCTOBRE	SCORPION	SCORPION	LION	BALANCE	BALANCE	SCORPION	SAGITTAIRE	BALANCE	15 SCORPION
2 OCTOBRE	SCORPION	SCORPION	LION	BALANCE	BALANCE	SCORPION	SAGITTAIRE	BALANCE	27 SCORPION
3 OCTOBRE	SCORPION	SCORPION	LION	BALANCE	BALANCE	SCORPION	SAGITTAIRE	BALANCE	9 SAGITTAIRE
4 OCTOBRE	SCORPION	SCORPION	LION	BALANCE	BALANCE	SCORPION	SAGITTAIRE	BALANCE	21 SAGITTAIRE
5 OCTOBRE	SCORPION	SCORPION	LION	BALANCE	BALANCE	SCORPION	SAGITTAIRE	BALANCE	3 CAPRICORNE
6 OCTOBRE	SCORPION	SCORPION	LION	BALANCE	BALANCE	SCORPION	SAGITTAIRE	BALANCE	15 CAPRICORNE
7 OCTOBRE	SCORPION	SCORPION	LION	BALANCE	BALANCE	SCORPION	SAGITTAIRE	BALANCE	27 CAPRICORNE
8 OCTOBRE	SCORPION	SCORPION	LION	BALANCE	BALANCE	SCORPION	SAGITTAIRE	BALANCE	10 VERSEAU
9 OCTOBRE	SCORPION	SAGITTAIRE	LION	BALANCE	BALANCE	SCORPION	SAGITTAIRE	BALANCE	23 VERSEAU
10 OCTOBRE	SCORPION	SAGITTAIRE	LION	BALANCE	BALANCE	SCORPION	SAGITTAIRE	BALANCE	6 POISSONS
11 OCTOBRE	SCORPION	SAGITTAIRE	LION	BALANCE	BALANCE	SCORPION	SAGITTAIRE	BALANCE	20 POISSONS
12 OCTOBRE	SCORPION	SAGITTAIRE	LION	BALANCE	BALANCE	SCORPION	SAGITTAIRE	BALANCE	4 BELIER
13 OCTOBRE	SCORPION	SAGITTAIRE	LION	BALANCE	BALANCE	SCORPION	SAGITTAIRE	BALANCE	19 BELIER
14 OCTOBRE	BALANCE	SAGITTAIRE	LION	BALANCE	BALANCE	SCORPION	SAGITTAIRE	BALANCE	4 TAUREAU
15 OCTOBRE	BALANCE	SAGITTAIRE	LION	BALANCE	BALANCE	SCORPION	SAGITTAIRE	BALANCE	19 TAUREAU
16 OCTOBRE	BALANCE	SAGITTAIRE	LION	BALANCE	BALANCE	SCORPION	SAGITTAIRE	BALANCE	4 GEMEAUX
17 OCTOBRE	BALANCE	SAGITTAIRE	LION	BALANCE	BALANCE	SCORPION	SAGITTAIRE	BALANCE	19 GEMEAUX
18 OCTOBRE	BALANCE	SAGITTAIRE	LION	BALANCE	BALANCE	SCORPION	SAGITTAIRE	BALANCE	3 CANCER
19 OCTOBRE	BALANCE	SAGITTAIRE	LION	BALANCE	BALANCE	SCORPION	SAGITTAIRE	BALANCE	17 CANCER
20 OCTOBRE	BALANCE	SAGITTAIRE	LION	BALANCE	BALANCE	SCORPION	SAGITTAIRE	BALANCE	1 LION
21 OCTOBRE	BALANCE	SAGITTAIRE	VIERGE	BALANCE	BALANCE	SCORPION	SAGITTAIRE	BALANCE	14 LION
22 OCTOBRE	BALANCE	SAGITTAIRE	VIERGE	BALANCE	BALANCE	SCORPION	SAGITTAIRE	BALANCE	27 LION
23 OCTOBRE	BALANCE	SAGITTAIRE	VIERGE	BALANCE	BALANCE	SCORPION	SAGITTAIRE	BALANCE	10 VIERGE

LE SOLEIL ENTRE DANS LE SIGNE DE LA BALANCE LE 23 SEPTEMBRE 1981 A 2 h 45
LE SOLEIL QUITTE LE SIGNE DE LA BALANCE LE 23 OCTOBRE 1981 A 11 h 45

* LES CHIFFRES INDIQUENT LES DEGRES

DECOUVREZ DANS QUEL SIGNE SE TROUVAIENT LES PLANETES A VOTRE NAISSANCE

1982	MERCURE	VENUS	MARS	JUPITER	SATURNE	URANUS	NEPTUNE	PLUTON	LUNE *
23 SEPTEMBRE	BALANCE	VIERGE	SAGITTAIRE	SCORPION	BALANCE	SAGITTAIRE	SAGITTAIRE	BALANCE	12 SAGITTAIRE
24 SEPTEMBRE	BALANCE	VIERGE	SAGITTAIRE	SCORPION	BALANCE	SAGITTAIRE	SAGITTAIRE	BALANCE	23 SAGITTAIRE
25 SEPTEMBRE	BALANCE	VIERGE	SAGITTAIRE	SCORPION	BALANCE	SAGITTAIRE	SAGITTAIRE	BALANCE	5 CAPRICORNE
26 SEPTEMBRE	BALANCE	VIERGE	SAGITTAIRE	SCORPION	BALANCE	SAGITTAIRE	SAGITTAIRE	BALANCE	17 CAPRICORNE
27 SEPTEMBRE	BALANCE	VIERGE	SAGITTAIRE	SCORPION	BALANCE	SAGITTAIRE	SAGITTAIRE	BALANCE	29 CAPRICORNE
28 SEPTEMBRE	BALANCE	VIERGE	SAGITTAIRE	SCORPION	BALANCE	SAGITTAIRE	SAGITTAIRE	BALANCE	11 VERSEAU
29 SEPTEMBRE	BALANCE	VIERGE	SAGITTAIRE	SCORPION	BALANCE	SAGITTAIRE	SAGITTAIRE	BALANCE	23 VERSEAU
30 SEPTEMBRE	BALANCE	VIERGE	SAGITTAIRE	SCORPION	BALANCE	SAGITTAIRE	SAGITTAIRE	BALANCE	6 POISSONS
1 OCTOBRE	BALANCE	VIERGE	SAGITTAIRE	SCORPION	BALANCE	SAGITTAIRE	SAGITTAIRE	BALANCE	20 POISSONS
2 OCTOBRE	BALANCE	BALANCE	SAGITTAIRE	SCORPION	BALANCE	SAGITTAIRE	SAGITTAIRE	BALANCE	2 BELIER
3 OCTOBRE	BALANCE	BALANCE	SAGITTAIRE	SCORPION	BALANCE	SAGITTAIRE	SAGITTAIRE	BALANCE	15 BELIER
4 OCTOBRE	BALANCE	BALANCE	SAGITTAIRE	SCORPION	BALANCE	SAGITTAIRE	SAGITTAIRE	BALANCE	29 BELIER
5 OCTOBRE	BALANCE	BALANCE	SAGITTAIRE	SCORPION	BALANCE	SAGITTAIRE	SAGITTAIRE	BALANCE	13 TAUREAU
6 OCTOBRE	BALANCE	BALANCE	SAGITTAIRE	SCORPION	BALANCE	SAGITTAIRE	SAGITTAIRE	BALANCE	27 TAUREAU
7 OCTOBRE	BALANCE	BALANCE	SAGITTAIRE	SCORPION	BALANCE	SAGITTAIRE	SAGITTAIRE	BALANCE	11 GEMEAUX
8 OCTOBRE	BALANCE	BALANCE	SAGITTAIRE	SCORPION	BALANCE	SAGITTAIRE	SAGITTAIRE	BALANCE	25 GEMEAUX
9 OCTOBRE	BALANCE	BALANCE	SAGITTAIRE	SCORPION	BALANCE	SAGITTAIRE	SAGITTAIRE	BALANCE	9 CANCER
10 OCTOBRE	BALANCE	BALANCE	SAGITTAIRE	SCORPION	BALANCE	SAGITTAIRE	SAGITTAIRE	BALANCE	23 CANCER
11 OCTOBRE	BALANCE	BALANCE	SAGITTAIRE	SCORPION	BALANCE	SAGITTAIRE	SAGITTAIRE	BALANCE	7 LION
12 OCTOBRE	BALANCE	BALANCE	SAGITTAIRE	SCORPION	BALANCE	SAGITTAIRE	SAGITTAIRE	BALANCE	21 LION
13 OCTOBRE	BALANCE	BALANCE	SAGITTAIRE	SCORPION	BALANCE	SAGITTAIRE	SAGITTAIRE	BALANCE	5 VIERGE
14 OCTOBRE	BALANCE	BALANCE	SAGITTAIRE	SCORPION	BALANCE	SAGITTAIRE	SAGITTAIRE	BALANCE	19 VIERGE
15 OCTOBRE	BALANCE	BALANCE	SAGITTAIRE	SCORPION	BALANCE	SAGITTAIRE	SAGITTAIRE	BALANCE	3 BALANCE
16 OCTOBRE	BALANCE	BALANCE	SAGITTAIRE	SCORPION	BALANCE	SAGITTAIRE	SAGITTAIRE	BALANCE	16 BALANCE
17 OCTOBRE	BALANCE	BALANCE	SAGITTAIRE	SCORPION	BALANCE	SAGITTAIRE	SAGITTAIRE	BALANCE	29 BALANCE
18 OCTOBRE	BALANCE	BALANCE	SAGITTAIRE	SCORPION	BALANCE	SAGITTAIRE	SAGITTAIRE	BALANCE	12 SCORPION
19 OCTOBRE	BALANCE	BALANCE	SAGITTAIRE	SCORPION	BALANCE	SAGITTAIRE	SAGITTAIRE	BALANCE	25 SCORPION
20 OCTOBRE	BALANCE	BALANCE	SAGITTAIRE	SCORPION	BALANCE	SAGITTAIRE	SAGITTAIRE	BALANCE	7 SAGITTAIRE
21 OCTOBRE	BALANCE	BALANCE	SAGITTAIRE	SCORPION	BALANCE	SAGITTAIRE	SAGITTAIRE	BALANCE	19 SAGITTAIRE
22 OCTOBRE	BALANCE	BALANCE	SAGITTAIRE	SCORPION	BALANCE	SAGITTAIRE	SAGITTAIRE	BALANCE	1 CAPRICORNE
23 OCTOBRE	BALANCE	BALANCE	SAGITTAIRE	SCORPION	BALANCE	SAGITTAIRE	SAGITTAIRE	BALANCE	13 CAPRICORNE

LE SOLEIL ENTRE DANS LE SIGNE DE LA BALANCE LE 23 SEPTEMBRE 1982 A 8 h 00
LE SOLEIL QUITTE LE SIGNE DE LA BALANCE LE 23 OCTOBRE 1982 A 17 h 30

* LES CHIFFRES INDIQUENT LES DEGRES

1983	MERCURE	VENUS	MARS	JUPITER	SATURNE	URANUS	NEPTUNE	PLUTON	LUNE *
23 SEPTEMBRE	VIERGE	LION	LION	SAGITTAIRE	SCORPION	SAGITTAIRE	SAGITTAIRE	BALANCE	13 BELIER
24 SEPTEMBRE	VIERGE	LION	LION	SAGITTAIRE	SCORPION	SAGITTAIRE	SAGITTAIRE	BALANCE	26 BELIER
25 SEPTEMBRE	VIERGE	LION	LION	SAGITTAIRE	SCORPION	SAGITTAIRE	SAGITTAIRE	BALANCE	9 TAUREAU
26 SEPTEMBRE	VIERGE	LION	LION	SAGITTAIRE	SCORPION	SAGITTAIRE	SAGITTAIRE	BALANCE	21 TAUREAU
27 SEPTEMBRE	VIERGE	LION	LION	SAGITTAIRE	SCORPION	SAGITTAIRE	SAGITTAIRE	BALANCE	4 GEMEAUX
28 SEPTEMBRE	VIERGE	LION	LION	SAGITTAIRE	SCORPION	SAGITTAIRE	SAGITTAIRE	BALANCE	18 GEMEAUX
29 SEPTEMBRE	VIERGE	LION	LION	SAGITTAIRE	SCORPION	SAGITTAIRE	SAGITTAIRE	BALANCE	1 CANCER
30 SEPTEMBRE	VIERGE	LION	VIERGE	SAGITTAIRE	SCORPION	SAGITTAIRE	SAGITTAIRE	BALANCE	15 CANCER
1 OCTOBRE	VIERGE	LION	VIERGE	SAGITTAIRE	SCORPION	SAGITTAIRE	SAGITTAIRE	BALANCE	29 CANCER
2 OCTOBRE	VIERGE	LION	VIERGE	SAGITTAIRE	SCORPION	SAGITTAIRE	SAGITTAIRE	BALANCE	14 LION
3 OCTOBRE	VIERGE	LION	VIERGE	SAGITTAIRE	SCORPION	SAGITTAIRE	SAGITTAIRE	BALANCE	28 LION
4 OCTOBRE	VIERGE	LION	VIERGE	SAGITTAIRE	SCORPION	SAGITTAIRE	SAGITTAIRE	BALANCE	13 VIERGE
5 OCTOBRE	VIERGE	LION	VIERGE	SAGITTAIRE	SCORPION	SAGITTAIRE	SAGITTAIRE	BALANCE	28 VIERGE
6 OCTOBRE	VIERGE	VIERGE	VIERGE	SAGITTAIRE	SCORPION	SAGITTAIRE	SAGITTAIRE	BALANCE	13 BALANCE
7 OCTOBRE	VIERGE	VIERGE	VIERGE	SAGITTAIRE	SCORPION	SAGITTAIRE	SAGITTAIRE	BALANCE	27 BALANCE
8 OCTOBRE	VIERGE	VIERGE	VIERGE	SAGITTAIRE	SCORPION	SAGITTAIRE	SAGITTAIRE	BALANCE	11 SCORPION
9 OCTOBRE	BALANCE	VIERGE	VIERGE	SAGITTAIRE	SCORPION	SAGITTAIRE	SAGITTAIRE	BALANCE	25 SCORPION
10 OCTOBRE	BALANCE	VIERGE	VIERGE	SAGITTAIRE	SCORPION	SAGITTAIRE	SAGITTAIRE	BALANCE	8 SAGITTAIRE
11 OCTOBRE	BALANCE	VIERGE	VIERGE	SAGITTAIRE	SCORPION	SAGITTAIRE	SAGITTAIRE	BALANCE	21 SAGITTAIRE
12 OCTOBRE	BALANCE	VIERGE	VIERGE	SAGITTAIRE	SCORPION	SAGITTAIRE	SAGITTAIRE	BALANCE	4 CAPRICORNE
13 OCTOBRE	BALANCE	VIERGE	VIERGE	SAGITTAIRE	SCORPION	SAGITTAIRE	SAGITTAIRE	BALANCE	16 CAPRICORNE
14 OCTOBRE	BALANCE	VIERGE	VIERGE	SAGITTAIRE	SCORPION	SAGITTAIRE	SAGITTAIRE	BALANCE	28 CAPRICORNE
15 OCTOBRE	BALANCE	VIERGE	VIERGE	SAGITTAIRE	SCORPION	SAGITTAIRE	SAGITTAIRE	BALANCE	10 VERSEAU
16 OCTOBRE	BALANCE	VIERGE	VIERGE	SAGITTAIRE	SCORPION	SAGITTAIRE	SAGITTAIRE	BALANCE	21 VERSEAU
17 OCTOBRE	BALANCE	VIERGE	VIERGE	SAGITTAIRE	SCORPION	SAGITTAIRE	SAGITTAIRE	BALANCE	3 POISSONS
18 OCTOBRE	BALANCE	VIERGE	VIERGE	SAGITTAIRE	SCORPION	SAGITTAIRE	SAGITTAIRE	BALANCE	15 POISSONS
19 OCTOBRE	BALANCE	VIERGE	VIERGE	SAGITTAIRE	SCORPION	SAGITTAIRE	SAGITTAIRE	BALANCE	27 POISSONS
20 OCTOBRE	BALANCE	VIERGE	VIERGE	SAGITTAIRE	SCORPION	SAGITTAIRE	SAGITTAIRE	BALANCE	10 BELIER
21 OCTOBRE	BALANCE	VIERGE	VIERGE	SAGITTAIRE	SCORPION	SAGITTAIRE	SAGITTAIRE	BALANCE	22 BELIER
22 OCTOBRE	BALANCE	VIERGE	VIERGE	SAGITTAIRE	SCORPION	SAGITTAIRE	SAGITTAIRE	BALANCE	5 TAUREAU
23 OCTOBRE	BALANCE	VIERGE	VIERGE	SAGITTAIRE	SCORPION	SAGITTAIRE	SAGITTAIRE	BALANCE	18 TAUREAU

LE SOLEIL ENTRE DANS LE SIGNE DE LA BALANCE LE 23 SEPTEMBRE 1983 A 14 h 15
LE SOLEIL QUITTE LE SIGNE DE LA BALANCE LE 23 OCTOBRE 1983 A 23 h 40

* LES CHIFFRES INDIQUENT LES DEGRES

DECOUVREZ DANS QUEL SIGNE SE TROUVAIENT LES PLANETES A VOTRE NAISSANCE

1984	MERCURE	VENUS	MARS	JUPITER	SATURNE	URANUS	NEPTUNE	PLUTON	LUNE *
22 SEPTEMBRE	VIERGE	BALANCE	SAGITTAIRE	CAPRICORNE	SCORPION	SAGITTAIRE	SAGITTAIRE	SCORPION	22 LION
23 SEPTEMBRE	VIERGE	BALANCE	SAGITTAIRE	CAPRICORNE	SCORPION	SAGITTAIRE	SAGITTAIRE	SCORPION	7 VIERGE
24 SEPTEMBRE	VIERGE	BALANCE	SAGITTAIRE	CAPRICORNE	SCORPION	SAGITTAIRE	SAGITTAIRE	SCORPION	22 VIERGE
25 SEPTEMBRE	VIERGE	BALANCE	SAGITTAIRE	CAPRICORNE	SCORPION	SAGITTAIRE	SAGITTAIRE	SCORPION	8 BALANCE
26 SEPTEMBRE	VIERGE	SCORPION	SAGITTAIRE	CAPRICORNE	SCORPION	SAGITTAIRE	SAGITTAIRE	SCORPION	23 BALANCE
27 SEPTEMBRE	VIERGE	SCORPION	SAGITTAIRE	CAPRICORNE	SCORPION	SAGITTAIRE	SAGITTAIRE	SCORPION	8 SCORPION
28 SEPTEMBRE	VIERGE	SCORPION	SAGITTAIRE	CAPRICORNE	SCORPION	SAGITTAIRE	SAGITTAIRE	SCORPION	22 SCORPION
29 SEPTEMBRE	VIERGE	SCORPION	SAGITTAIRE	CAPRICORNE	SCORPION	SAGITTAIRE	SAGITTAIRE	SCORPION	6 SAGITTAIRE
30 SEPTEMBRE	VIERGE	SCORPION	SAGITTAIRE	CAPRICORNE	SCORPION	SAGITTAIRE	SAGITTAIRE	SCORPION	20 SAGITTAIRE
1 OCTOBRE	BALANCE	SCORPION	SAGITTAIRE	CAPRICORNE	SCORPION	SAGITTAIRE	SAGITTAIRE	SCORPION	3 CAPRICORNE
2 OCTOBRE	BALANCE	SCORPION	SAGITTAIRE	CAPRICORNE	SCORPION	SAGITTAIRE	SAGITTAIRE	SCORPION	16 CAPRICORNE
3 OCTOBRE	BALANCE	SCORPION	SAGITTAIRE	CAPRICORNE	SCORPION	SAGITTAIRE	SAGITTAIRE	SCORPION	29 CAPRICORNE
4 OCTOBRE	BALANCE	SCORPION	SAGITTAIRE	CAPRICORNE	SCORPION	SAGITTAIRE	SAGITTAIRE	SCORPION	11 VERSEAU
5 OCTOBRE	BALANCE	SCORPION	CAPRICORNE	CAPRICORNE	SCORPION	SAGITTAIRE	SAGITTAIRE	SCORPION	23 VERSEAU
6 OCTOBRE	BALANCE	SCORPION	CAPRICORNE	CAPRICORNE	SCORPION	SAGITTAIRE	SAGITTAIRE	SCORPION	5 POISSONS
7 OCTOBRE	BALANCE	SCORPION	CAPRICORNE	CAPRICORNE	SCORPION	SAGITTAIRE	SAGITTAIRE	SCORPION	17 POISSONS
8 OCTOBRE	BALANCE	SCORPION	CAPRICORNE	CAPRICORNE	SCORPION	SAGITTAIRE	SAGITTAIRE	SCORPION	29 POISSONS
9 OCTOBRE	BALANCE	SCORPION	CAPRICORNE	CAPRICORNE	SCORPION	SAGITTAIRE	SAGITTAIRE	SCORPION	11 BELIER
10 OCTOBRE	BALANCE	SCORPION	CAPRICORNE	CAPRICORNE	SCORPION	SAGITTAIRE	SAGITTAIRE	SCORPION	22 BELIER
11 OCTOBRE	BALANCE	SCORPION	CAPRICORNE	CAPRICORNE	SCORPION	SAGITTAIRE	SAGITTAIRE	SCORPION	4 TAUREAU
12 OCTOBRE	BALANCE	SCORPION	CAPRICORNE	CAPRICORNE	SCORPION	SAGITTAIRE	SAGITTAIRE	SCORPION	16 TAUREAU
13 OCTOBRE	BALANCE	SCORPION	CAPRICORNE	CAPRICORNE	SCORPION	SAGITTAIRE	SAGITTAIRE	SCORPION	29 TAUREAU
14 OCTOBRE	BALANCE	SCORPION	CAPRICORNE	CAPRICORNE	SCORPION	SAGITTAIRE	SAGITTAIRE	SCORPION	11 GEMEAUX
15 OCTOBRE	BALANCE	SCORPION	CAPRICORNE	CAPRICORNE	SCORPION	SAGITTAIRE	SAGITTAIRE	SCORPION	23 GEMEAUX
16 OCTOBRE	BALANCE	SCORPION	CAPRICORNE	CAPRICORNE	SCORPION	SAGITTAIRE	SAGITTAIRE	SCORPION	6 CANCER
17 OCTOBRE	BALANCE	SCORPION	CAPRICORNE	CAPRICORNE	SCORPION	SAGITTAIRE	SAGITTAIRE	SCORPION	19 CANCER
18 OCTOBRE	SCORPION	SCORPION	CAPRICORNE	CAPRICORNE	SCORPION	SAGITTAIRE	SAGITTAIRE	SCORPION	3 LION
19 OCTOBRE	SCORPION	SCORPION	CAPRICORNE	CAPRICORNE	SCORPION	SAGITTAIRE	SAGITTAIRE	SCORPION	17 LION
20 OCTOBRE	SCORPION	SAGITTAIRE	CAPRICORNE	CAPRICORNE	SCORPION	SAGITTAIRE	SAGITTAIRE	SCORPION	1 VIERGE
21 OCTOBRE	SCORPION	SAGITTAIRE	CAPRICORNE	CAPRICORNE	SCORPION	SAGITTAIRE	SAGITTAIRE	SCORPION	16 VIERGE
22 OCTOBRE	SCORPION	SAGITTAIRE	CAPRICORNE	CAPRICORNE	SCORPION	SAGITTAIRE	SAGITTAIRE	SCORPION	1 BALANCE
23 OCTOBRE	SCORPION	SAGITTAIRE	CAPRICORNE	CAPRICORNE	SCORPION	SAGITTAIRE	SAGITTAIRE	SCORPION	16 BALANCE

LE SOLEIL ENTRE DANS LE SIGNE DE LA VIERGE LE 22 SEPTEMBRE 1984 A 20 h 15
LE SOLEIL QUITTE LE SIGNE DE LA VIERGE LE 23 OCTOBRE 1984 A 5 h 30

* LES CHIFFRES INDIQUENT LES DEGRES

1985	MERCURE	VENUS	MARS	JUPITER	SATURNE	URANUS	NEPTUNE	PLUTON	LUNE *
23 SEPTEMBRE	BALANCE	VIERGE	VIERGE	SAGITTAIRE	SCORPION	SAGITTAIRE	CAPRICORNE	SCORPION	26 CAPRICORNE
24 SEPTEMBRE	BALANCE	VIERGE	VIERGE	SAGITTAIRE	SCORPION	SAGITTAIRE	CAPRICORNE	SCORPION	9 VERSEAU
25 SEPTEMBRE	BALANCE	VIERGE	VIERGE	SAGITTAIRE	SCORPION	SAGITTAIRE	CAPRICORNE	SCORPION	22 VERSEAU
26 SEPTEMBRE	BALANCE	VIERGE	VIERGE	SAGITTAIRE	SCORPION	SAGITTAIRE	CAPRICORNE	SCORPION	4 POISSONS
27 SEPTEMBRE	BALANCE	VIERGE	VIERGE	SAGITTAIRE	SCORPION	SAGITTAIRE	CAPRICORNE	SCORPION	17 POISSONS
28 SEPTEMBRE	BALANCE	VIERGE	VIERGE	SAGITTAIRE	SCORPION	SAGITTAIRE	CAPRICORNE	SCORPION	29 POISSONS
29 SEPTEMBRE	BALANCE	VIERGE	VIERGE	SAGITTAIRE	SCORPION	SAGITTAIRE	CAPRICORNE	SCORPION	11 BELIER
30 SEPTEMBRE	BALANCE	VIERGE	VIERGE	SAGITTAIRE	SCORPION	SAGITTAIRE	CAPRICORNE	SCORPION	23 BELIER
1 OCTOBRE	BALANCE	VIERGE	VIERGE	SAGITTAIRE	SCORPION	SAGITTAIRE	CAPRICORNE	SCORPION	5 TAUREAU
2 OCTOBRE	BALANCE	VIERGE	VIERGE	SAGITTAIRE	SCORPION	SAGITTAIRE	CAPRICORNE	SCORPION	17 TAUREAU
3 OCTOBRE	BALANCE	VIERGE	VIERGE	SAGITTAIRE	SCORPION	SAGITTAIRE	CAPRICORNE	SCORPION	29 TAUREAU
4 OCTOBRE	BALANCE	VIERGE	VIERGE	SAGITTAIRE	SCORPION	SAGITTAIRE	CAPRICORNE	SCORPION	11 GEMEAUX
5 OCTOBRE	BALANCE	VIERGE	VIERGE	SAGITTAIRE	SCORPION	SAGITTAIRE	CAPRICORNE	SCORPION	23 GEMEAUX
6 OCTOBRE	BALANCE	VIERGE	VIERGE	SAGITTAIRE	SCORPION	SAGITTAIRE	CAPRICORNE	SCORPION	5 CANCER
7 OCTOBRE	BALANCE	VIERGE	VIERGE	SAGITTAIRE	SCORPION	SAGITTAIRE	CAPRICORNE	SCORPION	17 CANCER
8 OCTOBRE	BALANCE	VIERGE	VIERGE	SAGITTAIRE	SCORPION	SAGITTAIRE	CAPRICORNE	SCORPION	0 LION
9 OCTOBRE	BALANCE	VIERGE	VIERGE	SAGITTAIRE	SCORPION	SAGITTAIRE	CAPRICORNE	SCORPION	13 LION
10 OCTOBRE	BALANCE	VIERGE	VIERGE	SAGITTAIRE	SCORPION	SAGITTAIRE	CAPRICORNE	SCORPION	27 LION
11 OCTOBRE	SCORPION	VIERGE	VIERGE	SAGITTAIRE	SCORPION	SAGITTAIRE	CAPRICORNE	SCORPION	11 VIERGE
12 OCTOBRE	SCORPION	VIERGE	VIERGE	SAGITTAIRE	SCORPION	SAGITTAIRE	CAPRICORNE	SCORPION	25 VIERGE
13 OCTOBRE	SCORPION	VIERGE	VIERGE	SAGITTAIRE	SCORPION	SAGITTAIRE	CAPRICORNE	SCORPION	10 BALANCE
14 OCTOBRE	SCORPION	VIERGE	VIERGE	SAGITTAIRE	SCORPION	SAGITTAIRE	CAPRICORNE	SCORPION	25 BALANCE
15 OCTOBRE	SCORPION	VIERGE	VIERGE	SAGITTAIRE	SCORPION	SAGITTAIRE	CAPRICORNE	SCORPION	10 SCORPION
16 OCTOBRE	SCORPION	VIERGE	VIERGE	SAGITTAIRE	SCORPION	SAGITTAIRE	CAPRICORNE	SCORPION	25 SCOPRION
17 OCTOBRE	SCORPION	BALANCE	VIERGE	SAGITTAIRE	SCORPION	SAGITTAIRE	CAPRICORNE	SCORPION	10 SAGITTAIRE
18 OCTOBRE	SCORPION	BALANCE	VIERGE	SAGITTAIRE	SCORPION	SAGITTAIRE	CAPRICORNE	SCORPION	25 SAGITTAIRE
19 OCTOBRE	SCORPION	BALANCE	VIERGE	SAGITTAIRE	SCORPION	SAGITTAIRE	CAPRICORNE	SCORPION	9 CAPRICORNE
20 OCTOBRE	SCORPION	BALANCE	VIERGE	SAGITTAIRE	SCORPION	SAGITTAIRE	CAPRICORNE	SCORPION	CAPRICORNE
21 OCTOBRE	SCORPION	BALANCE	VIERGE	SAGITTAIRE	SCORPION	SAGITTAIRE	CAPRICORNE	SCORPION	6 VERSEAU
22 OCTOBRE	SCORPION	BALANCE	VIERGE	SAGITTAIRE	SCORPION	SAGITTAIRE	CAPRICORNE	SCORPION	19 VERSEAU
23 OCTOBRE	SCORPION	BALANCE	VIERGE	SAGITTAIRE	SCORPION	SAGITTAIRE	CAPRICORNE	SCORPION	2 POISSONS

LE SOLEIL ENTRE DANS LE SIGNE DE LA VIERGE LE 23 SEPTEMBRE 1985 A 1 h 45
LE SOLEIL QUITTE LE SIGNE DE LA VIERGE LE 23 OCTOBRE 1985 A 11 h 00

* LES CHIFFRES INDIQUENT LES DEGRES

DECOUVREZ DANS QUEL SIGNE SE TROUVAIENT LES PLANETES A VOTRE NAISSANCE

1986	MERCURE	VENUS	MARS	JUPITER	SATURNE	URANUS	NEPTUNE	PLUTON	LUNE *
23 SEPTEMBRE	BALANCE	SCORPION	CAPRICORNE	POISSONS	SAGITTAIRE	SAGITTAIRE	CAPRICORNE	SCORPION	1 GEMEAUX
24 SEPTEMBRE	BALANCE	SCORPION	CAPRICORNE	POISSONS	SAGITTAIRE	SAGITTAIRE	CAPRICORNE	SCORPION	13 GEMEAUX
25 SEPTEMBRE	BALANCE	SCORPION	CAPRICORNE	POISSONS	SAGITTAIRE	SAGITTAIRE	CAPRICORNE	SCORPION	25 GEMEAUX
26 SEPTEMBRE	BALANCE	SCORPION	CAPRICORNE	POISSONS	SAGITTAIRE	SAGITTAIRE	CAPRICORNE	SCORPION	7 CANCER
27 SEPTEMBRE	BALANCE	SCORPION	CAPRICORNE	POISSONS	SAGITTAIRE	SAGITTAIRE	CAPRICORNE	SCORPION	19 CANCER
28 SEPTEMBRE	BALANCE	SCORPION	CAPRICORNE	POISSONS	SAGITTAIRE	SAGITTAIRE	CAPRICORNE	SCORPION	1 LION
29 SEPTEMBRE	BALANCE	SCORPION	CAPRICORNE	POISSONS	SAGITTAIRE	SAGITTAIRE	CAPRICORNE	SCORPION	13 LION
30 SEPTEMBRE	BALANCE	SCORPION	CAPRICORNE	POISSONS	SAGITTAIRE	SAGITTAIRE	CAPRICORNE	SCORPION	26 LION
1 OCTOBRE	BALANCE	SCORPION	CAPRICORNE	POISSONS	SAGITTAIRE	SAGITTAIRE	CAPRICORNE	SCORPION	9 VIERGE
2 OCTOBRE	BALANCE	SCORPION	CAPRICORNE	POISSONS	SAGITTAIRE	SAGITTAIRE	CAPRICORNE	SCORPION	22 VIERGE
3 OCTOBRE	BALANCE	SCORPION	CAPRICORNE	POISSONS	SAGITTAIRE	SAGITTAIRE	CAPRICORNE	SCORPION	6 BALANCE
4 OCTOBRE	SCORPION	SCORPION	CAPRICORNE	POISSONS	SAGITTAIRE	SAGITTAIRE	CAPRICORNE	SCORPION	20 BALANCE
5 OCTOBRE	SCORPION	SCORPION	CAPRICORNE	POISSONS	SAGITTAIRE	SAGITTAIRE	CAPRICORNE	SCORPION	4 SCORPION
6 OCTOBRE	SCORPION	SCORPION	CAPRICORNE	POISSONS	SAGITTAIRE	SAGITTAIRE	CAPRICORNE	SCORPION	18 SCORPION
7 OCTOBRE	SCORPION	SCORPION	CAPRICORNE	POISSONS	SAGITTAIRE	SAGITTAIRE	CAPRICORNE	SCORPION	3 SAGITTAIRE
8 OCTOBRE	SCORPION	SCORPION	CAPRICORNE	POISSONS	SAGITTAIRE	SAGITTAIRE	CAPRICORNE	SCORPION	17 SAGITTAIRE
9 OCTOBRE	SCORPION	SCORPION	VERSEAU	POISSONS	SAGITTAIRE	SAGITTAIRE	CAPRICORNE	SCORPION	2 CAPRICORNE
10 OCTOBRE	SCORPION	SCORPION	VERSEAU	POISSONS	SAGITTAIRE	SAGITTAIRE	CAPRICORNE	SCORPION	16 CAPRICORNE
11 OCTOBRE	SCORPION	SCORPION	VERSEAU	POISSONS	SAGITTAIRE	SAGITTAIRE	CAPRICORNE	SCORPION	0 VERSEAU
12 OCTOBRE	SCORPION	SCORPION	VERSEAU	POISSONS	SAGITTAIRE	SAGITTAIRE	CAPRICORNE	SCORPION	14 VERSEAU
13 OCTOBRE	SCORPION	SCORPION	VERSEAU	POISSONS	SAGITTAIRE	SAGITTAIRE	CAPRICORNE	SCORPION	27 VERSEAU
14 OCTOBRE	SCORPION	SCORPION	VERSEAU	POISSONS	SAGITTAIRE	SAGITTAIRE	CAPRICORNE	SCORPION	11 POISSONS
15 OCTOBRE	SCORPION	SCORPION	VERSEAU	POISSONS	SAGITTAIRE	SAGITTAIRE	CAPRICORNE	SCORPION	24 POISSONS
16 OCTOBRE	SCORPION	SCORPION	VERSEAU	POISSONS	SAGITTAIRE	SAGITTAIRE	CAPRICORNE	SCORPION	7 BELIER
17 OCTOBRE	SCORPION	SCORPION	VERSEAU	POISSONS	SAGITTAIRE	SAGITTAIRE	CAPRICORNE	SCORPION	20 BELIER
18 OCTOBRE	SCORPION	SCORPION	VERSEAU	POISSONS	SAGITTAIRE	SAGITTAIRE	CAPRICORNE	SCORPION	2 TAUREAU
19 OCTOBRE	SCORPION	SCORPION	VERSEAU	POISSONS	SAGITTAIRE	SAGITTAIRE	CAPRICORNE	SCORPION	15 TAUREAU
20 OCTOBRE	SCORPION	SCORPION	VERSEAU	POISSONS	SAGITTAIRE	SAGITTAIRE	CAPRICORNE	SCORPION	27 TAUREAU
21 OCTOBRE	SCORPION	SCORPION	VERSEAU	POISSONS	SAGITTAIRE	SAGITTAIRE	CAPRICORNE	SCORPION	9 GEMEAUX
22 OCTOBRE	SCORPION	SCORPION	VERSEAU	POISSONS	SAGITTAIRE	SAGITTAIRE	CAPRICORNE	SCORPION	21 GEMEAUX
23 OCTOBRE	SCORPION	SCORPION	VERSEAU	POISSONS	SAGITTAIRE	SAGITTAIRE	CAPRICORNE	SCORPION	3 CANCER

LE SOLEIL ENTRE DANS LE SIGNE DE LA BALANCE LE 23 SEPTEMBRE 1986 A 7 h 40
LE SOLEIL QUITTE LE SIGNE DE LA BALANCE LE 23 OCTOBRE 1986 A 17 h 00

* LES CHIFFRES INDIQUENT LES DEGRES

1987	MERCURE	VENUS	MARS	JUPITER	SATURNE	URANUS	NEPTUNE	PLUTON	LUNE *
23 SEPTEMBRE	BALANCE	BALANCE	VIERGE	BELIER	SAGITTAIRE	SAGITTAIRE	CAPRICORNE	SCORPION	4 BALANCE
24 SEPTEMBRE	BALANCE	BALANCE	VIERGE	BELIER	SAGITTAIRE	SAGITTAIRE	CAPRICORNE	SCORPION	17 BALANCE
25 SEPTEMBRE	BALANCE	BALANCE	VIERGE	BELIER	SAGITTAIRE	SAGITTAIRE	CAPRICORNE	SCORPION	29 BALANCE
26 SEPTEMBRE	BALANCE	BALANCE	VIERGE	BELIER	SAGITTAIRE	SAGITTAIRE	CAPRICORNE	SCORPION	12 SCORPION
27 SEPTEMBRE	BALANCE	BALANCE	VIERGE	BELIER	SAGITTAIRE	SAGITTAIRE	CAPRICORNE	SCORPION	26 SCORPION
28 SEPTEMBRE	BALANCE	BALANCE	VIERGE	BELIER	SAGITTAIRE	SAGITTAIRE	CAPRICORNE	SCORPION	9 SAGITTAIRE
29 SEPTEMBRE	SCORPION	BALANCE	VIERGE	BELIER	SAGITTAIRE	SAGITTAIRE	CAPRICORNE	SCORPION	23 SAGITTAIRE
30 SEPTEMBRE	SCORPION	BALANCE	VIERGE	BELIER	SAGITTAIRE	SAGITTAIRE	CAPRICORNE	SCORPION	7 CAPRICORNE
1 OCTOBRE	SCORPION	BALANCE	VIERGE	BELIER	SAGITTAIRE	SAGITTAIRE	CAPRICORNE	SCORPION	21 CAPRICORNE
2 OCTOBRE	SCORPION	BALANCE	VIERGE	BELIER	SAGITTAIRE	SAGITTAIRE	CAPRICORNE	SCORPION	6 VERSEAU
3 OCTOBRE	SCORPION	BALANCE	VIERGE	BELIER	SAGITTAIRE	SAGITTAIRE	CAPRICORNE	SCORPION	20 VERSEAU
4 OCTOBRE	SCORPION	BALANCE	VIERGE	BELIER	SAGITTAIRE	SAGITTAIRE	CAPRICORNE	SCORPION	5 POISSONS
5 OCTOBRE	SCORPION	BALANCE	VIERGE	BELIER	SAGITTAIRE	SAGITTAIRE	CAPRICORNE	SCORPION	19 POISSONS
6 OCTOBRE	SCORPION	BALANCE	VIERGE	BELIER	SAGITTAIRE	SAGITTAIRE	CAPRICORNE	SCORPION	3 BELIER
7 OCTOBRE	SCORPION	BALANCE	VIERGE	BELIER	SAGITTAIRE	SAGITTAIRE	CAPRICORNE	SCORPION	18 BELIER
8 OCTOBRE	SCORPION	BALANCE	VIERGE	BELIER	SAGITTAIRE	SAGITTAIRE	CAPRICORNE	SCORPION	1 TAUREAU
9 OCTOBRE	SCORPION	BALANCE	BALANCE	BELIER	SAGITTAIRE	SAGITTAIRE	CAPRICORNE	SCORPION	15 TAUREAU
10 OCTOBRE	SCORPION	BALANCE	BALANCE	BELIER	SAGITTAIRE	SAGITTAIRE	CAPRICORNE	SCORPION	28 TAUREAU
11 OCTOBRE	SCORPION	SCORPION	BALANCE	BELIER	SAGITTAIRE	SAGITTAIRE	CAPRICORNE	SCORPION	11 GEMEAUX
12 OCTOBRE	SCORPION	SCORPION	BALANCE	BELIER	SAGITTAIRE	SAGITTAIRE	CAPRICORNE	SCORPION	23 GEMEAUX
13 OCTOBRE	SCORPION	SCORPION	BALANCE	BELIER	SAGITTAIRE	SAGITTAIRE	CAPRICORNE	SCORPION	5 CANCER
14 OCTOBRE	SCORPION	SCORPION	BALANCE	BELIER	SAGITTAIRE	SAGITTAIRE	CAPRICORNE	SCORPION	17 CANCER
15 OCTOBRE	SCORPION	SCORPION	BALANCE	BELIER	SAGITTAIRE	SAGITTAIRE	CAPRICORNE	SCORPION	29 CANCER
16 OCTOBRE	SCORPION	SCORPION	BALANCE	BELIER	SAGITTAIRE	SAGITTAIRE	CAPRICORNE	SCORPION	11 LION
17 OCTOBRE	SCORPION	SCORPION	BALANCE	BELIER	SAGITTAIRE	SAGITTAIRE	CAPRICORNE	SCORPION	23 LION
18 OCTOBRE	SCORPION	SCORPION	BALANCE	BELIER	SAGITTAIRE	SAGITTAIRE	CAPRICORNE	SCORPION	5 VIERGE
19 OCTOBRE	SCORPION	SCORPION	BALANCE	BELIER	SAGITTAIRE	SAGITTAIRE	CAPRICORNE	SCORPION	17 VIERGE
20 OCTOBRE	SCORPION	SCORPION	BALANCE	BELIER	SAGITTAIRE	SAGITTAIRE	CAPRICORNE	SCORPION	0 BALANCE
21 OCTOBRE	SCORPION	SCORPION	BALANCE	BELIER	SAGITTAIRE	SAGITTAIRE	CAPRICORNE	SCORPION	12 BALANCE
22 OCTOBRE	SCORPION	SCORPION	BALANCE	BELIER	SAGITTAIRE	SAGITTAIRE	CAPRICORNE	SCORPION	25 BALANCE
23 OCTOBRE	SCORPION	SCORPION	BALANCE	BELIER	SAGITTAIRE	SAGITTAIRE	CAPRICORNE	SCORPION	9 SCORPION

LE SOLEIL ENTRE DANS LE SIGNE DE LA BALANCE LE 23 SEPTEMBRE 1987 A 13 h 15
LE SOLEIL QUITTE LE SIGNE DE LA BALANCE LE 23 OCTOBRE 1987 A 22 h 45

* LES CHIFFRES INDIQUENT LES DEGRES

DECOUVREZ DANS QUEL SIGNE SE TROUVAIENT LES PLANETES A VOTRE NAISSANCE

1988	MERCURE	VENUS	MARS	JUPITER	SATURNE	URANUS	NEPTUNE	PLUTON	LUNE *
22 SEPTEMBRE	BALANCE	LION	BELIER	GEMEAUX	SAGITTAIRE	SAGITTAIRE	CAPRICORNE	SCORPION	13 VERSEAU
23 SEPTEMBRE	BALANCE	LION	BELIER	GEMEAUX	SAGITTAIRE	SAGITTAIRE	CAPRICORNE	SCORPION	28 VERSEAU
24 SEPTEMBRE	BALANCE	LION	BELIER	GEMEAUX	SAGITTAIRE	SAGITTAIRE	CAPRICORNE	SCORPION	13 POISSONS
25 SEPTEMBRE	BALANCE	LION	BELIER	GEMEAUX	SAGITTAIRE	SAGITTAIRE	CAPRICORNE	SCORPION	28 POISSONS
26 SEPTEMBRE	BALANCE	LION	BELIER	GEMEAUX	SAGITTAIRE	SAGITTAIRE	CAPRICORNE	SCORPION	13 BELIER
27 SEPTEMBRE	BALANCE	LION	BELIER	GEMEAUX	SAGITTAIRE	SAGITTAIRE	CAPRICORNE	SCORPION	28 BELIER
28 SEPTEMBRE	BALANCE	LION	BELIER	GEMEAUX	SAGITTAIRE	SAGITTAIRE	CAPRICORNE	SCORPION	13 TAUREAU
29 SEPTEMBRE	BALANCE	LION	BELIER	GEMEAUX	SAGITTAIRE	SAGITTAIRE	CAPRICORNE	SCORPION	27 TAUREAU
30 SEPTEMBRE	BALANCE	LION	BELIER	GEMEAUX	SAGITTAIRE	SAGITTAIRE	CAPRICORNE	SCORPION	11 GEMEAUX
1 OCTOBRE	BALANCE	LION	BELIER	GEMEAUX	SAGITTAIRE	SAGITTAIRE	CAPRICORNE	SCORPION	24 GEMEAUX
2 OCTOBRE	BALANCE	LION	BELIER	GEMEAUX	SAGITTAIRE	SAGITTAIRE	CAPRICORNE	SCORPION	7 CANCER
3 OCTOBRE	BALANCE	LION	BELIER	GEMEAUX	SAGITTAIRE	SAGITTAIRE	CAPRICORNE	SCORPION	19 CANCER
4 OCTOBRE	BALANCE	LION	BELIER	GEMEAUX	SAGITTAIRE	SAGITTAIRE	CAPRICORNE	SCORPION	1 LION
5 OCTOBRE	BALANCE	VIERGE	BELIER	GEMEAUX	SAGITTAIRE	SAGITTAIRE	CAPRICORNE	SCORPION	13 LION
6 OCTOBRE	BALANCE	VIERGE	BELIER	GEMEAUX	SAGITTAIRE	SAGITTAIRE	CAPRICORNE	SCORPION	25 LION
7 OCTOBRE	BALANCE	VIERGE	BELIER	GEMEAUX	SAGITTAIRE	SAGITTAIRE	CAPRICORNE	SCORPION	7 VIERGE
8 OCTOBRE	BALANCE	VIERGE	BELIER	GEMEAUX	SAGITTAIRE	SAGITTAIRE	CAPRICORNE	SCORPION	19 VIERGE
9 OCTOBRE	BALANCE	VIERGE	BELIER	GEMEAUX	SAGITTAIRE	SAGITTAIRE	CAPRICORNE	SCORPION	1 BALANCE
10 OCTOBRE	BALANCE	VIERGE	BELIER	GEMEAUX	SAGITTAIRE	SAGITTAIRE	CAPRICORNE	SCORPION	13 BALANCE
11 OCTOBRE	BALANCE	VIERGE	BELIER	GEMEAUX	SAGITTAIRE	SAGITTAIRE	CAPRICORNE	SCORPION	25 BALANCE
12 OCTOBRE	BALANCE	VIERGE	BELIER	GEMEAUX	SAGITTAIRE	SAGITTAIRE	CAPRICORNE	SCORPION	7 SCORPION
13 OCTOBRE	BALANCE	VIERGE	BELIER	GEMEAUX	SAGITTAIRE	SAGITTAIRE	CAPRICORNE	SCORPION	19 SCORPION
14 OCTOBRE	BALANCE	VIERGE	BELIER	GEMEAUX	SAGITTAIRE	SAGITTAIRE	CAPRICORNE	SCORPION	2 SAGITTAIRE
15 OCTOBRE	BALANCE	VIERGE	BELIER	GEMEAUX	SAGITTAIRE	SAGITTAIRE	CAPRICORNE	SCORPION	15 SAGITTAIRE
16 OCTOBRE	BALANCE	VIERGE	BELIER	GEMEAUX	SAGITTAIRE	SAGITTAIRE	CAPRICORNE	SCORPION	28 SAGITTAIRE
17 OCTOBRE	BALANCE	VIERGE	BELIER	GEMEAUX	SAGITTAIRE	SAGITTAIRE	CAPRICORNE	SCORPION	11 CAPRICORNE
18 OCTOBRE	BALANCE	VIERGE	BELIER	GEMEAUX	SAGITTAIRE	SAGITTAIRE	CAPRICORNE	SCORPION	24 CAPRICORNE
19 OCTOBRE	BALANCE	VIERGE	BELIER	GEMEAUX	SAGITTAIRE	SAGITTAIRE	CAPRICORNE	SCORPION	8 VERSEAU
20 OCTOBRE	BALANCE	VIERGE	BELIER	GEMEAUX	SAGITTAIRE	SAGITTAIRE	CAPRICORNE	SCORPION	22 VERSEAU
21 OCTOBRE	BALANCE	VIERGE	BELIER	GEMEAUX	SAGITTAIRE	SAGITTAIRE	CAPRICORNE	SCORPION	7 POISSONS
22 OCTOBRE	BALANCE	VIERGE	BELIER	GEMEAUX	SAGITTAIRE	SAGITTAIRE	CAPRICORNE	SCORPION	22 POISSONS
23 OCTOBRE	BALANCE	VIERGE	BELIER	GEMEAUX	SAGITTAIRE	SAGITTAIRE	CAPRICORNE	SCORPION	6 BELIER

LE SOLEIL — ENTRE DANS LE SIGNE DE LA BALANCE LE 22 SEPTEMBRE 1988 A 19 h 10
QUITTE LE SIGNE DE LA BALANCE LE 23 OCTOBRE 1988 A 4 h 30

* LES CHIFFRES INDIQUENT LES DEGRES

1989	MERCURE	VENUS	MARS	JUPITER	SATURNE	URANUS	NEPTUNE	PLUTON	LUNE *
23 SEPTEMBRE	BALANCE	SCORPION	BALANCE	CANCER	CAPRICORNE	CAPRICORNE	CAPRICORNE	SCORPION	17 CANCER
24 SEPTEMBRE	BALANCE	SCORPION	BALANCE	CANCER	CAPRICORNE	CAPRICORNE	CAPRICORNE	SCORPION	0 LION
25 SEPTEMBRE	BALANCE	SCORPION	BALANCE	CANCER	CAPRICORNE	CAPRICORNE	CAPRICORNE	SCORPION	13 LION
26 SEPTEMBRE	BALANCE	SCORPION	BALANCE	CANCER	CAPRICORNE	CAPRICORNE	CAPRICORNE	SCORPION	25 LION
27 SEPTEMBRE	VIERGE	SCORPION	BALANCE	CANCER	CAPRICORNE	CAPRICORNE	CAPRICORNE	SCORPION	7 VIERGE
28 SEPTEMBRE	VIERGE	SCORPION	BALANCE	CANCER	CAPRICORNE	CAPRICORNE	CAPRICORNE	SCORPION	20 VIERGE
29 SEPTEMBRE	VIERGE	SCORPION	BALANCE	CANCER	CAPRICORNE	CAPRICORNE	CAPRICORNE	SCORPION	2 BALANCE
30 SEPTEMBRE	VIERGE	SCORPION	BALANCE	CANCER	CAPRICORNE	CAPRICORNE	CAPRICORNE	SCORPION	13 BALANCE
1 OCTOBRE	VIERGE	SCORPION	BALANCE	CANCER	CAPRICORNE	CAPRICORNE	CAPRICORNE	SCORPION	25 BALANCE
2 OCTOBRE	VIERGE	SCORPION	BALANCE	CANCER	CAPRICORNE	CAPRICORNE	CAPRICORNE	SCORPION	7 SCORPION
3 OCTOBRE	VIERGE	SCORPION	BALANCE	CANCER	CAPRICORNE	ÇAPRICORNE	CAPRICORNE	SCORPION	19 SCORPION
4 OCTOBRE	VIERGE	SCORPION	BALANCE	CANCER	CAPRICORNE	CAPRICORNE	CAPRICORNE	SCORPION	1 SAGITTAIRE
5 OCTOBRE	VIERGE	SCORPION	BALANCE	CANCER	CAPRICORNE	CAPRICORNE	CAPRICORNE	SCORPION	13 SAGITTAI RE
6 OCTOBRE	VIERGE	SCORPION	BALANCE	CANCER	CAPRICORNE	CAPRICORNE	CAPRICORNE	SCORPION	25 SAGITTAIRE
7 OCTOBRE	VIERGE	SCORPION	BALANCE	CANCER	CAPRICORNE	CAPRICORNE	CAPRICORNE	SCORPION	8 CAPRICORNE
8 OCTOBRE	VIERGE	SCORPION	BALANCE	CANCER	CAPRICORNE	CAPRICORNE	CAPRICORNE	SCORPION	20 CAPRICORNE
9 OCTOBRE	VIERGE	SAGITTAIRE	BALANCE	CANCER	CAPRICORNE	CAPRICORNE	CAPRICORNE	SCORPION	3 VERSEAU
10 OCTOBRE	VIERGE	SAGITTAIRE	BALANCE	CANCER	CAPRICORNE	CAPRICORNE	CAPRICORNE	SCORPION	17 VERSEAU
11 OCTOBRE	BALANCE	SAGITTAIRE	BALANCE	CANCER	CAPRICORNE	CAPRICORNE	CAPRICORNE	SCORPION	1 POISSONS
12 OCTOBRE	BALANCE	SAGITTAIRE	BALANCE	CANCER	CAPRICORNE	CAPRICORNE	CAPRICORNE	SCORPION	16 POISSONS
13 OCTOBRE	BALANCE	SAGITTAIRE	BALANCE	CANCER	CAPRICORNE	CAPRICORNE	CAPRICORNE	SCORPION	0 BELIER
14 OCTOBRE	BALANCE	SAGITTAIRE	BALANCE	CANCER	CAPRICORNE	PRICORNE	CAPRICORNE	SCORPION	16 BELIER
15 OCTOBRE	BALANCE	SAGITTAIRE	BALANCE	CANCER	CAPRICORNE	CAPRICORNE	CAPRICORNE	SCORPION	1 TAUREAU
16 OCTOBRE	BALANCE	SAGITTAIRE	BALANCE	CANCER	CAPRICORNE	CAPRICORNE	CAPRICORNE	SCORPION	16 TAUREAU
17 OCTOBRE	BALANCE	SAGITTAIRE	BALANCE	CANCER	CAPRICORNE	CAPRICORNE	CAPRICORNE	SCORPION	1 GEMEAUX
18 OCTOBRE	BALANCE	SAGITTAIRE	BALANCE	CANCER	CAPRICORNE	CAPRICORNE	CAPRICORNE	SCORPION	16 GEMEAUX
19 OCTOBRE	BALANCE	SAGITTAIRE	BALANCE	CANCER	CAPRICORNE	CAPRICORNE	CAPRICORNE	SCORPION	0 CANCER
20 OCTOBRE	BALANCE	SAGITTAIRE	BALANCE	CANCER	CAPRICORNE	CAPRICORNE	CAPRICORNE	SCORPION	14 CANCER
21 OCTOBRE	BALANCE	SAGITTAIRE	BALANCE	CANCER	CAPRICORNE	CAPRICORNE	CAPRICORNE	SCORPION	27 CANCER
22 OCTOBRE	BALANCE	SAGITTAIRE	BALANCE	CANCER	CAPRICORNE	CAPRICORNE	CAPRICORNE	SCORPION	10 LION
23 OCTOBRE	BALANCE	SAGITTAIRE	BALANCE	CANCER	CAPRICORNE	CAPRICORNE	CAPRICORNE	SCORPION	22 LION

LE SOLEIL — ENTRE DANS LE SIGNE DE LA BALANCE LE 23 SEPTEMBRE 1989 A 11 h 10
QUITTE LE SIGNE DE LA BALANCE LE 23 OCTOBRE 1989 A 10 h 10

* LES CHIFFRES INDIQUENT LES DEGRES

La planète Vénus, prise par les caméras de Mariner 10 : ses volutes nuageuses correspondent bien au caractère du Vénusien défini par l'astrologie.

Comment interpréter Vénus dans les Signes

Vénus en Balance

La Tradition astrologique enseigne que Vénus a ses domiciles dans la Balance et dans le Taureau, ou, comme l'on dit encore, qu'elle exerce sa maîtrise sur ces deux signes. C'est une façon de souligner la grande complicité qui existe entre Vénus et ces signes, à travers lesquels la déesse de l'amour s'exprime le plus librement, le plus complètement et le plus heureusement.

Cependant, Vénus ne manifeste pas dans le Taureau les mêmes effets que dans la Balance. Les planètes sont comme la plupart d'entre nous : placées dans des milieux différents, elles se comportent différemment, sans rien perdre de leur nature intrinsèque.

La Tradition astrologique fait une distinction entre les domiciles diurne et nocturne des planètes. Or, la Balance est le domicile diurne de Vénus. C'est donc à travers ce signe qu'elle manifestera ses qualités « actives », par opposition à ses qualités « passives » qui passeront mieux à travers le Taureau.

Pour mieux faire comprendre la différence qui existe entre qualités actives et passives, donnon un exemple : l'expression artistique des sensations et émotions éprouvées par le sujet est une qualité active de Vénus; la capacité de s'abandonner complètement au plaisir des sens est une de ses qualités passives.

Nous avons déjà rencontré cette opposition entre les différentes manifestations vénusiennes quand nous avons opposé la Vénus céleste de la Balance, ou Vénus Uranie, à la Vénus terrestre du Taureau, ou Vénus Genitrix. Toutefois, une stricte différenciation entre les deux Vénus n'est pas possible, et c'est pour cela que des manifestations vénusiennes semblables pourront être rencontrées dans les deux signes.

Venons-en maintenant aux effets qui accompagnent la présence de Vénus en Balance. Le comportement du sujet, fait de douceur, de délicatesse et de charme, lui attire sans effort la sympathie de son entourage et, dans le cas où il la sollicite, celle du public. Il faut dire qu'il la diffuse lui-même, et que rien n'attire mieux la sympathie que cette qualité elle-même. Gai, insouciant, optimiste, il jouit pleinement des plaisirs de l'existence qu'il sait apprécier à leur juste valeur. Mais il recherche surtout les plaisirs délicats. Son sens esthétique est suffisamment développé pour qu'il sache imposer à ses désirs des limites qui l'empêchent de tomber dans la vulgarité ou la débauche. Il est plus gourmet que gourmand.

C'est un esprit cultivé et raffiné qui s'intéresse à toutes les formes d'art, aux belles-lettres et à la philosophie. En d'autres temps, il se serait fait une réputation de « bel esprit ». Il se meut avec aisance et élégance.

Affectueux, affable, dévoué, il prend un grand plaisir à la vie en société qui lui donne l'occasion de nouer de nombreuses relations. On apprécie son esprit de conciliation et son amour de la paix. Son sens de la justice, qui n'est pas fermé à l'indulgence, fait de lui l'arbitre idéal pour régler les différends qui pourraient surgir dans son entourage.

Il cherche à se créer des conditions de vie agréables, et son goût du confort fait qu'il s'entoure, partout où il passe, de musique, de fleurs, d'objets d'art qui donnent à son cadre de vie une note raffinée.

C'est un passionné, même s'il n'extériorise ses sentiments qu'avec mesure. Son sens aigu du beau l'incite à cristalliser ses émotions artistiques dans une œuvre d'art.

La Balance, septième signe, est analogue à la Maison VII, secteur des contrats et du mariage en particulier. Si rien dans l'horoscope ne s'y oppose, le mariage peut apporter au sujet les dons de Vénus : l'amour, le bonheur et l'aisance. Il serait cependant souhaitable, pour que ce mariage soit une réussite, que son partenaire ait un caractère suffisamment déterminé pour prendre la direction du couple. De son côté, le sujet contribuera à l'harmonie de la vie conjugale en se mettant sans effort au diapason de son partenaire. Mais le mariage n'est pas le seul à bénéficier des dons de Vénus. Les associations de toutes sortes auxquelles le sujet participera se développeront également dans des conditions qui devraient favoriser leur succès.

Dans la Balance, Vénus se trouve à la fois dans son premier et son sixième signe (à partir du Taureau).

Comme le premier signe, ou Ascendant, influe fortement sur l'apparence physique du sujet, on peut penser, dans le cas d'un homme comme d'une femme, qu'il aura la beauté et le charme vénusiens. Cependant, la beauté de Vénus sied mieux à une femme qu'à un homme, car l'on souhaite à celui-ci une beauté plus virile, la beauté solaire des fils d'Apollon.

Enfin, le sujet qui a Vénus dans son premier signe risque de tourner son amour vers lui-même. Il cherche à se plaire et prête une oreille complaisante aux compliments des flatteurs. C'est ainsi qu'il développe l'égoïsme, la vanité, le narcissisme et l'autosatisfaction.

Avec Vénus dans son sixième signe, l'amour s'enrichit de l'idée de service pour se hausser jusqu'au dévouement. Dévouement qui se manifeste à l'égard du partenaire dans le mariage comme dans toute autre forme d'association. Amour également envers les subalternes, employés et ouvriers, qui se traduit finalement par un sens social développé. Amour enfin envers les petits animaux et qui peut conduire à une carrière de vétérinaire.

Parmi nos personnalités Balance qui ont Vénus dans ce signe, le plus représentatif est certainement le chanteur Julien Clerc dont le charme, la gentillesse et la voix chaude ont littéralement conquis le public. Il dit lui-même qu'une chanson, « c'est une sensibilité que l'on projette sur le spectateur », soulignant ainsi le terrain sur lequel il va à la rencontre des autres.

Même dans la Balance, Vénus peut être dissonante du fait des aspects qui la relient à certaines planètes « difficiles ». Le sujet n'est plus alors capable de contenir ses débordements affectifs, et son goût trop vif du plaisir peut le mener à la débauche car la recherche à tout prix de sensations toujours nouvelles débouche souvent sur la perversion.

Superficiel et futile, vaniteux et fat, il se dérobe devant ses responsabilités et refuse les conséquences désagréables de ses actes. Beau parleur aux phrases creuses, il est seulement avide de compliments.

Mais pour que le tableau soit vraiment aussi noir, il faut que la charmante Vénus soit bien affligée et que d'autres facteurs contribuent à l'enfoncer encore un peu plus.

Vénus en Scorpion

Vénus en Scorpion signifie souvent, pour le natif, l'exil ou la perte de la personne aimée, et cette séparation est intensément douloureuse puisque le Scorpion aime profondément et passionnément (Marie-Antoinette). Sur le plan matrimonial : destruction de l'union assez fréquente, puis reconstruction d'un autre foyer, suivant le symbolisme de Pluton, qui est « mort en résurrection ». Dans un thème féminin, Vénus en Scorpion signe quelquefois la prostitution avec un enchaînement de situations marginales et dramatiques dont la native ne réussit pas à sortir. De façon générale, c'est une position de la planète qui apporte des passions violentes et dramatiques : une saison en enfer. Vénus en Scorpion accorde au natif un magnétisme sexuel intense, un grand charme et une séduction irrésistible.

Vénus en Sagittaire

La conception artistique du Sagittaire s'incarne à merveille dans le jazz. Cette musique à chaud qui se joue en équipe, où l'on est entraîné par un rythme endiablé, où la dépense nerveuse est intense, où l'on n'a pas à déchiffrer une partition ou à se souvenir de bien respecter telle ou telle règle, où l'on danse de tout son corps, est la meilleure détente du signe.

Le Sagittaire aime le mouvement, il se plaît entre deux destinations. Il ne sait guère passer des vacances calmes et casanières.

Vénus en Capricorne

Cette Vénus est possessive, obstinée, très rigoriste. Elle retire de la passion à la relation amoureuse — la raison, le scepticisme du signe interdisant les grands élans —, et lui attribue en compensation de la solidité, de l'endurance, de la ténacité : cette Vénus se contente de peu (à la limite, elle vit d'amour platonique) ou alors, mais c'est plus rare, elle multiplie les expériences « utilitaires ».

Vénus en Verseau

Le Verseau est spontanément doué pour le bonheur parce qu'il fait crédit à la nature humaine mais qu'il est sans illusions sur ses imperfections. Il refuse donc toute complaisance envers le chagrin. Pour les sujets évolués, point de lyrisme romantique : on analyse le mal d'amour et, pour le dompter, on fait appel à la raison ou à l'oubli.

Que ce soit dans le choix d'un objet ou dans les rapports humains, si vous êtes Verseau bon teint, une grande indifférence vous habite jusqu'à ce que quelque chose, ou quelqu'un, mobilise votre attention : vous réagissez alors par une attirance extrême ou une répulsion spontanée que vous essayez de modérer en compensant, par un compliment, la rigueur d'une attitude, et en éteignant provisoirement l'emballement d'un moment.

Vénus en Poissons

Avec Vénus en Poissons, le partenaire est idéalisé; l'amour est vécu comme un rêve. On peut reprendre ici l'expression de Gaston Bachelard dans *l'Eau et les Rêves :* « Le fait imaginé est plus important que le fait réel »; exalté dans le signe des Poissons, l'amour prend une ampleur lyrique. L'affectivité est débordante. Toutes les motivations sensorielles et affectives se manifestent, en effet, sur un mode Poissons : c'est-à-dire sans mesure et sans caractère logique... Les amours sont sans frontières. Amours souvent impossibles, chimériques, utopiques, dans lesquelles on se jette à corps perdu. L'élu est mis sur un piédestal. Si le rêve s'effondre, le « château de sable » est emporté par la vague... Les chimères évanouies, il ne reste plus rien. Mais un nouveau rêve emportera tôt ou tard le Poissons vers un nouvel amour. L'être, alors, retrouve sa capacité d'émerveillement intacte, et s'embarque à nouveau pour Cythère... L'amour est bien, pour le Poissons, un véritable état de grâce...

Vénus en Bélier

Les sentiments sont passionnés, l'esprit de conquête violent, l'impulsion sexuelle intarissable. L'amour est vécu comme un sentiment exclusif, intense, brûlant, mais souvent pas très durable. Grande générosité.

« Vénus tout entière a sa proie attachée. » L'affectivité est importante, chaleureuse, un peu brusque. Nombreuses et brèves passions.

Vénus en Taureau

L'astropsychologie applique à la vie amoureuse la constance du signe. Harmonique, cette position favorise donc les longs attachements, les liens dont on ne se défait que dans de tragiques douleurs. Elle donne, sans doute, la patience, la bonne proportion de soumission et de domination nécessaire à l'entretien d'une heureuse relation affective.

Comme Mercure, mais à un bien moindre degré, Vénus stimule la force de combinaison ou d'intégration du signe. Ce qui, dans le contexte sensuel-sensoriel, s'exprime volontiers par le plaisir de la possession amoureuse sans cesse renouvelé, ou par quelque propension analogue à embrasser, tenir, faire sienne en son corps la chose que l'on aime.

Vénus en Gémeaux

Le goût du flirt, de la comédie amoureuse est fréquent, celui du changement ne l'est pas moins. Ces deux tendances aboutissent à de nombreuses relations affectives, le flirt plus ou moins poussé surpassant la passion authentique. Au pire, ce serait l'image du papillon. Le choix est difficile, aussi ne le fait-on pas.

Pour ne pas se perdre dans tout cela, il faut éviter de provoquer des drames, conserver un certain sang-froid, une lucidité raisonnable sous une apparence d'amitié courtoise où chacun croit discerner un amour partagé. La sensualité n'est pas un élément dominant, bien qu'elle ne soit pas exempte de raffinements. La vie sentimentale peut donc être assez compliquée, mais l'adresse permet d'éviter les crises trop périlleuses. Les déceptions, en général, ne durent pas, tant il est facile de trouver de nouveaux partenaires.

Vénus en Cancer

La planète de l'amour et de l'art se trouve en affinité avec le signe d'Eau. Vénus en Cancer s'intériorise, gagne en pudeur et en réserve ce qu'elle perdait en extraversion, elle devient plus artiste, plus profonde et plus douce. Sa recherche de l'amour sensuel se transforme en quête de tendresse, de protection, de sécurité affective. C'est une Vénus mouvante mais fidèle, capricieuse mais sage. Sensualité « sensorielle ».

Vénus en Lion

Vous savez jouer au maximum de l'efficacité des apparences, de l'impact affectif des paroles. Votre Moi en représentation s'affirme par le canal de l'émotion ainsi produite sur les autres. Vous vous efforcez de susciter la sympathie admirative par les moyens les plus extérieurs — d'aucuns diraient les plus superficiels —, tels que la beauté physique, le vêtement, la parure, le maintien, la qualité du langage et le respect de l'étiquette. Selon votre orientation générale, extravertie ou introvertie, vous viserez par ces biais à donner une impression de force, d'aisance souveraine, de liberté superbe, ou bien de noblesse, de générosité, d'élégance morale.

Vénus en Vierge

Vénus s'adresse au cœur. La Vierge (associée en mythologie à Athéna, déesse de l'intelligence) n'écoute que la raison.

Cette problématique peut se vivre de différentes manières. Il est certain, en tout cas, que la position de Vénus dans ce signe donne souvent au sujet un comportement amoureux comparable à celui du Virginien. On retrouve le même refus de perdre la tête, de se laisser aller. La passion est tenue en bride, dissimulée sous un masque d'ironie, de scepticisme, de froideur.

Les instincts amoureux ne sont pas nécessairement inhibés, mais leur expression est freinée, sans cesse contrôlée. Parfois, cependant, les sentiments sont tièdes, les effusions rares, les unions raisonnables...

Comment utiliser vos heure et lieu de naissance pour déterminer le signe zodiacal de la Lune

Votre heure solaire de naissance (déjà calculée pour votre Ascendant) .... H
Rectification de cette heure d'après la carte de géographie mondiale
et en fonction de votre lieu de naissance (p. 8-9) .... H *

Par exemple, si vous êtes né(e) en Egypte, vous vous reportez à ce pays sur la carte des pages 8 et 9; vous suivez le trait vertical vers le haut et vous lisez
Retranchez 2h. *Vous inscrivez donc — 2 h, ci-contre.*

Soit l'heure de Greenwich correspondant à votre heure
solaire de naissance : (HG) .... H **

* Si cette valeur est supérieure à votre heure solaire de naissance et que vous devez la retrancher, il vous suffit d'ajouter d'abord 24 heures à votre heure solaire de naissance :
4 h 30 — 6 h soit 4 h 30 + 24 h = 28 h 30 — 6 h = **22 h 30**
** Si ce total est supérieur à 24 heures, vous retranchez simplement 24 heures :
19 h + 7 h = 26 h — 24 h = **2 h**

Par simple lecture du tableau ci-dessous vous trouvez alors le nombre de degrés zodiacaux à ajouter ou à retrancher du nombre indiqué par la Table pour obtenir le signe zodiacal final de la Lune à votre naissance.

Si l'heure de Greenwich (HG) est comprise entre ▼	et ▼	Voici l'opération que vous effectuez ▼	
0 h	1 h 30	Vous retranchez	6 degrés
1 h 31	3 h 30	Vous retranchez	5 degrés
3 h 31	5 h 30	Vous retranchez	4 degrés
5 h 31	7 h 30	Vous retranchez	3 degrés
7 h 31	9 h 30	Vous retranchez	2 degrés
9 h 31	11 h 30	Vous retranchez	1 degré
11 h 31	12 h 30	Aucun changement	
12 h 31	14 h 30	Vous ajoutez	1 degré
14 h 31	16 h 30	Vous ajoutez	2 degrés
16 h 31	18 h 30	Vous ajoutez	3 degrés
18 h 31	20 h 30	Vous ajoutez	4 degrés
20 h 31	22 h 30	Vous ajoutez	5 degrés
22 h 31	0 h 00	Vous ajoutez	6 degrés

Exemple : Lune à 27° du Capricorne pour une naissance à Mexico à 15 heures solaires. L'heure Greenwich correspondante est égale à 15 h + 6 h 30 = 21 h 30 qui se situent entre 20 h 31 et 22 h 30, et l'on doit ajouter 5 degrés zodiacaux soit 27° Capricorne + 5 = 32 et 32 = 30 + 2, soit Lune à 2 degrés du Verseau = Lune en Verseau.

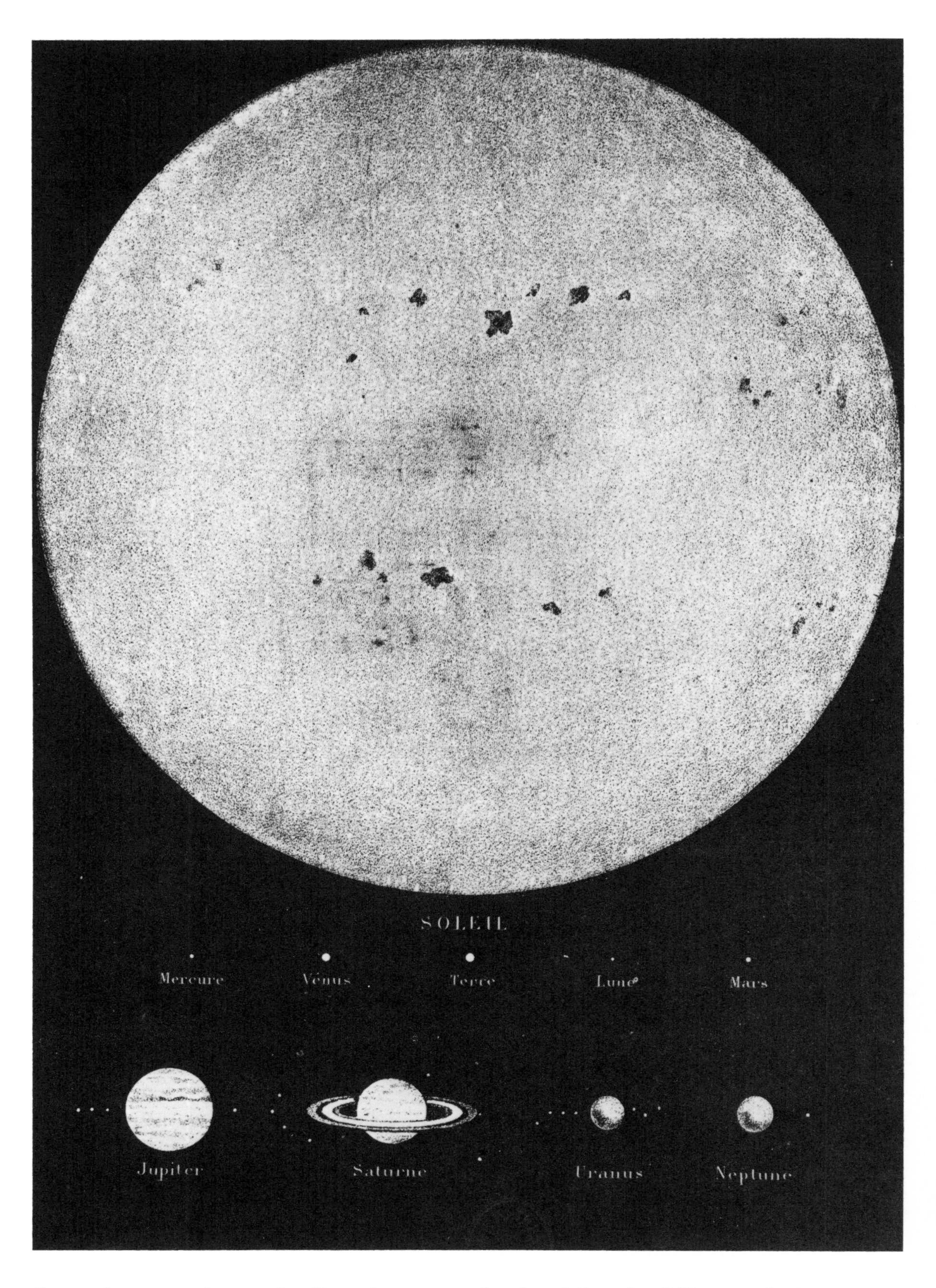

Sur ce document, donnant les dimensions comparées du soleil et des différentes planètes, on voit l'importance écrasante du soleil. Sa position dans un signe est donc déterminante.

Généralités sur les aspects planétaires

Dans leur mouvement autour du Soleil, les planètes occupent des positions différentes les unes par rapport aux autres.

Les aspects planétaires correspondent à certaines de ces positions vues de la Terre, c'est-à-dire en fonction du signe zodiacal occupé par chaque planète.

Certains écarts entre deux planètes constituent des aspects harmoniques.

Dans ce cas, les énergies des deux planètes se combinent aisément et s'enrichissent mutuellement; il existe une heureuse possibilité de développement des facultés physiques et psychologiques correspondant à ces deux planètes.

D'autres écarts entre planètes constituent des aspects dissonants.

Dans ce cas, les énergies des deux planètes entrent en conflit et ne parviennent pas à s'associer positivement; il se produit un excès ou une carence des facultés planétaires correspondantes.

Vous trouverez dans les tableaux d'aspects ci-après la nature harmonique (H) ou dissonante (D) des aspects que formaient, à votre naissance, les différentes planètes entre elles.

Dans certains cas, les planètes ne forment aucun aspect, ce qui correspond aux zones vides des tableaux.

Si, par exemple, vous désirez connaître la nature de l'aspect éventuel que formait Jupiter en Cancer avec Mars en Poissons, vous utilisez le tableau « Si vous avez une planète dans le Cancer ».

Vous cherchez la ligne Mars dans ce tableau, et à la colonne Poissons vous lisez H, ce qui signifie que Jupiter et Mars ont entre eux un aspect harmonique.

Au cas où les deux planètes sont dans la même ligne, vous utilisez le tableau spécial dont l'emploi se passe de commentaire.

La recherche de la signification des aspects constitue une exploration nouvelle et enrichissante de votre personnalité.

Vous pouvez en retirer une connaissance très utile des forces qui, en vous, se complètent ou s'opposent, ce qui vous donne la possibilité de les exprimer encore mieux.

QUALITÉ DES ASPECTS LORSQUE DEUX PLANÈTES SE TROUVENT DANS LE MÊME SIGNE ZODIACAL

	PLANÈTE DANS LE SIGNE ZODIACAL									
AUTRES PLANÈTES DANS LE MÊME SIGNE	SOLEIL	LUNE	MERCURE	VÉNUS	MARS	JUPITER	SATURNE	URANUS	NEPTUNE	PLUTON
SOLEIL		H	H	H	D	H	D	D	H	D
LUNE	H		H	H	D	H	D	D	H	D
MERCURE	H	H		H	D	H	D	D	H	D
VÉNUS	H	H	H		D	H	D	D	H	D
MARS	D	D	D	D		D	D	D	D	D
JUPITER	H	H	H	H	D		D	D	H	D
SATURNE	D	D	D	D	D	D		D	D	D
URANUS	D	D	D	D	D	D	D		D	D
NEPTUNE	H	H	H	H	D	H	D	D		D
PLUTON	D	D	D	D	D	D	D	D	D	

SI VOUS AVEZ UNE PLANÈTE DANS LE BÉLIER

Elle a les aspects suivants avec les autres Planètes dans les autres signes	BÉLIER	TAUREAU	GÉMEAUX	CANCER	LION	VIERGE	BALANCE	SCORPION	SAGITTAIRE	CAPRICORNE	VERSEAU	POISSONS
SOLEIL	VOIR TABLEAU SPÉCIAL		H	D	H		D		H	D	H	
LUNE			H	D	H		D		H	D	H	
MERCURE			H	D	H		D		H	D	H	
VÉNUS			H	D	H		D		H	D	H	
MARS			H	D	H		D		H	D	H	
JUPITER			H	D	H		D		H	D	H	
SATURNE			H	D	H		D		H	D	H	
URANUS			H	D	H		D		H	D	H	
NEPTUNE			H	D	H		D		H	D	H	
PLUTON			H	D	H		D		H	D	H	

SI VOUS AVEZ UNE PLANETE DANS LE TAUREAU

Elle a les aspects suivants avec les autres Planètes dans les autres signes	BÉLIER	TAUREAU	GÉMEAUX	CANCER	LION	VIERGE	BALANCE	SCORPION	SAGITTAIRE	CAPRICORNE	VERSEAU	POISSONS
SOLEIL		VOIR TABLEAU SPÉCIAL		H	D	H		D		H	D	H
LUNE				H	D	H		D		H	D	H
MERCURE				H	D	H		D		H	D	H
VÉNUS				H	D	H		D		H	D	H
MARS				H	D	H		D		H	D	H
JUPITER				H	D	H		D		H	D	H
SATURNE				H	D	H		D		H	D	H
URANUS				H	D	H		D		H	D	H
NEPTUNE				H	D	H		D		H	D	H
PLUTON				H	D	H		D		H	D	H

SI VOUS AVEZ UNE PLANÈTE DANS LES GÉMEAUX

Elle a les aspects suivants avec les autres Planètes dans les autres signes	BÉLIER	TAUREAU	GÉMEAUX	CANCER	LION	VIERGE	BALANCE	SCORPION	SAGITTAIRE	CAPRICORNE	VERSEAU	POISSONS
SOLEIL	H		VOIR TABLEAU SPÉCIAL		H	D	H		D		H	D
LUNE	H				H	D	H		D		H	D
MERCURE	H				H	D	H		D		H	D
VÉNUS	H				H	D	H		D		H	D
MARS	H				H	D	H		D		H	D
JUPITER	H				H	D	H		D		H	D
SATURNE	H				H	D	H		D		H	D
URANUS	H				H	D	H		D		H	D
NEPTUNE	H				H	D	H		D		H	D
PLUTON	H				H	D	H		D		H	D

SI VOUS AVEZ UNE PLANÈTE DANS LE CANCER

Elle a les aspects suivants avec les autres Planètes dans les autres signes	BÉLIER	TAUREAU	GÉMEAUX	CANCER	LION	VIERGE	BALANCE	SCORPION	SAGITTAIRE	CAPRICORNE	VERSEAU	POISSONS
SOLEIL	D	H		VOIR TABLEAU SPÉCIAL		H	D	H		D		H
LUNE	D	H				H	D	H		D		H
MERCURE	D	H				H	D	H		D		H
VÉNUS	D	H				H	D	H		D		H
MARS	D	H				H	D	H		D		H
JUPITER	D	H				H	D	H		D		H
SATURNE	D	H				H	D	H		D		H
URANUS	D	H				H	D	H		D		H
NEPTUNE	D	H				H	D	H		D		H
PLUTON	D	H				H	D	H		D		H

SI VOUS AVEZ UNE PLANÈTE DANS LE LION

Elle a les aspects suivants avec les autres Planètes dans les autres signes	BÉLIER	TAUREAU	GÉMEAUX	CANCER	LION	VIERGE	BALANCE	SCORPION	SAGITTAIRE	CAPRICORNE	VERSEAU	POISSONS
SOLEIL	H	D	H		VOIR TABLEAU SPÉCIAL		H	D	H		D	
LUNE	H	D	H				H	D	H		D	
MERCURE	H	D	H				H	D	H		D	
VÉNUS	H	D	H				H	D	H		D	
MARS	H	D	H				H	D	H		D	
JUPITER	H	D	H				H	D	H		D	
SATURNE	H	D	H				H	D	H		D	
URANUS	H	D	H				H	D	H		D	
NEPTUNE	H	D	H				H	D	H		D	
PLUTON	H	D	H				H	D	H		D	

SI VOUS AVEZ UNE PLANÈTE DANS LA VIERGE

Elle a les aspects suivants avec les autres Planètes dans les autres signes	BÉLIER	TAUREAU	GÉMEAUX	CANCER	LION	VIERGE	BALANCE	SCORPION	SAGITTAIRE	CAPRICORNE	VERSEAU	POISSONS
SOLEIL		H	D	H		VOIR TABLEAU SPÉCIAL		H	D	H		D
LUNE		H	D	H				H	D	H		D
MERCURE		H	D	H				H	D	H		D
VÉNUS		H	D	H				H	D	H		D
MARS		H	D	H				H	D	H		D
JUPITER		H	D	H				H	D	H		D
SATURNE		H	D	H				H	D	H		D
URANUS		H	D	H				H	D	H		D
NEPTUNE		H	D	H				H	D	H		D
PLUTON		H	D	H				H	D	H		D

SI VOUS AVEZ UNE PLANÈTE DANS LA BALANCE

Elle a les aspects suivants avec les autres Planètes dans les autres signes	BÉLIER	TAUREAU	GÉMEAUX	CANCER	LION	VIERGE	BALANCE	SCORPION	SAGITTAIRE	CAPRICORNE	VERSEAU	POISSONS
SOLEIL	D		H	D	H		VOIR TABLEAU SPÉCIAL		H	D	H	
LUNE	D		H	D	H				H	D	H	
MERCURE	D		H	D	H				H	D	H	
VÉNUS	D		H	D	H				H	D	H	
MARS	D		H	D	H				H	D	H	
JUPITER	D		H	D	H				H	D	H	
SATURNE	D		H	D	H				H	D	H	
URANUS	D		H	D	H				H	D	H	
NEPTUNE	D		H	D	H				H	D	H	
PLUTON	D		H	D	H				H	D	H	

SI VOUS AVEZ UNE PLANÈTE DANS LE SCORPION

Elle a les aspects suivants avec les autres Planètes dans les autres signes	BÉLIER	TAUREAU	GÉMEAUX	CANCER	LION	VIERGE	BALANCE	SCORPION	SAGITTAIRE	CAPRICORNE	VERSEAU	POISSONS
SOLEIL		D		H	D	H		VOIR TABLEAU SPÉCIAL		H	D	H
LUNE		D		H	D	H				H	D	H
MERCURE		D		H	D	H				H	D	H
VÉNUS		D		H	D	H				H	D	H
MARS		D		H	D	H				H	D	H
JUPITER		D		H	D	H				H	D	H
SATURNE		D		H	D	H				H	D	H
URANUS		D		H	D	H				H	D	H
NEPTUNE		D		H	D	H				H	D	H
PLUTON		D		H	D	H				H	D	H

SI VOUS AVEZ UNE PLANÈTE DANS LE SAGITTAIRE

Elle a les aspects suivants avec les autres Planètes dans les autres signes	BÉLIER	TAUREAU	GÉMEAUX	CANCER	LION	VIERGE	BALANCE	SCORPION	SAGITTAIRE	CAPRICORNE	VERSEAU	POISSONS
SOLEIL	H		D		H	D	H		VOIR TABLEAU SPÉCIAL		H	D
LUNE	H		D		H	D	H				H	D
MERCURE	H		D		H	D	H				H	D
VÉNUS	H		D		H	D	H				H	D
MARS	H		D		H	D	H				H	D
JUPITER	H		D		H	D	H				H	D
SATURNE	H		D		H	D	H				H	D
URANUS	H		D		H	D	H				H	D
NEPTUNE	H		D		H	D	H				H	D
PLUTON	H		D		H	D	H				H	D

SI VOUS AVEZ UNE PLANÈTE DANS LE CAPRICORNE

Elle a les aspects suivants avec les autres Planètes dans les autres signes	BÉLIER	TAUREAU	GÉMEAUX	CANCER	LION	VIERGE	BALANCE	SCORPION	SAGITTAIRE	CAPRICORNE	VERSEAU	POISSONS
SOLEIL	D	H		D		H	D	H		VOIR TABLEAU SPÉCIAL		H
LUNE	D	H		D		H	D	H				H
MERCURE	D	H		D		H	D	H				H
VÉNUS	D	H		D		H	D	H				H
MARS	D	H		D		H	D	H				H
JUPITER	D	H		D		H	D	H				H
SATURNE	D	H		D		H	D	H				H
URANUS	D	H		D		H	D	H				H
NEPTUNE	D	H		D		H	D	H				H
PLUTON	D	H		D		H	D	H				H

SI VOUS AVEZ UNE PLANÈTE DANS LE VERSEAU

Elle a les aspects suivants avec les autres Planètes dans les autres signes	BÉLIER	TAUREAU	GÉMEAUX	CANCER	LION	VIERGE	BALANCE	SCORPION	SAGITTAIRE	CAPRICORNE	VERSEAU	POISSONS
SOLEIL	H	D	H		D		H	D	H		VOIR TABLEAU SPÉCIAL	
LUNE	H	D	H		D		H	D	H			
MERCURE	H	D	H		D		H	D	H			
VÉNUS	H	D	H		D		H	D	H			
MARS	H	D	H		D		H	D	H			
JUPITER	H	D	H		D		H	D	H			
SATURNE	H	D	H		D		H	D	H			
URANUS	H	D	H		D		H	D	H			
NEPTUNE	H	D	H		D		H	D	H			
PLUTON	H	D	H		D		H	D	H			

SI VOUS AVEZ UNE PLANÈTE DANS LES POISSONS

Elle a les aspects suivants avec les autres Planètes dans les autres signes	BÉLIER	TAUREAU	GÉMEAUX	CANCER	LION	VIERGE	BALANCE	SCORPION	SAGITTAIRE	CAPRICORNE	VERSEAU	POISSONS
SOLEIL		H	D	H		D		H	D	H		VOIR TABLEAU SPÉCIAL
LUNE		H	D	H		D		H	D	H		
MERCURE		H	D	H		D		H	D	H		
VÉNUS		H	D	H		D		H	D	H		
MARS		H	D	H		D		H	D	H		
JUPITER		H	D	H		D		H	D	H		
SATURNE		H	D	H		D		H	D	H		
URANUS		H	D	H		D		H	D	H		
NEPTUNE		H	D	H		D		H	D	H		
PLUTON		H	D	H		D		H	D	H		

La Balance, signe d'Air, est attirée par les ciels bleus, les vents qui les traversent, les nuages blancs qui y voyagent.

Comment interpréter les aspects de Vénus avec les autres Planètes

Deux planètes sont dites en aspect lorsqu'elles sont séparées par une certaine distance angulaire mesurée en degrés sur l'écliptique. Cette distance ne peut excéder 180 degrés.

Traditionnellement, les aspects sont partagés en deux groupes.

Les harmoniques : 120 degrés : *trigone;* 60 degrés : *sextile;* 30 degrés : *semi-sextile.* On peut y ajouter le *quinconce :* 150 degrés (trigone + semi-sextile).

Les dissonants : 180 degrés : *opposition;* 90 degrés : *carré;* 45 degrés : *semi-carré.* On peut y ajouter le *sesqui-carré :* 135 degrés (carré + semi-carré). Quant à la conjonction (0 degré), elle n'est pas à proprement parler un aspect. Elle serait plutôt une absence d'aspect.

Selon la terminologie traditionnelle, le premier groupe comprend les « bons » aspects, le second les « mauvais » aspects. Le choix de ces qualificatifs n'est pas très heureux car ils prêtent à confusion. Disons pour simplifier que les « bons » aspects facilitent la vie, tandis que les « mauvais » la rendent plus difficile. Mais ce serait une erreur d'en conclure qu'un thème ne comportant que des « bons » aspects est une garantie de bonheur.

C'est sans doute l'indice d'une vie facile, mais on sait combien la facilité peut être fatale, dans certains cas. Celui qui veut se réaliser, loin de redouter les difficultés, les affronte avec détermination car il sait que le vrai bonheur est à ce prix. Il ne faut donc pas craindre, a priori, les aspects prétendus mauvais, mais essayer d'en tirer le meilleur parti possible. Enfin, pour ce qui est de la conjonction, disons qu'elle vaut ce que valent les planètes qui la forment.

Les aspects sont rarement exacts. Deux planètes pourront se trouver, par exemple, à 116 degrés ou à 125 degrés l'une de l'autre. Or, bien que, dans le premier cas, il manque quatre degrés et, dans le second, il y en ait cinq de trop pour que le trigone soit exact, on estime cependant que, dans les deux cas, les planètes sont en trigone.

Les degrés en moins ou en trop constituent ce qu'on appelle l'*orbe* d'un aspect. Cet orbe ne doit pas excéder certaines limites fixées par la Tradition. Mais comme, sur ce point, les opinions divergent, on peut adopter une solution dictée par le bon sens : donner aux aspects une importance inversement proportionnelle à celle de leur orbe, l'aspect exact étant le plus puissant.

L'interprétation rigoureuse des aspects est fort complexe car elle fait intervenir un certain nombre de facteurs dont il ne peut être question dans le cadre de cette étude. C'est pourquoi les indications que nous allons donner à propos des différents aspects de Vénus ne peuvent avoir qu'un caractère général.

De toute façon, elles ne peuvent être retenues dans l'interprétation d'un horoscope que lorsqu'elles sont corroborées par plusieurs autres indications.

Vénus-Soleil

Pour saisir le contenu d'un aspect, une méthode simple consiste à combiner entre eux les mots clés qui résument les significations que la Tradition et l'expérience assignent à chacune des planètes qui forment l'aspect.

En tant que planète de la Balance, Vénus apparaît dans toutes les combinaisons étudiées ici. Elle représente l'amour, la beauté, l'harmonie et l'art. Quant au Soleil, il est la source de vie, l'esprit qui anime toute créature et il a même des rapports avec le corps.

Étant donné que l'élongation maximale de Vénus est de 48 degrés, les seuls aspects qu'elle puisse former avec le Soleil sont la conjonction et le semi-carré.

La conjonction donne au sujet un rayonnement fait de beauté physique et de charme. Il exerce sur les autres une attirance à laquelle le sexe opposé est plus particulièrement sensible. Le magnétisme qui se dégage de lui fait qu'on recherche sa présence et qu'il est bien vu de tous. Toutes ces qualités sont encore amplifiées quand le sujet est une femme.

Ses manières sont douces et délicates et il est naturellement affectueux, ses sentiments sont nobles et il est doué pour aimer les autres. Mais il sait aussi apprécier les bonnes choses de la vie.

Son sens esthétique est très développé. Il aime s'entourer de beauté, et il la recherche dans la nature comme dans la vie quotidienne. Quand la conjonction est puissante dans le thème, elle peut susciter des dons artistiques (peinture, musique, poésie).

Vénus en semi-carré avec le Soleil est un aspect moins favorable que la conjonction. Bien que plus faible que le carré, cet aspect est pour le sujet source de désagréments par excès.

Sa sensualité — au sens large du terme — est envahissante. Il est tellement désireux de satisfaire ses sens qu'il en arrive à redouter les efforts. La haute idée qu'il a de lui-même alimente son orgueil. Il est excessif dans la manifestation de ses sentiments. Il a des goûts de luxe, mais son sens du beau est perverti par l'importance qu'il attache aux apparences et qui ne lui permet pas de reconnaître les vraies valeurs.

Vénus-Lune

Par certains de ses effets, cette configuration se rapproche de la précédente.

Les bons aspects entre ces deux planètes confèrent au sujet une nature aimante et affectueuse qui facilite ses rapports avec l'autre sexe. Dépourvu de toute agressivité, il a un grand besoin de tendresse. Sa douceur et sa gentillesse, sa bonté même, lui font aisément trouver l'amitié de ceux qui l'entourent. Sa sensualité et son goût des plaisirs l'amollissent quelque peu. Comme il tient à sa tranquillité, il esquive volontiers les difficultés.

Il s'intéresse aux arts; il apprécie la musique, fréquente les théâtres, visite les expositions de peinture. Avec un peu de chance, il peut même développer certaines facultés artistiques. Mais il fera le plus souvent preuve d'un talent modeste, à moins que Vénus ne soit très forte dans l'horoscope. Chez un homme, une telle configuration est souvent l'indice d'un mariage heureux, alors que pour la femme elle est plutôt bénéfique pour la santé.

Les mauvais aspects entre Vénus et la Lune rendent plus difficiles les rapports du sujet avec son entourage. Les qualités conférées par les aspects harmoniques se changent en défauts. La douceur et la gentillesse deviennent paresse et même veulerie. L'humeur est souvent capricieuse et le caractère instable. La sensualité se développe au détriment de la tendresse. Le sujet est facilement influençable et ses jugements ne sont plus très sûrs. La possibilité d'un scandale n'est pas à exclure.

Le mariage chez les hommes et la santé chez les femmes causent souvent des soucis.

Vénus-Mercure

Les seuls aspects possibles entre Mercure et Vénus sont la conjonction, le semi-carré et le sextile.

Quand les deux planètes sont en conjonction ou en sextile, le sujet a une nature optimiste. Il est enclin à voir la vie en rose. Rien d'étonnant alors à ce qu'il soit gai, enjoué et très sociable. On recherche sa compagnie car, avec lui, on ne s'ennuie pas et on est même à peu près sûr de s'amuser.

Il ne faut lui demander ni gravité ni profondeur. Il préfère rester au niveau des apparences pour avoir moins de raisons de s'alarmer. Ce qui lui vaut la réputation d'être un peu superficiel. C'est un touche-à-tout qui ne manque pas de dons. Il utilise parfois ses dispositions artistiques de façon pratique, par exemple dans un commerce d'art. Mais cette combinaison est avant tout celle des « belles-lettres ». C'est pourquoi on la rencontre très souvent chez les écrivains, romanciers ou poètes. Le sujet est un beau parleur — et l'expression n'est pas forcément péjorative —, qui a le sens de la forme et des formes. Il n'a pas son pareil pour tourner le madrigal. L'amour est d'ailleurs une de ses grandes préoccupations : il y pense souvent et volontiers.

Il semble que le semi-carré exacerbe toutes les qualités que nous venons d'énumérer. Le sujet, qui a beaucoup de facilités, en tire vanité, et cela le rend facilement susceptible. Il s'adonne de façon désordonnée aux plaisirs des sens, mais il en tire plus d'irritation que de satisfaction. Cette sexualité mal « vécue » se traduit par un état de nervosité qui est en partie responsable du manque de fermeté de sa conduite.

Vénus-Mars

Nous avons déjà eu l'occasion de noter que le couple Mars-Vénus était celui de la passion. Tous les aspects entre ces deux planètes, les bons comme les mauvais, mettent l'accent sur la libido.

Avec les bons aspects, le sujet, qui a une nature passionnée, vit ses instincts sexuels avec beaucoup de naturel. Et une sexualité sainement vécue ne peut avoir que de bons effets. Elle contribue à l'équilibre physique et moral du sujet qui se sent « bien dans sa peau ».

Gai et généreux, il est assez démonstratif pour ne laisser personne ignorer ses sentiments. Et il a de l'humour, ce qui est un signe de bonne santé morale.

Ses dons artistiques semblent se manifester plus particulièrement dans deux domaines : la peinture et le théâtre. Grâce à des dons certains d'acteur, il sait faire comprendre et partager aux autres ce qu'il ressent.

Sur le plan de la santé, les bons aspects ont d'heureux effets sur toutes les fonctions de l'arbre urinaire.

Les mauvais aspects (et la conjonction serait plutôt dissonante) perturbent la vie sexuelle du sujet qui ne parvient pas à maîtriser ses instincts. Dans certains cas même, ceux-ci trouvent un exutoire dans la perversité. Le sujet manifeste ses sentiments sans mesure, et la gaieté que donnaient les bons aspects devient surexcitation. Mais celle-ci peut retomber brusquement pour faire place à l'insatisfaction. C'est d'ailleurs un des défauts majeurs de cette configuration que de faire passer le sujet d'un extrême à l'autre. Il s'enflamme promptement, mais son engouement tombe aussi vite. Ainsi va-t-il de déception en déception. Dans le cas où il est marié, l'équilibre de son foyer est d'autant plus menacé par cette instabilité que le risque d'un scandale ne doit pas être écarté.

Sur le plan de la santé, les mauvais aspects menacent les organes génitaux; les femmes surtout doivent être préparées à des complications toujours possibles lors d'une grossesse ou d'un accouchement.

Vénus-Jupiter

Les bons aspects entre les deux « bénéfiques », Jupiter et Vénus, ne peuvent avoir que d'heureux effets sur le caractère. Le sujet est bon et généreux, doux et bienveillant. Ses rapports avec les autres sont facilités par sa grande tolérance et son tact inné. Il est très aimé par ceux qui l'approchent. Quand le sujet est une femme, cette configuration lui prête beaucoup de grâce et la rend très attirante. Le destin lui-même semble vouloir lui faciliter la vie en écartant de sa route les obstacles majeurs.

Sur le plan artistique, cette combinaison donne le sens de la forme et des couleurs. On la rencontre souvent parmi les dominantes des horoscopes de peintres et de dessinateurs.

C'est surtout la circulation sanguine qui bénéficie des bons effets de cette configuration favorable également à la fécondité des femmes.

Si les mauvais aspects entre Jupiter et Vénus n'ont pas d'effets catastrophiques, ils donnent au sujet assez d'égoïsme pour que les autres marquent de la réserve à son endroit. Il est trop tourné vers lui-même pour ne pas risquer d'être blessant. En amour surtout, la recherche de son propre plaisir lui importe parfois plus que ses partenaires eux-mêmes, et ceux-ci ne peuvent qu'être choqués par son manque de tact. Son esprit de jouissance lui fait souvent négliger certains devoirs élémentaires de l'existence. Il peut même le conduire à la débauche. Sa vanité le pousse à faire des dépenses inconsidérées qui déséquilibrent son budget et mettent son foyer en péril.

Heureusement que Vénus et Jupiter ne peuvent pas faire mentir totalement leur réputation de bénéfiques, de sorte que le destin n'est pas trop cruel avec le sujet.

L'abus des « bonnes choses » peut avoir des conséquences fâcheuses sur la circulation sanguine.

Vénus-Saturne

Les bons aspects entre Saturne et Vénus affermissent le caractère du sujet en assurant son équilibre. C'est un être de devoir, doux et juste, dont les manières sont libres de toute affectation. Mais il est prudent et réservé. C'est un esprit réaliste qui a le sens de l'économie dans tous les domaines. Et surtout, il est maître de son cœur. Bien qu'il donne l'impression d'être parfois un peu froid, ses sentiments n'en sont pas moins profonds. Mais il ne donne pas son amour à la légère et il est foncièrement fidèle.

Dans certains cas, la vie sentimentale ne s'épanouit que sur le tard, ou bien le sujet est attiré vers des partenaires plus âgés que lui. C'est le résultat des inhibitions attachées à cette combinaison, même quand elle est harmonieuse.

Saturne n'étouffe pas les dispositions artistiques généralement liées à la présence de Vénus dans une combinaison planétaire. Les domaines privilégiés sont ici la sculpture, l'architecture et la peinture.

Avec les mauvais aspects entre les deux planètes, les inhibitions, qui s'opposent à une libre manifestation des instincts sexuels, altèrent le caractère. Le sujet peut montrer une grande froideur de sentiment; il est insatisfait et donne l'impression d'être « mal dans sa peau ». On dirait que tout ce qui touche au sexe provoque son dégoût. Il est jaloux du bonheur des autres et s'en tourmente.

Ou bien sa sexualité prend des formes malsaines qu'il n'ose pas manifester ouvertement. Ses désirs exacerbés le conduisent à un comportement obscène ou à certaines perversités dont la recherche s'appuie sur l'hypocrisie et la ruse.

Tout cela n'est évidemment pas favorable à une vie conjugale équilibrée ni même à des liaisons sentimentales.

Sur le plan de la santé, les mauvais aspects peuvent provoquer des troubles de la circulation sanguine.

Vénus-Uranus

Les bons aspects entre Uranus et Vénus renforcent l'émotivité et les élans affectifs du sujet. Uranus, planète du rythme, semble imprimer à sa vie sentimentale un mouvement oscillant qui la fait passer par des hauts et des bas fortement marqués. Le sujet connaît des périodes de vague sentimentalité, bientôt suivies d'exaltation amoureuse.

Dans ces moments d'euphorie affective, le sujet noue des liaisons que l'insolite de la situation fait paraître romantiques ou farfelues à l'entourage. Son désir, stimulé par Uranus, le pousse à rechercher surtout des sensations nouvelles.

Cette combinaison planétaire confère au sujet un magnétisme qui, curieusement, attire les uns, mais repousse les autres. Le sujet ne fait pas l'unanimité.

Comme il a un sens aigu du rythme, c'est la musique qui lui permet de manifester le mieux ses dispositions, souvent d'ailleurs plus comme exécutant que comme créateur.

Les mauvais aspects paraissent avoir une influence plus marquée que les bons. Le rythme se change en agitation. Excessif dans la manifestation de ses sentiments, le sujet se lance dans des aventures amoureuses qui tournent souvent court à cause de son goût immodéré de l'indépendance. Pas toujours très sociable, il manque totalement de constance. Ses changements d'humeur en font un compagnon difficile et susceptible.

Tout cela n'est pas très favorable à une vie commune paisible. L'infidélité provoque des ruptures brutales qui jalonnent la vie amoureuse du sujet. Et un mariage, souvent conclu dans un moment d'exaltation, risque fort de se terminer par un divorce.

Au point de vue de la santé, on note chez les femmes des ennuis ovariens et des règles douloureuses. Chez les hommes, une tendance aux « amitiés particulières » qui ne s'affirmera que si cette indication est corroborée par de nombreuses autres.

Vénus-Neptune

Les bons aspects entre Neptune et Vénus accroissent le potentiel affectif et favorisent l'imagination érotique. Le sujet a tendance à projeter dans la vie quotidienne les romans d'amour qu'il s'invente. A l'action, il préfère la rêverie : c'est un romantique attardé. Sa nature indolente ne cherche pas à s'affirmer dans de grandes réalisations. Il est très sensible à la beauté et à toutes les formes d'art. Il trouve dans la musique un support capable d'épouser ses phantasmes. Mais sa réceptivité le rend facilement influençable. Il n'est pas dépourvu de charme et, bien que les occasions d'aventures ne lui manquent pas, il est très capable de vivre un amour platonique. Cela s'accorde fort bien avec sa recherche d'un idéal élevé. Heureusement que son bon goût lui évite de tomber dans les pièges d'un amour fantasmagorique transposé dans la réalité.

Au point de vue de la santé, cette configuration a de bons effets sur l'assimilation.

Les mauvais aspects entre Neptune et Vénus ne sont pas sans danger pour l'équilibre psychique du sujet. Sa vie amoureuse est perturbée par les égarements de l'imagination. Le monde d'illusions dans lequel il se complaît est naturellement source de déboires amoureux. L'indolence devient paresse et l'indécision ouvre d'autant plus largement la porte aux pires influences que le goût est assez douteux.

Comme il se laisse facilement séduire, c'est une configuration qui est plus dangereuse pour la femme que pour l'homme. Les désirs sont à la limite de la perversion. Éprouvant de grandes difficultés à les réaliser, le sujet a parfois recours aux stupéfiants.

Les déceptions amoureuses ne sont pas rares. Leur répétition menace d'ébranler l'équilibre psychique du sujet. D'autre part, sa réputation ne peut que souffrir de ce désordre sentimental. La nonchalance, le manque de sens pratique et une imagination débridée ne sont évidemment pas des atouts pour réussir une vie.

Vénus-Pluton

Côté bons aspects, Vénus en Pluton concerne la vie affective et sexuelle de l'individu. Pluton le pousse à s'attacher indépendamment des considérations ou des contraintes socioculturelles : c'est l'indice d'amours vécues dans la marginalité ou de passions profondes fondées sur un attachement sexuel, à la fois heureux et douloureux, car Pluton rend l'être attentif à la dualité ou à la complexité des choses. Il s'agit, en outre, d'amour durable : Pluton donne un certain discernement dans le choix du partenaire. De toute façon, l'amour est vécu très intensément et peut diriger les grandes orientations de l'existence.

Côté mauvais aspects, passions aveugles, violentes et destructrices sont souvent le lot de cet aspect dissonant. Un certain manque de discernement dans le choix du partenaire oriente l'être vers des situations où il est immanquablement bourreau et victime de son amour, lequel est vécu comme un affrontement d'où il doit nécessairement sortir vainqueur ou vaincu : dans les deux cas, les extrêmes sont atteints. C'est un aspect qui rend difficile l'amour serein. En outre, les instincts sexuels très puissants sont dissociés de l'affectivité de l'individu. D'où un conflit intérieur permanent.

La Justice, en lame de tarot (XVe siècle), est traditionnellement attribuée à la Balance.

Comment interpréter les Planètes dans les Signes

Pour connaître les significations qui s'attachent à la présence d'une planète dans un signe, il est naturel de se reporter tout d'abord aux observations accumulées par les astrologues au cours des siècles. Elles constituent une mine de renseignements que confirme en général la pratique de chaque nouvelle génération d'astrologues.

Mais pour celui qui aime « raisonner », il est également possible de combiner entre elles les significations de la planète et du signe en utilisant tous les moyens que l'astrologie met à sa disposition. Parmi ceux-ci, il est un système d'interprétation peu répandu en Europe, mais que les astrologues iraniens utilisent couramment et que nous a personnellement rapporté A. Volguine, un des grands noms de l'astrologie française des quarante dernières années [1]. Il avait été blessé au cours des combats qui, après la Révolution d'Octobre 1917, opposèrent en Russie Rouges et Blancs. Soigné dans un hôpital de Constantinople, il fit là-bas la connaissance d'un astrologue persan qui l'initia à ce système d'interprétation.

Plutôt que de donner du système une définition qui risquerait de rester trop abstraite, essayons de montrer à l'aide d'un exemple, et selon les données inédites de Volguine, la façon dont il fonctionne.

Nous savons que le Soleil a son domicile dans le Lion où ses significations essentielles sont : noblesse et loyauté, ambition et autorité, confiance en soi et fermeté, générosité et fidélité, ardeur et magnanimité, réussite et stabilité.

Or, quand le Soleil est en Vierge, il est dans son deuxième signe (par rapport à son domicile). La Vierge est reliée au Lion par un semi-sextile (30 degrés) qui, traditionnellement, est faiblement favorable. Comme la Vierge est gouvernée par Mercure, la plus petite des planètes, les qualités du Lion semblent se « rétrécir » dans ce signe. De plus, le semi-sextile correspond à la nécessité de faire des efforts pour atteindre les objectifs que l'on s'est fixés. Mais dans la Vierge, l'ambition se limite à des objectifs immédiats et précis, la générosité est calculée, la confiance en soi ne se manifeste que dans un certain domaine et la réussite dépend plus des efforts du sujet que de la chance. Enfin, le Soleil dans son deuxième signe (Maison II) subordonne les sentiments aux intérêts matériels et rend le sujet intéressé.

Dans la Balance, qui est reliée au Lion par un sextile, aspect d'union et d'harmonie, le Soleil est dans son troisième signe par rapport à son domicile, de sorte que le sujet manifeste ses qualités solaires surtout envers ses proches (Maison III), et, éventuellement, envers sa maîtresse ou son amant, autre signification de la Maison III. Il a plus d'ambition pour les autres que pour lui-même. Son entourage immédiat a une grande influence sur lui, au point d'être bien souvent l'artisan de sa chance.

Ces exemples auront montré comment fonctionne ce système qui enrichit l'interprétation tout en l'assurant. Celui qui voudra s'entraîner à ce jeu des combinaisons disposera vite d'un instrument d'interprétation qui remplacera avantageusement les manuels.

1. A. Volguine a dirigé pendant trente-huit ans une des principales revues astrologiques de langues française : *les Cahiers astrologiques*. Il a également publié une dizaine d'ouvrages consacrés aux grands problèmes que pose l'astrologie.

Les significations que nous serons amenés à donner dans les pages suivantes n'ont évidemment qu'un caractère général car, dans cet exposé, nous ne pouvons prendre en considération que deux facteurs, le signe et la planète. Mais dans le cas pratique de l'interprétation d'un horoscope, une planète ne peut être isolée de son « contexte ». En effet, elle est généralement liée à une ou plusieurs autres planètes du thème par aspects; ensuite, elle est située dans une Maison déterminée qui représente le domaine de la vie dans lequel elle se manifestera plus particulièrement; enfin, dans le cas où elle ne se trouve pas dans le signe qui est son domicile, elle représente par le jeu des maîtrises une ou deux Maisons dont les significations se combinent avec celles de la Maison où elle se trouve par corps.

Un exemple simple illustrera ce qu'une définition ne saurait à elle seule rendre clair. Imaginons Mercure, maître des Maisons IX et XI, en Maison I. Comme la Maison I représente le sujet lui-même dans son milieu avec son caractère, son tempérament et sa mentalité, Mercure, représentant de la Maison IX, va lui donner le goût des voyages lointains ou des séjours à l'étranger pour y poursuivre des études, ou encore le goût de la recherche spirituelle. En tant que représentant de la Maison XI, Mercure va accroître dans la vie du sujet l'importance des amis, surtout de ceux à qui l'attachent des liens intellectuels.

Les liaisons qui s'établissent ainsi entre les différents facteurs d'un horoscope tissent un réseau parfois très dense dont la complexité semble grandir à mesure qu'on la découvre. Il n'est d'ailleurs pas possible d'en démêler tous les fils.

Les Planètes dans la Balance

Soleil en Balance

Donne toutes les qualités apparentes du signe : douceur, esthétisme, goût de l'harmonie et de la conciliation. L'amour est très important pour le sujet; il oriente sa vie, son travail, ses loisirs. La Balance ne trouve pas l'équilibre qu'elle recherche sans un partenaire idéal.

Lune en Balance

La Lune, c'est avant tout le monde de l'âme. C'est évidemment un concept aux contours assez flous, et donner une définition de l'âme n'est pas chose aisée, car le mot n'a pas le même sens pour tout le monde. On pourrait dire que la Lune correspond à la nature inconsciente et instinctive de l'être humain. Elle représente donc la vie sensible, l'affectivité, l'imagination et toute une série de significations dérivées, telles que la femme, la mère, le foyer, la mémoire, etc. Il nous faut donc combiner toutes ces significations avec celles de la Balance que nous avons développées dans les pages précédentes.

Si la Balance ne donne pas nécessairement l'équilibre, elle en donne le goût, de sorte que le sujet ayant la Lune en Balance tend à réaliser l'équilibre et l'harmonie dans sa vie psychique. Toute injustice, qui n'est rien d'autre finalement qu'un déséquilibre, lui est insupportable et le blesse au plus profond de lui-même.

En partant du Cancer qui est son domicile, la Lune dans la Balance se trouve dans son quatrième signe où elle va se combiner non seulement aux significations de la Maison IV (par analogie avec le quatrième signe), mais également aux significations du Cancer. C'est comme si la Lune se retrouvait dans son domicile. Nous tenons là une des raisons qui font que les qualités de la Lune semblent amplifiées dans la Balance ainsi que l'ont noté nombre d'observateurs : vie psychique intense, réceptivité extrême, hypersensibilité.

Cette Lune pour ainsi dire deux fois « Cancer » peut même produire un excès de féminité qui se traduit par une grande douceur et une délicatesse raffinée. Si une telle attitude convient généralement à une femme chez qui elle est facilement portée au compte de ses vertus, elle risque chez un homme de choquer et même de lui porter tort, si elle n'est pas compensée par l'influence de planètes plus viriles.

La Maison IV, c'est le secteur du foyer, de la famille, des parents. Il est donc normal que le sujet leur témoigne un grand attachement, d'autant plus que le concept d'union est une des significations de la Balance. Il se sent lié par toutes les fibres de son âme à ce qui constitue ses origines, d'où son intérêt pour l'histoire de sa famille et de son terroir.

La Balance, domicile de Vénus Uranie ou Vénus céleste, étant le signe des arts, le sujet qui a la Lune en Balance ressent intensément les diverses formes d'expression artistique que sont la peinture, le dessin, la musique, la littérature (surtout les œuvres de fiction et l'histoire). Ce goût pour l'art se retrouve dans la façon dont il organise et décore son cadre de vie (Maison IV). Les choses qui nous entourent exercent, en effet, une influence subtile, mais profonde, sur notre psychisme, et le sujet y étant particulièrement sensible, cherche à s'entourer autant que possible de belles choses qui satisfont son sens esthétique.

Si cette présence de la Lune dans la Balance s'accompagne de configurations qui confèrent au sujet des dons d'expression, il ne se contentera pas d'être un amateur d'art éclairé, il voudra également traduire dans la matière ses émotions esthétiques.

Enfin, la Balance en sa qualité de septième signe est analogue à la Maison VII, le secteur de l'Autre et plus spécialement du mariage, qui est le lien le plus étroit que l'on puisse avoir avec l'Autre. Dans la mesure où la Lune n'est pas dissonante, le sujet entretient avec les autres des rapports empreints d'une grande cordialité. Foncièrement sociable, il se montre aimable et serviable, affectueux et compréhensif. Comme il a le désir sincère de plaire, il n'est pas rare que cette position de la Lune lui vaille non seulement la sympathie de son entourage, mais encore la faveur du public.

Le sujet éprouve un profond besoin de tendresse, et il lui est difficile d'imaginer sa vie sans un partenaire qui remplira son existence en lui donnant un sens. La femme, encore plus que l'homme, est capable de se fondre dans l'autre au point d'abdiquer une partie de sa personnalité. En tout cas, elle se consacre avec joie à son partenaire, créant ainsi des conditions favorables à l'épanouissement d'une vie conjugale heureuse.

La Lune est l'astre du changement, et comme, de son côté, la Balance est le signe de l'instabilité, la Lune dissonante dans ce signe risque d'amener des changements dans la maison et dans le couple, bouleversements liés à l'infidélité ou à la multiplicité des amours. Elle donne également un penchant à la vie facile et le besoin de protéger sa petite tranquillité que l'on fait passer avant les autres.

Parmi les horoscopes des personnalités Balance, la Lune n'occupe le signe de la Balance que dans les thèmes du président Giscard d'Estaing et dans celui du leader socialiste François Mitterrand qui sont tous deux Balance par l'Ascendant.

Notons d'emblée que ces deux hommes politiques sont ceux qui, ces dernières années, ont réuni sur leurs noms le plus grand nombre de suffrages populaires (la faveur publique). Tous deux ont également le charme que l'on s'accorde à reconnaître aux natifs de la Balance, et ils montrent le même goût pour l'écriture, bien qu'avec des fortunes diverses. Cependant, la Lune de Valéry Giscard d'Estaing est plus forte par position car elle se confond pratiquement avec l'Ascendant, et par aspects parce qu'elle est soutenue par les trigones de Jupiter, de Mercure et du Soleil groupés dans le Verseau autour de la pointe de la Maison V. La Lune joue donc un rôle particulièrement important dans ce thème car elle participe à l'image de marque que le natif donne de lui-même. Que, d'autre part, elle lui vaille la faveur de l'autre sexe, paraît évident.

Mercure en Balance

Mercure est la planète du mouvement, de la pensée, de l'expression, qu'il s'agisse, comme dans la plupart des cas, de l'expression orale, écrite et mimique, ou des différentes formes d'expression artistique (dessin, peinture, sculpture, musique, etc.).

Toutes ces significations se combinant avec celles de la Balance, le sujet qui a Mercure dans ce signe s'exprime avec élégance et délicatesse. Ses paroles comme ses écrits sont animés par le désir de créer la paix et l'harmonie. Il s'efforce d'éviter tout ce qui pourrait déplaire ou heurter ses interlocuteurs. Ce n'est pas lui qui se livrerait à des plaisanteries d'un goût douteux ou qui se permettrait des écarts de langage. D'ailleurs, la grossièreté des autres le met mal à l'aise et, dans sa bouche, elle paraîtrait tout à fait déplacée. Il n'est pas doué pour la vulgarité.

Bien que son langage, châtié et fleuri, soit pesé sur les plateaux de la Balance, il s'exprime avec une facilité qui peut faire de lui un orateur de talent. Ce fut le cas de Jacques Duclos, c'est surtout celui de François Mitterrand dont les qualités de « debater » sont bien connues. Quant au philosophe Henri Bergson, ses cours au Collège de France connurent, au début de ce siècle, un succès remarquable.

La pensée est juste et le jugement sûr. C'est une pensée qui pèse volontiers le pour et le contre car elle s'efforce d'être impartiale. Elle est toute en nuances et se veut conciliante. Loin de jeter de l'huile sur le feu, le sujet cherche à apaiser les esprits et à réconcilier les points de vue. Il est doué pour jouer les intermédiaires ou les arbitres.

Comme la Balance est en rapport avec la justice, les professions de juge, d'avocat ou de conseiller juridique offrent au sujet un cadre à l'intérieur duquel il pourra déployer ses qualités. Il se préparera à ces carrières en faisant de solides études de droit au cours desquelles il portera un intérêt particulier au problème des contrats. D'une façon générale, les questions de compensation et d'équilibre seront des sujets propres à alimenter sa réflexion.

La Balance est un signe d'art et de beauté sur lequel Vénus règne en maîtresse. Cette alliance de Mercure et de Vénus correspond assez bien à ce qu'on appelait autrefois les « belles-lettres », terme dont l'emploi tend à se perdre, encore que nous ayons en France, au sein de l'Institut, une Académie des Inscriptions et Belles-Lettres. Parmi les belles-lettres, on compte, en bonne place, l'histoire et la littérature. Pour reprendre deux des exemples cités plus haut, on notera que Jacques Duclos et François Mitterrand ont tous deux écrit des livres d'histoire.

Dans la Balance, Mercure, maître des Gémeaux et de la Vierge, est à la fois dans son cinquième et deuxième signe. Le cinquième signe est analogue à la Maison V, secteur qui réunit l'amour et l'art, ce que l'on peut également dire de la Balance. Dès lors, il devient évident que Mercure dans ce signe va être le canal à travers lequel vont s'exprimer de fortes dispositions artistiques auxquelles, d'une façon ou d'une autre, l'amour ne sera pas étranger.

Pour illustrer cet aspect de l'action de Mercure dans la Balance, on peut citer les horoscopes de Brigitte Bardot pour qui art et amour sont inséparables, de François Mauriac qui a abordé dans ses romans diverses formes d'amour, et enfin de Franz Liszt dont l'œuvre musicale est liée à une vie amoureuse aussi mouvementée qu'une danse hongroise. Littérature, musique, cinéma, peinture sont des domaines dans lesquels un tel Mercure trouve à s'exprimer avec bonheur.

La Maison V étant celle de la pédagogie — l'art du pédagogue s'apparente souvent à l'art du comédien, et inversement —, la présence de Mercure dans la Balance prédispose le sujet à l'enseignement. Il est capable de transmettre ses connaissances avec amour, et aussi avec dévouement parce que la Balance donne le sens de l'Autre. Il le fera d'une manière plaisante, au point que ses auditeurs auront l'impression que la matière enseignée est dépourvue d'aridité. La joie (Maison V) que lui donne cette activité se reflète à la fois sur sa façon d'enseigner et sur ceux qui reçoivent son enseignement. Parmi ces « enseignants », au sens très large du terme, dont l'horoscope présente Mercure en Balance, citons Henri Bergson, Lanza del Vasto et Annie Besant qui fut présidente de la Société théosophique.

Dans la Balance, Mercure est aussi dans son deuxième signe, analogue à la Maison II, secteur de l'accroissement de substance. On peut en déduire que les études et travaux faits par le sujet dans les domaines juridique et artistique, qui sont des champs d'action privilégiés de la Balance, porteront des fruits. Cette signification se trouve renforcée par le fait que la Maison V est également celle des enfants, et les œuvres ne sont après tout que les « enfants » de leurs auteurs. Les connaissances acquises ne restent pas abstraites, elles se concrétisent sous des formes diverses.

Mercure et la Balance se rapportent à tout ce qui est lié à la communication, y compris les moyens de communication. Voilà pourquoi le sujet, toujours dans la Maison V, se lie volontiers à des artistes, que ce soient des gens du spectacle, des écrivains, des peintres ou des musiciens. Il écoute des conférences sur l'art, visite des musées ou des expositions.

Dans la mesure où Mercure est soutenu par des facteurs d'agressivité au bon sens du terme, le sujet peut exercer sa verve comme critique d'art. Les combinaisons possibles sont nombreuses et le lecteur peut s'essayer à ce jeu car il ne peut être question d'épuiser en quelques lignes le contenu de symboles astrologiques aussi riches.

Enfin, la Balance est le signe du mariage, ce contrat optimiste qui engage deux êtres, en principe pour la vie. Mercure dans le septième signe favorise la communication au sein du mariage. Cela peut se traduire, par exemple, par un volumineux échange de correspondance dans le temps qui précède le mariage, ou de fréquents échanges d'idées au cours de la vie conjugale. Mais on peut imaginer d'autres effets. D'un autre côté, Mercure, qui est symbole de raison et de calcul, peut amener le sujet à contracter une union où l'intérêt ne le cédera en rien à l'amour, bien au contraire.

On pourrait même envisager une autre forme de combinaison. Considérant que Mercure est maître du sixième signe (Vierge), donc de la Maison VI qui se rapporte, entre autres, aux serviteurs et aux employés, il n'est pas exclu que le sujet — si d'autres indices vont dans le même sens — épouse un (ou une) de ses employés.

Mars en Balance

C'est un des principes de l'astrologie traditionnelle qu'une planète dans un signe qui n'est pas son domicile agit comme si elle était en conjonction avec le maître de ce signe. Mars dans le signe de la Balance équivaut donc à une conjonction Mars-Vénus. C'est un couple que nous avons déjà rencontré, le couple de la passion.

Cependant, il ne faut pas oublier que Mars est en exil dans la Balance. Cela veut dire qu'il ne s'y montre pas sous son jour le plus favorable. Il a tendance à pécher par excès, suivant ainsi la pente de sa nature ardente. Et, le plus souvent hélas, les résultats ne sont pas très heureux.

Comme il dépend du bon vouloir de Vénus, puisqu'il bénéficie de son hospitalité, il est indispensable de connaître la situation de celle-ci dans l'horoscope pour savoir si elle est en mesure, grâce à son état céleste et terrestre, de tempérer la fougue martienne.

Mars, c'est la planète de l'énergie, de l'action, de la volonté. Il faut donc combiner ces significations avec celles de la Balance, toujours en supposant que l'énergie martienne est contenue par Vénus dans des limites raisonnables.

Comme la justice est un des domaines de la Balance, le sujet est prêt à se battre pour que soit respecté le droit et que cessent les injustices. Il sera tenté de militer dans des organisations, politiques ou non, qui luttent en faveur des victimes de toutes les formes d'oppression. Parmi les carrières juridiques qui s'offrent à lui, c'est évidemment celle d'avocat qui lui permettra le mieux de mettre sa fougue au service de la justice. Il défendra ses clients avec autant d'énergie que d'habileté (la Balance sait aussi être diplomate). Dans sa vie privée comme dans sa vie publique, il est prêt à se battre pour la vérité, souvent inséparable de la justice, et à donner équitablement à chacun ce qui lui revient.

Il se sent une âme de Don Quichotte, mais rompre des lances en faveur des opprimés ne peut que provoquer l'hostilité ou même la haine des oppresseurs qui, secrètement ou ouvertement, s'ingénient à dresser sur la route du redresseur de torts tous les obstacles possibles. C'est la loi de la jungle dans laquelle nous continuons à vivre malgré les apparences.

Ces difficultés auxquelles son action expose le sujet sont indiquées par le fait que, dans la Balance, Mars est dans son septième signe (à partir du Bélier) et son douzième signe (à partir du Scorpion). Le contenu du septième signe est analogue à celui de la Maison VII. Outre les significations que nous avons données jusqu'ici, cette Maison concerne également les ennemis déclarés et les procès. De son côté, le douzième signe est analogue à la Maison XII qui est, entre autres, le secteur des ennemis cachés et des épreuves.

Quand on sait cela, on comprend que l'agressivité naturelle du sujet risque de l'entraîner un jour ou l'autre dans un procès ou faire qu'il soit impliqué dans un scandale, qui seront pour lui une source de graves ennuis. C'est un risque dont la probabilité dépend des autres configurations de l'horoscope.

La Balance est également le signe de l'Autre, de l'amour, du mariage, des associations. C'est, bien sûr, un domaine dans lequel la passion martienne va pouvoir s'exprimer avec force. Car, doté d'une nature ardente et démonstrative, le sujet est irrésistiblement attiré par l'autre sexe. Une telle position de Mars correspond fréquemment à un mariage précoce. Le danger d'une telle union, conclue dans l'élan irréfléchi de la passion et de la jeunesse, est évident. Les querelles conjugales sont nombreuses. Dans beaucoup de cas, elles mènent directement au divorce. Il en résulte, surtout si des enfants sont nés de cette union, de graves ennuis qui peuvent empoisonner une existence pendant des années.

Ce qui vaut pour le mariage, vaut également pour les associations dont le mariage n'est qu'une forme particulière. Mais quel que soit le genre d'association en cause, les partenaires peuvent exercer une influence décisive sur la volonté du sujet en bien comme en mal. Ils peuvent l'exalter, et le conjoint est parfois l'élément moteur qui pousse le sujet à se lancer dans de grands projets et à les mener à bien. Mais ces mêmes partenaires peuvent avoir une action débilitante sur sa volonté et jouer, de ce point de vue, un rôle désastreux dans sa vie. C'est pourquoi la qualité des gens auxquels il se lie n'est pas sans conséquence.

Toujours dans le même contexte, cette position de Mars peut donner au sujet l'occasion de travailler en étroite collaboration avec son ou ses partenaires. Mais Mars dans son douzième signe indique parfois un travail accompli dans la solitude ou encore une interruption de l'activité au cours de la vie pendant une période plus ou moins longue.

Enfin, la volonté peut être mise au service de l'art. On sera alors en présence d'un artiste qui crée au sein d'un groupe (Maison VII), comme cela est fréquent chez les poètes et les peintres, ou bien qui œuvre dans la solitude de son atelier ou le silence de son cabinet de travail (Maison XII). Le sujet peut encore organiser des expositions d'art, et, si ses moyens le lui permettent, jouer les mécènes.

On le voit, les combinaisons possibles entre tous les éléments mis en jeu sont tellement nombreuses qu'on ne saurait les évoquer toutes ici.

Quand un tel Mars est fortement dissonant, il a sur le caractère des effets redoutables. Le sujet est entêté et brutal. Sa susceptibilité et son esprit de contradiction sont à l'origine de bien des querelles. Quant à son impatience, elle le rend facilement despotique, ambitieux et arrogant, il se montre peu sociable et, cependant, avide de gloriole.

Parmi les horoscopes des personnalités Balance, seul celui du poète Louis Aragon présente Mars dans la Balance. Ce Mars se trouve en Maison X. Il n'en est que plus puissant. Mais comme il est aussi le maître de la Maison XII, les significations de ce secteur risquent d'être associées à l'action du poète. Ce fut, par exemple, le cas en 1932 quand, à la suite de la publication de son poème *Front rouge*, il fut inculpé pour « incitation de militaires à la désobéissance et provocation au meurtre dans un but de propagande anarchique ».

Il a même connu la prison puisqu'il fut arrêté en juin 1941 par les Allemands. Il ne fut relâché qu'un an plus tard.

Enfin, pour montrer comment ce Mars en Balance peut s'employer efficacement en faveur de l'art, on pourrait citer toute l'œuvre d'Aragon, lui que l'on a appelé le « grand prince des lettres françaises ». Mais cet engagement s'est également manifesté de curieuse façon ainsi que le rapporte Georges Sadoul dans sa monographie sur *Aragon* (éd. Pierre Seghers) : « En 1944, quand le Sud-Ouest fut libéré, Aragon me manda de toute urgence à Toulouse pour ordonner à notre ami le colonel Vincent (FFF) de partir aussitôt pour le Périgord afin d'y mettre en sûreté, s'il le fallait, *la Joconde* et les trésors du Louvre, entreposés dans un château, mais aussi pour secourir Maurice Chevalier accusé à l'étourderie par Radio-Londres, et qu'il craignait de voir molesté, fusillé même par des maquisards auxquels Vincent parvint in extremis à le subtiliser. »

Jupiter en Balance

Les récits mythologiques nous ont déjà montré les rapports étroits que Jupiter entretient avec la Balance. Nombreux sont les points de rencontre entre les contenus symboliques de la planète et du signe. Il suffit d'énumérer quelques-unes des significations attachées au symbole de Jupiter : l'harmonie, la justice, le sens social, pour comprendre combien ils coïncident avec celles de la Balance.

Selon les règles de l'astrologie traditionnelle, Jupiter dans la Balance équivaut à une conjonction Vénus-Jupiter. Or, ces deux planètes sont considérées comme les deux « bénéfiques », la Petite et la Grande Fortune. Rencontre ne pourrait donc être plus heureuse, sous réserve évidemment que les deux planètes ne soient pas dissonantes dans l'horoscope.

La sympathie émane du sujet (Jupiter représente le principe de l'énergie centrifuge en expansion permanente). Il a donc des contacts faciles et heureux avec les autres, que ce soit dans son mariage, ses associations ou ses relations. Les qualités de la planète et du signe se renforcent mutuellement, et les conditions semblent réunies pour que le sujet trouve le bonheur, en particulier dans le mariage, car il a l'esprit large et il est tout prêt à faire des concessions au nom de l'harmonie. Non seulement il peut faire un mariage heureux, mais ce mariage peut être pour lui l'occasion de trouver le bonheur. Le bonheur et parfois l'élévation sociale et un accroissement de fortune.

Ces bienfaits peuvent également venir à lui par le canal de ses relations personnelles. Car c'est un être éminemment sociable qui recherche les contacts. Il faut dire que sa nature joviale lui facilite beaucoup la tâche. Il jouit même dans son milieu d'une certaine popularité qui peut se transformer en succès populaire s'il décide d'embrasser une carrière politique ou artistique qui le mettra en contact avec le public.

Si, dans le domaine du droit, Mars dans la Balance incitait le sujet à se tourner vers le barreau qui lui permettait de donner libre cours à sa fougue, Jupiter dans ce même signe le pousserait plutôt vers la magistrature assise. Tel Salomon, le sujet a un sens très sûr de la justice et ses jugements sont généralement bien acceptés par les parties en présence.

Dans la Balance, Jupiter est dans son onzième signe (à partir du Sagittaire) qui est analogue à la Maison XI. Cela signifie, entre autres, que le sujet aura la main heureuse dans le choix de ses amis ou des membres de l'équipe avec laquelle il travaillera. Non seulement une bonne entente règne entre eux et lui, mais leurs efforts communs ont de bonnes chances d'aboutir à des réalisations heureuses. C'est ainsi qu'à travers ses amis ou ses associés, le sujet connaîtra succès et bonheur.

En faisant intervenir dans cette combinaison les significations de la Balance (septième signe et Maison VII), on obtient une série d'autres possibilités telles que la transformation des relations mondaines en amitiés, ou la rencontre du conjoint dans le cercle des amis ou encore l'apport de nouvelles amitiés par le mariage.

Dans la Balance, Jupiter est également dans son huitième signe (à partir des Poissons). Comme toutes les Maisons, la Maison VIII (analogue au huitième signe) a de nombreuses significations qui dérivent d'une notion fondamentale que nous avons désignée par le terme de « eliminatio », autrement dit perte de substance, par opposition à l'accroissement de substance que représente la Maison II qui lui fait face dans le Zodiaque.

La mort, qui est la signification la plus couramment donnée pour cette Maison, n'est que la forme extrême de cette perte de substance. Mais tous les problèmes liés à la mort ressortissent également à cette Maison, en particulier les questions dites occultes qui se rapportent aux problèmes que pose le devenir de l'homme après la mort.

Voilà pourquoi il est possible que ce Jupiter en Balance, qui est à la fois dans sa onzième et huitième Maison, permette au sujet de repousser les limites de son horizon intérieur et de découvrir de nouvelles contrées spirituelles dans lesquelles la mort est abolie. Cet éveil à une vie plus haute peut être provoqué par le conjoint ou par la rencontre de nouveaux amis l'introduisant dans des communautés ou des sociétés philosophico-religieuses qui seront la voie par laquelle il atteindra le bonheur.

La Maison VII a aussi des significations plus matérielles qui sont liées à la mort, comme par exemple les héritages et les legs. Ceux-ci peuvent assurer au sujet une vie plus confortable qui lui apportera, sinon le bonheur, du moins de grandes satisfactions.

Parmi les thèmes des personnalités Balance particulièrement intéressants à étudier, ceux qui ont Jupiter en Balance sont tous en relation étroite avec l'art. Deux peintres d'abord, Watteau et Géricault, et trois « grands » du monde du spectacle : Brigitte Bardot, Georges Brassens et Yves Montand. Ils illustrent de façon éclatante une des significations de Jupiter en Balance que nous avons gardée pour la fin : le bonheur par l'art, le signe vénusien de la Balance étant, comme nous le savons bien maintenant, un signe d'art.

Bardot, Brassens et Montand, que nous connaissons mieux que les deux peintres des XVIIe et XVIIIe siècles parce que les mass média ne nous laissent rien ignorer ou presque de leur vie, ont également trouvé une forme de bonheur à travers leurs amis qui sont souvent ceux avec qui ils travaillent (Jupiter dans son onzième signe). Et qui ne sait que Montand a accédé à une forme de pensée plus élevée grâce non seulement à l'exercice de son art le mettant en contact avec de fortes personnalités, mais aussi grâce à sa femme, Simone Signoret ?

Saturne en Balance

Le moins qu'on puisse dire, c'est que Saturne n'a pas très bonne réputation. Tel le bouc émissaire que les Juifs chassaient dans le désert après l'avoir chargé des iniquités d'Israël, nous avons tendance à le rendre responsable de la plupart des maux dont le destin se plaît à nous accabler.

Il est vrai que, par les limitations qu'il nous impose, son action n'est jamais ressentie comme un bienfait du ciel, même si cette vision des choses est erronée, comme le montre souvent la suite des événements. Car le temps travaille pour et avec Saturne.

Les Anciens nous ont transmis de Saturne des images contradictoires. Pour les Babyloniens et les Chinois, Saturne symbolisait la justice, la stabilité et la fidélité. Pour ces peuples, il était un ami de l'homme. Les prêtres-astrologues de l'ancienne Perse voyaient en lui l'esprit de négation assimilable à Satan. Dans la mythologie grecque, Cronos (Saturne) était le dieu du temps qui s'écoule inexorablement et déroule le fil d'un implacable destin. Pour les Romains, en revanche, il était le protecteur des travaux agricoles, celui qui avait su faire régner la paix et la prospérité, le fameux Age d'or dont les Saturnales perpétuaient le souvenir nostalgique.

L'assemblage de ces éléments apparemment disparates constitue une sorte de mosaïque donnant une image assez fidèle de Saturne tel que nous le connaissons et qui ne mérite pas sa réputation de « mauvais génie ».

Depuis que les astrologues modernes sont à peu près d'accord pour fixer le domicile d'Uranus dans le Verseau, on a presque oublié que Saturne partageait sa maîtrise entre le Capricorne et le Verseau. Mais si l'on se rappelle que les signes qui se suivent sont très dissemblables, on ne pourra que s'étonner du fait que les Anciens aient donné à la même planète la maîtrise sur deux signes aussi différents. Pourtant, si cela étonne, cela doit aussi donner à réfléchir.

Le bon sens nous suggère une explication qui paraît être la bonne : Saturne, maître du Capricorne, ne peut pas être tout à fait le même que Saturne, maître du Verseau.

Et il est vrai que ce que nous avons remarqué à propos de Vénus vaut également pour Saturne. Dans le Verseau, Saturne manifeste ses qualités et défauts « masculins », et dans le Capricorne ses qualités et défauts « féminins ». Cette distinction coïncide avec les notions traditionnelles de domiciles « diurne » et « nocturne ».

Illustrons cela par un exemple qui fera ressortir la différence entre les deux modes d'action de la planète.

Dans son mode « féminin », qui correspond à sa manifestation à travers le Capricorne, son domicile nocturne, Saturne montre de remarquables dispositions pour entreprendre et mener à bien des travaux de recherche scientifique qui exigent de la méthode, de la réflexion et beaucoup de persévérance. Il fera preuve d'une grande objectivité et consignera aussi scrupuleusement que minutieusement le résultat de ses travaux. Bref, il servira fidèlement la matière qu'il avait été chargé d'étudier.

Dans son mode masculin qui correspond à sa manifestation à travers le Verseau, son domicile diurne, Saturne fait preuve dans ses recherches de la même concentration et de la même objectivité, mais il est capable de s'élever au-dessus de la matière qu'il étudie pour formuler à son propos des théories que leur nouveauté risque de faire passer pour révolutionnaires. Saturne, ici, se libère de la matière qui lui sert de tremplin. Saturne n'est plus le vieil homme, prisonnier du temps, mais le jeune Ganymède, le plus beau des mortels, enlevé au ciel pour servir d'échanson aux dieux. L'allégorie est transparente.

C'est ce Saturne transfiguré qui manifeste à travers la Balance ses plus hautes exigences. Selon la Tradition, Saturne est exalté dans la Balance, et c'est sans doute dans ce signe que la planète donne le meilleur d'elle-même. A condition qu'elle ne soit affligée ni par sa position en Maison ni par les attaques des autres planètes. D'autant plus que Saturne semble être plus sensible que les autres planètes aux afflictions de cette sorte.

Dans la Balance, Saturne fait sentir ses effets dans les domaines particuliers à ce signe. C'est ainsi qu'il donne au sujet un sentiment à la fois profond et élevé de la justice, on pourrait presque dire un sens institutionnel de la justice.

Pour des raisons qui tiennent aux Maisons mises en jeu par cette position, ce sens de la justice peut devenir sagesse car il permet au sujet de saisir intuitivement l'équilibre cosmique sur lequel repose la vie du macrocosme comme celle du microcosme.

Dans le domaine de l'art, l'influence de Saturne joue dans le sens d'un strict classicisme. Cela se traduit par le rejet de tout excès d'imagination et la recherche d'une vérité aussi proche que possible de la nature dans un constant respect de la mesure. Pour que le beau soit également le vrai.

Dans le domaine du mariage, le sujet cherche un conjoint qui réponde au modèle qu'il porte plus ou moins consciemment en lui, celui d'un être sérieux et pondéré, mesuré et réfléchi, consciencieux et économe, chaste et réservé. Nous savons que la Balance donne à ses natifs davantage le sens et le goût de l'équilibre que l'équilibre lui-même. La présence dans la Balance de Saturne, facteur de stabilité, est de nature à conférer au sujet la pondération qui fait de lui un être équilibré. Les effets de ce comportement se feront heureusement sentir sur le plan de la santé en régularisant les échanges, c'est-à-dire le métabolisme, et en stimulant le fonctionnement des reins. C'est un facteur de longévité.

Les combinaisons du système iranien permettent d'élargir sensiblement le champ d'application de cette configuration. Dans la Balance, Saturne est à la fois dans ses neuvième et dixième signes (à partir du Verseau et du Capricorne), autrement dit dans ses Maisons IX et X.

On sait que la Maison X est liée au destin, au pouvoir, à l'autorité, à la situation sociale, et la Maison IX aux voyages lointains, à la religion, à la philosophie, à la justice et aux lois.

L'idée de justice est soulignée à la fois par la Balance et par la Maison IX. Le sujet a des aptitudes marquées à se poser en arbitre qui détient l'autorité (Maison X) et s'appuie sur les lois (Maison IX). Ses sentences rétablissent la paix. C'est l'image de Saint Louis rendant la justice sous son chêne.

L'idée de profession est également mise en relief par la Maison X et par Saturne, significateur général de profession par sa maîtrise sur le Capricorne, dizième signe du Zodiaque. Le sujet peut être appelé à faire sa vie professionnelle à l'étranger ou bien à voyager pour les besoins de son travail.

D'un autre côté, des raisons philosophiques ou religieuses peuvent le conduire à infléchir radicalement l'orientation de sa vie. C'est ce qui se passe quand il abandonne la vie mondaine pour se consacrer à la prière et à la méditation dans le silence d'un monastère avec l'espoir d'y trouver la paix intérieure (Balance).

Le mariage aussi peut amener le sujet à s'installer hors des frontières, ou lui donner un conjoint étranger. Dans le cadre de la Maison X, le mariage ou une association fournit parfois au sujet le tremplin qui lui permet de s'élever socialement.

Pour compléter cette interprétation, évoquons la notion de *karma*. Ce terme, couramment employé dans l'hindouisme, signifie généralement le destin dévolu à chaque être humain et déterminé par le bilan de ses vies antérieures. Or, Saturne est précisément la planète qui, dans l'horoscope, symbolise le karma.

Considéré de ce point de vue, Saturne dans la Balance peut signifier que le mariage du sujet répond à une nécessité karmique, autrement dit qu'elle lui est imposée par le destin. Enfin, pour des raisons qui tiennent à la Maison IX, le conjoint peut partager les idées philosophiques ou religieuses du sujet et communier avec lui dans la même croyance.

Ce sont là les principales possibilités contenues dans cette configuration. Celles qui ont quelque chance de se vérifier dans la pratique sont celles que recoupent et confirment des indications provenant d'autres facteurs de l'horoscope. Il serait hasardeux de retenir pour l'interprétation un indice isolé.

En ce qui concerne les personnalités Balance, on ne trouve Saturne en Balance que dans les thèmes de Georges Brassens et de Yves Montand.

Chez Brassens, Saturne est en étroite conjonction avec Vénus, maître de l'Ascendant par le Taureau. Les deux planètes, dignifiées dans la Balance, sont en Maison VI, celle du travail, c'est-à-dire de l'effort qu'exige l'exercice d'une profession. Qu'elle soit consacrée à l'art ne surprendra pas puisque la Balance est liée à l'art; de plus, Saturne étant maître de la Maison X souligne les rapports étroits qui existent ici entre le travail et la profession. Il met également l'accent sur la conscience professionnelle, tout en donnant le « ton » des mélodies composées par le chanteur. Sobres et dépouillées, elles sont particulièrement bien adaptées à un texte qu'elles accompagnent discrètement, mais efficacement. Elles ont, dans leur genre, une rigueur presque classique. Enfin, Saturne dans la Balance indique le bon contact que Brassens sait établir avec son public qui, au-delà du talent poétique, apprécie le travail bien fait.

Chez Montand, Saturne est en conjonction avec Jupiter dans la Maison III qui peut représenter les tournées que l'artiste fait à travers le pays. Mais comme Jupiter est maître de la Maison IX, il renforce l'indication de liens avec l'étranger où Montand a dû se rendre pour chanter ou tourner des films. On se souvient de ses remarquables prestations aux États-Unis.

Il ne faut pas se cacher que, lorsque Saturne est affligé dans l'horoscope, ses effets peuvent être fort désagréables. Dans le domaine du mariage, il peut conduire à une séparation, soit que le conjoint disparaisse prématurément, soit que la mésentente mène au divorce.

Dans d'autres domaines également apparentés à la Balance, le sujet peut être grugé par ses associés, entraîné dans de mauvais procès qu'il est menacé de perdre ou rencontrer de grandes difficultés dans ses relations avec autrui.

Uranus en Balance

Avec Uranus, nous quittons le septenaire des planètes traditionnelles, les seules qu'aient connues les Anciens. Découvert en 1781, à l'aube des Temps modernes, Uranus a ouvert la série des planètes nouvelles. Neptune et Pluton devaient suivre en 1846 et 1930, et certains astrologues pensent ou espèrent que les astronomes en trouveront encore deux autres. Cela porterait le nombre des planètes à douze et permettrait d'en attribuer une à chacun des signes du Zodiaque, ce qui serait très satisfaisant pour la logique d'un esprit cartésien. Mais où conduit un raisonnement logique dont les prémisses sont fausses?

La découverte d'Uranus a coïncidé avec le début d'une transformation des structures sociales dans de nombreux pays. La Révolution française de 1789 a constitué pour ainsi dire le prototype de ces bouleversements qui, de proche en proche, ont gagné toute l'Europe et n'ont cessé depuis de se manifester ici et là à travers le monde.

L'esprit révolutionnaire est un des effets négatifs d'Uranus alors que l'esprit réformiste en serait le côté positif. Comme pour toutes les planètes, le passage de la qualité au défaut n'est qu'une question de degré.

L'Uranien recherche tout ce qui est nouveau. Il est à l'affût des dernières découvertes de la science et de la technique dont il possède les plus récents gadgets. C'est un original qui déteste se laisser enfermer dans des normes. Très attaché à la liberté, il a besoin de se distinguer d'une façon ou d'une autre de la masse. C'est sa manière d'affirmer son indépendance.

Physiquement et mentalement très mobile, il est doué d'une intuition qui ne fait qu'ajouter à sa remarquable faculté d'assimilation. Mais sa constante disponibilité le fait vivre sous tension.

Dans tous les domaines propres à la Balance, Uranus apporte ses bons et ses mauvais côtés : indépendance, originalité, progrès, invention, intuition, mais aussi impatience, irascibilité, violence et révolution.

La Balance est un signe d'Air qui favorise l'épanouissement des facultés intellectuelles. La présence d'Uranus dans ce signe donne à la pensée du sujet une originalité qui le pousse à chercher sa voie hors des sentiers battus, quel que soit le domaine dans lequel elle se manifeste. Ses théories ont pour effet de bouleverser les idées reçues, ce qui leur vaut de susciter des réactions violentes, partisans et adversaires étant également passionnés.

Ouvrons ici une parenthèse pour rappeler qu'une planète ne peut « signer » un individu que si elle occupe une position dominante dans son horoscope. Mais étant donné la complexité de la psychologie humaine, chaque thème comporte le plus souvent deux ou trois planètes dominantes. Aussi les personnes qui ont Uranus dans la Balance ne sont-elles pas nécessairement uraniennes. Dans de nombreux cas, l'influence de cette planète se limitera à un domaine bien précis de l'existence. Cela vaut pour toutes les planètes.

Uranus, planète de l'intuition, dans le signe d'art de la Balance, peut renforcer l'inspiration du sujet dans ce domaine. Soutenu par une vive imagination, il développe une expression artistique originale qui est bien souvent en avance sur les idées et les goûts de son temps. C'est ce qu'illustre le thème de Le Corbusier. On y trouve dans l'orbe de la Maison V, celle de la création, Uranus dans la Balance. Il est d'autant plus fort dans cet horoscope qu'il est en conjonction avec le Soleil et lié par aspect au Milieu-du-Ciel. Or, il est bien connu que Le Corbusier a été un des promoteurs de l'architecture nouvelle.

La Balance est encore le signe des associations et du mariage. Dans ce dernier domaine, les idées modernes tendant à l'instauration de l'union libre s'accordent parfaitement avec le besoin d'indépendance et de liberté qui caractérise Uranus.

Le sujet peut également soit grouper autour de lui des camarades ou des amis, soit se joindre à eux (Uranus est maître du Verseau, onzième signe, celui des amis). Ces groupes pourront avoir pour objectif de réformer l'ordre social ou de promouvoir de nouvelles découvertes. L'éventail des possibilités est très large.

Uranus est généralement considéré comme la planète de l'astrologie. Si d'autres facteurs de l'horoscope vont dans le même sens, le sujet peut entretenir des rapports avec une société astrologique qui s'efforce de propager des méthodes qui renouvellent cet art millénaire. Lui-même peut jouer un rôle déterminant dans cette action.

Puisque les astrologues modernes reconnaissent à Uranus la maîtrise sur le Verseau, la Balance représente son neuvième signe, analogue à la Maison IX, dont les significations sont maintenant familières au lecteur : les voyages lointains, l'étranger, la spiritualité, l'idéologie, mais aussi la justice et les lois, les magistrats et les prélats.

La présence dans la Balance d'Uranus, le novateur et le révolutionnaire, peut faire du sujet l'instrument d'une révolution idéologique entraînant une réforme de l'appareil législatif.

Mais pour que se produise un bouleversement d'une telle ampleur, il faut évidemment qu'un destin particulier rencontre un destin collectif. Une telle convergence est exceptionnelle.

Citons quelques-uns des effets négatifs d'Uranus dans la Balance. Ils sont essentiellement caractérisés par la violence qui accompagne les ruptures et les scandales dans les domaines gouvernés par la Balance : ruptures de contrats, divorce, procès, excentricité en art, association de malfaiteurs, comportement anarchique, mort du conjoint par accident, etc.

Neptune en Balance

Neptune a été découvert voici un peu plus d'un siècle par l'astronome allemand Galle après que sa position eut été calculée par l'Anglais Adams, puis par le Français Le Verrier qui ignorait les travaux de son prédécesseur.

On ne sait plus aujourd'hui qui a baptisé la planète, mais certains ont estimé que le choix de ce nom avait été assez malheureux. A l'époque, le philosophe Schopenhauer, qui partageait ce point de vue, aurait proposé le nom de Éros. Il aurait satisfait ceux qui, à la suite de Max Heindel ou de sa femme, voient dans Neptune l'octave supérieure de Vénus.

Et pourtant, dans la mesure où le nom de Neptune vient du latin *nebula*, nuée, le nom n'était pas si mal choisi. En effet, dans l'Ancien Testament, la nuée est le signe de la manifestation divine, ce qui correspond assez bien à l'aspect supérieur de Neptune, l'illumination intérieure. Mais la nuée peut se changer en brouillard qui symbolise l'aspect le moins agréable de Neptune, l'impression de doute et de confusion dans laquelle il englue les êtres et les choses qu'il touche de ses rayons inférieurs.

Il est donc indispensable d'examiner attentivement la position de la planète en Maison ainsi que ses relations avec les autres planètes de l'horoscope car ses effets peuvent être très différents selon qu'elle est ou non « affligée ».

D'autre part, l'expérience montre que cette planète a une influence beaucoup plus heureuse dans le domaine spirituel que dans le domaine matériel où ce qu'elle apporte n'a jamais de contours bien nets. C'est le propre de la nuée d'être inconsistante.

Les valeurs attachées à Neptune ressortissent essentiellement au domaine de l'âme. Neptune, c'est le mysticisme, la contemplation, la réceptivité, la médiumnité, l'idéal, la tendresse, la sensibilité, la douceur, l'imagination, la rêverie, le lyrisme, mais c'est aussi la passivité, la faiblesse, le doute, le scepticisme, la susceptibilité, l'hypocrisie, la fraude, l'imposture. Si nous insistons sur les aspects négatifs de Neptune, c'est parce qu'en étudiant cette planète, on se rend compte qu'il suffit de quelques afflictions pour en pervertir les effets.

Toutes ces valeurs neptuniennes doivent être transposées dans les différents domaines de la Balance. Le sujet qui a Neptune dans la Balance se fait de la justice une idée très élevée. Il est même près de croire à l'existence d'une justice immanente.

Grâce à sa sensibilité, il est capable de s'identifier aux autres et de leur témoigner une vraie compassion. Il juge plus avec son cœur qu'avec sa raison, et sa justice n'est pas froide et implacable, elle écoute battre le cœur des hommes.

La sensibilité, la tendresse, la douceur neptuniennes transforment l'amour de la Balance en un sentiment idéal qui se porte naturellement sur le conjoint ou les partenaires puisque la Balance est le signe des associations. Le mariage lui-même peut évoluer vers une union platonique qui trouvera sa finalité dans une recherche commune des valeurs spirituelles.

Dans le domaine de l'art, Neptune en Balance peut être pour l'artiste une source d'inspiration d'où jaillissent des images un peu étranges qui nourrissent sa créativité. Son art, raffiné, est marqué par le flou et la légèreté neptuniens qui lui donnent quelque chose d'irréel. La musique, le cinéma, la poésie sont des supports particulièrement bien adaptés à cette inspiration.

Neptune, qui a son domicile dans les Poissons, est, en Balance, dans son huitième signe, analogue au Scorpion et à la Maison VIII. C'est le secteur de la vie sexuelle (le serpent) et de l'illumination (l'aigle). Cette rencontre avec le huitième signe va renforcer les bons comme les mauvais côtés de Neptune. Le sujet peut sombrer dans les perversions sexuelles ou sublimer sa force sexuelle pour parcourir les étapes de la quête spirituelle. Ce sont là évidemment les manifestations extrêmes de cette influence; elles n'excluent pas les stades intermédiaires.

Dans tous les domaines de la Balance : la justice, l'amour, le mariage, l'art, les contrats, les relations avec les autres, les aspects négatifs de Neptune sont d'autant plus redoutables que la

Maison VIII est aussi celle de la destruction. Les plus hautes valeurs propres à cette planète sont alors remplacées à des degrés divers par l'hypocrisie et le mensonge, la confusion et la dissimulation.

Le sujet est faible, donc facilement influençable, et son hyperémotivité le rend susceptible. Dans les cas les plus graves, il troque la recherche des valeurs spirituelles contre celle des paradis artificiels et s'adonne aux stupéfiants.

Dans le mariage, les relations conjugales s'effritent progressivement, et la mésentente qui s'installe sournoisement entre les époux favorise l'établissement de relations clandestines. D'une façon générale, les relations avec les autres se détériorent facilement et la réputation du sujet s'en ressent. Les contrats conclus dans la mauvaise foi donnent lieu tôt ou tard à des procès. Quant à la justice, elle n'est plus qu'une parodie qui ouvre la porte à la corruption et à la prévarication.

Enfin, l'art tire son inspiration d'un univers chaotique et produit des œuvres qui reflètent ce monde nébuleux.

Neptune met environ cent soixante-cinq ans pour faire le tour du Zodiaque et, depuis sa découverte en 1846, il n'est entré dans la Balance qu'à la fin de 1942. Il est donc normal que nous ne le trouvions que dans le thème du plus jeune représentant des personnalités Balance retenues dans cet ouvrage : Julien Clerc.

Dans ce thème, Neptune joue un rôle important parce qu'il est maître de l'Ascendant et en étroite conjonction avec le Soleil. Or, ce Soleil est en trigone avec la Lune, planète maîtresse de la Maison V, et lui-même est le second maître de cette Maison qui est, entre autres, celle de la création artistique.

Neptune met donc en jeu trois facteurs essentiels dans ce destin d'artiste : le sujet lui-même, son art et le public. Et comme Neptune est bien disposé, les résultats ne peuvent être qu'heureux. Ainsi s'explique la faveur dont ce jeune chanteur jouit auprès du public.

Pluton en Balance

Pluton a été découvert en 1930. Il lui faut environ deux cent quarante-huit ans pour faire le tour du Zodiaque. Au moment de sa découverte, il était dans le dernier tiers du Cancer, et ce n'est qu'à la fin de 1971 qu'il est entré dans la Balance. C'est, on le voit, très récent. Depuis un demi-siècle donc, les astrologues s'efforcent d'apprécier ses effets et de lui trouver un domicile. Mais on ne peut vraiment pas dire que l'unanimité se soit faite sur ces deux points. C'est ce qu'a très clairement montré une vaste enquête organisée en 1973 par *les Cahiers astrologiques* sous la direction d'A. Volguine, et dont les résultats ont été publiés l'année suivante (n°s 166-172).

Le moins qu'on puisse dire, c'est que les avis sont très partagés. Et comme la plupart des opinions avancées sont fondées sur des considérations philosophiques, elles emportent difficilement la conviction des lecteurs attachés au pragmatisme.

Il faut déplorer qu'aucune recherche systématique portant sur plusieurs milliers de thèmes n'ait été entreprise pour essayer de déterminer la nature bénéfique ou maléfique (ou neutre) de cette planète et le signe qui pourrait être son domicile.

Dans ces conditions, il nous paraît plus sage de renoncer à donner pour Pluton dans la Balance des significations qui seraient contestables.

Les Planètes dans le Scorpion

Soleil en Scorpion

Symboliquement, le Soleil règne sur le jour, le Scorpion sur la nuit. Dès lors, le Soleil dans le signe du Scorpion peut s'interpréter comme une grande lumière éclairant les ténèbres (du subconscient ou des Enfers). Mise en valeur de la face cachée de toute chose. Goût du secret. Tendances à l'angoisse; passions tourmentées, violentes, destructrices. Intelligence pénétrante. Cette personnalité se démarque toujours de la collectivité par des comportements inhabituels.

Lune en Scorpion

Mauvaise position pour cette planète, dont la tendresse ne peut pas s'exprimer. Sous cette configuration, les rapports humains sont difficiles pour le natif qui, tourmenté de conflits intérieurs, extériorise mal ses sentiments. Attitudes coupantes, propos caustiques, jalousies blessent l'entourage. Sa franchise trop brutale est mal comprise. Les procès sont fréquents, les échanges de paroles cinglantes amènent des inimitiés. Le natif est foncièrement maladroit dans ses rapports avec les autres; même sous de bons aspects, sa courtoisie est... à éclipses. En nativité masculine, longues rancunes, et risques de mort de l'épouse (Gœbbels, par exemple, qui avait la Lune en Scorpion en Maison XII), de la mère ou de la sœur.

Mercure en Scorpion

Bonne position pour l'astre, que l'on interprète d'après le symbolisme suivant : Mercure = intelligence, Scorpion = les Enfers, les choses cachées, le subconscient.

Est-ce que vous avez remarqué l'œil en vrille de certains Scorpions? Œil d'aigle, œil en laser, qui vous perce à jour jusqu'au fond de l'âme, œil auquel rien n'échappe, et surtout pas vos désirs secrets... Mercure en Scorpion devine tout! Dans ce signe, l'esprit a toutes les audaces. L'intuition est non seulement très fine dans ses relations avec autrui mais encore elle porte le natif jusqu'à des vues cosmiques, des visions prophétiques ou mystiques. Doué pour la divination, perspicace, incisif, ne craignant ni Dieu ni Diable dans sa quête de la connaissance, le mercurien du Scorpion s'aventure aux frontières des Enfers. Son intelligence est attirée par les interdits à violer : elle veut tout savoir, tout connaître, quoi qu'il en coûte. C'est Ève devant l'arbre défendu, qui lui ouvrait la connaissance du bien et du mal. Mercure en Scorpion est plus puissant encore lorsqu'il est en aspect harmonique avec Pluton. Il donne au sujet une grande discrétion, un grand discernement, une prudence qui lui évite de tomber dans bien des pièges.

Mars en Scorpion

Excellente position pour la planète rouge : elle est ici en domicile. Mars : l'énergie, le Scorpion : le feu des Enfers. L'énergie de Mars est beaucoup plus puissante en Scorpion, elle devient souterraine, implacablement efficace. Elle est capable de se contenir, de se maîtriser, de se canaliser en vue d'un objectif lointain et précis. Mars en Scorpion est extraordinairement opérationnel. Il réunit à la fois les qualités du Bélier et celles du Capricorne. Comme le premier, il peut être impulsif, rapide, mobilisé en quelques secondes, capable d'une attaque foudroyante ou d'une contre-attaque qui met définitivement l'ennemi KO...

Jupiter en Scorpion

Nature courageuse, puissante, très intuitive et inventive. Confiance en soi, aptitudes réalisatrices : Jupiter, pratique, organise les forces bouillonnantes du Scorpion. Dans la lutte pour la vie, le Jupitérien du Scorpion est bien armé. Il a de l'autorité, du bon sens, le sens stratégique aussi. Il ne lâche jamais son morceau. Parfois, ses entreprises semblent d'une audace insensée, marquées au coin d'un optimisme délirant. Eh bien, à la surprise générale, il ne se casse pas la figure, il réussit. Son fabuleux optimisme attire la chance. Tout seul, perdu au milieu des tempêtes de la vie, les yeux fixés sur sa bonne étoile, il ne voit qu'elle...

Saturne en Scorpion

Voici ce que donne Saturne en Scorpion :

— Persévérance et ténacité. Discipline des instincts.
— Sens stratégique; sagacité, ruse, prévoyance.
— Dons d'invention, aptitudes scientifiques.

Saturne est un frein qui oblige le natif à canaliser son énergie. Le Saturnien du Scorpion est un ambitieux, jaloux de son pouvoir et de son indépendance (Giscard d'Estaing, Jean-Jacques Servan-Schreiber, Mazarin). Il sait parfaitement se défendre, et attaquer quand il faut, en visant bien. Ce n'est pas quelqu'un de passif, mais d'énergique et d'actif, dont l'existence, pleine de luttes, progresse régulièrement grâce à des efforts persistants. Il surmonte avec courage des conditions de vie difficiles (le commandant Charcot), et la réussite peut venir assez tard (Adenauer et Mazarin avaient tous deux Saturne en Scorpion au Milieu-du-Ciel).

Neptune en Scorpion

Affinités entre cette planète de rêve et d'imagination, et notre Scorpion naturellement attiré par l'étrange, le fantastique, le mystère.

Les Neptuniens du Scorpion sont médiums, clairvoyants, ils ont des dons occultes, s'intéressent aux problèmes de l'au-delà. Mystiques, artistes, sensibles, intelligents, ils devinent tout ce qu'on leur cache. Ils travaillent dans le secret, s'enfermant à double tour dans leur chambre ou leur bureau. Les forces invisibles se mettent au service de la création.

Uranus en Scorpion

Que d'écrivains, de penseurs, de novateurs, sous cette configuration! Les yeux fixés sur leur étoile, ce sont des gens qui avancent avec détermination en suivant une idée novatrice. Ils ont le sentiment de devoir lutter pour le progrès. Dans ce but généreux, la révolution ne leur fait pas peur : Uranus détruit l'ordre ancien pour permettre à Pluton de reconstruire le nouveau.

L'Uranien du Scorpion est souvent amené, dans son existence, à se révolter contre la pesanteur des institutions de son temps, contre la dureté des contraintes sociales qui pèsent sur ses contemporains.

Pluton en Scorpion

La plus lointaine de nos grandes planètes transitera en Scorpion de 1984 à 1995 : on se demande ce qu'elle va apporter. En principe, elle est bien placée dans le signe dont elle est la maîtresse.

En astrologie mondiale, on pense que cette position plutonienne donnera naissance à une civilisation tout à fait nouvelle, totalement différente de celle que nous connaissons actuellement. Au prix de quels bouleversements? Verrons-nous le triomphe de l'énergie atomique (l'ère du plutonium, ce n'est pas un hasard si cet élément tire son nom du dieu des Enfers...)?

Les Planètes dans le Sagittaire

Soleil en Sagittaire

C'est la position qui, traditionnellement, fait que l'on se dit né sous le signe du Sagittaire. Exalte les tendances naturelles du signe : courage, esprit d'aventure, projets de grande envergure, intelligence, réussite professionnelle. Souvent, carrière brillante.

Le natif est porté à s'affirmer de manière éclatante dans le domaine qu'il a choisi, un peu à la manière du Lion; mais il le fait avec plus d'expansion chaleureuse et de motivations humaines.

Lune en Sagittaire

La Lune est épanouie dans ce signe. Elle confère de la spontanéité, une certaine bonhomie, bref une relation cordiale et détendue avec l'entourage. Avec le Sagittaire, on n'a pas de mal à briser la glace. Certes, il attend de l'autre un certain respect, mais il n'hésite pas à parler sur un pied d'égalité, d'homme à homme.

C'est un signe d'amitié plus que d'amour et l'on aime retrouver les copains de naguère, rappeler les souvenirs, faire un petit flash-back qui permet de voir le chemin parcouru depuis.

Mercure en Sagittaire

Celui qui craint d'être dépassé par les événements prend la peine de tout prévoir, de fixer dans les moindres détails le calendrier et l'ordre du jour. Le Sagittaire, lui, n'a pas besoin de se reposer sur un Mercure très actif et minutieux. Il se fie à ses dons d'improvisateur qui fait flèche de tout bois. Il compte sur sa chance pour achever ce qu'il n'a qu'esquissé. Il se méfie des plans dressés sur la comète et des pronostics toujours bafoués par la réalité.

Mars en Sagittaire

Le Sagittaire n'aime guère le travail trop régulier et quotidien. Cette position planétaire, dans un thème, n'indique donc pas un employé modèle mais bien plutôt un représentant qui court sur les routes, quelqu'un qui doit prendre des initiatives, s'adapter à des situations imprévues, faire preuve d'esprit d'à-propos.

L'énergie est mobilisée dès lors que le jeu en vaut la chandelle, excitée par l'épreuve, par l'obstacle. A certains moments, on est prêt à se dépenser intensivement comme dans les charrettes des architectes. On peut aussi trouver là un stakhanoviste, avide de records.

Jupiter en Sagittaire

C'est une position qui annonce une capacité certaine à organiser, à rassembler. Non pas tant à étudier une affaire dans tous ses détails qu'à faire se rencontrer des gens, à leur donner le sentiment d'un destin commun. C'est ainsi que se forment les sociétés humaines, autour de ces chefs qui, à partir d'une situation confuse et disparate, parviennent à instituer un ordre, à faire apparaître des horizons, à cimenter des réseaux encore fragiles.

Celui qui a cette indication dans son thème laissera souvent le souvenir de quelqu'un qui a modifié sensiblement le paysage social et humain, « là où son cheval est passé ».

Saturne en Sagittaire

Si les entreprises sagittairiennes font parfois long feu, elles ne durent que tant que leur instigateur brandit le flambeau. Dès que celui-ci disparaît, c'est la guerre entre les héritiers et l'on s'aperçoit bien vite que tout l'édifice ne reposait que sur le dynamisme d'un seul. Le Sagittaire va de l'avant et a du mal à choisir ses lieutenants et ses dauphins tant il agit par inspiration. C'est l'homme des grandes épopées que seule la mémoire d'un chroniqueur sauvera de l'oubli.

Uranus en Sagittaire

Le Sagittaire, signe de Feu, n'est pas très favorable à Uranus qui s'épanouit dans les signes d'Air. C'est pourquoi le signe peut décevoir en ce qui concerne sa capacité à faire passer des réformes en profondeur. En effet, à force de se soucier de réunir autour de soi les courants les plus divers, on peut dire que le Sagittaire « gouverne au centre », qu'il est prisonnier de sa propre stratégie et tiraillé entre plusieurs tendances, quelle que soit sa volonté personnelle de changer le monde.

Neptune en Sagittaire

Le Sagittaire a le sens de l'idéologie! Il sait que pour entraîner le grand nombre, il convient de lancer un certain nombre de slogans, de proposer des modèles d'explication, à la façon dont on parle de la lutte des classes, par exemple. Cette position de Neptune est donc favorable, elle révèle quelqu'un qui saisit les vagues de fond, qui prophétise les grands bouleversements mais qui ne sait pas toujours faire les choix qui s'imposent quand il est trop entraîné par la politique politicienne.

Pluton en Sagittaire

Ce n'est pas une très bonne position pour Pluton. On n'aime guère la contestation et la satire lorsqu'on est en train de développer de grands principes et que l'on se prend plutôt au sérieux. On sait ce qu'on entend par « raison d'État », c'est-à-dire une sorte d'oukaze sans réplique. Par ailleurs, l'homme politique doit souvent faire taire sa conscience et ses scrupules s'il désire rester à son poste. L'usure du pouvoir rend méfiant à l'égard des fervents de la vérité.

Les Planètes dans le Capricorne

Soleil en Capricorne

L'astre de l'expansion, du rayonnement de l'été brûlant, se trouve nécessairement refroidi par ce signe d'hiver, d'hibernation, de grand frimas. La personnalité est donc réservée, distante, froide et concentrée. N'oublions pas, en outre, que l'attente du printemps donne à ce signe un sens du temps particulièrement intense : si tout se fige sous la glace, c'est pour mieux éclore dès que la tiédeur revient.

Signe d'ambition, de volonté, de réussite, lente et sûre. Maladresse dans l'expression de l'affectivité.

Lune en Capricorne

La planète des sentiments, de la vie intérieure, de la sensibilité et du climat affectif n'est pas non plus fort à son aise dans ce signe. Rend défiant à l'égard de toute manifestation amoureuse, peu expansif et aussi peu généreux. En revanche, donne une stabilité, une profondeur, une fidélité et une grande persévérance dans les attachements.

Mercure en Capricorne

Attribue au sujet une intelligence pénétrante et profonde, lente et logique, inexorable dans sa recherche et sa découverte de la vérité, en toute chose.

La pensée se dégage de l'affectivité pour juger froidement les situations et en tirer parti.

Mars en Capricorne

Magnifique position de la planète dans un signe qui lui fait aller droit à l'essentiel, avec dépouillement, esprit de synthèse, profondeur et sens de l'analyse. Sur le plan de l'intelligence, c'est une des plus fortes et des plus belles configurations. Elle confère au sujet de la dureté, de l'ambition, de l'agressivité et beaucoup de calcul en même temps qu'un sens politique aigu... Mais absence totale de subjectivité et de sensibilité en ce qui concerne les affaires, les négociations, les rapports avec autrui en général.

Jupiter en Capricorne

Mêmes effets que le Soleil dans ce signe, légèrement atténués. Les valeurs protectrices, chaleureuses, bienfaitrices de Jupiter se sentent fort diminuées, amoindries par le signe concentré et réservé du Capricorne. La réussite professionnelle est pourtant certaine grâce à l'ambition tenace du signe.

Saturne en Capricorne

Refus de l'artifice, du jeu, du maquillage. Une sorte de Capricorne au carré. Il peut dissimuler ses frustrations infinies derrière un ricanement sceptique ou l'attitude souveraine de l'ermite replié dans sa tour d'ivoire. Cet orgueilleux est d'abord un grand blessé de l'âme qui ne s'est jamais consolé des rejets qu'il a subis. C'est le vrai misanthrope, lucide sur le monde et sur lui-même, qui s'interdit tout mensonge et sanctionne tout manquement à la vérité.

Uranus en Capricorne

Dur signe pour Uranus qui symbolise la force, la volonté, la résolution ici et maintenant : en Capricorne, la résolution devient cruellement efficace, l'organisation méthodique des objectifs s'élabore avec une perfection presque maniaque. Goût pour toutes les techniques avancées, pour la politique et les sciences.

Neptune en Capricorne

La planète de la sensibilité artistique, de la douceur, de la souplesse et de la mobilité psychique n'est pas spécialement confortée par le Capricorne qui lui interdit les vraies intuitions ou les soumet au crible d'une raison moralisatrice très refroidissante. La sensibilité et la rigueur de la pensée se trouvent en contradiction.

Pluton en Capricorne

Pluton qui symbolise les forces obscures de création, la lenteur et la puissance dans les grands bouleversements, est admirablement servi par le signe ambitieux, sévère et patient du Capricorne. Cette position renforce l'ambition et lui donne une portée mondiale.

Les Planètes dans le Verseau

Soleil en Verseau

Besoin intense d'extériorisation. Chaleur humaine irrépressible, élan vers autrui, compréhension spontanée des êtres. Volonté et capacité de renouvellement incessant. Ce Soleil en Verseau signe une nature passionnée, extrêmement concentrée sur ses intérêts du moment; simplement, ses intérêts changent souvent, du tout au tout, au cours de sa vie.

Lune en Verseau

Si vous avez la Lune en Verseau, elle vous permettra de cultiver des valeurs personnelles, de canaliser vos pulsions au profit d'un idéal et de décrire vos états d'âme avec les mots qui conviennent.

La Lune en Verseau, c'est aussi réagir quand le vent se lève, profiter du zéphyr, naviguer en douceur. C'est parfois s'oublier pour aider à transformer le monde, ou se créer soi-même quand on s'est perdu. C'est notre dépendance envers nos amis, notre besoin d'originalité ou notre soif de changement, c'est une mémoire qui oublie tout, sauf l'essentiel : ce qui est riche en potentialités nouvelles, ce qui est positif et utile, ce qui débloque les situations.

Mercure en Verseau

Dans le cas où rien, dans le thème, ne vient contrecarrer la tendance, Mercure en Verseau signe une intelligence intuitive mais rigoureuse, à condition que le sujet soit motivé. Dans le cas contraire, il se laisse plutôt envahir passivement par les informations qu'il emmagasine et qui resteront latentes, en attendant de ressortir un jour sous forme créative.

En Verseau, Mercure est souvent distrait. Il n'établit le contact avec autrui que si l'ambiance est mobilisatrice, l'interlocuteur plaisant ou si la discussion porte sur ses convictions.

Mars en Verseau

Ici, les faits l'emportent sur les idées, mais, comme nous sommes encore en Verseau, où les choix sont réfléchis afin de ne choquer personne, idées et faits vont donc se mêler adroitement.

Le pouvoir réalisateur du Verseau est plus dans la réaction que dans l'action, et la réalité des faits bruts pousse le sujet à agir en rénovant.

Jupiter en Verseau

A condition que ces tendances soient convenablement mûries, vous pouvez vous faire apprécier par des sentiments humanitaires ou par de larges conceptions sociales. Il s'agit de « mettre la main à la pâte », de « relever vos manches » pour que le monde, le pays, votre groupe professionnel ou votre famille sortent de leur enlisement, de leurs difficultés ou de leurs routines. Vous comptez bien que l'on vous en saura gré et vous vous y employez utilement.

Comme vous préférez donner qu'accumuler, l'état de vos finances risque de souffrir de générosités au-dessus de vos moyens ou de l'oubli des contingences matérielles.

Saturne en Verseau

Saturne en Verseau n'échappe pas à sa règle : il fait le point sur soi-même et les autres, prend conscience de la nécessité d'évoluer et de dégager des événements leur inconnu libérateur. Il cherche à communiquer pour atténuer le doute que l'isolement amplifie.

Saturne en Verseau pondère votre réactivité ou votre enthousiasme, vous fait prendre conscience que l'on s'use parfois à défendre des causes perdues d'avance et qu'il faut se méfier de l'illusoire, au profit d'une connaissance plus approfondie des choses.

Uranus en Verseau

Avec les planètes précédentes, l'homme s'est intégré au monde extérieur et à la société de son temps; les aptitudes à acquérir sont les mêmes pour tous. Avec Uranus, nous entrons dans l'analyse des valeurs qui sont propres à chaque individu. Indépendantes du milieu, elles font de lui un être unique.

Uranus en Verseau, s'il choisit la nouveauté en tout, sait la vulgariser, la transmettre avec le maximum d'efficacité et des mots simples, accessibles à tous; mais il lui est parfois difficile de donner un exemple concret.

Neptune en Verseau

Si vous êtes Neptunien, vous vous dégagez facilement des conditionnements sociaux pour tenter de vivre votre réalité intérieure. Vous êtes intuitif, généreux et crédule, parfois naïf. Vous projetez souvent vos impressions et présentez parfois des vérités que vous avez du mal à formuler. Si vous transformez la réalité, c'est qu'un fait brutal vous émeut et que vous désirez prendre des distances pour amortir le choc.

Pluton en Verseau

Si l'on veut donner à Pluton une dimension humaine, on s'aperçoit qu'il est un signal difficilement intégrable car sa connaissance se heurte à ce que nous pouvons savoir de l'inconnu. C'est la force profonde de nos pulsions informulées, cette immensité refoulée parce qu'elle fait peur ou honte et qui ne nous laisse en paix que si l'on accepte de la vivre.

Ceux chez qui Pluton domine recherchent une authenticité qu'ils ne trouvent qu'en eux-mêmes, car elle est rebelle à toute assimilation par le milieu et difficilement communicable. Ils auraient besoin de plusieurs vies, mais, comme ils n'en ont qu'une, ils accumulent les expériences et leurs contradictions sont source de fécondité.

Les Planètes dans les Poissons

Soleil en Poissons

Il va vous « identifier » totalement aux autres. Vous ne vous imposerez pas. Vous entrerez dans le jeu d'autrui : cette identification sera, selon votre évolution intérieure, bonne ou mauvaise. Dans ce signe « double » la gamme des « possibles » est infinie...

Vous adapter, est, en général, chose facile. Vous offrirez aussi aux autres quelque chose de rare à notre époque : votre compréhension... Vous vous attirerez de nombreuses sympathies. Mais vos relations avec les gens ne seront pas suivies. Elles seront « fluides ». Vous échapperez à leur compréhension. Ils auront l'impression que vous leur « glissez » entre les doigts....

Lune en Poissons

Si le Soleil est l'animus, partie volontaire, active, masculine qui est en chacun de nous, principe « yang », la Lune est le reflet de notre anima : partie réceptive, passive, féminine, « yin », en chacun de nous. C'est la face inconsciente de notre personnalité. Elle est le rêve, l'imaginaire, la sensibilité.

En fait, elle donne une sorte d'irréalité à cet être « lunaire » des Poissons. Il a du mal à s'intégrer dans la vie réelle. En effet, les qualités comme les défauts d'expansion et d'inflation envahissantes propres aux Poissons, sont exacerbés. Le potentiel imaginatif est fabuleux, donnant une véritable vision fantasmagorique des choses.

Mercure en Poissons

Cette planète est en exil dans les Poissons. Dans ce signe d'Eau, elle donne un fort potentiel de sensibilité intuitive. Elle représente, en effet, le filtre intellectuel à travers lequel vous vous exprimez, en tant que Poissons. Ce n'est pas seulement votre forme d'intelligence, mais la direction qu'elle va prendre. C'est votre faculté d'adaptation qu'elle définit, et vos relations avec l'entourage. Cette direction sera, dans le sens de Neptune, infinie. La perception des choses sera beaucoup plus intuitive, immédiate, que déductive. C'est une perception sans détails. Rien de précis, mais une vision *globale*, instantanée. La compréhension est « affective ». Elle n'est pas logique. Le climat émotionnel est ressenti intensément, immédiatement.

Mars en Poissons

Dans le signe des Poissons, l'action diffuse se perd dans l'immensité des désirs qui restent inassouvis. Si cette action est souvent incapable de viser droit au but immédiat, l'énergie n'en est pas moins mordante. Mais elle demeure souvent intermittente.

Il faut toutefois se méfier de « l'eau qui dort ». L'on songe à ces tempêtes qui se lèvent sous les tropiques, dans cet océan que d'aucuns avaient nommé Pacifique! La fureur de la vague peut être mortelle. La tempête est soudaine, elle n'en est que plus violente. L'action de Mars en Poissons est souvent illogique. On agit par « à-coups ». Elle manque, en tout cas, d'organisation. On fonce au moment où il ne le faut pas. Et l'on se fatigue inutilement.

Jupiter en Poissons

Jupiter, planète féconde, planète d'expansion, indique dans un thème les qualités d'extraversion, d'extériorisation de la personne. L'expansion de ce signe des Poissons, donne à Jupiter un grand amour de la vie et un magnétisme personnel qu'il utilise à bon escient. En effet, le Jupitérien des Poissons a une grande confiance dans son étoile. Sa chance peut d'ailleurs être insolente. Elle reste néanmoins fluctuante. Pourtant, au dernier moment, alors que tout paraît perdu, notre Jupitérien « refera surface ». Il s'en sort souvent « miraculeusement ». Un certain goût du faste, un côté un peu ostentatoire n'excluent nullement une générosité réelle.

Saturne en Poissons

Bien vécue, cette planète représente l'influence « contractive » dans le ciel : elle affecte la capacité de l'individu à rassembler les choses pour les concentrer. Elle indique une autodiscipline. Elle est la conscience « morale » dans ce qu'elle a parfois de rigide. L'être se construit un système de défense. Mal vécue, nous avons, alors, l'isolement; l'être s'enferme. Il perd ses qualités d'adaptation. Il ne sait plus se rendre aussi ouvert. Il ne cherche pas la sympathie. Il s'isole et se laisse gagner par le découragement. C'est le Saturnien « découragé », renfermé, qui refuse de s'adapter à la vie.

Uranus en Poissons

Avec Uranus, l'être va dans une seule direction. Cette planète s'accorde mal avec la sensibilité et l'émotivité vibrante du Poissons. Le refus des contraintes donne dans ce ciel une certaine incapacité à dominer les problèmes de la vie quotidienne. Le Poissons « uranien » s'individualise. Il s'affirme avec originalité. Il va dans une direction et s'y tient. Contradiction profonde de l'être; entre ce côté « ultra » et les perspectives neptuniennes. Uranus évolue mal dans le monde de la subtilité et des nuances, dans le monde de l'évasif, de l'imprécis, de l'indécis.

Neptune en Poissons

Le Neptunien vit dans un monde sans frontières (le « citoyen du Monde » : Camille Flammarion). Antenne captatrice, Neptune ouvre aussi les portes à la perception de l'infini. Le monde inconscient, du mystère, prend le pas sur la logique cartésienne : c'est le monde de la clairvoyance et de la télépathie.

Avec Neptune s'ouvre tout un monde secret. Nous sommes aux portes de l'Invisible. Au niveau le plus simple, dans la vie de chaque jour, Neptune crée un « climat », une « atmosphère » : la vraie spiritualité, la sainteté, se cache souvent dans la vie la plus simple.

Pluton en Poissons

Le natif des Poissons est marqué par Pluton, planète d'angoisse qui peut empoisonner notre bonheur, qui dramatise notre vie, qui nous confronte à notre propre enfer, qui n'est ni malfaisant ni cruel, mais juste... Il va vivre cet aspect au niveau le plus morbide ou au contraire accéder, grâce à lui, aux plus belles sublimations. C'est elle qui marque le thème de Victor Hugo (conjonction Soleil-Vénus-Pluton en Poissons), de son empreinte. La puissance de son inspiration, la profondeur de sa sensibilité, la diversité des sujets qu'il traita : c'est, sans doute, à cette double valorisation neptunienne et plutonienne qu'il les doit.

Les Planètes dans le Bélier

Soleil en Bélier

Avoir le Soleil en Bélier, c'est « être du signe » du Bélier. C'est donc, rappelons-le, avoir une planète (la principale) sur dix dans le signe du Bélier. Quel que soit le nombre de planètes dans un ou plusieurs autres signes, le signe où se trouve le Soleil est toujours primordial. Le Soleil est en exaltation dans le Bélier, ce qui peut donner un excès : décision, enthousiasme, impulsion, entêtement, passion, esprit d'entreprise, violence, générosité. Les passions sont brèves et passagères. Les entreprises risquent de n'être pas suivies avec persévérance. Goût pour la conquête.

Lune en Bélier

La Lune dans le signe de Mars est bien malmenée... Comme elle représente l'inconscient et la sensibilité, ceux-ci deviennent houleux et marqués par l'impulsivité. L'ardeur et la vivacité, une sensibilité brûlante, tiennent lieu de tendresse. C'est souvent aussi une composante de révolte, de non-conformisme. Élément de réceptivité et de féminité, cette Lune, placée dans ce signe viril, n'est pas en bonne position dans le thème d'une femme. Tendance au scandale, exhibitionnisme, indépendance, témérité, tempérament enflammé.

La Lune représentant l'idéal féminin dans le thème d'un homme, ce sera alors la recherche de l'amazone, la composante féminine étant virile.

Mercure en Bélier

« L'exercice de la justice ne saurait être séparé de celui de la terreur » (Lénine). La planète Mercure représentant le mental, celui-ci se trouve ici sous la domination de Mars et Pluton : fougue, intuition foudroyante, certitude d'avoir raison. Les choses sont vécues dans l'instant, avec l'ivresse de la découverte. Cette position laisse peu de place au doute, à l'hésitation. L'intellect est très actif, avec une tendance à la polémique (Mars) et au sarcasme (Pluton).

La franchise est brutale, tranchante comme un scalpel. La diplomatie et la douceur ne sont pas l'apanage de Mercure en Bélier ! C'est la position des polémistes, des « fonceurs ». Le passage de la pensée à l'acte est immédiat, c'est un peu la conjonction Mercure-Mars, avec son don de persuasion, sa rapidité redoutable. Au négatif, cette position qui donne un ascendant sur autrui peut aussi entraîner les autres sur une fausse piste. Le Bélier conduit le troupeau, mais il ne sait pas toujours où ; un de ses côtés les plus dangereux étant l'aveuglement, le résultat peut être catastrophique. Mais peu lui importe, l'essentiel, pour lui, est de conduire.

Mars en Bélier

Fougue, énergie, volonté constructive, entreprenante, dynamisante. Goût pour les épreuves de force, où le courage le plus fou trouve son expression. Activités intarissables : sport, courses, dépense physique. Résistance à toute épreuve. Plus il y a d'obstacles à son désir, à son projet ou à sa volonté, plus le natif se sentira stimulé.

Jupiter en Bélier

Le dieu de la foudre dans le signe du Feu primordial. Ce n'est pas un gage de modération, mais Jupiter canalise et rend efficace l'agressivité en dents de scie du Bélier. C'est donc un facteur de chance, de rayonnement, d'optimisme et de générosité. Le goût des plaisirs s'en trouve augmenté, ainsi que le contentement de soi. Cette combinaison comparable à Mars-Jupiter peut donner un tempérament quelque peu exhibitionniste, un excès de confiance en soi, une faconde envahissante et vaniteuse.

Mais le caractère est puissant et l'optimisme communicatif. La maturité coïncide avec l'affirmation de la personnalité, bien que la réussite soit souvent précoce. Exemples : Claudia Cardinale, Dali, Chopin, Gœring.

Saturne en Bélier

La planète et le signe sont en contradiction totale : c'est le froid intense au sein du brasier. La force de caractère est grande et risque, avec l'âge, de dégénérer en dureté et en aigreur. La solitude est inévitable, avec une tendance à l'auto-analyse, aux aventures (Bélier) solitaires (Saturne). L'impression d'être incompris par les autres est particulièrement forte, et peut mener aux limites de la paranoïa. C'est une position difficile, douloureuse, qui aboutit en général à une solitude hautaine, à un durcissement.

Avec une telle position, les maux de tête, les névralgies, les accidents à la tête sont garantis. Les risques de congestion cérébrale sont accrus.

Exemples : Baudelaire, Goya, Staline, tous trois atteints gravement à la tête. Goya sourd et à demi-fou, Baudelaire et Staline morts de congestion cérébrale.

Uranus en Bélier

La foudre dans le signe de la foudre. L'impulsivité et la faculté de saisir la « bonne occasion » sont décuplées. Le dynamisme est trépidant, irrésistible, l'efficacité et la coordination des réflexes sont foudroyantes à condition que les aspects soient bons. Ce sont la hardiesse, la témérité et la révolte prométhéenne qui dominent. Elles aboutiront, ou bien finiront dans la catastrophe, suivant le reste du thème. Uranus était en Bélier au moment de la montée du fascisme et du national-socialisme : l'ascension fut foudroyante mais la chute ne le fut pas moins... Exemples : Tchaïkovski (le côté « électrisé » de sa musique), Nietzsche.

Neptune en Bélier

Dans le signe de Mars, Neptune amplifie l'agressivité ou le rêve. Là encore, tout dépend des aspects, en particulier des positions respectives de ces deux planètes. Ou bien c'est Mars qui domine (l'action) ou bien c'est Neptune (l'idéal, le rêve). Les deux sont le plus souvent en conflit mais il peut arriver qu'ils coïncident : on a alors une action révolutionnaire qui réalise le rêve (Lénine, conjonction Mars-Neptune). Mais le tzar qu'il renversa avait aussi Neptune en Bélier, non loin du Soleil! C'est alors l'illusion, la chimère. Avec cette position, on peut aussi avoir une tendance au scandale ou au mysticisme (Cervantes).

Pluton en Bélier

Le Bélier est le domicile diurne de Pluton. C'est une position extraordinaire, que les astrologues oublient généralement (Pluton ayant le don de se rendre invisible, comme le Diable). Pluton en domicile chez son complice Mars, devient d'une agressivité démoniaque, trépidante, une sorte de piétinement sourd et implacable. Il apporte la subtilité et le sens de l'invincible à la force parfois brutale du Bélier, et la transforme en puissance irrésistible. C'est alors l'aspect vengeur, implacable, inhumain du Bélier, premier signe, qui apparaît.

Exemples : Baudelaire, Zola, Tchaïkovski, Anton Bruckner (chez ce dernier, la tornade ascensionnelle d'une musique marquée par Pluton en Bélier en Maison VIII est particulièrement impressionnante).

Les Planètes dans le Taureau

Soleil en Taureau

Ces natifs doivent beaucoup à leur minutie maniaque, à leur rigueur, et aux répétitions, rabâchages grâce auxquels ils parviennent, souvent après de durs labeurs, au nœud profond d'un problème, quitte parfois à en constater l'inexistence. Ils ont besoin de posséder leur sujet de A jusqu'à Z, et même de doubler l'alphabet, pour en parler sûrement. L'inhibition leur interdit la facilité. Elle les éloigne des voies précaires, les prévient contre les dangers des ascensions trop rapides et leur donne le goût d'une notoriété installée sur un pouvoir, une compétence réelle, un métier rodé. Une fois en haut du pavé, elle leur permet, enfin, de défendre et de conserver jalousement l'autorité acquise. Les plus doués paraissent increvables.

Lune en Taureau

Féminité, dans la mesure où la féminité est la mère de tous les sexes. Ces dispositions apportent à l'homme de précieuses satisfactions dans ses liens avec mère, sœur, fille, amies, épouses, sauf si les interlocutrices en question sont agressives, névrotiques, ratiocinant avec tous les défauts des mâles dans leurs revendications socio-sexuelles.

Homme ou femme, la Lune en Taureau non dissonante aime la tranquillité et tient en haute estime tout ce qui participe à l'harmonie de sa santé physique et psychique : un décor paisible, un environnement doux, serein, lumineux, des gens heureux, des saisons régulières, des digestions sans problème.

Mercure en Taureau

L'effet du Taureau sur Mercure limite la disponibilité intellectuelle et sociale. Il n'y a pas d'affinité évidente entre l'astre de l'ouverture, des réponses réflexes aux sollicitations ambiantes, et le signe du contrôle, de la première réaction de défense contre les incitations extérieures. L'astro-psychologie insiste donc sur la spécialisation des facultés mentales plutôt que sur la diversité d'aptitudes.

Les dons d'observation, l'application travailleuse, la continuité des idées pallient les lenteurs de l'intelligence et ses réticences (non insurmontables) devant les abstractions. Cependant, l'esprit progresse fort loin si sa matière se prête à une compréhension logique, méthodique, et à une démarche analytique raisonnée du concret à l'abstrait.

La curiosité serait plus vive et l'intelligence plus habile dans la détection des sources de plaisirs, de profit et de possessions.

Mars en Taureau

Mars régit les duos - duels de l'existence et le niveau d'excitabilité nécessaire aux compétitions vitales. L'astro-psychologie voit dans sa rencontre avec le Taureau un bon indice de vitalité, de robustesse physique, de courage moral. Configuration musclée, en somme.

Elle inspire des initiatives hardies et radicales, des entreprises aux audaces longuement mûries, engageant, lorsqu'elles s'affirment, toutes les forces dans un seul combat en se privant volontairement de toute échappatoire et possibilité de retraite.

Jupiter en Taureau

L'apport de Jupiter au Taureau ne peut être que chaud. L'astre et le signe se revigorent. Sur ce point, l'astro-psychologie souligne avec à-propos l'afflux des besoins sexuels et sensuels, l'entrain et la santé de la tendance dionysique festoyante. Les réactions auto-compensatrices défensives préviennent ce tempérament contre ses propres excès, mais rien ne peut être plus mutilant et contristant qu'un régime sans sel, sans rires, vignes, muses et flonflons.

Jupiter favorise l'extraversion du signe, les turbulences de l'excitation qui l'habite, et concentre l'excitabilité en passions dévorantes, avidités diverses, en amour, argent ou domination, selon le plan d'intérêt.

Saturne en Taureau

Le Jupitérien a des dispositions pour faire de son vécu l'assise, le cheval d'arçon de ses prouesses. En revanche, le Saturnien en tire craintes et reculs qui, dans les meilleurs cas, déplacent sa pensée vers les coulisses de l'exploit, là où les héros redeviennent des hommes et les hommes des êtres.

La réduction saturnienne peut donc déterminer un type d'équilibre raisonné, moins bonhomme que celui de Jupiter, tout en flegme, en ajustements calculés et en qui-vive cachés.

Économie veut dire ici épargne avisée. L'être s'assure des voies qu'il peut pratiquer sans risque d'y rencontrer ce qu'il redoute : l'imprévu exigeant un débours de confiance.

Uranus en Taureau

D'une formule inverse à celle de Mercure, Uranus va du complexe au simple, du faible au fortement excitable. Avec l'apport du Taureau, cohérent, compact, massif, le schéma Uranien prend tournure d'un tout ou rien. Les paliers, approches ou reculs par touches et retouches successives ne sont pas de saison. Cet Uranien est complètement *in* ou *out* dedans ou dehors. Sa nature réductrice s'y prête, le Taureau lui fait litière.

Psychologiquement, n'attendez pas de lui beaucoup de diplomatie. Il n'est pas du genre perplexe, entre deux eaux, flottant. S'il est réfractaire, sa surdité et son opposition iront jusqu'aux extrêmes conséquences.

Neptune en Taureau

L'efficacité opère dans le plan irrationnel de la vie affective et spirituelle, plutôt que dans celui de la raison sociale.

Neptune en Taureau a des chances de vibrer aux chansons des bois et forêts, et autres présences universelles, sensibles et indicibles. La cohésion du signe sera dans le désir d'union sensuelle, ce qui peut rendre la mystique difficile, sauf si elle est panthéiste, païenne, en prise sur le folklore. Autre chose, enfin, que l'ascèse et le dogme.

En négatif, le pôle dionysiaque du Taureau prendra avec Neptune des voies de perdition, la quête d'extase mystique, le besoin de participation cosmique, dégénérant en sensualité chaotique.

Pluton en Taureau

L'apport de Pluton au Taureau risque d'être discret, de concerner uniquement le pôle d'inversion et d'inadaptation du signe.

Pluton peut apporter aux êtres réceptifs une intuition fondamentale dont ils feront le levier de leur existence laborieuse. Ils laisseront toute leur personnalité dans leur œuvre ou découverte. Quant au caractère, Pluton en Taureau le rend ferme, énergique : colères féroces, vindictes souterraines impitoyables. C'est l'inertie d'inhibition qui parle, elle ne pardonne pas.

Les Planètes dans les Gémeaux

Soleil en Gémeaux

L'astre de l'affirmation personnelle est bien partagé, dans ce signe double. Les aspirations sociales de l'être se trouvent souvent en contradiction avec ses aspirations privées. Fait des vies tiraillées entre deux désirs, deux volontés, deux talents, deux amours. Affaiblit l'expression de la personnalité mais augmente l'intelligence, la perception ludique des événements, et le goût des mots.

Lune en Gémeaux

Le monde de l'inconscient est ici constamment agité par les fluctuations de l'environnement, le changement incessant des circonstances et des contacts, mais il ne s'agit là que d'une agitation de surface, celle de la brise qui fait naître des vaguelettes. Les racines de l'être ne semblent pas en être ébranlées. Extérieurement, l'humeur est vagabonde, elle varie selon les émotions du moment et ne peut être saisie. Elle s'est déjà transformée lorsque l'interlocuteur l'a saisie au vol. Pour mieux dire, c'est la Lune natale de Brigitte Bardot, astre cinématographique qui a suffisamment occupé la chronique pour que l'on sache de quoi il retourne. Un prompt emballement, vite tombé dans l'oubli, aussi vite remplacé par une passion non moins vive, et il ne s'agit pas seulement de l'affectivité, mais aussi de l'humeur, qui ne peut être que capricieuse et frissonnante. Sur le fond mercurien, en perpétuelle vibration, la Lune multiplie les variations de ses phases, même si sa face cachée reste obstinément ignorée.

Mercure en Gémeaux

La souplesse d'esprit, le besoin de connaître, celui de transmettre le message dont on est porteur s'allient à une exceptionnelle facilité d'assimilation de toutes les données que l'esprit doit intégrer. A cela s'ajoute l'association des idées, tout aussi rapide, qui permet d'élaborer très vite des ensembles d'où sortira la résolution des problèmes posés. Par contre, si la compréhension ne s'effectue pas dans l'instant même, il est fréquent que l'on doive s'y atteler à nouveau au prix d'efforts inhabituels et fastidieux.

C'est un type d'intelligence raffinée et souvent brillante. Le sujet risque d'être un dilettante, qui perd pied lorsqu'on le pousse dans ses retranchements, mais s'en tire par une pirouette. Il déteste la spécialisation trop poussée et a besoin de reprendre des forces nerveuses par le changement, ce qui ne veut pas dire qu'il soit versatile. Il aime apprendre, mais aussi enseigner. Le don d'imitation est non seulement verbal, mais aussi gestuel, par un remarquable sens d'expression, par la mimique.

Mars en Gémeaux

C'est un important facteur d'activité, pas seulement mentale, qui peut entraîner un certain esprit sportif, la sincérité dans l'action. Mais l'amour-propre réagit par la susceptibilité : les caprices, les colères sont difficilement dominés. Tout cela est un peu remuant, turbulent, avec des vagues d'agressivité inattendues, au moindre prétexte. Il faut dire que les réflexes musculaires sont rapides, le passage à l'acte ne traîne pas, tout au moins le passage à la parole qui vaut un acte.

Avec Mars dans son signe, le Géminien est plus sûr de lui et moins hésitant. De bonne foi, il promet plus qu'il ne peut tenir. Il s'efforce de convaincre avec passion. Dans les cas extrêmes il aboutit au sadisme mental, à une certaine agitation.

Jupiter en Gémeaux

Dans les Gémeaux, la bonhomie et l'équilibre accompagné d'auto-satisfaction de Jupiter se heurtent à la nervosité un peu fébrile de ce signe. Un peu dérouté, Jupiter n'utilise pas ses atouts habituels avec autant d'efficacité. Droiture et loyauté, avec la mise en valeur des qualités intellectuelles. Barbault dit, avec humour, que l'autorité et la puissance de l'astre sont affectées comme celles d'un pontife dans un milieu d'adolescents irrespectueux, mais que cette position est heureuse dans l'ordre de la diplomatie et de l'habileté manœuvrière.

Saturne en Gémeaux

On admettra qu'un astre aussi sec et peu enclin à une certaine joie de vivre comme à une animation turbulente ne se sentira guère à l'aise dans le signe jeune et perpétuellement en mouvement des Gémeaux. Cette fois-ci, c'est le vieux monsieur strict chez les joueurs de ping-pong. Sa logique excessive tue la fantaisie, et l'humour devient de l'humour noir. Certes, il peut y avoir un acquis pour le signe, dans la mesure où Saturne apporte circonspection, sens des responsabilités, ce dernier parfois excessif.

Mais il peut aussi, par réserve ou inhibition, éteindre le côté brillant des Gémeaux, le sens de la repartie devient l'esprit de l'escalier, ou se fait trop lourd. C'est un Saturne qui veut se rajeunir, un Gémeaux qui veut être trop sage au risque d'étouffer sa spontanéité.

Uranus en Gémeaux

Uranus, qui gouvernait le chaos, est considéré comme l'astre de l'individualisme le plus poussé, qui veut à tout prix se démarquer du milieu ambiant. Hyper-rationnel, peu sentimental, maître du Verseau, il a quelques analogies avec Mercure, mais poussées à un niveau plus brutal; il est systématique, intolérant, il tend à entraîner vers un avenir robotisé, froid, peu fait pour les faibles et les cœurs sensibles. Il crée l'imprévu, les destins en dents de scie, impose des techniques toujours nouvelles.

Il s'est trouvé dans les Gémeaux de 1942 à 1948, et l'on a pu constater l'accord entre le côté nerveux et remuant du signe, et l'effet électrisant de la planète, ainsi que le facteur commun que constitue le côté intellectuel et cérébral de leur nature. Uranus, très à son aise en Gémeaux, y agit comme s'il induisait un courant électrique susceptible de galvaniser les Gémeaux, de leur donner un sens plus aigu de leur Moi et d'atténuer leur tendance dispersive.

Neptune en Gémeaux

Il semble y avoir plus de théorie que de constatations effectives dans ce que l'on peut en dire. Selon André Barbault, l'émotivité géminienne serait intensifiée et la sensibilité de l'astre en serait intensifiée, dans un échange courtois de bons procédés. D'autres astrologues affirment que l'intuition devient plus lucide, que l'action neptunienne devient plus créatrice, se cantonnant surtout dans l'immédiat, le quotidien. On y voit aussi des dons de clairvoyance, surtout dans les affaires, et les femmes seraient peu fidèles. Certains décèlent des tendances hystériques, des états d'âme chaotiques.

Pluton en Gémeaux

Selon Lisa Morpurgo [1], Pluton a influencé le comportement d'une génération intellectuellement éveillée. Et il est vrai que l'on ne s'était jamais posé autant de questions qu'à cette période (1883-1914), à la fois fin d'un siècle et commencement d'un autre, tant il est vrai que Pluton, comme Janus, est à double face. Cette génération était lucidement critique envers les idéologies et les éthiques des époques antérieures. Mais elle a aussi été attirée par le culte de la personnalité. André Barbault a exprimé une opinion à peu près semblable en disant que Pluton en Gémeaux se mue généralement en sadisme mental, ou apporte une inquiétude intérieure qui fertilise la recherche spirituelle.

Les Planètes dans le Cancer

Soleil en Cancer

Donne des indications sur la personnalité extérieure du sujet : grande sensibilité, à l'écoute du non-dit, du non-visible. Beaucoup d'intuition : cette intuition se fait parfois devineresse, pressent des événements et des situations à venir. Les rêves prémonitoires sont fréquents chez le Cancer hyperréceptif. « Idéalisation du passé, attachement à la tradition, qui sert de point d'appui contre l'insécurité du futur [...] Manque d'initiative, défaut d'agressivité et d'esprit compétitif [...] compensés par la souplesse intuitive de l'intelligence. L'équilibre ainsi créé permet d'atteindre avec autant d'efficacité l'objectif recherché [1]. »

1. Lisa Morpurgo, *Introduction à la nouvelle astrologie*, Hachette Littérature, 1976.

Lune en Cancer

Accentue toutes les tendances extérieures du signe en leur donnant quelquefois une exaltation excessive : douceur extrême, intense réceptivité qui peut aller jusqu'à la médiumnité. La voyance, la précognition, les phénomènes extra-sensoriels sont tout à fait courants avec la Lune dans ce signe. Elle donne également des dons artistiques réels que la timidité du Cancer ne sait pas toujours faire valoir. Besoin immense de tendresse, de protection. Forte sensualité réceptive.

Mercure en Cancer

La planète de l'intelligence se teinte ici de finesse analytique, de sensitivité, d'irrationnel. L'intuition s'affine, se laisse diriger par une perception subjective des problèmes, et les résout grâce au « flair », au doigté, à l'instinct beaucoup plus que par raisonnement. Mercure en Cancer fait des êtres qui écoutent plus qu'ils ne parlent, qui enregistrent et mémorisent les moindres faits et gestes pour s'en servir plus tard dans des circonstances appropriées. L'esprit, à la démarche lente et sûre, donne du poids aux synthèses. C'est un esprit qui allie des qualités inventives aux déductions logiques.

Mars en Cancer

L'activité impatiente, brusque, agressive de Mars s'émousse en Cancer. L'action devient plus mesurée, plus flottante, plus fragile extérieurement. Mais elle se concentre grâce à la profondeur que lui donne le signe, elle acquiert une plus longue portée. Elle devient plus durable, plus obstinée, moins spectaculaire mais peut-être plus efficace, en s'exerçant sur des registres qui lui conviennent, soutenue par l'intuition que confère le signe : l'art, le commerce sont ses terrains d'élection. Le dynamisme, l'énergie vitale, n'apparaissent pas : il faut se rappeler que le Cancer n'est pas un signe de grande santé. En revanche, la sagesse, l'économie de moyens dans l'objectif à atteindre, l'instinct très puissant remplacent avantageusement une extériorisation chaleureuse de la personnalité.

Jupiter en Cancer

Jupiter, qui aime tant son confort, ses aises, le luxe en toute chose, exalte la sensualité du Cancer, la matérialise. La philosophie d'un Jupiter en Cancer est dans la jouissance pure et le confort personnel. La réussite professionnelle se fait dans le respect de la tradition et des lois hiérarchiques, dans le culte de la famille et des ancêtres. Que de bienveillance, que de concessions, que de souplesse dans cet alliage! Rien ne doit freiner ou entraver le désir qu'a le natif de jouir de la vie par tous ses pores. S'il gagne facilement de l'argent, il le dépense encore plus facilement, pour le plaisir de dépenser. Il a besoin d'abondance et de richesse, de beaux objets, de bijoux, de fourrures, de luxueuses voitures. Cet être est, en général, extrêmement séduisant.

Saturne en Cancer

C'est la logique, le raisonnement, la rigueur froide et calculatrice de Saturne dans l'univers fantasque, imaginatif et sensuel du Cancer. Résultat : ou bien Saturne canalise la fantaisie du Cancer et lui donne du poids, de la mesure, de l'ambition et de la discipline, auquel cas le sujet perd beaucoup de caractéristiques lunaires (réactions imprévisibles, tempérament secret et changeant, parfois un peu versatile). Ou bien Saturne broie le Cancer : à ce moment-là, il crée toutes sortes de frustrations dans les domaines régis par la Lune : la créativité est freinée, l'élan vital s'amenuise, l'affectivité n'est jamais comblée, la sensibilité reste à vif sans parvenir à s'épanouir dans une activité inventive et riche.

Uranus en Cancer

Le goût d'Uranus pour les bouleversements, les changements radicaux, les décisions rapides et irrévocables se trouve singulièrement étouffé par le Cancer. En effet, le Cancer est le signe des petits changements, des petites modifications, mais pas des hautes tensions familières à Uranus. D'où affaiblissement des valeurs proprement uraniennes dans ce signe : individualisme moyen, esprit de décision plus flou, activité créatrice moins volontaire et ambitieuse. La vitalité uranienne devient un peu aquatique : c'est la foudre dans l'eau. En revanche, le Cancer accentue la réceptivité d'Uranus, d'où une réelle générosité à l'égard d'autrui, la volonté d'emporter une certaine adhésion de son entourage.

Neptune en Cancer

La planète double son inspiration intuitive dans le Cancer : elle devient très fortement sensible à toute vibration sensorielle. Elle capte les moindres ondes de son entourage et plonge dans les eaux sans fond de la sensation, du délire artistique (musical, visuel, auditif) avec un goût prononcé pour tout ce qui a trait à l'eau, à l'élément liquide.

Pluton en Cancer

Les forces souterraines et créatives de Pluton prennent de la sensibilité et de la fragilité cancériennes. Elles deviennent moins ambitieuses sans perdre en invention, ni en profondeur. Mais le sujet risque de se sentir limité dans sa créativité par son respect des valeurs familiales, traditionnelles, parfois même conservatrices.

Les Planètes dans le Lion

Soleil en Lion

En vérité, dans votre cas, la fonction solaire, qui sensibilise aux modèles culturels en usage, vous a fait percevoir avec une acuité particulière tout ce qui, dans ces modèles, participe des fonctions de base du Lion. Vous avez retenu en priorité les leçons et les principes qui mettaient l'accent sur l'autonomie personnelle, la volonté de surpassement, l'extension de la puissance. Vos premiers héros, vous les avez choisis spontanément parmi ceux qui incarnaient le mieux ces facultés. Notez bien que cela ne veut pas forcément dire que vous suiviez ces exemples-là en permanence : les premières et fortes impressions qui ont marqué votre esprit peuvent subir bien des avatars. On peut cependant affirmer que tous ces grands dadas léoniens demeureront vos points de référence essentiels. Sujets de vos discours, thèmes de vos œuvres, mobiles de vos actes, objets de vos recherches, motifs de vos craintes ou cibles de vos sarcasmes, ils seront ici les fermes pivots de votre conscience lucide. Tout cela, d'ailleurs, va dans le même sens que votre prédilection pour les grandes idées, les forces qui orientent toute une existence dans une direction privilégiée.

Lune en Lion

Les interprétations classiques insistent sur l'effervescence des instincts, leur générosité, leur noblesse et leur panache. On vous accorde en outre une imagination tournée vers le grandiose, le prestigieux, le magnifique, et la valeur publique vous est paraît-il acquise si vous abordez la carrière artistique. Parmi les travers qui vous sont le plus souvent reprochés, on note une certaine fatuité, un côté snob épris de luxe, un penchant aux caprices voyants et à la paresse dorée.

Quelques « Lune en Lion » assez connus : Louis XIV, Churchill, Trotski, Mao, Rocard, Rosa Luxemburg, Willy Brandt... Parmi les poètes, citons Verlaine, Jules Laforgue, Charles Cros et Schiller.

Mercure en Lion

Vous pouvez par exemple connaître la sensation grisante de pouvoir venir à bout de toutes les énigmes, d'affronter comme en vous jouant les problèmes filandreux où s'entortillent les esprits moins alertes. Pour vous, les discours choc, les idées fortes et les images frappantes, pour peu qu'on les répande suffisamment, recèlent une efficacité redoutable, un pouvoir libérateur hors pair. Nulle muraille ne s'avise de résister à un trompettiste assez constant et malicieux, tous les rescapés de Jéricho vous le diront.

Mars en Lion

La force d'excitation débloquante joue ici sur le mode d'une confrontation directe et immédiate avec le monde environnant. Elle n'a rien d'un fantasme, d'une simple spéculation théorique ou d'une évocation évanescente. Elle acquiert une présence telle qu'il est impossible à autrui de l'ignorer ou de n'en point constater les effets percutants. Dans le combat quotidien pour la survie personnelle, vous refusez absolument toute entrave à vos initiatives. Vous ne vous préoccupez guère des implications philosophiques de vos actes ou de ce que l'on va penser de vous : l'essentiel est de vaincre l'obstacle par les moyens les plus rapides et les plus indiscutablement efficaces. Vous n'êtes pas une personne à vous décourager facilement. Non pas tellement par le fait d'une patience obstinée, mais surtout parce que vous savez surmonter vos fatigues, recharger à bloc vos batteries au moment où l'on vous croit épuisé.

Jupiter en Lion

Voilà encore une rencontre qui a eu de tout temps fort bonne réputation. Comment d'ailleurs pourrait-il en être autrement? Aux yeux de la tradition, l'alliance du signe royal par excellence et de l'astre qualifié de Grand Bénéfice ne saurait enfanter qu'une avalanche de bienfaits : honneurs, célébrités, succès, triomphe et autorité indiscutée vous sont octroyés sans lésiner par les célestes cornes d'abondance.

Quant aux seuls inconvénients évoqués, ils découlent des risques de démesure et de surabondance. L'astro-psychologie descriptive, tout en étant moins catégorique sur les événements promis, ne dément pas la tonalité générale du tableau. L'astre et le signe se rejoignent par leur côté extraverti, optimiste, théâtral et ambitieux, le tout saupoudré de ce paternalisme pontifiant qui est, paraît-il, l'apanage enviable de la maturité bien assise.

Saturne en Lion

Là, ce n'est pas tellement la fête. De toute manière, dès que Saturne est en cause, les astrologues traditionnels éteignent leur beau sourire commercial et vous prennent des airs gravement constipés. Comme, par-dessus le marché, ils considèrent le Lion comme le lieu d'exil de la planète — c'est-à-dire le signe avec lequel elle présente le moins d'affinités —, vous voyez d'ici le tableau engageant. Dans le meilleur des cas, ils évoquent une autorité froide, une implacable ambition, des buts politiques à long terme, le sens de l'organisation. La plupart du temps, il est surtout question de despotisme, d'avidité insatiable, d'orgueil égocentrique et misanthrope, de dureté, de cruauté, de lâcheté.

Uranus en Lion

Le point commun fondamental entre Uranus et le Lion, c'est un processus de concentration, de réduction extrême à un pôle unique dans un but d'efficacité maximale. Imposer son point de vue aux autres, se sentir invulnérable, être sûr de son bon droit, ne pas concéder la moindre miette de son pouvoir et de son autorité. Uranus exacerbe ces tendances, les radicalise, les assortit d'un impact et d'un tranchant tels qu'elles ont bien peu de chances de passer inaperçues. Vous visez toujours les sommets, qu'il s'agisse de ceux du pouvoir, de l'intensité d'expression de votre personnalité, de l'acuité de votre conscience lucide ou de la rigueur concise de vos formulations. Vous dissipez le brouillard à coups d'éclairs soudains, vous localisez les lueurs éparses en faisceau aveuglant, vous rassemblez les forces les plus diluées en un seul invincible fer de lance. Vos irruptions sur le devant de la scène sont souvent plus provocantes que celles du Lion jupitérien. Vous ne prenez pas comme lui votre élan à partir de données familières, de réalités que chacun peut voir et palper. Vous vous appuyez sur vos pulsions les plus intimes, vos tendances les plus inaliénables.

Neptune en Lion

Énigmatique et problématique alliage. Les affinités entre la planète et le signe sont nettement moins évidentes que dans le cas d'Uranus ou de Jupiter, et la coopération ne sera vraiment effective que si Neptune reçoit par ailleurs de forts aspects dynamisants. Dans le cas contraire, les fonctions dominantes du Lion sont passablement altérées. Les manuels traditionnels parlent d'exaltation lyrique, idéaliste, mystique ou romanesque, de sens esthétique noble et raffiné, avec forte propension aux illusions et déceptions sentimentales, dans l'hypothèse d'un Neptune très dissoné.

Pluton en Lion

A priori, la cohabitation avec le Lion s'annonce plutôt malaisée. Le désir de surclasser les autres et le goût de la parade tonitruante, notamment, en prennent un sacré coup. Un Lion plutonien bon teint, vu de l'extérieur, a fort peu de chance de cadrer avec le portrait-robot du signe. Avec Pluton, on aurait cependant bien tort de se fier aux apparences, l'essentiel se passant au niveau de votre inaliénable for intérieur. En fait, Pluton, tout comme le Lion, refuse les limites. Il les refuse même de la façon la plus radicale qui soit. Le temps et l'espace n'ont pas de bornes, l'éternel et l'infini sont ses domaines. Il n'a de comptes à rendre à personne, il ne se soumet à aucune autorité humaine. Il engendre lui-même sa propre loi et sa propre vérité. C'est un réfractaire, un irréductible, un pur, un authentique. On pourrait croire que Pluton, éloigné de tout personnalisme, désintègre le narcissisme du Lion. En fait, il remplace un narcissisme superficiel par un narcissisme beaucoup plus profond : la contemplation inexprimable, intégrale et perpétuelle de vos rouages les plus secrets, de vos mobiles les plus intimes. Vous vous retrouvez seul avec vous-même pour assumer l'angoissante étendue des possibles qui vous habitent.

Les Planètes dans la Vierge

Soleil en Vierge

Dire que vous êtes natif de la Vierge signifie qu'à votre naissance le Soleil occupait ce signe. Dans ce cas, la planète ne fait donc que souligner les valeurs du signe. En Vierge, le Soleil est dit pérégrin, c'est-à-dire neutre, son Domicile étant en Lion et son lieu d'exaltation en Bélier.

Lune en Vierge

Les valeurs lunaires de sensibilité, d'émotivité, de réceptivité, sont brimées et ne trouvent guère de possibilité d'épanouissement. La Lune, symbole de l'inconscient (le Ça en terme psychanalytique), n'est certes pas à son aise dans un signe répressif, qui s'acharne à contrôler les pulsions instinctives. Il en résulte un risque de refoulement, surtout en cas de dissonances de la Lune (avec Saturne ou Uranus notamment).

La difficulté d'extériorisation entraîne un malaise, un sentiment diffus de culpabilité qui se traduit par une attitude déroutante, déconcertante, même pour les proches. Inquiet, souvent affligé d'un complexe d'infériorité, le sujet se livre à une introspection poussée, qui ne fait qu'aggraver ses problèmes.

Mercure en Vierge

Mercure donne une insatiable curiosité, vierge de tout a priori, libre de toute entrave. Le monde est un passionnant champ d'investigation pour le Mercurien, qui engage un dialogue permanent avec son entourage. C'est un libre penseur, toujours prêt à jeter un regard neuf sur les êtres et les choses, d'autant plus qu'il a l'art de changer les angles de vues.

Mercure en Vierge souligne les qualités de mémoire et d'observation. Le sujet excelle dans les domaines où il faut fidèlement retranscrire une réalité plutôt que l'interpréter ou l'intellectualiser.

Mars en Vierge

Pour qui se contente de voir en Mars la manifestation des instincts agressifs, la position de cette planète dans le signe de la Vierge présente plus d'inconvénients que d'avantages. La violence, l'agressivité étant rentrées, elles se retournent contre le sujet et aboutissent à une lente autodestruction. Ou bien, ces forces s'extériorisent par poussées brutales.

Concret, réaliste... voilà des termes qui s'accordent bien avec les caractéristiques de la Vierge. Cette configuration (surtout si Mars est harmonieusement aspecté) donne une grande puissance de travail (Jean-Louis Barrault, conjonction Soleil-Mars en Vierge). Le sujet est un perfectionniste qui « fignole » sa tâche dans les moindres détails.

La planète « dynamise » le signe, le pousse à l'action, décuple son efficacité en coupant court à ses hésitations.

Quant au signe, il modère l'impulsivité conférée par la planète, évite certaines erreurs.

Jupiter en Vierge

Les relations entre la planète et le signe sont assez complexes. Selon la tradition, Jupiter est en exil en Vierge. La définition suivante permet de comprendre pourquoi : « Jupiter est une force de développement de l'être humain, par assimilation de ce qui lui vient du monde extérieur. [1] »

Au principe d'expansion, d'ampleur de Jupiter, s'oppose le principe de rétraction de la Vierge. La planète s'ouvre et s'intègre au monde. Le signe s'entoure d'une écorce imperméable aux suggestions extérieures. Cette antinomie, loin de faciliter l'osmose, provoque des « tiraillements » intérieurs éprouvants.

Le problème est particulièrement épineux si les facteurs d'affirmation du Moi sont très puissants dans le thème, si Jupiter est valorisé (conjonction Soleil-Jupiter, par exemple), ou si la Vierge occupe la Maison I (personnalité profonde). Car c'est toute la puissance vitale du sujet qui est contrainte, étouffée dans les limites strictes imposées par le signe. L'extraversion jupitérienne se heurte à l'introversion virginienne.

Saturne en Vierge

Si elle reçoit la puissance intellectuelle et favorise la résolution des questions pratiques, cette position de Saturne est plutôt critique dans le domaine de la vie affective. La planète et le signe se renforcent dans leur tendance à l'inhibition et à l'introversion, entraînant une répression impitoyable des instincts.

Sous le coup de frein de Saturne, les risques de refoulement sont accentués. Par son attitude constamment « en retrait », le sujet se coupe des autres. Il méprise les relations sociales, trop superficielles à son gré. Le goût de la solitude devient facilement de la misanthropie. Il n'y a aucune fantaisie dans cette vie réglée, ordonnée, programmée à l'avance. Toutes les précautions sont prises contre un déferlement de l'imprévu dans l'existence.

Uranus en Vierge

Comme Saturne, Uranus conduit le sujet à adopter une attitude de rigueur, de discipline, de dépouillement. La planète et le signe sont tous deux marqués par l'étroitesse du champ de conscience. L'Uranien tend à l'« unité de l'être ». Il se veut essentiellement lui-même, affranchi des idées en usage, des coutumes. La Vierge, de son côté, cherche à ne compter que sur soi. Aussi, le sujet risque-t-il, d'une façon ou d'une autre, de « faire le vide » autour de lui, d'autant plus qu'il a besoin, sur le plan professionnel notamment, de liberté et d'indépendance.

Uranus en Vierge peut aussi donner la solitude du créateur, souvent révolutionnaire et difficilement compris par son entourage. Cette configuration se retrouve dans les thèmes de Picasso, de Modigliani (Uranus puissant par sa conjonction à Mars, lui-même conjoint à l'Ascendant), de Coco Chanel (Uranus conjoint à Mercure opposé à la Lune, sextile à Jupiter).

Neptune en Vierge

Neptune, maître des Poissons, est en exil dans le signe opposé, la Vierge. Tout, en effet, oppose le signe et la planète. Neptune est caractérisé par l'extrême ampleur du champ de conscience, d'où une très forte intuition, une façon d'appréhender les choses et les situations sans passer par le canal de la logique, de la raison. Quel décalage avec la Vierge, dont les mécanismes de pensée s'appuient précisément sur ces deux facultés!

1. Claire Santagostini, *Assimil astrologique*.

De ce perpétuel affrontement entre être et réalité, entre plasticité psychique et rigidité mentale, entre désordre et ordre, naît une sorte d'inadaptation permanente.

Neptune en Vierge risque de perturber la vie quotidienne, mais le sujet conserve néanmoins une dimension imaginative, une « inspiration » très favorable sur le plan artistique (Annie Girardot, Neptune conjoint à l'Ascendant en Vierge). Cette position peut aussi accentuer l'idéalisme et le dévouement à une cause humanitaire (Arlette Laguiller, Neptune, conjoint à l'Ascendant en Vierge, opposé à la conjonction Soleil-Mercure en Poissons).

Pluton en Vierge

Pluton a été « découvert » en 1930 seulement par les astronomes. C'est pourquoi les indications astrologiques sur cette planète diffèrent encore sensiblement. Il est prématuré de donner des indications détaillées sur l'influence de Pluton en Vierge. Par contre, il est intéressant de connaître le « climat général » qui a prévalu durant son transit dans le signe, de novembre 1956 à septembre 1971. C'est, par exemple, pendant cette période que s'est produite la révolte de la jeunesse contre les modèles reçus et les principes inculqués par les parents et les éducateurs, révolte ayant abouti, en France, aux événements de Mai 1968.

La maîtrise du Scorpion a été attribuée à Pluton. Sa position en Vierge donne donc, comme pour Mars, des tendances Scorpion au sujet.

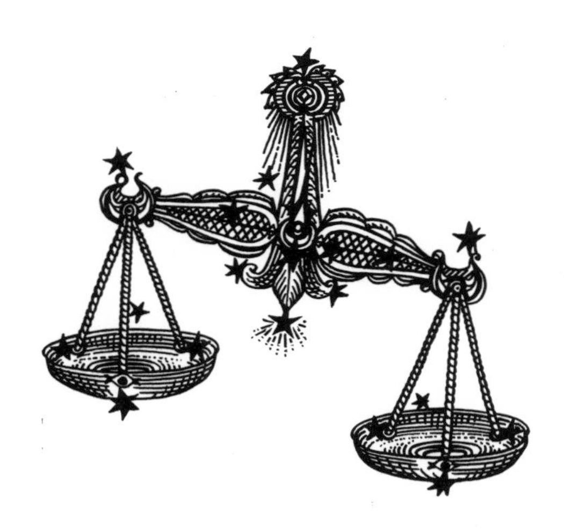

L'automne, avec ses verts et ses roux, ses feuilles tombantes et ses derniers rayons : saison douce qu'affectionnent les natifs de la Balance. (L'Automne, *par Prouvé.*)

Comment interpréter les Planètes dans les Maisons

Comment explorer certains aspects de votre destinée

Votre signe solaire, votre Ascendant, les planètes dans les signes ainsi que leurs aspects concernent essentiellement les dispositions de votre caractère.

Les Planètes dans les Maisons exercent une action de fond sur les différents aspects de votre existence, c'est-à-dire sur votre destinée.

N'y voyez aucune fatalité extérieure.

En effet, ce sont les mêmes énergies planétaires qui, à travers les signes zodiacaux, agissent sur la qualité de votre personnalité et qui, à travers les Maisons, créent un potentiel favorable ou restrictif dans les divers domaines de votre vie.

Ainsi l'événement est produit autant par votre propre comportement que par l'existence des choses et des êtres extérieurs à vous-même. Autrement dit, si nous vous avons jusqu'à présent donné les moyens d'étudier les bases de votre caractère, nous allons maintenant entrer dans une phase plus précise de votre personnalité, c'est-à-dire de votre comportement : la manière dont vous utilisez vos tendances de base.

Admettons par exemple que vous ayez le Soleil en Bélier : votre tendance fondamentale est d'agir, de vous extérioriser. Mais si votre Soleil se trouve en Maison XII, alors vous serez tenté d'agir en secret, dans une certaine solitude et avec beaucoup de noblesse, quitte à ce que vos intérêts personnels soient sacrifiés à votre aspiration morale.

A partir de votre Ascendant, douze Maisons se succèdent, chacune occupant une certaine portion du Zodiaque. La détermination de l'emplacement zodiacal précis de chaque Maison est liée à l'établissement de votre Horoscope détaillé. Le treizième livre de cette collection, intitulé *Comment établir et interpréter votre Horoscope?*, par Robert Malzac, vous fournit toutes les informations nécessaires, sous une présentation facilement accessible aux non-initiés. En particulier, cette méthode vous permet de savoir dans quelle Maison horoscopique se trouvait chaque planète lors de votre naissance.

Vous pouvez alors chercher, dans les pages qui suivent, les textes qui concernent votre destinée personnelle.

ACTION DU SOLEIL DANS LES DIFFÉRENTES MAISONS

MAISON 1	Puissance, vitalité, sens de sa propre valeur, loyauté, désir de briller, autorité, capacité de réussite.
MAISON 2	Grandes ambitions financières, vie large, faste, aptitudes à la gestion bancaire, situation lucrative.
MAISON 3	Bonne éducation, instruction solide, succès dans les études, réussite par les écrits et dans les voyages, bonne entente avec l'entourage.
MAISON 4	Bonne hérédité paternelle, parents aisés, vie familiale heureuse, gains immobiliers, réussite tardive.
MAISON 5	Succès sentimentaux, de qualité, dons pour l'enseignement, talent pour le théâtre, les divertissements publics.
MAISON 6	Poste de responsabilité dans le travail, protection contre la maladie, amour des animaux.
MAISON 7	Mariage fortuné, conjoint élevé, autoritaire, réussite par les contrats et associations, rivaux puissants mais loyaux.
MAISON 8	Conjoint fortuné, gains par contrats, héritage important, intérêt pour l'occulte, dons pour l'assurance, forces à ménager.
MAISON 9	Dons pour la philosophie, le droit, les études supérieures, attrait pour l'étranger, les grands voyages, l'import-export.
MAISON 10	Situation de premier plan, réussite sociale remarquable, toutes vos énergies sont centrées sur l'éclat de votre statut social.
MAISON 11	Nombreuses relations d'amitié, protections influentes, amis fidèles, sélectionnés, projets vastes, ambitieux.
MAISON 12	Esprit de dévouement, d'abnégation, goût de la vie retirée, dons pour soigner les malades, protection contre les épreuves.

ACTION DE LA LUNE DANS LES DIFFÉRENTES MAISONS

MAISON 1	Nature sensible, émotive, romanesque, attachement à la mère, à la famille, popularité mais fluctuations, indécision.
MAISON 2	Gains de sources diverses, travail en famille, gains par l'alimentation, dépenses pour le foyer, soutien pour les femmes.
MAISON 3	Changements fréquents de milieu et d'entourage, nombreux déplacements en groupe, journalisme.
MAISON 4	Fort attachement au foyer, forte influence de la mère, vie d'intérieur, changements de résidence, goût pour le passé.
MAISON 5	Plaisirs variés, goût des réunions joyeuses, désir de plaire, relations amoureuses éphémères, nombreux enfants.
MAISON 6	Santé délicate, mauvaise hérédité maternelle, troubles gastriques, chance dans service public, popularité au travail.
MAISON 7	Nombreux contacts sociaux, nombreuses occasions d'association, d'union, mais une certaine instabilité de part et d'autre.
MAISON 8	Rêves fréquents, impressionnabilité, occultisme déconseillé, dons et cadeaux, goût du mystère.
MAISON 9	Idéal de sociabilité, de solidarité, idées changeantes, voyages importants, popularité à l'étranger.
MAISON 10	Succès dans le contact avec la foule, surtout auprès des femmes, souplesse sociale, variété d'occupations.
MAISON 11	Nombreuses relations d'amitié, réunions, sorties un peu superficielles, projet trop changeants.
MAISON 12	Nostalgie, goût de la solitude, du calme, dons psychiques, les femmes sont peu favorables, surveillez l'estomac.

ACTION DE MERCURE DANS LES DIFFÉRENTES MAISONS

MAISON 1	Intelligence, vivacité, adresse, don pour la parole et l'écriture, goût de l'étude, mobilité, échanges.
MAISON 2	L'intelligence et l'habileté sont au service du désir de gains, talent d'intermédiaire, revenus variés.
MAISON 3	Réussite dans les études, assimilation rapide, talent de polémiste, don pour la publicité, déplacements fréquents.
MAISON 4	Hérédité intellectuelle, changements de domicile, achat et vente d'immeubles, lucidité mentale tardive.
MAISON 5	Attirance pour les personnes jeunes et intelligentes, amours cérébralisés, jeux éducatifs, cyclisme, enseignement.
MAISON 6	Activités de secrétariat, d'écritures, de classement, d'analyse, d'assistance ; bronches à surveiller.
MAISON 7	Intelligence appréciée par les autres, contrats pour des travaux littéraires, scientifiques, mariage avec partenaire plus jeune.
MAISON 8	Intérêt pour les problèmes psychiques, aptitude au contrôle, aux écrits relatifs aux assurances, successions, partages.
MAISON 9	Capacité de haute érudition, clarté d'esprit, don de conférencier, professorat, droit, relations avec l'étranger.
MAISON 10	Réussite sociale par occupations commerciales, littéraires ou scientifiques, travail en association, travaux multiples.
MAISON 11	Amitiés intellectuelles, correspondance amicale, projets ingénieux mais persévérance insuffisante.
MAISON 12	Dons pour les recherches de laboratoire, pour l'étude des choses cachées, discrétion, méfiance.

ACTION DE VÉNUS DANS LES DIFFÉRENTES MAISONS

MAISON 1	Charme, gentillesse, gaieté, sociabilité, désir de plaire, vie heureuse, protection contre la violence.
MAISON 2	Gains aisés par un travail agréable, commerce de luxe, mode, femmes favorables, dépenses pour le confort.
MAISON 3	Dons pour la poésie, la musique, l'art, excellentes relations avec l'entourage, lectures romantiques, voyages plaisants.
MAISON 4	Vie familiale heureuse, amour de la famille, intérieur confortable, amour au foyer, chance dans les placement immobiliers.
MAISON 5	Succès sentimentaux, goût des spectacles, succès dans l'enseignement d'un art, enfants affectueux, chance au jeu.
MAISON 6	Santé équilibrée, sensibilité de la gorge et des reins, éviter le surmenage, collaborateurs dévoués, travail facile.
MAISON 7	Mariage heureux, vie en société élégante et gaie, contrats fructueux sans conflits, pas d'ennemis.
MAISON 8	Dons, cadeaux artistiques, héritage profitable, conjoint fortuné, sommeil reposant.
MAISON 9	Culte de la paix, philosophie souriante, esthétisme, chance à l'étranger, voyages réussis, union à l'étranger.
MAISON 10	Succès social par sympathie, par les femmes, carrière artistique, ou commerce de luxe.
MAISON 11	Amitiés féminines, amis artistes, projets amoureux.
MAISON 12	Dévouement envers les malades, mélancolie, désir de recueillement et de sacrifice.

ACTION DE MARS DANS LES DIFFÉRENTES MAISONS

MAISON 1	Nature énergique, impulsive, forte capacité d'action, courage, robustesse, virilité, goût de la lutte.
MAISON 2	L'action, l'esprit d'entreprise sont au service du désir de gain, fortes rentrées, fortes dépenses, l'audace paie.
MAISON 3	Don pour mettre les idées en pratique, pensée rapide, talent oratoire, goût pour la vitesse, voyages hâtifs.
MAISON 4	Hérédité active, père homme d'action, vigueur maintenue longtemps, accroissement du patrimoine immobilier.
MAISON 5	Ardeur, passion en amour, désir sexuel précoce, goût des sports violents, besoin de conquête.
MAISON 6	Travail dans la mécanique, dans l'armée, la police, zèle au travail, tendance aux maladies aiguës mais récupération rapide.
MAISON 7	Mariage précoce, partenaire énergique, succès par l'activité des associés, conflits, rivalités, procès.
MAISON 8	Grande puissance sexuelle, puissance psychique, dispute en cas d'héritage, actions héroïques.
MAISON 9	Opinions catégoriques, passionnées, propagandisme, valorisation de la force, études d'ingénieur, safaris, succès à l'étranger.
MAISON 10	Carrière active, d'industriel, de militaire, de chirurgien, maniement d'outils de fer, goût de vaincre les obstacles, victoires.
MAISON 11	Plans audacieux mais impatience, amis sportifs.
MAISON 12	Activité secrète ou s'exerçant dans des lieux calmes, éventuellement dangereuse, ennemis secrets, danger par virus.

ACTION DE JUPITER DANS LES DIFFÉRENTES MAISONS

MAISON 1	Caractère jovial, bienveillant, bon sens, dynamisme, constitution imposante, confiance en soi, embonpoint.
MAISON 2	Avantages financiers importants, crédit large, goût du faste, sens financier, commerce de gros.
MAISON 3	Réussite d'études, largeur de vues, aptitudes de juriste, sens commercial, talent littéraire, bon voisinage.
MAISON 4	Origines aisées, parents notables, chance dans le développement du patrimoine foncier, fin de vie heureuse.
MAISON 5	Chance pure aux jeux de hasard, bons placements financiers, pédagogie, sport, distractions saines.
MAISON 6	Protection contre la maladie, travail lucratif, efficacité professionnelle, amour des chevaux.
MAISON 7	Mariage heureux, conjoint de niveau social supérieur, relations mondaines, contrats importants, accords amiables.
MAISON 8	Protection contre une mort violente, fortune par conjoint, gratifications, intéressements, sérénité.
MAISON 9	Principes religieux, tolérance, études supérieures, magistrature, chance à l'étranger, voyages fructueux.
MAISON 10	Brillante réussite sociale, profession libérale, banque, finance, bonne réputation, position solide.
MAISON 11	Excellentes relations amicales, appuis financiers et moraux aux projets de grande envergure.
MAISON 12	Générosité, philanthropie, mysticisme, goût pour la vie religieuse, protection contre les ennemis.

ACTION DE SATURNE DANS LES DIFFÉRENTES MAISONS

MAISON 1	Nature sérieuse, pondérée, ordre, méthode, lenteur, froideur, économie, sens des responsabilités.
MAISON 2	Gains réguliers mais limités, dépenses contrôlées, sens des questions immobilières et foncières.
MAISON 3	Sens de la précision, logique, besoin d'isolement pour étudier, voyages préparés, contacts sérieux.
MAISON 4	Père austère, éducation stricte, attachement aux traditions, dons pour l'agriculture, les mines.
MAISON 5	Goûts des délassements calmes, des jeux d'échecs, attirance vers des personnes plus âgées.
MAISON 6	Tendance aux refroidissements, aux rhumatismes, emplois subalternes, travaux précis et fatigants.
MAISON 7	Mariage tardif avec partenaire plus âgé, sérieux, stable, mais peu expansif, vie sociale réduite, sélective.
MAISON 8	Héritage immobilier, accroissement du capital par l'économie du conjoint.
MAISON 9	Opinions conservatrices, morales, austères, idéal rigoureux, intolérance, goût pour les mathématiques.
MAISON 10	Réussite lente par ambition persévérante, talent d'administrateur, sens politique, prestige sans popularité.
MAISON 11	Projets tenaces, systématiques, à long terme, amis âgés, sérieux, fidèles.
MAISON 12	Limitations volontaires ou non de votre liberté, travaux secrets, tâches fastidieuses, obscures.

ACTION D'URANUS DANS LES DIFFÉRENTES MAISONS

MAISON 1	Indépendance, originalité, goût du progrès, solidarité, comportement imprévisible, intuition, coopération.
MAISON 2	Gains par profession indépendante, par inventions, chances et tuiles brusques, irrégularité financière.
MAISON 3	Études sélectives, expériences personnelles, modernisme, risque d'accidents en déplacements.
MAISON 4	Milieu familial original, bohème, mobilier ultra-moderne, foyer très libre, risque de séparation.
MAISON 5	Liaisons soudaines, coups de foudre, excentricité, joueur, goût des performances mécaniques, du risque.
MAISON 6	Nervosité, difficulté à se détendre, travail autonome, de spécialiste, attitude peu disciplinée.
MAISON 7	Mariage brusque, union libre, partenaire indépendant, relations intellectuelles, instabilité des contrats.
MAISON 8	Aptitudes de psychologue, forte intuition pour pénétrer les secrets, gains par les associés.
MAISON 9	Idéal de progrès, de fraternité, idées révolutionnaires, talent pour les techniques avancées.
MAISON 10	Dons pour le lancement de nouveautés techniques, succès par réforme, carrière indépendante, changeante.
MAISON 11	Projets ingénieux, réalisables dans des conditions subites, amis francs, intelligents.
MAISON 12	Possibilité d'adhérer à une secte, dévouement à une communauté.

ACTION DE NEPTUNE DANS LES DIFFÉRENTES MAISONS

MAISON 1	Grande sensibilité, tendances spirituelles, idéalistes, moments d'inspiration, de génie, isolement.
MAISON 2	Gains importants par publicité, spéculations commerciales, combinaisons exceptionnelles.
MAISON 3	Assimilation extraordinaire, imagination vive, don pour la publicité, voyages imaginaires.
MAISON 4	Piété familiale, foyer recueilli, intime, sérénité, béatitude.
MAISON 5	Relations idéalistes, platoniques, exaltation sentimentale, désir d'évasion, talent spéculatif.
MAISON 6	Maladies psychiques, intoxication nerveuse, occupation désintéressée au service des souffrants.
MAISON 7	Partenaire exerçant une forte emprise psychique, relations compliquées, contrats illusoires.
MAISON 8	Héritages compliqués.
MAISON 9	Tendances mystiques, dévotion, dons pour l'étude des problèmes métaphysiques, génie mais utopie.
MAISON 10	Talent pour les vastes combinaisons liées aux trusts, succès par la mer, la psychologie, succès par les masses.
MAISON 11	Projets idéalistes mais utopiques, amis évolués, spiritualistes.
MAISON 12	Attrait pour le mystérieux, l'occulte, médiumnité, dévouement secret.

ACTION DE PLUTON DANS LES DIFFÉRENTES MAISONS

MAISON 1	Grande puissance passionnelle, force sexualité, attitude de justicier, capacité de pénétrer les secrets.
MAISON 2	Gains secrets, héritages favorisés.
MAISON 3	Intelligence des choses cachées, destructrice, déplacements entourés de secret.
MAISON 4	Danger de destruction du foyer. Capacité de reconstruire celui-ci.
MAISON 5	Relations sentimentales passionnées, liaison cachée, forte créativité, conflit avec les enfants.
MAISON 6	Maladie possible des organes génitaux. Talent de réorganisation dans le travail.
MAISON 7	Conjoint passionné, risque de rupture des associations, ennemis cachés.
MAISON 8	Magnétisme, forte sexualité.
MAISON 9	Bouleversements des opinions et des idéaux, espionnage à l'étranger.
MAISON 10	Sens des affaires, capacité de profiter des bouleversements pour réussir, aptitude à transformer.
MAISON 11	Projets en constante évolution, amis occultes.
MAISON 12	Ennemis cachés, épreuve concernant la sexualité.

Septembre et octobre : les mois des fruits mûrs et des vendanges.

Soleil éclairant un beau village : toute la physionomie de ce paysage est transformée par son éclairage.

Comment interpréter les Signes dans les Maisons

Il n'est possible de donner ici que des indications générales car seuls sont étudiés les rapports entre la Balance et les différentes Maisons, et ces rapports ne vous renseignent que sur le décor et le climat dans lesquels se développent les affaires propres à la Maison considérée. Comme au théâtre, c'est la toile de fond devant laquelle se déroule l'action.

Car le signe n'est que l'un des facteurs qui doivent être pris en considération dans l'étude d'une Maison. En effet, en astrologie traditionnelle, il faut, pour juger du domaine signifié par une Maison, examiner également la planète qui gouverne cette Maison, c'est-à-dire celle qui a son domicile dans le signe placé à la pointe de la Maison; puis la ou les planètes qui occupent cette Maison par corps; enfin les significateurs généraux, autrement dit les planètes et les signes qui ont un rapport avec le domaine considéré. C'est ainsi que le Soleil et Mars sont les significateurs généraux du mariage des femmes, et aussi la Balance en raison de son analogie avec la Maison VII, secteur du mariage.

Quand tous ces facteurs ont été analysés, il faut en faire la synthèse. C'est un travail délicat qui requiert autant d'intuition que de savoir.

La Balance dans les Maisons

Balance en Maison I

Tout ce qui a été dit jusqu'ici à propos de la Balance s'applique aussi bien aux natifs dont l'horoscope présente le Soleil en Balance qu'à ceux dont l'Ascendant (qui est la cuspide, ou pointe, de la Maison I) se trouve sur la Balance. Aussi nous paraît-il superflu de répéter, même sous une forme très résumée, un exposé qui n'apporterait rien de nouveau au lecteur.

Cependant, c'est l'occasion de rappeler l'importance du signe ascendant qui peut marquer un individu plus profondément que le signe solaire. C'est vrai que la presse a popularisé le signe solaire; mais il suffit de commencer à pratiquer l'astrologie pour se rendre compte de l'importance du signe ascendant.

Pour illustrer cela par un exemple, reprenons le thème de l'architecte Le Corbusier. Son Soleil, en étroite conjonction avec Uranus dans la Balance joue, certes, un rôle non négligeable dans cet horoscope; mais Le Corbusier était encore plus marqué par le signe des Gémeaux sur la fin duquel se place son Ascendant et qui héberge la conjonction Lune-Pluton. Ses conceptions architecturales, à travers lesquelles s'exprimait tout son être, portent indubitablement la signature des Gémeaux.

Le cas de Le Corbusier n'est pas exceptionnel, loin de là. En réalité, il n'est pas possible, avant d'avoir étudié un horoscope, de savoir si le signe solaire l'emporte sur le signe ascendant, ou inversement. De plus, cette étude peut faire ressortir l'existence d'une troisième dominante zodiacale — sans parler, évidemment, des dominantes planétaires.

Balance en Maison II

On se souvient que la Maison II est celle de l'« accroissement de substance », ou, plus communément, de l'argent que l'on gagne par ses propres efforts. Elle renseigne donc sur l'état des finances du sujet, sur la façon dont il acquiert et dépense son argent.

Les sources de gains sont aussi diverses que les significations de la Balance. Le mariage peut être l'occasion pour le sujet d'augmenter ses revenus, soit grâce aux apports du conjoint, soit parce que son union lui permet d'accéder à une situation plus importante. C'est le cas, par exemple, d'un garçon qui entre dans une affaire en épousant la fille du patron. Mais il est possible d'imaginer bien d'autres scénarios.

Une association heureuse ou un contrat avantageux peuvent également procurer des gains substantiels. Comme la Balance est liée aux arts, on pense, par exemple, au contrat que signe le peintre avec une galerie de tableaux, ou le musicien avec une maison de disques. Il est bien connu que l'art nourrit mal son homme, surtout quand il n'atteint pas les sommets. Et, même alors, rien n'est jamais sûr. Toutefois, la Balance est un signe qui semble porter chance, particulièrement dans les périodes critiques.

Enfin, la vie publique est une autre possibilité de gagner sa vie. On pense à la politique qui, indirectement, peut donner l'occasion de signer des contrats « intéressants ».

Les dépenses ont un caractère vénusien. Ce sont celles qui sont liées, entre autres, aux réceptions que l'on donne ou aux sorties faites avec des amis. D'autre part, la création d'un cadre de vie agréable et raffiné peut entraîner d'importantes dépenses susceptibles de déséquilibrer un budget.

L'équilibre est justement un mot clé de la Balance, mais c'est un équilibre bien souvent instable, et la situation financière risque d'être fluctuante. Cependant, malgré les hauts et les bas, on peut penser qu'en raison de la protection de Vénus, la situation ne sera jamais vraiment désespérée.

Enfin, dans le cas d'une Maison II nettement dissonante, les procès engagés pour des questions d'argent se révèlent finalement très coûteux.

Balance en Maison III

La Maison III indique le genre de relations que le sujet entretient avec les gens que la vie quotidienne met en contact avec lui. Dans la jeunesse, ce sont surtout les frères et sœurs, les camarades de classe et les enfants du voisinage. Plus tard, ce sont les collègues de travail et les voisins.

La Balance, qui est sociable par nature, ne peut que favoriser les contacts avec un entourage, généralement agréable. Ce signe en Maison III peut également indiquer que l'on est amené à rencontrer des artistes ou bien des gens qui exercent une profession juridique. Ou alors le sujet trouve son conjoint parmi les personnes du voisinage, à moins que ce ne soit l'entourage qui « arrange » le mariage.

La Maison III concerne généralement l'intelligence concrète du sujet, ses dispositions et ses moyens d'expression, le langage et les écrits. Autrement dit, tout ce qui lui permet d'entrer en contact avec l'entourage.

Comme la Balance est un signe d'Air, l'intelligence sera mobile, souple, prompte, fantaisiste, sensible à la beauté. mais trop soumise aux influences changeantes venues de l'extérieur. Le sujet cherche à plaire et à faire partager ses opinions à son entourage. Le badinage est un mode d'expression qui le séduit et dont il use facilement.

Inversement, il peut développer son sens esthétique au contact de son entourage, surtout s'il vit dans un milieu raffiné.

Comme les écrits dépendent de la Maison III, il pourra être amené à échanger une correspondance amoureuse ou bien à exprimer en tant qu'écrivain ses sentiments dans ses livres.

Les petits déplacements quotidiens et les voyages, qui ne dépassent pas les limites de l'Hexagone, entrent aussi dans le cadre de cette Maison. Ils devraient se dérouler dans de bonnes conditions et ne pas être ressentis comme une contrainte. Parfois, ils sont l'une des conséquences du mariage, ou bien ils sont liés à l'exercice d'une profession juridique, tel un huissier appelé à se déplacer fréquemment pour établir ses constats.

Par analogie avec la Maison VII, la Balance est également le secteur des ennemis déclarés (contrairement à ceux de la Maison XII qui ne se montrent pas à visage découvert et agissent dans l'ombre). Si, donc, la Balance et la Maison III sont affligées, le sujet peut faire preuve d'esprit de contradiction, et les divergences de vues qui l'opposent à son entourage risquent d'entraîner des querelles et même des brouilles.

Un autre défaut de la Balance, c'est son instabilité. Si le sujet s'adapte facilement aux êtres et aux choses, cette facilité cache un manque de caractère qui le rend très influençable. Avec lui, le dernier qui a parlé a raison.

Balance en Maison IV

L'hérédité du sujet et les affaires qui s'y rapportent, tel est le domaine de la Maison IV.

Ce sont d'abord les Ascendants, particulièrement les parents qui transmettent à l'enfant l'héritage biologique avec ses implications psychologiques. C'est ensuite le foyer familial où, au cours de ses premières années, l'enfant reçoit une éducation qui le marquera pour toute la vie.

Puis c'est le patrimoine au sens large du mot puisqu'il comprend les biens physiques et spirituels qui proviennent de ses parents mais aussi de son pays natal, sans oublier la terre où reposent ses ancêtres et dans laquelle il reposera sans doute un jour.

C'est, par extension, le foyer que crée le sujet. Il est le prolongement de celui qu'il a connu chez ses parents et il abrite sa vie domestique, par opposition à sa vie sociale qui relève de la Maison X. Et comme la fin de la vie est souvent un retour aux sources, elle est également rattachée à cette Maison.

En combinant ces significations avec celles de la Balance, on obtient un grand nombre de possibilités dont voici les plus marquantes.

Si rien ne vient modifier profondément les dispositions naturelles de la Balance, le sujet grandira dans un foyer harmonieux. Il est possible qu'on y cultive un art de vivre raffiné, de sorte que l'enfant baignera dans un climat favorable à l'éclosion de dispositions artistiques.

Il est fort probable que le sujet créera son propre foyer à l'image de celui de ses parents. La Balance, qui est un signe de fête, peut lui donner le goût des réceptions et sa maison sera largement ouverte aux amis.

La fin de sa vie sera paisible. La douceur automnale du signe peut aider le sujet à prendre doucement congé de tout ce qui a fait son existence. Il le fera sans regret puisque, avec la Balance, on entre dans le monde des valeurs spirituelles.

Quelquefois, la maison du conjoint devient le foyer du sujet puisque la Balance est liée au mariage. Ou bien des accords sont signés avec les parents à propos de la succession, à moins que des biens fonciers en provenance de la succession ne fassent l'objet de contrats.

Quand la Balance est dissonante, ce sont évidemment les aspects désagréables du signe qui se manifestent. Cela peut prendre les formes les plus diverses : discussions ou conflits avec les parents pouvant aller jusqu'à la rupture, menaces qui pèsent sur le foyer à cause de la vie sentimentale du sujet qui entretient des liaisons illégales. Ce sont peut-être des procès que le sujet engage à propos de la succession de ses parents. Enfin, l'instabilité inhérente à la Balance se traduit quelquefois par de nombreux déménagements qui promènent le foyer de ville en ville.

Balance en Maison V

Le concept d'expansion pourrait servir de dénominateur commun aux significations attribuées traditionnellement à la Maison V.

La procréation des enfants est évidemment la forme la plus concrète de cette expansion puisque l'enfant est surtout pour la mère « la chair de sa chair ». On lui assimile la création des œuvres d'art : le livre de l'écrivain, le tableau du peintre, la statue du sculpteur ne sont-ils pas aussi les « enfants » de leurs auteurs ? Il suffit d'entendre la façon dont ils en parlent pour s'en convaincre.

Il y a ensuite le domaine de la « détente » qui est une autre forme d'expansion. Les affaires sentimentales avec les passions qu'elles suscitent entrent dans ce cadre. D'ailleurs, les amours ne sont-elles pas une forme d'« éclatement », comme on dit volontiers aujourd'hui ?

Il y a ensuite toute la gamme des distractions que les hommes ont imaginées, ainsi que les lieux qui leur sont consacrés, comme les théâtres, les cinémas, les terrains de sports, etc. Sans oublier les jeux de toutes sortes, surtout ceux de hasard qui donnent lieu aux mêmes spéculations que les entreprises hasardeuses que l'on peut assimiler à des jeux.

La nature de la Balance semble particulièrement bien accordée à celle de la Maison V, de sorte que le signe renforce les manifestations propres à ce secteur : le sujet est naturellement porté vers les distractions et l'art. Une femme sera peut-être encore plus sensible qu'un homme aux effets de cette configuration. Elle se montrera enjouée et coquette, raffinée et élégante et sa distinction naturelle la gardera de toute vulgarité.

Pour savoir si le sujet est prédisposé à avoir des enfants, on consulte en premier lieu le signe qui se trouve à la pointe de la Maison V : est-il fécond ou stérile ? La Balance est modérément fertile. Mais ce n'est là qu'une indication qui ne suffit pas pour résoudre ce problème fort complexe.

La rencontre de la Balance et de la Maison V favorise l'épanouissement de la vie affective. Les relations amoureuses que le sujet noue avec une grande facilité lui permettent de vivre une saine sensualité. Cependant, il lui sera difficile d'éviter qu'elles ne le conduisent assez vite au mariage qui reste une des grandes « tentations » de la Balance. Quant à ses relations avec les enfants, elles devraient être bonnes. Et, malgré son goût très vif des distractions, il sait garder dans ce domaine une juste mesure.

S'il n'est pas lui-même porté vers la création artistique, il appréciera la compagnie des artistes et concluera éventuellement des contrats avec eux.

Les effets d'une Balance et d'une Maison V affligées mettent en jeu l'instabilité du signe qui ne permet pas au sujet de trouver le bonheur dans des amours trop changeantes. Les disputes amoureuses ne peuvent qu'accélérer cette ronde épuisante. La sensualité, exacerbée par cette quête décevante, risque de conduire à la débauche. Enfin, les spéculations se soldent par des échecs propres à déprimer une nature fragile. Telles sont quelques-unes des conséquences possibles d'une telle affliction.

Balance en Maison VI

L'activité des organes du corps au service de l'homme, telle est la signification générale d'où découlent toutes celles que la Tradition prête à la Maison VI.

La santé et la maladie qui sont des conséquences du bon ou mauvais fonctionnement de ces organes, ainsi que tout ce qui contribue au maintien de leur activité normale, comme la diététique et les soins corporels, font partie de cette Maison.

Les ouvriers, les employés, les serviteurs et certains animaux qui travaillent pour le sujet, sont considérés comme des organes vivants extérieurs au corps. C'est pourquoi ils sont rattachés à cette Maison.

Enfin, le travail en tant que résultat de l'activité de certains organes humains, est une des principales significations de ce secteur. En affirmant que « le travail, c'est la santé », la sagesse populaire marque les liens qui unissent ces deux domaines. Il faut ajouter à ces significations les soucis et les difficultés qui accompagnent le travail.

La présence de la Balance dans la Maison VI remet au premier plan tout ce qui a déjà été exposé dans le chapitre consacré aux problèmes de santé des natifs de la Balance. La solution de ces problèmes dépend de nombreux facteurs dont il ne peut être question ici. Il n'en reste pas moins que dans le cas d'une telle superposition, il est indispensable de surveiller les reins et l'appareil urinaire. D'autre part, la tempérance reste une des clés de la bonne santé du sujet. Heureusement que le sens de la mesure propre à la Balance lui rend cette nécessité moins pesante.

Le travail ne devrait pas être trop pénible; il peut s'exercer dans un cadre agréable et élégant, par exemple, une parfumerie, un magasin de fleurs, une galerie de peinture. Parfois des préoccupations artistiques ou juridiques sont liées au travail.

Le sujet entretient de bons rapports avec ceux qui travaillent sous ses ordres. Il comprend leurs difficultés et s'efforce de faciliter leur tâche. En retour, il jouit de leur confiance et de leur attachement. C'est ainsi que se nouent parfois des idylles entre patrons et employées qui, dans certains cas, aboutissent au mariage.

Les effets d'une Maison VI et d'une Balance affligées se font sentir dans tous les domaines qui viennent d'être évoqués : l'instabilité inhérente à la Balance s'oppose à la réalisation d'un travail suivi; des conflits opposent le sujet à ses subordonnés; les querelles de ménage ont de fâcheuses répercussions sur la santé; des contrats non respectés ou des procès mal engagés causent de graves soucis; des liaisons rompues de façon trop désinvolte ont des suites désagréables.

On ne saurait énumérer toutes les possibilités, la vie se chargeant d'imaginer des situations qui n'effleureraient même pas la pensée de l'astrologue le plus subtil.

Balance en Maison VII

La Maison VII recouvre toutes les associations contractuelles qui nous lient aux autres. Les contrats qui sont à la base de ces relations peuvent faire l'objet d'un écrit : c'est tout d'abord le mariage qui est le plus connu des contrats liant deux êtres, ce sont aussi les participations dans les affaires commerciales ou industrielles. Mais il arrive que ces contrats soient tacites et fondés uniquement sur le sentiment et la confiance : c'est l'union libre, ce sont les associations professionnelles de fait, non garanties par un écrit. C'est enfin le cas de ceux qui vivent en communauté, que celle-ci ait un caractère philosophico-religieux ou profane.

Les relations avec l'Autre peuvent se changer en oppositions, tant il est vrai que la haine lie deux êtres aussi étroitement que l'amour. C'est donc dans cette Maison que se liront la force des ennemis et les occasions de querelles et de procès.

Par extension, la Maison VII permet de décrire les rapports que le sujet entretient avec le public. Ils seront particulièrement importants pour un artiste, un homme politique ou même un attaché de presse.

Dans cette superposition, la Balance occupe sa place naturelle puisqu'elle est le septième signe dont on sait qu'il est analogue à la Maison VII. On peut donc penser que si les significations découlant de cette superposition sont moins riches de possibilités que les autres, en revanche elles s'expriment avec plus de liberté car elles ne subissent pas les distorsions qui résultent d'une antithèse Signe-Maison. Elles devraient même se manifester avec plus de force, de la même façon qu'une planète dans son domicile exprime le meilleur d'elle-même.

Malgré la fougue que lui vaut un Ascendant Bélier, le sujet s'efforce d'avoir des relations harmonieuses avec autrui et il est ouvert à toutes les formes d'associations. La première, c'est évidemment le mariage. Il ne conçoit pas d'autre forme d'union, et, dans sa vie, les relations conjugales tiennent une place importante. Il est même prêt à faire des concessions pour parvenir à l'équilibre intérieur qu'il attend du mariage.

Son besoin d'harmonie dans ses relations extérieures lui fait rechercher les associations et les collaborations. Il en retire le sentiment d'une insertion réussie dans la société dont il se veut un membre à part entière.

Quand Signe et Maison sont dissonants, les choses ne se passent plus aussi paisiblement, et les domaines qui ressortissent à ce secteur risquent d'en être désagréablement affectés.

Le sujet ne réussit pas à stabiliser sa vie conjugale, l'agressivité perturbe ses relations avec autrui; il s'ensuit des conflits qui mènent les deux parties devant les tribunaux. Les contrats ne sont pas respectés et donnent lieu également à des procès. En un mot, la communication s'établit difficilement avec les autres, et c'est de là que vient tout le mal.

Balance en Maison VIII

Si la Maison II était celle de l'accroissement de substance, il est normal que la Maison VIII, qui lui est opposée, soit celle de la « perte de substance ». Poussée jusqu'à ses extrêmes limites, cette perte de substance aboutit à la mort du sujet. Voilà pourquoi beaucoup de manuels d'astrologie indiquent la mort comme signification principale de cette Maison, sans autre explication.

Dès lors, on comprend mieux pourquoi l'acte sexuel, considéré par certains biologistes comme une « mort partielle », est rattaché à cette Maison. Et par delà l'acte sexuel, la vie sexuelle elle-même.

Par extension, la Maison VIII fournit des renseignements sur les affaires indirectement liées à la mort comme les testaments, les héritages et les legs. Et elle nous éclaire sur l'intérêt que le sujet porte aux doctrines qui étudient les problèmes posés par l'après-mort, comme le spiritisme qui cherche à entrer en communication avec les disparus, ou l'occultisme, dont certaines branches abordent ces problèmes.

La présence de la Balance en Maison VIII permet d'espérer que le caractère vénusien du signe favorisera une mort naturelle et douce.

La Balance faisant intervenir l'idée de mariage, on peut penser à un veuvage précoce et, éventuellement, à un héritage provenant du conjoint. Mais des héritages venant des associés sont également possibles.

Enfin, dans sa vie sexuelle, le sujet devrait faire preuve de mesure et de délicatesse, tout en s'efforçant de communier avec son partenaire car, pour lui, il n'est de vrai plaisir que partagé.

Dans le cas d'une affliction de la Balance en Maison VIII, la mort ne sera sans doute qu'exceptionnellement violente, mais elle peut être due à un abus des plaisirs de la vie, entraînant une maladie qui épuise lentement le sujet. On se rappelle que les reins sont fragiles et que leur mauvais fonctionnement peut provoquer un lent empoisonnement de l'organisme.

Non seulement le sujet peut devenir prématurément veuf, comme nous l'indiquions plus haut, mais il peut encore perdre des personnes aimées dont la disparition risque d'affecter son équilibre intérieur.

Ou bien ce sont les testaments et les héritages qui entraînent le sujet dans des procès qui tournent à son désavantage. Même les héritages peuvent se révéler décevants ou cacher des pièges inattendus.

Enfin, la vie sexuelle, perturbée par une vie sentimentale déréglée, provoque parfois de graves troubles de santé.

Balance en Maison IX

La Maison III était le domaine de l'entourage immédiat du sujet et des relations qu'il entretenait avec lui. Dans la Maison IX, le sujet prend physiquement et spirituellement ses distances par rapport à son proche environnement.

C'est donc la Maison des voyages lointains, ceux qui conduisent au-delà des frontières du pays natal et permettent au sujet d'élargir son horizon intérieur. Par extension, cette Maison représente les pays étrangers et les rapports que le sujet entretient avec eux.

La Maison IX est également celle de la pensée abstraite (par opposition à la pensée pratique de la Maison III) et des domaines dans lesquels nous introduit cette pensée : la métaphysique, la philosophie, la religion. Elle renseigne sur la spiritualité du sujet, et son élévation morale qui implique la maîtrise de soi et le contrôle des pulsions instinctuelles.

Les visions, les hallucinations et les rêves, qui sont un moyen de pénétrer dans les régions supra-sensibles, sont rattachés à cette Maison, ainsi d'ailleurs que les éditeurs qui propagent la pensée à travers le monde.

La présence de la Balance dans la Maison IX implique la possibilité d'un mariage dans un pays étranger où le sujet peut être amené à faire sa vie. Ou bien c'est le conjoint qui vient de l'étranger ou qui a été connu à l'occasion d'un voyage lointain.

Ces voyages à l'étranger peuvent être de simples voyages d'agrément qui procurent de grandes satisfactions au sujet tout en enrichissant ses connaissances. A moins que ces voyages n'aient été entrepris pour signer des contrats à l'étranger (éventuellement avec des éditeurs).

D'une façon générale, on peut dire que les rapports avec l'étranger sont animés de part et d'autre d'une grande bonne volonté qui rend les relations fort agréables.

Dans le domaine spirituel, plusieurs possibilités s'offrent au sujet. L'art, particulièrement la musique, peut être la voie qui le mènera à certaines réalisations spirituelles. Mais celles-ci ne pourront être que l'aboutissement d'une recherche faisant plus de place à une sensibilité affinée qu'à la froide sagesse. Car dans les régions élevées de l'esprit, les voies sont innombrables. Cette recherche spirituelle peut être poursuivie au sein d'une communauté.

Les effets négatifs de la Balance affligée en Maison IX s'appliquent aux domaines gouvernés par le signe et la Maison. Citons-en quelques-uns : difficultés causées par un mariage à l'étranger, ou avec un étranger; les procès qui en résultent et les inimitiés qu'ils suscitent. Soucis ou litiges entraînés par des contrats ou des associations conclus avec des partenaires étrangers. Désagréments au cours d'un voyage lointain. Échecs éprouvés par le sujet du fait de son instabilité dans sa recherche spirituelle.

Balance en Maison X

Alors que la Maison IV représentait les origines du sujet, la Maison X symbolise le but vers lequel tend son existence. Elle nous renseigne sur les actions entreprises pour atteindre cet objectif ainsi que sur les résultats de ces actions qui sont concrétisés par le rôle que le sujet joue dans la société.

Tout ce qui se rattache à la carrière trouve sa place naturelle dans ce secteur : la fonction, le pouvoir, le succès, l'élévation sociale, les honneurs, la réputation. Et naturellement la profession elle-même en tant que vocation (à ne pas confondre avec le travail qui n'est souvent qu'un gagne-pain), et les conditions dans lesquelles elle est exercée.

Enfin, il y a l'autorité que le sujet rencontre d'abord en la personne de son père (si le père est insignifiant, ce rôle peut être joué par la mère), puis en la personne de ses supérieurs et des différents représentants de l'État. Et sa propre autorité.

Les qualités vénusiennes que la Balance apporte dans la Maison X sont de nature à favoriser la carrière du sujet en aplanissant son chemin : la sensibilité qu'il manifeste dans l'exercice de sa profession, son charme qui agit sur les gens avec lesquels son travail le met en contact, les relations que sa nature sociable le pousse à nouer avec ses collègues et ses chefs, sont autant d'atouts qui facilitent son élévation sociale. D'autant plus qu'ils se combinent de façon très heureuse avec la chance dispensée par Vénus.

Le mariage ou une association peuvent influer sur la carrière; ils sont parfois l'occasion pour le sujet d'élargir le champ de ses activités ou même de changer de profession.

Toutes les branches artistiques peuvent servir de toile de fond à la profession : peinture, musique, théâtre, cinéma, haute couture, etc. En favorisant les contacts avec le public, qui sont si importants pour un artiste, le signe de la Balance peut être un élément de succès pour le sujet.

Enfin les relations avec le père et, par-delà le père, avec l'autorité en général, devraient être assez cordiales. La Balance, nous le savons, n'est pas le signe des contestataires, et le sujet accepte assez bien l'autorité à laquelle il est soumis.

Les méfaits qui résultent d'une affliction de la Balance en Maison X se manifestent dans les mêmes domaines que les bienfaits : la carrière, la réputation, la considération, l'autorité du sujet peuvent être ruinées ou simplement mises à mal par des conflits provoqués par un mariage mal assorti, par des contrats piégés, par l'instabilité du sujet ou par la désaffection du public. La diversité des combinaisons malheureuses n'a d'égale que celle de la vie.

Balance en Maison XI

La Maison XI appartient au même axe que la Maison V que nous avons définie comme celle de l'expansion. Et nous avons vu que la détente est une des formes de l'expansion. Dans la Maison V, on se détend avec les gens que l'on aime d'amour, dans la Maison XI avec ceux que l'on aime d'amitié.

Les amis sont ceux à qui nous lie une affection réciproque. Ils ont des visages multiples qu'énumère la Tradition : camarades, compagnons, conseillers, protecteurs, mécènes.

Par extension, on englobe dans cette Maison les sociétés, les cercles, les clubs, les partis politiques. Le sujet les fréquente pour participer avec les autres membres à une activité commune de caractère non professionnel. Il assiste à des manifestations culturelles (conférences, expositions, concerts etc.). Ainsi s'apprécie son degré de participation à la vie de société. Enfin, les projets que l'on fait avec les autres et qui sont une autre forme d'expansion puisqu'ils donnent l'occasion de se projeter dans le futur. A leur réalisation se mesurent les chances de réussite du sujet dans la vie.

La Balance est aussi favorable en Maison XI qu'elle l'était en Maison V. En effet, comment ce signe qui est éminemment sociable ne créerait-il pas les meilleures conditions pour permettre au sujet de se faire des amis? D'autre part, quand on se lie d'amitié avec quelqu'un, ne passe-t-on pas une sorte de contrat tacite avec lui? Et l'on sait que les contrats sont du ressort de la Balance. Enfin, la gentillesse, la délicatesse et le charme de ce signe contribuent efficacement à resserrer les liens d'amitié existants.

Nous avons noté à propos de la Maison V que la Balance était un signe modérément fertile : les amis ne seront pas très nombreux (à moins que tous les autres significateurs n'indiquent le contraire). Mais les vrais amis ne se comptent-ils pas sur les doigts d'une main? La Balance donne également une indication sur l'origine des amis. Ils pourraient venir d'un milieu où l'on cultive les arts. A moins qu'ils ne soient eux-mêmes artistes. Mais encore une fois, ce n'est là qu'une indication qui demande à être confirmée par d'autres éléments de l'horoscope.

Le mariage, ou un autre genre d'association conclu par le sujet, peut lui apporter de nouvelles amitiés, agrandir le cercle de ses relations, l'aider à réaliser un projet ou combler ses espérances. Quant à sa vie mondaine, elle peut le mettre en contact avec des artistes ou des représentants d'une profession juridique.

Enfin, la chance vénusienne attachée à la Balance transforme souvent les amis en protecteurs ou en mécènes qui aident le sujet à améliorer sa situation ou à s'élever socialement.

Dans le cas d'une dissonance, les défauts de la Balance jouent évidemment comme dans les autres Maisons. Cependant, ils paraissent ne pas avoir ici des conséquences aussi graves. A titre indicatif, voici quelques possibilités d'effets négatifs de cette configuration : préjudices causés par des amis ou des relations mondaines, espérances déçues, protections illusoires. De son côté, le sujet peut abuser de la confiance de ses amis.

Balance en Maison XII

La Maison XII est celle des sacrifices dont tout être humain doit faire un jour l'expérience. Ils lui sont généralement imposés par les autres ou par les circonstances de la vie. Mais ils peuvent également être librement consentis, et leurs effets sont alors très différents.

Dans le premier cas, les sacrifices sont ressentis par le sujet comme de pénibles épreuves. Ce sont, par exemple, les maladies chroniques, souvent provoquées par le refus du sujet d'observer certaines lois naturelles. Ces maladies peuvent entraîner un séjour forcé dans un hôpital ou une clinique.

Ce sont aussi les emprisonnements parce que le sujet refuse d'accepter un régime politique qui lui paraît inique, ou parce qu'il a un comportement criminel ou déraisonnable (maladie mentale) qui menace l'ordre établi.

Par extension, la Tradition rattache à la Maison XII les conséquences physiques et morales de tels comportements : les souffrances, la haine, les tortures, les trahisons, ainsi que ceux qui en sont les auteurs, mais qui restent la plupart du temps anonymes : les ennemis cachés.

Dans le cas de sacrifices librement consentis, l'acceptation des souffrances peut être dictée par la foi religieuse, le désir d'aider autrui ou l'idéal politique (les jeûnes de Gandhi en Inde).

Ces sacrifices volontaires permettent d'accéder à certains domaines que la Tradition fait également dépendre de la Maison XII. Ce sont ceux de l'âme, s'ouvrant avec toutes leurs splendeurs à celui qui a eu le courage de renoncer à un certain monde, ce qui ne veut pas dire renoncer à la vie.

La Maison XII n'est pas une Maison de joie (comme la Maison V). Les seules joies qu'elle dispense sont les joies spirituelles. Mais nous venons de voir qu'on ne peut les atteindre qu'après avoir parcouru son « chemin de croix ». Il ne faut donc pas attendre de cette Maison beaucoup de bienfaits dans la vie « ordinaire ». Cependant, la présence de la Balance dans ce secteur peut atténuer les chocs du destin. Même ici, Vénus, la déesse compatissante, ne renonce pas à étendre sur les humains son manteau protecteur. Aussi les ennemis cachés seront-ils moins virulents.

Il peut même arriver que certains reviennent sur leur jugement et se réconcilient avec le sujet. Quant aux épreuves de la vie, elles devraient être plus supportables. Même quand les choses menacent de devenir très sérieuses, il semble qu'une protection occulte protège le sujet du pire.

Cette superposition peut amener la conclusion d'un mariage secret, de pactes occultes ou d'alliances illégales, la collaboration avec des sociétés secrètes, la poursuite dans la solitude de recherches sur l'art, une vie recluse consacrée aux plus hautes valeurs vénusiennes (amour spirituel).

Une affliction de la Balance en Maison XII ouvre la porte à toutes sortes de maux qui se manifestent dans les domaines gouvernés par le signe : maladie chronique (reins), épreuves provoquées par un abus des « bonnes choses », mariage qui devient un enfer, procès perdus à la suite de contrats non respectés, etc.

Le Scorpion dans les Maisons

Scorpion en Maison I

Le Scorpion en Maison I est à l'Ascendant. Même s'il est vide de planètes, il marque profondément le natif.

Je rencontre des gens tout fiers qui me disent : « Oh! moi, Dieu merci, je ne suis pas Scorpion, quelle horreur! Je suis seulement Ascendant Scorpion. » Ils ignorent l'importance capitale de l'Ascendant, qui modifie toujours beaucoup les autres signes solaires. Ce Scorpion en première Maison donne une bien plus grande énergie au natif; il étoffe sa personnalité de cette âpreté, de cette persévérance, de cette volonté de puissance qu'ont les gens du signe. Le sujet lutte contre le groupe pour s'imposer. Actif, entreprenant, il tend à diriger les siens au point de devenir parfois tyrannique. Il profite des révolutions, des situations conflictuelles — qu'il sait d'ailleurs provoquer — pour en sortir vainqueur. Passionné mais très lucide, l'Ascendant Scorpion donne du réalisme, du courage... et le pardon difficile.

Scorpion en Maison II

Dans ce secteur concernant les biens du natif et son aptitude à acquérir (ou à perdre), le Scorpion n'est pas trop mal placé. Son réalisme et son activité persévérante lui assurent souvent un bon job, assez stable, parfois même assez brillant. Réussite dans les professions de Mars et d'Uranus (militaires, ingénieurs, hommes politiques, inventeurs, aviateurs, techniciens dans les secteurs de pointe).

La fortune peut être amassée secrètement..., pas trop déclarée et déposée en Suisse! Si le thème indique des possibilités d'héritages, cette position les renforce.

Mais quelle âpreté au gain! Et ces jalousies!... Sous de mauvais aspects seulement. Le Scorpion n'est pas avare : il dépense, mais de façon impulsive, sans arrière-pensée. Il est souvent généreux.

Scorpion en Maison III

Cette Maison renseigne l'astrologue sur l'intelligence du natif, sur ses capacités à établir des relations de cause à effet, sur son agilité d'esprit. Également, dans cette Maison, les relations avec tout ce qui est proche : entourage, frères et sœurs, voisins, petits voyages...

Le Scorpion, dévoré de curiosité et malin comme un singe, n'est pas mal situé dans cette Maison. Curiosité scientifique, vocation de chercheur (chimie, biologie, parapsychologie...), aptitudes à la littérature, au journalisme, à l'enseignement, on peut trouver tout cela dans un Scorpion en Maison III.

Scorpion en Maison IV

Le Scorpion, dans cette Maison, donne une ambiance assez dure, où le natif est contraint de refouler ses instincts. Ce n'est pas une position très favorable pour le foyer. A moins de très bons aspects, on peut craindre des divergences familiales très vives, toutes espèces de ruptures violentes, un divorce... Le foyer est malheureux ou négligé. Le natif peut être orphelin de père ou de mère, ou encore éprouver un deuil à son foyer. Les valeurs du Scorpion sont trop différentes de celles symbolisées par la Maison IV : notre animal n'est pas, en principe, très doué pour l'intimité bourgeoise. Le Scorpion en Maison IV n'est pas favorable aux biens immobiliers et au patrimoine familial qui souffre de l'ambiance tendue du foyer. La fin de vie est plus heureuse. Cependant, ne dramatisez rien, avec de bons aspects ce pessimisme de principe peut s'atténuer. Le Scorpion en Maison IV accorde d'intéressantes possibilités de création en fin de vie, et une vie sexuelle maintenue jusqu'à la mort, facteur de jeunesse pour l'individu.

Scorpion en Maison V

Le Scorpion, lui, ne marche pas très bien dans cette Maison, trop légère pour lui. Du point de vue des enfants, pourtant, cela peut être favorable parce que notre Scorpion assume vaillamment son rôle de parent. Cependant, ses enfants, s'ils sont brillants, sont parfois difficiles de caractère ou de santé fragile. En thème féminin, les mauvais aspects préparent aux grossesses et accouchements pénibles. La sexualité du Scorpion en Maison V est puissante : passions intenses et jamais platoniques. Les impulsions sexuelles, violentes et incontrôlables, amènent des ruptures brusques après lesquelles l'amour peut se changer en haine. Les auteurs « anti-Scorpion » insistent lourdement sur les « curiosités perverses », les « abus sexuels », « les aventures honteuses » et les « débauches »... Avant de coller ces étiquettes sur le dos d'un malheureux, regardez bien l'ensemble du thème, dans quelle position céleste se trouvent les maîtres du Scorpion, quels sont leurs aspects, etc. Il arrive plus souvent que le Scorpion hébergé en Maison V donne surtout une grande séduction, une sensualité très forte et une vie sentimentale mystérieuse...

Scorpion en Maison VI

La Maison VI n'est pas un palais, c'est plutôt une usine ou un hôpital. Le Scorpion, là-dedans, travaille bravement — le pauvre — à des travaux assez durs; mais il finit par s'en sortir, surtout dans ses domaines préférés : médecine, chirurgie, pharmacie, psychiatrie et antipsychiatrie, police, recherche scientifique... Cette situation astrale donne des subordonnés difficiles à commander et, pour le sujet, une peine infinie à s'élever jusqu'aux tout premiers postes. La santé n'est pas très brillante : maladies du Scorpion (voies génito-urinaires) et de Mars (cœur, appareil circulatoire). Le Scorpion — qui n'est jamais un tire-au-flanc, rendez-lui cette justice — a tendance à se surmener. Avec des dissonances graves de Mars, il se surmène tant que la fatigue le rend vulnérable aux accidents du travail, aux risques d'opérations, aux dépressions.

Scorpion en Maison VII

Le Scorpion en VII décrit un conjoint difficile, pas forcément du signe solaire du Scorpion, mais marqué par Mars, Pluton et Uranus. Ni souple, ni accommodant, jaloux et agressif. Beaucoup de discussions et de bagarres en perspective. Cependant, le mariage tient grâce à un attrait physique réciproque. Les conjoints ont des relations physiques fréquentes. Le partenaire indiqué par le Scorpion en VII est très attaché à ses enfants. Finalement, le mariage est plus solide qu'on ne le croit, et le conjoint fidèle et dévoué. Sous de bons aspects, le divorce n'est pas plus à craindre que dans d'autres signes (voir les mauvais aspects d'Uranus). Le mariage se dissout plutôt par la mort de l'un des partenaires que par un divorce.

Les mauvais aspects dans cette Maison sont, bien entendu, catastrophiques : destruction du mariage par mort prématurée du conjoint, conjoint trop exigeant sexuellement, ce qui torpille sûrement l'entente du couple, jalousie ravageuse...

Le natif, tenté par des associés actifs et entreprenants, a bien des déboires avec eux. Prudence, donc, en ce domaine, si vous avez le Scorpion en Maison VII : faites plutôt cavalier seul. Vos ennemis sont venimeux et violents. Heureusement, vous les voyez venir.

Scorpion en Maison VIII

Dans cette maison est localisé tout ce qui touche à la mort du natif et, aussi, tout ce qui se rattache à la mort des autres, lorsqu'elle le concerne : héritages, par exemple. Par analogie avec le Scorpion, cette Maison renseigne aussi sur la sexualité du natif (selon certains auteurs). Le Scorpion en Maison VIII donne, selon la Tradition, une mort très dure ou précédée d'une agonie douloureuse. Le Bélier à l'Ascendant est pour quelque chose dans la mort rapide et violente qui survient parfois.

Scorpion en Maison IX

Le Scorpion n'est pas si mal hébergé dans cette Maison qui oriente son esprit vers les sciences de la vie et de la mort : biologie, physique, thanatologie, occultisme et, même, astrologie! Le Scorpion en Maison IX aime la recherche scientifique et s'y applique souvent avec passion. Mais ce qu'il adore par-dessus tout, ce sont les théories farfelues sur « la vie après la mort ». Cela peut le rendre mystique, réfléchi, rêveur, philosophe... Les voyages, dans cette Maison, et pour lui, sont pleins de risques, mais il aime cela, justement! (Par exemple, Henri de Monfreid.) Aventures, expéditions scientifiques ou « coloniales » lui réussissent finalement souvent bien. Le Scorpion en Maison IX apporte une vive passion et un courage déterminé dans toutes ses recherches.

Scorpion en Maison X

Le Milieu-du-Ciel est un « angle » important du thème et toute planète, tout signe qui s'y trouve, prend un relief particulier. On regarde le Milieu-du-Ciel en levant les yeux : c'est le zénith, le point le plus haut où monte le Soleil dans sa course quotidienne; il indique les possibilités de réussite sociale et professionnelle du natif. En opposition à la Maison IV — celle du père —, le Milieu-du-Ciel est aussi, accessoirement, la Maison de la mère du natif. Le Scorpion en Maison X indique la réussite dans les professions du signe (militaires, policiers, psychologues...). Et toute profession qui implique courage, agressivité, ténacité, intuition... La réussite est entrecoupée de crises, de chutes et de ruptures violentes.

Scorpion en Maison XI

Espace, liberté, égalité. fraternité... C'est le sens de la Maison XI, qui correspond analogiquement au signe du Verseau. Celui-ci est donc le signe de l'amitié, des mass média, des idées généreuses, plus ou moins révolutionnaires. Amitiés, désirs, et projets, publicité, tout ce qui circule sur les ondes rentre dans cette Maison.

Le Scorpion apporte une coloration particulière à la Maison XI. Certains auteurs lui octroient peu de popularité, mais cela dépend des planètes qui s'y trouvent hébergées, des aspects reçus, etc.

Scorpion en Maison XII

Il existe des affinités entre la Maison XII et le signe du Scorpion, mais ce sont des « affinités négatives ». Tout l'aspect ténèbres, mort et mystère du Scorpion correspond à la signification de la Maison XII : ce qui est caché, secret... et pas très heureux ! Hôpitaux, prisons, asiles, exils, longues maladies, claustration — volontaire ou non —, ennemis secrets, suicide, occultisme, épreuves douloureuses relèvent de cette Maison. Aussi ne faut-il pas s'étonner du pessimisme des interprétations traditionnelles. Avec le Scorpion en Maison XII, le natif doit compter quelques solides inimitiés. Il suscite des jalousies tenaces, d'autant plus dangereuses qu'elles sont hypocrites. Il est l'objet de calomnies et il est souvent trahi par ses collègues de travail. Heureusement, le natif a ce qu'il faut pour se défendre ! Il peut être aussi victime d'une campagne de dénigrement systématique, parfois d'envoûtement.

Du point de vue de la santé, le sujet est très vulnérable aux maladies du signe (voies génito-urinaires, maladies vénériennes) qui entraînent plus qu'en aucune autre Maison des hospitalisations et des opérations (avec Mars mal aspecté). Risque de mort à l'hôpital, ou dans un endroit isolé et confiné. Les maladies chroniques sont, ici, particulièrement pesantes.

Pourtant, avec un bon thème et pas de mauvais aspects, cette position est très favorable à une brillante réussite professionnelle, dans le domaine médical (chirurgie, biologie) ou para-médical (psychiatrie, psychologie).

Le Sagittaire dans les Maisons

Sagittaire en Maison I

C'est la force d'expansion, de démonstration solaire, de magnanimité qui s'épanouit dans toute sa splendeur. L'individu est chaleureux, extériorisé, combatif et entreprenant. Il aime, sauf si des aspects contraires dans le thème viennent contrarier sa nature, entreprendre, se battre et gagner. Beaucoup de luminosité, de réussite et d'atouts « chance » dans cette combinaison.

Sagittaire en Maison II

C'est au domaine des biens et de l'argent que touche le Sagittaire : il facilite les gains, les spéculations financières, il donne des aptitudes extrêmement appréciables dans le domaine de la gestion de patrimoines ou d'entreprises. L'argent est aisé, facilement gagné ou bien il existait de toute éternité. Possibilités, également, d'héritages.

Sagittaire en Maison III

Il donne à la Maison de l'échange, de la communication, des petits voyages, des frères et sœurs, une richesse très particulière : le sujet est enclin à donner généreusement — tant du point de vue moral que du point de vue financier — à son entourage proche. Il cherche même, souvent, à devenir le Pygmalion des personnes qu'il aime, au risque de s'oublier lui-même. Configuration très bonne.

Sagittaire en Maison IV

Nous voici dans la Maison de la famille, du foyer, de l'ascendance et de la descendance du sujet. Peu d'affinités entre le signe et ce secteur. Tiraillements entre le désir sagittairien de voyager de par le monde, d'occuper de son ambition de grands espaces et la nécessité cancérienne (la Maison IV symbolise le Cancer) de s'enfermer, de se protéger.

Sagittaire en Maison V

Donne trop d'attirance pour les distractions, les fêtes, les changements, les jeux, la chasse. C'est un organisateur né de festivités, de grands jeux, de réceptions. Toutes les manifestations qui rassemblent les êtres humains pour les divertir, tout dessein ludique, ont la faveur de ce sujet. Chance et réussite en ce qui concerne les activités de ce secteur.

Sagittaire en Maison VI

La Maison VI est celle des subordonnés, des petites tâches quotidiennes, des êtres et des choses qui dépendent du sujet dans ses activités journalières. Le Sagittaire ne s'y sent pas spécialement à son aise car c'est un signe d'espace, de grandeur, de mouvement, d'initiatives nouvelles, et le quotidien l'ennuie. Voilà une position qui lui donne de l'impatience dans la vie de tous les jours, bien qu'elle rende ses relations très faciles et chaleureuses avec ses employés ou ses subordonnés, ainsi qu'avec ses animaux domestiques.

Sagittaire en Maison VII

Le Sagittaire, signe légaliste et respectueux des lois établies, dans une Maison liée aux contrats, aux associations, aux alliances et au mariage, donne au sujet le goût d'officialiser toute association, de la rendre légale et de la faire reconnaître. L'expansion, la chaleur, la générosité du signe se trouvent en harmonie très heureuse avec les signifiants de la Maison : époux (ou épouse), associés, collaborateurs, etc.

Sagittaire en Maison VIII

Ce qui touche à la mort, aux héritages, est mal ressenti par un signe qui met au premier plan la vitalité, l'activité et l'efficacité en tous domaines. Pour le Sagittaire, la mort n'existe pas et, si le sujet s'y trouve confronté (mort des parents ou du conjoint), il peut en être profondément perturbé.

Sagittaire en Maison IX

Ce secteur est en accord parfait avec le signe. Les voyages, spirituels aussi bien que réels, marquent très fort cette combinaison. Largeur de vues, courage, sagesse, aspirations morales, religieuses ou philosophiques très élevées. Déploiement d'énergie et de volonté dans l'amélioration de la personnalité.

Sagittaire en Maison X

Brillante position. Recherche des honneurs, de la popularité, de distinctions dans tous les domaines. Le désir de réussite sociale est très fort et peut dominer l'ensemble du caractère. Cette configuration fait souvent des personnalités remarquables et remarquées.

Sagittaire en Maison XI

Ce Sagittaire dans la Maison de l'amitié, de la sagesse, du recueillement, du sens politique à long terme, donne beaucoup de sérénité chaleureuse, de bienveillance calme au sujet. Les amitiés sont fortes et durables, protégées et protectrices. Le temps joue un rôle important dans cet aspect, tant du point de vue social et professionnel que du point de vue privé.

Sagittaire en Maison XII

Rétraction du signe ouvert et expansif du Sagittaire dans une Maison d'isolement et de solitude. Peut faire faire beaucoup de voyages solitaires et provoquer de longues éclipses dans les amitiés. Comme c'est aussi la Maison de la transcendance, le signe permet de surmonter, par son énergie, la solitude et la transforme en atout.

Le Capricorne dans les Maisons

Capricorne en Maison I

Durcit la personnalité dans ses rapports avec les autres. Donne une ambition forte, des possibilités de travail et de concentration exceptionnelles, de l'entêtement et une force de caractère qui confine à l'ascétisme.

Capricorne en Maison II

L'attitude du sujet envers les biens matériels, l'argent et son « territoire » est à la fois accapareuse et méfiante. Il ferme ses clôtures. Ce qui est à lui ne peut, en aucun cas, être prêté. C'est un épargnant né. Souvent, des difficultés se présentent à lui, dès qu'il cherche à faire fructifier ses acquis.

Capricorne en Maison III

Les contacts faciles et superficiels sont totalement rejetés. Grande exigence sur la qualité des relations. Rigueur morale, sévérité de jugement, réserve et laconisme dans tout ce qui concerne les rapports avec l'entourage proche, les frères, les sœurs, les cousins.

Capricorne en Maison IV

Les rapports du sujet avec sa famille sont froids, distants, réservés. Le détachement d'avec le foyer se fait très jeune, parfois dans l'enfance. Le caractère économe, austère et répressif du Capricorne donne à sa Maison les mêmes caractéristiques : un peu monacales.

Capricorne en Maison V

Les plaisirs sont dirigés vers une recherche méticuleuse de la perfection dans un domaine choisi. La concentration de l'énergie vers un but austère pousse le sujet à l'érudition, aux durs travaux intellectuels réalisés dans les temps de loisir; peu de complaisance à l'égard des « distractions » : il fait du labeur son vrai plaisir.

Capricorne en Maison VI

Rapports durs, utilitaristes avec les subordonnés, les collaborateurs, les employés. Pas la moindre tendresse pour les animaux, les plantes, tout ce qui dépend du sujet. Comportement très égal, discipliné dans le travail quotidien. La répression saturnienne apparaît dès que s'immisce à l'intérieur de tâches régulières la moindre fantaisie.

Capricorne en Maison VII

Les associations, les contrats, le mariage sont suspects : traités avec froideur, rationalisme, distance, calcul. De ce fait, grande est la difficulté du natif à s'engager. S'il s'y décide, c'est tard dans la vie. A ce moment-là, il reste fidèle à la parole donnée (et dûment signée), quoi qu'il lui en coûte.

Capricorne en Maison VIII

La mort et la sexualité qui s'y rattachent sont traités sur un mode cynique et glacé, dans une observation méticuleuse, précise, des phénomènes physiques, chimiques et biologiques. Froideur, dureté, hygiène dans tout ce qui se rapporte à ces sujets.

Capricorne en Maison IX

Les voyages ont toujours un but pratique, utilitaire et servent généralement l'ambition sociale ou professionnelle du sujet. Lorsqu'ils revêtent un caractère gratuit, par exemple en vacances, ils sont malgré tout accomplis sous le signe du devoir : il faut voir tel musée ou tel vestige, il faut entrer dans tel restaurant, etc.

Capricorne en Maison X

Très bonne combinaison : ambition tenace et réussite obtenue par persévérance, concentration, travail personnel de longue haleine. Le Capricorne donne une très belle carrière dans ce secteur, quoique tardive. Mais elle n'en a que plus de poids, de valeur et de pérennité.

Capricorne en Maison XI

La Maison de l'amitié est certes très gelée par le Capricorne qui n'a rien d'expansif ni de démonstratif dans ses attachements. Sait-on même s'ils existent ? En réalité, l'amitié est rare dans ce signe (rarement donnée, rarement reçue), mais, lorsqu'elle a pris racine dans l'individu, elle a les qualités capricorniennes de stabilité profonde, de présence durable, même si elle semble froide et plus que discrète. C'est quelqu'un sur qui l'on peut toujours compter.

Capricorne en Maison XII

Dans la Maison des épreuves et des grands obstacles, le Capricorne se trouve en pays connu : il les a, de toute éternité, prévus et « assumés ». Son détachement naturel, le frein systématique qu'il a mis à ses impulsions lui donnent, face à l'adversité de l'existence, beaucoup de philosophie, de sang-froid et de maîtrise.

Le Verseau dans les Maisons

Verseau en Maison I

Dynamisme créateur, magnétisme, volonté d'innover, d'inventer, de précéder en toute chose. Intelligence exceptionnelle dans toutes les relations personnelles du sujet. Créations et destructions aussi rapides les unes que les autres. Immense faculté de recommencement.

Verseau en Maison II

Rapports très difficiles avec l'argent : ou bien on le dilapide, ou bien on s'en passe complètement. Les biens matériels sont méprisés, parfois totalement rejetés. Ce n'est pas une très bonne position pour garder l'argent, le faire fructifier ou réussir des placements. Les spéculations financières sont soumises à de rudes « revers de fortune », à des hasards, chanceux ou pas, suivant la capacité du sujet à dominer les événements.

Verseau en Maison III

Changements touchant la famille proche, les sœurs et les frères ; rapports houleux, pleins de rebondissements heureux ou moins heureux ; petits voyages imprévus ; changements intervenant aussi par l'écriture, la communication (orale ou écrite) et la littérature, d'une manière générale.

Verseau en Maison IV

Le caractère profond du sujet a pu être marqué profondément par l'intelligence et les remises en question permanentes, par le père. Sa vie familiale est soumise au climat Verseau, renouvelée, changeante, novatrice et parfois aussi destructrice. Bouleversements liés à la famille et à ses significateurs par analogie : la mère patrie, les confréries, les groupes politiques ou sociaux.

Verseau en Maison V

Très bon rapport du signe avec le secteur. La Maison de la création, des enfants, des distractions, des jeux, des inventions est en affinité idéale avec le Verseau qui élargit les visées des domaines que concerne la Maison V, les rend dynamiques et agissants. Les plaisirs sont liés à la complicité et à l'amitié.

Verseau en Maison VI

Le Verseau est ici astreint à de petites tâches sans envergure et sans invention, ce qui le met très mal à son aise. Il se crée quantité d'obligations inutiles pour ne pas avoir à faire face à celles qui existent. Il bâcle tout ce qui est quotidien et banal, l'expédie en un rien de temps, aux dépens, parfois, de la bonne administration de ses affaires.

Verseau en Maison VII

La fantaisie, l'originalité, l'invention règnent dans le domaine de l'association, des contrats et des mariages. Donne, dans ce secteur, un grand sens de la « rénovation », pas seulement par un changement de partenaires ou d'associés, mais aussi dans une même relation : le sujet sait apporter du nouveau, se créer une nouvelle communication, un nouveau langage, de nouveaux désirs et amener de nouvelles réalisations.

Verseau en Maison VIII

Ce qui a trait à la mort, à l'arrêt de toute chose, est parfaitement dépassé par ce signe. Le Verseau voit des siècles à l'avance et ne se préoccupe guère de la fin humaine et corporelle. Celle-ci ne le touche pas profondément. Il peut donc avoir, à son endroit, une attitude détachée, voire indifférente, mais c'est qu'il se préoccupe davantage de la mort de l'âme, de l'esprit, et de l'humanité en général que de celle d'un individu, même très aimé.

Verseau en Maison IX

Le besoin de renouvellement, de progression et d'invention se manifeste dans les voyages (spirituels ou géographiques). Le sujet s'enrichit par l'exploration, la découverte de nouveaux espaces, la quête de nouveaux objectifs. Il aime les destinations lointaines et difficiles qui lui permettent d'exercer son insatiable curiosité. Grande affinité entre le signe et le secteur.

Verseau en Maison X

La recherche de l'invention et du nouveau prend une motivation sociale et professionnelle. C'est de créer pour *faire carrière* que le sujet a besoin. Le goût du Verseau pour l'humanité le prédispose à agir dans ses activités professionnelles comme un mage, un messager, une sorte de prophète à vaste ambition, mais sans que l'intérêt financier ou matériel y soit mêlé. Souvent, cette position donne de la renommée sans aucune contrepartie matérielle.

Verseau en Maison XI

L'accord est parfait entre le signe et la Maison qu'il occupe. Sagesse, sérénité, créativité paisible, stabilité dans l'innovation et le renouvellement psychique. Ces qualités s'adaptent particulièrement aux amitiés : le sujet a d'ailleurs tendance à transformer tout sentiment en amitié, par horreur des excès passionnels. Grandes satisfactions dans les affections durables et fidèles.

Verseau en Maison XII

Le Verseau, adaptable, prend les épreuves, les revers et les secousses graves de la Maison XII dans le bon sens : sans affolement, sans passion, sans paroxysme. Sagesse, distance, souplesse psychique amènent le sujet à se conformer aux événements plutôt qu'à tenter de les orienter. Cette attitude le rend finalement peu vulnérable aux grandes difficultés qui se présentent.

Les Poissons dans les Maisons

Poissons en Maison I

Mêmes significations que pour Soleil en Poissons (voir p. 242), mais l'aspect physique du sujet est encore plus flou, vaporeux.

Poissons en Maison II

Le grenier sera plutôt spirituel. Il y aura une certaine indifférence aux problèmes matériels si le thème va dans ce sens. S'il y a besoin de possession, le désir d'avoir et d'acquérir sera vague. On voudra beaucoup, mais on ne saura pas comment s'organiser pour y parvenir. La vie matérielle sera généralement instable. Le hasard jouera un rôle important. Avec Neptune en Maison II, dans un thème Poissons, il y a un certain manque de bon sens. On peut faire « fortune » et tout perdre sur un simple « coup de dés ». Là aussi on ne sait pas comment s'y prendre. On change souvent de route, et d'idées. Si Jupiter marque le thème ou s'il est en Poissons en secteur II, la réussite sera spectaculaire (Claude François). Elle n'en restera pas moins extrêmement fragile.

Poissons en Maison III

Les rapports avec les proches sont intuitifs. Mais les échanges souvent confus. Les études ne sont pas « rationnelles ». On change d'ailleurs plusieurs fois de centre d'intérêt.

Poissons en Maison IV

Dans ce secteur de nos racines et de nos origines, des liens familiaux, les Poissons donnent un sens patriotique profond. Il y a là une sorte d'amour « romantique » pour la patrie. La cellule familiale est un refuge. On s'y sent protégé, à l'abri des difficultés du monde extérieur.

Poissons en Maison V

La sensualité est souvent trouble. Le signe fécond des Poissons donne des appétits intenses mais imprécis.

Dans ce secteur, il est aussi très important de voir les planètes et la Lune Noire.

Poissons en Maison VI

Il y a là dans la vie un manque total de sens pratique. On manque de méthode dans son travail. D'où des nombreuses complications. Les problèmes domestiques limitent l'existence. On a tendance à se « noyer » pour un rien. En analogie avec le signe de la Vierge, cette Maison peut donner des problèmes intestinaux, des problèmes d'assimilation, des problèmes nerveux ou respiratoires.

Poissons en Maison VII

Elle nous met en relation avec les autres (affrontement ou complémentarité). La sociabilité sera très grande mais les échanges agréables n'aboutiront pas toujours à des résultats concrets. Les associations, les unions, se feront sur un mode « intuitif ». Les affinités seront très fortes; irraisonnées, illogiques.

On se bercera parfois d'illusions sur les autres... D'où les confusions, les erreurs de jugement, les déboires, les déceptions venant des autres; ou, de l'autre : ce secteur étant, en effet, le secteur du conjoint. Dans un thème Poissons, Neptune dans ce secteur jouera dans un sens très proche. Il entraînera une vie, au niveau des associations comme des unions, assez « mouvante ». Il y aura souvent plusieurs unions. L'un des conjoint devrait être marqué par Neptune, les Poissons, ou le secteur XII.

Avec Jupiter en Maison VII, les formules « associatives » sont assurées de succès. Mais elles dépendront de l'autre. L'optimisme pourra noyer l'objectivité. Le conjoint apportera une expansion peut-être illusoire.

Poissons en Maison VIII

Le changement résultera d'une situation douloureuse. A la suite d'une crise, « on s'évadera » ailleurs. Ce pourra être une fuite hors du milieu d'origine ou hors du pays natal.

Avec cet aspect, on s'intéressera aux problèmes occultes, au spiritisme, à l'au-delà.

Avec Neptune, les expériences psychiques seront intenses. On côtoiera les mondes occultes. On s'intéressera aux vies antérieures. La voyance n'est pas exclue. (Edgar Cayce, le célèbre voyant). Avec Jupiter, les héritages pourront changer la vie, ou permettre un redémarrage.

Poissons en Maison IX

Dans ce secteur, le signe des Poissons donnera l'amour des grands voyages. On ira souvent « au-delà des mers ». La vie spirituelle sera intense. Parfois, il y aura des dons de perception « extra-sensorielle ». Notamment avec Neptune. Les brumes neptuniennes pourront donner le goût des spéculations philosophiques un peu « nébuleuses ». L'idéalisme, néanmoins, ne sera jamais absent...

A noter : aussi bien pour l'une ou l'autre de ces Maisons, l'étude des religions, voire une vie religieuse intense, relèvent de cet axe III - IX Poissons. En Maison IX, l'attirance sera très grande pour des religions « exotiques » : orientalisme par exemple. Mais aussi hindouisme, bouddhisme, zen, etc.

Poissons en Maison X

Le secteur X est notre réussite personnelle. C'est notre affrontement avec la vie sociale. Dans ce secteur, nous découvrons la vie professionnelle, les tribulations du destin, la vocation.

C'est le secteur de l'affirmation sociale. C'est l'envol dans la vie active.

Il est vécu, aux Poissons, sur un mode étrange. Les aspirations sont élevées mais embrouillées. Les occupations souvent mystérieuses. La vie manque généralement d'organisation...

Neptune en X peut vouer la vie à des changements mystérieux. La réussite peut être spectaculaire. Elle restera toujours hasardeuse. Elle sera rarement durable. On s'orientera vers une recherche spirituelle à un moment donné dans son existence. Les vocations médicales, paramédicales sont fréquentes. Sens du mystère et sens du mysticisme très amplifié et qui se concrétise au niveau de l'existence.

Poissons en Maison XI

Les projets sont abondants. Mais les espérances confuses... Les aspirations élevées peuvent rester « vagues ». On est souvent insatisfait.

Les amis disparaissent et reparaissent sans crier gare. Les objectifs ne sont pas poursuivis avec acharnement.

Poissons en Maison XII

Les grandes épreuves de la vie sont surmontées avec courage. La vie peut être axée sur des investigations plus ou moins secrètes. Les rapports avec le monde occulte sont fréquents. Les dons de voyance également. On s'intéresse à la psychologie. Mais aussi à la parapsychologie... En général, on mènera une vie assez retirée.

Neptune en secteur XII donne le même sens au thème. Généralement, il y a un isolement fécond où la sensibilité s'exalte.

Si le thème est dissonant, Neptune sera la prison de l'âme : obsessions, déceptions, trahisons.

La vie pourra être mêlée à des affaires mystérieuses. Avec les Poissons en Maison XII, ou Neptune en Maison XII, on a souvent des contacts avec les polices parallèles. Nous avons rencontré cet aspect dans le thème de personnes qui ont été en rapport avec l'O.A.S. ou qui ont été elles-mêmes dans l'O.A.S. De même dans le thème de personnes ayant appartenu aux services secrets (S.D.E.C.E., notamment). Cette configuration semble signer une activité « secrète ». Des agents secrets ont cet aspect dans leur thème.

Le Bélier dans les Maisons

Bélier en Maison I

La personnalité est dynamique, elle a besoin de s'imposer en dehors de toute considération logique. Il peut y avoir un goût du tapage, un certain « rentre-dedans », un manque de diplomatie. Mais au positif, les succès sont fulgurants, la vitalité excellente. Tempérament de meneur d'hommes, de chef, de sportif, intelligence pionnière.

Bélier en Maison II

C'est dans le domaine de l'argent que s'exercent la vitalité et la combativité. Suivant la position de Mars et ses aspects, cela peut donner un financier brillant, un tempérament âpre au gain, mais aussi quelqu'un qui « flambe » l'argent aussi rapidement qu'il l'a gagné. (C'est de toute manière une caractéristique du Bélier en général.)

Bélier en Maison III

L'impulsivité et le goût de la contradiction dominent dans les contacts avec les autres, ainsi que la chaleur et l'amour du renouvellement. Les lettres sont souvent écrites sur un coup de tête. Il peut y avoir un talent de polémiste. L'éloquence est enflammée, c'est une position qui peut donner un certain fanatisme et des rapports peu amènes avec l'entourage. Le don de persuasion est grand, l'optimisme un peu naïf et en « dents de scie ». Tendance à avoir des enthousiasmes aussi illusoires qu'éphémères. Ce n'est pas une position très harmonieuse pour la vie intellectuelle.

Bélier en Maison IV

L'ambiance familiale est mouvementée, les rapports avec la famille ne sont pas de tout repos. Ce n'est pas une très bonne position, la Maison IV étant en analogie avec le Cancer, signe « en carré » avec le Bélier. Le foyer sera troublé, il y aura de la casse et la dictature peut y régner. C'est aussi un signe de fin de vie marquée par la contestation et la lutte, voire par la violence (la Maison IV signifiant aussi la fin de l'existence terrestre).

Bélier en Maison V

L'énergie est surabondante, mais le sujet qui possède cette disposition ne la ménage pas. La recherche des plaisirs risque d'être effrénée, à moins qu'elle ne soit sublimée en création artistique. Dans ce cas, celle-ci sera violente, désordonnée, brûlante comme de la lave. Les crises d'exaltation et d'abattement se succèdent; la sensualité est débridée, l'amour des enfants est considérable mais peut mener à des épreuves et à des déceptions. Composante d'un tempérament de « viveur », avec des lendemains qui ne chantent pas.

Bélier en Maison VI

Ici, ce sont les rapports avec le quotidien qui sont placés sous le signe de la violence et de l'impulsivité. Ce peut être de la maladresse dans les rapports avec les objets, ou une relation agressive avec les servitudes de l'existence. Manque de patience dans les petites choses de la vie. Mauvaise position pour s'occuper de plantes, d'animaux, ou même de gens. La vie professionnelle est mouvementée, conflits avec les subordonnés. Les aspects ingrats de l'existence sont maléficiés par l'influence de Mars.

Bélier en Maison VII

Le mariage et les associations diverses sont vécus avec fougue ; risque de déception dans cette Maison plus jupitérienne que martienne. A la limite, cette configuration s'adapterait plus, naturellement, à une alliance militaire, ou à une conspiration criminelle.

Sinon, elle est prometteuse de mariages sur un coup de tête, d'associations hâtives et peu réfléchies, et donc de procès, polémiques, campagnes de hargne, etc.

Les ennemis seront marqués par Mars, c'est-à-dire violents et déterminés. Le mariage sera conclu rapidement, ce qui est toujours dangereux. On trouve cette position chez le « Landru américain », Smith, qui épousa successivement une cinquantaine de femmes sous des identités différentes et finit sur l'échafaud.

Bélier en Maison VIII

C'est une position dangereuse, mais très intéressante, analogue à Mars en VIII. Tout ce qui touche à la mort, à l'invisible, au mal, est placé sous le signe de la violence. Ce peut être un risque de mort violente, mais aussi un tempérament batailleur, duelliste, une forme quelconque de « flirt » avec la mort. Faculté de régénération après des épreuves très dures. Risque de perte d'argent ou d'héritage sur un coup de tête; tendance à la dilapidation. Au pire, c'est un aspect criminel. Tout ce qui touche à l'argent et au sexe en général rend le sujet peu sympathique.

Bélier en Maison IX

C'est un peu le « complexe de Don Quichotte ». Les contacts avec le lointain sont placés sous le signe de l'impulsivité. La spiritualité est peu réfléchie; ce n'est pas un bon aspect pour la méditation. Par contre, les grands voyages peuvent satisfaire le goût de l'aventure et être liés à des découvertes fabuleuses. Tempérament de pionnier, mais manque de patience et les explorations risquent aussi d'être source d'accidents. Très bonne position pour les arts martiaux (par analogie à Mars en Maison IX).

Bélier en Maison X

Comme la Maison IV, cardinale elle aussi, la Maison X est en carré avec le Bélier. Liée à la réalisation sociale, elle est en analogie avec le Capricorne et Saturne, valeurs antagonistes de Mars : l'ascension sociale n'est-elle pas liée à la patience, à la maîtrise de soi, au discernement? Qualités qui ne sont aucunement celles du Bélier.

Dans cette maison, le Bélier donnera de brusques montées par à-coups, avec des chutes aussi rapides; il faudra que Mars soit soutenu par de bons aspects pour que l'agressivité, la faculté de s'imposer, ne se transforment pas en « boomerang ». C'est l'aspect du « coup de force », du « putsch », plutôt que de l'accession à un poste stable.

Bélier en Maison XI

Les amitiés et les projets se déferont aussi vite que conclus. Amitiés houleuses et agressives, mais se renouvelant sans cesse. Amis dynamiques, réunions amusantes et imprévues. On pourra compter sur leur appui, tant qu'ils ne se transformeront pas en... ennemis. Les soirées amicales peuvent dégénérer en bagarres.

Les projets sont nombreux et enthousiasmants, mais peu d'entre eux aboutissent.

Bélier en Maison XII

C'est un des plus mauvais signes pour cette Maison, puisqu'il y a contradiction entre le dynamisme, la confiance en soi du Bélier, et les valeurs de renoncement et d'ascétisme de la Maison XII.

Ici, l'agressivité du sujet risque de se retourner contre lui-même : il est son propre ennemi. Il peut affronter avec une certaine inconscience, ou des sursauts de vaine violence, les grandes épreuves de l'existence. La sublimation sera difficile dans ce signe primaire, instinctif : c'est l'individu qui, face à la douleur, perd tous ses moyens, casse tout ou se fait hara-kiri — dans un contexte non occidental.

Le Taureau dans les Maisons

Taureau en Maison I

Indice de constitution forte et de vitalité. Tempérament sensuel, d'humeur assez variable sous un flegme apparent. Poli, avenant au premier abord, s'irrite lorsqu'on touche à son confort.

A le goût de la stabilité et apprécie les êtres qui participent à la construction méthodique de sa destinée en lui épargnant les vaines histoires. Ses atouts sont l'endurance, la résistance physique et morale, un certain courage face à une adversité qui s'acharne souvent après lui. Le caractère se forge d'ailleurs dans les luttes de fond, appelant une grande concentration des forces plutôt que des actions spectaculaires. Les démarrages sont lents, l'ascension laborieuse, et les chances réelles ne s'affirment vraiment qu'au terme d'années de travail. En dépit des soutiens et des sympathies, le Taureau en Maison I ne doit compter que sur lui. Ce qu'il fait, après avoir constaté que sa chance et son charme opèrent beaucoup moins que son opiniâtreté.

Taureau en Maison II

Position moyennement confortable pour les gains. Là, encore, le travail rapporte mieux que les coups heureux du hasard, Il faut se donner un programme, le plus souvent d'épargne, pour disposer d'un fonds solide de sécurité. Selon la symbolique, des réserves substantielles sont nécessaires à l'équilibre psychique.

Le Taureau en Maison II doit donc aviser très tôt pour avoir des revenus réguliers. Le fonctionnariat est indiqué mais il y a aussi, pour les à-côtés, les placements dans la pierre, le terrain, les biens fonciers.

Taureau en Maison III

Puisque la Maison III gouverne les frères, sœurs, cousins, cousines, il faut qu'il y ait au moins un ou une Taureau dans ce petit monde, et ce ne doit pas être bien difficile. L'analogisme précise que le Taureau en Maison III pourra ainsi nourrir des relations privilégiées avec un membre de son entourage. Le rapport sera encore plus intense s'il s'agit en outre, d'un membre du sexe opposé.

En dehors de ces conditions, le Taureau en Maison III n'est pas très fraternisant. Aîné, cadet... quel que soit l'ordre d'arrivée, les autres le dérangent. Il risque ainsi d'avoir des réactions d'un égoïsme surprenant à l'égard de ses proches. Il ne comprend pas la nécessité d'accepter des inconnus qui lui tombent du ciel par la loterie de l'hérédité et les alliances de la fratrie.

Taureau en Maison IV

On mérite d'avoir des parents fermiers, ce qui, en fouillant dans la généalogie, n'est tout de même pas introuvable. Nous avons tous des racines en terre, des grands-parents dans les herbages ou les prés. Le Taureau en Maison IV s'en flatte et, si par bonheur, il est né à la campagne ou s'il y a passé son enfance, sa santé physique et morale en restera à jamais imprégnée. Dans les moments difficiles de sa vie, il saura respirer l'air pur d'un souvenir revigorant, se remettre en mémoire tel vieux dicton de son pays ou telle parole ferme et sage de son père. Il faudrait naître avec le Taureau en Maison IV pour ne pas perdre les pédales dans les périodes les plus sombres.

Taureau en Maison V

En Maisons des amours, des plaisirs, enfants de la chair ou de l'esprit, le Taureau est en bonne place. Dans son action bénéfique, s'il accorde une vive sensualité, il donne également l'antidote : une fidélité de cœur qui répugne au libertinage, assure la constance des liens en dépit des tentations.

Le Taureau en Maison V est promis à des amours sereines. Sans doute, comme ce douzième d'humanité qu'il représente ici, aspirera-t-il à un bonheur idyllique mais d'un romantisme n'excluant pas les avantages pratiques. Le partenaire éventuel, postulant au mariage ou à l'union libre, doit présenter des garanties, avec des perspectives réjouissantes : une situation stable, une santé florissante, des biens à l'ombre ou au soleil, et surtout pas d'interminables crédits, de pensions à payer pour les enfants de précédents ménages.

Taureau en Maison VI

Dans cette Maison en rapport avec la santé, le travail et les petits animaux, l'effet Taureau ne peut être que bénéfique. Il dispense une santé de fer, un physique robuste tout à fait adapté, bien entendu, aux emplois que favorise le signe, dans la manutention, le débardage, et autres travaux exigeant du muscle, du coffre, de la stature. Certes, il existe aussi, dans la série des vocations tauriennes, des compétences administratives qui ne demandent qu'assez d'énergie pour tenir un porte-plume, mais alors la résistance et la vitalité s'amalgament en une combativité longue et souterraine décourageant la multitude des concurrents, traçant sinueusement sa route à travers les intrigues, les stages et les concours, pour aboutir à l'encadrement, l'encadrement supérieur, la sous-direction, la direction puis le secrétariat d'État. Tout est permis au Taureau en Maison VI qui sait attendre, mais il doit avoir l'œil sur l'âge de la retraite, afin de ne pas être pris de court et de vitesse.

Taureau en Maison VII

A cette Maison consacrée au mariage, aux unions, aux contrats et aux associations, le Taureau apporte ses perspectives de stabilité. Il faut en déduire que le mariage d'amour est proscrit, la passion n'étant pas, ici-bas, ce qu'il y a de plus durable et encore moins de confortable. Cependant, s'il est vrai que le cœur a ses raisons, le Taureau en Maison VII écoutera à la fois son cœur et ses raisons. C'est dire qu'il ne choisira pas n'importe qui, n'importe quand, n'importe comment. Une fois jeté son dévolu, une stratégie pour conduire au mariage, dont le ou la partenaire ne sera pas forcément conscient(e), se déclenchera automatiquement. L'étau se resserrera insensiblement autour de la victime, en quelques mois ou quelques années. Lorsqu'on est l'objet de ce siège, on peut toujours se dire, si l'on a l'espoir d'en échapper, que le Taureau adore patienter. Il suffit de lui donner en pâture des arguments spécieux mais d'ordre concret : pas d'argent, pas de bedeau.

Taureau en Maison VIII

Le Taureau bien disposé, ne recevant pas d'afflictions planétaires, se doit d'apporter, ici, des terres et des biens fonciers par dons, legs ou héritages. Mais, si réjouissantes que soient ces perspectives, mieux vaut travailler, les lenteurs tauriennes ne réservant qu'au vieil âge les félicités matérielles.

Les divorces, les associations, peuvent être sources de pensions ou de rapports substantiels. Et, compte tenu de l'affinité de la Maison avec les gains tombés du ciel, on a intérêt à risquer sa chance dans les tombolas de kermesses, de fêtes foraines, où il y a des lopins de terre, des bestiaux, des voitures, des machines et de gros appareils ménagers à gagner. Le Taureau en Maison VIII peut, tout simplement, être doué pour réaliser de bonnes affaires dans les ventes aux enchères des administrations.

Taureau en Maison IX

La symbolique, ici, lève les bras au ciel! Cette Maison du rêve, des voyages, de la haute spiritualité ne saurait s'harmoniser avec un signe réaliste, casanier, libertin. Cependant, l'application travailleuse peut s'exprimer au niveau supérieur des recherches et des œuvres savantes exigeant une documentation massive, des aptitudes de compilateur et un cerveau champion en logique et en mathématiques. Évidemment, l'ensemble du ciel doit se prêter à cette interprétation favorable. Sinon, en fait de savant, on aura plutôt un réfractaire, endurci dans le matérialisme et la réduction de belles envolées de l'âme à des motivations élémentaires. Au mieux, un esthète glanant dans la philosophie des fruits que l'on rumine en attendant la mort. Dans ce genre-là, il y a aussi ceux qui aiment les livres pour le cuir, le papier, le caractère, beaucoup plus que pour le contenu.

Taureau en Maison X

Ce n'est pas une position facilitant une ascension sociale rapide et facile. Le choix du métier risque déjà de se faire dans les hésitations et les embarras, ou bien la carrière choisie est l'une de celles qui demandent de faire longtemps antichambre avant d'avoir droit au chapitre. D'autres parasitages sur l'ambition peuvent provenir de confrères, rivaux ou supérieurs, obstruant l'horizon du succès par des actions spectaculaires qui éclipsent les aptitudes plus solides mais moins évidentes du Taureau. Pour sortir de l'ombre, il faut tôt ou tard frapper fort. Le Taureau bénéfique saura choisir son heure et l'on découvrira soudainement ses indispensables mérites après les avoir longuement exploités dans des rôles subalternes. Le Taureau maléfique tente sa sortie à contre-courant, au moment où sa maladresse va réconcilier à ses dépens tous ceux qu'il pensait renverser.

Le juste milieu se traduira par une progression sans surprise, avec un rythme qui permettra de consolider les étapes, de constituer un solide réseau d'influences et de relations utilisables au moment d'abattre ses atouts. Les étoiles violentes, toujours elles, montreront quand même leurs effets en apportant au Taureau en Maison X des charges pesantes, des responsabilités comme celles d'Atlas portant le monde sur ses épaules. Peu conciliant, encore moins diplomate, ce Taureau aggrave généralement son cas en prétendant venir à bout de tout et de tous avec sa tête de cochon bravant dieux et diables.

Taureau en Maison XI

Le Taureau bénéfique en secteur XI dispense à ses amis ses qualités d'indulgence, de serviabilité raisonnée, de bonhomie compréhensive. Puisque l'on est de son clan, par un choix délibéré il préfère se montrer sous un jour patient et réserver ses colères à ses ennemis. Une fois sa confiance accordée, il préfère endurer quelques bavures que revenir sur son sentiment. C'est par ce trait, d'ailleurs, que le Taureau dissonant en Maison XI encourt divers abus de confiance, s'expose à de lourds mécomptes par l'aveuglement de ses choix. Dissonant, le Taureau en Maison XI exerce sur ces relations amicales une emprise dominatrice qui appelle la trahison par légitime défense. Et, ce Taureau-là n'étant pas capable d'analyser objectivement ses responsabilités, les déceptions le renforcent dans une humeur de grogne et de tyran incompris.

Taureau en Maison XII

Les étoiles et le signe s'accordent pour accroître la rage des ennemis cachés. Si le Taureau agit favorablement, il ajoutera, en guise de consolidation, la vitalité et le moral nécessaires à l'affrontement d'adversaires sournois, traîtres, ne reculant devant aucune basse manœuvre pour le succès de forfaitures qu'ils mettront au compte de leur élévation d'esprit.

Il faut préciser, avec les traditionalistes, que le Taureau en Maison XII a de sérieuses dispositions pour exciter de puissantes inimitiés. Son manque de diplomatie, sa volonté réfractaire aux bluffs, aux rodomontades, aux esbrouffes et aux verbiages, finissent souvent par l'opposer aux sots pontifiants qui ne supportent guère d'être démasqués. Et puis il irrite par son réalisme rebelle aux effets des phraseurs. Sa distance instinctive à l'égard des « mots pour les mots » menace de lui valoir très tôt l'antipathie des maîtres à parler. Dieu merci, s'il a le don de s'attirer des rivaux sans scrupules, usant de toute leur influence pour le détruire, il dispose également d'une défense étalée dans le temps, paisiblement efficace.

Les Gémeaux dans les Maisons

Gémeaux en Maison I

Nature cérébrale et intellectuelle très réussie. Curiosité, désir de plaire par la parole. Tendances artistes avec un goût et un jugement esthétiques très sûrs, mais difficultés à réaliser des projets, des œuvres d'art par manque de concentration et de persévérance.

Gémeaux en Maison II

La Maison des gains est occupée ici par l'insouciance désinvolte des Gémeaux : gains faciles, provenant de différentes activités, mais jamais très élevés. Souvent, le sujet a deux métiers, deux sources de revenus. La deuxième partie de la vie peut être plus fructueuse.

Gémeaux en Maison III

Les Gémeaux dans la Maison des écrits, de l'apprentissage, donnent de l'aisance et du brio dans les études, beaucoup de talent pour les langues étrangères, les traductions, tout ce qui concerne la communication par écrit. Ici, la réalisation des projets se fait plus intense.

Gémeaux en Maison IV

La famille, le foyer du sujet sont centrés autour d'intérêts mercuriens : jeux qui font intervenir la cérébralité, intellectualité très développée, lectures, mots croisés, etc. Il est aussi tenté d'enseigner aux enfants et fait souvent un pédagogue brillant, surtout auprès de l'extrême jeunesse.

Gémeaux en Maison V

Les divertissements sont incessants, divers, et touchent à tous les domaines. Le sujet ayant les Gémeaux (signe double) en Maison V (le secteur des distractions) est parfaitement ludique, réceptif à tous les jeux, disponible pour toutes les « parties » possibles... Difficile de l'amener à travailler autrement que dans ce qui touche au jeu.

Gémeaux en Maison VI

La désinvolture du signe facilite les obligations quotidiennes, qui sont prises avec légèreté, agilité, opportunisme. Les rapports avec les subalternes sont teintés de duplicité amusée, de complicité un peu défiante, d'intelligence sympathisante mais distante.

Gémeaux en Maison VII

La vie affective, les associations et les mariages, tout ce qui a trait à l'autre est « doublé » : possibilité d'avoir plusieurs partenaires, soit en amour soit dans la carrière professionnelle; les rapports entretenus avec les « alliés » sont imprégnés de la légèreté mercurienne, vive et dispersée.

Gémeaux en Maison VIII

L'intellectualité géminienne se branche sur la mort et ses dérivés : intérêt pour l'occultisme, le mystère de l'au-delà, ou bien le passé, l'archéologie. La curiosité sur ce qui se rapporte à la mort est très cérébrale et non mystique. Il peut y avoir plusieurs héritages dans la vie du sujet.

Gémeaux en Maison IX

Inspiration de caractère mystique, quête d'une certaine spiritualité, recherche d'objectifs supérieurs, avec préoccupations morales ou philosophiques. Grande envergure cérébrale. Les voyages jouent un rôle décisif dans la vie du sujet, mais ils peuvent être imaginaires.

Gémeaux en Maison X

La carrière est marquée, dans la première partie de la vie du sujet, par une certaine instabilité. Elle est soumise à des variations de directions dues à la versatilité du signe. Réussite pourtant certaine dans les occupations intellectuelles, l'enseignement, le journalisme, l'édition, ainsi que dans les professions qui exigent de petits voyages fréquents. Il y a souvent deux périodes très différentes dans la vie professionnelle du sujet (35 à 40 ans semblant être l'âge charnière).

Gémeaux en Maison XI

Beaucoup d'amis de type Gémeaux, c'est-à-dire intellectuels avec un goût prononcé pour les jeux de l'esprit et du hasard. Recherche de relations amicales du type fraternel (jumeau) avec lesquelles le sujet entre en complicité peut-être un peu trop familière...

Gémeaux en Maison XII

Ennemis rusés, intelligents, pleins de duplicité et d'habileté. Mais le Gémeaux n'étant pas persévérant, les médisances resteront superficielles, les épreuves passagères et les difficultés toujours moins graves que ce que le sujet craignait.

Le Cancer dans les Maisons

Cancer en Maison I

« Cette Maison est un point de départ [...] mais aussi d'arrivée. Elle peut représenter un retour éternel de phénomènes fondamentaux à répétition [1]. » Elle indique traditionnellement le lieu où s'expriment les composantes de la personnalité — et non du caractère — avec leur possibilité d'évolution.

En I, le Cancer donne une tendance à l'introspection, à la fragilité psychologique, avec inquiétudes, peur d'autrui, curiosité pour l'irrationnel, l'inconnu, l'occulte.

Cancer en Maison II

En II, le Cancer donne un comportement de refus total ou partiel à l'égard des biens matériels. La carapace du crabe le protège, ici, de la dépendance « économique », de la recherche du confort, du « standing », etc. En revanche, il peut donner de l'imagination dans ce domaine, si bien qu'on verra des intérieurs ou des objets marqués par la fantaisie lunaire.

Cancer en Maison III

En III, le Cancer n'établit pas facilement de relations avec son entourage proche : frères et sœurs, camarades d'école, de lycée ou de faculté, et plus tard, voisins de palier ! Donne un blocage sur tout rapport facile et superficiel, sur les relations légères ou mondaines. Les informations par radio ou télévision sont honnies : on leur préfère la presse écrite.

Cancer en Maison IV

Le Cancer est ici dans ce qu'il est convenu d'appeler *sa* Maison. Celle de la famille, des enfants, du foyer, des bases à la fois parentales et filiales du sujet. C'est le lieu de sa personnalité intime, privée, et du lien très fort qui l'attache à ses origines. C'est une bonne Maison pour le signe, il s'y sent à l'aise, en sécurité, protégé du monde extérieur. Le sujet éprouve un goût profond pour la vie et les réunions de famille, sans étrangers.

Cancer en Maison V

La Maison V étant la maison des plaisirs, des distractions, du trop-plein de vie, elle se limite en Cancer — qui n'est pas, rappelons-le, un signe de santé, ni de grande résistance physique — à des joies simples : mots croisés après le travail, ou jeux de société paisibles, ou petits travaux d'artisanat. La distraction sociale, les sorties du soir sont considérées la plupart du temps en Cancer comme superflues, voire ennuyeuses. En revanche, le sujet privilégiera la distraction personnelle, qui fait intervenir l'imagination.

Cancer en Maison VI

C'est la Maison du quotidien, des petits travaux journaliers, des choses et des êtres qui dépendent du natif : la maison (pour la ranger, par exemple), le bureau, le lieu de travail (pour les affaires courantes, le classement, le fonctionnel et le routinier). On mesure, dans cette maison, la capacité du natif à recommencer tous les jours les mêmes petites corvées, à s'occuper régulièrement des mêmes petites tâches. En Cancer, signe de fantaisie, de petits changements permanents (à l'inverse du Verseau qui bouleverse tout), cette Maison VI est mal servie. Aucune discipline dans la hiérarchie des problèmes à régler, aucune méthode.

Cancer en Maison VII

La Maison VII représentant tout ce qui concerne les alliances et les associations, elle acquiert, en Cancer, des caractéristiques lunaires : sous-estimation de sa valeur propre, surestimation de

1. Lisa Morpurgo, *Introduction à la nouvelle astrologie*, Hachette Littérature, 1976.

la valeur des autres. Besoin d'être protégé, choyé, conforté, un peu comme un enfant, dans le mariage. Apporte, dans une association, un élément de création très fort, d'imagination et de renouvellement, mais participe de loin, sans vraiment se sentir impliqué (même s'il prend toujours ses responsabilités). Fondamentalement solitaire, intériorisé.

Cancer en Maison VIII

La Maison VIII étant celle de la mort (physique ou psychologique) et de la résurrection, elle a des affinités avec le Cancer : d'abord parce que le Cancer représente la fécondité, l'enfantement, donc la vie après la mort, ensuite parce que c'est un signe fort du point de vue de l'imagination créatrice.

D'où possibilité, pour la Maison VIII en Cancer, de recréer ou de reconstituer ce qui est mort. Au premier degré, le sujet fait revivre en imagination un parent mort. Au deuxième degré, il utilise, il recompose sa souffrance en créant.

Cancer en Maison IX

C'est la Maison de la quête spirituelle, philosophique ou géographique. Les limites cancériennes éclatent, le signe se laisse attirer par les grands espaces que suggère la maison, les interrogations métaphysiques, métapsychiques, archéologiques ou ethnologiques.

Mais le Cancer, inhibé, fragile, qui doit toujours transporter sa coquille avec lui, peut freiner, surtout à partir de 45 ans, les grands voyages que propose le secteur IX : le nouveau, l'inconnu. Alors, les explorations se font en imagination, et l'invention cancérienne remplace son défaut d'énergie.

Cancer en Maison X

Cette Maison, à laquelle est attribuée la vocation d'un individu, son expression professionnelle dans ce qu'elle peut avoir de rayonnant, de remarquable, de volontaire, cette Maison, disais-je, n'est pas particulièrement à son aise en Cancer. Il existe une contradiction fondamentale entre la réserve timide et maladroite du signe et l'assurance, la confiance dynamique, l'autorité qu'appelle le secteur X.

En réalité, la contradiction est neutralisée si le sujet se réalise dans une profession nettement cancérienne où la création, l'invention, l'inattendu, l'étrange, le nouveau ont la meilleure part. Il faut éviter les carrières administratives, et d'une manière générale, toutes celles qui excluent l'interprétation subjective, les initiatives personnelles, les décisions individuelles et autonomes.

Cancer en Maison XI

Lisa Morpurgo attribue à cette Maison une force toute particulière : « Elle est, en un certain sens, la section d'or du thème zodiacal. Elle indique la possibilité de parvenir à un examen objectif de soi-même et des circonstances, de s'adapter à ces dernières et au caractère d'autrui, en jugeant avec objectivité mais aussi indulgence, les besoins, les faiblesses, et les qualités des autres. [...] La Maison XI est celle de la tolérance, des idées larges, d'une volonté accommodante et compréhensive. »

En Cancer, les idées larges s'évadent dans l'imaginaire — souvent aux dépens du réel —, l'amitié acquiert malgré tout quelque chose de passionnel, d'exclusif, d'enveloppant, mais le sujet s'adapte particulièrement bien au milieu social dans lequel il a choisi d'évoluer après une dure sélection intérieure.

Cancer en Maison XII

On l'appelle la Maison du destin, de la fatalité. Je préfère dire que c'est la Maison des événements sur lesquels la volonté humaine ne peut agir, les « grandes épreuves de la vie », comme le dit encore Lisa Morpurgo. C'est le lieu où le natif s'isole, prend de la distance pour se préparer à la mort. Le Cancer, en ce secteur, donne la faculté de s'abstraire totalement du réel, l'imaginaire empiète alors complètement sur la vie et si une planète lourde comme Saturne ne vient pas peser sur ce secteur, il donne une créativité inépuisable, un besoin de nier la fin des choses par une prolifération magique d'œuvres d'art, une production ininterrompue dans la solitude et l'isolement.

Le Lion dans les Maisons

Lion en Maison I

Cette Maison a trait au sujet dans ce qu'il a de plus représentatif et de plus évident. Elle concerne votre extériorité physique et la conscience que vous acquérez peu à peu de vous-même. Une Maison I fortement chargée signale un natif préoccupé avant tout de sa personne et faisant de celle-ci son principal centre d'intérêt : on voit tout de suite ce que ça peut donner dans le cas du Lion. Je crois bon, par ailleurs, de vous rappeler que la pointe de la Maison I s'appelle l'Ascendant. Toute planète située à proximité de l'Ascendant a de fortes chances d'être l'une des dominantes de votre thème.

Lion en Maison II

Cette Maison est censée renseigner sur votre attitude face à l'argent, sur vos aléas financiers, sur la nature de vos gains. Pour juger sainement de la question, l'astrologue peut bien se contenter de considérer vos planètes dominantes, ainsi que les aspects lunaires, jupitériens et vénusiens. Si, conformément à la Tradition, l'argent occupe une place prépondérante dans votre existence, cherchez plutôt de ce côté-là et regardez aussi où se trouve votre Ascendant : il est peut-être dans le signe thésauriseur et engrangeur du Cancer. Pour l'astrologue qui s'obstine à déceler dans le thème des événements et des faits précis, une Maison II en Lion est un indice de fortune et de réussite financière, quoique certains auteurs vous jugent suprêmement désintéressé et attiré par des métiers plus honorifiques que lucratifs. Pour ce qui est de la source des gains, on mentionne habituellement l'enseignement, le spectacle et les commerces de luxe.

Lion en Maison III

Les attributions classiques de cette Maison sont multiples : rapports avec frères et sœurs, cousins et voisins, petits déplacements, correspondance, publications littéraires, intelligence pratique, enseignement primaire. Les compilateurs classiques parlent de prix littéraires, de frères haut placés, de déplacements profitables, se cantonnant surtout aux réunions mondaines et aux spectacles. Si vous avez vraiment la bougeotte et si vous êtes pris d'une frénésie de communication et d'énergie, voyez plutôt la force de votre Mercure, de votre Mars et de votre Lune. Quant à votre Ascendant, il pourrait se situer dans les derniers degrés des Gémeaux, ça expliquerait aussi bien des choses.

Lion en Maison IV

En analogie avec sa position au Fond-du-Ciel, la Tradition associe à cette Maison tout ce qui constitue la souche, les bases, les racines profondes. Elle concerne donc l'atavisme, l'hérédité, le terroir, le domicile, la famille. Pour faire bonne mesure, on y ajoute aussi la fin des choses, les trésors cachés, la sépulture et l'héritage de propriétés. Du Lion en Maison IV, nos élucubrateurs à chapeau étoilé s'accordent à déduire une prestigieuse galerie d'ancêtres ou tout au moins des parents haut placés. Ce qui ne laisse pas de rendre perplexe si l'on songe que les frères et sœurs d'une même famille ont très rarement la Maison IV dans le même signe.

Lion en Maison V

Cette Maison concerne vos amours, votre progéniture, vos œuvres, vos amusements et vos spéculations. Dans la logique de l'astrologie traditionnelle, avec l'appoint du Lion, vos amours ne sauraient être qu'ardents et dignes, votre progéniture remarquable, vos œuvres brillantes, vos amusements fastueux et vos spéculations fructueuses. Si ça n'est pas tout à fait le cas, plutôt que de vous adresser à un bureau des réclamations, qui d'ailleurs n'existe pas, cherchez l'explication du côté de vos planètes et signes dominants, tenez compte de la position et des aspects de la Lune, de Vénus, de Neptune et de Jupiter. A mon humble avis, vous auriez mieux fait de commencer par là, les déductions sont nettement plus sûres.

Lion en Maison VI

Cette Maison met l'accent sur vos problèmes de santé, sur votre travail dans son côté terre à terre et astreignant, sur vos relations avec les subordonnés, les petites gens, les oncles et les tantes, les animaux domestiques. Quant aux oncles, tantes et menues bestioles, le Lion se sent à leur égard un peu amoindri.

Lion en Maison VII

Logiquement, le Lion en Maison VII devrait donc vous conduire, plus que jamais, à percevoir le conjoint, le partenaire, l'adversaire ou l'associé d'après votre propre image. Selon votre planétaire dominante, vous êtes incité à modeler de force vos vis-à-vis à ladite image, ou bien vous vous contentez de vivre vos aspirations léoniennes par délégation, par le biais d'un complémentaire en qui vous avez décelé de prometteuses potentialités.

Lion en Maison VIII

Si l'on en croit la Tradition, avec une Maison VIII fortement occupée, votre existence, d'une manière ou d'une autre, sera marquée par la mort et par ses conséquences. Les deuils, les testaments, les héritages sont censés prendre une importance toute particulière. Ou alors, vous vous contentez de brasser des idées morbides et suicidaires et de mettre la mort au centre de toutes vos théories. Moins macabrement, cette Maison et également en rapport avec l'argent du conjoint et des associés. L'astro-psychologie, d'une façon plus générale, en fait la Maison des crises, des transformations, des régénérations et de la sexualité. On devine ce que peut donner, dans l'optique du traditionaliste, le Lion en Maison VIII : la mort par accident cardiaque, le grandiose héritage, les honneurs posthumes et autres joyeusetés.

Lion en Maison IX

Pour la Tradition, c'est la Maison des grands élans vers le lointain et vers le spirituel : elle concerne aussi bien les longs voyages et les rapports avec l'étranger que l'intelligence spéculative, la religion, la philosophie, l'enseignement supérieur. L'interférence avec le Lion est censée apporter générosité et noblesse de pensée, hautes fonctions universitaires, diplomatiques ou ecclésiastiques, attrait pour les longs périples honorifiques et représentatifs. Cela peut se vérifier surtout, à mon humble avis, en cas de dominance plutôt harmonique de Mars, Jupiter, Saturne et Neptune. Mars met l'accent sur le goût de l'action, de l'entreprise et de l'aventure. Jupiter insiste sur le côté officiel et pontifiant. Saturne favorise la réflexion, la méditation et le détachement, tandis que Neptune sensibilise à l'inconnu, au collectif, à l'universel et à toute autre transcendance qu'il vous plaît d'imaginer. Notons pour finir qu'une planète située dans les quinze derniers degrés de cette Maison peut être considérée comme conjointe au Milieu-du-Ciel et qu'elle a par conséquent de sérieuses chances de figurer parmi les dominantes de votre thème.

Lion en Maison X

Cette Maison importante, qui valorise les planètes qui s'y trouvent, concerne la façon dont vous vivez votre carrière, votre engagement socioprofessionnel dans ce qu'il a de plus officiel et de plus formel. Pour les astrologues qui interprètent un thème en y cherchant des événements, elle renseigne sur les chances de succès, la célébrité éventuelle, les honneurs, le pouvoir que vous pouvez acquérir, et naturellement sur les éventualités contraires : les risques d'échec, de déshonneur, de chute. Comme on s'en doute, pour les manuels classiques, la présence du Lion dans ce secteur est éminemment prometteuse : autorité, vedettariat, brillante ascension, réussite magistrale dans les domaines de l'art, de l'éducation, de la politique, de la mode, de la joaillerie, du théâtre et j'en oublie certainement.

Lion en Maison XI

Cette sympathique Maison a trait aux amitiés, aux espérances et aux projets. Selon l'interprétation la plus traditionnelle, le Lion dans ce secteur devrait vous valoir des amis brillants, fidèles, enthousiastes et quelque peu dominateurs, des relations puissantes et des protections en haut lieu. Vos projets, enfin, ne sauraient qu'être empreints de grandeur, de noblesse ou d'outrecuidance. En fait, pour que votre vie amicale soit euphorique, détendue et sans problèmes, il suffit bien d'une dominance harmonique des planètes Jupiter, Vénus, Mercure et Lune.

Lion en Maison XII

Comme le chanterait Brassens, dans les thèmes sans prétention, elle n'a pas bonne réputation, cette fichue Maison XII... On lui attribue en effet les épreuves majeures et les grands chagrins. Maladies chroniques, hospitalisations, exils, emprisonnements sont de son triste ressort. Elle passe pour prédisposer à une existence marquée par le secret, les choses cachées, la vie occulte. Les ennemis sournois et les complots y élisent également domicile, en bonne compagnie avec les vices et les tendances au suicide. Le pauvre Lion prisonnier à perpétuité des barreaux de ses inhibitions. A ce propos, remarquons tout de même que le Lion en Maison XII correspond presque immanquablement à un Ascendant Vierge, ce qui peut expliquer bien des choses. Examinez les grandes dissonances de votre thème, en particulier celles de Neptune, Saturne et Pluton.

La Vierge dans les Maisons

Vierge en Maison I

La pointe de la Maison I étant délimitée par l'Ascendant, le sujet a donc l'Ascendant en Vierge, ce qui lui confère les principaux traits de caractère décrits au cours du chapitre consacré à la caractérologie. Il convient, bien sûr, de faire la synthèse entre les caractéristiques du signe ascendant et celles du signe de naissance.

D'autre part, si l'Ascendant se trouve dans les derniers degrés d'un signe, la Maison I repose presque totalement sur le signe suivant. Dans ce cas, l'influence de ce signe prend une importance accrue, dont il faut tenir compte dans l'interprétation.

Vierge en Maison II

Cette position indique une attitude parcimonieuse vis-à-vis des biens matériels. Une certaine avarice est probable, mais elle est limitée aux petites choses. Toutefois, le sujet n'ayant pas de besoins très importants, il doit réussir à s'accommoder d'une existence un peu chiche. La prudence naturelle du signe interdit les spéculations hasardeuses ou les riques excessifs. Le sujet gère son budget avec sagesse.

Vierge en Maison III

La timidité inhérente au signe freine quelque peu les contacts avec le milieu social. Le sujet demeure sur la défensive, et met un certain temps avant de se sentir détendu, en confiance avec de nouvelles connaissances. S'il ne fait pas un usage immodéré du téléphone, il se livre plus facilement par lettres. Sa correspondance épistolaire sera soigneuse, méthodique et, dans l'ensemble, assez fournie.

Le sujet est plutôt sédentaire, il renonce souvent aux possibilités de petits voyages.

En revanche, l'intelligence pratique est très développée. Les réalisations à court terme sont favorisées, les occasions sont exploitées habilement. Goût pour les études et grande curiosité intellectuelle.

Vierge en Maison IV

Le sujet se plaît dans un cercle familial étroit. Peu attiré par les mondanités, il ne se sent bien qu'en petit comité. Sédentaire, il aime ses habitudes et peut se montrer tatillon, au risque d'incommoder les membres de sa famille.

Le foyer domestique est surtout considéré sous l'angle le plus utilitaire. Le sujet aimera vivre dans un décor simple, avec un mobilier solide et fonctionnel. Il fera passer au second plan les critères d'ordre esthétique.

Les rapports avec les parents ne sont pas très chaleureux, ils sont plutôt fondés sur le respect et la déférence. Cependant, du fait d'un grand attachement aux traditions, les vertus « travail - famille - patrie » sont exaltées.

Vierge en Maison V

Le besoin de sécurité affective est important, toutefois le sujet ne fait sans doute pas passer sa vie sentimentale au premier plan (à moins, bien sûr, que des planètes d'affectivité ou de sensualité n'occupent ce secteur).

La pudeur freine la sensualité. Le sujet n'apprécie pas les aventures sans lendemain. Il préfère une liaison stable, durable, mais pas trop envahissante. Il ne sait pas vraiment se détendre ou se distraire, encore moins perdre du temps. Quoi qu'il en soit, le sujet préfère les plaisirs calmes (lectures, jeux de cartes) aux loisirs de groupe ou aux sports exigeant une grande dépense physique.

L'amour pour les enfants ne se traduit pas par des démonstrations débordantes, mais plutôt par un soin très attentif porté à leur hygiène, à la propreté de leurs vêtements.

Vierge en Maison VI

Il existe de grandes affinités entre le secteur et le signe. Le sujet est très consciencieux, très méticuleux dans son travail. Il accomplit à la perfection les tâches de routine. Ses principales qualités : l'ordre, la méthode, le sens de l'organisation.

Par contre, il risque de manquer d'envergure et de se contenter de postes subalternes sans réel rapport avec ses capacités. Il a facilement une mentalité de « rond-de-cuir ». Les rapports avec les collaborateurs sont généralement satisfaisants. Le sujet sait se montrer serviable et dévoué.

Les tendances hypocondriaques du signe sont renforcées dans ce secteur qui concerne également la santé.

Les servitudes de la vie quotidienne sont bien acceptées, et les corvées domestiques accomplies avec diligence et efficacité.

Vierge en Maison VII

D'une façon générale, les rapports avec les autres sont fondés sur la sélectivité. Le sujet ne se lance pas à l'aveuglette dans le mariage ou dans toute autre forme d'association. Il n'apprécie pas à proprement parler la solitude mais la choisira plutôt que de consentir à une union mal assortie.

Une autre tendance du signe (qui devra être renforcée par d'autres configurations du thème) inclinera au contraire le sujet à faire un mariage de raison ou d'intérêt, surtout si, à force de tergiverser, il a raté les « bonnes occasions ».

Le sujet peut choisir l'union libre (à condition qu'il n'y ait pas d'enfant). Mais s'il décide d'être uni à son partenaire par les liens du mariage, il s'opposera alors farouchement à un éventuel divorce.

Les associations peuvent être assez fructueuses, encore que le sujet risque d'avoir des « comptes à rendre ». Il s'efforcera de choisir ses associés sur la base d'affinités sélectives.

Vierge en Maison VIII

L'idée de la mort n'est pas une source d'angoisse insoutenable dans la mesure où le sujet accepte, au départ, son caractère inéluctable et implacable. Mais sa prévoyance et son réalisme l'incitent à prendre des dispositions d'ordre purement pratique et à s'assurer que sa famille ne manquera de rien après sa disparition.

Le sujet peut faire preuve d'exigences tatillonnes en ce qui concerne les problèmes d'héritages. S'il se sent (à tort ou à raison) floué, il peut révéler certaines tendances mesquines.

L'attitude vis-à-vis de la sexualité est assez ambiguë. Le sujet, dans son exigence de pureté, s'accommode mal d'avoir des besoins sexuels importants. D'où des risques de complexes, d'inhibitions débouchant sur des frustrations.

Vierge en Maison IX

La prudence restrictive du signe freine l'invitation au voyage, cependant la curiosité intellectuelle du sujet peut avoir raison de ses hésitations. Mais il a besoin d'organiser méthodiquement ses longs déplacements. Il ne laisse jamais rien au hasard. Ce n'est pas lui qui partira « le nez au vent », à l'aventure.

La prédominance de la fonction pensée chez la Vierge met toutefois l'accent sur le développement des connaissances. Le sujet est très soucieux d'élargir constamment son horizon intellectuel. Il a de grandes aptitudes pour les études, d'autant qu'il a un goût marqué pour les diplômes. L'acquisition des connaissances se fait « dans les règles ». Le sujet, très attentif et appliqué, aime s'entourer de professeurs susceptibles de le conseiller utilement. Quel que soit le domaine concerné, il aime prendre des leçons et se révèle un élève assidu.

Le sujet peut également, dans certains cas, se dévouer totalement à une cause qu'il estime juste, voire se sacrifier au nom d'un idéal.

Vierge en Maison X

La Maison X exprime les tendances à la lutte pour la réussite sociale, et le degré d'ambition. Or, le signe de la Vierge pécherait plutôt par excès de modestie. Loin de rechercher les honneurs, il s'en méfie. A tout prendre, il préfère servir que commander, et choisit la coulisse, abandonnant volontiers le devant de la scène aux ambitieux.

Le sujet peut avoir tendance à se sous-estimer, et l'essor de sa carrière risque de s'en ressentir. Néanmoins, dans les limites qu'il s'impose, il tient à réussir, et sa conscience professionnelle, son sens de l'organisation sont ses plus précieux atouts.

La conquête d'une position sociale élevée peut, en revanche, devenir un objectif majeur en cas d'angularité (au Milieu-du-Ciel, notamment, d'une planète de représentativité : Soleil, Jupiter ou Uranus). Dans ce cas, le professionnalisme et la compétence, caractéristiques du signe, deviendront des facteurs déterminants de réussite, en particulier dans les carrières administratives et publiques.

Vierge en Maison XI

Le sujet choisit ses amis en fonction d'affinités électives. Il en a très peu, maix ceux-là sont triés sur le volet. Il cherche surtout à s'entourer d'êtres intelligents ou très cultivés. Comme il fait rarement les premiers pas, ce sont les autres qui doivent venir à lui, mais une fois qu'il a accordé son amitié, c'est généralement pour la vie. Cependant, il peut arriver qu'une amitié de plusieurs années soit rompue brusquement du fait de la sévérité morale excessive du sujet. Celui-ci ne supporte pas d'être déçu.

Cette personne fuit les mondanités, préférant les ambiances intimes, tranquilles. Par extension, elle se refuse à cultiver les « relations utiles » et choisit, délibérément, de ne pas exploiter certaines occasions.

Vierge en Maison XII

Les grandes épreuves de la vie sont généralement acceptées avec fatalisme. Elles peuvent également être l'occasion, pour un sujet, de révéler sa grandeur d'âme ou son abnégation.

Cependant, les risques de renoncement a priori ne sont pas exclus, d'autant plus que la lucidité se double de pessimisme. C'est la déchéance physique ou intellectuelle que le sujet aura le plus de mal à assumer.

Il arrive que le détachement des objets matériels soit plus difficile à réaliser que le détachement moral de soi-même.

Chapitre VI

D’autres influences à découvrir

Nuages paraissant déchiquetés par le soleil sur une mer assoupie. Les images degrés sont censées renseigner, par une démarche symbolique, sur la personnalité du natif.

Les Images Degrés

Les listes d'images symboliques donnant les significations des 360 degrés du Zodiaque ne manquent pas. Les unes sont des listes traditionnelles dont l'origine se perd dans la nuit de la préhistoire, les autres ont été obtenues par voyance.

Il est difficile de choisir entre elles car toutes permettent d'obtenir, dans de nombreux cas, des résultats convaincants. Cependant, comme il est bon de s'en tenir à un système, nous retiendrons, avec parfois des modifications, la liste publiée par Janduz dans *Les 360 degrés symbolisés par l'image* (éd. Niclaus, Paris, 1939).

Ce choix nous est dicté, d'une part, par la richesse de ces images inspirées par deux autres listes célèbres, le *Calendrier thébaïque* et la *Volasfera*, d'autre part, par les résultats que cette liste nous a permis d'obtenir[1].

Chaque image symbolique exprime une idée générale qui est celle du degré. Cependant, l'expérience montre que les idées particulières évoquées par les substantifs et les verbes utilisés dans la description de l'image peuvent prendre le pas sur l'idée générale et s'appliquer au sujet dont le Soleil, l'Ascendant, le Milieu-du-Ciel ou une planète importante du thème, se trouve sur le degré en question.

Illustrons cela par un exemple. Au 15e degré de la Balance (14° à 15°), nous trouvons l'image suivante :

« Un paysage polaire au fond duquel on voit une aurore boréale. Sur la glace, un équipage de rennes tire vigoureusement un traîneau chargé de fourrures. »

L'idée dominante est celle de l'aurore boréale. Elle est le symbole d'un être énergique et exceptionnellement brillant qui réalise de grandes choses dans des conditions difficiles.

Mais il y a dans cette image quantité d'autres idées secondaires qui peuvent se rapporter aux professions suivantes : explorateur, trappeur, patineur, fourreur, marchand de glace (comestible ou non), astronome ou astrologue (qui étudie les phénomènes célestes), déménageur, éleveur (de rennes), etc.

Quelquefois même, le destin semble jouer avec les mots : la glace peut être assimilée au miroir, et la pratique des symboles fait apparaître les liens qui attachent la voyance et la divination au miroir.

On le voit, telles ces poupées russes qui en cachent cinq ou six autres, les images symboliques recèlent quantité d'autres images entre lesquelles il n'est pas toujours aisé de choisir. Il arrive heureusement que le choix soit imposé par la répétition d'une idée qui apparaît dans plusieurs degrés occupés par des facteurs dominants de l'horoscope.

Le 1er degré de la Balance (0 à 1 degré) correspond généralement à la position du Soleil des personnes nées le 23 septembre. Mais comme, selon les années, il peut y avoir un décalage d'un

1. A ceux que le sujet intéresse particulièrement, nous conseillons de lire le livre de K. Hitschler : *Pouvoirs secrets des mots et des symboles*, Éd. de la Baconnière, 1968, Neuchâtel, Suisse.

jour, il est préférable de s'assurer de la position exacte du Soleil avant d'utiliser cette liste qui, rappelons-le, est également valable pour tout élément important de l'horoscope.

1er degré : Sur un chemin de campagne s'avance un homme qui a un pistolet dans chaque main; il ne voit pas qu'il est suivi par un autre homme armé d'une épée.
2e degré : Un mage ou un prêtre, aidé de son assistant, brûle de l'encens sur un autel.
3e degré : Assis sur un tronc d'arbre, un homme paraît rêver, mais ses mains et ses pieds sont enchaînés. Dans une maison voisine, on aperçoit, derrière une large fenêtre grillagée, une femme regardant avec curiosité au dehors.
4e degré : A l'entrée d'un champ où un demi-sillon seulement est tracé, un homme, découragé, regarde sa charrue brisée, tandis que vient vers lui un cavalier assez fringant, mais dont la monture boite.
5e degré : Tendant la main à une femme pour l'aider à grimper un sentier, un promeneur tombe dans le lac qui est au-dessous; plusieurs anneaux tombent en même temps.
6e degré : Un paysan suit son attelage de labour; au bout du champ, il y a de belles meules.
7e degré : Un gros oiseau noir, dont les griffes dégoulinent de sang, vole bas : en face de lui, comme suspendu entre ciel et terre, un triangle dont les côtés sont entourés de flammes qui brûlent sans les consumer.
8e degré : Deux gladiateurs dans l'arène, le mirmillon portant le bouclier et le poignard, le rétiaire portant le filet et le trident.
9e degré : Une chambre de malade dans laquelle s'affaire une femme au chevet d'un enfant qui pleure; à droite, une jeune fille pleure sur une tombe.
10e degré : Une forteresse assez démantelée, mais avec encore des locaux et une grosse porte, garnie de clous et de pointes. Non loin de là, les restes d'un gibet sous lequel des corbeaux fouillent la terre de leurs becs pour trouver des restes de charogne.
11e degré : Un homme à la figure noire, mais aux mains et aux pieds blancs, essaie de monter en courant sur la croupe d'un centaure qui brandit son arc sans tirer de flèche.
12e degré : A gauche, une femme regardant obstinément derrière elle ne voit pas qu'elle va tomber dans un ravin; à droite, une autre femme qui se regarde coquettement dans un miroir à main arrive sur l'autre bord du ravin dans lequel elle va aussi tomber, malgré les efforts d'un petit chien qui essaie de l'éloigner en la tirant par le bas de sa robe.
13e degré : Un pilier de marbre placé à un carrefour de plusieurs routes. Son sommet est brisé; sur la colonne, on lit les mots « Bonheur » et « Malheur » suivis d'un point d'interrogation. Un homme et une femme s'en éloignent, chacun par une route différente.
14e degré : Un miroir au-dessus d'une table sur laquelle sont jetés masques, loups, fards, tout ce qui sert à dissimuler la personnalité. Aux extrémités, cachés à demi derrière deux portières, un homme et une femme s'épient.
15e degré : Un paysage polaire au fond duquel on voit une aurore boréale. Sur la glace, un équipage de rennes tire vigoureusement un traîneau chargé de fourrures.
16e degré : Près d'une guinguette, un homme se promène en gesticulant, bras dessus, bras dessous, avec deux femmes légères. Sous la tonnelle fleurie, on voit deux cœurs ailés étroitement unis.
17e degré : Une masure aux trois quarts démolie, mais à laquelle tient encore une vieille porte dans laquelle est fiché un poignard; sur le faîte, un merle moqueur siffle et bat des ailes.
18e degré : Une belle maison entourée de fleurs dont la porte et les fenêtres sont largement ouvertes sur un intérieur gai et confortable.
19e degré : Un gros bloc de marbre dans lequel on a commencé à sculpter un trône et sur lequel se trouvent posés, en attente, un sceptre et une couronne.
20e degré : Un cloître éclairé par le Soleil couchant, sous lequel un moine avance vers un petit autel où fume un encensoir.
21e degré : Un pont de bois à moitié démoli au-dessus d'une rivière à sec. Sur ce qui reste du pont, un âne brait; il est monté par un nain qui s'agite comme s'il faisait un discours.
22e degré : Deux chevaux, l'un sellé, l'autre attaché par une longe, attendent le bon plaisir de leur maître endormi dans l'herbe à côté de sacs d'argent qu'il a négligé de charger sur sa monture.
23e degré : Un vieillard habillé d'une robe et d'une calotte de docteur, entouré de toutes sortes d'instruments, examine un liquide devant une fenêtre.

24e degré : Un grand et bel arbre sur une hauteur rocheuse; au bas, passe un centaure tirant flèche sur flèche sur des serpents qui fuient dans l'herbe.
25e degré : Le Soleil de midi laisse tomber ses rayons sur un promontoire couvert de fleurs parmi lesquelles un paon fait la roue, imité par un dindon et par un petit pigeon-paon.
26e degré : Un homme de belle taille, revêtu d'une cotte de mailles, l'épée à la main, se porte au secours d'un homme armé seulement d'un bâton pour combattre un lion rugissant.
27e degré : Un cottage rustique, mais coquet, dans un jardin simple et bien tenu par son propriétaire. Un beau cèdre ombrage un côté de la maison.
28e degré : Un moulin monté au milieu d'un chaume, coupé par un petit cours d'eau; au timon du moulin est attaché un petit âne qui somnole.
29e degré : Un étang à l'eau sombre sous le feuillage d'un bois; sur ses bords, un homme est paresseusement étendu, la main posée sur un livre; des rayons de Soleil tamisés par les branches éclairent quelque peu l'eau et l'homme.
30e degré : Dans une clairière, un homme est couché sur un paquet de hardes; il regarde avec effroi un lièvre craintif aussi apeuré que lui, mais il ne voit pas un épervier qui plane au-dessus de lui ni un serpent qui va mordre sa main pendante, ni un loup qui s'apprête à bondir sur lui.

Voici, pour clore ce chapitre, quelques exemples d'utilisation des images symboliques. Les horoscopes de Bergson et Aragon nous serviront de thèmes d'application.

Bergson : Son Soleil est à 24°35 Balance, soit au 25e degré dont voici l'image symbolique : « Le Soleil de midi laisse tomber ses rayons sur un promontoire couvert de fleurs... »

C'est l'indication très claire d'un succès éclatant. Or, Bergson a eu une carrière extrêmement brillante qui fut couronnée en 1928 par le prix Nobel de littérature.

Aragon : Son Soleil est à 10°32 Balance, soit au 11e degré qui est illustré par « un homme à figure noire, mais aux mains et aux pieds blancs... » On peut penser que l'homme a été noirci, c'est-à-dire qu'il est très discuté. Or, nous savons que la personnalité d'Aragon a souvent été violemment contestée.

Les étoiles fixes ne paraissent jouer de rôle, dans un thème astrologique, que lorsqu'elles sont conjointes aux luminaires (Soleil, Lune) ou aux angles importants dudit thème.

Les Étoiles Fixes

Il arrive qu'en interprétant le thème d'un personnage hors du commun, l'astrologue fasse appel aux étoiles fixes. Bien que ce ne soit pas là une démarche systématique, l'astrologue y recourt parfois parce que les indications fournies par les combinaisons entre Planètes, Signes et Maisons ne lui paraissent pas rendre compte de façon satisfaisante des dimensions exceptionnelles du personnage.

Ce recours aux étoiles fixes n'est-il pas de la part de l'astrologue un aveu d'impuissance à tirer d'un Horoscope tout ce qu'il recèle ? La question mériterait, en effet, d'être posée.

Mais en supposant que les étoiles fixes soient les seules à pouvoir donner la clé d'une personnalité historique, on peut se demander pourquoi elles n'exerceraient leur influence que dans ces cas très particuliers.

Peut-être pourrait-on plus simplement admettre que les étoiles fixes renforcent en « bien » ou en « mal » l'influence d'une configuration dominante, fortement structurée. En revanche, la seule présence d'une étoile fixe à un des angles de l'Horoscope ne saurait expliquer à elle seule, comme le voudraient certains, le caractère exceptionnel d'une destinée. D'autant plus que les Anciens attribuaient généreusement aux étoiles fixes à la fois le meilleur et le pire.

Les amalgames de la Tradition, du moins telle qu'elle nous est parvenue, et l'absence de recherches sérieuses récentes font que les astrologues modernes délaissent les étoiles fixes au profit de facteurs plus ou moins fictifs, mais qui ont à leurs yeux le mérite de rester dans les limites du système solaire, nous voulons parler des astéroïdes, des planètes hypothétiques et de la Lune Noire.

Deux questions pratiques se posent à l'astrologue dès qu'il veut utiliser les étoiles fixes.

D'abord, quelles sont les étoiles que l'on peut utilement retenir sur les quelque cent cinquante qui ont été répertoriées ? Ensuite, quels orbes faut-il adopter ?

A la première question, le bon sens répond qu'il vaut mieux retenir les étoiles à faible latitude, c'est-à-dire celles qui sont le plus proche de l'écliptique. Selon ce principe, une étoile de troisième grandeur, mais de faible latitude, serait plus influente qu'une étoile de première grandeur, mais très éloignées de l'écliptique.

Pourtant, quelques étoiles auxquelles les auteurs anciens et modernes s'accordent à attribuer une grande importance ont une latitude élevée. C'est le cas d'Algol (25e degré Taureau) qui est unanimement considérée comme la plus néfaste des étoiles et qui a une latitude élevée : + 22°. La règle énoncée plus haut n'a donc rien d'absolu.

Pour ce qui est des orbes, nous ne pouvons que répéter ce qui a déjà été dit à propos des aspects ; : plus l'orbe est restreint, plus l'effet sera puissant. De toute façon, l'orbe ne devrait jamais dépasser 2 degrés dans le cas le plus favorable, qui est celui de la conjonction (ou opposition) des étoiles de première grandeur.

La Balance contient peu d'étoiles fixes. On peut citer pour mémoire Vendemiatrix (9°) et Algorab (13°), cette dernière étant plutôt maléfique. Toutefois, ces deux étoiles, de troisième grandeur et de latitude élevée, ne semblent pas très marquantes.

En revanche, la grande étoile de la Balance, c'est Spica, ou l'Épi de la Vierge, à 23°30. Cette étoile de première grandeur, est très proche de l'écliptique. Elle réunit donc toutes les conditions nécessaires pour exercer une action efficace. Elle est d'ailleurs considérée comme une des étoiles fixes les plus importantes. (On cite parfois également Arcturus, mais sa latitude dépasse 30 degrés.)

D'après les Anciens auxquels nous sommes bien obligés de nous référer, la nature de Spica serait apparentée à celle de Mercure, de Vénus et de Mars. Il faut, en effet, rappeler que l'influence d'une étoile fixe serait d'autant plus puissante qu'elle est en accord avec la planète à laquelle elle est conjointe ou en aspect. Quand les deux natures s'opposent, l'effet serait atténué. Voilà pourquoi il était important pour les Anciens de connaître la nature d'une fixe. Cependant, il est fréquent que les auteurs aient des opinions divergentes sur la nature de telle ou telle étoile.

Spica donnerait donc « le zèle et l'empressement à l'étude des arts libéraux, avec une application admirable » (Mercure), « la douceur des mœurs, accompagnée de gravité et d'exactitude » (Vénus influencée par la Vierge), enfin le courage et le goût de l'action (Mars), sans oublier la célébrité dans toutes ces choses.

Disons que Spica favorise le succès, l'art, l'écriture et l'action.

Pour permettre au lecteur de juger par lui-même des effets possibles de Spica, nous donnons ci-après la liste des facteurs avec lesquels cette étoile est en conjonction dans les thèmes de certaines personnalités Balance dont nous avons déjà esquissé le portrait :

Mitterrand, Spica conjonction Lune
Bergson, Spica conjonction Soleil
Duclos, Spica conjonction Mercure
Aragon, Spica conjonction Mars

Tous ces personnages ont-ils eu besoin de Spica pour émerger de la foule ? Ce n'est pas sûr, mais peut-être Spica a-t-elle été leur « bonne étoile » en amplifiant certaines qualités déjà inscrites dans leur Horoscope.

Couverture : Alain Meylan
Maquette : Christine Gintz
Iconographie : Betty Jais

ORIGINES DES ILLUSTRATIONS

Albin - Guillot - Viollet : 159 (bas) — Collection *Cahiers du cinéma :* 97 — Chapman / Fotogram : 263 — Ladislav Ensky / Atlas Photo : 300 — Ivan Farkas / Fotogram : 296 — Michel Ginfray / Gamma: 80 — Patrice Habans / Gamma : 76 — Jacques Holmière / Fotogram : 22, 218 — Interpress : 61, 83, 101, 144, 154 — I.P.S. : 206 — Dominique Issermann : 94 — Kiesling / Parimage : 98 — Le Tellier / *Paris-Match :* 145 — Collection André Marinié : 70 — Martin / Atlas Photo : 18 — Meldener / Gamma : 62 — Jean-Louis Michel / Fotogram : 84 — Mousseau / Fotogram : 161 — Kate Rivers - Camera Press / Parimage : 152 — David Seymour / Magnum : 157 — Shumsky / Fotogram : 19 — Jean-Louis Urli / Gamma : 155 — Guy Usclat / Atlas Photo : 24 — Vargues / Atlas Photo : 264 — Daniel Wallard : 150.

Jean-Loup Charmet : 156, 159 (haut) — Jean-Loup Charmet / Bibl. des Arts décoratifs : 10, 16, 20, 27, 30, 33, 36, 224 — Bibliothèque nationale : 112, 113 — Giraudon : 39 (musée de Padoue), 42 (musée des Offices, Florence), 48 Bulloz-collection privée 90 et 102 (musée du Louvre) — Archives Snark International : 164, 212, 256.

ACHEVÉ D'IMPRIMER
LE 17 JUIN 1987
SUR LES PRESSES DE
L'IMPRIMERIE HÉRISSEY
À ÉVREUX (EURE)
POUR LE COMPTE DES
ÉDITIONS SAND ET TCHOU

Imprimé en France

N° d'éditeur : 714
N° d'imprimeur : 42922
Dépôt légal : 3e trimestre 1987
ISBN 2-7107-0206-1